KB207454

보광의 구사론기에 의한

아비달마구사론 上

보광의 구사론기에 의한

아비달마구사론 上

김윤수 역주

한 산 암

머리말

이 책은 당 나라 시대의 역경가인 현장玄奘 스님이, 4~5세기 경 인도의 학승 바수반두Vasubandhu(한역명 세친世親)[1]에 의해 저술된 불교이론서『아비다르마코사사스트라Abhidharmakośaśāstra』를 30권으로 한역한『아비달마구사론阿毘達磨俱舍論』을 우리 말로 번역한 것인데, 그 한역 작업에 직접 참여했던 보광普光 스님이 이 논서에 대해 주석한『구사론기俱舍論記』의 설명에 의거해 그 한역문을 번역하고, 그 설명도 각주로써 부기한 책이다. 바로 보광의『구사론기』에 의거했다는 이 점이 이번 번역의 요점이므로, 그렇게 한 이유를 아래에서 간략히 설명함으로써 머리말로 갈음하려고 한다.

불교 성립 후 그 이론에 대한 기본적인 설명은 붓다 재세시 붓다께서 직접 말씀하신 것을 기초로 해서, 붓다 입멸 후 제자들과 후대의 여러 학자들에 의해 긴 세월에 걸쳐 논장으로 성립되었으니, 이것이 근본논서[本論]라고 일컬어지는 7논서[七論]이다. 이 7논서의 성립에 대해『구사론기』는 다음과 같이 서술하고 있다.

'모든 논'이라고 말한 것은 육족론[六足]과『발지론[發智]』를 말하는 것이다. '육족론'에 대해 말하자면, 사리자는 1만2천 송, 약본 8천 송의『집이문족론集異門足論』을 지었고, 대목건련은 6천 송의『법온족론法蘊足論』을 지었으며, 대가다연나大迦多衍那는 1만8천 송의『시설족론施設足論』을 지었는데, 이상 3론은 붓다 재세시에 지어진 것이다. 붓다의 반

---

1 세친의 생존시기에 대해서는 320~400년이라는 설과 400~480년이라는 2설이 있다. 그는 북인도 간다라국의 푸루사푸라Puruṣapura성 안의 바라문종성 국사인 카우시카Kauśika의 둘째 아들로 태어났고, 그의 형이 대승 유식학의 기초를 확립한 무착無著Asaṅga이라고 하는데, 그의 생존시기에 대해서도 310~390년이라는 설과 395~470년이라는 2설이 있다. 한편 세친에는 동명이인인 두 사람이 있었는데, 무착의 동생인 세친은 고古세친으로서 그의 생존시기가 320~400년이고,『구사론』을 지은 세친은 신新세친으로서 그의 생존시기가 400~480년이라는 설도 있다.(=『가산불교대사림』제13책)

열반 후 1백 년 중엽에 제바설마提婆設摩—여기 말로 천적天寂이다—가 7천 송의 『식신족론識身足論』을 지었고, 3백 년에 이르는 초엽에 벌소밀다라伐蘇密多羅—여기 말로 세우世牛이다—가 6천 송의 『품류족론品類足論』을 지었으며, 또 광본 6천 송, 약본 7백 송의 『계신족론界身足論』을 지었다. 붓다의 반열반 후 300년 말엽에 이르러 가다연니자迦多衍尼子가 2만5천 송의 『발지론發智論』을 지었는데, 후대에 암송된 것은 광본·약본이 있어 같지 않다. 그 중 한 본은 1만8천 송이고, 한 본은 1만6천 송인데, 후자가 곧 현장 화상이 번역한 것이다. 앞의 6론은 이치의 문[義門]이어서 조금 좁고, 『발지론』은 법의 문[法門]이어서 가장 넓다. 그래서 후대의 논사들은 앞의 6론은 발[足]이라고 하고, 『발지론』은 몸[身]이라고 하였다. 이상 7론이 설일체유부의 근본논서인데, 현장 화상은 『시설족론』만 번역하지 못하고, 나머지 6론은 모두 다 번역을 완성하였다.

이후 2세기 초엽 『발지론』에 대한 해석을 중심으로 해서 6족론의 내용까지 아우르고, 다른 부파의 주장에 대한 비판 및 외도들의 주장에 대한 논파를 포함하여 설일체유부의 교학을 집대성한 『아비달마대비바사론』 200권이 협脇Parśva 존자를 상수로 한 500아라한들에 의해 편찬됨으로써 아비달마의 교학은 정점에 이르게 되었다. 이후로는 그 방대함과 그로 인한 산만함이 부담으로 작용하여 그 내용을 축약하는 경향의 논서들이 출현했는데, 이 책의 텍스트인 『아비달마구사론』도 그 일환으로 탄생한 작품이라고 할 수 있다. 그 성립 배경에 대해 『구사론기』는 다음과 같이 서술하고 있다.

『구사론』은 벌소반두伐蘇槃豆Vasubandhu—'벌소'는 세世라고 이름하고, '반두'는 친親이라고 이름한다—가 지은 것이다. 보살은 그 학문이 불교 내외와 고금에 통달하여 이름을 5천축에 떨치자, 그 명성이 염부주의 사방의 모든 땅에 널리 퍼졌다. 그래서 이름을 숨기고 수년 동안 불교 이론의 근원을 궁구한 끝에 논을 지어서 일시에 아름다운 명성을 만고에 퍼뜨렸다. '전하는 학설[傳說]'이라고 은밀히 써서 설일체유부의 이론에 대해 의심을 품으니, 그들이 게송의 글을 해석해서 묵은 체증을 제거해 주기를 청하므로, 그에 응해 지은 것이 이 논서이다. 이에 글은 갈고리의 사슬처럼 만 가지 실마리[萬端]를 맺어서 이끌었으니, 그 뜻은 연결된 고리처럼 시종 끊어짐이 없었다. 6족론의 강요를 가려서 빠뜨림 없이 모두 갖추고, 8온八蘊[2]의 묘문妙門을 드러내었으니, 마치 손바닥 안을 보는 것과 같았다. 비록 설일체유부의 뜻을 서술하면서, 때때로 경량부의 종지로 바로잡았지만, 논사는 이치에 의거함을 근본으로 삼았지, 벗들의 주장[朋執]이라는 점에 근본을 두지 않았다.

또 다음과 같이 서술하고 있다.

논주 세친은 간다라국 사람이다. 본래 설일체유부로 출가했는데, 그 동기는 그 부파의 삼장을 수지하려는 것이었지만, 뒤에 경량부를 배우면서 마음으로 그것을 진리로 여겨, 본래 배운 것에 대해 때때로 의심을 품고 취사했다. 그래서 다시 카시미르국으로 가서 설일체유부의 학설을 연구하여 옳고 그름을 궁구해 확정하고자 했는데, 그 논사들이 마음으로 꺼려할 것을 염려해 마침내 본명을 고치고, 몰래 가서 연구했다. 4년의 세월이 지나는 동안 자주 경량부의 다른 이치로써 설일체유부의 주장을 논파하자, 당시 새건지라塞建地羅Skandhila―당나라 말로 오입悟入이라고 하는데, 곧 중현衆賢Saṃghabhadra 논사[3]의 스승이다―라는 이름의 아라한이 그 뛰어남을 기이하게 여기고 삼매에 들어

<hr>

2 『발지론』의 주제로서 그 편성의 기본이 된 잡온雜蘊·결온結蘊·지온智蘊·업온業蘊·대종온大種蘊·근온根蘊·정온定蘊·견온見蘊의 여덟 가지를 가리킨다.
3 『아비달마구사론』을 12년 간 연구한 끝에 그 내용을 논박하는 2만5천 송의 『구사박론俱舍雹論』―세친에 의해 『아비달마순정리론順正理論』이라고 개칭되어 이 명칭으로 널리 알려지게 되었다―을 저술한 설일체유부의 논사. 이와 별도로 설일체유부의 종지를 『아비달마장현종론藏顯宗論』으로 저술했는데, 현장에 의해 80권과 40권으로 각각 한역되어 전해지고 있다.

그가 세친임을 관찰해 알자, 은밀히 일렀다. "급히 본국으로 돌아가는 것이 좋을 것이오. 장로가 여기에 와서 자주 자신의 주장으로 남의 주장을 비판하고 논파했는데, 대중들 중 아직 욕망을 여의지 못한 자가 필시 있어 당신이 세친임을 알면 해칠 것이 염려되기 때문이오." 이 때문에 마침내 본국으로 돌아왔는데, 도착한 지 얼마 지나지 않아『구사론』600게송4을 짓고, 그것을 문인에게 맡겨 카시미르국으로 보냈다. 당시 그 나라의 왕과 여러 스님들은 그 소식을 듣고 모두 기뻐하며 당번·꽃·향·음악을 준비해 국경으로 가서, 게송을 실은 향상香象을 환영하였고, 앞뒤에서 인도하며 따르는 가운데 카시미르국에 이르렀다. 이윽고 읽은 뒤 모두 우리의 종지를 넓힌 것이라고 말하며 기뻐하지 않는 자가 없었다. 그 때 그 오입이 사람들에게 말했다. "이는 그 대들의 주장을 넓힌 것만은 아닌데, 어째서 기뻐해야 하겠는가? 게송에 '전하는 학설[傳說]'이라는 말이 있는데, 서로 조화되는 것같을 뿐이다. 그것을 믿지 못하겠다면 해석을 청해 보라. 곧 알게 될 것이다." 이에 나라의 왕과 여러 스님들이 사신을 보내 진귀한 구슬을 봉헌하며 해석을 청하게 했다. 논주가 그 청을 수락하고 본문으로 해석했는데, 모두 8천 게송 분량이었다. 다시 사람에게 맡겨 보냈는데, 과연 오입이 말한 것과 같았으니, 논주의 마음은 경량부의 벗이었고, 본래 배웠던 것에 대해 의혹의 마음을 일으키고 있었던 것이다. 이런 까닭에 이『구사론』게송의 글에 왕왕 '전하는 학설'이라는 이 말을 둔 것이니, 직접 들은 것이 아님을 나타낸 것이다.

....

4 '600'이라는 기본 게송의 수에 대해 특별한 논란은 없는 것으로 보이지만, 현존 범본에 수록되어 있는 기본 게송의 수는 정확하게 600게송이 아니라, 595게송인 것으로 집계되고, 한역본의 경우도 600게송이 아니라, 605게송인 것으로 파악된다. 이 차이는 예컨대 제2권에 수록된 분별계품의 게송 ③의 1게송이 범본에는 1.5게송으로, ③cd의 반 게송이 범본에는 1게송으로 되어 있는 반면, 제11권에 수록된 분별세품의 게송 ④~⑤의 4게송이 범본에는 3게송으로 되어 있는 등, 한문의 문자 조합상의 편의에 기인한 것으로 보인다. 따라서 '600'이라는 수는 대략을 가리킨 것이고, 그래서 한역할 때에도 600이라는 숫자에는 구애되지 않은 것으로 이해된다.

이상의 서술에 의해 이 논서가 두 가지 특징을 가진 것임을 확인할 수 있다. 첫째는 이 논서는 설일체유부의 불교이론체계를 설명하면서도 그 부파의 무리한 주장에 대해서는 이치에 의거해 비판적 입장을 취하고 있다는 점이다. 이 때문에 이 논서에 대해서는 '이치가 좋은 것을 근본으로 한[理長爲宗]'5 논서라는 평판이 이어져 왔다. 둘째는 그 내용을 주제별로 나열하여 설명하는 기존 논서들의 방식을 답습하지 않고, 전체를 하나의 통일된 논리체계로 구성하고, 그 전개에 따라 수미일관하는 설명을 펼침으로써 통일적인 이해를 가능하게 했다는 점이다. 말하자면 이 논서는 분별계품, 분별근품, 분별세품, 분별업품, 분별수면품, 분별현성품, 분별지품, 분별정품, 파집아품의 9품으로 편성되어 있는데, 그 관계에 대해 『구사론기』는 다음과 같이 설명하고 있다.

> 이 1부의 논에는 모두 9품이 있어, 불경 중의 제법무아諸法無我를 해석하는데, 앞의 8품은 모든 법이라는 현상[諸法事]을 설명하고, 뒤의 1품은 무아의 이치[無我理]를 해석한다. 앞의 8품 중에 나아가면, 앞의 2품은 유루와 무루를 전체적으로 설명하고, 뒤의 6품은 유루와 무루를 개별적으로 설명한다. 전체적으로 설명하는 가운데 나아가면 계품은 모든 법의 체를 설명하고, 근품은 모든 법의 작용을 설명한다. 개별적으로 설명하는 6품 중에 나아가면 앞의 3품은 유루법을 설명하고, 뒤의 3품은 무루법을 설명한다. 개별적으로 유루를 밝히는 가운데 나아가면 3품이 있으니, 세世·업業·수면隨眠을 말하는 것인데, 과보[果]·원인[因]·조건[緣]이라는 세 가지에 의거해 앞뒤로 설명한다. 세품은 유루의 과보[有漏果]를 설명하고, 업품은 과보를 감득하는 원인[感果之因]을 설명하며, 수면품은 업의 조건[業之緣]을 설명한다. 개별적으로 무루법을 밝히는 가운데 나아가면 3품이 있으니, 현성賢聖·지智·정定을 말하는

<hr>

5 또다른 『구사론』의 주석서인 『구사론소』를 저술한 법보法寶가 그 제1권에서 '이 논서는 대부분 유부에 의거해 게송을 만들었는데, 장항 중에서는 이치가 나은 것을 근본으로 삼았을 뿐, 한 부파에 치우치지 않았다[唯以理勝爲宗 非偏一部]'라고 논평한 것에서 유래한 말이다.

것인데, 역시 과보·원인·조건이라는 세 가지에 의거해 앞뒤로 설명한다. 현성품은 무루의 과보를 설명하고, 지품은 과보를 증득하는 원인을 설명하며, 정품은 지혜의 조건을 설명한다.

방대한 아비달마의 세계는 참으로 이해하기 어렵다. 이런 일관된 논리에 의한 설명으로써 그 어려운 세계의 윤곽을 어렴풋이나마 가늠할 수 있게 한 논주와 이 논서의 공로는 필설로 표현하기 어렵다. 고래로부터 이 논서가 불교학도들로부터 불교이론의 이해에 필수적인 문헌으로 평가되어 왔을 것임은 짐작하기 어렵지 않다. 이 논서의 한역 인연에 대해 『구사론기』는 다음과 같이 설명하고 있다.

과거에 진제眞諦 삼장법사께서 계셔서 영표嶺表에서 이 논서를 번역하셨지만,6 미처 지방어에 통하지 못해서 때로 착오가 있었다. … 화상이신 삼장법사께서는 뜻을 불법의 홍포에 두고, 서원을 품고 서역으로 가서 심오한 전적들을, 영취산[鷲嶺]에서 남긴 말씀까지 다 찾아서 등에 지고 와서, 법문을 깊이 연구하면서 훌륭한 현자들의 남은 말씀까지 궁구하셨다. 이미 그 성스러운 자취를 두루 보셨고, 도를 물어 다시 두루하게 하시자, 수레바퀴를 돌려 상경한 후 조칙을 받들어 이 논서를 번역하셨다.7 영휘永徽 연간8에 대자은사大慈恩寺에서 번역하셨는데, 글의 뜻은 두루 갖추어졌고, 오묘한 이치는 이지러짐이 없었는데, 그 범어를 전하여 그 근본의 보존에도 힘썼으니, 의심을 품은 도반들로 하여금 얼음이 녹듯 의심을 풀어주었고, 결택을 기다리던 학도들로 하여금 실로 침식을 잊게 하였다.

....
6 『아비달마구사석론倶舍釋論』이라는 명칭으로 한역된 22권이 전해지고 있는데, 현장의 번역을 '신역'이라고 칭하면서, 이는 '구역'이라고 칭해진다.
7 한역본 서두에 표기되어 있는 '삼장법사현장봉조역三藏法師玄奘奉詔譯'의 '봉조역'은 조칙을 받들어 번역하였다는 뜻이다
8 '영휘'는 당 고종 재위시의 연호로서, '영휘 연간'은 562~565년에 해당된다.

이 논서의 이와 같은 중요성과 관심은 오랜 세월에 걸쳐 큰 반응을 불러 일으켰다. 먼저 설일체유부로부터 즉각적인 반응이 있었으니, 이를 비판하면서 자파의 종지를 변론하는 저술이다. 그 중 앞에서 언급된 중현衆賢의 두 가지 저술은 현장에 의해 『아비달마순정리론順正理論』(80권)과 『아비달마장현종론藏顯宗論』(40권)이라는 명칭으로 한역되었는데, 『구사론기』에서도 곳곳에서 인용되어 논서의 이해에 도움을 주고 있으며, 그 외 작자 미상의 『아비다르마디파Abhidharmadīpa』 등의 저술도 전해지고 있다. 이후 많은 학자들이 이 논서에 대해 주석한 것으로 알려져 왔다. 우선 인도에서는 덕혜德慧Gunamati, 세우世友Vasumitra, 안혜安慧Sthiramati, 진나陣那Dignāga, 칭우稱友Yaśomitra, 만증滿增Pūrṇavardhana, 적천寂天Saṃthadeva 등의 주석이 범본 내지 티벳어역본으로 직간접적으로 알려지고 있으며, 중국에서는 신역 『구사론』에 대해 현장의 문인 3인, 즉 신태神泰, 보광普光. 법보法寶에 의해 『구사론소俱舍論疏』 30권, 『구사론기俱舍論記』 30권, 『구사론소』 30권이 순차 저술되었고,9 반 세기 경 후 저술된 원휘圓暉의 『구사론송소頌疏』 30권도 전해지고 있으며, 근현대에 이르러 저술된 것은 여기에서 언급할 수 없을 정도이다.

이 책은 앞서 언급한 것처럼 그런 주석들 중 보광의 『구사론기』의 설명에 의거해 한역문을 번역하고, 그 설명도 각주로써 부기한 것인데, 그렇게 한 이유는 이 논서를 필수筆受한 분으로도 알려져 있는 보광에 대한 다음과 같은 기록10 때문이다.

....
9 이상 세 가지 주석은 지은이의 이름을 한 자씩 넣어 '태소泰疏', '광기光記', '보소寶疏'라고 각각 일컬어지는데, 그 중 태소는 30권 중 대부분이 산실되어 현재는 7권만 현존하고 있다.
10 『송고승전宋高僧傳』 제4권 보광전普光傳(=대 50-727상)에서의 기록인데, 여기에도 보광이 어떤 분인지에 대해서는 자세한 설명이 없다. 다만 총명하고 영민한 성품과 근면하면서 삼가는 마음을 타고 났고, 대단히 지혜로워 조금만 들어도 많은 것을 증득해 현장이 말 없이 인정했다고 하며, 역장에 말석으로 참여했으나, 이내 두각을 나타내었다고 하는 정도의 소개가 있을 뿐이다.

당초 현장은 예전에 번역된 『구사론』에 많은 흠결이 있을 것이라고 의심하여, 몸소 가서 범본을 얻고 돌아와 다시 원문을 번역하고, 은밀히 보광에게 주었다. 보광은 이로 인해 소를 저술해 해석하고 판가름하였다. ··· 현장이 정관貞觀 19년[11] 역장을 창설했을 때부터 인덕麟德 원년 옥화궁에서 입적할 때까지 20년 간 총 75부, 1,335권의 대·소승의 경·율·논을 역출했는데, 그 중 10분의 7, 8을 보광이 필수하였다.

'필수'는 역경시 번역하는 분으로부터 번역된 한문을 받아 쓰는 역할을 가리키는데, 위 글에 의하면 보광은 일반적인 필수자가 아니라, 대역경가 현장의 수제자로서 대다수 경·율·론을 필수했을 뿐만 아니라, 이 논서의 경우 그 번역을 은밀히 전수받은 분이라는 것이다. 실제로 이 논서의 번역 업무를 실행한 인물은 보광이었을 것이라는 추정도 가능할 듯하고, 따라서 이 논서에 관한 한 이 분보다 내용에 정통한 분은 없을 것이다. 기왕에 출간되어 있는 이 논서의 번역본들을 보면서 이해의 어려움을 겪은 끝에 그 정확한 의미의 이해를 구하려는 역자에게 다른 선택의 여지는 없었다.[12] 게다가 현장 문인의 세 가지 주석을 대조해 보면 이 『구사론기』가 가장 자세하다. 논서의 문장 어느 한 부분에 대해서도 설명을 빠뜨린 것이 없다고 말할 수 있을 정도이다.

이 『구사론기』에 대해서는 간명함이 결여되었다는 평판이 널리 퍼져 있는 것으로 보이는데, 이유가 없지는 않다. 첫째는 그 앞 부분에 각각의 개념에 대한 세부적인 설명이 매우 많고 길며, 둘째 논서의 글과 이에 대한 주석으로부터 생길 수 있는 의문을 실마리로 한 문답을 통해서, 본문의 이해에 필요한 범위를 넘어서 깊이 진전시킨 논의가 전반적으로 많이 등장하며, 셋째 본문과 유사한 내용을 반복하여 서술하는 것처럼 보이는 설명도

11 서기 645년이다. 이어지는 '인덕 원년'은 서기 664년이다.
12 범어 원본 및 다른 주석서들을 종합하여 이해를 추구하는 것이 가장 바람직하지만, 이는 역자의 능력을 벗어나는 영역에 속하는 일이었다. 젊은 연구자들이 그 짐을 맡아 주기를 기대한다.

다수 등장하는 점 등이 이런 평가를 부른 것으로 생각된다. 그렇지만 첫째 이유는 주석서의 성격상 앞 부분에서는 향후 전개되는 설명을 위해 처음 등장하는 개념에 대한 자세한 풀이가 불가피한 점 때문에 생긴 요인이라고 이해된다. 둘째 이유는 조금이라도 의심을 갖는 독자들을 위한 배려라고 생각되는 반면, 그런 문답은 본문에 대한 설명 다음에 이어지므로 읽은 뒤 독자 스스로 적절히 취사하면 될 것이지, 단점으로 삼을 일은 아닐 것이다. 셋째 이유는 실제로는 단순한 반복이 아니라, 본문의 지시어가 무엇을 가리키는지 알 수 있도록 지시어를 바꾸어 서술하거나, 본문에서 생략된 말을 보충하여 서술한 것들이다. 경론을 읽을 때 이와 같은 대체 및 보충이 얼마나 소중한 것인지 느낄 수 있는 곳은 대단히 많다. 전반적으로 요령부득하다는 느낌을 갖게 하는 곳은 전혀 발견할 수 없었다.

모두 비판의 대상이 될 일은 아니라고 생각되고, 위와 같은 평판은 매우 부적절한 평가라고 생각된다. 다만 이 책에서는 그 점을 고려하여 『구사론기』에서의 설명을 일부 제외했는데, 그렇게 제외된 비율은 대략 10~20% 정도가 될 것으로 추산된다.13 그렇지만 본문의 이해에 긴요한 부분은 어느 하나도 놓치지 않고 모두 수록하려고 노력하였다.

요컨대 이 책은 『아비달마구사론』의 연구서가 아니라, 현장 역 『아비달마구사론』 전 30권을, 보광의 『구사론기』의 설명에 의거해 번역하면서, 그 각주에서 『구사론기』 전 30권의 80~90% 내용을 해설로 덧붙임으로써 현장역 『아비달마구사론』의 이해를 도모한 책이다. 부디 이 책이 불교 원리의 이해에 목마른 분들이 언제라도 찾아 갈증을 해소할 수 있는 샘이 되기를 바란다.

불기 2568년 (서기 2024년) 가을 한산암에서
역자 김윤수

....

13 대략 전반부에서는 20~30% 가량이 생략되었지만, 후반부에는 대부분 본문의 이해에 긴요한 것들이어서 생략된 분량은 10% 미만일 것으로 생각된다.

일러두기

1. 이 책은 대정신수대장경 제29책에 수록된『아비달마구사론』전30권과 제 41책에 수록된『구사론기』전30권을 저본으로 하면서, 오탈의 의심이 있는 부분은 다른 판본들을 참고하여 고쳐서 번역하였다.

2. 본문 중 '아비달마구사론 제○권', '제○ ○○○품(의 ○)'을 제외한 나머지 모든 제목은 역자가 부가한 것인데, 모두『구사론기』의 내용에 의거해 붙인 것이고, 역자 임의로 붙인 것은 없다.

   그리고 각주의 내용도 대부분은『구사론기』에 서술된 것이지만, 그 중 (=) 안에 기술된 부분과 # 아래에 기술된 부분은 독자들의 이해를 돕기 위해 역자가 역자의 이해에 의해 부기해 넣은 메모이니, 이 점 염두에 두고 읽기 바란다.

3. 『구사론』본문은 한자 5자 내지 7자의 4행으로 만들어진 기본 게송[本頌] 605수와 그에 대한 논설의 두 부분으로 구성되어 있는데, 그 기본 게송에는 품 단위로 ①, ②, ③의 번호를 붙이되, 각 게송의 4행을 개별적으로 가리킬 필요가 있을 경우에는 순서대로 a, b, c, d의 부호를 붙임으로써 특정하였다. 예컨대 ⑤b, ㊺cd는 게송 ⑤의 제2행, ㊺의 제3~4행이라는 뜻이다.

   한편 기본 게송에 포함되어 있던 것이 아니지만, 논주가 기본 게송에 대한 논설을 만들면서 부가한 게송에는 **1**, **2**, **3**의 번호를 붙이고, 다른 경론 등으로부터 인용한 게송이 여러 수로 되어 있는 경우에는 ❶, ❷, ❸의 번호를 붙임으로써 기본 게송과 구별했는데, 인용된 게송이 1수인 경우에는 따로 번호를 붙이지 않았다.

4. 『구사론기』에서 인용된 경론 중,

(1) 한역 4아함에 포함된 경과 이와 상응하는 니까야에 포함된 경은 졸역 아함전서에서 인용한 방법에 따라 표기했는데, 그 방법을 예를 들어 설명하면 다음과 같다.

- 잡 [2]10:262경 : [원형으로 복원된 잡아함경 제2권] 현존본 잡아함 경 제10권에 수록된 제262경
- 증일 4:9:8경 : 증일아함경 제4권에 수록된 제9품의 제8경
- 중 22:88경 : 중아함경 제22권에 수록된 제88경
- 장 3:2경 : 장아함경 제3권에 수록된 제2 유행경
- SN : 쌍윳따 니까야 · MN : 맛지마 니까야
- DN : 디가 니까야 · AN : 앙굿따라 니까야

(2) 나머지 경·율·논이 대정신수대장경에 수록된 것일 경우 그 내용의 수록 위치를 부기했는데, 부기할 때 표기된 약어의 의미를, 예를 들어 설명하면 다음과 같다.

- 대27-604상 : 대정신수대장경 제27책 604쪽의 상上단
- 대29-83중 : 대정신수대장경 제29책 83쪽의 중中단

5. 이 일러두기의 다음에는 이 책 전3권의 큰 제목을 모아 '차례'에 수록하고, 중권과 하권의 '차례'에는 그 권의 큰 제목만을 모아 수록하였다.

6. 전3권에 등장하는 중요 용어와 술어는 그 개념의 설명이 등장하는 곳 위주로, 그 쪽수를 하권의 말미 '찾아보기'에 수록해 두었다.

차례 (전3권의)

제5 분별수면품分別隨眠品

阿毘達磨俱舍論
아비달마구사론

第一 分別界品
제1 분별계품

尊者世親 造
존자세친 조

三藏法師玄奘 奉詔譯
삼장법사현장 봉조역

아비달마구사론阿毘達磨俱舍論1

제1권

제1 분별계품分別界品2(의 1)

1 장차 논의 글을 해석함에 있어 3문으로 분별할 것이니, 첫째 논의 인연을 밝히고, 둘째 논의 제목을 해석하며, 셋째 글에 따라 개별적으로 해석할 것이다.

『구사론』은 벌소반두筏蘇槃豆Vasubandhu―'벌소'는 세世라고 이름하고, '반두'는 친親이라고 이름한다―가 지은 것이다. 보살은 그 학문이 불교 내외와 고금에 통달하여 이름을 5천축에 떨치자, 그 명성이 염부주의 사방의 모든 땅에 널리 퍼졌다. 그래서 이름을 숨기고 수 년 동안 불교 이론의 근원을 궁구한 끝에 논을 지어서 일시에 아름다운 명성을 만고에 퍼뜨렸다. '전하는 학설[傳說]'이라고 은밀히 써서 설일체유부의 이론에 대해 의심을 품으니, 그들이 게송의 글을 해석하여 묵은 체증을 제거해 주기를 청하므로, 그에 응해 지은 것이 이 논이다. 이에 글은 갈고리의 사슬처럼 만 가지 실마리[萬端]를 맺어서 이끌었으니, 그 뜻은 연결된 고리처럼 시종 끊어짐이 없었다. 6족론의 강요를 가려서 빠뜨림 없이 모두 갖추고, 8온八蘊(=『발지론』의 주제 여덟 가지. 6족론과 『발지론』에 대해서는 뒤의 게송 ②b에 관한 논설에 대한 설명 참조)의 묘문妙門을 드러내었으니, 마치 손바닥 안을 보는 것과 같았다. 비록 설일체유부의 뜻을 서술하면서, 때때로 경량부의 종지로써 바로잡았지만, 논사는 이치에 의거함을 근본으로 삼았지, 무리의 주장[朋執]이라는 점에 근본을 두지 않았다.

과거에 진제眞諦 삼장법사께서 계셔서 영표嶺表에서 이 논서를 번역했지만, 미처 지방어에 통하지 못해서 때로 착오가 있었다. 화상이신 삼장법사(=현장)께서는 뜻을 불법의 홍포에 두고, 서원을 품고 서역으로 가서 심오한 전적들을, 영취산[鷲嶺]에서 남긴 말씀까지 다 찾아서 등에 지고 와서, 법문을 깊이 연구하고 훌륭한 현자들의 남은 말씀까지 궁구하셨다. 이미 그 성스러운 자취를 두루 보셨고 도를 물어 다시 두루하게 하시자, 수레바퀴를 돌려 상경한 후 조칙을 받들어 이 논서를 번역하셨다. 영휘永徽 연간에 대자은사大慈恩寺에서 번역하셨는데, 글의 뜻은 두루 갖추어졌고, 오묘한 이치는 이지러짐이 없었는데, 그 범어를 전하여 그 근본의 보존에도 힘썼으니, 의심을 품은 도반들로 하여금 얼음이 녹듯 의심을 풀어주었고, 결택을 기다리던 학도들로 하여금 실로 침식을 잊게 하였다. 이상이 첫째 논의 인연을 밝힌 것이다.

(둘째) 제목의 해석에 대해 말하겠다. '아비달마abhidharma'는 2장二藏(=경장과 율장)을 본떠 이름을 세운 것이고, '구사kośa'는 한 부분을 표시하는 별도의 명칭이다. '아비'는 대對라고 말하니, 대할 대상[所對]을 대하기 때문이고, '달마'는 법法이라고 이름하니, 자성을 유지해서 이해를 생기게 하기 때문이다. '구사'는 장藏(=곳간 내지 바구니)이라고 이름하니, 그것(=아비달마)을 포함하고 그것에 의지하기 때문이다. '논[śāstra]'은 이론을 말해서 배우는 무리들을 가르치는 것[言論敎誡學徒]을 말한다.

2 이하 셋째로 논의 글에 따라 개별적으로 해석할 것인데, 그 가운데 셋이 있으

니, 첫째 경에 의해 논을 지었음을 밝히는 것, 둘째 품의 이름을 따로 해석하는 것, 셋째 글에 의해 바로 해석하는 것이다. 첫째 경에 의해 논을 지었음을 밝히겠다. 서방(=이 논서에서는 카시미르Kaśmira 서쪽의 간다라Gandhāra 지방을 가리킨다)에서 논을 짓는 것은 모두 불경을 해석하는 것인데, 경의 가르침이 비록 많기는 해도 대략 세 종류가 있다. 말하자면 3법인法印이니, 첫째 제행무상, 둘째 제법무아, 셋째 열반적정이다. 이것들이 모든 법을 인장찍은 것[印諸法]이기 때문에 법인이라고 이름하니, 만약 이런 법인에 순응한다면 곧 불경이지만, 만약 이런 법인에 어긋난다면 곧 불설이 아니다. 그래서 후대에 논을 지은 사람들은 모두 법인을 해석했는데, 그 중에는 마음으로 좋아한 것이 같지 않아서 자세하기도 했고 간략하기도 했으며, 혹자는 한 법인만을 치우쳐 해석하기도 했고, 혹자는 하나를 들어 셋을 밝히기도 했다. 예컨대『오온론』등은 오직 제행무상만을 해석했고,『열반론』등은 오직 열반적정만을 해석했으니, 이런 것들은 한 법인만 치우쳐 해석한 것이며, 예컨대『구사론』등은 제법무아를 해석했으나, 이것은 하나를 들어 셋을 밝힌 것이다. 여기에 나아가 해석한 까닭은 제행무상은 오직 유위만을 밝히고, 열반적정은 오직 무위만을 밝히지만, 제법무아는 유위와 무위를 통틀어 밝히기 때문이다. 이 논은 포함하지 않은 것이 없도록 드러내고자 했기 때문에 자세한 것에 나아가 밝힌 것이다.

둘째 품의 명칭을 따로 해석하겠다. 그 중에 둘이 있으니, 첫째는 품의 명칭을 바르게 해석하는 것이고, 둘째는 품의 전후를 밝히는 것이다. 첫째 품의 명칭을 바르게 해석하는 것에 대해 말하자면, 종족[族]의 뜻, 유지[持]의 뜻, 성품[性]의 뜻을 계界라고 이름하고, 품은 품류品類를 말하는 것이니, 곧 계가 품의 이름이기 때문에 '계품'이라 이름했고, 이 품을 자세히 밝히기 때문에 '분별'이라고 이름했으며, 이 논은 처음부터 끝까지 모두 9품이 있는데, 이 품이 처음에 있기 때문에 '제1'이라고 말했다. (문) 이 품 안에서 온과 처도 역시 밝히는데, 어째서 계를 이름으로 표방했는가? (제1해) 계란 성품[性]인데, 성품이라는 말은 체體이다. 이 품은 여러 법들의 체를 밝히기 때문에 계를 이름으로 표방한 것이다. 온과 처는 체가 아니기 때문에 따로 말하지 않은 것이다. (제2해) 온·처·계의 셋 중에서는 계라는 명칭의 뜻이 넓기 때문에 이것만을 말한 것이다. 처는 뜻이 비록 넓지만, 이름이 좁기 때문에 말하지 않았고, 온은 이름과 뜻이 모두 좁기 때문에 말하지 않았다. (제3해) 중생의 근성根性에는 상·중·하가 있는데, 상근은 간략한 것을 좋아해서 온을 말해도 곧 이해하며, 중근은 조금 더 디어서 처를 말해야 비로소 알며, 하근은 자세한 것을 좋아해서 계를 말해야 마침내 깨닫는다. 위는 아래를 겸할 수 있으므로 계는 3근성을 이익케 하지만, 아래는 위에 미치지 못하므로 처는 2근성을, 온은 1근성을 이익케 한다. 자세한 편이 낫기 때문에 계를 이름으로 표방한 것이다. (제4해) 이 품은 자세하게 여러 문門으로 18계의 뜻을 분별하기 때문에 계를 이름으로 표방한 것이다. 온과 처의 경우는 그렇지 않다.

둘째 품의 전후를 밝히겠다. 이 1부의 논에는 모두 9품이 있어, 불경 중 제법무아를 해석하는데, 앞의 8품은 모든 법이라는 현상[諸法事]을 설명—이치를 설명하기도 하지만, 많은 부분에 따라 말한 것이고, 바로 밝히는 것이 아니기도 하다-하고, 뒤의 1품은 무아의 이치[無我理]를 해석-현상을 설명하기도 하지만, 많은 부분에 따라 말한 것이고, 바로 밝히는 것이 아니기도 하다-한다. 현상은 거칠기 때문에 먼저 말하고, 이치는 미세하기 때문에 뒤에 밝힌다. 또 해석하자면 현상은 의지대상[所依]인 까닭에 먼저 설명하고, 이치는 의지주체[能依]인 까닭에 뒤에 설명한다.

앞의 8품 중에 나아가면, 앞의 2품은 유루와 무루를 전체적으로 설명하고, 뒤의 6품은 유루와 무루를 개별적으로 설명한다. 전체적인 것이 그 근본인 까닭에 먼저 설명하고, 전체적인 것에 의지해 개별적으로 해석하는 까닭에 뒤에 설명한다. 전체적으로 설명하는 가운데 나아가면 계품은 모든 법의 체를 설명-작용을 설명하기도 하지만, 많은 부분에 따라 말한 것이고, 바로 밝히는 것이 아니기도 하다-하고, 근품은 모든 법의 작용을 설명-체를 설명하기도 하지만, 많은 부분에 따라 말한 것이고, 바로 밝히는 것이 아니기도 하다-한다. 체體가 그 근본이기 때문에 먼저 계를 밝히고, 체에 의지해 작용을 일으키기 때문에 다음에 근을 밝힌다.

개별적으로 설명하는 6품 중에 나아가면 앞의 3품은 유루법을 설명-무루법을 설명하기도 하지만, 많은 부분에 따라 말한 것이고, 바로 밝히는 것이 아니기도 하다-하고, 뒤의 3품은 무루법을 설명-유루법을 설명하기도 하지만, 많은 부분에 따라 말한 것이고, 바로 밝히는 것이 아니기도 하다-한다. 유루법은 거친 까닭에 먼저 설명하고, 무루법은 미세한 까닭에 뒤에 설명한다. 마치 4성제 중 먼저 고·집제를 설명하고, 뒤에 멸·도제를 설명하는 것과 같다. 또 해석하자면 유루는 싫어해야 할 것인 까닭에 먼저 설명하고, 싫어한 뒤에는 기뻐하게 해야 하는 까닭에 무루를 뒤에 설명한다. 또 해석하자면 유루는 시작을 알 수 없는 예전부터 일어난 것이기 때문에 먼저 설명하고, 무루는 새로 생기는 것이기 때문에 뒤에 설명한다.

개별적으로 유루를 밝히는 가운데 나아가면 3품이 있으니, 세世·업業·수면隨眠을 말하는 것인데, 과보[果]·원인[因]·조건[緣]이라는 세 가지에 의거해 앞뒤로 설명한다. 세품은 유루의 과보[有漏果]를 설명하는데, 모습이 거칠어서 싫어하기 쉬운 까닭에 먼저 설명한다. 그 중에서 원인 및 조건을 설명하기도 하지만, 많은 부분에 따라 말한 것이고, 바로 밝히는 것이 아니기도 하다. 업품은 과보를 감득하는 원인[感果之因]을 설명하는데, 과보는 반드시 원인으로 말미암아 일어나고, 반드시 그 힘이 뛰어난 까닭에 다음에 설명한다. 그 중에서 과보 및 조건을 설명하기도 하지만, 많은 부분에 따라 말한 것이고, 바로 밝히는 것이 아니기도 하다. 수면품은 업의 조건[業之緣]을 설명하는데, 업은 스스로 과보를 감응할 수 없고, 반드시 그 조건에 의지해야 하며, 수면은 과보를 낳는 것이 조금 열등한 까닭에 뒤에 분별한다. 그 중에서 과보 및 원인을 설명하기도 하지만, 많은 부분에 따라 말한 것이고, 바로 밝히는 것이 아니기도 하다.

개별적으로 무루법을 밝히는 가운데 나아가면 3품이 있으니, 현성賢聖·지智·정定을 말하는 것인데, 역시 과보·원인·조건이라는 세 가지에 의거해 앞뒤로 설명한다. 현성품은 무루의 과보를 설명하는데, 모습이 두드러져서 기뻐하기 쉬운 까닭에 먼저 설명한다. 그 중에서 원인 및 조건을 설명하기도 하지만, 많

[서분]3

은 부분에 따라 말한 것이고, 바로 밝히는 것이 아니기도 하다. 지품은 과보를 증득하는 원인을 설명하는데, 과보는 반드시 원인에 의지해야 하고, 또 과보의 증득에 강한 까닭에 다음에 설명한다. 그 중에서 과보 및 조건을 설명하기도 하지만, 많은 부분에 따라 말한 것이고, 바로 밝히는 것이 아니기도 하다. 정품은 지혜의 조건을 설명하는데, 지혜만으로 홀로 과보를 증득할 수는 없고, 반드시 삼매라는 조건에 의지해야 하며, 삼매에서 그 과보를 바라보면 그 힘이 조금 열등한 까닭에 뒤에 설명한다. 그 중에서 과보 및 원인을 설명하기도 하지만, 많은 부분에 따라 말한 것이고, 바로 밝히는 것이 아니기도 하다. * 9품의 관계에 대한 이상의 설명을 도표로써 정리해 보이면 다음과 같다.

제1 분별계품	모든 법의 체	유루·무루의	모든 법이라는 현상
제2 분별근품	모든 법의 작용	전체적 설명	
제3 분별세품	유루의 과보	유루의 설명	
제4 분별업품	과보 감득의 원인		
제5 분별수면품	업의 조건		
제6 분별현성품	무루의 과보	무루의 설명	
제7 분별지품	과보 증득의 원인		
제8 분별정품	지혜의 조건		
제9 파집아품			무아의 이치

3 이하는 셋째 글에 의해 바로 해석하는 것이다. 이 1부의 논에는 큰 글이 셋 있으니, 첫째는 서분, 둘째는 정종분, 셋째는 유통분이다. 성인이 논을 짓는 것에는 반드시 동기가 있기 때문에 처음에 서분을 밝히고, 서분이 밝혀졌다면 반드시 설명할 대상이 있기 때문에 다음에 정종분을 밝히며, 정종분이 끝났다면 배우기를 권하면서 유통시켜야 하기 때문에 뒤에 유통분을 밝힌다. 그런데 이 세 부분에 대해 세 종류의 해석이 같지 않다. (제1해) 처음 3수의 게송[에 대한 해석]까지를 서분이라고 이름하고, '어떤 법을 이름해서[何法名爲]' 이하부터 제9 파집아품까지를 정종분이라고 이름하며, 파집아품 끝의 3수의 게송을 유통분이라고 이름한다. 이 1부의 논은 경 중의 제법무아를 전체적으로 해석한 것이기 때문에 파집아품도 정종분에 포함시킨 것이다. (제2해) 서분은 제1해와 같고, '어떤 법을 이름해서' 이하부터 제8 분별정품까지를 정종분이라고 이름하며, 분별정품의 끝에서 슬퍼하고 탄식하면서 배우기를 권하는 부분(='제3장 8품의 총결') 이하는 모두 유통분이라고 이름한다. 파집아품도 역시 유통분이라고 이름한 까닭은, 유통분에 편승해서 의문을 일으켰기 때문에 덧붙여 설명한 유통분을 뒤의 유통분에 두기 위해 유통분이라고 이름한 것이다. (제3해) 이 논은 경 중의 제법무아를 해석하되, 앞의 8품은 모든 법에는 체가 있다는 것을 밝혀서 손감시키는 집착을 제거하는데, 곧 세 부분이 있다. 그 중 서분과 정종분은 제2해와 같고, 앞에서 분별한 부분 이하로부터 분별정품의 끝까지 (='제3장 8품의 총결')를 유통분이라고 이름한다. 뒤의 1품은 무아를 밝혀서 증익시키는 집착을 제거하는데, 역시 세 부분이 있다. 처음의 '이를 건너서 다른 것에 의지한들 어찌 해탈이 없겠는가[越此依餘 豈無解說]'라고 한 처음 2구를

① 일체종의 모든 어둠을 소멸시키시고[諸一切種諸冥滅]

　중생들을 건져 생사의 늪에서 나오게 하신[拔衆生出生死泥]

　이치에 맞는 이런 모든 스승들께 공경히 예배드리고[敬禮如是如理師]

　대법장론을 내가 설하리라[對法藏論我當說][4]

　논하여 말하겠다. 이제 논을 지어서 자신의 스승의 그 체의 높음이 모든 성스러운 대중들을 초월함을 드러내고자 하기 때문에 먼저 공덕을 찬양한 뒤 비로소 공경히 예배하는 것이다. '모든 (스승)'이란 말이 나타내는 것은 붓다 세존이니, 이 분이 능히 어둠을 깨뜨리셨기 때문에 '어둠을 소멸

....

　서분이라고 이름하고, '이치상 반드시 있을 수 없다[理必無有]' 이하를 정종분이라고 이름하며, 끝의 3수의 게송을 유통분이라고 이름한다. 경 중의 두 가지 이치를 해석하는데, 각각 따로 세 부분이 있어 같지 않은 까닭이다.

4 서분 중에 나아가 첫째 서분을 바로 밝히고, 둘째 힐난을 따라 따로 해석하겠다. 이 최초의 1게송은 바로 서분을 밝힌 것인데, 그 안에 나아가면 앞의 3구는 귀경서歸敬序를 밝힌 것이고, 제4구는 발기서發起序를 밝힌 것이다. '귀경'은 세존께 귀의하고 존경하는 것을 말함이고, '발기'는 정종분을 일으키는 것을 말함이니, 그래서 먼저 귀경하고 뒤에 발기하는 것을 밝힌다.

　귀경서 중에 나아가면 처음 2구는 붓다의 3공덕(＝지덕智德・단덕斷德・은덕恩德)을 밝힌 것이고, 제3구는 공덕을 가리켜 귀경하는 것이다. 앞의 2구 중에 나아가면 처음의 '모든 (스승)諸'(＝번역문에는 제3행에 있음)이라는 글자는 공덕이 성취된 사람을 밝히는 것이고, '일체' 이하는 그 사람이 성취한 공덕을 밝히는 것이다. 그 사람이 성취한 공덕 중에 나아가면 제1구의 6글자는 자리의 공덕을 밝히고, 제2구는 이타의 공덕을 밝힌다. '일체종의 모든 어둠 소멸시키시고'라고 한 이것은 자리의 공덕을 밝힌 것인데, '어둠'에는 두 종류가 있으니, 첫째는 염오무지染汚無知이고, 둘째는 불염오무지[不染無知]이다. '소멸'에도 역시 두 종류가 있으니, 첫째는 택멸이고, 둘째는 비택멸이다. '일체종의 어둠을 소멸시켰다'는 것은 불염오무지를 끊어서 비택멸을 얻은 것이니, 이는 지덕智德을 나타낸 것이고, '모든 어둠을 소멸시켰다'는 것은 염오무지를 끊어서 택멸을 얻은 것이니, 이는 단덕斷德을 나타낸 것이다. '어둠을 소멸시켰다[冥滅]'는 2글자가 양쪽에 공통된다. 불염오무지는 종류가 매우 많기 때문에 '일체一切'라고 말하였고, 염오무지는 종류가 많은 것은 아니기 때문에 '모든[諸]'이라고만 말하였다. '중생들을 건져 생사의 늪에서 나오게 하셨다'는 이것은 이타의 공덕을 밝힌 것으로, 이것은 은덕恩德을 나타낸 것이다. '이치에 맞는 이런 모든 스승들께 공경히 예배드린다'는 것은 공덕을 가리켜 귀경하는 것인데, '이런'이란 말은 위의 3공덕을 가리킨다. '대법장론을 제가 설하리라'라고 한 이것은 발기서를 밝힌 것인데, '대법장론'은 아래의 글에서 해석할 것이다.

시키셨다'라고 일컬은 것이다. '일체종의 모든 어둠을 소멸시키셨다'는 말
은 모든 경계[諸境]와 일체 품류[一切品]의 어둠을 소멸시키셨다는 것을 말
한 것인데,5 여러 무지無知가 진실한 이치[實義]를 덮고 또 진실한 봄[眞見]
를 가리기 때문에 '어둠'이라고 말하였다.6 오직 붓다 세존께서만 일체 경

....

5 '모든 경계의 어둠을 소멸시키셨다'고 말한 것은 염오무지를 끊었다는 것이니,
  '모든 경계'는 곧 4성제와 수도인데, 이런 경계에 미혹하기 때문에 이를 '어둠'
  이라고 말한다. '일체 품류의 어둠을 소멸시키셨다'고 말한 것은 불염오무지를
  끊었다는 것이니, '일체 품류'는 일체법의 품류인데, 이런 품류에 미혹하기 때
  문에 이를 '어둠'이라고 말한다.
6 이는 '어둠'의 뜻을 해석한 것이니, 염오무지와 불염오무지는 하나가 아니기 때
  문에 '여러 무지'라고 이름한 것인데, 염오무지가 이치와 현상, 두 종류의 진실
  한 이치를 덮는다면, 불염오무지는 이치와 현상, 두 종류의 진실한 봄을 가린
  다. 또 해석하자면 진실한 이치를 덮는 것은 불염오무지이고, 진실한 봄을 가리
  는 것은 염오무지이다. 또 해석하자면 진실한 이치를 덮는다는 것은 밖의 경계
  를 덮는 것을 말하고, 진실한 봄을 가린다는 것은 안의 마음을 가리는 것을 말
  한다. 덮는 것과 가리는 것 모두 어둠의 뜻이고, 두 가지 무지에 통한다.
    (문) 염오무지는 무엇을 그 체로 하는가? (답) 무명을 그 체로 한다. 다른
  번뇌를 말하지 않는 까닭은, 무명은 공통으로 모든 번뇌와 상응하므로 무명을
  말하면 다른 번뇌도 나타내기 때문이다. (문) 불염오무지는 그 뜻이 어떠한가?
  (답) 이 뜻을 해석함에 있어 간략하게 3문門으로 분별할 것인데, 첫째 체를 보
  이는 것, 둘째 이름을 해석하는 것, 셋째 여러 문으로 분별하는 것이다. 그 첫째
  에 나아가 바른 이치를 말하자면, 불염오무지는 아직 성불하지 못한 동안에 있
  는, 일체 유루의, 염오 없는 열등한 지혜[以未成佛來所有 一切有漏無染劣慧]를 체로
  한다. 그래서 『순정리론』(=제28권. 대29-520상)에서 말하였다. "그러므로 곧
  맛·세력·성숙 등에 대해 힘써 이해를 구하지 않는 지혜와 아울러 다른 모습(=
  맛·세력·성숙 등의 바른 모습과 다른 모습)의 법[於味勢熟等 不懃求解慧 與異相法]
  이 함께 원인이 되어 그와 같은 부류의 지혜를 견인해 낳고, 이 지혜는 또 힘써
  이해를 구하지 않으므로 다시 원인이 되어, 힘써 이해를 구하지 않는 지혜를
  견인해 낳는다. 이렇게 점점 나아가 시작도 없이 계속해서 원인과 결과로서 서
  로 거듭 익혀서 성품을 이루었기 때문에 곧 그 맛 등의 경계에 대해, 자주 익혀
  서 생기는 이해에 대한 능력 있는 지혜가 없게 하는데, 이렇게 견인된 열등한
  지혜[劣智]를 불염오무지라고 이름하며, 이와 함께 생긴 심법과 심소법을 총체
  적으로 습기習氣라고 이름한다." # 염오무지·불염오무지는 대승교학에서의 두
  가지 장애[二障], 즉 번뇌장煩惱障·소지장所知障에 해당되는 개념인데, 『구사론
  기』(=이하 『기』라고 약칭하고, 이를 저술한 사문 보광을 '기주記主'라고 약칭
  하겠다)에는 이 바른 이치에 대한 설명 앞에, 이와 다른 열한 가지 다른 학설의
  설명 및 그에 대한 비판의 글이 기술되어 있다.
    둘째 이름을 해석하자면 그 체가 염오한 것이 아니기 때문에 '불염오'라고 이
  름하고, 경계에 대해 깨닫지 못하기 때문에 '무지'라고 이름한다. 혹은 '습기'라

계의 어둠과 일체 종류의 어둠에 대한 영원한 대치對治를 얻으시어 그 불생법不生法을 증득하셨기 때문에 '소멸시키셨다'라고 일컬은 것이다.7 성

고 하는데, 그래서 『순정리론』에서 이 불염오무지를 곧 습기라고 이름하였다. 습기라는 말에서 '습'은 자주 익히는 것[數習]을 말하고, '기'는 곧 기운[氣分]을 말하는 것이니, 모든 번뇌 및 열등한 지혜 등으로 자주 익힌 기운이 있기 때문에 습기라고 이름한 것이다.

셋째 여러 문으로 분별함에 있어, 첫째 염오무지를 상대해 차이를 분별하고, 둘째 습기를 상대해 넓고 좁음을 밝히며, 셋째 세 가지 성품으로 분별하고, 넷째 끊는 분위를 밝히겠다. 첫째 염오무지를 상대해 차이를 밝히자면, 『순정리론』(=제28권. 대29-501하)에 모두 세 가지 해석이 있다. 제1해는 이것으로 말미암아 어리석은 사람인지, 지혜로운 사람인지의 차이가 건립된다면 이런 것은 염오무지의 모습이라고 이름하고, 이것으로 말미암아 혹 경계에 대해 지혜가 미치지 못하는 어리석음이 있다면 이것은 불염오무지의 모습이라고 하였다. 제2해는 또 이것을 끊은 것에 붓다와 이승 사이에 모두 차별이 없다면 이런 것은 염오무지의 모습이고, 끊었어도 붓다와 이승 사이에 현행하는지, 현행하지 않는지의 차이가 있다면 이런 것은 불염오무지의 모습이라고 하였다. 제3해는 또 현상의 자상과 공상에 어리석다면 이런 것은 염오무지의 모습이라고 이름하고, 여러 법들의 맛·세력·성숙·속성·수·분량·처소·시기·같음·다름 등의 모습에 대해 여실하게 지각할 수 없다면 이런 것은 불염오무지라고 이름한다고 하였다. 둘째 습기를 상대해 넓고 좁음을 밝히자면, 무지는 좁고 습기는 넓다. 불염오무지는 반드시 습기이지만, 습기 중에는 무지가 아닌 것이 있기 때문이다. 셋째 세 가지 성품으로 분별하자면, 불염오무지는 선과 무부무기에 통한다. 이미 '불염오'라고 말한 것은 불선이나 유부무기가 아님을 밝힌 것이다. 넷째 끊는 분위를 밝히자면, 이 불염오무지는 만약 보살이라면 3무수겁 동안 단계에 따라 점차 끊다가 금강유정에 이르면 바야흐로 모두 다 끊지만, 만약 이승 등이라면 비록 부분적 끊음은 있지만, 모두 끊는 것은 아니다. 여기에서 '끊는다'고 말한 것은 필경 생기지 않아 비택멸을 얻는 것, 이것을 끊는다고 이름한 것이지, 택멸에 의거한 것이 아니다. 만약 택멸에 의거한다면 삼승이 같이 끊는 것에 곧 차별이 없을 것이기 때문이다.

7 성취한 것을 '얻었다'라고 이름하고, 물러나지 않는 것을 '영원한 대치'라고 이름한다. 대치에는 두 가지가 있는데, 첫째는 성도聖道이고, 둘째는 여실한 깨달음[如實覺]이다. 일체 경계는 사성제와 수도를 말하고, 일체종은 일체 종류를 말한다. 어둠에는 두 종류가 있으니, 염오와 불염오를 말하며, '불생법'에도 두 가지가 있으니, 첫째는 택멸이고, 둘째는 비택멸이다. 무위의 체는 상주하기 때문에 '불생'이라고 말하였다. 오직 붓다 세존께서만 영원한 대치의 성도를 얻으셔서 일체 이치와 현상의 경계에 대한 염오의 어둠에 대해 택멸이라는 불생법을 증득하셨기 때문에 '소멸시키셨다'라고 일컬었고, 영원한 대치를 얻어 여실하게 깨달으시므로 일체 종류의 불염오의 어둠에 대해 비택멸이라는 불생법을 증득하셨기 때문에 '소멸시키셨다'라고 일컬은 것이다.

문과 독각은 비록 모든 어둠을 소멸시켰다고 해도 필경 염오무지[染無知]만을 끊었기 때문에 일체종의 어둠을 소멸시킨 것이 아니다. 왜냐하면 지극히 먼 시간과 처소에 걸친 불법佛法 및 모든 뜻의 부류의 끝없는 차별에 대한 불염오무지[不染無知]를 여전히 아직 끊지 못했기 때문이다.[8]

세존의 자리自利의 공덕이 원만함을 이미 찬탄했으니, 다음에는 붓다의 이타利他의 공덕이 원만함을 찬탄하겠다. '중생들을 건져 생사의 늪에서 나오게 하셨다'라고 한 것은, 그 생사는 중생들이 빠져있던 곳으로 벗어나기가 어렵기 때문에 '늪'에 비유한 것이니, 중생들이 그 안에 빠져 있어도 구해주는 이가 없었는데, 세존께서 가엾게 여기시어 근기에 따라 상응하는 정법의 가르침의 손으로 건져서 나오게 하셨다는 것이다.

붓다의 공덕에 대해 이미 찬탄했으니, 다음에는 공경히 예배해야 한다. '이치에 맞는 이런 모든 스승들께 공경히 예배드린다'라고 한 것은, 머리 엎드려 발에 대기 때문에 '공경히 예배드린다'라고 일컬었으며, '모든' 분이 앞의 자리·이타의 공덕을 갖추고 있기 때문에 '이런'이라고 말했으며, 전도됨 없이 여실하게 가르쳐주고 경계시키며 힘쓰도록 하셨기 때문에 '이치에 맞는 스승'이라고 이름했으니, '이치에 맞는 스승'이라는 말은 이타의 공덕을 나타낸 것이다. 능히 방편으로써 이치에 맞는 바른 가르침[如理正敎]을 설하시어 생사의 늪에서 중생들을 건져서 나오게 하셨지, 위력威力이나 원願을 들어주거나 신통神通에 의하지 않으셨다.[9]

이치에 맞는 스승들께 예배드리고 무엇을 하려고 하는가? 대법장론對法藏論[10]을 내가 설하려고 한다는 것이니, 학도들을 가르치고 경계시키는

....

8 '불법'은 붓다의 몸 안에 있는 십력 등의 법을 말하는 것이다. 또 해석하자면 붓다께서 아시는 법은 곧 지극히 먼 등인데, 지극히 먼 시기라는 것은 8만 겁 밖의 시간을 말하며, 지극히 먼 처소는 삼천대천세계 밖의 처소를 말하며, 모든 뜻의 부류는 일체법의 갖가지 뜻의 부류의 끝없는 차별을 말하는 것이다.
9 오직 바른 가르침에 의해 중생들을 건져서 생사에서 나오게 하셨으니, 전륜성왕 등의 위력에 의하지 않으며, 천신 등의 원을 들어주는 것[與願]에 의하지 않으며, 신통을 시현함에 의하지 않고, 생사에서 나오게 하셨다. 이런 세 가지는 다만 잠시 건질 수 있을 뿐, 궁극적으로 생사에서 나오게 하는 것이 아니다.
10 # '대법장론'은 '아비달마구사론阿毘達磨俱舍論[Abhidharma-kośa-śāstra]을 순차 의역한 표현이다.

것이기 때문에 논論이라고 칭한 것이다. 그 논이란 무엇인가? 말하자면 대법장對法藏이다.

【대법과 대법장】 무엇을 대법對法이라고 하는가?11 게송으로 말하겠다.

②a 청정한 지혜와 따라 작용하는 것을 대법이라 이름하는데[淨慧隨行名對法]
　　능히 이를 얻게 하는 모든 지혜와 논들에도 미친다[及能得此諸慧論]12

논하여 말하겠다. '지혜[慧]'는 법을 간택하는 것[택법擇法]을 말하며, '청정[淨]'은 무루無漏를 말하고, 청정한 지혜의 권속을 '따라 작용하는 것[수행隨行]'이라고 이름하였다. 이렇게 무루의 오온을 전체적으로 말해서 '대법'이라고 이름하는데, 이는 곧 승의勝義의 아비달마이다.13 만약 세속世俗의 아비달마를 말한다면 이런 것을 능히 얻게 하는 모든 지혜 및 논들이다. 여기에서 '지혜'는 이를 얻게 하는 유루有漏의 수혜와 사혜·문혜·생득혜生得慧 및 따라 작용하는 것을 말하며, '논'은 전해서 무루의 지혜를 생기게 하는 가르침[敎]을 말한다. 이런 모든 지혜와 논들도 그 자량이기 때문에 역시 아비달마라고 이름할 수 있다.14

．．．．．．．．．．．．．．．．．．．．．．

11 이하는 서분 중의 둘째 힐난에 따라 따로 해석하는 것이다. 그 가운데 나아가면 첫째 '대법'의 체를 보이고, 둘째 '장'이라는 이름을 해석하며, 셋째 설한 뜻과 설한 사람을 밝힌다. 이하는 곧 대법의 체를 보이는 것인데, 게송 앞에서 물음을 일으킨 것이다.

12 게송에 의한 답이다. 범어로 가타伽陀gāthā라고 말한 것을 여기 말로 번역하면 '송頌'이라고 이름한다. 예전에 '게偈'라고 말한 것은 잘못이다. # 그럼에도 불구하고 이 책에서는 통칭에 따라 '게송'이라고 표현할 것이다.

13 장항에 나아가면 첫째 체를 보이고, 둘째 이름을 해석하는데, 이는 체를 보이는 것이다. 그 중 이 부분은 게송 제1구를 해석한 것인데, '지혜'는 사성제의 법을 간택하는 것을 말하고, '청정'은 무루를 말하는 것이니, 그래서 '청정한 지혜'라고 이름한 것이다. '권속'은 곧 지혜와 상응하는 법[相應], 함께 있는 법[俱有] 및 획득[得]이니, 이를 '따라 작용하는 것[隨行]'이라고 이름하였다. 무루이기 때문에 '승勝'이라고 이름하고, 이치의 작용[義用]이 있기 때문에 '의義'라고 이름하였다.

14 이는 게송 제2구를 해석한 것이다. '세속'이란 말은 유루의 법이니, 이런 청정한 지혜의 대법을 얻을 수 있게 하는 모든 지혜와 모든 논들이라는 것이다. 여기에서 지혜는 이런 청정한 지혜의 대법을 얻을 수 있게 하는 유루의 모든 지

이 명칭을 해석하자면 능히 자상自相을 지니기 때문에 '법'이라고 이름
하니, 만약 승의의 법이라면 오직 열반뿐이지만, 법상法相의 법이라면 사
성제에 공통되는데,15 이것이 능히 대향對向하기 때문에, 혹은 대관對觀하

....

혜를 말하는 것이니, '수혜'는 난법 등의 4선근을 말하며, '사혜'는 총상·별상
의 염주를 말하고, '문혜'는 5정심관을 말하며, '생득혜'는 삼장의 교법을 수지
할 수 있게 하는 것을 말한다. 이는 한 가지 특징에만 의지해 네 가지 지혜를
밝힌 것인데, 점차 들어가 관찰하는 단계의 앞뒤 순서에 의한 것은 아직 완전
한 이치가 아니니, 만약 완전한 이치에 의거한다면 총상·별상의 염주 및 5정심
관의 단계도 모두 수혜·사혜·문혜에 통한다. 유루의 네 가지 지혜는 점차적인
단계에 의한다면, 순서대로 넷을 말해야 할 것이지만, 지금은 성도聖道와의
친·소, 근·원에서 바라보았기 때문에 넷을 역순으로 말한 것이다. 유루의 네
가지 지혜의 자성은 모두 지혜이지만, 그것에 따라 작용하는 법을 아우른다면
모두 오온에 통한다. 논은 성도에서 바라보면 가장 소원하기 때문에 지혜의 뒤
에 두어 말했다. 이런 모든 지혜와 논들은 비록 성도 앞의 가행하는 단계에서
바라보면 멀고 가까움이 같지 않기는 해도 모두 성도의 뛰어난 자량이기 때문
에 역시 아비달마라고 이름할 수 있다.
　'모든 논'이라고 말한 것은 육족론[六足]과『발지론[發智]』를 말하는 것이다.
'육족론'에 대해 말하자면, 사리자는 1만2천 송, 약본 8천 송의『집이문족론集
異門足論』을 지었고, 대목건련은 6천 송의『법온족론法蘊足論』을 지었으며, 대
가전연[大迦多衍那]은 1만8천 송의『시설족론施設足論』을 지었는데, 이상 3론은
붓다 재세시에 지어진 것이다. 붓다의 반열반 후 1백 년 중엽에 제바설마提婆
設摩(여기 말로 천적天寂이다)가 7천 송의『식신족론識身足論』을 지었고, 3백
년에 이르는 초엽에 벌소밀다라筏蘇密多羅(여기 말로 세우世友이다)가 6천 송
의『품류족론品類足論』을 지었으며, 또 광본 6천 송, 약본 7백 송의『계신족론
界身足論』을 지었다. 붓다의 반열반 후 300년 말엽에 이르러 가다연니자迦多衍
尼子가 2만5천 송의『발지론發智論』을 지었는데, 후대에 암송된 것은 광본·약
본이 있어 같지 않다. 그 중 한 본은 1만8천 송이고, 한 본은 1만6천 송인데,
후자가 곧 현장 화상이 번역한 것이다. 앞의 6론은 이치의 문[義門]이어서 조
금 좁고,『발지론』은 법의 문[法門]이어서 가장 넓다. 그래서 후대의 논사들은
6론은 발[足]이라고 하고,『발지론』은 몸[身]이라고 하였다. 이상 7론이 설일
체유부의 근본 논서인데, 현장 화상은『시설족론』만 번역하지 못하고, 나머지
6론은 모두 다 번역을 완성하였다.
15 이하에서 '대법'이라는 명칭을 해석하는데, 첫째는 '법'을 해석하고, 둘째는
　　'대'를 해석한다. '법'이라는 명칭의 해석에는 둘이 있는데, 첫째는 자성을 지닌
　　다는 것이다. 말하자면 모든 법은 각각 자성을 지니니[能持自性], 예컨대 형색
　　등의 성품은 항상 바뀌거나 변하지 않는 것과 같다. 둘째는 본보기가 되어 뛰
　　어난 이해를 일으킨다[軌生勝解]는 것이니, 예컨대 무상 등이 인무상人無常 등의
　　이해를 일으키는 것과 같다. 본문은 우선 자성을 지닌다는 것에 의거해 해석하
　　고, 본보기가 되어 뛰어난 이해를 일으킨다는 것은 생략해서 존재하지 않지만,

기 때문에 '대법'이라고 일컫는 것이다.16

....

이치로는 응당 있어야 한다. 혹은 영략호현[影顯]한 것일 수 있다. '상相'은 '성품[性]'을 말하는 것이니, 자성을 지니기 때문에 법이라고 이름한다는 것이다. 그 '법'은 같지 않아서 간략히 두 종류가 있으니, 첫째는 승의勝義의 법이고, 둘째는 법상法相의 법이다. 만약 승의의 법이라면 오직 열반의 과보뿐인데, 이는 선이고 항상하기 때문에 '승'이라고 이름하고, 진실한 바탕이 있기 때문에 '의'라고 이름한다. 만약 법상의 법이라면 사성제의 경계에 공통된다.

16 이것이 능히 열반의 과보를 대하여 향하기 때문에 '대향한다'고 이름했으니, 원인으로서 결과를 대한다는 것이다. 혹은 사성제의 경계를 대하여 보기 때문에 '대관한다'고 이름했으니, 마음으로써 경계를 대한다는 것이다.

간략히 명칭을 해석할 것인데, 대법을 설명하는 것에는 여러 종류가 있다. 그중 가르침[敎]·이치[理]·작용[行]·결과[果]라는 네 가지에 의해 그 명칭을 해석하겠다. 서방에서는 명칭을 해석할 때 대부분 여섯 가지 해석[六釋](=소위 육합석六合釋)에 의거한다. 첫째는 의주석依主釋이니, 말하자면 이것이 저것에 의지한다는 것이다. 혹은 의사依士석이라고 말하는데, 명칭은 달라도 뜻은 같다. 둘째는 유재석有財釋이니, 마치 사람이 재물을 가진 것과 같다는 것이다. 역시 다재多財석이라고도 말하는데, 예컨대 많은 재물을 가진 것과 같다는 것이다. 명칭은 달라도 뜻은 같다. 셋째는 지업석持業釋이니, 말하자면 1법의 체가 두 가지 업을 쌍으로 지녔다는 것이다. '업'은 업의 작용[業用]을 말하는 것이다. 혹은 동의同依석이라고 말하는데, 두 가지 작용이 하나의 체에 의지한다는 것이니, 명칭은 달라도 뜻은 같다. 넷째는 상위석相違釋이니, 말하자면 2법의 체가 피차 각각 별도로 의거하고, 상호 서로 속한 것이 아니라는 것이다. 다섯째 인근석鄰近釋이니, 그 체가 이것이나 저것이 아니라, 그것에 가까운 것을 명칭으로 얻었다는 것이다. 여섯째는 대수석帶數釋이니, 말하자면 법이 수를 지녔다[帶數]는 것으로서, 예컨대 5온이라고 말하는 것과 같다.

네 가지 대법 중 (1) 가르침의 대법을 이치의 대법에서 바라보면, 6합석 중 세 가지 해석이 있다. 만약 법의 대이기 때문에 대법이라고 이름했다고 한다면 의주석이니, 곧 이치를 법이라고 이름하고, 가르침을 대라고 이름한 것이다. 만약 대가 곧 법이라고 이름했다면 지업석이니, 이 논의 가르침이 곧 대이고 또한 법이기도 하다는 것이다. 만약 법의 작용을 대라고 한 것이라면 유재석이니, 드러낼 이치[所顯理]를 곧 대법이라고 이름한 것이며, 이 가르침은 그 이치의 법을 써서 대로 한 것이기 때문에 대법이라고 이름한 것이다. (2) 이치를 작용에서 바라보거나 (3) 작용을 결과에서 바라보면, 각각 세 가지 해석이 있는데, 앞에 준해서 알아야 할 것이니, 이는 곧 그것에 따라 해석[順釋]할 것이다. (4) 결과를 작용에서 바라보더라도 역시 세 가지 해석이 있다. 만약 법의 대이기 때문이라고 말한다면 의주석이니, 결과는 대할 대상[所對]이기 때문에 대라고 이름했고, 작용을 법이라고 이름한 것이다. 만약 대가 곧 법이라고 이름한 것이라면 지업석이니, 증득대상인 결과[所證果]가 곧 대이며, 또한 법이기도 한 것이다. 만약 법의 작용이 대라고 한 것이라면 유재석이니, 능히 증득하게 하는 작용[能證行]을 곧 대법이라고 이름한 것이며, 이 증득대상인 결과[所證果]는 대법에 대해 해석했는데, 무엇 때문에 이 논을 '대법장對法藏'이라고 이름했는가?17 게송으로 말하겠다.

②c 그 승의를 포함하고 그것에 의지하기 때문에[攝彼勝義彼依故]
　　이에 대해 대법구사라는 이름을 세웠다[此立對法俱舍名]

　　논하여 말하겠다. 그 대법의 논서들 중의 승의가 이것에 들어가 포함되어 있기 때문에 이것이 '장藏'이라는 이름을 얻었다.18 혹은 이것은 그것에 의지하고, 그것으로부터 견인되어 생긴 것으로서, 그것이 저장된 것이기 때문에 또한 '장'이라고 이름한 것이다.19 이 때문에 이 논을 대법장이라고 이름한 것이다.

　　【대법을 설한 뜻과 설하신 분】 어떤 원인에서 그 아비달마를 설했으며, 또한 누가 먼저 아비달마를 설했기에 지금 이 논을 지어서 공경하고 해석하는가?20 게송으로 말하겠다.

....
　　그런 작용의 법을 써서 대법이라고 이름한 것이기 때문이다. (5) 작용을 이치에서 바라보거나, (6) 이치를 가르침에서 바라보더라도 각각 세 가지 해석이 있는데, 앞에 준해서 알아야 하지만, 이것은 곧 역으로 해석[逆解]할 것이다. (7) 가르침을 작용에서 바라보면, 작용은 이치와 결과를 증득하는 것이므로 순·역의 세 가지 해석이 있는 것, (8) 및 나머지 대법을 해석하는 것은 모두 앞에 준해서 생각할 것이다.
17 이하는 (서분 중의 둘째 힐난에 따라 따로 해석하는 글 중의) 둘째 '장藏'이라는 이름을 해석하는 것이다.
18 '그 승의를 포함하기 때문에'를 해석하는 것이니, 포함하는 것[包舍]을 '장'이라고 이름한 것이다. 그 근본 아비달마논서들 중에 있는 승의가 이 논에 들어가 포함되어 있기 때문에 이 논이 '장'이라는 이름을 얻었다. 대법의 장이어서 대법장이라고 이름한 것이니, 의주석이다. 또 해석하자면 '장'은 견실堅實한 것을 말함이니, 이 논은 그 근본아비달마가 견실하다는 뜻이다.
19 '그것에 의지하기 때문에'를 해석하는 것이니, 의지대상[所依]을 '장'이라고 이름한 것이다. 혹 이 논은 그 대법에 의지하고, 그 대법론 중으로부터 견인되어 생긴 것으로서, 그 대법이 저장된 것[對法所藏]이므로 '장'이라고 이름하였다. 대법이 '장'이 되므로 대법장이라고 이름한 것이니, 유재석이다.
20 이하는 (서분 중의 둘째 힐난에 따라 따로 해석하는 글 중의) 셋째 설한 뜻과 설한 사람을 밝히는 것이다.

③ 법의 간택을 떠난다면 모든 번뇌를 소멸시킬 수 있는[若離擇法定無餘]

　다른 나은 방편은 결정코 없으며[能滅諸惑勝方便]

　번뇌로 말미암아 세간이 존재의 바다에서 표류하므로[由惑世間漂有海]

　이로 인해 붓다께서 대법을 설하셨다고 전한다[因此傳佛說對法]21

논하여 말하겠다. 만약 법의 간택[택법擇法]을 떠난다면 모든 번뇌를 소멸시킬 수 있는 나은 방편은 없으며, 모든 번뇌가 세간을 생사의 큰 바다에서 표류하게 하므로, 이로 인해 붓다께서 그 대법을 설하셨다고 전한다. 세간으로 하여금 택법을 얻게 하고자 하셨기 때문이다. 설하신 대법을 떠나서는 제자들이 모든 법의 모습을 이치대로 간택할 수 없다.22 그래서 붓다 세존께서 곳곳에서 산설散說한 아비달마를, 대덕大德 가다연니자迦多衍尼子 등의 여러 큰 성문들이 결집해서 안치했으니, 마치 대덕 법구法救가 결집한 무상품無常品 등 우다나의 게송[鄔拖南頌]과도 같다.23 비

----

21 앞의 3구 및 제4구 중 '이로 인해 대법을 설하셨다[因此說對法]'는 설한 뜻을 밝혀 처음 물음에 답한 것이고, 제4구 중 '붓다께서 대법을 설하셨다고 전한다 [傳佛說對法]'는 설한 사람을 밝혀 뒤의 물음에 답한 것이니, '대법을 설하셨다' 는 말이 양쪽에 공통된다. '세간'은 중생세간을 말하는 것이고, '존재의 바다'는 삼유三有의 바다를 말하는 것이다.
22 이는 설한 뜻을 따로 밝히는 것이다. 숨은 힐난[伏難]에서 말하기를, 나머지 2장을 설한 것으로 충분히 중생들을 이롭게 할 수 있을 것인데, 어째서 이 대법을 따로 설할 필요가 있었는가 라고 하므로, 이제 변론해 말한다. 대법을 떠난다면 제자들이 모든 법의 모습을 이치대로 간택할 수 없다. 경장은 선정[定]을 바로 표현하고, 율장은 계戒를 바로 표현하는데, 선정과 계의 두 종류는 번뇌를 끊는 것에 보조적일 뿐, 직접적인 것이 아니기 때문이다.
23 이는 설한 사람을 따로 밝히면서, 또한 숨은 힐난에 대해 변론하는 것이다. 숨은 힐난의 뜻은, 「만약 붓다께서 설하신 것이라면, 어째서 가다연니자 등이 지었다고 말했는가?」라는 것이다. 변론의 뜻은 알 수 있을 것이다. '가나연니자'는『발지론』을 지은 논사이고, '등'은 사리자 등 6족론을 지은 논사들을 같이 취한 것이다. '가다연니자[Kātyāyanīputra]'에서 '가다'는 머리를 깎는 것을 이름한 것이고, '연'은 종족의 이름이며, '니'는 여자라는 말이니, 이 사람은 머리를 깎는 종족의 여인[剪剃種女]에게서 태어나서, 어머니의 성에 따라 이름으로 삼았기 때문에 '가다연니자'라고 이름한 것이다.
　법구의 범어 이름은 달마다라達磨多羅[Dharmatrāta]인데, 붓다의 열반 후 3백년 경에 세상에 태어났다. '등'은 공과 무아 등을 같이 취한 것이며, '온타남鄔

바사毘婆沙 논사들이 전하는 학설[傳說]은 이상과 같다.24

....

陀南Uddāna'은 여기 말로는 자설自說이니, 곧 12부경 중 제5의 자설경이다. 사람의 물음 없이 붓다 스스로 설하셨기 때문이다. 대덕 법구는 붓다께서 설하신 무상에 대한 게송은 무상품으로 결집하고(＝『법집요송경法集要頌經』이 그 번역본임), 붓다께서 설하신 공과 무아에 대한 게송은 공품과 무아품으로 세웠으며, 나아가 범지에 대해 설하신 게송은 범지품으로 세웠는데, 인도에서는 현재 범본이 유통되고 있다.

24 '비vi'는 자세하다[廣]는 명칭, 혹은 뛰어나다[勝]는 명칭, 혹은 다르다[異]는 명칭이고, '바사bhāsā'는 설명[說]이라는 이름이니, 말하자면 그 논 중에서 뜻을 분별하는 것이 자세하기 때문이며, 뜻을 설명하는 것이 뛰어나기 때문이며, 오백 아라한들이 각각 다른 뜻으로 『발지론』을 해석했기 때문이다. 이런 세 가지 의미를 갖추었기 때문에 범어의 음을 그대로 둔 것이다.(＝'비바사'는 기본적으로는 자세한 설명이라는 뜻이지만, 본문의 '비바사 논사[毘婆沙師]'라는 말은 설일체유부의 논사를 가리키는 말로 사용된다)

논주 세친은 간다라[健馱羅]국 사람이다. 본래 설일체유부로 출가했는데, 그 동기는 그 부파의 삼장을 수지하려는 것이었지만, 뒤에 경량부를 배우면서 마음으로 그것을 진리로 여겨, 본래 배운 것에 대해 때때로 의심을 품고 취사했다. 그래서 다시 카시미르[迦濕彌羅]국으로 가서 유부의 학설을 연구해서 옳고 그름을 궁구해 확정하고자 했는데, 그 논사들이 마음으로 꺼려할 것을 염려해 마침내 본명을 고치고, 몰래 가서 연구했다. 4년의 세월이 지나는 동안 자주 경량부의 다른 이치로써 설일체유부의 주장을 논파하자, 당시 새건지라塞建地羅Skandhila(당나라 말로 오입悟入이라고 하는데, 곧 중현衆賢Saṃghabhadra 논사의 스승이다)라는 이름의 아라한이 그 뛰어남을 기이하게 여기고 삼매에 들어 그가 세친임을 관찰해 알자, 은밀히 일렀다. "급히 본국으로 돌아가는 것이 좋을 것이오. 장로가 여기에 와서 자주 자신의 주장으로 남의 주장을 비판하고 논파했는데, 대중들 중 아직 욕망을 여의지 못한 자가 필시 있어 당신이 세친인 것을 알면 해칠 것이 염려되기 때문이오." 이 때문에 마침내 본국으로 돌아왔는데, 도착한 지 얼마 지나지 않아 『구사론』600게송을 짓고, 그것을 문인에게 맡겨 카시미르국으로 보냈다. 당시 그 나라의 왕과 여러 스님들은 그 소식을 듣고 모두 기뻐하며 당번·꽃·향·음악을 준비해 국경으로 가서, 게송을 실은 향상香象을 환영하였고, 앞뒤에서 인도하며 따르는 가운데 카시미르국에 이르렀다. 이윽고 읽은 뒤 모두 우리의 종지를 넓힌 것이라고 말하며 기뻐하지 않는 자가 없었다. 그 때 그 오입이 사람들에게 말했다. "이는 그대들의 주장을 넓힌 것만은 아닌데, 어째서 기뻐해야 하겠는가? 게송에 '전하는 학설[傳說]'이라는 말이 있는데, 서로 조화되는 것같을 뿐이다. 그것을 믿지 못하겠다면 해석을 청해 보라. 곧 알게 될 것이다." 이에 나라의 왕과 여러 스님들이 사신을 보내 진귀한 구슬을 봉헌하며 해석을 청하게 했다. 논주가 그 청을 수락하고 본문으로 해석했는데, 모두 8천 게송 분량이었다. 다시 사람에게 맡겨 보냈는데, 과연 오입이 말한 것과 같았으니, 논주의 마음은 경량부의 벗이었고, 본래 배웠던 것에 대해 의혹의 마음을 일으키고 있었던 것이다. 이런 까닭에 이 『구

제1장 유루·무루 및 유위·무위의 분별

1. 유루법과 유루의 뜻

어떤 법을 그것에 의해 간택되는 것[所簡擇]이라고 이름하며, 이로 인해 붓다께서 대법을 설하셨다고 전했다는 것인가?26 게송으로 말하겠다.

④ 유루와 무루의 법인데[有漏無漏法]
　도제를 제외한 나머지 유위는[除道餘有爲]
　거기에서 번뇌가 따라 증장하니[於彼漏隨增]
　그래서 유루라고 이름한다[故說名有漏]

⑤ 무루는 도제[無漏謂道諦]
　및 세 가지 무위[及三種無爲]
　말하자면 허공과 두 가지 멸을 말함인데[謂虛空二滅]
　이 중 허공은 장애 없는 것이다[此中空無礙]

⑥ 택멸은 이계를 말함인데[擇滅謂離繫]

....
사론』게송의 글에 왕왕 '전하는 학설'이라는 이 말을 둔 것이니, 직접 들은 것이 아님을 나타낸 것이다.
25 이하는 큰 글의 둘째 정종분을 밝히는 것이다. 앞에서 정종분을 해석하는 것에 3설이 있다고 했지만, 지금은 제1설에 의했다. 정종분에 나아가면 첫째 앞의 8품을 밝히고, 둘째 뒤의 1품을 밝힌다.
26 앞의 8품 중에 나아가면 첫째 전체적으로 글을 표방하고, 둘째 개별적으로 해석하는데, 이는 전체적으로 표방해서 묻는 것이다. 어떤 법을 그 무루의 지혜에 의해 간택되는 법이라고 이름하며, 이로 인해 붓다께서 간택하는 대법을 설하셨다고 전했다는 것인가? 간택하는 주체[能簡擇]를 들어서 간택대상[所簡擇]을 묻는 것이다. 허공과 비택멸은 그 무루의 지혜의 소연이 아니지만, 답하는 글의 이치의 편의상 그 둘도 겸하여 밝힌다. 또 해석하자면 '그것'은 유루와 무루의 지혜이니, 게송의 답 중에서 허공과 비택멸도 말하기 때문이다.

계박하는 것에 따라 각각 다르며[隨繫事各別]

장차 생길 것을 필경 장애하므로[畢竟礙當生]

별도로 비택멸을 얻는다[別得非擇滅]27

논하여 말하겠다. 일체법을 말한다면 간략히 두 종류가 있으니, 유루와 무루를 말한다.28

유루법은 무엇을 말하는 것인가?29 도제道諦를 제외한 나머지 유위법을 말하는 것이다.30 왜냐하면 거기에서는 여러 번뇌들이 같이 따라 증장하기 때문[等隨增故]이다.31 멸제·도제를 반연해서도 번뇌들이 생기기는 하지만, 따라 증장하지 않기 때문에 유루가 아니다. 따라 증장하지 않는다는 뜻에 대해서는 뒤의 수면품 중에서 드러내어 설명할 것이다.32

2. 무루법과 무루의 뜻

유루에 대해 분별했는데, 무루는 무엇을 말하는 것인가?33 도성제道聖諦 및 세 가지 무위를 말한다. 어떤 것이 세 가지인가? 허공과 두 가지 멸[虛空二滅]이다. 두 가지 멸이란 무엇인가? 택멸과 비택멸[擇非擇滅]이다.

....

27 이는 곧 게송으로 답한 것이니, 이 3수의 게송은 앞의 8품을 표방한 것으로, 총체적으로 요강을 표방한 부분[총표강요분總標綱要分]이라고 이름한다. 처음 1구는 유루와 무루의 법을 총체적으로 밝힌 것으로, 계품·근품의 2품을 표방하고, 다음 3구는 개별적으로 유루법을 밝힌 것으로, 세품·업품·수면품의 3품을 표방하며, 뒤의 2수의 게송은 개별적으로 무루법을 밝힌 것으로, 현성품·지품·정품의 3품을 표방한 것이다.

28 이는 제1구를 해석한 것이다.

29 이하는 유루법을 개별적으로 밝히는 것이다.

30 사성제 중 고제·집제·도제가 유위법인데, 그 중 도제를 제외한 나머지 고제와 집제의 유위법을 유루법이라고 이름한다.

31 '루漏'는 누설漏泄되는 것을 말하는 것이니, 곧 여러 번뇌들이다. 여러 번뇌들이 그 고·집의 2제와 상응하는 법이나 소연의 경계에서 서로 수순하며 서로 증장하는데, 서로 바라보면 그 힘이 같기 때문에 '같이[等]'라고 표현하였다. 또 해석하자면 여러 번뇌들이 그 상응하는 법이나 소연의 경계에서 같이 모두 수순하며 증장하므로, 뜻이 균등하기 때문에 '같이'라고 표현하였다.

32 이는 유루가 아님을 나타내는 것인데, 아래(=뒤의 제19권 중 게송 ⑯·⑰과 그 논설)에서 해석하는 것과 같다고 가리켰다.

33 이하는 무루법을 개별적으로 밝히는 것이다.

이 허공 등 세 종류 무위와 도성제를 무루법이라고 이름한다. 왜냐하면 거기에서는 여러 번뇌들이 따라 증장하지 않기 때문이다.[34]

【허공무위】 간략히 말한 세 가지 무위 중 허공은 장애 없는 것[無礙]을 성품으로 할 뿐이니, 장애가 없기 때문에 물질이 그 안에서 작용한다.[35]

【택멸무위】 택멸은 곧 계박 떠났음[이계離繫]을 성품으로 하니, 여러 유루법들에서 계박을 멀리 떠나 해탈 증득한 것을 택멸이라고 이름한다.[36] '택'은 간택簡擇하는 것을 말함이니, 곧 지혜의 차별이다. 각각 사성제를 따로 간택하기 때문이니, 간택의 힘으로 얻은 소멸이므로 택멸이라고 이름한 것이다. 마치 소가 끄는 수레를 소수레라고 이름하는 것처럼, 중간의 말을 생략해 버렸기 때문에 이렇게 말한 것이다.[37]

일체 유루법은 하나의 택멸을 같이 하는가? 그렇지 않다. 어째서인가? 계박하는 것[繫事]에 따라 다르기 때문이다. 말하자면 계박하는 것의 수

....

34 말하자면 무루법은 성품이 번뇌[漏]와 어긋나므로, 결코 상응하여 번뇌의 경계가 될 수 있는 것이 아니다. 이미 성품이 서로 어긋나서 상호 따라 증장하지 않으므로, 루漏를 상대해 유루라고 이름할 수 없다. 멸제와 도제라면 반연하더라도 따라 증장하지 않으며, 허공과 비택멸이라면 소연이 아니고, 따라 증장하는 것도 아니다.

35 여기에서 도성제에 대해서도 밝혀야 할 것이지만, 뒤의 글에서 자세히 해석할 것이기 때문에 지금은 해석하지 않는다.

36 이는 택멸의 체를 나타낸 것이다. 택멸은 곧 계박 떠났음을 성품으로 한다는 것인데, 어떤 것이 계박을 떠난 것인가 하면, 여러 유루법들에서 상응박相應縛과 소연박所緣縛 두 가지를 멀리 떠나 해탈 열반을 증득한 것이다. 그렇게 그 멸의 체는 계박 떠났음으로 나타나는 것이기 때문에 택멸이라고 이름하였다. '상응박'은 여러 번뇌들이 그와 동시에 일어나는 심·심소법(=그 번뇌들의 상응법)을 속박하여 그 소연에 대해 자유로움을 얻지 못하게 하는 것을 말한다. '소연박'은 번뇌가 경계를 반연할 때 해악하는 세력이 있어서 이 소연에 속박되어 자유롭지 못하게 하는 것을 말한다.(=이 두 가지 속박에 대해서는 뒤의 제19권 중 게송 ⑰과 그 논설 참조)

37 이상은 택멸이라는 명칭을 해석한 것이다. 말하자면 무루의 지혜가 유루의 지혜와 다른 것을 '지혜의 차별'이라고 표현하였다. 혹은 염오 없는 지혜가 염오의 지혜와 다른 것을 '지혜의 차별'이라고 표현하였다. 이 차별되는 지혜가 사성제를 각각 따로 간택하기 때문이다. 멸 자체는 먼저 있었지만, 성취되지 않았을 뿐인데, 간택의 힘으로 얻은 것이므로 택멸이라고 이름한 것이니, '힘으로 얻은'이라는 부분을 생략해서 '택멸'이라고만 말한 것이다.

량[繫事量]에 따라 계박 떠났음(의 수량)도 역시 그러하다. 만약 그렇지 않다면 견고소단見苦所斷 번뇌의 멸을 증득할 때 일체 소단所斷의 모든 번뇌의 멸도 응당 증득할 것인데, 만약 이와 같다면 나머지 대치를 닦는 것이 곧 소용이 없게 될 것이다.38

그렇다면 어떤 이치에 의거해 택멸에는 동류同類가 없다고 말한 것인가?39 택멸은 스스로 동류인同類因의 뜻이 없으며, 또한 다른 것에 대해서도 되지 않는다는 점에 의해 이렇게 말한 것이지, 같은 부류가 없다는 것은 아니다.40 이상 택멸에 대해 설명하였다.

【비택멸무위】 장차 생길 것[當生]을 영원히 장애하므로 비택멸을 얻는다. 말하자면 미래의 법이 생기는 것을 능히 영원히 장애함으로써 얻는 멸은 앞(의 택멸)과 다르기 때문에 비택멸이라고 이름한 것이니, 간택을 원인으로 하지 않고, 단지 연의 결여[闕緣]에 의해서 얻는 것일 뿐이다. 예컨대 눈[眼]과 뜻[意]이 하나의 형색에 전념할 때 그 나머지 형색과 소리·냄새·맛·감촉 등은 낙사[謝]하므로, 그 경계를 반연할 5식의 무리 등

....
38 말하자면 계박하는 여러 유루법의 수량이 많고 적음에 따라, 계박 떠난 것의 수량이 많고 적음도 역시 그러하다. 만약 그렇지 않다면 모든 유루법은 하나의 택멸을 같이 한다고 말해야 할 것이니, 견고소단 번뇌의 소멸을 증득할 때 일체   5부소단五部所斷(=견고소단·견집소단·견멸소단·견도소단+수도소단) 번뇌들의 소멸도 응당 증득할 것이기 때문이다. 만약 이렇게 증득한다면 나머지 4부소단을 대치하는 도를 닦는 것은 곧 소용이 없게 될 것이니, 전에 이미 증득했기 때문이다. 만약 처음의 증득은 일부분이지, 전부가 아니라고 말한다면, 곧 하나의 소멸의 체에 여러 부분이 있어야 할 것인데, 하나의 체에 여러 부분이란 이치와 상위한다. 따라서 택멸은 그 대상에 따라 체가 여러 개로 나누어진다.
39 이는 힐난하는 것이다. 택멸의 체가 이미 많다면 응당 같은 부류[同類]가 있을 것인데, 경(=출전 미상)에서는 무슨 이치에 의거해 멸에는 동류同類가 없다고 말했는가?
40 이는 회통하는 것이다. 택멸 자체는 서로 바라볼 때 결정코 동류인의 뜻이 없으며, 또한 다른 것에 대해서도 동류인이 되지 않는다는 점에 의거한 것이다. 이는 고법인[苦忍]과 구별하려고[=최초의 무루인 고법지인에게 동류인이 되는 것은 없지만, 고법지인은 고법지 내지 무생지에게 동류인이 되는데, 열반은 자체의 동류인이 없을 뿐만 아니라, 다른 것에 대해서도 동류인이 되는 것이 없다. 『대비바사론』 제31권(=대27-162중) 참조] 그 경에서 이렇게 말한 것이지, 택멸 자체에 많은 체와 같은 부류가 없다는 것은 아니다.

은 미래세에 머물고, 필경 생기지 못하는 것과 같다. 그것들은 과거의 경계를 반연할 수 없기 때문이니, 연이 갖추어지지 못했기 때문에 비택멸을 얻는 것이다.41

【택멸·비택멸에 의한 4구분별】 법에 대해 소멸을 얻는 것은 4구句로 분별해야 한다. 혹 여러 법에서는 오직 택멸만을 얻으니, 유루의 과거·현재의 법과 생길 법을 말한다. 혹 여러 법에서는 오직 비택멸만을 얻으니, 무루이면서 유위인 생기지 못할 법을 말한다. 혹 여러 법에서는 두 가지 멸을 함께 얻으니, 저 유루의 생기지 못할 법을 말한다. 혹 여러 법에서는 두 가지 멸을 모두 얻지 못하니, 무루의 과거·현재의 법과 생길 법을 말한다.42

이와 같이 세 종류 무위에 대해 설명하였다.

....

41 이상은 비택멸을 해석하는 것이다. 말하자면 법의 체는 있지만, 미래의 법이 생기는 것을 영원히 장애한다. 이 법은 본래, 생길 법을 장애해서 생기지 않게 하는 것이니, 만약 법이 생기지 않으면 곧 얻음을 일으켜서 행한 자에게 보내어 주기 때문에 멸을 얻었다고 이름한 것이다. 앞의 택멸은 선이지만, 뒤의 비택멸은 무기이니, 그래서 '앞과 다르기 때문에 비택멸이라고 이름한 것'이라고 말하였다. 또 해석하자면 택멸은 간택에 의해 얻지만, 비택멸은 연의 결여에 의해 얻기 때문에 멸을 얻는 것이 앞과는 다르다고 말한 것이다. 예컨대 안식과 의식이 전후 상속하여 하나의 형색에 전념할 때 그 나머지 형색과 소리·냄새·맛·감촉 등의 경계는 과거로 낙사落謝하므로, 응당 그 경계를 반연할 5식의 무리 등은 미래세에 머물고, 필경 생기지 못하는 것과 같다. 5식 등은 그 과거의 경계를 반연할 수 없기 때문이니, 연이 갖추어지지 못했기 때문에 비택멸을 얻는 것이다.

42 이는 두 가지 멸을 얻는 것이 네 가지 경우[四句]로 차별됨을 밝히는 것이다. 허공은 획득이 없기 때문에 상대해서 분별하지 않는다. 말하자면 과거와 현재의 법, 생길 법[生法]과 생기지 못할 법[不生法], 이들에는 각각 유루와 무루가 있다고 말하므로, 네 가지의 둘이어서 여덟이 된다. 첫째 경우는 3법이 있으니, 유루의 과거·현재의 법과 생길 법은 유루이기 때문에 택멸을 얻는데, 과거·현재의 법과 생길 법이기 때문에 비택멸을 얻지 못한다. 둘째 경우는 1법이 있으니, 말하자면 무루의 유위인 생기지 못할 법은 생기지 못하기 때문에 비택멸을 얻는데, 무루이기 때문에 택멸을 얻지 못한다. 셋째 경우는 1법이 있으니, 말하자면 저 유루의 생기지 못할 법이니, 유루이기 때문에 택멸을 얻지만, 생기지 못하기 때문에 비택멸을 얻는다. 넷째 경우는 3법이 있으니, 말하자면 무루의 과거·현재의 법과 생길 법은 무루이기 때문에 택멸을 얻지 못하며, 과거·현재의 법과 생길 법이기 때문에 비택멸을 얻지 못한다.

3. 유위법과 그 다른 명칭

앞에서 도제를 제외한 나머지 유위법을 유루라고 이름한다고 말했는데, 무엇을 유위라고 말하는가?[43] 게송으로 말하겠다.

⑦ 또 유위법은[又諸有爲法]
  말하자면 색온 등의 5온인데[謂色等五蘊]
  또한 시간의 길, 말의 의지처[亦世路言依]
  출리 있는 것, 원인 있는 것 등이라고도 한다[有離有事等][44]

논하여 말하겠다. '색온 등의 5온'은 처음의 색온에서 식온에 이르기까지를 말하는 것이다. 이와 같은 5법이 유위를 모두 포함하니, 온갖 연이 모여서 함께 만든 것[衆緣聚集共所作]이기 때문이다. 하나의 연緣으로 생기는 법은 조금도 없다. 그것의 부류이기 때문에 예컨대 젖[乳]·섶[薪]처럼 미래의 것도 무방하다.[45]

....

43 이하는 둘째 개별적으로 해석하는 것(=이상이 첫째 총표강요분이었다는 취지)이다. 그 중에 나아가면 처음 2품은 전체적으로 밝히는 것이고, 뒤의 6품은 개별적으로 해석하는 것이다. 전체적으로 밝히는 것에 나아가면 처음 계품은 체를 밝히고, 뒤의 근품은 작용을 밝힌다. 체를 밝히는 것에 나아가면 첫째 다른 명칭을 분별하고, 둘째 바로 체를 분별한다. 다른 명칭을 분별하는 것에 나아가면 첫째 유위를 밝히고, 둘째 유루를 밝히므로, 이하는 첫째 유위의 다른 명칭을 밝히는 것이다. # 이상 설명된 정종분 9품의 구성을 이 책의 편성과 대비해서 정리해 보이면 아래 도표와 같다.

전8품 (제법)	총표강요분				제1품 제1장 1.~2.	
	개별적 해석	전체적 설명	체	명칭 분별	유위의 다른 명칭	3.
					유루의 다른 명칭	4.
				체 분별	제2~4장	
			작용		제2품	
		개별적 해석			제3~8품	
제9품(무아)					제9품	

44 위의 2구는 체를 나타낸 것이고, 아래 2구는 다른 이름을 나타낸 것이다. '등'이라고 한 것은 '결과 있는 것[有果]' 등을 같이 취한 것이다.
45 '연'은 4연(=인연·등무간연·소연연·증상연)을 말하는 것이니, 그 상응하는 바에 따라 온갖 연이 모여서 함께 만든 것이기 때문에 유위라고 이름한다. 숨

이 유위법은 또한 시간의 길[세로世路]이라고도 이름한다. 이미 작용했거나[已行] 지금 바로 작용하거나[正行] 장차 작용할[當行] 성품이기 때문이며, 혹은 무상에 의해 삼켜져 먹히는 것[無常所呑食]이기 때문이다.46

혹은 말의 의지처[언의言依]라고 이름한다. '말'은 언어를 말하는데, 이것이 의지하는 것은 곧 명칭과 함께 하는 뜻[名俱義]이다.47 이와 같은 말의 의지처는 일체 유위의 모든 법을 모두 포함한다. 만약 그렇지 않다면 『품류족론』의 말에 위배될 것이니, 거기에서 '말의 의지처는 18계에 포함된다'라고 말했기 때문이다.48

....

은 힐난으로, 「과거와 현재의 법은 온갖 연이 만든 것이어서 유위라고 말할 수 있겠지만, 미래의 법은 아직 만들어지지 않았는데, 어떻게 유위라고 이름하는가?」라는 의도로 말하므로, 지금 회통해 말하는 것이다. 이것은 그 과거와 현재의 유위의 부류이기 때문에 역시 유위라고 이름하니, 미래의 것이라고 해도 무방한 것이다. 마치 아이가 마시는 것은 젖이라고 이름하는데, 유방 안에 있는 것도 역시 젖이라고 이름하니, 마시는 부류이기 때문이며, 또 지금 불타고 있는 것을 섶이라고 이름하는데, 아직 타지 않은 것도 섶이라고 이름하니, 타는 것의 부류이기 때문인 것과 같다.

46 유위법은 시간[世] 속에서 작용하는 것을 말하는 것이다.

47 이 유위법은 '말의 의지처'라고도 이름한다고 했는데, '말'은 언어[語言]를 말하는 것이니, 소리[聲]를 체로 한다. 이 말의 의지처는 곧 명칭과 뜻이니, 말은 명칭과 뜻에 의지해 구르기 때문이다. '명칭과 함께 하는 뜻[名俱義]'이란 명칭 및 더불어 함께 작용하는 삼세의 뜻[名及與俱三世義]을 말하는 것이니, 삼세 중에서 명칭이 앞이고 뜻이 뒤이기도 하며, 혹은 명칭이 뒤이고 뜻이 앞이기도 하며, 혹은 명칭과 뜻이 동시이기도 하며, 표현 주체[能詮]와 표현 대상[所詮]이 같기도 하고 다르기도 하지만, 같이 시간에 떨어지는 것[墮世]에 포함되므로 모두 '함께 한다[俱]'고 말할 수 있다. 이 명칭과 뜻은 설명 주체인 말에서 바라볼 때 다시 같이 시간에 떨어지고 작용이 있어 가깝기 때문이니, 그래서 이것들이 말의 의지처이다. 이로 말미암아 무위는 시간을 떠난 법[離世法]이니, 설명 주체인 말에서 바라볼 때 작용이 없어서 멀므로, 비록 이것의 뜻도 말로 말할 수는 있지만, 말의 의지처는 아닌 것이다. 또 해석하자면 명칭은 앞에서 설명한 것과 같고, '함께 하는 뜻'이라는 말은 뜻과 말이 함께 같이 시간에 떨어진다는 것을 말하기 때문이다. 또 해석하자면 '함께 한다'는 것은 명칭과 뜻에 공통되어, 명칭과 함께 하며 뜻과 함께 한다는 것을 말하는 것이니, 이 명칭과 뜻이 말과 함께 한다는 것이다. 뜻이든 명칭이든 함께 한다고 말할 수 있기 때문이며, 같이 시간에 떨어지기 때문에 이를 '함께 한다'라고 표현하였다.

48 명칭과 뜻을 말에서 바라보면 삼세에 같기도 하고 다르기도 해서, 상응하는 대로 '함께 한다'라고 말하니, 그래서 『대비바사론』 제15권(=대27-74중)에

혹은 출리 있는 것[유리有離]라고 이름한다. '리離'는 영원히 떠난 것[永離], 곧 열반을 말하는 것이니, 일체 유위에는 그런 '리'가 있기 때문이다.[49]

혹은 사 있는 것[유사有事]라고 이름한다. 원인이 있기 때문이니, '사事'는 원인이라는 뜻이다. 비바사毘婆沙 논사들이 전하는 학설은 이와 같다.[50] 이런 등의 부류가 유위법의 차별되는 여러 명칭이다.

4. 유루의 다른 명칭

여기에서 설명한 유위법 중에서 게송으로 말하겠다.

⑧ 유루는 취온이라고 이름하는데[有漏名取蘊]

　　또한 다툼 있는 것[亦說爲有諍]

　　및 고, 집, 세간[及苦集世間]

　　견처, 삼유 등이라고도 말한다[見處三有等][51]

논하여 말하겠다. 이것은 무엇을 세우려는 것인가? 말하자면 온蘊이라고도 이름하는 취온取蘊을 세우려는 것이다. 혹은 온일 뿐, 취온이 아닌 것이 있으니, 무루의 행[無漏行]을 말한다.[52] 번뇌를 '취取'라고 이름하는

....

서, "협脅 존자는, '유위의 모든 법은 말과 더불어 동시에 구른다는 뜻이 있을 수 있기 때문에 말의 의지처로 건립하지만, 무위는 그렇지 않으니, 이 때문에 말하지 않는다'라고 말하였다"라고 말하였다. 이와 같이 말의 의지처는 일체 유위의 모든 법을 모두 포함한다. 만약 그렇지 않고 명칭만이 말의 의지처가 되는 체라고 집착한다면 『품류족론』(=제9권. 대26-728상)과 상위할 것이니, 거기에서는 "말의 의지처는 18계에 포함된다"라고 말했기 때문이다.

49 '리'는 말하자면 영원히 떠난 것이니, 곧 열반이다. 이 열반은 일체 유위를 영원히 능히 버리고 떠난 것이니, 일체 유위는 그런 '리'가 있는 것이기 때문이다.

50 '사事'는 원인이라는 뜻이니, 유위의 모든 법은 원인에서 생기기 때문에 '원인 있는 것[有事]'이라고 이름한다. 경량부에서는 '사事'는 체體이니, 유위는 체가 있는 것이고, 무위는 체가 없는 것이라고 해석한다. 논주는 마음이 경량부의 벗으로서, '사事'가 원인이라는 것을 믿지 않기 때문에 '전하는 학설은 이와 같다'라고 말한 것이다.

51 이하는 둘째 유루의 여러 명칭을 밝히는 것이다. '등等'은 '염오 있는 것[有染]' 등을 같이 취한 것이다.

52 온이라는 이름이 공통되기 때문(=소위 무루온)이다.

데, 온이 취로부터 생기기 때문에 취온이라고 이름하니, 마치 풀불[草火]이나 겨불[糠火]과 같다.53 혹은 온이 취에 속하기 때문에 취온이라고 이름하니, 마치 제왕의 신하와 같다.54 혹은 온이 취를 낳기 때문에 취온이라고 이름하니, 마치 꽃나무나 과실나무와 같다.55

이 유루법은 다툼 있는 것[유쟁有諍]이라고도 이름한다. 번뇌를 '쟁諍'이라고 이름하니, 선한 품성을 자극하여 움직이기 때문이며, 자신과 남에게 손해를 입히기 때문이다. '쟁諍'이 따라 증장하기 때문에 '유쟁'이라고 이름한 것이니, 마치 유루와 같다.56

또한 고苦라고도 이름하니, 성자의 마음[聖心]에 위배되기 때문이다.57 또한 집集이라고도 이름하니, 능히 괴로움을 부르기 때문이다. 또한 세간世間이라고도 이름하니, 파괴될 수 있기 때문이며, 대치對治하는 것이 있기 때문이다.58 또한 견처見處라고도 이름하니, 소견[見]이 그 안에 머물면서 수면[眠]을 따라 증장시키기 때문이다.59 또한 삼유三有라고도 이름하니, 존재의 원인[有因]이며 존재의 의지처[有依]로서, 세 가지 존재에 포함되기 때문이다.60

이런 등의 부류가 유루법인데, 뜻에 따라 명칭을 달리한 것이다.

....

53 이는 원인[因]에 따라 이름으로 한 것이다.
54 이는 소속[屬]에 따라 이름으로 한 것이다.
55 이는 결과[果]에 따라 이름으로 한 것이다.
56 번뇌는 어기고 위배하기 때문에 '쟁'이라는 이름을 세운다.
57 유루는 괴로움이라는 결과가 무상하게 유전하는데, 범부는 깨닫지 못하지만, 성자는 이것을 싫어한다.
58 '파괴될 수 있기 때문'이라고 한 것은 무위와 다르다고 구별한 것이고, '대치하는 것이 있기 때문'이라고 한 것은 도성제와 다르다고 구별한 것이다.
59 '견見'은 5견五見(=유신견·변집견·사견·계금취·견취)을 말하는 것인데, 견견이 유루법 안에 머물면서 수면의 행상[眠行相]을 수순하여 증장시키기 때문이다. 행상이 미세하므로 이를 수면이라고 말한다.
60 '삼유三有'는 곧 욕유와 색유 및 무색유이다. 삼유에게 원인이 되는데, 원인은 곧 집제이다. 삼유에게 의지처가 되는데, 의지처는 곧 고제이다. 다시 이것은 삼유에 포함되기 때문이니, 이런 세 가지 뜻을 갖추기 때문에 '삼유'라고 이름한다.

제2장 오온·십이처·십팔계 분별

제1절 색온 총론

앞에서 말한 것처럼 색온 등의 오온을 유위법이라고 이름하는데, 색온이란 무엇인가?[61] 게송으로 말하겠다.

⑨a 색이란 오직 5근과[色者唯五根]
　5경 및 무표색뿐이다[五境及無表]

논하여 말하겠다. 5근이라고 말한 것은 소위 눈·귀·코·혀·몸의 감관[眼耳鼻舌身根]이고, 5경이라고 말한 것은 곧 눈 등 5근의 경계이니, 소위 형색·소리·냄새·맛·감촉[色聲香味所觸]이며, '및 무표'란 무표색을 말하는 것이니, 오직 이 수량에 의해서만 색온이라는 이름을 건립한다.[62]

....

61 이하는 둘째(=체를 밝히는 게품 중의 첫째 다른 명칭을 분별하는 것에 이어) 체를 바르게 분별하는 것이다. 그 안에 나아가면 첫째 체성을 전체적으로 분별하고, 둘째 명칭의 뜻을 개별적으로 해석하며, 셋째 여러 문으로 분별한다. 전체적으로 체를 분별하는 것에 나아가면, 첫째 바로 체를 나타내고, 둘째 전체적으로 포함하는 것을 밝히며, 셋째 수의 전개와 통합이다. 그 중 첫째 바로 체를 나타내는 것에 나아가면 첫째 색온을 밝히고, 둘째 3온을 밝히며, 셋째 식온을 밝힌다. 그 중 첫째 색온을 밝히는 것에 나아가면 첫째 바로 온을 건립하고, 둘째 처와 계를 건립한다. 온의 건립에 나아가면 첫째 글[章]을 열고, 둘째 개별적으로 해석하는 것을 밝히니, 이는 곧 글을 여는 것이다. # 여기에서 이상 설명된 글의 구성을, 이 책의 편성과 대조해 보이면 다음과 같다.

체성의 전체적 분별	바로 체를 나타냄	색온을 밝힘	온의 건립	제2장 제1~4절
			처·계의 건립	제5절
		3온을 밝힘		제6절
		식온을 밝힘		제7절
	전체적으로 포함하는 것을 밝힘			제3장 제1절
	수의 전개와 통합			제2절
명칭의 뜻의 개별적 해석				제3절
여러 문 분별				제4장

62 경량부와 같은 경우 무표색을 건립하지 않고, 각천覺天[Buddhadeva](= 설일체

제2절 5근

여기에서 먼저 5근의 모습[相]에 대해 설명해야 할 것인데,63 게송으로 말하겠다.

⑨c 그 식의 의지처인 청정한 색을[彼識依淨色]
　　눈 등의 5근이라고 이름한다[名眼等五根]

논하여 말하겠다. '그'는 앞에서 말한 색 등의 5경을 말하며, '식'은 곧 색·성·향·미·촉에 대한 식을 말한다. '그 식'의 의지처인 다섯 종류의 청정한 색은 그 순서와 같다고 알아야 할 것이니, 곧 눈 등의 5근이다. 예컨대 세존께서, "필추들이여, 눈은 말하자면 내입처[內處]이니, 사대로 만들어진 청정한 물질[四大所造淨色]을 성품으로 한다고 알아야 한다"라고 말씀하셨는데, 이렇게 자세히 말씀하신 것과 같다.64

혹 다시 '그'는 앞에서 말한 눈 등의 5근을 말하며, '식'은 곧 안식·이식·비식·설식·신식을 말한다. 그 식이 의지하는 다섯 종류의 청정한 물질을 눈 등의 감관이라고 이름한 것이니, 이 눈 등이 식의 의지처[所依止]라는 뜻이다. 이와 같다면 곧 『품류족론』에 따르는 것이니, 그 논서에서, "어떤 것이 안근인가? 안식眼識이 의지하는 청정한 물질을 성품으로 한다"라고 말하며, 이렇게 자세히 설명한 것과 같기 때문이다.65

....
유부의 논사)은 사대로 만들어진 색[所造色]을 건립하지 않으며, 대승은 법처 중에 다시 많은 색을 건립한다. 이 부파의 경우 오직 열한 가지 색법에 의해서만 색온이라는 명칭을 세운다. 심소법 중의 접촉[觸](=소위 감각접촉)과 다르다고 구별하기 위해 '소촉所觸'(=감촉)이라고 말하였다.
63 이하는 둘째 개별적으로 해석하는 것이다. 그 안에 나아가면 첫째 5근을 해석하고, 둘째 5경을 해석하며, 셋째 무표색을 해석한다.
64 게송 중 '그'라는 문자에 대해서는 두 가지 해석이 있는데, 이는 곧 첫째 해석이다. 여기에서 '그'라고 말한 것은, 그 형색 등의 경계이니, 5식신이 그 5경을 반연하기 때문에 '그 식'이라고 말한 것이다. 그 식이 의지하는 청정한 물질을 근이라고 이름하니, 경(=잡 [12]13:322 안내입처경)을 인용한 뜻은 근이 청정한 물질[淨色]임을 증명하려는 것이다.

제3절 5경

5근에 대해 설명했으니, 다음에는 5경에 대해 설명하겠다. 게송으로 말하겠다.

⑩ 형색은 두 가지, 혹은 스무 가지이고[色二或二十]
　소리에는 여덟 가지만 있으며[聲唯有八種]
　맛은 여섯 가지, 냄새는 네 가지[味六香四種]
　감촉은 열한 가지를 성품으로 한다[觸十一爲性]66

1. 색경

논하여 말하겠다. '형색은 두 가지'라고 말한 것은 첫째 현색[顯], 둘째 형상[形]이다. 현색에는 청靑·황黃·적赤·백白의 네 가지가 있으니, 나머지 현색들은 이 네 가지 현색의 차별이다. 형상에는 여덟 가지가 있으니, 긴 것[長]이 처음이고, 평평하지 않은 것[不正]이 뒤인 것을 말한다.67

....

65 '그'라는 말에 대한 두 번째 해석이다. '그'란 곧 그 감관이니, 그 식의 의지처를 눈 등이라고 이름했다는 것이다. 논서(=『품류족론』 제1권. 대26-692하)에서 '안식' 등이라고 말했으므로, '그'는 감관이지, 경계가 아니라는 것을 분명히 알 수 있다는 것이다.
66 인도에서 게송을 만들 때에는 모두 성명聲明(=여기에서는 운율론이라는 의미)에 의지한다. 만약 냄새를 앞에 두고 맛을 뒤에 둔다면 곧 성명에 어긋나지만, 맛을 앞에 두고 냄새를 뒤에 두면 곧 성명에 어긋나지 않는다. 지금은 범본에 의해 번역했기 때문에 맛을 앞에 두고, 냄새를 뒤에 두었다. 또 『순정리론』(제1권. 대29-334중)에서는, "순서를 건너뛰어 말한 것은 그 경계에 대한 식이 생기는 것에는 일정함이 없다는 것을 나타내려고 했기 때문이다"라고 말했으니, 말하자면 그 5식이 일어날 때 순서가 일정하지 않다는 것이다.
67 장항에 나아가면 첫째 5경을 해석하고, 둘째 식 생기의 총·별[生識總別]을 밝힌다. 이하에서 5경을 해석하므로, 글은 다섯 부분이 된다. 보이는 것[所見]을 형색이라고 이름하는데, 형색의 경계를 해석하는 글에 나아가면, 첫째 형색의 체를 나타내고, 둘째 4구로 분별한다. 형색의 체를 나타내는 것에 나아가면 모두 세 가지 설명이 있는데, 이는 곧 첫째 해석으로, 게송에서 '형색은 두 가지'라고 한 것을 해석하는 것이다. 첫째는 현색이고, 둘째는 형상인데, 현색에는 청·황·적·백의 네 가지가 있으니, 이것이 근본 현색[本顯色]이다. 그 나머

'혹은 스무 가지'란 곧 이 색처色處를 다시 스무 가지로 말한 것이니, 청·황·적·백과 긴 것[長], 짧은 것[短], 모난 것[方], 둥근 것[圓], 볼록한 것[高], 오목한 것[下], 평평한 것[正], 평평하지 않은 것[不正], 구름[雲], 연기[煙], 먼지[塵], 안개[霧], 그림자[影], 빛[光], 밝음[明], 어둠[闇]을 말한다.68 어떤 다른 논사[有餘師]는, "공空도 하나의 현색으로서, 스물한 번째이다"라고 말하기도 하였다.69

....

지 빛[光]·그림자[影]·밝음[明]·어둠[闇], 구름[雲]·연기[煙]·먼지[塵]·안개[霧]라는 여덟 가지 현색은 이 네 가지 현색의 차별로 건립된 것이다. 빛은 황색에 포함되니, 해가 처음 나올 때 적색이 보이는 것은 다른 물건에 반사되었기 때문이다. 혹은 빛은 적색에 포함되거나 황색과 적색에 포함된다. 그림자와 어둠은 청색에 포함되고, 밝음은 청·황·적·백색에 공통으로 포함되니, 모두 밝음이 있기 때문이다. 구름·연기·먼지·안개도 청·황·적·백색에 공통으로 포함된다.

68 둘째 '형색은 혹은 스무 가지'라고 한 것을 해석하는데, 이것과 앞의 것은 설명을 전개한 것과 통합한 것으로 다르지만, 역시 방해될 것은 없다. 청·황·적·백은 현재 보이는대로 알 수 있다. 긴 것과 짧은 것이라고 말한 것은, 긴 것과 짧은 것의 극미는 각각 별개의 체가 있지만, 서로 섞여서 머무는데, 긴 것과 비교해서 짧은 것을 보고, 짧은 것과 비교해서 긴 것을 본다. (문) 만약 긴 것과 짧은 것 등에 극미가 별도로 있다면, 어째서 『대비바사론』 제136권(대27−702상)에서, "극미는 가장 미세한 형색으로, 길거나 짧거나 모나거나 둥근 것이 아니라고 알아야 한다"라고 말했는가? (답) 『대비바사론』은 개별적인 하나의 극미에 의거해 말한 것이니, 이것은 가장 미세한 부분이어서 다시 쪼갤 수 없으며 눈에 보이는 것이 아니므로, 길거나 한 등이 아니라고 말한 것이지만, 이 논서는 이미 구성된 것[已成](=7극미의 결합)을 보는 것에 의거한 것이니, 실제로 체의 부류가 있기 때문이며, 긴 것 등을 이루었기 때문에 긴 것 등이라고 이름한다. 또 해석하자면 헤아릴 수 있게 이미 구성된 것을 긴 것이라고 이름하고, 헤아릴 수 없는 것을 짧은 것이라고 이름한다. 세간에서 긴 것과 비교해서 짧은 것이라고 말하는 것은 그 긴 것에 대해 임시로 짧은 것이라고 말하는 것이니, 마치 무거운 것에 대해 임시로 가볍다고 말하는 것과 같다. 모난 것은 경계가 모난 것을 말하는 것이며, 둥근 것은 원처럼 둥근 것을 말하는 것이다. 가운데가 솟아나온 것을 볼록한 것이라고 이름하며, 가운데가 들어간 것을 오목한 것이라고 이름한다.

69 이는 셋째 상이한 학설을 서술하는 것이다. 말하자면 수미산 사방 가장자리의 허공[四邊空] 중의 각각 하나의 현색을 '공도 하나의 현색'이라고 표현했다는 것이다. 그래서 『순정리론』 제34권(대29−538중)에서도, "공도 하나의 현색이란, 공중에서 보는, 수미산이 나타나는 곳의 순수한 색[純色]을 말한다"라고 말하였다. (문) '공도 하나의 현색'은 무엇을 체로 하는가? (해) 공계의 색[空界色]을 체로 한다. 그래서 『순정리론』 제1권(대29−334상)에서, "혹자는 말

여기에서 '평평한 것[正]'이란 형상이 가지런하게 평평한 것[形平等]을 말하고, 형상이 가지런하게 평평하지 않은 것을 '평평하지 않은 것[不正]'이라고 표현하였다. 땅으로부터 물의 기운이 비등한 것을 '안개'라고 말하고, 태양의 불꽃을 '빛'이라고 표현하며, 달, 별, 화약, 보배구슬, 번개 등의 여러 불꽃을 '밝음'이라고 표현하고, 빛의 밝음을 가려서 생긴 것으로, 그 안에서 다른 형색을 볼 수 있는 것을 '그림자'라고 이름하며, 이와 반대되는 것을 '어둠'이라고 하였다. 그 나머지 형색은 알기 쉽기 때문에 지금 해석하지 않겠다.[70]

혹 어떤 색처는 현색은 있지만, 형상은 없으니, 청·황·적·백과 그늘·빛·밝음·어둠을 말한다.[71] 혹 어떤 색처는 형상은 있지만, 현색은 없으니, 긴 것 등의 일부인 신표업身表業의 성품을 말한다.[72] 혹 어떤 색처는 현색도 있으며, 형상도 있으니, 그 나머지 형색을 말한다.[73]

어떤 다른 논사는, "현색은 있어도 형상은 없는 색처는 오직 빛과 밝음뿐이다. 현재 세간을 보면 청색 등의 색처에 긴 것 등이 있기 때문이다"

....

하기를, '색에는 스물한 가지가 있으니, 하나의 현색인 공이 제21인데, 이는 곧 공계의 색의 차별이다'라고 하였다"라고 하였다.

70 이는 힐난에 따라 따로 해석하는 것인데, 글대로 알 수 있을 것이다.

71 이하에서 4구로 밝히는데, 이는 즉 제1구이다.

72 이는 곧 제2구이다. 비록 형상이 있는 곳에는 반드시 현색도 있기는 하지만, 현색이 없다고 말한 것은, 형상을 아는 지혜가 생기는 것이 치우치게 강하고 뛰어남에 의거해 말한 것이니, 마치 새로 마름질해 만든 백색의 명주 등의 물건은, 비록 현색도 있기는 하지만, 형색이 새로 생기면서 형상을 아는 지혜가 생기는 것이 뛰어나기 때문에 제2구에 포함된다. '긴 것 등의 일부인 신표업(=수족의 움직임 등 몸으로 나타난 행위)의 성품'은 곧 새로 생긴 신표의 모습[身表相]이 드러나므로, 이에 대해 치우쳐 말한 것이니, 실제로는 새로 마름질한 명주 등에도 공통된다. 또 해석하자면 '긴 것 등의 일부'는 곧 마치 신표업의 성품처럼 일체 새로 생긴 형상이니, 이는 곧 별도로 사물을 가리킨 것이다. 또 해석하자면 곧 신표업을 긴 것 등의 일부라고 이름한 것이니, 업의 성품이 잠시 일어날 때 형상을 아는 지혜가 생기는 것이 뛰어나기 때문에 치우쳐 표업을 말한 것이니, 그 나머지 형색에는 해당하지 않는다.

73 이는 곧 제3구이다. 현색과 형상이 평등하며, 특별히 새로 생긴 것이 없어서 지혜 생기는 힘이 균등하므로, 모두 구구俱句에 포함된다. '그 나머지 형색'이란 곧 나머지 열두 가지 형색이다.

라고 말하였다.74 어떻게 하나의 체[一事]가 현색과 형상을 갖추고 있겠는가?75 이런 것 중에서 양쪽을 알 수 있기 때문이니, 여기에서 있다는 것은 아는 지혜가 있다는 뜻[有智義]이지, 경계가 있다는 뜻[有境義]이 아니다.76 만약 그렇다면 신표업에 대해서도 현색을 아는 지혜가 응당 있을 것이다.77

2. 성경

색처에 대해 설명했으니, 성처聲處에 대해 설명하겠다. '소리[聲]에는 여덟 가지만'이란, 말하자면 유집수有執受의 대종大種이나 무집수無執受의 대종을 원인으로 하는데, 또 유정의 명칭[유정명有情名]과 유정의 명칭 아닌 것[비유정명非有情名]으로 차별되므로 네 가지가 되며, 이들은 다시 마음에 드는 것[可意]과 마음에 들지 않는 것[不可意]으로 차별되므로 여덟 가지가 된다.78

....

74 상이한 학설을 서술하는 것이다. 오직 빛과 밝음의 색처만이 그 체가 맑고 오묘해서 한산한 허공 중에서도 형상이 없기 때문에 현색에 대한 지혜만 생긴다. 현재 세간에서 청·황·적·백과 그림자·어둠이라는 색처를 볼 때에는 그 모습이 조금 두드러져서 형상을 알 수 있으니, 긴 것 등이 있기 때문이다. 그러나 이는 바른 이치가 아니다. 여러 논서에서 모두 그림자와 어둠의 색처 등은 제1구에 포함된다고 말하기 때문이다.

75 외인의 힐난[外難]이다. 외인의 힐난은, 뜻을 이해하지 못하여, 하나의 형색이 현색과 형상의 두 가지 체를 갖추고 있다면 곧 하나의 극미에 두 부분이 있게 된다는 허물을 말하는 것이니, 그래서 「어떻게 하나의 극미의 체가 현색과 형상의 두 가지 체를 갖추고 있어서, 구구俱句가 된다고 말하는가?」라고 따져 묻는 것이다.

76 힐난에 대해 회통하는 것이다. 이들 형색의 무리 중에서 현색과 형상 두 가지를 모두 알 수 있기 때문이니, 이 구구俱句 중 현색과 형상이 있다고 말한 것은 형상과 현색 두 가지를 아는 지혜가 있다는 뜻이다. 현색과 형상 두 가지를 아는 지혜가 생기기에 현색과 형상 두 가지가 있는 형색이라고 표현한 것이지, 하나의 체가 현색이기도 하고 형상이기도 하다고 말하는 것이 아니니, 그래서 경계가 있다는 뜻이 아니라고 말하였다. 이는 비바사 논사들의 해석을 서술한 것이다.

77 이는 논주가 비바사 논사를 힐난하며 논파하는 것이다. 만약 그런 무리 중에서 두 가지를 아는 지혜가 생길 수 있다면, 곧 말하자면 그런 무리에 현색도 있고 형상도 있다는 것이니, 신표업의 형색도 이미 반드시 현색과 함께 하기에 역시 현색을 아는 지혜도 있을 것이므로, 오직 형상만이고 현색이 없는 제2구에 포함되어서는 안 될 것이다.

유집수의 대종을 원인으로 한 소리란, 말이나 손 등에 의해 일으켜진 음성을 말하고, 바람·숲·강 등에 의해 일으켜진 음성을 무집수의 대종을 원인으로 한 소리라고 이름한다. 유정명의 소리는 어표업語表業을 말하고, 그 나머지 소리는 곧 비유정명의 소리이다.79

어떤 분은, "유집수의 대종 및 무집수의 대종을 공통의 원인으로 하는 소리가 있으니, 예컨대 손과 북 등이 합쳐서 생기는 소리와 같다"라고 말하지만,80 마치 하나의 현색 극미가 두 종류 사대에 의해 만들어지는 것이 인정되지 않는 것처럼, 소리도 역시 그러해야 할 것이다.81

78 이하에서 개별적으로 성경을 해석한다, 들리는 것[所聞]을 소리라고 이름하는데, 차별되는 것에 여덟 가지가 있다. 첫째는 유집수(=심·심소법의 집지 섭수되어 그 의지처가 되는 것을 가리킴은 뒤의 제2권 중 게송 ㉝cd에 관한 논설 참조)의 대종을 원인으로 한, 유정명의 마음에 드는 소리, 둘째는 유집수의 대종을 원인으로 한, 유정명의 마음에 들지 않는 소리, 셋째는 유집수의 대종을 원인으로 한, 비유정명의 마음에 드는 소리, 넷째는 유집수의 대종을 원인으로 한, 비유정명의 마음에 들지 않는 소리인데, 무집수의 대종을 원인으로 한 소리에도 역시 네 가지가 있으니, 이에 준해서 해석할 것이다. (문) 무집수 중에 어떻게 유정명의 소리가 있을 수 있는가? (답)『입아비달마론』상권(대 28-980하)에서, "소리에는 두 가지가 있다. 말하자면 유집수 및 무집수의 대종을 원인으로 하는 것이 차별되기 때문이다. ··· 이것들이 유정명과 비유정명으로 차별되어 네 가지가 되는데, 말하자면 앞의 소리 중 말소리[語聲]를 유정명의 소리라고 표현하고, 그 나머지 소리는 비유정명의 소리라고 표현하며, 뒤의 소리 중 변화된 사람의 말소리[化語聲]는 유정명의 소리라고 표현하고, 그 나머지 소리는 비유정명의 소리라고 표현한다"라고 말한 것과 같다. ··· 그 논서에서 이미 뒤의 무집수의 소리 중 변화된 사람의 말소리를 유정명의 소리라고 말했으니, 무집수 중에도 유정명의 소리가 있을 수 있음을 분명히 알 수 있다.
79 이는 곧 따로 해석하는 것인데, 글대로 알 수 있을 것이다.
80 이는『잡심론』(=『잡아비담심론雜阿毘曇心論』제1권. 대28-872하) 논사의 주장을 서술한 것이니, 안과 밖, 양쪽 도구의 사대종이 결합하여 하나의 소리를 일으키는 것을 인정하여, 양쪽을 원인으로 하는 소리라고 표현한다는 것이다.
81 이는 논주의 논파이다. 마치 형색 중 하나의 현색 극미가 두 가지 4대에 의해 만들어지는 것이 인정되지 않는 것처럼, 소리에 대해서도 하나의 소리에 대해 두 가지 4대에 만들어진다는 것이 인정되지 않아야 할 것(=소조색은 1조組의 4대로 만들어진 것이다)이다. 만약 두 가지 4대가 같이 하나의 소리를 만들고, 같이 하나의 결과를 얻는다면, 응당 두 가지 4대는 번갈아 서로 바라볼 때 구유인이 되어야 할 것이므로 허물을 이루기 때문이다. 이치상 두 가지 4대가 같이 하나의 결과를 얻고, 구유인이 되는 것은 아니다. 다시 별도의 허물

3. 미경

성처에 대해 설명했으니, 미처味處에 대해 설명하겠다. 맛[味]에는 여섯 가지가 있으니, 달고[甘], 시고[酢], 짜고[鹹], 맵고[辛], 쓰고[苦], 담백한 것[淡]이 구별되기 때문이다.[82]

4. 향경

미처에 대해 설명했으니, 향처香處에 대해 설명하겠다. 냄새[香]에는 네 가지가 있으니, 좋은 냄새[好香], 나쁜 냄새[惡香], 알맞은 냄새[등향等香], 지나친 냄새[부등향不等香]로 차별이 있기 때문이다.[83] 근본 논서 중에서는, 냄새에는 좋은 냄새와 나쁜 냄새 및 중립적인 냄새[평등향平等香]라는 세 가지가 있다고 말하였다.[84]

....

이 있다. 이 소리는 유정의 것인가, 비유정의 것인가? 만약 유정의 소리라고 말한다면, (유정의 소리에) 외부 대종이 만드는 것이 있을 것이고, 만약 비유정의 소리라고 말한다면, (비유정의 소리에) 내부 대종이 만드는 것이 있을 것이다. # 이에 『순정리론』 제1권(=대29-334중)에서 말하였다. "비록 유집수와 무집수인 손과 북의 대종이 서로 부딪침이 원인이 되어 두 가지의 소리를 일으켜 낳을 수 있지만, 서로 가리고 빼앗으므로[相映奪] 그 중의 한 가지를 취한다."

82 이는 맛을 개별적으로 밝히는 것이다. 맛보여지는 것[所嘗]을 맛이라고 이름하는데, 글대로 알 수 있을 것이다.

83 이는 냄새를 개별적으로 해석하는 것이다. 맡아지는 것[所嗅]을 냄새라고 이름한다. 『대비바사론』 제13권(대27-64하)에서도 역시 네 가지 냄새를 말하니, 이 논서와 같다. 그 네 가지 냄새 중 좋고 나쁜 두 종류가 냄새를 모두 다 포함하는데, 그 두 종류 안에 등향과 부등향이 있다. 『순정리론』(=제1권. 대29-334중)에 등향과 부등향을 풀이하는 두 가지 해석이 있다. 첫째 해석은, 의지하는 몸을 증익하는 것과 손감하는 것이 구별되기 때문이라고 말한다. 해석하자면 '등等'은 고르고 균등한 것을 말하는 것이니, 냄새의 힘이 고르고 균등하면 의지하는 몸을 증익한다. '부등不等'은 너무 강해서 손해가 되거나 너무 약해서 이익이 없어, 의지하는 몸을 손감시키는 것을 말한다. 둘째 해석은, 혹자는 미약한 것과 증성한 것이 다르기 때문이라고 말한다고 한다. 해석하자면 미약한 것이 '등'이고, 증성한 것을 '부등'이라고 표현한 것이다.

84 『순정리론』(=제1권. 대29-334중)에서 근본 논서(=『품류족론』 제1권. 대26-692하)의 세 가지 냄새를 해석한 것에도 두 가지 해석이 있다. 첫째 해석은, 여러 감관의 대종을 능히 기른다면 좋은 냄새라고 이름하고, 이와 상반되는 것을 나쁜 냄새라고 이름하고, 앞의 두 가지 작용이 없다면 중립적인 냄새라고 이름한다고 말한다. 『입아비달마론』(=대28-981상)에서의 해석도 이 해석과 같다. 둘째 해석은 여러 복업들이 증가하면서 생긴 것은 좋은 냄새라

5. 촉경

향처에 대해 설명했으니, 촉처觸處에 대해 설명하겠다. 감촉에는 열한 가지가 있으니, 네 가지 대종[四大種]과 매끄러운 성품[滑性], 껄끄러운 성품[澁性], 무거운 성품[重性], 가벼운 성품[輕性] 및 차가움[冷], 배고픔[飢], 목마름[渴]을 말한다. 이들 중 대종에 대해서는 뒤에 자세히 설명할 것이다. 부드럽고 연하면[柔軟] 매끄럽다고 이름하고, 거칠고 억세면[麤强] 껄끄럽다고 하며, 잴 수 있으면[可稱] 무겁다고 이름하고, 이와 반대되면 가볍다고 한다. 따뜻하기를 바라면 차가움이라고 이름하고, 먹기를 바라면 배고픔이라고 이름하며, 마시기를 바라면 목마름이라고 이름한다. 즉 이 세 가지는 그 원인에 결과의 명칭을 세웠기 때문에 이렇게 말한 것이니, 마치 어떤 게송에서 말하는 것과 같다.85 "모든 붓다들의 출현은 즐거움

....

고 이름하고, 여러 죄업들이 증가하면서 생긴 것을 나쁜 냄새라고 이름하며, 오직 사대종의 세력만으로 생긴 것을 중립적인 냄새라고 이름한다고 말한다. 이 논사는 뛰어난 것, 하열한 것, 중간에 처한 것에 의거해 해석한 것이다. 또 『오사론五事論』(=하권. 대28-992중)에서는, 마음에 드는 것을 좋은 냄새라고 이름하고, 마음에 들지 않는 것은 나쁜 냄새라고 이름하여, 중립적인 느낌에 따르는 것을 중립적인 냄새라고 이름한다고 말하였다. 이를 해석하자면 감정에 의거해 말했기 때문에 좋거나 나쁘거나 중립적인 냄새라고 이름했지만, 그 체를 논하자면 무기無記이다. 이 해석도 『순정리론』의 두 번째 해석의 뜻과 어긋나는 것이 없다.

85 이하는 감촉을 개별적으로 해석하는 것이다. '접촉대상[所觸]'을 감촉이라고 이름하는데, 곧 열한 가지이다. 비록 감관이 경계를 상대해 실제로는 서로 접촉하지 않더라도 (신식이) 무간에 생길 때 감관은 식의 의지처이기에 능히 접촉하는 것[能觸]이라고 임시로 말하지만, 감촉은 식의 의지처가 아니기에 감촉이 몸의 감관에 능히 접촉하는 것[能觸]이라고 말하지 않고, 접촉되는 것[所觸]이라고 이름할 뿐이다. 감촉은 몸의 감관과 지극히 서로 인근하기 때문[極相鄰近故]에 감촉이라는 이름을 얻은 것이니, 냄새·맛의 두 가지도 비록 그 감관에 닿기는 하지만, 저 경계(=감촉)와는 같지 않기 때문에 감촉이라고 이름하지 않는다.
  매끄러움 등의 네 가지는 따로 체가 있다는 것을 나타낸 것이니, 경량부와는 같지 않기 때문에 각각 '성품'이라고 말하였다. 차가움·배고픔·목마름의 셋은 심소법 중 욕고[欲](=의욕)의 다른 이름이지, 바로 감촉을 가리키는 것은 아닌데, 욕구인 것을 감촉이라고 말한 것은 결과에 따라 이름을 표방한 것이고, 그래서 성품이라고 말하지 않았다. 만약 경량부에 의한다면 감촉 중에는 네 가지 대종만 있을 뿐, 따로 만들어진 감촉[所造觸]은 없다고 한다.

이며[諸佛出現樂] 바른 법의 연설도 즐거움이며[演說正法樂] 승가 대중들의 화합도 즐거움이며[僧衆和合樂] 같이 수행하며 용맹정진함도 즐거움이라네[同修勇進樂]"[86]

색계色界 중에는 배고픔·목마름이라는 감촉은 없지만, 그 나머지 감촉은 있다. 그 계에서의 의복은 특별해서 잴 수 없지만, 쌓이면 곧 잴 수 있다. 차가움의 감촉은 거기에서 감손시킬 수는 없지만, 이익을 줄 수는 있다. 전하는 학설은 이와 같다.[87]

6. 경계를 취하는 양상

여기에서 여러 종류의 색처에 대해 설명하였다. 어떤 때에는 안식이 하나의 사물을 반연해 생기는데, 말하자면 그 때에는 각각 따로 요별了別하지만, 어떤 때에는 안식이 많은 사물을 반연해 생기는데, 말하자면 그 때에는 따로 요별하지 않으니, 마치 군사들의 무리, 산의 숲, 한량없는 현색·형상의 보배구슬의 무더기 등을 멀리서 볼 때와 같다. 이식 등의 여러 식도 그러하다고 알아야 할 것이다. 어떤 다른 논사는, "신식은 가장 많으면 다섯 가지 감촉을 반연해서 일어나니, 4대종과 매끄러움 등 중의 하나를 말하는 것이다"라고 말하였고, 어떤 분은, "가장 많으면 일체 열한 가지 감촉을 모두 반연해서 일어난다"라고 말하였다.[88]

(문) 껄끄러움과 매끄러움, 가벼움과 무거움은 각각 서로 상대해서 세웠는데, 어째서 차가움에 상대해서는 따뜻함을 말하지 않는가? (답) 따뜻함은 곧 화대종이기 때문에 따로 세우지 않는다. (힐난) 차가움도 곧 수대종이니, 응당 따로 세우지 않아야 할 것이다. (해석) 물은 축축한 성품[濕性]이므로, 차가움이라고 이름해서는 안 된다.

86 #『불설신세경新歲經』(=대1-860하)에 나오는 게송인데, 표현은 약간 다르다.
87 이는 계界에 의거해 분별하는 것이다. 색계는 단식段食에 의지하기 않기 때문에 배고픔과 목마름이 없지만, 그 나머지는 모두 있다. 그 계에서의 의복은 하나하나가 따로 있으면 곧 잴 수 없지만, 많은 의복이 쌓여 모이면 비로소 잴 수 있다. 따라서 이는 무거움이 있다는 것은 나타낸다. 서늘한 바람이 몸에 닿을 때 능히 유익함을 주는 것은 차가움의 감촉이 있다는 것을 나타내는데, 경량부에서는 색계에는 차가움이 없다고 한다. 논주의 마음은 경량부의 벗으로서, 차가움이 있다는 것을 믿지 않기 때문에 '전하는 학설'이라고 말한 것이다.
88 이하는 둘째(=5경에 대한 장항의 해석 중의) 식 생기의 총별[生識總別]을 밝히는 것인데, 글대로 알 수 있을 것이다. 신식이 반연하는 감촉의 가장 많은

만약 그렇다면 5식은 경계를 전체적으로 반연하기 때문에 5식의 무리는 공상共相의 경계를 취하는 것이지, 자상自相의 경계를 취하는 것이 아닐 것이다.[89] 체의 자상[事自相]이 아니라 처의 자상[處自相]에 의거해, 5식의 무리는 자상의 경계를 취한다고 인정한 것인데, 여기에 무슨 허물이 있겠는가?[90]

이제 사유해서 가려야 할 것이다. 몸과 혀의 두 가지 감관이 그 양쪽의 경계에 모두 이를 때 어떤 식이 먼저 일어나는가?[91] 경계가 강성한 것에 따라 그 식이 먼저 생긴다. 경계가 균등하다면 설식이 먼저 일어나니, 식욕이 몸을 이끌어서 상속케 하기 때문이다.[92]

제4절 무표색

....

수에 대한 양 설이 같지 않은데, 뒤의 설이 바른 것이라고 하겠다.

89 이는 힐난하는 것이다. 경에서 5식은 자상의 경계를 취한다고 말했지만, 이미 전체적으로 반연할 수 있다면 자상의 경계를 취하는 것이 아닐 것이다.

90 이는 회통하는 것이다. '처'는 색처 등을 말하는 것이고, '체[事]'는 색처 등 중의 개별적 체[別事](=청·황·적·백 등의 현색이나 장·단·방·원 등의 형상)을 말한다. 처의 자상에 의거해 5식이 자상의 경계를 취한다고 인정한 것이니, 다른 처의 경계를 취할 수 없는 것을 자상을 취한다고 이름한 것이지, 개별적 체를 반연하는 것을 자상을 취한다고 이름한 것이 아니라는 것이다.

91 이는 묻는 것이다.

92 이는 대답이다. 맛을 탐내는 것이 증상하기 때문에 식욕이라고 이름하는데, 식욕이 있기 때문에 비로소 먹는 것으로 나아가게 할 수 있고, 먹는 것으로 나아가기 때문에 몸을 상속케 한다는 것이다. (문) '몸과 코가 같은 곳에서 양쪽 경계에 함께 이를 때 어떤 식이 먼저 일어나는가?', '눈과 귀는 경계를 달리하지만, 만약 함께 이른다면 어떤 식이 먼저 생기는가?', 이 글 중에서 이런 것들은 어째서 말하지 않았는가? (해) 맛과 감촉은 한쪽이 증성할 때도 있고 균등할 때도 있기 때문에 이것을 특별히 밝힌 것이다. 냄새와 감촉의 경우 서로 분리되지 않더라도 냄새가 뛰어나고 감촉은 하열해서 비식이 먼저 생기기 때문에 이것은 밝히지 않았다. 혹은 영략호현[影顯]한 것일 수 있으므로, 신근과 설근에 준해야 할 것이다. 형색과 소리 두 가지는 분리된 가운데서 아는 것[離中知]이기 때문(=냄새와 감촉은 결합한 가운데서 아는 것[合中知]이라는 취지)에 여기에서 말하지 않았다. 혹은 준해서 알 수 있기 때문이니, 강성한 것이 먼저 생기고, 균등하면 안식이 먼저 일어난다. 형색의 양상이 두드러지기에 눈의 작용이 빠르기 때문이다.

제1항 무표색의 모습

근根과 경境 및 경계를 취하는 양상[取境相]에 대해 설명했으니, 이제 다음에는 무표無表의 모습에 대해 설명하겠다.93 게송으로 말하겠다.

① 난심과 무심 등을[亂心無心等]
  따라 유전하는, 청정하거나 청정하지 못한 것으로서[隨流淨不淨]
  대종으로 만들어진 것의 성품[大種所造性]
  이에 의해 무표를 말한다[由此說無表]94

논하여 말하겠다. '난심'이란 이것의 나머지 마음[此餘心]을 말하고,95 '무심'이란 무상정無想定 및 멸진정滅盡定에 들어간 것을 말하며,96 '등'이

---

93 이하는 셋째(=색온을 개별적으로 밝히는 것 중의) 무표색(=표업 및 선정에 의해 생기는, 그에 상응하는 결과를 견인해 낳는 공능을 가진 힘)을 해석하는 것이다. 그 안에 나아가면 첫째 무표색의 모습을 밝히고, 둘째 만드는 주체[能造]인 대종을 밝힌다. 이는 곧 첫째 무표색의 모습을 밝히는 것이다.

94 첫 구는 무표색의 단계[位]를 나타낸 것이고, 제2구 중 '따라 유전한다'는 무표색의 모습[相]을 나타낸 것이며, '청정하거나 청정하지 못한'은 무표색의 체體를 나타낸 것이고, 제3구는 '득得'과 구별하는 것이며, 제4구는 명칭을 맺는 것이다.

95 세 가지 성품(=선·불선·무기)의 마음이 선·악의 무표와 관련해서 난심과 불란심인 것을 밝히는 것이다. 만약 다른 성품으로 서로 바라본다면 난심이라고 이름하니, 성품이 다르기 때문이며, 만약 같은 성품으로 서로 바라본다면 불란심이라고 이름하니, 성품이 같기 때문이다. 말하자면 이것이 선의 무표라면 그 나머지 불선과 무기는 난심이라고 이름하고, 곧 자체의 선심은 불란심이라고 이름하며, 말하자면 이것이 불선의 무표라면 그 나머지 선과 무기를 난심이라고 이름하고, 곧 자체의 불선심은 불란심이라고 이름한다. 이는 곧 선심과 불선심은 난심과 불선심에 통하지만, 무기는 오직 난심이라고만 이름하니, 자체에 무표가 없기 때문이다. 그러나 만약 『순정리론』(=제2권. 대29-335상)에 의한다면, 불선과 무기를 난심이라고 이름하고, 선심을 불란심이라고 이름하므로, 해석이 조금 같지 않다.

96 '무상이숙'(=무상정의 과보)을 말하지 않은 까닭은 그 단계에서는 무표가 형성되지 않기 때문이니, 색계에 태어났기 때문에 산심[散]의 무표가 없으며, 무심이기 때문에 정심[定]의 무표가 없다. 따라서 무심이란 말은 그것을 포함하지 않는다.

란 말은 불난심不亂心과 유심有心을 나타내어 보인 것이다.97 서로 비슷하게 상속하는 것을 말하여 '따라 유전한다'라고 표현하였고,98 선과 불선을 '청정하거나 청정하지 못한 것'이라고 표현하였다.99 여러 득得에 의해 서로 비슷하게 상속하는 것과 구별하기 위해 이 때문에 다시 '대종으로 만들어진 것'이라고 말하였다. 『대비바사론』에서, "조造는 원인[因]이라는 뜻이다"라고 말했으니, 말하자면 (대종은 소조색에 대해) 생生 등의 다섯 가지 원인이 되기 때문이다.100 명칭을 세운 원인을 나타내려고 '이에 의해'라고 말했으니, 무표는 비록 색업色業을 성품으로 한다는 점에서 유표업有表業과 같지만, 겉으로 보여서[表示] 남으로 하여금 요지하게 하는 것이 아니기 때문에 '무표'라고 이름하였다. '를 말한다'라고 한 것은, 이것이 이 논사들의 주장이라는 말을 나타낸 것이니, 요약해 말하자면 표업 및 선정에서 생긴 선·불선의 색을 '무표'라고 이름했다는 것이다.101

....

97 '난심 등'은 불란심을 같이 취하고, '무심 등'은 유심을 같이 취한다. 그 상응하는 바에 따라 무표가 이런 네 가지 단계에서 형성되기 때문이다.

98 '서로 비슷하다'는 것은 표업 및 마음과 그 성품이 서로 비슷하다는 것이다. 혹은 전후가 서로 비슷하다는 것일 수도 있다. '상속'은 앞과 뒤가 서로 이어지는 것을 말한다. 혹은 서로 비슷한 것을 '따라[隨]'라고 표현했고, 상속하는 것을 '유전한다[流]'라고 표현한 것이다.

99 달리 무기의 무표를 헤아리는 것을 막기 위해 그 성품은 오직 선과 불선이라고 분별한 것이다.

100 이는 득得과 구별하는 것이다. 득도 비록 서로 비슷하게 상속하고, 네 가지 단계에서 형성되는 것에 해당하지만, 대종으로 만들어진 것이 아니기 때문에 무표가 아니다. 이 학파(=설일체유부)에서는 만든다[造]는 것은 원인[因]이라는 뜻이니, 만들어진 결과[所造果]를 낳기 때문에 각천覺天 등과는 다르다고 구별한 것이다. 그는 만든다는 것은 이룬다[成]는 뜻이며, 시설施設한다는 뜻이라고 말하니, 곧 이 대종이 만들어진 것을 이루기 때문이며, 곧 이 대종이 만들어진 것을 시설하기 때문이라고 한다. #『대비바사론』제127권(=대27-663상)에서, 만든다는 것은 원인이라는 뜻이라고 하면서, 생기는 원인[生因], 의지하는 원인[依因], 건립하는 원인[立因], 유지하는 원인[持因], 기르는 원인[養因]의 다섯 가지 원인[五因]이 된다고 말한다.

101 게송 제4구를 해석한 것이다. 표와 무표 두 가지는 비록 같이 색업을 성품으로 하지만, 표는 마음 등을 겉으로 보여서 남으로 하여금 요지하게 할 수 있는 반면, 무표는 마음 등을 겉으로 보여서 남으로 하여금 요지하게 할 수 없기 때문에 무표라고 이름한다. 그런데 논주는 이런 무표에 따로 체상이 있다는 것을 믿지 않기 때문에 이것은 이 논사들의 학파(=설일체유부)에서 말하는

제2항 만드는 주체인 대종

1. 사대종

무표는 대종으로 만들어진 것[大種所造]이라고 이미 말했는데, 대종은 어떤 것인가?102 게송으로 말하겠다.

⑫ 대종은 4계를 말하는 것이니[大種謂四界]
곧 지·수·화·풍인데[卽地水火風]
능히 유지하는 등의 업을 이루며[能成持等業]
견·습·난·동을 성품으로 한다[堅濕煖動性]103

논하여 말하겠다. 지·수·화·풍은 능히 자상自相과 소조색所造色을 유지하기 때문에 계界라고 이름하는데, 이와 같은 4계를 또한 대종이라고도 이름하니, 일체 나머지 물질[色]이 의지하는 것의 성품[所依性]이기 때문이다. 그 체가 넓기 때문이며, 혹은 지地 등이 증성한 무더기[增盛聚] 중에서 형상形相이 크기 때문이며, 혹은 갖가지 큰 일의 작용을 일으키기 때문이다.104

....

것이라고 말한 것이다. 요약해 말하자면 표업에서 생긴 선·불선의 색 및 선정에서 생긴 선의 색을 무표라고 이름했다는 것이다.

102 이하는 둘째 만드는 주체[能造]인 대종을 밝히는 것이다. 그 중에 나아가면 첫째 실유인 사대를 밝히고, 둘째 가유에 상대해 실유임을 드러낸다. 이는 곧 실유인 사대를 밝히는 것인데, 앞을 옮겨와서 물음을 일으켰다.

103 게송 중 위의 2구는 수를 들고 명칭을 열거한 것이며, 제3구는 업을 분별한 것이고, 제4구는 체를 나타낸 것이다.

104 유지한다는 뜻에서 계라고 이름하는데, 첫째는 능히 대종의 자상을 유지해서 바뀌지 않게 하고, 둘째는 능히 소조색을 유지해서 상속하게 한다. 대종이라고 말한 것은 일체 나머지 소조색이 의지하는 것의 성품이기 때문이니, 나머지 물질이 의지하는 것이란 이것이 능히 생기게 한다는 뜻이다. (그 아래는) 세 가지 뜻으로 대大를 해석한 것이다. 첫째는 체가 넓은 것에 의거해 대라고 이름한 것이니, 하나하나의 소조색마다 각각 4대가 있기 때문이다. 둘째는 형상에 의거해 대라고 이름한 것이니, 예컨대 지가 증성한 큰 땅이나 큰 산, 수가 증성한 큰 강이나 큰 바다, 화가 증성한 화로나 맹렬한 화염, 풍이

이 4대종은 어떤 업을 이룰 수 있는가? 그 순서대로 유지하고[持] 거두며[攝] 익히고[熟] 기르는[長] 네 가지 업을 이룰 수 있다. 지계는 능히 유지하고, 수계는 능히 거두며, 화계는 능히 익히고, 풍계는 능히 기르는데, 기른다는 것은 증성하게 하는 것[增盛], 혹은 다시 흐르도록 이끄는 것[流引]을 말한다.105

업의 작용이 이미 이러하다면, 자성은 어떠한가? 그 순서대로 곧 단단함[堅]·축축함[濕]·따뜻함[煖]·움직임[動]을 써서 성품으로 하니, 지계는 단단한 성품이고, 수계는 축축한 성품이며, 화계는 따뜻한 성품이고, 풍계는 움직이는 성품이다. 이(움직이는 성품)에 의해 대종과 소조색을 능히 견인해 그것들로 하여금 서로 이어져 생겨 다른 곳에 이르도록 하는 것이, 마치 등불빛에 대해 숨을 부는 것[吹燈光]과 같기에 움직임이라고 이름하는 것이다. 『품류족론』과 계경에서, "어떤 것을 풍계라고 이름하는가? 말하자면 가벼운 등 움직이는 성품을 말하는 것이다"라고 말하고, 다시 그 가벼움의 성품을 소조색이라고 말하였다. 따라서 풍계는 움직임을 자성으로 한다고 해야 하지만, 업을 들어 체를 나타내기 때문에 가벼움[輕]이라고도 말한 것이다.106

....

증성한 검은 바람이나 회오리 바람과 같다. 셋째는 작용에 의거해 대라고 이름한 것이니, 예컨대 화재·수재·풍재가 그 순서대로 초선·제2선·제3선의 하늘까지 능히 파괴하며, 지가 세계를 능히 지탱하기 때문에 작용이 크다는 것이다. 『순정리론』(=제2권. 대29-336상)에 의하면, 대종을 해석하면서, "허공은 비록 '대大'이지만, '종種'이라고 이름하지 않으며, 그 나머지 유위법은 비록 '종'이지만, '대'가 아니다. 오직 이 네 가지만 양쪽 뜻을 갖추기 때문에 대종이라고 이름한다"라고 말했는데, 『대비바사론』(=제127권. 대27-663상) 등도 『순정리론』과 같다.

105 이는 업에 대해 묻고 답하는 것이다. 증성하게 한다는 것은 마치 종자에서 싹이 생기는 것과 같으니, 이는 위·아래에 의거한 것이고, 흐르도록 이끈다는 것은 마치 기름이 물에 방울져 떨어지는 것과 같으니, 이는 곧 좌·우에 의거한 것이다. 풍의 업은 다소 은밀하기 때문에 따로 해석한 것이다.

106 자성은 알 수 있을 것이다. 움직이는 성품은 조금 은밀하니, 이 때문에 따로 해석한 것이다. 이치의 실제로는 유위법은 모두 찰나에 소멸하므로, 여기에서 움직여 다른 곳에 이르는 것을 인정할 수 없는데도 서로 이어져 다른 곳에 이른다고 말한 것은, 서로 이어 움직이고 굴려서 다른 곳에 이르게 하는 것에 의거한 것이니, 풍계의 움직임 때문에 물질이 오고 간다고 말하는 것이다. 만

2. 실유임을 드러냄

땅 등과 지地 등의 계는 어떻게 다른가?107 게송으로 말하겠다.

⑬ 땅은 현색과 형상의 색처를 말함이니[地謂顯形色]
　세간의 지각에 따라 세운 명칭이고[隨世想立名]
　물과 불도 역시 그러하며[水火亦復然]
　바람은 곧 계이지만, 역시 그렇기도 하다[風卽界亦爾]

논하여 말하겠다. 땅은 말하자면 현색과 형상의 색처色處를 체로 하는 것으로서, 세간의 지각에 따라 임시로 이 명칭을 세운 것이다. 모든 세간에서 모습으로 땅을 보이려고 하면 현색과 형상의 색으로써 그 모습을 보이기 때문이다. 물과 불도 역시 그러하다.108

....

약 이 풍계가 없다면 곧 움직이고 구르는 것이 없을 것이니, 논서(=『품류족론』제2권. 대26-699하)와 경(=잡 [11]11:273 합수성비경)을 인용해 이 풍계가 움직임을 자성으로 한다는 것을 증명한 것이다. '가벼움' 등에 대해 말하자면, 가벼움은 만들어진 촉경이지만, 풍계의 체성이 가벼움과 서로 비슷하기 때문에 '가벼움' 등이라고 말한 것이니, 풍계의 체는 움직임인데도 가벼움이라고 말한 것은, 풍계의 움직이는 성품은 미세해서 알기 어렵기 때문에 가벼운 양상에 의거해 움직이는 성품을 나타낸 것이다. 업은 하는 일을 말하는 것이고, 결과는 곧 그 가벼움이니, 8전성轉聲 중 제2성(=목적격)이다. 업으로써 체를 나타내었으니, 곧 이것은 결과로써 원인을 나타낸 뜻이다.
　8전성에 대해 설명하겠다. 첫째는 주격[體]이니, 바로 법의 주체를 표현하는 것을 말하고, 둘째는 목적격[業]이니, 하는 일[所作事業]을 말하며, 셋째는 구격[具]이니, 행위자의 도구[作者作具]를 말하고, 넷째는 위격[爲]이니, 위하는 것[所爲]을 말하며, 다섯째는 탈격[從]이니, 좇은 것[所從]을 말하고, 여섯째는 속격[屬]이니, 속한 것[所屬]을 말하며, 일곱째는 의격[依]이니, 의지하는 것[所依]을 말하고, 여덟째는 호격[呼]이니, 저를 부르는 것[呼彼]을 말한다. 성명聲明의 법칙에 의해 여러 법을 부르는 것에는 그 상응하는 것에 따라 8전성이 있다.
107 이하는 둘째 가유를 상대해 실유임을 나타내는 것이다. 가유인 땅 등과 실유인 지 등의 계는 어떻게 다른가? 이는 곧 물음을 일으킨 것이다.
108 장항에 나아가면 첫째 게송을 해석하고, 둘째 색의 뜻을 해석한다. 이는 곧 첫 글이다. 땅은 말하자면 현색과 형상의 색처를 체로 하는데, 세간 사람들이 모습으로 보일 때에는 모두 형상과 현색을 가리키기 때문에 붓다께서 세간에 따라 현색과 형상에 의거해 땅이라는 명칭과 지각을 세우신 것이다. 물과 불

바람은 곧 풍계이니, 세간에서 움직이는 것에 대해 바람이라는 명칭을 세우기 때문이다. 혹은 땅 등이 세간의 지각에 따른 명칭이듯이, 바람도 역시 현색과 형상이기 때문에 '역시 그렇기도 하다'라고 말하였다. 마치 세간에서 검은 바람[黑風]이나 회오리바람[團風]이라고 말하는 것처럼, 이 것도 현색과 형상을 써서 바람을 표시하기 때문이다.109

【색色의 뜻】 무엇 때문에 (5근에서 시작하여) 무표색을 최후로 하는 이 온을 색色이라고 말하는가?110 변하고 무너지기 때문[變壞故]이니, 예컨대 세존께서, "필추들이여, 변하고 무너지기 때문에 색취온이라 이름한다고 알아야 한다.111 무엇이 능히 변하고 무너지게 하는가? 말하자면 손이 닿 기 때문에 곧 변하고 무너진다"라고 말씀하시고, 나아가 자세히 말씀하신 것과 같다. 변하고 무너지는 것은 곧 무너짐을 괴로워할 만하다는 뜻[可惱

....

의 경우도 역시 그러하다.

109 바람의 계가 있을 경우에만 곧 바람이라고 이름하는데, 세간에서 움직이는 것이 바람의 체가 된다고 헤아리기 때문이다. 이것은 다른 학설이다. 또한 현 색과 형상이 공통으로 바람을 표시한다고도 말하는데, 이것이 바른 설명이다. (문) 가유인 땅·물·불·바람은 모두 형색·냄새·맛·감촉을 체로 하는데, 어째 서 형상과 현색만 치우쳐 말하는가? (답) 형상만 치우쳐 말하는 것은 많은 부 분에 따라 말하기 때문이다. 말하자면 세간에서는 대부분 땅·물·불·바람을, 현색과 형상으로 된 형색으로써 그 모습을 가리켜 보이지, 대부분 그 땅·물· 불·바람을 냄새·맛·감촉으로써 그 모습을 가리켜 보이는 것이 아니다. 또 해 석하자면 형색이 두루하며 뛰어나기 때문이다. 비록 가유인 땅 등에 냄새·맛· 감촉도 모두 있기는 하지만, 형상과 현색이 공통으로 땅·물·불·바람을 표시 할 수 있으니, 두루하며 뛰어나고 체가 강하기 때문이다.

110 이하는 둘째 색의 뜻을 따로 해석하는 것이다. 먼저 안근에서 시작해서 무표 색으로 끝나는 색온을 무엇 때문에 색이라고 말하는가 라고 묻는다.

111 변할 수 있고 무너질 수 있기 때문에 색이라고 이름한다. 인용한 증거(=출 전 미상)는 알 수 있을 것이다. 또 『대비바사론』 제97권(=대27-503상)에서 말하였다. "(문) 변하는 것과 무너지는 것은 어떤 차이가 있는가? (답) 변하 는 것은 미세한 무상의 법을 나타내어 보이고, 무너지는 것은 두드러진 무상 의 법을 나타내어 보인다. 또 다음 변하는 것은 찰나 무상을 나타내어 보이고, 무너지는 것은 중동분衆同分(=유정들의 부류의 같음. 뒤의 제5권 중 게송 42a 와 그 논설 참조)의 무상을 나타내어 보인다. 또 다음 변하는 것은 내부의 무 상을 나타내어 보이고, 무너지는 것은 외부의 무상을 나타내어 보인다. 또 다 음 변하는 것은 유정에 속하는 것의 무상을 나타내어 보이고, 무너지는 것은 유정에 속하는 것 아닌 것의 무상을 나타내어 보인다."

壞義]이니, 그래서 의품義品 중에서 이렇게 말하였다. "여러 욕망을 추구하는 사람은[趣求諸欲人] 항상 희망을 일으키는데[常起於希望] 여러 욕망이 이루어지지 않으면[諸欲若不遂] 화살에 맞은 것처럼 무너짐을 괴로워하네[惱壞如箭中]"112

색이 다시 어째서 욕망에 의해 무너짐을 괴로워하는 것[欲所惱壞]인가? 욕망에 의해 흔들려 괴로워하는 것[欲所擾惱]은 변하고 무너짐에서 생기기 때문이다.113

어떤 분은, "변하고 장애하기 때문[變礙故]에 색이라 이름한다"라고 말하였다.114 만약 그렇다면 극미極微는 색이라고 이름하지 않아야 할 것이니, 변함과 장애함이 없기 때문이다.115 이 힐난은 그렇지 않다. 하나의 극미가 각각의 처소에 머무는 일은 없고, 여러 극미가 모이므로, 변하고 장애한다는 뜻이 이루어질 수 있기 때문이다.116

과거와 미래의 것은 색이라고 이름하지 않아야 할 것이다.117 이것들도

....

112 말하자면 그 색법은 손이 닿기 때문에 곧 변하고 무너진다. 자세히 말하자면 나아가 모기나 등에 등이 닿으면, 5근 및 형색·소리·냄새·맛은 비록 손 등이 닿은 것은 아니지만, 그것이 닿은 것과 동일한 무더기[聚]가 생기므로, 접촉해서 닿을 때 그것이 곧 변하고 무너진다. 혹은 그것을 만든 주체인 사대종에 닿으면, 소조색으로 하여금 역시 변하고 무너지게 하는 것일 수도 있다. 따라서 이 변하고 무너짐은 곧 다른 것에 의해 무너짐을 괴로워한다[惱壞]는 뜻이다. # '의품'은 『의족경義足經』(=상권. 대4−175하)을 가리키는 것으로 보이는데, 그 표현과는 많이 다르다. 본문의 표현은 『대비바사론』(=제34권. 대27−176중)에 인용되어 있는 것과 같다.
113 욕망에 의해 흔들려 괴로워하는 것이, 색이 변하고 무너짐에서 생기기 때문이다.
114 두 번째 해석이다. 색은 변할 수 있고 장애가 있는 것이다. 변할 수 있다는 것은 말하자면 변하고 무너질 수 있기 때문이며, 장애가 있다는 것은 말하자면 장애하는 작용이 있기 때문이다.
115 힐난이다.
116 변론이다. 5식의 의지처와 소연은 모두 쌓여 모인 것이어야 하기 때문에 현재 독립해 머물고 있는 극미는 없다. 늘 쌓여 모이기 때문에 변함과 장애가 있다
117 힐난이다. 현재의 여러 극미는 모였으므로 변하고 장애한다는 뜻이 성립될 수 있지만, 과거와 미래의 극미는 흩어져 있어 색이라고 이름하지 않아야 할 것이다.

일찍이 변함과 장애가 있었고, 장차 변함과 장애가 있을 것이기 때문이며, 또 그것의 부류이기 때문이니, 마치 타는 대상인 섶[所燒薪]과 같다.118

【무표색에 관하여】무표색들은 색이라고 이름하지 않아야 할 것이다.119 어떤 분은, "표색에 변함과 장애가 있기 때문에 무표색도 그것에 따라 또한 색이라는 명칭을 받으니, 마치 나무가 움직이면 그림자도 또한 따라 움직이는 것과 같다"라고 해석하였다.120 이 해석은 그렇지 않으니, 변함과 장애가 없기 때문이며, 또 마치 나무가 사라질 때 그림자도 반드시 따라 사라지는 것처럼, 표색이 사라질 때 무표색도 사라져야 할 것이기 때문이다.121

어떤 분은, "의지대상[所依]인 대종이 변하고 장애하기 때문에 무표업도 역시 색이라는 명칭을 얻을 수 있다"라고 해석하였다.122 만약 그렇다면 의지대상에 변함과 장애가 있기 때문에 안식 등의 5식도 역시 색이라고 이름해야 할 것이다.123 이 반박은 가지런하지 못하다[不齊]. 무표색이 대종에 의지해 일어날 때에는, 마치 그림자가 나무에 의지하거나 빛이 보배 구슬에 의지하는 것과 같지만, 안식 등의 5식이 눈 등에 의지할 때에는 곧 이와 같지 않아서, 오직 식이 생기는 것을 돕는 조건[助生緣]이 될 수

---

118 변론이다. 과거에는 일찍이 장애하였고, 미래에 생길 법은 장애할 것이며, 생기지 않을 법들도 그 장애하는 부류이니, 마치 타는 대상인 섶과 같다.
119 또 힐난한다. 5근과 5경의 극미는 변함과 장애를 이루므로 색이라고 이름할 수 있지만, 무표색은 이미 극미로 이루어진 것이 아니어서 변하고 장애하는 것이 아니기 때문에 색이 아니어야 할 것이다.
120 이하 무표색에 관한 힐난에 대한 해석인데, 두 가지 해석이 있다. 이는 첫째 해석이다. 표색에 따른다는 것에 의거한 해석인데, 이는 『잡아비담심론』(=제1권. 대28-871하)의 논주의 뜻이다.
121 이는 반박이다. 본래 변애로써 색이라는 명칭을 해석했는데, 체에 변애가 없으니, 색이라고 이름하지 않아야 할 것이다. 또 비유에 의거해 반박한다. 그림자는 나무에 의지하므로 나무가 사라지면 그림자도 따라 사라지지만, 무표색은 표색에 의지하나 표색이 사라져도 무표색은 사라지지 않는다. 사라지는 것이 이미 같지 않은데, 색(이라는 명칭)이 어찌 그것과 같겠는가?
122 두 번째 해석인데, 이는 대종을 색이라고 이름하는 것에 의거한 것이다.
123 이는 반박이다. 만약 의지대상이 변애하는 것이라고 해서 의지주체도 색이라는 명칭을 얻는다면, 의지대상인 5근이 이미 변애하는 것이니, 의지주체인 5식도 색이라고 이름해야 할 것이다.

있을 뿐이기 때문이다.124 그런데 그림자가 나무에 의지하거나 빛이 보배에 의지한다는 이 말은 우선 비바사의 이치에 부합하는 것이 아니니, 그들의 종지는 그림자 등의 현색 극미는 각각 스스로 4대종에 의지한다고 하기 때문이다.125 설령 그림자나 빛이 나무나 보배에 의지한다는 것을 인정한다고 하더라도, 무표색은 그렇게 의지하는 것과는 같지 않으니, 그들은 의지대상인 대종이 소멸하더라도 무표색은 따라 소멸하지 않는다고 인정하기 때문이다. 이 때문에 앞서 말한 것은 아직 반박에 대한 변론이 되지 못한다.126 그 반박에 대해 다시 별도의 변론이 있어 말한다. "안식 등의 5식은 의지대상이 일정하지 않다. 혹은 변함과 장애가 있기도 하니, 눈 등의 감관을 말하고, 혹은 변함과 장애가 없기도 하니, 무간에 소멸한 의근[無間意]을 말한다. 그러나 무표색의 의지대상은 곧 이와 같지 않기 때문에 앞의 반박은 결정코 가지런하지 못하다." 따라서 변하고 장애하는 것을 색이라고 이름하는 이치는 성취될 수 있다.127

....

124 이는 옛 논사가 반박에 대해 회통했던 것을 서술한 것이다. 무표색은 직접 [親] 대종으로부터 생기는 것이, 마치 저 그림자나 빛이 나무나 보배에 직접 의지하는 것과 같으므로, 대종에 따라 색이라고 이름할 수 있다. 여러 대종을 소조색에서 바라보면, 생인 등의 다섯 가지 원인이 되기 때문에 직접적인 것 [親]이다. 안식 등의 5식이 눈 등의 5근에 의지할 때에는 곧 이와 같지 않아서, 오직 식이 생기는 것을 돕은 증상연이 될 수 있을 뿐이기 때문에, 식을 감관에서 바라보면 그 소원함[疏] 때문에 색이라고 이름할 수 없다.

125 이하는 허물이 있음을 나타내는 것이다. 설일체유부에서는, 소조색의 극미는 각각 따로 자신의 4대종에 의지한다고 한다. 그런데도 그림자와 빛이 나무와 보배에 의지해 생긴다고 말한 것은 우선 비바사의 이치와 부합하는 것이 아니니, 그 학파에서는 그림자와 빛은 각각 자신의 4대종에 의지한다고 하기 때문이다. 나무와 보배는 도리어 발생을 돕는 증상연의 뜻으로서, 안근에 견주는 편이 뜻이 응당 서로 비슷할 것이다.

126 이는 가정적으로 논파하는 것[縱破]이다. 설령 그림자나 빛이 나무나 보배에 의지한다는 그대의 주장을 인정한다고 하더라도, 무표색은 그 그림자나 빛이 나무나 보배에 의지하는 것과 같지 않으니, 그 학파에서는 의지하는 대종이 소멸하더라도 무표색은 항상 상속하여 생기고, 따라 소멸하지 않는다고 인정하기 때문이다. 이 때문에 이 논사는 아직 반박에 대해 변론하지 못한 것이다.

127 이는 논주가 외인의 반박에 대해 두 번째로 변론하는 것이다. 5식은 두 가지에 의지하니, 변애變礙가 있는 것도 있고, 변애가 없는 것(='무간에 소멸한 의근'에 의지하는 것에 대해서는 뒤의 제2권 중 게송 ⑬d와 그 논설 참조)도 있

제5절 색온의 처와 계

게송으로 말하겠다.

⑭a 이들 중 근과 경이[此中根與境]
　곧 10처와 10계라고 인정한다[許卽十處界]

논하여 말하겠다. 이 앞에서 설한 색온의 성품 중 곧 (무표색을 제외한) 5근과 5경이 10처와 10계가 된다고 인정한다. 말하자면 처의 문[處門]에서는 10처로 세우니, 안처와 색처에서, 자세히 말하자면 신처와 촉처까지이다. 만약 계의 문[界門]에서라면 10계로 세우니, 안계와 색계에서, 자세히 말하자면 신계와 촉계까지이다.128

제6절 3온을 밝힘

색온과 아울러 그 처와 계의 건립에 대해 설명했으니, 수온 등의 3온과 그 처와 계에 대해 설명하겠다.129 게송으로 말하겠다.

⑭c 수는 접촉에 따른 것을 받아들이는 것이고[受領納隨觸]

....
다. 일정하지 않기 때문에 색이라고 이름하지 않는다. 무표색은 오직 변애가 있는 것, 하나에만 의지한다. 결정되어 있기 때문에 색이라고 이름한다. 따라서 앞의 반박은 가지런하지 못하고, 변하고 장애하는 것을 색이라고 이름한다는 이치는 성취될 수 있다. # 결국 위의 '두 번째 해석'(=의지대상인 대종을 색이라고 이름하기 때문)이 옳다는 취지.
128 이하는 큰 글(=5온 중 색온을 밝히는 글)의 둘째 처와 계의 건립이다. 이 앞에서 말한 11종의 색온 중 비바사 논사들은 곧 (무표색을 제외한) 5근과 5경이 10처와 10계라고 인정한다. 그렇지만 경량부의 논사들은 처는 가유이고, 계는 실유여서, 곧 처를 계의 체로 삼을 수 없다는 것이므로 그들과 상위함이 있다는 것이다. 그래서 '인정한다'라고 말한 것이니, 곧 함께 믿는 것이 아님을 나타낸 것이다.
129 이하는 큰 글(=바로 체를 나타내는 글)의 둘째 3온을 밝히는 것이다.

상은 취상을 체로 한다[想取像爲體]

⑮ 4온의 나머지를 행온이라고 이름하는데[四餘名行蘊]
이와 같은 수온 등의 3온[如是受等三]
및 무표와 무위를[及無表無爲]
법처와 법계라고 이름한다[名法處法界]130

1. 수온

논하여 말하겠다. 수온은 말하자면 세 가지인데, 접촉에 따른 것을 받아들이는 것[領納隨觸]이니, 곧 낙樂 및 고苦와 불고불락不苦不樂이다. 이를 다시 분별하면 여섯 가지 느낌의 무리[六受身]를 이루니, 안촉에서 생긴 느낌 내지 의촉에서 생긴 느낌을 말한다.131

....

130 3온을 밝히는 글 중에 나아가면 앞의 3구는 바로 3온을 밝히는 것이고, 뒤의 3구는 처와 계를 세우는 것이다.
131 이는 개별적으로 수온을 해석하는 것이다. 말하자면 능히 접촉에 수순하는 경계를 받아들이는 것[能領納隨順觸境]이 수의 자성이다. (문) 모든 심·심소는 하나의 경계를 같이 반연하므로 모두 집수執受(=붙잡아 받아들임)할 수 있는데, 느낌[受]과 어떻게 다른가? (해) 모든 심·심소는 비록 다시 같이 반연하므로 모두 집수한다고 이름하지만, 느낌은 받아들이는 것이 강하므로 자성수自性受라고 이름한다. 마치 10인이 같은 곳에 앉았는데 그 중 한 사람이 도적일 때 곁에서 갑자기 어떤 한 사람이 큰 소리로 '도적이다'라고 부르면, 비록 다시 10인이 같이 도적이라는 소리를 들었어도, 실제로 도적인 자가 받아들이는 것은 곧 치우치게 강한 것이 나머지 9인과는 같지 않은 것처럼, 느낌이 경계를 영납함은 강하고, 지각 등이 경계를 영납함은 약한 것도 역시 그러하다고 알아야 한다. 또 해석하자면 모든 심·심소는 비록 다시 같이 반연하고 모두 경계를 집수하지만, 지각 등의 여러 법은 개별적인 것에 따라 명칭을 세우는데, 느낌은 별도의 명칭이 없으니, 비록 총체적 명칭으로 표방했어도 곧 개별적 명칭을 받은 것으로서, 마치 색처 등과 같다. 두 가지 해석이 있지만, 앞의 해석이 나은 것이라고 하겠다. (수온에는) 모두 셋이 있으니, 낙수 등을 말한다. 의지하는 원인이 다름에 의거해 따로 말한다면 여섯 가지가 된다. 만약 『현종론』제2권(=대29-783상)에 의하면, 접촉에 수순하는 것[隨觸]을 영납하는 것을 자성수라고 이름한다. 그래서 그 논서에서 말하였다. "어떤 것이 이 느낌이 접촉에 수순하는 것을 영납하는 것인가? 말하자면 느낌은 접촉에 인근한 결과[鄰近果]이기 때문이다. 이 '접촉에 수순한다[隨觸]'는 말은 원인이라는 뜻을 나타내기 위한 것이니, 능히 순응하여 받아들이기 때문이다." 느낌

2. 상온

상온은 말하자면 능히 표상 취하는 것[취상取像]을 체로 하는 것이니, 곧 능히 청·황, 장·단, 남·여, 원수·친구, 고·락 등의 표상을 붙잡아 취한다. 이것도 다시 분별하면 여섯 가지 지각의 무리[六想身]를 이루니, 수온의 경우와 같다고 말해야 할 것이다.132

3. 행온

앞에서 말한 색·수·상온과 뒤에 말할 식온을 제외한 나머지 일체 형성된 것[一切行]을 행온이라고 이름한다.133 그런데 세존께서 계경 중에서 "여섯 가지 의도의 무리[六思身]를 행온이라고 한다"라고 말씀하신 것은,

----

은 능히 영납하는데, 능히 접촉이라는 원인에 따르니, 이 때문에 느낌은 접촉에 수순하는 것을 영납한다고 말하고, 접촉에 수순하는 것을 영납하는 것을 자성수라고 이름하는 것이다. 소연을 영납하는 것도 수의 모습이므로, 경계를 하나로 하는 법들과 차별되는 모습은 알기 어려우니, 일체가 모두 같이 경계를 영납하기 때문이다. 심·심소가 경계를 집취할 때 일체 모두가 각각 자신의 경계를 영납하니, 이 때문에 접촉에 수순하는 것을 영납하는 것만을 말하여 자성수라고 이름한다. 차별되는 모습이 결정적이기 때문이다. 소연을 영납하는 것을 집취수執取受라고 이름하는데, 이것(=자성수)이 분별하는 것이 아니니, 모습이 결정적이지 않기 때문이다. 2수(=자성수와 집취수)를 자세히 분별하자면, 『순정리론』(=제2권. 대29-338하) 및 『오사론五事論』(=『오사비바사론』하권. 대28-994중)과 같다. 해석하자면, 그 논서들의 뜻이 말하는 것은, 수에는 두 가지가 있는데, 첫째는 집취수이니, 말하자면 일체 심·심소가 앞의 경계를 붙잡아 취하는 것을 모두 집취수라고 이름하고, 둘째는 자성수이니, 말하자면 느낌이 능히 스스로 접촉에 수순하는 것[自所隨觸]을 영납하는 것이다. 접촉한 세력 부분을 취해서 접촉한 것을 영납한다고 이름하지만, 붙잡아 취한 것은 나누기 어려우므로 그것에 의거해 말하지 않고, 자성은 드러내기 쉽기 때문에 이것에 의해 수를 밝힌 것이다. # 요컨대 '느낌'은 그 자성이 수(=영납)이고, 다른 심·심소는 자성수 아닌 집취수를 모두 내포하고 있다는 취지.

132 이는 개별적으로 상온을 해석하는 것이다. '표상[像]'은 모든 법의 자상과 공상을 말하는데, 이 '지각[想]'이 능히 취하기 때문에 표상을 취한다[取像]고 이름하였다. 예컨대 청색을 반연할 때 지각이 영역을 모두 경계지어서 청색 아닌 것이 아니라고 하기 때문에 청색이라고 이름하는데, 황색 등의 경우에도 역시 그러하다. 이것이 취한 표상을 다른 심소 등은 취할 수 없기 때문에 다른 심소 등이 비록 동일한 경계를 반연했다고 하더라도, 각각 따로 작용을 일으키므로 행해行解가 같지 않은 것이다.

133 이하는 개별적으로 행온을 해석하는 것이다.

(의도가) 가장 뛰어난 것이기 때문이다.134 까닭이 무엇이겠는가? 행은 만드는 것[조작造作]이라고 이름하는데, '의도[思]'는 업의 성품으로서, 만드는 뜻이 강하기 때문에 가장 뛰어난 것이 된다. 이 때문에 붓다께서, "만약 능히 유루의 유위를 만든다면[造作有漏有爲] 행취온이라고 이름한다"라고 말씀하셨던 것이다. 만약 그렇지 않다면 나머지 심소법 및 불상응법[不相應]은 온에 포함되는 것이 아니기 때문에 고苦·집集이 아니어야 할 것이니, 곧 응당 알아야 할 것[應知]과 응당 끊어야 할 것[應斷]이 될 수 없을 것이다. 예컨대 세존께서, "만약 하나의 법에 아직 이르지 못하고 아직 알지 못한다면, 괴로움의 끝을 만들 수 없다고 나는 말한다. 아직 끊지 못하거나 아직 소멸시키지 못한 경우에도 역시 이렇게 말한다"라고 말씀하신 것과 같다. 그러므로 4온을 제외한 나머지 유위로 형성된 것[有爲行]은 모두 행온에 포함된다고 결정코 인정해야 할 것이다.135

....

134 경량부는 불경(=잡 [3]3:61 분별경) 중에서 오직 "6사신을 행온이라고 이름한다"라고 말씀하셨을 뿐, 다른 법은 말씀하시지 않았기에 단지 '사' 심소만 행온이 되는 것이라고 알 수 있기 때문에 인용해서 해석한 것이다. '사'가 가장 뛰어난 것이기 때문에 '사'를 말씀하셨을 뿐, 이치의 실제로는 다른 법도 역시 행온에 포함된다.

135 행은 만드는 것[造作]이라고 이름하는데, '사思'는 업의 성품으로서, 체가 만드는 것이어서, 행과 서로 비슷하면서 만드는 뜻이 강하기 때문에 가장 뛰어난 것이 된다. 이 때문에 붓다께서, "만약 미래의 유루 유위라는 결과의 법을 능히 만든다면 행취온이라고 이름한다"라고 말씀하셨다.(=잡 [4]2:46 삼세음소식경三世陰所食經과 상응하는 SN 22:79 삼켜버림경[Khajjanīya sutta]) 따라서 만드는 것이 행이라는 것을 알 수 있다. 혹은 나의 말처럼 만드는 뜻이 강하다는 것을 증명하는 것이다. 4온을 제외한 나머지 유위법은 모두 행온에 포함된다. 만약 그렇지 않다면 다른 심소법 및 불상응법은 이미 행온이 아니고, 다시 색 등도 아니어서 온에 포함되는 것이 아니어야 할 것인데, 만약 온에 포함되는 것이 아니라면 고苦·집集이 아니어야 할 것이며, 만약 고·집이 아니라면 곧 응당 알아야 할 고와 응당 끊어야 집이라고 말할 수 없을 것이다. 그렇지만 온은 제諦에 포함된다. 저들이 「제에 포함되는 것이 아니라고 말한들, 무엇이 허물인가?」라고 대답함으로써 성스러운 가르침에 거스를 것을 염려해 세존의 말씀(=잡 [8]8:223·225 단경斷經)과 같다고 한 것이다. "만약 하나의 고제의 법에 대해서도 아직 무간도에 이르지 못했고 아직 해탈도를 증득해 알지 못한다면, 괴로움의 끝을 만들고 무학과를 얻을 수 있다고 나는 말하지 않는다." '아직 끊지 못하거나 아직 소멸시키지 못한 경우'라는 이것은 집제에 의거해 "역시 이렇게 말한다"라고 말씀하신 것이다. '괴로움의 끝'이란 소위

4. 수온·상온·행온의 처와 계

곧 여기에서 말한 수·상·행온 및 무표색과 세 가지 무위, 이와 같은 일곱 가지 법을, 처의 문 중에서 세우면 법처가 되고, 계의 문 중에서 세우면 법계가 된다.136

제7절 식온을 밝힘

수온 등의 3온과 그 처·계에 대해 설명했으니, 식온을 설명하고 아울러 그 처와 계를 세우겠다.137 게송으로 말하겠다.

16 식은 각각 요별하는 것을 말하는데[識謂各了別]
　　이것을 곧 의처[此卽名意處]
　　및 7계라고 이름한다고 알아야 하니[及七界應知]
　　6식이 바뀌어 의계가 된다[六識轉爲意]138

1. 식온

논하여 말하겠다. 각각 그러저러한 경계를 요별해서 경계의 모습을 총체적으로 취하기 때문에 식온이라고 이름한다. 이것도 다시 차별하면 여섯 가지 의식의 무리[六識身]가 있으니, 안식의 무리 내지 의식의 무리를 말한다.139

2. 식온의 처와 계

이렇게 말한 식온을 처의 문 중에서 세우면 의처意處가 되고, 계의 문 중에서 세우면 7계가 된다고 알아야 한다. 말하자면 안식계 내지 의식계

　　　열반이다.
136 이는 따로 처와 계를 건립하는 것이다.
137 이하는 셋째 식온의 체를 밝히는 것이다. 그 가운데 나아가면 첫째 식온을 밝히고, 둘째 방해되는 난점에 대해 풀이한다. 이는 곧 식온을 밝히는 것이다.
138 위의 1구는 식온을 바로 밝힌 것이고, 아래의 3구는 처와 계를 세운 것이다.
139 식은 하나가 아니기 때문에 '각각 요별한다'라고 하고, 경계는 하나가 아니기 때문에 '그러저러한 경계'라고 표현하였다.

인데, 곧 이 6식이 바뀌어 의계意界가 된다.140

3. 방해되는 것에 대한 해석

(1) 의意의 건립

이와 같이 여기에서 설명한 5온이 곧 12처와 아울러 18계이다. 말하자면 무표색을 제외한 나머지 모든 색온을 곧 10처라고 이름하고, 또한 10계라고 이름하며, 수·상·행온과 무표색과 무위를 모두 법처라고 이름하고, 또한 법계라고 이름하며, 식온을 곧 의처라고 이름하고, 또한 7계라고 이름한다고 알아야 할 것이니, 6식계 및 의계를 말하는 것이다. 어찌 식온은 오직 6식의 무리일 뿐이 아닌가? 이와 다른 무엇을 말하여 다시 의계라고 하는가?141 다시 다른 법은 없으니, 곧 이에 대해 게송으로 말하겠다.

17a 곧 6식의 무리가[由卽六識身]

무간에 소멸하여 의가 된다[無間滅爲意]

논하여 말하겠다. 곧 6식의 무리가 무간에 소멸하면 능히 그 후의 식을 낳기 때문에 의계意界라고 이름하니, 말하자면 마치 이 아들이 다른 사람의 아버지라고 이름하는 것과 같으며, 또 이 열매가 곧 다른 것의 종자라고 이름하는 것과 같다.142

(2) 계界의 건립

만약 그렇다면 실제로 계는 열일곱 가지뿐이거나 열두 가지뿐이어야

----

140 이는 따로 처와 계를 건립한 것이다.

141 이하는 방해되는 것에 대해 풀이하는 것인데, 그 안에 나아가면 첫째 의意를 건립하고, 둘째 계界를 건립한다. 이는 곧 첫째 글이다. 말하자면 위에서 서로 포함하는 이치를 전체적으로 옮겨와서 방해되는 것이 있음을 거론하는 것인데, 물음에 의해 힐난한 것이다.

142 방해되는 것에 대해 풀이하는 것이다. 의계는 비록 별도의 체가 없지만, 6식과 다르게 일어나는 단계에서 이름을 얻은 것이다. 드러난 것에 의거해 과거에 있었던 것이라고 말하지만, 그 체를 논하면 실제로는 3세에 통한다. 다른 것으로부터 생기는 측면에서 식이라고 이름하고, 능히 다른 것을 낳는 측면에서 의라고 이름한다.

할 것이니, 6식과 의意는 다시 서로 포함되기 때문이다. 어떤 이유에서 18계를 세우게 되었는가?143 게송으로 말하겠다.

🔢c 제6의 의지처를 이루기 때문에[成第六依故]

　18계라고 알아야 한다[十八界應知]

　논하여 말하겠다. 예컨대 5식계의 경우 안계眼界 등의 5계가 별도로 있어서 의지처가 되지만, 여섯 번째인 의식의 경우 별도의 의지처가 없으니, 이것의 의지처를 이루기 위해 의계意界를 말한 것이다. 이와 같이 의지처[所依], 의지주체[能依], 경계가 각각 여섯 가지여서, 계界가 열여덟 가지가 되었다고 알아야 할 것이다.144

　만약 그렇다면 무학의 최후 순간의 마음은 의계가 아니어야 할 것이니, 이것이 무간에 소멸하면 그 뒤의 식이 생기지 않으므로 의계가 아니기 때문이다.145 그렇지 않다. 이것은 이미 의의 성품[意性]에 머물기 때문이니, 다른 연이 결여되었기 때문에 그 뒤의 식이 생기지 않는 것이다.146

제3장 삼과 분류

제1절 전체적 포함관계

　이 중 온은 일체 유위를 포함하고, 취온은 일체 유루만을 포함하며, 처

----

143 이는 계를 건립하는 것인데, 물음을 일으킨 것이다. 만약 6식이 의를 포함한다면 응당 17가지가 있을 것이고, 만약 의가 6식을 포함한다면 응당 12가지가 있을 것이다. 어떤 이유에서 18가지의 계를 세우게 되었는가?
144 대답인데, 글대로 알 수 있을 것이다. # 글 중 '의지처'는 6근, '의지주체'는 6식, '경계'는 6경을 가리킨다.　﹑
145 힐난이다.
146 회통하는 것이다. 열반에 들 때에는 나머지 생길 연이 결여되기 때문에 그 뒤의 식이 생기지 않을 뿐, 의의 성품에 머물기 때문에 의라고 이름할 수 있다. 마치 눈이 이미 소멸해서 미처 안식을 일으키지 못했다고 해도 안계라고 이름하는 것과 같기 때문이다.

와 계는 일체법을 모두 다 포함한다. 개별적인 포함관계는 이와 같은데, 전체적인 포함관계는 어떠한가?147 게송으로 말하겠다.

⑱ 일체법을 전체적으로 포함하는 것은[總攝一切法]
　하나의 온·처·계에 의하는데[由一蘊處界]
　자성을 포함하는 것이지, 나머지는 아니니[攝自性非餘]
　타성을 떠났기 때문이다[以離他性故]148

　논하여 말하겠다. 하나의 색온과 의처와 법계에 의해 일체법을 모두 다 포함한다고 알아야 할 것이다.149 말하자면 여러 곳에서 승의에 나아가 말씀하셨을 경우, 자성을 거두는 것일 뿐, 다른 성품[타성他性]을 거두지는 않는다. 왜냐하면 법이 다른 성품과는 늘 서로 떠나 있기 때문이다. 이것이 저것을 떠난 것인데도 거둔다고 말한다면 그 이치가 그렇지 않기 때문이다. 우선 안근과 같은 경우, 오직 색온·안처·안계와 고제·집제 등에만 포함될 뿐이니, 그것의 성품이기 때문이다. 그 나머지 온이나 나머지 처·계 등에는 포함되지 않으니, 그것의 성품을 떠난 것이기 때문이다. 그렇지만 여러 곳에서 세속에 나아가 말씀하셨다면, 다른 법으로 다른 것을 거두기도 하셨다고 알아야 할 것이니, 예컨대 4섭사四攝事로 무리들을 거둔 것[攝] 등과 같다.150

....
147 이하는 큰 글(=체성을 총체적으로 분별하는 글) 중의 둘째 전체적인 포함 관계를 밝히는 것인데, 물음을 일으켰다.
148 대답인데, 이로써 전체적인 포함관계를 밝힌다. 경전에서는 서로 수순하는 것[相順]에 의해 임시로 서로 거두는 것[相攝]을 말한 것이지, 승의에 나아간다면 자체自體만을 거둔다. 그래서 『대비바사론』 제59권(=대27-308상)에서 말하였다. "모든 법의 자성이 자성을 거둘 때, 손으로 음식을 붙잡거나 손가락으로 옷 등을 집는 것 등과 같은 것이 아니지만, 그것이 각각 자체를 붙잡아 지녀서[執持自體] 흩어지거나 무너지지 않게 하기 때문에 거둔다[攝]고 이름하니, 붙잡아 지니는 것에 대해 거둔다는 명칭을 세운 것이다. 따라서 승의의 거둠[攝]은 오직 자성만을 거둔다."
149 # 이상 설명된 일체법 중 5근·5경·무표색은 색온에, 6식·의근은 의처에, 나머지 심소법·불상응행법·무위법은 법계에 포함되므로, 하나의 온·처·계에 일체법이 모두 다 포함된다.

제2절 수의 전개와 통합

눈·귀·코 세 곳에는 각각 두 개씩이 있는데, 어째서 계界의 체가 스물한 가지가 아닌가?151 이 힐난은 이치가 아니다. 까닭이 무엇이겠는가? 게송으로 말하겠다.

⑲a 부류·경계·식이 같기 때문이니[類境識同故]
　비록 두 개이더라도 계의 체는 하나이다[雖二界體一]

논하여 말하겠다. 부류가 같다는 것은 말하자면 두 곳이 같이 눈의 자성이기 때문이다. 경계가 같다는 것은 말하자면 두 곳이 같이 형색을 써서 경계로 하기 때문이다. 식이 같다는 것은 말하자면 두 곳이 같이 안식의 의지처가 되기 때문이다. 이 때문에 눈의 계는 비록 두 개라고 하더라도 하나라는 것이다. 귀와 코도 역시 이렇게 안립해야 할 것이다.152
　만약 그렇다면 어떤 이유에서 의지처가 두 곳에 생겼는가?153 게송으로 말하겠다.

⑲c 그런데도 단엄하게 하기 위해[然爲令端嚴]
　눈 등은 각각 두 개씩 생겼다[眼等各生二]

논하여 말하겠다. 의지처인 몸의 모습을 단엄하게 하기 위해 계 자체는

---

150 '여러 곳'은 여러 경전과 논서의 처소를 말한 것이다.(=예컨대 중 9:40 수手장자경) 진실로 거두는 것[眞攝]을 승의라고 표현했고, 임시로 거두는 것[假攝]을 세속이라고 표현했다. '사섭사四攝事'는 보시·애어·이행·동사를 말한다. 이 네 가지에 의해 무리들을 거두어서[攝] 흩어지지 않게 하기 때문이다. 나머지 글은 알 수 있을 것이다.
151 이하는 큰 글(=체성을 총체적으로 분별하는 글)의 셋째 수의 전개와 통합[數開合]을 밝히는 것이다. 그 안에 나아가면 첫째 수의 통합을 밝히고, 둘째 전개에 의해 밝힌다. 이는 곧 첫째 글인데 물음을 일으켰다.
152 이상의 글은 알 수 있을 것이다.
153 이하는 둘째 전개에 의해 밝히는 것인데, 물음을 일으켰다.

하나이지만, 두 곳에 생긴 것이다. 만약 안근·이근의 처소에 하나만 생겼
거나 비근에 두 개의 구멍이 없다면 몸이 단엄하지 않기 때문이다. 이 해
석은 그렇지 않으니, 만약 본래부터 그러했다면 누가 누추하다고 말하겠
는가? 또 고양이나 솔개 등은 비록 두 곳에 생겼지만, 어떤 단엄이 있다
고 하겠는가? 만약 그렇다면 3근의 경우, 어떤 이유에서 두 곳에 생겼는
가? 일으키는 식을 명료하며 단엄하게 하기 위한 것이니, 세간을 현견하
건대 한쪽 눈 등을 감고 형색 등을 요별하면 곧 분명하지 못하다. 이 때
문에 3근은 각각 두 곳에 생긴 것이다.154

제3절 명칭의 뜻 해석

제1항 세 가지 명칭의 뜻

여러 온 및 처·계의 포함관계에 대해 설명했으니, 그 뜻을 설명하겠다.
이 온·처·계의 개별적인 뜻은 어떠한가?155 게송으로 말하겠다.

20a 무더기, 생기는 문, 종족이[聚生門種族]
　　온·처·계의 뜻이다[是蘊處界義]156

1. 온의 뜻

....
154 이는 해석하는 것인데, 단엄하게 한다는 것에 대해 양 해석이 있다. 첫째 해
　　석은 몸을 단엄하게 한다는 것인데, 이 해석에는 허물이 있다. 둘째 해석은
　　식을 단엄하게 한다는 것인데, 이 해석은 무방하다. 혀와 몸은 형상이 커서
　　식을 일으키는 작용이 충분하기 때문에 둘을 필요로 하지 않는다.
155 이하는 큰 글(=체를 밝히는 계품 중의 둘째 체를 바르게 분별하는 글) 중의
　　둘째 명칭의 뜻을 개별적으로 해석하는 것이다. 그 안에 나아가면 첫째 세 가
　　지 명칭을 해석하고, 둘째 가르침이 일어난 원인, 셋째 체의 폐·립, 넷째 명칭
　　의 순서, 다섯째 명칭의 폐·립, 여섯째 다른 명칭의 포함에 대해 각각 설명한
　　다. 이는 곧 세 가지 명칭을 해석하는 것인데, 앞을 맺고 물음을 일으켰다.
156 무더기라는 뜻이 온의 뜻이고, 생기는 문[생문生門]이라는 뜻이 처의 뜻이
　　며, 종족이라는 뜻이 계의 뜻이다.

논하여 말하겠다. 유위법들이 화합한 무더기[和合聚]라는 뜻, 이것이 온의 뜻이니, 계경에서, "존재하는 모든 물질은 과거의 것이든 미래의 것이든 현재의 것이든, 안의 것이든 밖의 것이든, 거친 것이든 미세한 것이든, 저열한 것이든 뛰어난 것이든, 먼 것이든 가까운 것이든, 이와 같은 일체를 간략히 하나의 무더기로 해서 색온이라고 이름한다"라고 말씀하신 것과 같다. 이에 의해 무더기라는 뜻이 온의 뜻임이 성립된다.157

이 경 중에서 무상하여 이미 소멸한 것을 과거의 것이라고 표현하고, 아직 생기지 않은 것을 미래의 것이라고 표현하며, 생겨서 아직 낙사[謝]하지 않은 것을 현재의 것이라고 표현하였다.158 자신의 몸을 안의 것이라고 표현하고, 그 나머지를 밖의 것이라고 표현했는데, 혹 처處에 의거해 분별하기도 한다.159 유대색[有對]을 거친 것이라고 표현하고, 무대색[無對]을 미세한 것이라고 표현했는데, 혹 서로 의존해서[相待] 세우기도 한다.160 만약 서로 의존해서 말한다면 거친 것과 미세한 것은 성립되지

----

157 경(=잡 [4]2:58 음근경陰根經 등)을 인용해서 다섯 부문(=삼세문·내외문·추세문·열승문·원근문)으로 해석한다. 여기에서 간략하다는 말은 명칭을 간략히 했다는 것이지, 체가 아니니, 삼세의 법은 쌓을 수 있는 것이 아니기 때문이다. 그래서 『대비바사론』 제74권(=대27-383하)에서, "(문) 과거·미래·현재의 여러 색을 간략하게 쌓을 수 있는가? (답) 비록 그 체를 간략하게 쌓을 수는 없지만, 그 명칭은 간략하게 쌓을 수 있다. 나아가 식온까지도 역시 그러하다고 알아야 한다"라고 말하였다.
158 삼세문이다. 택멸·비택멸과 다르다고 구별하려고 '무상하여 이미 소멸'한 것이라고 말하였다.
159 내외문이다. 자신의 몸이 성취한 것을 안의 것이라고 표현하고, 자신의 몸이 성취하지 못한 것 및 남의 몸과 비유정을 밖의 것이라고 표현하였다. 그래서 『집이문족론』 제11권(=대26-412상)에서, "만약 색이 이 상속신에 있어서, 이미 얻고 잃지 않은 것을 안의 색이라고 표현한다. 만약 색이 이 상속신에서 본래부터 아직 얻지 못했거나 혹은 얻었다가 이미 잃은 것, 다른 상속신이나 비유정에 속하는 것이면 밖의 색이라고 표현한다"라고 말하였다. '혹 처에 의거해'라고 함에서 처는 12처를 말하는 것이니, 5근은 안의 색이라고 표현하고, 6경은 밖의 색이라고 표현한다는 것이다.
160 추세문麤細門이다. 5근과 5경은 부딪침이 있으므로[有對] 거칠다고 표현하고, 무표색은 부딪침이 없으므로 미세하다고 표현하였다. 혹은 상대에 의존해서 세우기도 한다는 것은, 볼 수 있는[有見] 등의 셋에 의거하거나 욕계 등의 셋에 의거하는 것을 말하는 것이니, 『집이문족론』(=제11권. 대26-412중)에

않을 것이다.161 이 힐난은 그렇지 않으니, 의존 대상이 다르기 때문이다. 그것에 대해 거친 것은 미세한 것이 되지 못하며, 그것에 대해 미세한 것은 거친 것이 되지 못하니, 마치 아버지와 아들, 고제와 집제 등의 경우와 같다.162 더러움에 물든 것[染汚]을 저열한 것이라고 표현하고, 물들지 않은 것을 뛰어난 것이라고 표현하였다.163 과거와 미래의 것을 먼 것이라고 표현하고, 현재의 것을 가까운 것이라고 표현하였다.164

나아가 식온까지도 역시 그러하다고 알아야 하지만, 차별이 있다. 말하자면 5근에 의지하는 것을 거친 것이라고 표현하고, 의근에만 의지하는 것을 미세한 것이라고 표현하였다. 혹은 지地에 의거해 분별하기도 한다. 비바사 논사들의 학설은 이와 같다.165

·······················
서, "혹은 볼 수 있으며 부딪침이 있거나[有見有對], 볼 수 없지만 부딪침이 있거나[無見有對], 볼 수도 없고 부딪침도 없는[無見無對] 세 가지 색은, 서로 의존하는 것에 의거하면 앞의 것은 거칠고, 뒤의 것은 미세하다. 혹은 욕계에 매이거나, 색계에 매이거나, 계에 매이지 않는 세 가지 색은, 서로 의존하는 것에 의거하면 앞의 것은 거칠고, 뒤의 것은 미세하다"라고 말하였다.
161 #『집이문족론』에서 설명한 세 가지 색 중 무견유대색이나 색계에 매인 색은 미세한 것이면서 거친 것이라는 두 가지 성격을 함께 띠므로, 스스로 거친 것과 미세한 것이 성립되지 않을 것이라는 취지이다.
162 의존대상이 다르기 때문에 거친 것과 미세한 것이 성립된다. 마치 아버지와 아들, 고제와 집제 등과 같으니, 비록 하나의 물건이라고 해도 바라보는 곳이 같지 않으므로 아버지나 아들, 고제나 집제 등의 이름을 얻는다. # 그 아들에 대해서만 아버지이고, 그 아버지에 대해서만 아들이며, 집제의 원인에 대해서만 고제의 결과이고, 고제의 결과에 대해서만 집제의 원인이라는 취지이다.
163 열승문劣勝門이다. 체에 의해 밝히는 것이니, 말하자면 선과 무부무기는 뛰어난 색이고, 불선과 유부무기는 저열한 색이다. 만약『집이문족론』(=제11권. 대26-412중)의 뜻에 의해 저열함과 뛰어남을 해석한다면, 혹 불선한 색, 유부무기의 색, 무부무기의 색, 유루의 선의 색, 무루의 선의 색에 의거해 그 순서대로 모습에 의존하면, 앞은 저열하고 뒤는 뛰어나며, 혹 욕계에 매이거나 색계에 매이거나 계에 매이지 않은 세 가지 색에 의거해 모습에 의존하면, 앞은 저열하고 뒤는 뛰어나다.
164 원근문인데, 알 수 있을 것이다.
165 이하는 나머지 4온에 대해 해석하는 것인데, 크게는 색온과 같지만, 차별이 있다. 말하자면 나머지 4온이 5근에 의지한 것이면 거친 것이라고 이름하며, 의근에만 의지한 것이면 미세한 것이라고 이름한다. 혹은 삼계의 9지(=욕계+색계4천+무색계4천)에서 상호 모습을 바라보는 것에 의거하면, 위의 것은 미세한 것이라고 이름하며, 아래의 것은 거친 것이라고 이름한다.

그런데 존자 법구法救는 다시 이렇게 말하였다. "5근에 의해 파악되는 것을 거친 색이라고 표현하고, 그 나머지를 미세한 색이라고 표현하며, 마음에 들지 않는 것을 저열한 색이라고 표현하고, 그 나머지를 뛰어난 색이라고 표현하며, 볼 수 없는 곳에 있는 것을 먼 색이라고 표현하고, 볼 수 있는 곳에 있는 것을 가까운 색이라고 표현한다. 과거의 것 등의 색은 스스로 명칭이 드러낸 것과 같다. 느낌 등도 역시 그러하지만, 의지처의 힘에 따라 먼 것과 가까운 것이라고 알아야 하며, 거친 것과 미세한 것은 앞에서와 같다."166

2. 처의 뜻

심·심소법이 생기고 자라는 문[생장문生長門]이라는 뜻이 처의 뜻이다. 단어를 해석하자면 능히 심·심소법을 낳고 자라게 하기 때문에 처라고 이름한 것이니, 이것이 능히 그것들의 작용을 낳고 자라게 한다는 뜻이다.167

3. 계의 뜻

법의 종족種族이라는 뜻이 계의 뜻이다. 예컨대 하나의 산 속에 다수의 구리·철·금·은 등이 있는 것을 많은 계[多界]라고 이름하는 것처럼, 이와 같이 하나의 몸, 혹은 하나의 상속相續에 열여덟 부류의 여러 법의 종족이 있는 것을 18계라고 이름한다. 여기에서 종족은 생기는 근본[생본生本]이라는 뜻이다.168

....

166 이는 상이한 해석을 서술한 것이다. 5근에 의해 파악되는 5경을 거친 색이라고 이름하고, 그 나머지 5근과 무표색을 미세한 색이라고 이름한다. 수온 등의 4온도 역시 그래서 색온에 비례해서 같지만, 차별되는 것을 말하자면, (4온의 경우는 그 처소가 없으므로) 그 의지처인 몸의 힘에 따라 먼 것과 가까운 것이라고 알아야 한다는 것이니, 볼 수 있는 곳에 있으면 가까운 것이라고 이름하며, 볼 수 없는 곳에 있으면 먼 것이라고 이름한다는 것이다.

167 이는 처의 뜻을 해석하는 것이다. 그 열두 가지가 능히 심 등을 낳고 자라게 하기 때문에 처라고 이름했다는 것이다. 법의 체는 먼저 있었으므로 생긴다[生]고 말할 수 없지만, 다만 그것들의 작용을 생기게 하고 자라게 할 수 있다는 뜻이다.

168 이하는 계를 개별적으로 해석하는 것이다. 양 해석이 있는데, 이는 곧 첫째 해석으로, 원인에 의거해 해석하는 것이다. 여러 법을 능히 생기게 한다면 여러 법이 생기는 원인[生因]이니, 마치 사람이 그 가문 등에 태어나면 그 가문의 사람을 종족이라고 이름하는 것과 같다. 이것은 생긴 근본[生本]이라는 뜻

이와 같다면 눈[眼] 등은 무엇이 생기는 근본인가? 말하자면 자신의 종류에 대해 동류인同類因이기 때문이다.169 만약 그렇다면 무위는 계라고 이름하지 않아야 할 것이다.170 심·심소법이 생기는 근본이기 때문이다.171

어떤 분은, "계라는 말은 종류種類라는 뜻을 나타낸다. 말하자면 18법의 종류는 자성이 각각 달라서 같지 않으므로 18계라고 이름한 것이다"라고 말하였다.172

4. 온·처·계의 가·실

무더기라는 뜻이 온의 뜻이라고 말한다면 온은 가유假有여야 할 것이다. 많은 실물[多實]이 쌓여 모여서 함께 이룬 것이기 때문이니, 마치 무더기[聚]와 같으며, 마치 자아[我]와 같다.173 이 힐난은 그렇지 않으니, 하나의 실극미實極微도 역시 온이라고 이름하기 때문이다.174 만약 그렇

....

이니, 마치 하나의 산 속에 금·은 등의 광물을 금·은 등의 종족이라고 이름하는 것과 같다. 이런 다수의 법의 종족을 다계多界라고 이름한다. '하나의 몸'은 한 중생의 몸을 말하고, '하나의 상속'은 한 기간의 상속[一期相續]을 말하는 것이다. 혹은 하나의 몸은 한 기간의 몸을 말하고, '하나의 상속'은 한 중생의 상속을 말하는 것이다. 열여덟 부류의 여러 법의 종족이 있으므로 18계라고 이름한다.

169 자신의 종류에 대해 동류인이 되기 때문에 곧 생기는 근본이다.

170 힐난이다. 유위의 동류인은 계라고 이름할 수 있겠지만, 무위는 같은 부류가 아니니, 무위는 계가 아니어야 할 것이다.

171 회통이다. 무위는 비록 심·심소법을 생기게 하는 동류인은 아니지만, 경계가 되어 심·심소법을 생기게 하기 때문에 역시 생기는 근본이라고 이름한다.

172 이는 두 번째 논사가 차별差別에 의거해 해석하는 것이다. 종족은 종족의 종류를 말하는 것이니, 마치 세간의 종류나 끄샤뜨리야 등의 종류가 같지 않은 것과 같다. 이와 같이 하나의 몸에 18법이 있는데 종류가 각각 다르므로 18계라고 이름하였다. 혹은 이 논사가 별도로 한 가지 해석을 해서, 종류를 계라고 해석한 것일 수 있지만, 게송의 글과는 같지 않다.

173 비바사 학파는 온 등의 3문 모두 실법이라고 하지만, 경량부에서는 온과 처는 가유이고, 계만이 실유라고 건립한다. 지금 논주의 마음은, 경전 중에서 간략히 말해서 하나의 무더기라고 말했으니, 온은 가유이고, 나머지 둘은 실유라는 것을 인정했다는 것이다.

174 비바사 논사가 변론해 말한다. "낱낱의 극미 역시 온의 모습을 얻으니, 쌓여 모일 수 있기 때문이다. 이미 낱낱의 극미 역시 온이라고 이름하는데, 많은 실물로 이루어진 것이 아니므로, 그대가 세우려고 한 이유는 하나하나의 온에서 성립될 수 없는 허물 있음이 드러난다"라고.

다면 무더기의 뜻이 온의 뜻이라고 말하지 않아야 할 것이니, 하나의 실물에 무더기의 뜻이 있는 것은 아니기 때문이다.175

어떤 분은 말하였다. "능히 무거운 짐을 짊어지는 것[能荷重擔]이라는 뜻이 온의 뜻이다. 이 때문에 세간에서 어깨를 온이라고 이름하니, 물건이 모이는 곳[物所聚]이기 때문이다."176

혹 어떤 분은 말하였다. "나누어질 수 있다[可分段]는 뜻이 온의 뜻이다. 그래서 세간에, '그대가 3온으로 갚는다면[三蘊還] 내가 그대에게 빌려주겠다'라는 말이 있는 것이다."177 이 해석은 경에서 벗어난 것이니, 경에서는 무더기라는 뜻이 온의 뜻이라고 설했기 때문이다. 예컨대 계경에서, '존재하는 모든 색은 과거의 것이든' 등이라고 자세히 말한 것은 앞과 같다.178 만약 "이 경은, 과거의 것 등 하나하나의 색 등을 각각 따로 온이라고 이름한다는 것을 나타낸다. 그러므로 모든 과거의 색 등 하나하나의 실물을 각각 온이라고 이름한 것이다"라고 말한다면, 이런 집착도 이치가 아니니, 그래서 그 경에서, "이와 같은 일체를 간략히 하나의 무더기로 해서 온이라고 이름한다"고 말씀하셨기 때문이다. 그러므로 무더기[聚]처럼 온도 결정코 가유假有이다.179

....
175 논주의 반박이다. 경전에서 무더기라는 뜻에서 온이라고 이름한다고 말했는데, 하나의 실물도 역시 온이라고 이름한다고 말한다면 성스러운 가르침에 위배될 것이다.
176 이하는 상이한 해석을 서술하는 것이다. 유위의 법은 원인이 되면 결과를 취하는데, 결과가 쌓여 모인 것이기에 '능히 짊어지는 것'이라고 표현한 것이다. 세간에서 그 양 어깨에 능히 무거운 짐을 짊어지기 때문에 어깨를 말하여 온이라고 이름하니, 물건이 모이는 곳이기 때문이다. 이 해석 역시 무더기이기 때문에 온이라고 이름한다는 것이므로, 경전에 부합하며, 가유라는 것에 수순한다. 그래서 논주가 논파하지 않았다.
177 또 상이한 해석을 서술하였다. 나누어질 수 있다는 뜻이 온의 뜻이므로, 하나하나로 나누어진다면 역시 온이라고 이름한다고 말하였다.
178 비록 이런 해석이 있지만, 성스러운 말씀에 수순하지 않는다. 세속에서 떠도는 것에 따른 말을 어찌 용인해서, 준하여 결정하겠는가? 경에서 '과거의 것 등'이라고 말한 뜻과 상위함이 있기 때문이다. 이 글은 나누어지는 것을 취한 뒷 논사만 논파하는 것이지만, 앞 논사도 논파하는 것일 수 있으니, 경에서 무더기라는 뜻이 온이라고 말했기 때문이다.
179 위에서 비바사 논사들이 다른 논사의 힐난을 받았는데, 지금은 다시 경을

만약 그렇다면 유색의 모든 처[諸有色處]도 역시 가유라고 인정해야 할 것이니, 눈[眼] 등의 극미 다수가 쌓여 모여야 생기는 문[生門]이 되기 때문이다.180 이 힐난은 이치가 아니니, 다수가 쌓여 모인 것 안의 낱낱 극미에 원인의 작용이 있기 때문이다. 만약 그렇지 않다면 근根과 경境이 서로 도와서 함께 식識 등을 낳으므로 별개의 처處가 아니어야 할 것이며, 이로써 곧 12처의 구별도 없어야 할 것이다.181 그런데 『대비바사론』에서 이렇게 말하였다. "대법의 논사들은, 만약 가온假蘊을 본다면 그들은 극미가 1계·1처·1온의 일부분이라고 말하지만, 만약 보지 않는다면 그들은 극미가 곧 1계·1처·1온이라고 말한다." 그러나 이는 마치 옷이 조금 탔더라도 역시 옷이 탔다고 말하는 것처럼, 일부분에 대해 임시로 전부[有分]라고 말하는 것에 따른 것이다.182

....

해석하면서 논주가 다시 거론해 논파하는 것이다. 만약 과거의 것 등 하나하나를 온이라고 이름한다고 말한다면, 이 집착은 이치가 아니니, 경에서 '간략히 무더기로 해서'라고 말씀하셨는데, 어찌 하나하나를 모두 온이라고 이름할 수 있겠는가? 따라서 무더기처럼 온은 가유라는 이치가 성립된다고 알아야 한다.

180 이는 경량부에서 논주를 힐난하는 것이다. 만약 무더기라는 뜻을 온이라고 이름했다고 해서 이것이 가유라고 인정한다면, 여러 처의 극미도 역시 쌓여 모임으로 말미암아 비로소 생기는 문[生門]이 되는데, 무슨 이유에서 처 역시 가유라고 인정하지 않는가?

181 이는 논주가 경량부를 논파하는 것이다. 비록 많은 극미가 쌓여 모임으로 인해 비로소 생기는 문이 된다고 하더라도, 다수가 모일 때 낱낱의 극미에도 모두 원인의 작용이 있다. 그러므로 하나하나가 모두 생기는 문이 된다. 만약 그렇지 않고 근과 경이 서로 도와 함께 식 등을 낳을 때 개별적으로 원인의 작용이 없다고 말한다면, 별개의 처가 아니고 하나의 처에 같이 포함되어야 할 것인데, 만약 같이 하나의 처라면 여섯 가지만 건립되어야 할 것이니, 이로써 곧 12처의 구별이 없어야 할 것이다. 화합해서 함께 식을 일으킬 때 이미 같은 처가 아니고, 근과 경이 각각 달라서 원인의 작용이 같지 않기에 12처를 말한다. 그러므로 근과 경이 함께 식 등을 일으킬 때 하나하나의 극미에도 역시 원인의 작용이 있고, 각각 처라는 명칭을 얻는다는 것을 알 수 있다.

182 논주가 『대비바사론』의 글을 인용해 회통하고 풀이하는 것이다. 비바사 논사들은, "만약 가온을 볼 때라면 그들은 하나의 극미가 하나의 온의 일부분이라고 말하지만, 만약 가온을 보지 않고 실온을 볼 때라면 그들은 하나의 극미가 곧 하나의 온이라고 말한다"(=『대비바사론』 제74권. 대27-384상)라고 말하니, 이미 하나의 극미가 곧 하나의 온이라고 인정하기 때문에 비바사에서

제2항 삼과를 세운 이유

무엇 때문에 세존께서 알아야 할 대상에 대해 온 등의 문門에 의해 세 종류를 만들어 말씀하셨는가?183 게송으로 말하겠다.

20c 어리석음·근기·좋아함 세 가지 때문에[愚根樂三故]
　　온·처·계 세 가지를 말씀하셨다[說蘊處界三]

논하여 말하겠다. 교화할 유정에 세 품류가 있기 때문에 세존께서 그들을 위해 온 등의 3문門을 말씀하셨다. 전하는 학설에 유정의 어리석음에 세 가지가 있으니, 혹자는 심소心所에 어리석어 그것을 전체적으로 자아[我]라고 집착하며, 혹자는 신체에만 어리석고, 혹자는 신체와 마음에 어리석다고 한다. 근기에도 역시 세 가지가 있으니, 예리함·중간·둔함을 말하며, 좋아함도 역시 세 가지이니, 말하자면 간략한 글, 중간 글 및 자세한 글을 좋아하기 때문이다. 그 순서대로 세존께서 그들을 위해 온·처·계의 3문을 말씀하셨다.184

．．．．．．．．．．．．．．．．．．．．．．．
는 온이 실유임을 인정한다는 것을 알 수 있다. 이제 논주가 해석한다. 비바사에서도 이미 경전 중의 무더기라는 뜻을 인용해서 온을 해석하기에 온이 가유일 뿐이라는 점을 인정해야 하지만, 하나의 극미가 하나의 온이라고 말한 것은 온의 일부분에 대해서 임시로 전부[有分]라고 말하는 것에 따른 것이다. 전부의 온[全蘊]은 모두 개별적인 부분이 있기 때문에 부분 있는 것[有分]이라고 표현한다. 이는 마치 옷의 일부분이 탔더라도 역시 옷이 탔다고 말하는 것과 같다. 여러 후학들이 비바사의 본래의 뜻을 알지 못해서 온이 실유라고 말했다는 것이다. 따라서 이와 같은 온은 결정코 가유여야 한다.
183 이하는 둘째 가르침이 일어난 원인을 밝히는 것인데, 먼저 물음을 일으켰다.
184 답하는 것이다. '어리석음'은 대상[境]에 대해 혼미한 것을 말함이니, 무명을 체로 한다. 대상에 대해 혼미한 것이 같지 않아서, 그것에 세 종류가 있다. 혹자는 심소에 어리석어 그것을 전체적으로 자아라고 집착하므로 그들을 위해 온을 말씀하셨으니, 온은 심소법에 대해 자세히 밝히기 때문이다. 혹자는 신체에만 어리석어 자아라고 집착하므로 그들을 위해 처를 말씀하셨으니, 처는 여러 색법에 대해 자세히 밝히기 때문이다. 혹자는 신체와 마음에 어리석어 그것을 전체적으로 자아라고 집착하므로 그들을 위해 계를 말씀하셨으니, 계는 신체와 마음의 법에 대해 자세히 밝히기 때문이다. '근'은 근기를 말함이니,

제3항 체의 폐립

1. 수온·상온을 별도로 건립한 이유

어떤 이유에서 세존께서 나머지 심소들은 모두 행온에 두어 말씀하시고, 수受와 상想은 별도로 나누어 2온으로 만드셨는가? 게송으로 말하겠다.

21 다툼의 근본, 생사의 원인이며[諍根生死因]
　　그리고 순서상의 이유 때문에[及次第因故]
　　여러 심소법들 중에서[於諸心所法]
　　수와 상을 별도로 온으로 만드셨다[受想別爲蘊]185

논하여 말하겠다. 다툼의 근본[諍根]에는 두 가지가 있으니, 여러 욕망에 집착하는 것과 여러 소견에 집착하는 것을 말한다. 이 두 가지는 그 순서대로 수와 상이 가장 뛰어난 원인이 되니, 맛들인 느낌[味受]의 힘 때문에 여러 욕망을 탐내어 집착하고, 전도된 지각[倒想]의 힘 때문에 여러 소견을 탐내어 집착한다. 또 생사의 법은 수와 상이 가장 뛰어난 원인이 되니, 느낌에 탐닉해 집착하고 전도된 지각을 일으키기 때문에 생사에 윤회한다. 이런 두 가지 원인 및 뒤에서 설명할 순서상의 이유 때문에 수와 상을 별도로 세워 온으로 만든 것이라고 알아야 할 것이다. 그 '순서상의 이유'는 다음 설명에 이어서 분별할 것이다.186

....

신근信根 등의 5근을 체로 한다. '좋아함'은 승해勝解를 체로 하니, 그래서 『순정리론』(＝제3권. 대29-344상)에서, "좋아함은 승해를 말하는 것이다"라고 말하였다. 또 해석하자면 '좋아함'은 낙욕樂欲을 말하는 것이니, 이근은 간략한 것을 즐기므로 그들을 위해 온을 말씀하시고, 중근은 중간을 즐기므로 그들을 위해 처를 말씀하시며, 둔근은 자세한 것을 즐기므로 그들을 위해 계를 말씀하셨다.

185 이하는 셋째 체의 폐립廢立이다. 그 안에 나아가면 첫째 수와 상을 건립하고, 둘째 무위는 온이 아니라는 것인데, 이는 곧 수와 상을 건립하는 것이다.

186 '다툼의 근본'에는 두 가지가 있다. 말하자면 재가자는 여러 욕망을 탐내어 집착하고, 출가자라면 여러 소견을 탐내어 집착한다. 이 욕망과 소견 두 가지는 순서대로 느낌과 지각이 능히 뛰어난 원인이 된다. 번뇌를 다툼이라고 이

2. 무위는 온이 아님

무엇 때문에 무위는 처와 계에는 있지만, 온에는 포함되는 것이 아니라고 말씀하셨는가? 게송으로 말하겠다.

図a 온이 무위를 포함하지 않는 것은[蘊不攝無爲]
　　뜻이 상응하지 않기 때문이다[義不相應故]

논하여 말하겠다. 세 가지 무위법은 색온 등의 온 중에 있다고 말할 수 없으니, 색 등의 뜻과 상응하지 않기 때문이다. 말하자면 그 체가 색이 아니며, 나아가 식이 아니다. 또한 제6의 온이 된다고도 말할 수 없으니, 그것과 온은 뜻이 상응하지 않기 때문이다. 앞에서 갖추어 설명했듯이 무더기의 뜻이 온인데, 말하자면 무위법은 색 등처럼 과거의 것 등의 품류의 차별이 있어서 간략히 하나의 무더기로 해서 무위온無爲蘊이라고 이름할 수 있는 것이 아니기 때문이다. 또 취온取蘊이라는 말은 염오의 의지처[染依]임을 나타내기 위한 것으로, 염오와 청정 두 가지의 의지처가 온이라는 말이 나타내는 것인데, 무위에는 이런 두 가지 뜻이 전혀 없어서, 뜻이 상응하지 않기 때문에 온으로 세우지 않는 것이다. 어떤 분은, "마치 병이 깨어지면 병이 아닌 것처럼, 이와 같이 온이 종식되면 온이 아니어야 하기 때문이다"라고 말하는데, 그것은 처와 계에 비례시키면 응당 허물을 이룰 것이다.187

....

름하니, 곧 다툼을 근본이라고 이름한다. 혹은 다툼에 대해 근본이 되는 것이기도 하다. '생사의 법'은 삼계에 태어나고 죽는 법을 말하는데, 즐거운 느낌에 탐닉해 집착하고 전도된 지각을 일으키는 까닭에 생사에 윤회한다. 따라서 이 느낌과 지각이 뛰어난 원인이 된다. 이 다툼의 근본이라는 원인, 생사하는 원인 및 뒤의 게송(=図cd)에서 설명할 오온의 순서상의 이유 때문에 수온과 상온을 별도로 세우신 것이다.

187 이는 무위가 온이 아니라는 것을 밝히는 것으로, 묻고 답하는데, 모두 세 가지 해석이 있다. 첫째 무위는 온 안에 포함되는 것이 아니라는 것을 밝히는데, 쌓일 수 없기 때문에 제6의 온도 아니라고 한다. 또 해석하자면 '또한 제6'이하는 숨은 힐난에 대해 회통하는 것이니, 숨은 힐난으로, 「5온이 아니라면 어째서 제6의 온이 된다고 말하지 않는가?」라고 말하기 때문에 이 숨은 힐난에

제4항 명칭의 순서

1. 온의 순서

이와 같이 모든 온의 폐립에 대해 설명했으니, 순서에 대해 설명하겠다. 게송으로 말하겠다.

22c 거침·염오·그릇 등과[隨麤染器等]
　계의 차별에 따라 순서를 세웠다[界別次第立]188

논하여 말하겠다. 색은 부딪침이 있는 것[有對]이기 때문에 모든 온 중 거칠다. 무색온 중 거친 것은 오직 수受의 행상이니, 그래서 세간에서 '내 손 등이 아프다'라는 말을 한다. (행·식) 두 가지와 비교하면 상想이 거치니, 남·녀 등의 지각은 요지하기 쉽기 때문이다. '행'의 거침은 '식'을 능가하니, 탐욕·성냄 등의 행行은 요지하기 쉽기 때문이다. '식'이 가장 미세하니, 경계의 모습을 총체적으로 취하는 것은 분별하기 어렵기 때문이다. 이 때문에 거침에 따라 온의 순서를 세운 것이다.189

....

대해 회통하기 위해 "또한 제6의 온이 된다고 말할 수도 없다"라고 말한 것이다. 무위의 법은 색 등처럼 쌓일 수 있는 것이 아니기 때문이다. 둘째는 온이 염오와 청정 두 가지의 의지처(=취온은 염오의 의지처, 무루온은 청정의 의지처)라는 것을 밝힌 것이다. '의지처'는 원인이라는 뜻인데, 무위는 그렇지 않기 때문에 온으로 세우지 않는다. 셋째는 무위는 온이 종식된 곳[蘊息處]이어서 온이 아니라고 밝힌 것이다. '식息'은 소멸한 곳을 말하는 것이니, 마치 병이 깨어져 사라진 곳은 병이 아닌 것과 같다는 것인데, 논주는 앞의 두 가지 해석만 인정하고, 이 제3의 해석은 인정하지 않기 때문에 "그럴 경우 처와 계에 비례시키면 응당 허물을 이룰 것"이라고 말하였다. 만약 온이 종식된 것을 무위라고 이름하므로 무위는 온에 포함되는 것이 아니라고 한다면, 처와 계가 종식되기 때문에 무위라고 이름하고, 무위는 처와 계에 포함되는 것이 아니라고 해야 할 것이기 때문이다.
188 이하는 넷째 명칭의 순서를 밝히는데, 그 안에 나아가면 첫째 온의 순서를 밝히고, 둘째 처와 계의 순서를 밝힌다. 이는 곧 온의 순서를 밝히는 것인데, 맺으면서 물음에 대해 게송으로 답한 것이다.
189 이는 거친 것에 따라 순서를 밝히는 것이다.

혹은 시작 없는 때로부터 생사한 이래로 남녀는 신체[色]에 대해 다시 서로 사랑하고 즐거워하는데, 이는 즐거운 느낌[樂受]의 맛에 탐닉해 집착하기 때문이다. 느낌에 탐닉하는 것은 다시 전도된 지각[倒想]이 생기는 것을 원인으로 하기 때문이며, 이런 전도된 지각이 생기는 것은 번뇌 때문이며, 이와 같은 번뇌는 의식[識]에 의지해 생긴다. 이 번뇌 및 앞의 세 가지가 모두 의식을 오염시키니, 이 때문에 염오에 따라 온의 순서를 세운 것이다.190

혹은 색은 그릇과 같고, 수는 음식과 유사하며, 상은 조미료와 같고, 행은 요리사와 비슷하며, 식은 먹는 자에 비유된다. 그래서 그릇 등에 따라 온의 순서를 세운 것이다.191

혹은 계界의 차별에 따라 온의 순서를 세웠다. 말하자면 욕계 중에는 여러 오묘한 욕망[妙欲]이 있어 색의 모습이 현저하게 요별되고, 색계의 정려靜慮에는 뛰어난 기쁨[喜] 등이 있어 수의 모습이 현저하게 요별되며, 세 가지 무색계 중에서는 공空 등의 표상을 취하기 때문에 상의 모습이 현저하게 요별되고, 존재의 제일[第一有] 중에서는 사思가 가장 뛰어나므로 행의 모습이 현저하게 요별되는데, 이것들이 곧 식주識住여서 식이 그 가운데 머무니, 세간의 밭·종자의 순서와 매우 흡사하다. 이 때문에 여러 온의 순서가 이와 같으니, 이로 말미암아 5온에는 늘리거나 덜어낸 허물이 없다.192

----

190 이는 물드는 것[染]에 따라 순서를 밝히는 것이다. (문) 행온에는 번뇌가 있으므로 의식을 오염시킬 수 있겠지만, 색·수·상 3온의 체는 번뇌가 아닌데, 어떻게 의식을 오염시키는가? (답) 색·수·상 3온은 성품이 번뇌가 아니기는 하지만, 능히 연이 되어 오염된 의식을 낳으므로 의식을 오염시킨다고 표현하였다. 혹은 색은 연이 되어 오염된 의식을 낳고, 수온과 상온은 번뇌와 상응하여 의식을 오염시킬 수 있으므로 의식을 오염시킨다고 표현하였다.
191 이는 그릇 등에 따라 순서를 밝히는 것이다. 말하자면 색은 그릇과 같으니, 느낌이 의지하는 것이기 때문이다. 수는 음식과 유사하니, 유정의 몸을 증익시키거나 손감시키기 때문이다. 상은 조미료와 같으니, 원수·친구·중립을 취해 그와 평등하게 서로 도와서 느낌을 낳기 때문이다. 행은 요리사와 비슷하니, 탐욕·의도 등 업과 번뇌의 힘에 의해 사랑스럽거나 사랑스럽지 못한 등의 이숙을 낳기 때문이다. 식을 먹는 자에 비유한 것은 유정의 몸 중에서 의식이 주인이 되어 뛰어나기 때문이다.

즉 이와 같은 여러 순서상의 이유에 의해 행에서 분리시켜 수온과 상온을 별도로 세운 것이니, 말하자면 수와 상은 모든 행 중에서는 양상이 거칠고, 염오를 낳으며, 음식과 유사하고 조미료와 같으며, 2계 중에서 강하기 때문에 따로 온으로 세운 것이다.193

2. 처와 계의 순서

처와 계의 문 중에서는 먼저 6근의 순서에 대해 분별해야 할 것이다. 이에 의해 6경과 6식의 순서도 알 수 있다.194 게송으로 말하겠다.

㉓ 앞의 5근의 경계는 오직 현재이고[前五境唯現]

　　4근의 경계는 오직 소조색이며[四境唯所造]

　　나머지는 작용이 멀리 미치거나 빠르거나 분명함[餘用遠速明]

　　혹은 처소의 순서에 따랐다[或隨處次第]195

논하여 말하겠다. 6근 중 안근 등 전5근은 오직 현재의 경계만을 취하니, 이 때문에 먼저 말한다. 의근의 경계는 삼세의 법과 무위로서 일정하지 않으니, 혹 하나만 취하기도 하고, 혹 둘·셋·넷을 취하기도 한다.

'4근의 경계는 오직 소조색'이라고 말한 것은, '앞의'라는 말이 여기에까지 흘러 이른 것이니, 5근 중 앞의 4근의 경계는 오직 소조색이어서, 이

192 이는 계에 의거해 순서를 세우는 것이다. '사思'는 8만 가지를 감득하기 때문에 '사'가 가장 뛰어나다. 네 가지는 머무는 곳[所住](=4식주)이어서 마치 밭과 같다고 비유하고, 의식은 머무는 주체이므로 종자와 같다고 비유하였다. 나머지 글은 알 수 있을 것이다. # 본문 중 '세 가지 무색계'는 공무변처·식무변처·무소유처를 가리키고, '존재의 제일'은 비상비비상처를 가리킨다.

193 네 가지 이치는 하나가 아니기에 '여러 순서(상의 이유)'라고 표현하였다. 여러 행 중에서 수와 상을 따로 세운 까닭은, 첫째는 모습이 거칠다는 추세문麤細門이 되고, 둘째는 염오를 낳는 기과문起過門이 되며, 셋째는 음식과 유사하고 조미료와 같다는 기등문器等門이고, 넷째는 2계(=색계·무색계) 중에서 강하다는 계별문界別門이다.

194 이하는 둘째 처와 계의 순서에 대해 밝히는데, 근의 순서를 분별하면 경境과 식識의 순서도 유추해서 알 수 있다. 이는 물음을 일으킨 것이다.

195 게송으로 답한 것인데, '나머지'는 (제1구에 의해 배제된) 의근과 (제2구에 의해 배제된) 신근의 나머지, 즉 안근 등의 4근을 말하는 것이다.

때문에 먼저 말한다. 신근의 경계는 일정하지 않아서, 혹 대종을 취하기도 하고, 혹 소조색을 취하기도 하며, 혹 두 가지 모두를 취하기도 한다.[196]

'나머지'는 앞의 4근을 말하는 것으로서, 그 상응하는 바와 같이 작용이 멀리 미치거나 빠르거나 분명하니, 이 때문에 먼저 말한다. 말하자면 안근과 이근은 멀리 있는 경계를 취하기 때문에 2근보다 먼저 두어 말하는데, 2근 중에서는 안근의 작용이 멀리 미치기 때문에 먼저 말하니, 멀리서 산이나 강을 볼 수는 있어도 소리는 듣지 못하기 때문이다. 또 안근의 작용이 빠르니, 사람이 종을 두드리거나 북을 치는 것을 멀리서 먼저 보고, 그 후에 그 소리를 듣기 때문이다. 비근과 설근은 작용이 모두 멀리 미치는 것이 아닌데, 먼저 비근을 말하는 것은 작용이 빠르고 분명하기 때문이니, 예컨대 향기롭고 맛있는 여러 음식을 대할 때 비근이 먼저 냄새를 맡고, 설근이 그 후에 맛을 맛보는 것과 같다.[197]

혹은 신체 안에서 의지하는 처소의 위·아래의 차별에 따라 근의 순서를 말하기도 한다. 말하자면 안근이 의지하는 곳은 가장 그 위쪽에 있고, 그 다음에 이근·비근·설근이 있으며, 신근은 대부분 아래쪽에 있다. 의근은 방위와 처소가 없고, 있다면 곧 여러 근에 의지해 생기니, 그래서 가장 뒤에 말한다.[198]

....

196 6근 중 앞의 5근의 경계는 일정하기에 먼저 말하지만, 의근의 경계는 일정하지 않기에 뒤에 말한다. 앞의 5근 중에 나아가면 앞의 4근은 경계가 일정하기에 먼저 말하지만, 신근은 일정하지 않기에 뒤에 말한다. 그래서 『순정리론』(=제3권. 대29-345하)에서 말하였다. "경계가 일정하면 작용에 섞여 어지러움이 없어 그 모습이 분명한 까닭에 먼저 말하지만, 경계가 일정하지 않으면 작용에 섞여 어지러움이 있어 그 모습이 분명하지 않은 까닭에 뒤에 말한다."

197 '분명하다'고 말한 것은 코는 맛 중의 미세한 냄새까지 파악할 수 있지만, 혀는 냄새 중의 미세한 맛을 파악할 수 없다는 것이다. 나머지 글은 알 수 있을 것이다.

198 이는 의지하는 곳의 위·아래에 의거해 전5근의 순서를 밝히는 것이다. '의지하는 곳[所依]'은 부진근[扶根] 넷(=신근을 제외한 4근)의 경계를 말한다. 안근·이근·비근의 셋은 만약 의지하는 곳에 의거한다면 위·아래가 있을 수 있지만, 근의 체에 의거한다면 곧 위·아래가 없다. 그래서 아래 논서(=제2권 중 게송 ㊺ab에 관한 논설)에서, "이 처음 3근은 횡으로 길을 만들어서 처소에 높고 낮음이 없으니, 마치 화만을 머리에 쓴 것과 같다"라고 말하였다. 의근은

어떤 이유에서 10처는 모두 색온에 포함되는데, 한 종류에 대해서만 색처라는 명칭을 세웠으며, 또 12처는 체가 모두 법인데, 한 종류에 대해서만 법처라는 명칭을 세웠는가?[199] 게송으로 말하겠다.

24 차별하기 위해서이니, 가장 뛰어나며[爲差別最勝]
　많은 법과 증상한 법을 포함하기 때문에[攝多增上法]
　한 가지 처만 색이라 이름하고[故一處名色]
　한 가지만 법처라고 이름하였다[一名爲法處][200]

논하여 말하겠다. '차별하기 위해서'란 경계[境]와 경계를 가진 것[有境]의 성품의 갖가지 차별을 요지하게 하기 위해서 색온을 차별되는 모습에 나아가 10처로 건립하고, 전체를 1처로 하지 않았다는 것이다. 만약 안眼 등으로 차별되게 지각하는 명칭이 없으면서 그 체가 색이면 색처라는 명칭을 세우는데, 이는 안眼 등에 의해 구별된 명칭[名所簡別]이니, 비록 총체적 명칭[總稱]을 표방했어도 곧 개별적 명칭[別名]이다.[201]

....

처소가 없고, 있다면 곧 5색근에 의지해서 생기기 때문에 가장 뒤에 말한다.
199 이하는 다섯째 명칭의 폐립에 대해 밝히는 것인데, 먼저 묻는다. 만약 장애되기 때문에 색이라고 이름한다면 10처 모두를 색이라고 이름해야 할 것이며, 만약 (자성을) 지니기 때문에 법이라고 이름한다면 일체를 모두 법이라고 이름해야 할 것인데, 어째서 한 가지만 공통의 명칭으로 세웠는가?
200 게송의 답에 나아가면 네 가지로 뜻이 구별된다. 첫째 '차별하기 위해서'라는 것은 색처와 법처를 공통으로 풀이한 것이고, 둘째 가장 뛰어나다는 것은 따로 색처를 풀이한 것이며, 셋째 많은 법을 포함한다는 것과 넷째 증상한 법을 포함한다는 것은 따로 법처를 풀이한 것이다.
201 색처에 대해 따로 해석하는 것이다. 경계와 경계를 가진 것(=감관[根])이 차별되는 모습을 요지하게 하기 위해서 색온을 열 가지로 나누고, 총괄해서 하나로 하지 않았는데, 법처의 무표색은 적기 때문에 논하지 않았다. 만약 눈 등 아홉 가지 차별되게 지각하는 명칭이 없으면서 그 체가 색이면 모두 색처라는 명칭을 세우는데, 이 색처라는 명칭은 눈 등 아홉 가지에 의해 구별된[所簡別] 명칭(='간簡'은 가린다는 뜻이니, 눈 등 아홉 가지를 가려내어 구별한

또 모든 색법 중에서 색처가 가장 뛰어나기 때문에 공통의 명칭[通名]을 세운 것이니, 부딪침이 있는 것[有對]이기 때문에 손 등이 닿을 때 곧 변하고 무너지며, 또 볼 수 있는 것[有見]이기 때문에 여기에 있거나 저기에 있는 차별을 보일 수 있으며, 또 모든 세간에서 이 처處에 대해서만 같이 색이라고 말하고, 안처 등에 대해서는 아니기 때문이다.202

또 차별하기 위해서 하나의 법처를 세우고, 일체에 대해서가 아니었으니, 색처와 같다고 알아야 할 것이다. 또 이 안에 수受·상想 등의 많은 법을 포함하기 때문에 공통의 명칭을 세워야 하며, 또 증상한 법은 소위 열반인데, 이 안에 포함되기 때문에 유독 법처로 세운 것이다.203

어떤 다른 논사는 말하였다. "색처 중에는 스무 종류의 색이 있는데, 가장 거칠게 나타나기 때문이며, 육안·천안과 성스러운 혜안이라는 세 가지 눈[三眼]의 경계이기 때문에 유독 색이라는 명칭을 세웠다. 법처 중에는 모든 법에 대한 명칭이 있기 때문이며, 모든 법에 대한 지혜가 있기 때문에 유독 법이라는 명칭을 세웠다."204

....

명칭이라는 뜻)이니, 비록 총체적 명칭을 표방했어도 곧 개별적 명칭이다. 마치 다수의 주인 소유의 말이 같은 무리 중에서 각각 별도의 낙인[印]이 찍혀 있는데, 한 주인의 말에만 곧 낙인이 없다면, 낙인 없는 것이 낙인 있는 것과 구별되는 것처럼, 이것도 또한 이와 같다.

202 「어째서 나머지 9처에는 공통의 이름을 세우지 않고 색처만 표방했는가?」라는 물음이 응당 있을 것이므로, 지금 회통해 말한다. 또 모든 색법 중에서는 색처가 가장 뛰어나기 때문에 공통의 명칭을 세운 것이다. 첫째 부딪침이 있기 때문이며, 둘째 볼 수 있기 때문이며, 셋째 같이 색이라고 말하기 때문이니, 이런 세 가지 뜻을 갖추어 뛰어나기에 공통의 명칭을 세웠다. 혹은 부딪침이 있다는 말은 무표색과 구별하는 것이고, 볼 수 있으며, 같이 말한다는 것은 안처 등의 9처와 구별하는 것이다.

203 이는 따로 법처를 해석하는 것이다. 또 나머지 11처와 차별하기 위해서 하나만 법처라는 이름으로 세우고, 11처 일체에 대해서는 아니었으니, 비록 총체적 명칭을 표방했다고 해도 곧 개별적 명칭을 받은 것이다. 「어째서 나머지 11처에는 공통의 명칭을 세우지 않고, 법처만 표방했는가?」라는 물음이 응당 있을 것이므로, 다시 풀이해 말한다. 법처 안에 많은 법을 포함하기 때문이며, 증상한 법을 포함하기 때문이니, 그래서 공통의 명칭을 세웠는데, 나머지 처는 그렇지 않다.

204 이는 다른 논사의 풀이를 서술하는 것이다. 색처가 공통의 명칭을 얻은 것은 첫째 체가 대부분 거칠게 나타나기 때문이며, 둘째 세 가지 눈의 경계이기 때

제6항 다른 명칭의 포함

1. 법온

여러 계경 중에서 이와 다른 갖가지 온 및 처·계의 명칭을 얻을 수 있는데, 곧 이것에 포함되는 것인가, 이것을 떠난 것인가?205 그것들도 상응하는 대로 모두 이것에 포함된다고 알아야 할 것이다. 우선 다른 여러 온의 명칭을 포함하는 것에 대해 분별하겠다.206 게송으로 말하겠다.

25 모니께서 말씀하신 법온을[牟尼說法蘊]
　헤아리면 8만이 있는데[數有八十千]
　그 체는 말, 혹은 명칭이니[彼體語或名]
　이는 색온이나 행온에 포함된다[此色行蘊攝]

논하여 말하겠다. 말씀하신 붓다의 모든 가르침이 말을 체로 하는 것이라면 그 말씀하신 법온은 모두 색온에 포함되고, 말씀하신 붓다의 모든 가르침이 명칭을 체로 하는 것이라면 그 말씀하신 법온은 모두 행온에 포함된다.207

....

　문에 공통의 명칭을 세웠는데, 나머지 처는 그렇지 않다는 것이다. 비록 10색처가 모두 혜안의 경계이기는 하지만, 안처 등의 9처는 육안과 천안의 경계가 아니며(=볼 수 없는 것이기 때문), 또 거칠게 나타나는 것이 아니기에 세우지 않았다. 법처 중에는 모든 법을 표현할 수 있는 명칭(=불상응행법의 하나)이 있기 때문이며, 모든 법을 반연할 수 있는 지혜(=심소법의 하나)가 있기 때문에 법이라는 명칭을 얻었지만, 나머지 처는 그렇지 않다.
205 이하는 여섯째 다른 명칭을 포함하는 것인데, 그 안에 나아가면 첫째 간략히 법온을 포함하는 것, 둘째 유추해서 온 등을 포함하는 것, 셋째 별도로 6계에 대해 밝힌다. 첫째 간략히 법온을 포함하는 것에 나아가면, 첫째 법온 포함하는 것을 밝히고, 둘째 법온의 분량을 밝히는데, 이하는 첫째 법온 포함하는 것에 대해 밝히는 것이다. 게송 앞에서, 첫째 전체적으로, 둘째 개별적으로 물음을 일으키는데, 이는 곧 전체적인 물음이고, 그 아래 문장은 전체적인 답변이다.
206 이는 개별적으로 게송의 글을 일으키는 것이다.
207 여기에서 가르침의 체에 대해 양 설이 같지 않다. 예로부터 여러 대덕들이

이 모든 법온은 그 분량이 어떠한가? 게송으로 말하겠다.

26 모든 법온의[有言諸法蘊]
　　분량은 그 논서의 설명과 같다는 말도 있고[量如彼論說]
　　혹은 온 등의 말에 따른다고도 하는데[或隨蘊等言]
　　여실한 것은 행의 대치이다[如實行對治]208

논하여 말하겠다. 어떤 논사들은, "8만의 법온 하나하나의 분량은 『법온족론法蘊足論』의 설명과 같다"라고 말한다. 말하자면 대법 논서 중 『법온족론』에서의 설명처럼 그 하나하나에 6천 게송이 있다는 것이다. 혹은, "법온은 온 등의 말 하나하나의 차별에 따라 헤아리면 8만이 있으니, 말하자면　온·처·계·연기緣起·제諦·식食·정려靜慮·무량無量·무색無色·해탈解脫·승처勝處·변처遍處·각품覺品·신통神通·무쟁無諍·원지願智·무애해無礙解 등 하나하나의 가르침의 문[敎門]을 하나의 법온이라고 이름한다"라고 말하기도 한다. '여실한 것'이라고 말한 것은 교화대상인 유정에게 탐욕·성냄 등 8만 행의 차별이 있어서, 그 8만의 행을 대치하기 위해 세존께서 8만의 법온을 베풀어 말씀하셨다는 것인데, 앞에서 설명한 것처럼 그 8만의 법온은 모두 이 5온 중 2온에 포함되는 것이다.209

....
　　가르침의 체를 나타내었는데, 혹자는 음성(=색온)을 체로 한다고 하였고, 혹자는 명칭·문구·문자(=행온에 포함되는 불상응행법)를 체로 한다고 하였으며, 혹자는 두 가지를 모두 포함한다고 하였다. 만약 머무는 근기들에게 설법하는 것에 의거한다면 음성을 체로 하는 것이고, 법을 표현하는 것에 의거한다면 명칭·문구·문자를 체로 하는 것인 까닭에, 여러 논서들에서 가르침의 체를 나타내는 것에 모두 양 설이 있어 같지 않다.
208 이하는 법온의 분량을 밝히는 것인데, 묻고 게송으로 답하였다.
209 법온의 분량에 대한 설명은 3설이 같지 않다. 첫째 논사는, "붓다께서 8만 부의 법온의 경을 따로 말씀하셨으니, 낱낱의 부에 모두, 6족론 중 『법온족론』에서의 설명처럼 6천 게송이 있다"라고 말하는데, 이는 논서의 글[文]에 의거해 분량을 정한 것이다. 둘째 논사는 표현된 뜻[所詮義]에 의거해 분량을 정하니, 하나의 뜻의 문을 하나의 법온이라 이름한다고 말하는 것이다. 말하자면 표현대상[所詮]인 온 등의 말 하나하나의 차별에 따라 헤아리면 8만이 있으니, 표현주체[能詮]인 법온도 그 수가 역시 그러하다는 것이다. 하나하나의 가르

2. 다른 온·처·계의 유추

이와 같이 다른 곳에서의 여러 온·처·계도 유추하면 역시 그러해야 하니, 게송으로 말하겠다.

27 이와 같이 다른 곳에서의 온 등도[如是餘蘊等]
　　각각 그 상응하는 바에 따라[各隨其所應]
　　앞에서 말한 것 중에 포함되어 있으니[攝在前說中]
　　자상을 자세히 관찰해야 한다[應審觀自相]210

논하여 말하겠다. 다른 계경 중에서의 여러 온·처·계도 상응함에 따라 앞에서 말한 것 중에 포함되어 있으니, 이 논서 중에서 설명한 온 등처럼 그 하나하나의 자상自相을 자세히 관찰해야 할 것이다.211

(1) 온의 유추

우선 여러 계경 중에서 말씀하신 다른 5온은 계온·정온·혜온·해탈온·해탈지견온의 5온을 말하는데, 이 중 계온은 여기에서의 색온에 포함되고, 그 나머지 4온은 여기에서의 행온에 포함된다.212

....

침의 문에 따라 하나의 법온이라고 이름하니, 이른바 5온·12처·18계·12연기·4제·4식·4정려·4무량·4무색정·8해탈·8승처·10변처·37각품·6신통·무쟁·원지·4무애해이며, '등'은 말하자면 그 나머지 법문을 같이 취한 것이다. 셋째 논사가 바른 뜻인데, 작용[用]에 의거해 분량을 정한 것이다. 하나의 번뇌를 제거하는 것에 따라 하나의 법온이라고 이름한다. 말하자면 유정의 탐욕·성냄 등 행이 8만으로 구별되기 때문에 그것을 대치하기 위한 행으로 세존께서 부정관 등 8만의 법온을 베풀어 말하셨는데, 8만의 법온이 모두 이 5온 중 색온·행온에 포함되는 것이라 함은 앞의 두 가지 설명과 같다. 혹자는 이 세 번째 해석은 그렇지 않다고 풀이하면서, 큰 수에 의해 말했기 때문에 8만이라고 말했을 뿐, 완전히 갖추어 말한다면 8만4천이 있다고 한다.

210 이하는 둘째 유추해서 온 등을 거두는 것이다. 만약 공상共相으로써 서로 포함한다면 곧 만법이 모두 같이 합쳐지게 되겠지만, 체상으로 나눈다면 상호 넘치는 일이 없을 것이기 때문에 자상을 관찰해서 체상으로써 거두어야 한다.
211 이는 게송의 글을 간략하게 해석한 것이다.
212 이하는 명칭을 들어 간략히 거두는데, 이는 곧 온(=소위 무루5온)을 거두는 것을 분별한 것이다. 계온은 색온(=무표색)에 포함되고, 나머지 4온은 행온에 포함된다. 말하자면 정온은 행온 중 선정[定]을 체로 하고, 혜온과 해탈지

(2) 처의 유추

또 여러 경에서 10변처遍處 등을 말씀하셨는데, 앞의 8변처는 무탐無貪의 성품이기 때문에 여기에서의 법처에 포함되지만, 만약 조반助伴의 법까지 아우른다면 5온의 성품이기 때문에 곧 여기에서의 의처와 법처에 포함되는 것이다. 8승처勝處의 포함관계도 역시 그러하다고 알아야 할 것이다.

공空·식識의 변처와 공무변처 등의 4무색처는 4온의 성품이기 때문에 곧 여기에서의 의처와 법처에 포함되는 것이다.213

5해탈처는 지혜를 성품으로 하기 때문에 여기에서의 법처에 포함되지만, 만약 조반의 법까지 아우른다면 곧 여기에서의 성처·의처·법처에 포함되는 것이다.214

....

견온은 행온 중 지혜[慧]를 체로 하며, 해탈온은 행온 중 승해勝解를 체로 한다. 그래서 『대비바사론』 제33권(＝대27-172상)에서 계온 등 5온의 체를 나타내는 중에서 말하였다. "무루의 신업과 어업을 무학의 계온이라고 이름하는데, 어떤 것이 무학의 정온인가? (답) 무학의 3삼매, 말하자면 공·무상·무원이다. 어떤 것이 무학의 혜온인가? (답) 무학의 정견의 지혜[正見智]이다. 어떤 것이 무학의 해탈온인가? (답) 무학의 작의作意와 상응하는 마음으로 이미 해탈한 것, 지금 해탈하는 것, 장차 해탈할 것이니, 진지·무생지 및 무학의 정견과 상응하는 승해를 말한다. 어떤 것이 무학의 해탈지견온인가? (답) 진지와 무생지이다." 해석하자면 승해는 심소법 중에서 자세히 분별할 것인데, 무학위 중에서 승해의 모습이 드러나므로 해탈이라는 명칭을 세웠다.

213 이하는 처의 다른 명칭을 포함하는 것이다. 이 부분 글은 대부분(＝'5해탈처'에 대해서는 이어서 설명하기 때문에 '대부분'이라고 말한 것이다) 알 수 있을 것이다. # 이 부분 중 '무탐의 성품이기 때문에 법처에 포함된다'는 것은 무탐의 심소(＝행온)는 법처에 속하기 때문이다. 그리고 '조반助伴의 법(＝조반이란 동시의 심·심소와 같은 상응법相應法 및 4상 등과 같은, 따라 일어나는 법[隨轉法]을 포괄하는 개념이다)까지 아우른다면 5온의 성품이기 때문에 곧 여기에서의 의처와 법처에 포함된다'는 것에서 '5온의 성품'이라는 것은 삼매에서 생긴 무표색은 색온이기 때문인데, 이 무표색인 색온과 수온·상온·행온은 모두 법처에 포함되고, 식온은 의처에 포함되기 때문에 '의처와 법처에 포함된다'라고 하였다. 나아가 공·식의 2변처와 4무색처는 4온(＝색온 제외)의 성품이기 때문에 의처와 법처에 포함된다는 것은 이에 준해서 알 것이다. '변처'와 '승처'에 대해서는 뒤의 제29권 중 게송 ㉝·㉞과 그 논설 참조.

214 '5해탈'이라고 말한 것은, 첫째 붓다 등의 설법을 듣고 해탈을 얻으며, 둘째 스스로 독송함으로 인해 해탈을 얻으며, 셋째 남을 위해 설법해서 해탈을 얻

다시 2처가 있으니, 무상유정천처 및 비상비비상처를 말한다. 무상유정천처는 곧 여기에서의 10처에 포함되는 것이니, 냄새와 맛이 없기 때문이며, 비상비비상처는 곧 여기에서의 의처와 법처에 포함되는 것이니, 4온의 성품이기 때문이다.215

(3) 계의 유추

또 다계경多界經에서 계의 차별에 예순두 가지가 있다고 말씀하신 것도 그 상응하는 바에 따라 모두 여기에서의 18계에 포함된다고 알아야 할 것이다.216

....

으며, 넷째 고요한 곳에서 사유해서 해탈을 얻으며, 다섯째 삼매의 모습을 잘 취해서 해탈을 얻는 것이다. 해탈은 열반은 말하는 것이니, 이 다섯 가지로 인해 해탈을 얻기 때문에 '해탈처'라고 이름한 것이다. 여기에서는 곧『집이문족론』제13~14권(=대26-424상 이하) 및 장 9:10 십상경十上經(=졸역 2.5 (7)의 '다섯 가지 해탈에 들어감[五解脫入]')에 의해 간략히 명칭을 열거하고 해석을 적었는데, 자세한 것은 거기에서 해석한 것과 같다. '지혜를 성품으로 한다'고 말한 것 중 둘째는 생득혜[生得]이니, 그래서『대비바사론』(=제42권. 대27-216하)에서 말하였다. "12부경을 수지 독송하는 것은 태어나면서 얻은 선법[生得善]이다." 첫째와 셋째는 문혜聞慧이니, 성스러운 가르침을 들음에 의해 뛰어난 지혜가 생기기 때문이다. 혹은 셋째는 사혜思慧도 역시 취할 수 있으니, 남에게 설법하기 위해서는 반드시 먼저 사유해야 하기 때문이다. 넷째는 사혜이니, 명칭대로 알 수 있을 것이고, 다섯째는 수혜修慧이니, 그 삼매 중에서 모습을 잘 취하기 때문이다. 비록 같지 않다고 말하지만, 모두 지혜를 체로 하기에 이것은 법처에 포함된다. 만약 돕는 동반자까지 아우른다면 앞의 셋은 성처·의처·법처에 포함되고, 뒤의 둘은 의처와 법처에 포함된다. 또 해석하자면 성처는 둘째와 셋째에 있으니, 자신의 소리를 취하기 때문이다. 첫째에 포함되는 것이 아니니, 남의 음성은 자기의 돕는 동반자가 아니기 때문이다.
215 무상유정천의 유정은 소리를 늘 성취하기 때문에 성처가 있을 수 있다. 그래서『발지론』(=제6권. 대26-947상)에서, "누가 신처를 성취하는가? 욕계와 색계의 중생이다. 신처처럼 색처·성처·촉처도 역시 그러하다"(=무상유정천은 색계 제4선천에 속한다)라고 말하였다. 무상이숙과를 증득했을 때 비록 마음이 없다고 해도 처음 태어날 때와 뒤에 죽을 때 반드시 마음이 있기 때문에 의처도 또한 말하였다. 또『대비바사론』제137권(=대27-709상)에서, "(문) 세존께서는 무엇 때문에 무상천과 유정천有頂天(=비상비비상처)에 대해 대부분 처라고 말씀하셨는가? (답) 이 2처를 해탈이라고 집착하는 외도들이 있어서, 붓다께서 그것을 막기 위해 태어나는 곳[生處]이라고 말씀하신 것이다"라고 말하였다.
216 이는 계의 다른 명칭을 포함하는 것을 분별한 것이다. 62계는 말하자면 세 종류의 6계(=(1) 지·수·화·풍·공·식의 6계, (2) 욕망의 계[欲界], 성냄의 계[恚

3. 별도로 6계에 대해 밝힘

우선 그 경 중에서 설한 6계 중 지·수·화·풍의 4계에 대해서는 이미 설명했지만, 공계·식계의 2계에 대해서는 아직 그 모습을 설명하지 않았다. 곧 허공虛空을 공계空界라고 이름한 것인가? 일체 식識을 식계識界라고 이름한 것인가?217 그렇지 않다. 어떠한가? 게송으로 말하겠다.

28 공계는 틈구멍을 말하는데[空界謂竅隙]
　전하는 학설로는 밝음과 어둠이며[傳說是明闇]
　식계는 유루의 식이니[識界有漏識]
　유정들의 생의 의지처이다[有情生所依]218

논하여 말하겠다. 존재하는 모든 문, 창 및 입, 코 등의 안팎의 틈구멍을

界], 해침의 계[害界], 욕망 없음의 계, 성냄 없음의 계, 해침 없음의 계, (3) 즐거움의 계[樂界], 괴로움의 계[苦界], 기쁨의 계[喜界], 근심의 계[憂界], 평정의 계[捨界], 무명의 계[無明界]), 여섯 종류의 3계(=(1) 욕계·색계·무색계, (2) 색계·무색계·소멸계[滅界], (3) 과거의 계[過去界], 미래의 계[未來界], 현재의 계[現在界], (4) 묘함의 계[妙界], 묘하지 못함의 계[不妙界], 중립의 계[中界], (5) 선의 계[善界], 불선의 계[不善界], 무기의 계[無記界], (6) 유학의 계, 무학의 계, 유학도 아니고 무학도 아닌 계), 한 종류의 4계(=느낌의 계[覺界], 지각의 계[想界], 형성의 계[行界], 의식의 계[識界]), 두 종류의 2계(=(1) 유루계와 무루계, (2) 유위계와 무위계)에 다시 18계를 더했기 때문에 예순두 가지를 이루는데(=『중아함경』 47:181 다계경), 그 상응하는 바에 따라 18계에 포함된다. 체를 나타내어 서로 포함하는 것은 다음(=3.)에서 따로 밝히는 것과 같다.
217 이하는 셋째 6계에 대해 따로 밝히는 것이다. 장차 설명하기 위해 물음을 일으켰다. 곧 허공무위를 공계라고 이름한 것인가? 일체 유루와 무루의 식을 식계라고 이름한 것인가? 그 아래는 대답하고, 따지는 것이다.
218 이는 해석하는 것이다. 설일체유부에서 전하는 학설에 의하면 공계는 밝음과 어둠을 체로 하니, 곧 현색의 차별로서 체가 역시 실유라고 하지만, 논주는 공계가 실유라는 것을 믿지 않기 때문에 '전하는 학설'이라고 말한 것이다. 이치의 실제로는 빛과 그림자에도 역시 통한다. 빛과 밝음은 하나의 짝이 되는데, 밝음은 가볍고, 빛은 무거우니, 밝음 한 쪽만 말한 것은 가벼운 것을 들어 무거운 것을 나타낸 것이다. 그림자와 어둠은 하나의 짝이 되는데, 그림자는 가볍고 어둠은 무거우니, 어둠 한 쪽만 말한 것은 무거운 것을 들어 가벼운 것을 나타낸 것이다. 이것은 곧 영략호현한 것이다.

공계라고 이름한다.219 이와 같은 틈구멍은 어떤 것이라고 알아야 하는가? 전하는 학설로는 틈구멍은 곧 밝음과 어둠이다. 밝음과 어둠을 떠나서 틈구멍을 파악할 수 있는 것이 아니기 때문에 공계는 밝음과 어둠을 체로 한다고 말한 것인데, 이것의 체는 낮과 밤을 떠나지 않는다고 알아야 할 것이다.220

곧 이것을 인아가색隣阿伽色이라고도 이름하는데, 전하는 학설로는, "'아가'는 쌓여 모인 색[積集色]을 말하는 것이니, 지극히 장애가 될 수 있기 때문에 '아가'라고 이름하는데, 이 공계의 색은 그것과 서로 이웃했으므로, 이 때문에 인아가색이라고 이름하였다"라고 한다. 어떤 분은, "'아가'가 곧 공계의 색이니, 이 안에는 장애가 없기 때문에 '아가'라고 이름하였다. 즉 아가색이 다른 장애와 서로 이웃했으므로, 이 때문에 인아가색이라고 이름하였다"라고 말하였다.221

모든 유루의 식[諸有漏識]을 식계라고 이름한다.222 어째서 모든 무루의

....
219 안과 밖의 틈구멍을 공계라고 이름하는 것이지, 곧 허공을 공계라고 이름하는 것이 아니다.
220 전하는 학설로는 틈구멍이 공계인데, 곧 밝음과 어둠이다. 이 공계의 색은 현색의 차별이니, 밝음과 어둠의 현색을 떠난 밖에 따로 파악할 수 있는 틈구멍이 있는 것은 아니기 때문에 공계의 색은 밝음과 어둠을 체로 한다고 한 것인데, 이것의 체는 낮과 밤을 떠나지 않는다고 알아야 한다. 낮은 밝음을 체로 하고, 밤은 어둠을 체로 하니, 이 공계의 색이 밝음과 어둠을 체로 한다면 낮과 밤이 그 단계[位]가 된다. 또 해석하자면 공계가 실유라고 하는 이것은 논주가 인정하는 것이 아니기 때문에 논주가 "이것의 체는 낮과 밤을 떠나지 않는다고 알아야 할 것"이라고 말한 것이니, 말하자면 낮과 밤처럼 밝음과 어둠 등도 그 체를 임시로 세운 것이다. 낮과 밤이 실유가 아니므로, 공계도 역시 그러해서 실유가 아니어야 할 것이다.
221 이는 근본 논서 중의 공계의 다른 명칭을 서술하는 것인데, 두 가지 해석이 있다. 곧 이 공계의 색을 인아가색이라고 이름하는데, '가'는 번역하면 장애[礙]가 되고, '아'는 두 가지 뜻에 통하니, 지극하다[極]는 이름이거나 없다[無]는 이름이다. 만약 인극애색隣極礙色이라고 말한다면, 공계의 색이 지극한 장애와 서로 이웃한 것을 말함이니, 이는 아가의 색과 이웃했기에 인아가색이라고 이름했다는 것으로, 서로 이웃했다는 것에 의거한 해석이다. 만약 인무애색隣無礙色이라고 말한다면 이 무애의 색이 다른 장애와 서로 이웃했기에, 즉 이웃한 것이 아가이기 때문에 인아가색이라고 이름했다는 것이다. 두 논사가 각각 하나에 의거해 해석한 것인데, 뜻에는 모두 어긋남이 없다.

식은 식계라고 말하지 않는가? 6계는 모든 유정들의 생의 의지처[生所依]라는 것이 인정되기 때문이며, 이와 같은 여러 계가, 생을 잇는 마음[續生心]에서부터 목숨이 끝나는 마음[命終心]에 이르기까지 늘 생을 유지시키기 때문이니, 모든 무루법은 곧 이와 같지 않다.223

그 6계 중 앞의 4계는 곧 여기에서의 촉계에 포함되고, 다섯째인 공계는 곧 여기에서의 색계에 포함되며, 여섯째인 식계는 곧 이 7심계心界에 포함된다.224

....

222 이하는 식계를 따로 해석하는 것이다.

223 6계는 유정들의 생의 의지처라는 것이 인정되기 때문이며, 또 늘 생을 유지시킨다는 것이다. 그렇지만 모든 무루의 법은 곧 이와 같지 않다. 그래서 『순정리론』 제3권(=대29-347하)에서도, "모든 무루법은 유정들의 생을 끊고 해치고 파괴하는 등으로 차별되게 전전하기 때문에 생의 의지처가 아니지만, 이와 같은 6계는 유정들의 생에 대해 생인·장인·양인으로 차별되게 전전하기 때문에 생의 의지처이다. 생인生因은 말하자면 식계識界가 생을 상속시키는 종자이기 때문이고, 양인養因은 말하자면 대종이 생이 의지하는 것이기 때문이며, 장인長因은 말하자면 공계가 생을 수용하기 때문이다"라고 말하였다.

(문) 무심정無心定에 들면 식이 곧 작용하지 않는데, 어떻게 늘 생을 유지시킨다고 말하는가? (해) 많은 부분에 따라 말한 것이다.(=제1해) 선정 전의 마음이 등무간연이 되어 결정코 뒤의 마음이 생기는 것을 능히 견인하기 때문이며, 또 그 마음은 상속하여 늘 일어날 수 있기 때문에 생을 유지시킨다고 말한다.(=제2해) 색법 중 강한 것은 4대종이라고 치우쳐 말하지만, 소조색도 포함하며, 무색 중 강한 것은 심법이 뛰어나다고 하지만, 다른 법도 포함한다. 이미 명근을 포함하기 때문에 늘 생을 유지시킨다고 말한다.(=제3해) 대저 죽음이라고 말하면 마음이 다시 생기지 않지만, 무심위에서는 비록 현재 마음은 없어도 뒤에 거기에서 나오면 마음이 반드시 응당 일어난다는 것이 결정되어 있다. 뒤에 당연히 일어나기 때문에 몸과 목숨이 끝나지 않으니, 이 때문에 늘 생을 유지시킨다고 말한다.(=제4해) (문) 무색계 중에는 앞의 5계가 없는데, 어떻게 늘 유지시키는가? (해) 욕계와 색계의 의거해 말한 것이다. 혹은 무색계 중에 비록 앞의 5계는 없지만, 뒤의 1계가 있기 때문에 전체적인 모습에 의해 말한 것이니, 그래서 '여러 계'라고 말한 것이다.

224 그 6계의 포함관계인데, 글대로 알 수 있을 것이다. (문) 색법 11계 중 어째서 색계와 촉계에 치우쳐 말하고, 나머지 9계는 말하지 않았는가? (해) 안근 등 4근은 처음 태어날 때에는 곧 없으며, 신근은 있더라도 식을 일으킬 능력이 없으며, 성경은 성글게 구르기 때문에 생에 대해 작용이 열등하고, 향경과 미경은 욕계에는 있지만, 상계에는 곧 없으며, 무표색은 있고 없는 것이 일정하지 않으며, 생에 작용이 없다. 오직 색계와 촉계만 체가 있고 작용이 있기 때문에 치우쳐 말한 것이다. (문) 어째서 색계 중 공계만 말하고, 촉계 중 대

그 경에서 설명한 나머지 계는 그것이 상응하는 바대로 모두 곧 여기에서의 18계에 포함된다.[225]

....
종만 말하는가? (해) 공계는 결정코 시작이 있어서 처음 태어날 때부터 목숨이 끝날 때까지 늘 생을 유지시키기 때문에 치우쳐 말한 것이다. 4대종은 강하고 반드시 결정코 늘 있기 때문에 치우쳐 말한 것이다.(=제1해) 일체 모든 법은 모두 두 종류가 있으니, 첫째는 색법이고, 둘째는 무색법인데, 색법 중 강한 것은 4대종이기 때문에 치우쳐 말하고, 무색법 중 강한 것은 소위 심왕이다. 공계는 비록 소조색이지만, 의심을 제거하려고 말한 것이다. 말하자면 혹 의심이 있을 수 있으니, 「처음 태어날 때에도 공계가 있는가?」라고 하기에 붓다께서 의심을 제거하기 위해 공계를 말씀하신 것이다. 처음 태어날 때에도 이것이 결정코 있기 때문이다.(=제2해)
225 나머지 계에 대해 유추해서 말하면 모두 이 18계에 포함된다. 간략히 『법온족론』 제10~11권(=대27-503상)의 다계품에서 62계의 체를 나타낸 것에 의해 18계 중에 들어간다고 포함시킨 것이다.

제1 분별계품(의 2)

제4장 여러 문 분별

제1절 유견·무견, 유대·무대, 선·불선·무기 분별

또 다음 앞에서 말한 18계 중 몇 가지가 볼 수 있는 것[유견有見]이고, 몇 가지가 볼 수 없는 것[무견無見]이며, 몇 가지가 부딪침 있는 것[유대有對]이고, 몇 가지가 부딪침 없는 것[무대無對]이며, 몇 가지가 선善이고, 몇 가지가 불선不善이며, 몇 가지 무기無記인가?[1] 게송으로 말하겠다.

⟨29⟩ 한 가지가 유견이니, 색계를 말하고[一有見謂色]
　　열 가지 유색계가 유대이며[十有色有對]
　　이 중 색·성계를 제외한 여덟 가지는[此除色聲八]
　　무기이고, 나머지는 세 가지이다[無記餘三種][2]

1. 유견과 무견

논하여 말하겠다. 18계 중 색계는 볼 수 있는 것[유견有見]이니, 이것과

....
1 이하는 큰 글(=체를 밝히는 계품 중의 둘째 체를 바르게 분별하는 글)의 셋째 여러 문으로 분별하는 것인데, 모두 22문이 있어 18계를 분별한다. 온·처에 의거해 분별하지 않는 까닭에 대해 『순정리론』 제4권(=대29-348상)에서 말하였다. "계 중에서 근·경·식을 갖추어 나타내기 때문에 여러 문의 뜻의 부류를 쉽게 요지할 수 있다. 그래서 지금 우선 18계에 의거해 분별하면 이에 의해 온·처의 뜻의 부류도 성취된다." 이하에서 처음 3문을 밝히는데, 장차 밝히려고 물음을 일으켰다.
2 게송의 답 중에 나아가면 처음 1구는 유견·무견문이고, 다음 1구는 유대·무대문이며, 아래 2구는 3성문이다.

저것의 차별을 보이고 나타낼 수 있기 때문이다. 이 뜻에 준해서 나머지는 볼 수 없는 것[무견無見]이라고 말한다.3

2. 유대와 무대

이와 같이 볼 수 있는 것과 볼 수 없는 것에 대해 설명하였다. 오직 색온에 포함되는 10계만이 부딪침 있는 것[유대有對]이니, '대'는 애애라는 뜻이다. 이것은 다시 세 종류이니, 장애障礙와 경계境界와 소연所緣은 다르기 때문이다.4

장애유대는 10색계를 말하는 것이니, 스스로 다른 곳에서는 장애를 받아 생기지 못한다. 마치 손이 손을 장애하거나, 돌이 돌이 장애하거나, 두 가지가 서로 장애하는 것과 같다.5

경계유대는 말하자면 12계와 법계의 일부인, 경계를 가진 모든 법[諸有境法]의, 색 등의 경계에 대한 관계이다. 그래서『시설족론[施設論]』에서 이렇게 말하였다. "어떤 눈은 물에서는 구애[礙]가 있지만, 뭍에서는 아니니, 물고기 등의 눈과 같다. 어떤 눈은 뭍에서는 구애가 있지만, 물에서는 아니니, 많은 부분에 따라 말하면 사람 등의 눈과 같다. 어떤 눈은 양쪽에서 구애되니, 필사차畢舍遮, 악어 및 어부와 하마 등의 눈과 같다. 어떤 눈은 양쪽에서 구애되는 것이 아니니, 앞에서 말한 것들을 제외한 것을 말한다. 어떤 눈은 밤에는 구애가 있지만, 낮에는 아니니, 모든 박쥐와 올빼미 등의 눈과 같다. 어떤 눈은 낮에는 구애가 있지만, 밤에는 아니니, 많은 부분에 따라 말하면 사람 등의 눈과 같다. 어떤 눈은 양쪽에서 구애되니, 개·여우·말·표범·승냥이·고양이·이리 등의 눈과 같다. 어떤 눈은 양쪽에서 구애되는 것이 아니

---

3 말하자면 이 색계는 여기에 있는 것과 저기에 있는 것이 차별되어 같지 않다는 것을 보이고 나타낼 수 있다는 것이다. 이에 준하면 그 나머지는 볼 수 없는 것이다.

4 게송의 글은 장애만 밝혔지만, 장항의 뜻은 곧 세 가지 유대를 밝히는 것이다. '대'는 애애라는 뜻인데, '애'에는 두 가지가 있다. 첫째는 장애障礙이고, 둘째는 구애拘礙이니, 만약 장애유대라면 장애의 애이고, 만약 경계유대와 소연유대라면 구애의 애이다. 이는 곧 글을 표방한 것이다.

5 쌓여 모인 색[積集色]은 다시 서로 장애한다는 것에 의거한 것이다. 드러나는 것에 의거해 우선 손과 돌을 말했지만, 장애하는 것을 논한다면 실제로는 열 가지에 통한다.

니, 앞에서 말한 것들을 제외한 것을 말한다." 이런 것들을 경계유대라고
이름한다.6

　소연유대란 말하자면 심·심소법의, 자신의 소연所緣에 대한 관계이다.7

　경계와 소연은 다시 어떤 차별이 있는가? 만약 그 법에 대해 이것에게 공
능이 있으면, 곧 그것이 이 법의 경계가 된다고 말하며, 심·심소법은 그것
을 붙잡아 일어나므로 그것은 심 등에 대해 소연이 된다고 이름한다.8

....

6　'12계'는 5근과 7심계心界 전부(=의계+6식)를 말하는데, 아울러 '법계의 일
　부'(=심소법)로서, 상응하는 경계를 가진 여러 법들은 색 등의 경계에 의해 구
　애되기 때문에 경계유대라고 이름한다. 『시설족론』은 곧 6족론 중 하나의 명칭
　으로, 대가다연나大迦多衍那가 지은 것인데, 거기에서의 물과 물, 낮과 밤의 둘
　을 상대시킨 것을 인용한 것은 알 수 있을 것이다. '필사차'는 당나라 말로 피와
　살을 먹는 것[食血肉]인데, 귀신의 다른 이름이다. # '앞에서 말한 것들을 제외
　한 것'이란 맹인의 눈과 같은 것이다.
7　심·심소법은 자신의 소연에 의해 구애되기 때문에 소연유대라고 이름한다.
8　두 가지의 차이에 대해 문답하는 것이다. 경계유대는, 만약 저 색 등의 경계에
　대해 이 눈·귀 등에게 보거나 듣는 등 경계를 취하는 공능功能이 있다면 곧 저
　색 등은 이 눈 등의 경계가 된다고 말하니, 공능에 맡겨지는 것을 경계라고 이
　름한다. 마치 사람이 그것에 대해 뛰어난 공능이 있으면 곧 그것은 나의 경계
　라고 말하는 것과 같다. 이는 공능이 있는 것에 의거한 것이므로, 작용 일으키
　는 것을 요하는 것이 아니다. 따라서 피동분彼同分(=자신의 업을 행하지 못하
　는 것을 가리킨다. 뒤의 게송 ❸cd와 그 논설 참조)도 곧 유대라고 이름한다.
　소연유대는, 말하자면 심·심소법은 그 성품이 미약하고 열등해서 경계가 아니
　면 생기지 않으니, 마치 연약한 사람은 지팡이가 아니면 일어나지 못하는 것과
　같다. 소연의 경계를 붙잡아야 비로소 일어나 나타나기에 이르니, 말하자면 그
　것에 대해 결과를 취하는 작용을 일으키기 때문에 그 소연은 심 등에 대해 소연
　이 된다고 이름한다. 이는 연이 있다면 그 작용이 일어날 수 있어도 연이 없으면
　일어나지 않는다는 것에 의거해 모두 유대라고 이름한 것이다. 반드시 일어나야
　하는 것은 아니니, 따라서 미래의 심 등도 역시 유대라고 이름한다. 만약 경계유
　대라면 경계를 취하는 작용에 구애되는 것[礙取境用]에 의거하지만, 만약 소연유
　대라면 결과를 취하는 작용에 구애되는 것[礙取果用]에 의거한다. 또 해석하자면
　체에 구애되는 것이라는 뜻의 측면에서 소연유대라고 이름하고, 작용에 구애되
　는 것이라는 뜻의 측면에서 경계유대라고 이름한다. 이에 준하면 경계는 작용에
　의거하고, 소연은 체에 의거한 것이라고 알아야 한다. 또 해석하자면 경계를 취
　하는 작용에 구애되는 것을 경계유대라고 이름하고, 경계를 반연하는 작용에 구
　애되는 것을 소연유대라고 이름한다. # 뒤의 본문에서 밝히는 것처럼 소연유대
　는 모두 경계유대이지만, 경계유대 중에는 소연유대 아닌 것이 있으니, 안근 등
　의 5근을 말한다.

어째서 눈[眼] 등이 자신의 경계나 소연에서 일어날 때 구애가 있다[有礙]고 이름하는가?9 그런 것들을 벗어난 다른 것에서는 이것이 일어나지 않기 때문이다. 혹은 다시 '애礙'는 화합해 모인다[和會]는 뜻이니, 말하자면 눈 등의 법은 자신의 경계 및 자신의 소연과 화합해 모여서 일어나기 때문이다.10

여기에서는 장애유대에 나아가서만 말했기 때문에 10유색계만 유대라고 말한 것이니, 서로서로 장애하기 때문인데, 이 뜻에 준해서 그 나머지는 무대無對라고 말한 것이라고 알아야 할 것이다.11

【세 가지 유대의 상호관계】 만약 경계유대인 법이라면 또한 장애유대이기도 한가? 4구로 분별해야 한다. 말하자면 7심계七心界와 법계의 일부인 상응법相應法들은 제1구이고, 색경 등의 5경은 제2구이며, 안근 등의 5근은 제3구이며, 법계의 일부인 비상응법非相應法은 제4구이다.12

....
9 이는 '애礙'의 뜻을 묻는 것이다. '어째서 눈 등이 자신의 경계에서 일어날 때 구애가 있다고 이름하는가?'라는 이것은 경계유대에 대해 묻는 것이고, '어째서 안식 등이 자신의 소연에서 일어날 때 구애가 있다고 이름하는가?'라는 이것은 소연유대에 대해 묻는 것이다. 이 중 '자신'이라는 말은 5근과 5식이 각각 자신의 경계만 취하고 다른 것을 취할 수 없으므로 '자신'이라고 이름한 것이지, 다른 것의 연이 되지 못한다는 것은 아니며, 의意와 의식이 법경을 반연하기 때문에 '자신'이라고 이름한 것이지, 다른 것을 반연할 수 없다는 것은 아니다. 또 (의와 의식에 대해) 해석하자면 반연하는 13계(=6근+6식+법경)를 '자신'이라고 이름한 것이니, 5근과 5식이 취하는 것(=5경)이 아니기 때문이다. 또 해석하자면 18계 중 취하는 바에 따라 곧 자신이라고 이름한 것이다.
10 답이다. 말하자면 이 눈 등이 색 등을 반연할 때 그 색 등을 벗어난 나머지 소리 등에 대해서는 이 눈 등이 일어나지 않기 때문이다. 이는 곧 구애를 애라고 이름했다는 것이다. 혹 다시 '애'란 화합해 모인다는 뜻이니, 말하자면 눈 등의 법이 자신의 경계와 화합해 모여서 일어날 때나 자신의 소연과 화합해 일어날 때 나머지 소리 등에 대해서는 일어날 수 없기 때문이다. 이 화합해 모인다는 말도 다시 구애를 '애'라고 이름한 것이다.
11 무릇 유대를 밝히면 모두 세 종류가 있는데, 이 게송 중에서는 장애유대에 나아가서만 말했기 때문에 10유색계만 유대라고 말한 것이니, 극미가 모여 이루어진 것이어서 서로서로 장애하기 때문인데, 이 뜻에 준해서 그 나머지는 무대라고 말한 것이라고 알아야 한다.
12 이하는 3유대에 의거해 4구로 분별하는 것이다. 비바사에 의할 경우, 넓은 것[寬]으로써 좁은 것[狹]을 물으면 뒷 문구(=좁은 것)에 따라[순후구順後句] 답하고, 좁은 것으로써 넓은 것을 물으면 앞 문구(=좁은 것)에 따라[순전구順前句] 답하며, 상호 넓음과 좁음이 있으면 4구四句(=전시후비前是後非·전비후시

만약 경계유대인 법이라면 또한 소연유대이기도 한가? 뒷 구에 따라 분별해야 한다. 말하자면 소연유대라면 결정코 경계유대인데, 경계유대이지만, 소연유대가 아닌 것이 있으니, 안근 등의 5근을 말한다.13

【다른 학설】 이에 대해 존자 구마라다鳩摩邏多는, "이 곳에서 마음이 생기려고 할 때[是處心欲生] 다른 것이 장애하여 일어나지 않게 하면[他礙令不起] 이것이 유대이며[應知是有對] 무대는 이와 상반되는 것이라고 알아야 하네 [無對此相違]"라고 읊었는데, 이것이 인정할 만한 것이다.14

3. 선·불선·무기

이와 같이 유대와 무대에 대해 설명했는데, 여기에서 말한 10유대 중 색

....

前非後是·양시兩是·양비兩非의 순서)로 분별해 답하고, 넓음과 좁음이 서로 비슷하면 이와 같다는 문구[여시구如是句]로 답한다.

경계유대는 마음[心]에는 통하지만, 경계[境]는 아니며, 장애유대는 경계에는 통하지만, 마음은 아니므로, 상호 넓음과 좁음이 있기 때문에 4구를 이루어야 한다. 7심계와 그와 상응하는 법(=심소법)의 계는 제1구이니, 경계에 구애되기 때문에 경계유대이지만, 서로서로 장애하는 것이 아니기 때문에 장애유대가 아니다. 색경 등의 5경은 제2구이니, 서로서로 장애하기 때문에 장애유대이지만, 경계에 구애되는 것이 아니기 때문에 경계유대가 아니다. 안근 등의 5근은 제3구이니, 경계에 구애되기 때문에 경계유대이며, 서로서로 장애하기 때문에 장애유대이다. 비상응법(=7심계와 상응하는 것 아닌 불상응행법·무위법·무표색)은 제4구이니, 경계에 구애되는 것이 아니기 때문에 경계유대가 아니며, 서로서로 장애하는 것이 아니기 때문에 장애유대가 아니다.

13 경계유대로써 소연유대를 바라보면, 경계유대는 넓고 소연유대는 좁기 때문에 이 논서의 글에서 뒷 구에 따라(=소위 순후구) 답한 것이다. 소연유대와 장애유대를 상대시켜 분별하지 않는 까닭은, 상호 서로 포함하지 않으므로 체에 넘치는 것이 없기 때문이다.

14 구마라다Kumāralāta는 여기 말로 호동豪童인데, 경부(=경량부)의 조사祖師이다. 경량부는 본래 설일체유부에서 나왔는데, 경을 근거[量]로 하므로 경부라고 이름하면서, 집착하는 이치(='일체유')를 근거로 한다고 해서 설일체유부라고 이름하였다. 지금 이 게송의 뜻은, 「'애'라는 말은 다른 것에 의해 장애되어서 생길 수 없다는 것인데, 바로 자신의 경계를 반연하는 것을 어떻게 '애'라고 이름하겠는가?」라는 것이다. 우선 예컨대 안식이 색처에 대해 생기려고 할 때 다른 소리 등에 의해 장애되어 일어나지 못하게 된 것과 같은 경우, (같은 색처이더라도) 다른 것에 의해 장애될 때에는 유대이지만, 바로 색처를 반연할 때에는 무대라고 이름한다고 알아야 할 것이므로, 이 부파(=설일체유부)와는 같지 않다. 논주의 마음은 경량부의 벗이기 때문에 '이것이 인정할 만한 것'이라고 말한 것이다.

色·성성聲을 제외한 나머지 8계는 무기無記이니, 말하자면 5색근色根과 향·미·촉경은 선·불선의 성품이라고 가릴 수 없기 때문에 무기라고 이름한다.15 어떤 분은, "이숙과異熟果를 가릴 수 없기 때문에 무기라고 이름한다"라고 말하는데,16 만약 그렇다면 무루는 오직 무기여야 할 것이다.17

그 나머지 10계는 선 등의 세 가지 성품에 통한다.18 말하자면 7심계心界

....

15 이하는 뒤의 2구를 해석하는 것인데, 세 가지 성품으로 18계를 분별한다. 그 안에 나아가면 첫째 안계 등의 8계를 밝히고, 둘째 나머지 10계를 밝히는데, 이는 그 첫째이다. 선법이 증상하면 칭찬해서 백법 중에 둘 만한 것이 있고, 악법이 증상하면 헐뜯어서 흑법 중에 둘 만한 것이 있기 때문에 유기有記(=가릴 수 있음)라고 이름하는데, 만약 칭찬하거나 헐뜯을 만한 것이 아니어서 2품으로 거둘 것이 아니라면 체가 분명하지 않기 때문에 무기無記(=가릴 수 없음)라고 이름한다. 세 가지 성품[三性]이라고 말한 것은 첫째는 선, 둘째는 불선, 셋째는 무기이다. 선에는 간략히 세 가지가 있는데, 첫째는 생득선이고, 둘째는 가행선이니, 문·사·수를 말하며, 셋째는 무루이니, 유학·무학·승의이다. 무루 중에 나아가면 앞의 둘은 유위의 무루이고, 뒤의 하나는 무위의 무루이다. 선에는 모두 일곱 가지가 있으니, 생득·문·사·수·유학·무학·승의이다. 불선은 오직 한 가지이다. 무기에는 두 가지가 있으니, 첫째는 유부有覆무기이고, 둘째는 무부無覆무기이다. 무부무기 중에 나아가면 여섯 가지가 있으니, 첫째는 이숙異熟무기, 둘째는 위의威儀무기, 셋째는 공교工巧무기, 넷째는 통과通果무기, 다섯째는 자성自性무기, 여섯째는 승의勝義무기이다. 앞의 다섯 가지는 유위의 무기이고, 뒤의 하나는 무위의 무기인데, 앞의 유부무기와 아울러 모두 일곱 가지가 있다. 이 논서의 아래 글에서는 승의무기를 말할 뿐이다. 만약 『순정리론』(=제36권. 대29-546하)에 의한다면 모두 두 가지를 말하니, 유위 중 자성무기를 세우고, 무위 중 승의무기를 세운다. 지금 여섯 가지로 말한 것은 차이를 분별하기 위해서이니, 이숙무기 등 네 가지에 포함되지 않는 것은 모두 자성무기라고 이름하는데, 차이를 분별하기 위해 유위 안에서 전개해서 다섯 가지로 한 것이다.
   선에 일곱 가지가 있고, 불선에 한 가지가 있으며, 무기에 일곱 가지가 있으니, 모두 열다섯 가지가 있는데, 이 열다섯 가지로 18계를 분별한다. 분별하는 것을 말하자면, 18계 중 5근과 향·미·촉경의 이 여덟 가지는 오직 무기일 뿐인데, 이숙무기는 여덟 가지에 통하니, 이숙의 5근과 이숙의 향·미·촉경을 말하고, 위의·공교·통과무기는 향·미·촉경을 말하며, 자성무기는 장양長養된 5근과 향·미·촉경 및 외부의 향·미·촉경을 말하므로, 7무기 중 유부무기와 승의무기에는 통하지 않는다.
16 이는 상이한 학설을 서술한 것이다.
17 논주의 뜻은 앞의 해석에 있기 때문에 뒤의 논사를 힐난하여 논파하는 것이다. 만약 이숙과를 가릴 수 없어서 무기라고 이름한 것이라고 말한다면, 무루는 이숙과를 가릴 수 없으니, 오직 무기여야 할 것(이지만, 무루는 선)이다.

는 무탐無貪 등과 상응하면 선이라고 이름하고, 탐욕 등과 상응하면 불선이라고 이름하며, 그 나머지는 무기라고 이름한다.19 법계는, 이 무탐 등의 성품, 상응하는 것, 등기等起한 것과 택멸을 선이라고 이름하고, 탐욕 등의 성품, 상응하는 것, 등기한 것을 불선이라고 이름하며, 그 나머지를 무기라고 이름한다.20 색계와 성계는, 선·불선심의 힘에 의해 등기한 신·어표업에 포함되는 것은 선·불선이고, 그 나머지는 무기이다.21

제2절 3계 계박 분별

선 등에 대해 설명했는데, 18계 중 몇 가지가 욕계에 계박되는 것[繫]이

....

18 이하는 나머지 10계를 밝히는 것인데, 그 안에 나아가면 첫째 전체적으로 표방하고, 둘째 개별적으로 해석한다. 이는 곧 전체적으로 표방하는 것이다.

19 이하 개별적으로 해석하는데, 그 안에 나아가면 첫째 7심계를 밝히고, 둘째 법계를 밝히며, 셋째 색계와 성계를 밝힌다. 이는 곧 개별적으로 7심계를 밝히는 것이다.

20 이는 곧 법계를 밝히는 것이다. 법계 중 선에는 네 종류가 있다. 첫째는 자성선自性善이니, 무탐 등의 3선근과 참·괴를 말한다. 둘째는 상응선相應善이니, 자성선과 상응하는 것을 말한다. 셋째는 등기선等起善(='등기'는 같이 일어난 것을 가리킨다. 뒤의 제13권 중 게송 ⑪b와 그 논설 참조)이니, 무표색·득得·4상四相·2정二定(=무상정과 멸진정)을 말한다. 넷째는 승의선勝義善이니, 택멸을 말한다. 법계 중 불선에는 세 가지가 있다. 첫째는 자성불선이니, 탐욕 등의 3불선근과 무참·무괴를 말한다. 둘째는 상응불선이니, 자성불선과 상응하는 것을 말한다. 셋째는 등기불선이니, 무표색·득·4상을 말한다. 법계 중 선과 불선을 제외한 그 나머지는 무기라고 이름한다. (문) 이 논서의 이하의 글과 『대비바사론』에서, 선과 불선에는 각각 네 종류가 있다고 말하는데, 어째서 여기에서 불선을 세 가지만 말하고, 승의불선(=생사의 법)은 말하지 않았는가? (해석) 승의불선은 그 체가 3성에 통하는데, 여기에서는 3성으로 18계를 분별하는 까닭에 승의불선은 말하지 않았다.

21 이는 곧 색계와 성계에 대해 밝히는 것이다. 색계와 성계는, 선심의 힘에 의해 등기한 신표업·어표업에 포함되면 선이고, 불선심의 힘에 의해 등기한 신표업·어표업에 포함되면 불선이며, 만약 무기심의 힘에 의해 등기한 신표업·어표업에 포함되면 무기이고, 또 등기한 것이 아닌 색계와 성계는 모두 무기라고 이름한다. 무기의 색계와 성계 중에는 등기한 것 아닌 것이 있기 때문인데, (본문에서 무기심과) 등기한 것에 대해 따로 말하지 않았지만, 실제로 말한다면 무기심도 역시 신표업·어표업과 등기할 수 있다.

고, 몇 가지가 색계에 계박되는 것이며, 몇 가지가 무색계에 계박되는 것인가? 게송으로 말하겠다.

30 열여덟 가지가 욕계에 계박되고[欲界繫十八]
　열네 가지가 색계에 계박되니[色界繫十四]
　향·미와 그 2식을 제외한 것이며[除香味二識]
　뒤의 세 가지가 무색계에 계박된다[無色繫後三]22

1. 욕계계

논하여 말하겠다. '계繫'은 계속繫屬, 즉 계박된다[被縛]는 뜻이다.
욕계에 계박되는 것은 18계를 모두 갖춘다.

2. 색계계

색계에 계박되는 것은 열네 가지뿐이니, 향경·미경 및 비식·설식은 제외된다. 향경·미경이 제외되는 것은 단식段食의 성품이기 때문이니, 단식에 대한 욕망을 떠나야 비로소 거기에 태어날 수 있다. 비식·설식이 제외되는 것은 그 소연이 없기 때문이다.23

만약 그렇다면 촉계觸界도 거기에는 없어야 할 것이니, 향경·미경처럼 단식의 성품이기 때문이다.24 거기에 있는 촉경은 단식의 성품이 아니다.25 만약 그렇다면 냄새·맛의 부류도 역시 그러해야 할 것이다.26 냄새·맛은 먹이[食]를 떠나면 별도로 수용될 것이 없지만, 감촉은 별도의 용도가 있으니, 근根과 옷 등을 유지하기 때문이다. 거기에서는 먹는 것에 대한 욕망을 떠

....
22 이하는 넷째(=22문 중의) 3계 계박의 문을 밝히는 것이다.
23 냄새·맛은 단식의 성품인데, 거기에는 단식이 없기 때문에 냄새와 맛이 없다. 무릇 식이 있다고 말하려면 반드시 소연이 있어야 하는데, 거기에는 향·미의 소연이 없기 때문에 능연의 2식(=비식·설식)도 없다. 만약 『이부종륜론異部宗輪論』에 의한다면, 대중부 등에서는 색·무색계도 6식의 무리를 갖춘다고 한다.
24 이는 촉계에 대해 힐난하는 것이다.
25 이는 회통하는 것이다. 색계의 감촉은 단식이 아니기 때문에 감촉은 색계에 있다. 향·미는 오직 단식만이기 때문에 하계는 상계에 통하지 않는다.
26 또 힐난하는 것이다. 색계에는 그 감촉이 있는데, 이 감촉은 단식이 아니라면, 역시 단식 아닌 향·미가 있는 것을 어찌 방해하겠는가?

났으므로 향·미는 용도가 없지만, 근과 옷 등이 있기 때문에 촉경은 없는 것이 아니다.27 어떤 다른 논사는 말하였다. "여기에 머물면서 그 정려靜慮의 등지等至에 의지해 형색을 보거나 소리를 들을 때 경안輕安과 함께 일어나는 수승한 감촉이 있어 몸을 거두어 이익케 한다. 이 때문에 이 세 가지는 그 정려에 태어날 때 그대로 따라 쫓아오지만, 냄새와 맛은 그렇지 않기 때문에 거기에 있는 것이 없다."28

만약 그렇다면 비근·설근도 거기에 있는 것이 아니어야 할 것이니, 향경·미경처럼 그것도 용도가 없기 때문이다.29 그렇지 않다. 2근은 거기에서 용

....

27 또 회통하는 것이다. 향·미는 먹이를 떠나면 별도로 수용될 것이 없는데, 색계는 먹는 것에 대한 탐욕을 떠났기 때문에 향·미가 없지만, 색계 중 감촉은 단식을 떠나도 다시 별도의 용도가 있다. 말하자면 4대종(=촉계)이 만드는 주체[能造]이기 때문에 능히 색근色根을 유지하며, 능히 의복과 궁전 등을 유지하는 데 쓰이니, 따라서 감촉은 없는 것이 아니다.

28 이는 비바사의 다른 학설을 서술하는 것이다. 말하자면 이 욕계에 머물면서 그 4정려로 현재 일으킨 등지等至에 의지해서 천안을 일으켜 상계의 색을 보거나 천이를 일으켜 상계의 소리를 듣는데, '경안'은 대선지법 중의 경안을 말하는 것이니, 선정 중 작용이 뛰어나기 때문에 따로 명칭을 표방한 것이며, 감촉과 경안이 동시이기 때문에 '함께 일어나는'이라고 말하였다. '수승한 감촉이 있다'는 것은 곧 색계의 대종이니, 욕계의 몸은 비록 상계의 감촉을 취할 수 없지만, 그 감촉이 몸 안에서 작용하기 때문에 능히 몸을 거두어 이익케 한다. 몸은 욕계에 있더라도 이미 능히 그 지地의 색을 보며 그 지의 소리를 들으며 그 지의 감촉을 일으킨다. 그러므로 이 세 가지(=색·성·촉)는 그 정려에 태어날 때 그대로 따라 쫓아오지만, 향·미는 그렇지 않기 때문에 거기에 있는 것은 없다. 또 해석하자면 경안은 몸의 경안을 말하는 것이니, 곧 미세한 매끄러운 감촉[細滑觸]이나 가벼운 감촉[輕觸]인데, 두 가지 신통과 동시이기 때문에 '함께 일어나' 능히 몸을 거두어 이익케 한다고 말하였다. 비록 형색과 소리는 욕계·색계에 공통되지만, 견인된 경안은 오직 욕계이니, 욕계의 몸을 이익하기 때문인데, 욕계에서 세 가지가 서로 따랐기 때문에 색계에 태어나도 역시 세 가지를 갖춘다는 것이다. 또 해석하자면 경안은 심소 중의 경안을 말하는 것인데, 함께 일어난다는 것은, 일으켜진 것(=2신통)이 이끄는 욕계의 수승한 감촉이 경안과 함께 일어난다는 것이다. 『순정리론』에서 논파하지 않은 것에 준하면 이것은 곧 비바사의 다른 학설이다. 그런데 화수밀和須蜜의 구사석俱舍釋 중에서는, 이것이 실리라다室利邏多Srīlāta(=경량부의 논사)의 해석이라고 말하였다.

29 논주가 앞의 논사(='어떤 다른 논사'를 포함하여 색계에 향경·미경이 없다고 보는 논사를 모두 가리킨다. 이 점에 관해 긴 논쟁을 서술하고 있는 논서의 흐름을 보면, 논주는 색계도 6식을 갖추고 있다는 대중부 등과 같은 입장인 것

도가 있으니, 말을 일으키는 것 및 몸을 장엄하는 것을 말한다.30 만약 몸을 장엄하며 말을 일으키는 용도를 위한 것이라면, 단지 의지처[依處]만을 필요로 할 것인데, 어찌 2근을 쓰겠는가?31

마치 남근男根이 없다면 그 의지처도 역시 없듯이, 2근이 없다면 그 의지처도 역시 없을 것이다.32 거기에서 남근의 의지처는 없을 수 있으니, 거기에서는 용도가 없기 때문이지만, 비근·설근의 의지처는 거기에서 용도가 있기 때문에 근을 떠나서도 있어야 할 것이다.33 어떤 경우에는 비록 용도가 없어도 근이 생길 수 있으니, 예컨대 포태胞胎에 있으면서 결정코 장차 죽을 자와 같다. 비록 용도가 없어도 있는 것은, 원인이 없는 것이 아니어서이다.34

....

으로 보인다)에 반론하는 것이다. 비근·설근도 색계에는 없어야 할 것이다. 거기에서는 용도가 없기 때문이니, 마치 향경·미경처럼.
30 앞 논사의 변론이다. 근에 용도가 있다는 것을 밝혀서, 건립한 논증의 이유가 성립되지 않는 허물이 있음을 나타내는 것이니, 말하자면 설근은 말하는 작용을 능히 일으키고, 비근은 능히 몸을 장엄하는 데 쓰인다.
31 논주의 재반론이다. 근에 용도가 없다는 것을 밝혀서 이유가 공히 인정하는 것임[因極成]을 나타내는 것이니, 몸을 장엄하고 말을 일으키는 것은 의지처(=소위 부진근)만으로 충분히 가능하다. 근은 볼 수 있는 것이 아닌데, 어떤 곳을 장엄할 것이며, 의지처가 말을 일으키는데, 어찌 근이라는 체를 필요로 하겠는가?
32 앞 논사의 재변론이다. 근에 용도가 있다는 것을 나타내고자 예를 인용해 증명하는 것이다.
33 논주가 또 반론한다. 그 색계에서는 남근의 의지처가 없을 수 있으니, 그 계에서는 용도가 없기 때문이다. 남근의 의지처가 그 계에서 용도가 있다면 근을 떠나서도 있어야 하겠지만, 용도가 없기 때문에 그 계에서는 없다. 비근·설근의 의지처는 거기에서 용도가 있기 때문에 근을 떠나서도 있어야 한다. 어찌 2근을 쓰겠는가? 근에 이미 용도가 없으니, 이유가 도리어 성립된다.
34 앞의 논사가 또 변론한다. 논주가 만약 근의 의지처는 근으로 말미암아 생기지 않고, 반드시 형색을 보거나 소리를 듣는 등의 용도로 말미암아 근이 비로소 생긴다고 말한다면, 무릇 근이 생기는 일이 있는 것은 반드시 용도가 있을 것을 요하는 것이 아니니, 예컨대 포태에 있으면서 업 때문에 결정코 죽을 자와 같다는 것이다. 비록 형색을 보는 등의 용도가 없더라도 그 근이 역시 생기기 때문에, 근이 생기는 것은 반드시 용도가 있을 것을 요하는 것이 아니라는 것을 알 수 있다. 숨은 반론으로, 「이 근에 용도가 없다면, 원인에서 생긴 것이 아닐 것이다」라고 말할 것이므로, 숨은 반론에 변론하기 위해 "용도가 없어도 있는 것은 원인이 없는 것이 아니어서이다"라는 이런 말을 한 것이니, 이는

거기에서는 어떤 원인으로부터 근이 일어날 수 있게 되는가?35 근에 대해 애착[愛]이 있어 수승한 업을 일으키기 때문이다.36 만약 경계에 대한 애착을 떠났다면 근에 대해서도 결정코 그러할 것인데, 거기에서는 경계에 대한 탐욕을 떠났으므로 비근·설근도 응당 없어야 할 것이다.37 혹은 거기에서 남근도 역시 생긴다고 인정해야 할 것이다. 만약 생기면 누추하기 때문에 생기지 않는다고 말한다면, 음장陰藏은 은밀하거늘, 어찌 누추하다고 하겠는가? 또 여러 근이 생기는 것은 용도가 있음에 의하는 것이 아니고, 원인의 힘이 있다면 용도가 없어도 역시 생긴다고 했으니, 남근이 거기에서 비록 누추하다고 해도 원인이 있다는 것이 인정되면 거기에서 일어나야 할 것이다. 남근이 있는 것이 아니라면 비근·설근도 없어야 할 것이다.38

만약 그렇다면 곧, "거기에서는 지체의 결여가 없으며, 모든 근도 줄어들

....

총체적으로 이치를 나타낸 것이다.

35 논주가 따로 따지는 것이다. 그 색계에서 비근·설근은 어떤 원인으로부터 생기는가?

36 앞 논사의 답이다. 근에 대해 애착이 있어 수승한 업을 일으키는데, 이 업이 곧 비근·설근의 원인이다.

37 이는 논주가 또 이치로써 반론하는 것이다. 대저 근에 대한 애착이란 그것을 써서 경계를 취하려는 것이므로, 경계에 대한 애착이 있어야 근에 대한 애착도 비로소 생길 것이니, 이로써 근에 대한 애착은 경계에 대한 애착으로 말미암아 일어난다는 것을 알 수 있다. 경계에 대한 애착을 떠났다면 근에 대해서도 결정코 떠났을 것이니, 거기에서 냄새·맛에 대한 탐욕을 떠났다면 비근·설근도 응당 없어야 할 것이다.

38 (앞의 논사가) 만약 근이 생기는 것은 경계에 대한 애착으로 말미암는 것이 아니므로, 비록 냄새·맛에 대한 애착이 없다고 해도 비근·설근이 있을 수 있다고 말한다면, 혹은 거기에서 비록 음란한 감촉에 대한 애착이 없다고 해도 남근에 대한 애착이 있어서 남근도 생긴다는 것을 인정해야 할 것이(지만 없다). 만약 생기면 누추하므로 거기에서는 생기지 않는다고 말한다면, 여래의 음장은 은밀하며 단엄해서 상호 중에 들어가는데, 어찌 누추하다고 하겠는가? 또 그대가 앞에서, "근이 생기는 것은 용도가 있음으로 말미암는 것이 아니며, 원인의 힘만 있다면 용도가 없어도 생길 수 있다"라고 말했으니, 남근이 색계에서 비록 누추하다고 해도, 만약 원인이 있다는 것이 인정되면 색계에서도 일어나야 할 것이다. 그대가 만약 남근은 원인이 없어서 있을 것이 아니라고 말한다면, 내가 도리어 그대에게, 비근·설근도 원인이 없어서 응당 없어야 한다고 반박할 것이다. 만약 남근은 경계가 없어서 있을 것이 아니라고 말한다면, 비근·설근도 경계가 없으니, 거기에서 역시 없어야 할 것이다.

지 않는다"라고 하신 계경의 말씀에 위배될 것이다.39 그 모든 근은 응당 있을 만한 자들에 따라, 줄어들지 않는다고 말씀하신 것인데, 어찌 위배되는 것이겠는가? 만약 그렇다고 인정하지 않는다면, 남근도 응당 있어야 할 것이다.40

여시설자如是說者는 비근·설근은 거기에 없는 것이 아니며, 냄새·맛이 없을 뿐이라고 한다. 6근에 대한 애착은 안의 몸[內身]에 의해 생길 뿐, 경계에 의해 현기現起하게 되는 것이 아니기 때문이다. 그 남근에 대한 애착은 음란한 감촉[婬觸]에 의해 생기는데, 음란한 감촉이 거기에는 없으므로 남근은 있는 것이 아니다. 따라서 색계에는 18계 중 열네 가지만 있다는 이치가 성립될 수 있다.41

3. 무색계계

무색계에 계박되는 것으로는 뒤의 세 가지가 있을 뿐이니, 이른바 의계·법계 및 의식계이다. 반드시 색에 대한 욕망[色欲]을 떠나야 거기에 태어날 수 있기 때문에 무색계에는 10색계가 없으며, 의지처와 소연이 없기 때문에 5식도 역시 없다. 그래서 뒤의 3계만 무색계에 계박되는 것이다.42

....
39 이는 앞의 논사가 성스러운 가르침(=중 39:154 바라바당경婆羅婆堂經)에 위배된다는 것을 나타낸 것이다.
40 논주가 그들을 위해 회통하는 것이다. 줄어들지 않는다는 경의 말씀은, 그 상응하는 바에 따른 것이다. 만약 줄어들지 않는다고 집착한다면 남근도 응당 있어야 할 것이다.
41 논주의 바른 해석이다.(='논주의 바른 해석'이 아니라, 설일체유부의 바른 해석을 논주가 서술한 것이다. '여시설자'는 『대비바사론』에서 설일체유부의 바른 뜻 내지 주류적인 해석을 서술할 때 의지하는 가상의 인물로서, 범어 원어의 뜻은 비바사의 주류적인 설을 가리키는 말이라고 하는데, 이 논서에서도 같은 방식으로 여러 곳에서 사용되고 있다) 비근·설근은 거기에 있고, 냄새·맛이 없을 뿐이다. 6근에 대한 애착은 안의 몸에 의해 생기지, 경계에 의해 현기現起(=현재 일어남 내지 현행해 일어남)하게 되는 것이 아니다. 상계의 선정을 얻음으로 말미암아 상계에 대한 애착을 일으키고, 상계의 몸을 애착하기 때문에 색계에 태어나며, 비근·설근도 있게 되지만, 그 남근에 대한 애착은 음란한 감촉에 의지해 생기는데, 음란한 감촉이 색계에는 없으므로 남근도 있는 것이 아니다. 경에서 남자라고 설한 것(=뒤의 제3권 중 게송 13c에 관한 논설 참조)은 다른 남자의 모습이 있어서, 혹은 능히 염오를 떠났기 때문에 남자라고 설한 것이다.

제3절 유루·무루 분별

3계에 계박되는 것에 대해 설명했는데, 18계 중 몇 가지가 유루이고, 몇 가지가 무루인가? 게송으로 말하겠다.

③a 의계·법계·의식계는 양쪽에 통하며[意法意識通]
　　그 나머지는 오직 유루이다[所餘唯有漏]

논하여 말하겠다. 의계 및 의식계는 도제道諦에 포함되면 무루라고 이름하고, 그 나머지는 유루라고 이름한다. 법계는, 만약 이것이 도제나 무위라면 무루라고 이름하고, 그 나머지는 유루라고 이름한다. 그 나머지 15계는 오직 유루라고 이름한다.43

제4절 유심유사 등 분별

1. 바른 분별
이렇게 유루와 무루에 대해 설명했는데, 18계 중 몇 가지가 유심유사有尋有伺이고, 몇 가지 무심유사無尋唯伺이며, 몇 가지가 무심무사無尋無伺인가? 게송으로 말하겠다.

③c 5식은 오직 유심유사이고[五識唯尋伺]
　　뒤의 셋은 세 가지이며, 그 나머지에는 없다[後三三餘無]44

....
42 이는 알 수 있을 것이다.
43 이는 곧 다섯째 유루·무루문이다. 뒤의 세 가지는 두 가지에 통하고, 나머지 15계는 오직 유루라고 이름하니, 도제와 무위에 포함되지 않는 것이기 때문이다. 나머지 글은 알 수 있을 것이다.
44 이하는 여섯째 유심유사문有尋有伺門이다. 그 안에 나아가면 첫째 바르게 분별하고, 둘째 난점[妨難]에 대해 해석한다. 이는 곧 바르게 분별하는 것인데, 심구[尋]와 사찰[伺]은 서로 비슷해서 하나의 마음 안에서 두 가지가 함께 일어나기도 하고, 하나만 일어나기도 하기 때문에 이를 치우쳐 밝히는 것이다.

논하여 말하겠다. 안식 등의 5식은 유심유사이니, 심구[尋]·사찰[伺]과 더불어 늘 함께 상응하기 때문이다. 그 행상行相이 거칠고, 밖의 문[外門]에서 일어나기 때문인데, 뜻이 결정적임을 나타내려고 '오직'이란 말을 한 것이다.45

'뒤의 셋'은 의계·법계·의식계를 말하는 것이니, 근·경·식 중 각각 가장 뒤에 있기 때문이다. 이 뒤의 3계는 모두 세 품류에 통한다. 의계와 의식계 및 심구·사찰을 제외한 상응법의 법계는, 만약 욕계와 초정려 중에 있는 것이라면 유심유사이고, 정려중간에 있는 것이라면 무심유사이며, 제2정려 이상의 여러 지에서부터 유정지[有頂]에 이르기까지에 있다면 무심무사이다. 법계에 포함되는 비상응법과 정려중간의 사찰[伺]도 역시 이와 같(이 무심무사)다. 심구[尋]는, 모든 때에 무심유사이니, 제2의 심구가 없기 때문이며, 단지 사찰[伺]과만 상응하기 때문이다.46

사찰은 욕계와 초정려 중에도 있는데, 세 품류에 포함되지 않았다. 어떤

....

45 『순정리론』제4권(=대29-350상)에서 반박해 말하였다. "경주經主(=경량부의 논주라는 뜻으로서, 논주를 가리킨다)가 해석하면서, '행상이 거칠고, 밖에 문에서 일어나기 때문'이라고 말했는데, 이 이유는 이치가 아니니, 의식이 안의 문[內門]에서 일어날 때에도 또한 항상 그것들과 함께 상응하는 것을 현재 보기 때문이다." 그 반박의 뜻은, 초정려의 안의 문에서의 의식은 심구·사찰과 함께 하는 것을 현재 볼 수 있으니, 곧 밖의 문은 결정적인 증거가 아님을 나타내는 것이다. 혹은 욕계 및 초정려의 안의 문에서의 의식은 심구·사찰과 함께 한다는 것이다. 이에 대해 구사론사는 변론해 말한다. 「첫째 행상이 거칠다는 것은 공통의 이유이고, 둘째 밖의 문에서 일어난다는 것은 개별적인 이유인데, 5식은 두 가지를 갖춘다. 안의 문에서의 의식은 비록 밖의 문에서 일어남은 없더라도, 행상의 거침이 있기 때문에 심구·사찰이 있다. 상지上地(=색계 제2선 이상)의 밖의 문에서의 의식은, 비록 밖의 문에서 일어남이 있어도 행상의 거침이 없기 때문에 심구·사찰이 없다.」

46 이는 뒤의 3계에 대해 밝히는 것이다. 법계 중에는 네 부류의 법이 있으니, 첫째는 심구, 둘째는 사찰, 셋째는 그 나머지 상응법, 넷째는 비상응법이다. 이 네 부류 중 그 나머지 상응법의 법계 및 의계와 의식계는 모두 세 품류에 통한다. 비상응법의 법계(=마음의 작용이 없기 때문) 및 정려 중간의 사찰(=제2의 사찰이 없기 때문)은 역시 제3의 품류(=무심무사)와 같다. 심구는 제2의 품류(=무심유사)에 포함되니, '제2의 심구가 없다'는 것은 심구가 없다는 것을 나타내고, '단지 사찰과만 상응한다'는 것은 거기에 사찰이 있다는 것을 나타낸다.

것이라고 이름해야 하는가?47 이는 무사유심無伺唯尋이라고 이름해야 할 것이니, 제2의 사찰은 없기 때문이며, 단지 심구와만 상응하기 때문이다. 이에 의한 때문에 심구·사찰이 있는 지[有尋伺地]에는 네 품류의 법이 있다고 말할 수 있다. 첫째는 유심유사有尋有伺이니, 심구·사찰을 제외한 그 나머지 상응법을 말한다. 둘째는 무심유사無尋唯伺이니, 곧 이 심구를 말한다. 셋째는 무심무사無尋無伺이니, 곧 일체 비상응법을 말한다. 넷째는 무사유심無伺唯尋이니, 곧 이 사찰을 말한다.48

나머지 10색계에는 심구와 사찰이 모두 없다. 항상 심구·사찰과 상응하지 않기 때문이다.49

2. 난점에 대한 해석

만약 5식의 무리[五識身]가 유심유사라면 어떻게 무분별이라고 말할 수 있는가?50 게송으로 말하겠다.

③② 5식을 무분별이라고 말한 것은[說五無分別]
　계탁과 수념 때문이니[由計度隨念]
　의지의 산란한 지혜와[以意地散慧]
　의지의 여러 생각을 체로 한다[意諸念爲體]51

논하여 말하겠다. 전하는 학설로는 분별에는 간략히 세 종류가 있으니,

....
47 질문이다.
48 대답이다. 이것은 무사유심이라고 이름해야 하므로, 제4구에 포함된다. 제2의 사찰은 없기 때문에 '무사無伺'라고 이름하고, 단지 심구와만 상응하기 때문에 '유심唯尋'이라고 이름하였다. 이에 의해 법을 다 포함하기 때문에, '심구와 사찰이 있는 지에는 네 품류의 법이 있다'라고 말한 것이니, 글과 같이 알 수 있을 것이다.
49 5근과 5경에는 심구·사찰이 모두 없다.
50 이하는 둘째 난점에 대해 해석하는 것인데, 물음을 일으켰다. 만약 5식의 무리에 심구·사찰이 있다면, 심구의 체는 곧 자성분별인데, 어떻게 경에서 무분별이라고 설했는가?
51 대답이다. 위의 2구는 바로 답하는 것이니, 무분별이라는 말은 두 가지 분별이 없다는 것이다. 아래 2구는 두 가지 분별의 체를 나타내는 것이다.

첫째는 자성自性분별, 둘째는 계탁計度분별, 셋째는 수념隨念분별이다.52 5식의 무리에 자성분별은 있지만, 나머지 두 가지 분별은 없으므로 무분별이라고 말한 것이니, 마치 발이 하나뿐인 말[一足馬]을 발이 없다[無馬]고 이름하는 것과 같다.53

자성분별은 그 체가 오직 심구[尋]인데, 뒤의 심소 중에서 자연히 분별하고 해석할 것이다.54 나머지 두 가지 분별은 그 순서대로 의지意地의 산란한 지혜[散慧]와 여러 생각[諸念]을 체로 한다.55 '산란[散]'은 말하자면 선

....

52 (5식은) 자성이 심구[尋]여서, 찾고 구하며 움직이고 뛰는 것[尋求動躍]이니, 마치 물고기가 물에서 뛰어오르는 것과 같다. 체가 곧 분별이므로, 자성분별이라고 이름한다. 만약 청·황 등이 구별되며 남·녀 등이 차별된다고 능히 헤아린다면 계탁計度분별이라고 이름한다. 일찍이 겪은 것에 따라 생각하거나 경계에 따라 생각한다면[隨念曾更 或隨境念] 수념隨念분별이라고 이름한다.

53 5식에는 세 가지 분별 중 하나만 있고 둘은 없으므로, 많은 부분에 따라 무분별이라고 이름한 것이다. 비유는 오히려 알 수 있을 것이다. 자성분별이 5식에는 반드시 있다. 비록 혜慧와 염念도 (5식에) 있기는 하지만, 분별하는 것이 아니다. 그래서 『순정리론』 제4권(=대29-350중)에서, "5식은 비록 혜·염과 상응하기는 하지만, 간택하거나 기억하는 작용[擇記用]이 미미하기 때문에 의식만을 취한다"라고 말하였고, 또 『대비바사론』 제42권(=대27-219중)에서도, "욕계의 5식의 무리는 오직 자성분별 한 가지이다. 비록 염이 있기는 해도 따라 생각해 분별하는 것[隨念分別]이 아니니, 기억해 생각할 수 없기 때문[不能憶念故]이며, 비록 혜가 있기는 해도 헤아려 분별하는 것[推度分別]이 아니니, 헤아릴 수 없기 때문[不能推度故]이다"라고 말하였다.

54 뒤(=제4권 중 게송 ㉞a와 그 논설)에서 6식과 상응하는 모든 심구는 모두 자성분별이라고 해석하는 것과 같다고 가리키는 것이다. (문) 만약 체가 오직 심구라면, 어째서 『대비바사론』 제42권(=대27-219중)에서, "자성분별은 심구·사찰을 말한다"라고 말했는가? (해석) 이 논서는 강한 것에 따라 말했기 때문에 심구만을 말하고, 『대비바사론』은 강한 것과 약한 것을 모두 말했기 때문에 심구·사찰을 모두 말하였다. 혹은 생략하고 말하지 않은 것이거나, 처음 것을 들어 뒤의 것을 나타낸 것이거나, 논서의 의향이 같지 않은 것일 수 있다.

55 (문) 심구의 성품이 분별이라는 이것은 그럴 수 있지만, 어째서 나머지 심소 중 염과 혜를 분별이라고 이름하면서, 그 나머지 심소에 대해서는 아닌가? (해석) 그 나머지 심소법들은 심구를 닮고 따르는 것[似順]이 아니지만, 둘만은 닮고 따르기 때문에 나머지는 말하지 않은 것이다. 그래서 『순정리론』(=제4권. 대29-350중)에서, "분별이란 추구推求하는 행상이기 때문에 심구를 자성분별이라고 말하는데, 간택하거나 분명히 기억하는 행상이 심구를 닮고 따르기 때문에 분별이라는 이름이 혜와 염에도 역시 통한다"라고 말하였다.

정[定]이 아닌 것이니, 의식과 상응하는 산란한 지혜[意識相應散慧]를 계탁분별이라고 이름한다.56 선정이든 산란이든 의식과 상응하는 모든 생각[意識相應諸念]은 수념분별이라고 이름한다.57

제5절 유소연·무소연, 유집수·무집수 분별

이렇게 유심유사 등에 대해 설명하였다. 18계 중 몇 가지가 유소연有所緣이고, 몇 가지가 무소연無所緣이며, 몇 가지가 유집수有執受이고, 몇 가지가 무집수無執受인가? 게송으로 말하겠다.

<kbd>33</kbd> 7심계와 법계의 절반은[七心法界半]
　　유소연이고, 그 나머지는 무소연이며[有所緣餘無]
　　앞서 말한 8계 및 성계는[前八界及聲]
　　무집수이고, 그 나머지는 두 가지이다[無執受餘二]58

1. 유소연과 무소연

논하여 말하겠다. 6식계·의계 및 법계에 포함되는 모든 심소법은 소연

....
\# '지地'는 의지처라는 뜻이니, '의지意地'는 의근을 의지처로 하는 제6 의식과 상응하는 것이라는 뜻이다.
56 계탁분별은 산란이고 선정이 아닌 까닭에 대해, 『대비바사론』 제42권(=대27-219중)에서, "선정 중의 혜는 계탁분별이 아니라는 것을 해석하면서, 비록 혜가 있기는 해도 미루어 판단해[推度] 분별하는 것이 아니니, 만약 미루어 판단할 때라면 곧 선정에서 나오기 때문이다"라고 말하였고, 또 『순정리론』(=제4권. 대29-350중)에서도, "선정 중에서는 경계를 미루어 판단할 수 없기 때문이니, 선정 중에는 소연에 대해 이러이러하다고 헤아리며 구르는 것이 아니기 때문에 여기에서 선정을 가려내고 산란을 취한 것이다"라고 말하였다.
57 염은 선정과 산란에 통하니, 의식과 상응하기 때문이다. 그래서 『순정리론』(=제4권. 대29-350중)에서, "소연을 분명히 기억하는 작용이 균등하기 때문이다"라고 말하였다.
58 이하는 일곱째 유소연·무소연문과 여덟째 유집수·무집수문이다. 맺으면서 묻고 게송으로 답했는데, 법계 중 일부는 소연이 있는 것이기 때문에 '절반'이라고 말한 것이다.

있는 것[유소연有所緣]이라고 이름하니, 능히 경계를 취하기 때문이다. 나머지 10색계 및 법계에 포함되는 불상응법은 소연 없는 것[무소연無所緣]이라고 이름하니, 뜻이 준해서 성립되기 때문이다. 이렇게 유소연 등에 대해 설명하였다.[59]

2. 유집수와 무집수

18계 중 9계는 집수 없는 것[무집수無執受]이니, 앞에서 말한 7심계 및 법계의 전부인 이 8계 및 성계[聲]는 모두 무집수이다.[60]

그 나머지 9계는 각각 2문門에 통하니, 말하자면 유집수이기도 하며 무집수이기도 하기 때문이다. 안근 등의 5근이 현재세에 머물면 유집수라고 이름하며, 과거세와 미래세의 것이면 무집수라고 이름한다.[61] 색·향·미·촉은, 현재세에 머물면서 5근과 분리되지 않은 것은 유집수라고 이름하고, 만약 현재세에 머물면서 근根과 분리되지 않은 것이 아닌 것이나 과거·미래

---

59 '연'은 '반연攀緣'을 말하는 것이니, 심·심소법은 능연能緣이라고 이름하고, 경계는 소연所緣이라고 이름한다. 그런 소연이 있는 것을 유소연이라고 이름하니, 마치 사람에게 자식이 있는 것과 같다. 심·심소법은 그 성품이 연약하기 때문에 경계를 붙잡아야 비로소 일어나니, 마치 연약한 사람은 지팡이가 아니면 다닐 수 없는 것과 같다.

60 『순정리론』(=제4권. 대27-352상)에서 말하였다. "게송 중 '및'이라는 말은 두 가지 뜻을 모두 담은 것이다. 첫째 모두 모은 것을 나타내니, 말하자면 8계 (=7심계+법계) 및 성계는 모두 무집수라는 것이다. 둘째 다른 문[異門]인 것을 나타내니, 말하자면 다른 논사는 근과 분리되지 않은 소리[不離根聲]도 역시 유집수라고 말하기 때문이다."

61 안근 등의 5근이 현재세에 머물면 그것이 있어서 심·심소법을 집수執受하므로 유집수라고 이름하지만, 과거와 미래의 5근은 그렇지 않으므로 무집수라고 이름한다. (문) 현재의 5근도 만약 무심無心에 들거나 (제6의) 의식을 일으킬 때에는 곧 식을 집수함이 없고, 혹 5식 사이에 일어남으로써 식의 의식처가 아니면 역시 집수가 없는 것일텐데, 어떻게 현재의 5근을 유집수라고 말하는가? (해) 현재의 5근은 식이 의지하지 않을 때에도 역시 유집수라고 이름하니, 집수의 부류이기 때문이다. (문) 그렇다면 과거와 미래의 5근 역시 집수의 부류이므로 유집수라고 이름해야 할 것이다. (해) 현재의 5근은 식의 발생이 있으리라는 것이 인정되므로 유집수라고 이름하지만, 과거와 미래의 5근은 식의 발생이 인정될 수 없으므로 무집수라고 이름한다. 또 해석하자면 현재의 5근도 식이 일어나지 않을 때에는 집수 있는 것이 아닌데도 유집수라고 말한 것은 식이 일어날 때에 의거한 것이니, 집수의 뜻과 작용이 나타나기 때문이다.

세의 것이면 무집수라고 이름한다. 예컨대 몸 안에 있으면서 근根과 화합하는 것을 제외한 머리카락·털·손발톱·이빨, 대소변·눈물·침·피 등 및 몸 밖에 있는 땅·물 등의 색·향·미·촉과 같은 것은, 비록 현재세에 있다고 하더라도 무집수이다.62

집수가 있다[有執受]는 것, 이 말은 무슨 뜻인가?63 심·심소법에게 함께 집지 섭수되어 의지처가 되면[心心所法 共所執持 攝爲依處] 집수 있는 것이라고 이름하니, 손해하거나 이익하면서 전전하여 다시 서로 따르기 때문이다. 곧 모든 세간에서 감각접촉 있는 것[有覺觸]이라고 말하는 것이니, 여러 연에 접촉되면 즐거움 등을 느끼기 때문이다. 이와 상반되는 것을 집수 없는 것이라고 이름한다.64

제6절 대종·대종소조, 적집·비적집 분별

....
62 '색·향·미·촉이 현재세에 머문다'고 해서 과거·미래와는 다르다고 구별하고, '5근과 분리되지 않는다'고 해서 근과 분리된 것과는 다르다고 구별하여, 유집수라고 이름한다. 만약 현재세에 머물면서 근과 분리되지 않은 것이 아닌 것 및 과거·미래세에 있는 것이면 무집수라고 이름한다. 예컨대 현재 몸 안의, 근과 화합한 머리카락·털·손발톱·이빨을 제외하고, 그 나머지 근과 화합한 것 아닌 머리카락·털·손발톱·이빨과 아울러 대변 등 및 밖의 비유정의 색·향·미·촉과 같은 것은, 비록 현재세에 있더라도 무집수이다.
63 질문이다.
64 대답이다. 심·심소법에게 함께 집지執持(＝붙잡아 지님)되면서 5근으로 섭수되어 의지처가 되거나 부진근 4경[扶根四境]으로 섭수되어 의지처가 되는 것이다. 색경 등의 4경은 만약 근과 분리되지 않았다면 비록 의지대상[所依](＝심·심소법의 직접적인 의지대상)이 아니더라도 의지처[依]라고 말할 수 있으니, 이 마음 등이 직접 붙어서 의지하는 것[親附依](＝부진근)과 의지대상(＝5근)은 모두 의지처라고 이름하며 집수 있는 것이라고 이름한다. 심·심소법과 그런 의지처는 손해하거나 이익하면서 전전하여 다시 서로 따르기 때문이다. 말하자면 심·심소법이 근심·괴로움을 일으켜 손해되면 의지처도 역시 손해되고, 기쁨·즐거움을 일으켜 이익되면 의지처도 역시 이익된다. 의지처가 좋은 음식을 얻는 등으로 이익되면 마음 등도 역시 이익되고, 나쁜 음식을 얻는 등으로 손해되면 마음 등도 역시 손해된다. 이 때문에 9계는 유집수라고 이름하니, 곧 모든 세간에서 5색근·부진근4경과 서로 섞여 머무는 중에 감각접촉이 있다고 말하는데, 이 9계가 여러 연에 접촉되어 마주할 때 괴로움과 즐거움 등을 능히 느끼기 때문이다. 이와 상반되는 것을 무집수라고 이름한다.

이와 같이 유집수 등에 대해 설명했는데, 18계 중 몇 가지가 대종大種의 성품이고, 몇 가지가 소조所造의 성품이며, 몇 가지가 적집될 수 있는 것[可積集]이고, 몇 가지가 적집되는 것 아닌 것[非積集]인가? 게송으로 말하겠다.

③④ 촉계 중에는 두 가지가 있으며[觸界中有二]
　　나머지 9색계는 소조이고[餘九色所造]
　　법계의 일부도 역시 그러하며[法一分亦然]
　　10색계는 적집될 수 있는 것이다[十色可積集]

1. 대종과 대종소조

논하여 말하겠다. 촉계는 두 가지에 통하니, 대종大種 및 소조所造를 말하는 것이다. 대종에는 네 가지가 있으니, 단단한 성품[堅性] 등을 말한다. 소조에는 일곱 가지가 있으니, 매끄러운 성품[滑性] 등을 말하는데, 대종에 의지해 생긴 것이기 때문에 소조라고 이름한다. 그 나머지 9색계는 오직 소조뿐이니, 5색근과 색경 등의 4경을 말한다. 법계의 일부인 무표업의 색도 역시 오직 소조이다. 나머지 7심계와 무표색을 제외한 법계 일부는 모두 두 가지가 아니다.65

그런데 존자 각천覺天은 "열 가지 색처는 대종의 성품일 뿐"이라고 말했는데,66 그의 말은 그렇지 않다. 계경에서 단단함 등의 네 가지 모습을 대종이라고 말했을 뿐이기 때문이며, 이 네 가지 대종은 촉처에만 포함되기 때문이다. 단단함·축축함 등은 안근 등에 의해 파악되는 것이 아니며, 형색·소리 등은 신근에 의해 인식되는 것이 아니다. 그러므로 그의 말은 이치상 결정코 그렇지 않다.67 또 계경에서도, "필추들이여, 눈은 말하자면 내처

---

65 이하는 아홉째 대종·소조문과 열째 적집·비적집문이다. 이상의 글은 알 수 있을 것이다.
66 이는 계탁하는 것을 서술한 것이다.
67 논주의 논파이다. 이 단단함·축축함 등은 안근 등에 의해 파악되는 것이 아니기 때문에 단단함 등은 색·성 등이 아니라는 것을 알 수 있으며, 색·성 등은 신근에 의해 지각되는 것이 아니기 때문에 색 등은 단단함·축축함 등이 아니라는 것을 알 수 있다. # 본문 중 '계경'은 중 7:30 상적유경 등이다.

內處인데, 4대종으로 만들어진 청정한 물질[四大種所造淨色]로서, 유색有色이지만, 볼 수 없으며[無見] 부딪침이 있는 것[有對]이고, 나아가 신처에 이르기까지 자세히 말하면 역시 그러하다고 알아야 한다. 필추들이여, 형색은 말하자면 외처外處인데, 4대종으로 만들어진 것으로서, 유색이면서 볼 수 있고, 부딪침이 있는 것이며, 소리는 말하자면 외처인데, 4대종으로 만들어진 것으로서, 유색이지만, 볼 수 없으며, 부딪침이 있는 것이고, 향처와 미처도 자세히 설명하면 역시 그러하며, 감촉은 말하자면 외처인데, 4대종 및 4대종으로 만들어진 것으로서, 유색이지만, 볼 수 없으며, 부딪침이 있는 것이라고 알아야 한다"라고 말씀하셨다. 이처럼 경에서 촉처가 4대종을 포함한다고 설하셨을 뿐, 그 나머지 유색처는 모두 대종이 아니라는 것을 분명하게 나타내어 보이셨다.68

만약 그렇다면 어째서 계경 중에서, "말하자면 눈의 살덩이[眼肉團] 중 안의 것이며, 각각 다른 단단한 성품[堅性]과 단단한 부류[堅類] ···"라고 설했겠는가?69 거기에서는 안근과 분리되지 않은 살덩이에 단단한 성품 등이 있다고 설한 것이므로, 서로 위배되는 허물이 없다.70 입태경入胎經 중에서 오직 6계만을 말하여 사람[士夫]이라고 한 것은, 능히 사람을 이루는 근본 요소[本事]임을 나타내기 위한 것이지, 오직 그런 것들만이라는 것은 아니다. 그 경에서 다시 6촉처觸處를 설했는데, 그 때문에 또 여러 심소들도 있는 것이 아니어야 할 것이기 때문이다. 또한 심소가 곧 마음이라고 집착하

....
68 가르침(=잡 [12]13:322 안내입처경)에 의한 증명인데, 알 수 있을 것이다.
69 이는 각천이 경(=잡 [11]11:273 합수성비경合手聲譬經)을 인용해 반론하는 것이다. 만약 눈 등이 대종이 아니라면 어째서 경에서, "어떤 것을 안의 지계라고 이름하는가? 말하자면 눈의 살덩이 중 안의 것이며, 각각 다른 단단한 성품과 단단한 부류···"라고 설하셨겠는가? 그 경에서 눈에 대해 단단한 성품 등이라고 말씀하셨기 때문에 안근은 곧 단단함 등임을 알 수 있다.
70 논주가 경에 대해 변론하는 것이다. 실제로 안근은 (단단함과는) 다른 부류인 만들어진 물질[造色]이며, '살덩이'는 부진근 4경이므로, 그 성품이 각각 다른데도, 세간에서 진실한 안근의 체를 알지 못해서 살덩이 위에 눈이라는 명칭을 세운다. 이 눈의 살덩이는 일체가 안근과 분리되지 않으며, 대종으로 만들어진 것이라는 점을 전체적으로 설명하려는 때문에, 그 경에서 안근과 분리되지 않은 살덩이의 무더기 중에 그것(=안근)이 의지하는 단단함 등의 체성이 있다고 말한 것이지, 실제로 눈이 곧 단단함 등이라고 말한 것이 아니다.

지도 않아야 할 것이니, 계경에서 지각·느낌 등의 심소법은 마음에 의지한다고 말했기 때문이며, 또 탐욕의 마음 등도 있다고 또한 말했기 때문이다. 이에 의해 앞에서 말한 것과 같은 여러 계의 대종과 소조所造는 차별된다는 이치가 성립된다.71

2. 가적집과 비적집

이와 같이 대종의 성품 등에 대해 설명하였다. 18계 중 5근·5경의 10유색계는 적집될 수 있는 것[可積集]이니, 극미의 무더기[聚]이기 때문이다. 그 뜻에 준해서 그 나머지 8계는 적집될 수 있는 것이 아니니[非可積集], 극미가 아니기 때문이다.72

제7절 능작能斫·소작所斫, 능소能燒·소소所燒, 능칭能稱·소칭所稱 분별

이와 같이 적집될 수 있는 것 등에 대해 설명했는데, 18계 중 몇 가지가 자르는 것[能斫]이고, 몇 가지가 잘리는 것[所斫]이며, 몇 가지가 태우는 것

....

71 논주가 또 따로 변론하는 것이다. 경(=『근본설일체유부비나야잡사毘奈耶雜事』 제11~12권에서 입태과정을 설명하는 부분을 가리키는 것으로 보임)에서 오직 6계만을 말하여 사람이라고 한 것은, 이 6계가 처음 태어남을 받을 때 체와 작용의 강함이 뛰어나서 능히 사람을 이루는 근본요소라는 것을 나타내기 위한 것일 뿐이니, 4대(=지·수·화·풍계)는 이루어진 물질이 의지하는 것이고, 공계는 움직임이 의지하는 것이며, 마음(=식계)은 심소가 의지하는 것이다. 의지하는 것이 뛰어나기 때문이지, 오직 그런 것들만이라는 것은 아니다. 자세한 것은 『유가사지론』 제56권(=대30-609상)에서 설명하는 것과 같다. 경에서 비록 6촉을 말했다고 해도 다시 다른 심소법도 있다. 경에서 6계를 말했다고 해서, 어찌 그와 다른 만들어진 물질[所造色]이 있다는 것을 방해하리오. 만약 6계를 말했다고 해서 곧 다른 만들어진 물질이 없다면, 경에서 또한 6촉을 말했으니, 다른 심소도 없어야 할 것이다. 또한 심소가 곧 마음이라고 집착하지 않아야 할 것이니, 경에서 상想 등은 마음에 의지한다고 설명했기 때문이다. 어찌 마음 자체가 다시 자신에게 의지하겠는가? 또 경에서 탐욕의 마음 등도 있다고 또한 말했기 때문이다. '촉처'라고 말한 것은 접촉이 의지하는 것이기 때문에 촉처라고 이름한 것이니, 곧 안근 등의 6근이다. 그래서 『대비바사론』 제74권(=대27-381하)에서도, "또 다음 안처 등의 6처는 접촉이 의지하는 것이 된다는 뜻에서 6촉처라고 이름한다"라고 말하였다.
72 이는 알 수 있을 것이다.

[能燒]이고, 몇 가지가 태워지는 것[所燒]이며, 몇 가지가 재는 것[能稱]이고, 몇 가지가 재어지는 것[所稱]인가? 게송으로 말하겠다.

③⑤ 말하자면 밖의 4계만이[謂唯外四界]
　　자르는 것이자 잘리는 것이고[能斫及所斫]
　　또한 태워지는 것이며 재는 것인데[亦所燒能稱]
　　태우는 것과 재어지는 것에 대해서는 다툰다[能燒所稱諍]73

　　논하여 말하겠다. 색·향·미·촉은 도끼와 땔감 등을 이루니, 이를 곧 자르는 것[능작能斫]과 잘리는 것[소작所斫]이라고 이름한다. 어떤 법을 자른다[斫]고 이름하는가?74 땔감 등 서로 핍박하며 이어져 생기는 물질의 무더기[薪等色聚 相逼續生]를 도끼 등으로 분리시켜 각각 이어져 일어나게 하는[分隔令各續起] 이런 법을 자른다고 이름한다. 신근 등의 색근은 잘리는 것이라고 이름하지 않으니, 완전히 절단되어 둘로 되게 할 수 있는 것이 아니기 때문이다. 신근 등은 두 부분으로 될 수 있는 것이 아니니, 지체의 일부가 몸에서 분리되면 곧 근이 없기 때문이다. 또 신근 등은 자르는 것도 또한 아니니, 마치 구슬보배의 빛처럼 청정 오묘하기 때문이다.75
　　자르는 것이나 잘리는 것의 체는 오직 밖의 4계뿐인 것처럼, 태워지는 것[소소所燒]과 재는 것[능칭能稱]의 그 체도 역시 그러하다. 말하자면 오직

....
73 이하는 제11 자르는 것과 잘리는 것의 문, 제12 태우는 것과 태워지는 것의 문, 제13 재는 것과 재어지는 것의 문인데, 맺으면서 묻고 게송으로 답하였다.
74 「유위는 찰나에 스스로 소멸하거늘, 어찌 자르는 것이나 잘리는 것이 아니라고 하겠는가?」라고 묻는 것이다.
75 대답이다. 이치의 실제로는 유위는 찰나에 저절로 소멸하므로 자르는 것이나 잘리는 것이 아니다. 다만 이전의 땔감 등 물질의 무더기는 지극히 서로 핍박하며 상속해 생기는데, 도끼 등의 다른 인연으로 땔감 등을 분리시킴으로써 각각 상속해 일어나게 하면서 갈라지게 한다[令各續起令別]는 뜻의 측면에서 이런 법을 자른다고 이름할 뿐, 법을 소멸하게 하는 것은 아니기 때문에 서로 모순되지 않는다. 지체[支]의 일부가 몸에서 분리되면 근이 있는 것이 아니기 때문에 근은 잘리는 것이 아니며, (근은) 청정하며 오묘한 법이기 때문에 자르는 것도 아니다.

밖의 4계만이 태워지는 것과 재는 것이라고 이름한다. 신근 등의 색근은 마치 구슬보배의 빛처럼 청정 오묘하기 때문에 역시 두 가지가 아니다. 성계聲界는 모두 아니니, 상속하지 않기 때문이다.[76]

태우는 것[능소能燒]과 재어지는 것[소칭所稱]에 대해서는 다르게 다투는 논의가 있다. 말하자면 혹 어떤 분은, "태우는 것과 재어지는 것의 체도 역시 앞과 같아서 밖의 4계뿐이다"라고 말했지만, 혹 다시 어떤 분은, "태우는 것이라고 이름할 수 있는 것으로는 화계火界가 있을 뿐이며, 재어지는 것은 무거움[重]뿐이다"라고 말하였다.[77]

제8절 이숙생·소장양·등류성·유실사·일찰나 분별

이와 같이 자르는 것과 잘리는 것 등에 대해 설명했는데, 18계 중 몇 가지가 이숙생異熟生이고, 몇 가지가 장양된 것[소장양所長養]이며, 몇 가지가 등류의 성품[등류성等流性]이고, 몇 가지가 실체 있는 것[유실사有實事]이며, 몇 가지가 일찰나一刹那인가? 게송으로 말하겠다.

③⑥ 안의 5계는 이숙생과 소장양이 있고[內五有熟養]

　　성계는 이숙생이 없으며[聲無異熟生]

　　여덟 가지 장애 없는 계는 등류성이며[八無礙等流]

....

76 신근 등의 색근은 역시 두 가지가 아니라는 것은 태우는 것과 태워지는 것이 아니며, 재는 것과 재어지는 것이 아니라고 말하는 것이다. 청정 오묘하기 때문이다. 몸을 모두 태웠을 때 근도 역시 다하는 것은, 그 부진근 4경이 없어지기 때문에 근도 역시 따라 없어지는 것이지, 근을 태울 수 있다는 것이 아니다. 성계는 여섯 가지 뜻이 모두 아니니, 상속하지 않기 때문이다.

77 태우는 것과 재어지는 것에 대해서는 두 가지 쟁론이 있다. 전자는 세속에 의거해 (4계를 제외한 나머지는) 서로 분리되지 않는다고 말하기 때문에 4계만을 말한 것이고, 후자는 승의에 의거해 궁극의 체로써 논하기 때문에 화계만 태우는 것이며, 무거움만 재어지는 것이라고 한 것이니, 각각 하나의 뜻에 의거한 것이므로 이치에도 어긋남이 없다. 비록 성질상 화계는 태우는 것이나 태워지는 것 양쪽에 두루하다고 하더라도, 자체의 작용이 뛰어난 것에 의거하면 태우는 것이라고 말하고, 작용이 열등하다면 태워지는 것이라고 말한다.

또한 이숙생의 성품이다[亦異熟生性]

③⑦a 나머지는 세 가지이고, 유실사는 법계뿐이며[餘三實唯法]

　일찰나는 뒤의 3계뿐이다[刹那唯後三]⁷⁸

....

78 이하는 제14 다섯 종류의 문[五類門]이다. 그 중에 나아가면 첫째 다섯 종류를
전체적으로 해석하고, 둘째 게송으로 잘 설명되었음을 개별적으로 드러낸다.
다섯 종류의 해석에 대해 말하자면, 첫째 이숙생(＝전생의 선·악업에 의해 초
래된 무기의 과보)은 성계를 제외한 나머지 17계의 일부이다. 둘째는 장양된
것[소장양所長養](＝후천적으로 음식 등에 의해 길러진 것)인데, 널리 장양을
밝힌다면 둘이 있다. 첫째는 장양의 작용이 뛰어난 것인데, 18계에 통하며, 둘
째는 장양의 체가 증상한 것인데, 5근·5경의 일부이다. 여기에서는 장양의 체
에 의거해 말한 것이다. 셋째는 등류성(＝원인과 같은 부류의 성품을 갖는 등
류과)인데, 널리 등류를 밝힌다면 둘이 있다. 첫째는 동류인과 변행인에서 생
긴 것을 등류라고 이름하는데, 이 뜻의 측면에 의거하면 15계의 전부와 뒤의
3계의 일부이며, 둘째는 이숙생과 소장양에 포함되는 것이 아니면서, 동류인
과 변행인에서 생긴 것을 등류라고 이름하는데, 이 뜻의 측면에 의거하면 5색
근을 제외한 나머지 13계의 일부이니, 비록 이숙생과 소장양에도 등류가 있
지만, 다른 문[異門]이라는 것을 분명히 하기 위해 총체적인 것을 폐하고, 개
별적인 것을 논한 것이다. 여기에서는 둘째의 등류에 의거해 말한 것이다. 넷
째 일찰나(＝한 찰나의 마음만으로 생기는 것)인데, 널리 일찰나를 밝힌다면
둘이 있다. 첫째는 찰나에 소멸하기 때문에 일찰나라고 이름하는데, 17계의
전부와 1계의 일부(＝법계 중 3무위를 제외한 것)이며, 둘째는 동류인과 변행
인에서 생기지 않아 등류가 아니기 때문에 일찰나라고 이름하는데, 최초의 무
루(＝고법지인)의 의계·법계·의식계의 일부이다. 여기에서는 둘째의 일찰나
에 의거해 말한 것이다. 다섯째 실체 있는 것[유실사有實事]인데, 널리 실체[實
事]를 밝힌다면 둘이 있다. 첫째는 실제의 체[實體]가 있기 때문에 실체 있는
것이라고 이름하는데, 18계의 전부이며, 둘째는 체가 견실堅實하기 때문에 실
체 있는 것이라고 이름하는데, 오직 무위법계의 일부만이다. 여기에서는 둘째
의 실체에 의거해 말한 것이다.
　다섯 종류가 18계를 포함하는데, 체가 각각 같지 않으므로 상호 서로에는
포함되지 않는다고 알아야 한다. 다섯 종류 중 뒤의 네 종류에 포함되지 않는
것을 이숙생이라고 이름하고, 뒤의 네 종류 중에 나아가면 그 뒤의 세 종류에
포함되지 않는 것을 소장양이라고 이름하며, 그 뒤의 세 종류 중에 나아가면
그 뒤의 두 종류에 포함되지 않는 것을 등류성이라고 이름하고, 그 뒤의 두
종류 중에 나아가면 그 뒤의 한 종류에 포함되지 않는 것을 일찰나라고 이름
하며, 나머지는 유실사라고 이름한다. 이것은 곧 순차적인 해석이다. 또 해석
하자면 다섯 종류 중 앞의 네 종류에 포함되지 않는 것을 유실사라고 이름하
고, 앞의 네 종류 중에 나아가면 그 앞의 세 종류에 포함되지 않는 것을 일찰
나라고 이름하며, 그 앞의 세 종류 중에 나아가면 그 앞의 두 종류에 포함되지

논하여 말하겠다. '안의 5계'는 곧 안계 등의 5계인데, 이숙생 및 소장양이 있다. 등류성이 없는 것은 이숙생 및 소장양을 떠나서 별도의 성품이 없기 때문이다.[79]

....

않는 것을 등류성이라고 이름하고, 그 앞의 두 종류 중에 나아가면 그 앞의 한 종류에 포함되지 않는 것을 소장양이라고 이름하며, 나머지는 이숙생이라고 이름한다. 이는 곧 역순의 해석이다. 또 해석하자면 다섯 종류 중 나머지 네 종류에 포함되는 것 아닌 것을 이숙생이라고 이름하며, 이렇게 나아가 나머지 네 종류에 포함되는 것 아닌 것을 일찰나라고 이름하니, 이는 곧 번갈아 서로서로 바라볼 때 상호 서로에 포함되는 것이 아니라는 것이다.

게송으로 잘 설명되었음을 드러낸다고 말한 것은, 18계를 다섯 종류에 상대해 포함시킨 것이다. 말하자면 안의 5색근은, 이숙생과 소장양이 있다고 하면서 등류성이 있다고 말하지 않았기 때문에 등류가 아니라는 것을 알 수 있다. 유실사는 법계뿐이라고 했으니, 나머지 17계에는 통하지 않는다. 일찰나는 뒤의 3계(의 일부)뿐이라고 했으니, 나머지 15계에는 통하지 않는다. 그 뜻에 준하면 이 셋(=등류성·유실사·일찰나)은 5색근 안에 있는 것이 아니다. 성계는 이숙생이 없다고 하면서 소장양이나 등류성이 없다고 말하지 않았으니, 그 뜻에 준하면 있다는 것을 알 수 있는데, 위(=제1구)로부터 곧 소장양을 비추어 취하고[影取], 아래(=제3·4구)로부터 곧 등류성을 비추어 취한 것이다. 유실사와 일찰나가 없는 것은 앞에서 말한 것과 같다. 18계 중에서 여덟 가지 장애 없는 것은 이미 언급되었으니, 곧 이것은 7심계와 법계라는 것을 분명히 알 수 있다. 이 8계는 등류성도 있고 이숙생도 있다고 하면서 소장양은 말하지 않았으니, 있는 것이 아니라는 것을 분명히 알 수 있으며, 5식에 유실사와 일찰나가 없고, 의계와 의식계에 유실사가 없다는 것은 모두 앞에서 말한 것과 같다. '나머지'는 앞에서 말한 14계의 나머지를 말하는 것이니, 곧 색·향·미·촉이다. 이 4계는 각각 세 종류이니, 이숙생·소장양·등류성을 말하는 것으로서, 유실사·일찰나가 아니라는 것은 역시 앞에서 말한 것과 같다. 유실사는 오직 법계뿐이니, '오직'이라는 말은 나머지 17계에는 통하지 않는다는 것이다, 법계는 앞에서 '여덟 가지 장애 없는 계' 중에 있었으므로 이미 2종류(=이숙생·등류성)를 얻었고, 지금 또 유실사를 더하니, 앞에 보태면 세 종류가 된다. '뒤의 3계'는 곧 의계·법계·의식계이니, 일찰나는 오직 이 뒤의 3계 중에만 있다. '오직'이라는 말은 일찰나가 그 나머지 15계에는 통하지 않는다는 것을 나타낸다. 법계는 여기에 이르면 또 한 종류를 더하니, 앞에 보태면 4종류가 되며, 의계와 의식계는 앞의 '장애 없는 계' 중에서 각각 2종류를 얻었고, 지금 또 한 종류를 더하니, 앞에 보태면 3종류가 된다.

79 (이하는 제1구의 풀이이다) 안계 등의 5계는 이숙생도 있고, 소장양도 있다. 이 안계 등의 5계는 동류인同類因에서 생기면 역시 등류과이지만, 지금은 다른 문인 것을 나타내고자 총체적인 것을 폐하고, 개별적인 것을 논한 것이다. 이 숙생과 소장양을 떠나서 별도의 성품이 없기 때문(=동류인과 등류과로서 전후 상속하더라도 그 동류인·등류과인 5계 모두 이숙생이나 소장양을 벗어나

이숙인異熟因에서 생긴 것을 이숙생이라고 이름하니, 예컨대 소에 멍에를
맨 수레[牛所駕車]를 소수레[牛車]라고 이름하는 것처럼, 중간의 말을 생략
해 버렸기 때문에 이런 말을 한 것이다. 혹은 지은 업이 결과를 얻을 때에
이르면 변이하면서 능히 성숙시키기 때문에 이숙이라고 이름하는데, 결과
가 그것으로부터 생기므로 이숙생이라고 이름하며, 그 얻어진 결과가 원인
과 다른 부류이면서 이것이 성숙된 것이기 때문에 이숙이라고 이름한다.
혹은 원인 위에 임시로 결과의 명칭을 세운 것이니, 마치 결과 위에 임시로
원인의 명칭을 세운 것과 같다. 예컨대 계경에서, "지금의 6촉처觸處는 곧
과거에 지은 업이라고 알아야 한다"라고 설한 것과 같다.[80]

음식, 자조資助, 수면睡眠, 등지等持 등의 뛰어난 인연으로 길러진 것을 장
양된 것[소장양所長養]이라고 이름한다. 어떤 분은, "범행梵行도 역시 능히
장양하는 것이다"라고 말하지만, 이것은 손감이 없을 뿐, 따로 기르는 것이
있는 것이 아니다. '장양'은 상속해서 항상 이숙의 상속을 능히 보호하고 지
키는 것[相續常能護持 異熟相續]이니, 이는 마치 외곽이 내성을 방어하고 지

....
지 않는다는 취지)에 말하지 않은 것이다.
80 이숙생에는 모두 네 가지 해석이 있음을 풀이하는 것이다. (제1해) 이숙인이
라는 말에서, 만약 이숙이 곧 인이라고 말한다면 지업석이고, 만약 이숙의 인
이라고 말한다면 의주석이다. 이숙인에서 생긴 결과[異熟因所生果]를 이숙생이
라고 이름하는데, 이것도 역시 의주석이다. (중간의) '인소因所'라는 2글자를
생략해 버린 것이니, 마치 소수레라는 말이 (중간의) '소가所駕'라는 2글자를
생략한 것과 같다. (제2해) 과거에 지었던 업이 결과를 얻을 때에 이르면 결
과를 주는 작용을 일으키는데, 전과 달라지기 때문에 '이異'라고 이름하고, 이
것이 능히 성숙시키기 때문에 '숙熟'이라고 이름한 것이다. '이숙'은 원인에 배
속시키고, '생'은 결과에 배속시킨 것이다. (제3해) 원인은 선이나 악이고, 결
과는 무기이니, 그 얻어진 결과는 원인과 다른 부류이므로 '이'라고 이름하고,
이것은 성숙된 것이므로 '숙'이라고 이름하였다. '이숙'과 '생'을 모두 결과에
배속시킨 것이다. (제4해) 결과가 이숙이라는 점은 앞의 해석과 같지만, 원인
은 이숙이 아닌데도 원인을 이숙이라고 말하는 것(='이숙인')은 이 원인 위에
임시로 결과의 명칭을 세운 것이다. 이름을 얻는 것이 같지 않은 예를 널리
든다면, 결과에 원인의 명칭을 세운 예가 역시 있으니, 마치 계경(=증일
14:24:2경)에서, "지금의 6촉처라는 결과는 곧 과거에 지은 업이라는 원인이
라고 알아야 한다"라고 말한 것과 같다. 접촉의 의지처를 6촉처라고 이름하는
데, 곧 안근 등의 6근이다. 여기에서의 뜻은, 의지처인 6처를 취하고, 의지주
체인 6촉은 취하지 않는다.

원하는 것과 같다.81

성계에는 등류성 및 소장양은 있지만, 이숙생은 없다. 까닭이 무엇이겠는가? 바람[欲]에 따라 일어나기 때문이다.82 만약 그렇다면 『시설족론』에서, "거칠고 나쁜 말 멀리 여의기를 잘 닦으셨기 때문에 청정한 음성이라는 대인상을 감득하셨다"라고 설하지 않았어야 할 것이다.83 어떤 분은, "소리는 제3전第三傳에 속하기 때문에 비록 그것으로 말미암아 생기더라도, 이숙생이 아니다. 말하자면 그런 업으로부터 여러 대종들이 생기고, 여러 대종들이 연에 부딪침에 따라 소리를 일으키는 것이다"라고 말했지만,84 어떤 분은, "소리는 제5전第五傳에 속하기 때문에 비록 그것으로 말미암아 생기더라도, 이숙생이 아니다. 말하자면 그 업이 이숙의 대종을 낳고, 이것으로부터

....

81 소장양을 풀이하는 것이다. '장'은 작은 것을 크게 하는 것이고, '양'은 야윈 것을 살지게 하는 것이니, 극미로 이루어진, 장애 있는 모든 법[諸有碍法極微所成]을 소장양이라고 이름한다. 첫째는 마시고 먹는 것[飲食]이고, 둘째는 돕는 것[資助]이니, 기름을 바르(거나 목욕하)는 등을 말하며, 셋째는 잠자는 것[睡眠]이고, 넷째는 등지等持이니, 선정을 말한다. 이 네 가지 뛰어난 연이 능장양能長養(＝장양주체)인데, 이런 연에 의해 길러져서 안근 등의 체가 늘어나면 안근 등이 늘어났을 때를 소장양所長養이라고 이름한다. 『잡아비담심론』(＝제1권. 대28-879상)의 어떤 논사는, 계를 지키는 범행도 역시 장양하는 주체라고 말하지만, 이것은 손감이 없게 할 뿐, 따로 기르는 것이 있어 몸을 장양하는 것이 아니라고 논주가 논파해 말하였다. 이숙의 물질[異熟色]은 열등해서, 이숙생이 소장양을 여의는 일은 없기 때문에 늘 장양이 보호하고 지키지만, 장양된 물질[長養色]은 뛰어나서 이숙생을 여의는 일이 있으니, 예컨대 눈이나 귀가 없더라도 닦아서 눈·귀(＝천안·천이)를 얻는 것과 같다.
82 (이하는 제2구의 풀이이다) 소리에는 2종류가 있고, 이숙생은 없다. 이숙의 색법은 저절로 일어나지만, 소리는 바람에 따라 생기니, 따라서 이숙이 아니다.
83 논서를 인용해 반론하는 것이다. 만약 소리가 이숙이 아니라면, 논서에서, "거칠고 나쁜 말을 멀리 떠났기 때문에 32대인상 중 청정한 음성이라는 상을 감득하셨다"라고 말하지 않았어야 한다는 것이다.
84 이하는 대답이다. 양 설이 있는데, 이는 곧 첫 논사이다. 어떤 분은, "소리는 제3전에 속하기 때문에 비록 멀리서 전개되어 그 업으로 말미암아 생기기는 하지만, 직접 감득할 수 없으므로, 이숙이 아니다"라고 말한다. 말하자면 업이 제1전이 되고, 업으로부터 생긴 대종이 제2전이 되며, 대종으로부터 일어난 소리는 제3전이 된다는 것이다. 이치상 제4전·제5전도 있어야 함에도 말하지 않은 것은, 이숙의 대종으로부터 생긴 소리도 오히려 이숙이 아닌데, 소장양이나 등류성으로부터 생긴 소리는 이치상 의심할 수 없는 곳에 있기 때문에 따로 말하지 않은 것이다.

전해져서 장양된 대종을 낳으며, 이것이 다시 전해져서 등류의 대종을 낳고, 이것이 마침내 소리를 낳는 것이다"라고 말하였다.[85] 만약 그렇다면 신수身受는 업에서 생긴 대종으로부터 생기기 때문에 이숙이 아니어야 할 것인데, 만약 느낌[受]이 소리[聲]와 같다면, 곧 바른 이치에 위배될 것이다.[86]

'여덟 가지 장애 없는 계[八無礙]'란 7심계와 법계인데, 여기에는 등류성과 이숙생의 성품이 있다. 동류인同類因과 변행인遍行因에서 생긴 것이 등류성이며, 이숙인에 견인되어 생긴 것이라면 이숙생이라고 이름한다. 장애 없는 모든 법은 쌓여 모임[積集]이 없기 때문에 소장양이 아니다.[87]

....

85 이는 곧 두 번째 논사의 답이다. 어떤 분은 "소리는 제5전에 속하기 때문에 비록 멀리서 전개되어 그 업으로 말미암아 생기기는 하지만, 소원해서 직접 감득한 것이 아니므로[疏非親感] 이숙이 아니다"라고 말한다. 말하자면 업이 제1전이 되고, 업에 따라 감득되어 신근身根 등을 만드는 이숙생의 대종이 제2전이 되며, 이 이숙생 쪽으로부터 다시 신근 등을 만드는 장양된 대종이 있어 제3전이 되고, 이 장양된 물질로부터 다시 등류성의 대종을 일으킨 것이 제4전이 되며, 이 등류성으로부터 비로소 소리를 낳은 것이 제5전이 된다는 것이다. 이치상 제4전(=제3전인 장양된 대종에서 생긴 소리)도 있다고 인정해야 함에도 말하지 않은 것은, 생략해서 말하지 않은 것이거나 영략호현한 것일 수 있다. 이 논사의 마음이 말하는 것은, "장양된 4대종(=제3전)은 장양된 소리(=제4전)를 만들고, 등류의 4대종은 등류의 소리(=제5전)를 만드니, 따라서 제4전과 제5전이 있다고 말함으로써 소리는 이숙이 아니라고 인정하는 것이다. 따라서 이숙의 대종이 만든 것이 아니기 때문에 (첫 논사처럼) 제3전이 있다고 인정하지 못한다"라는 것이다.

86 이 논서에 비록 양 설이 있지만, 논주의 의중은 뒤의 논사에 있으므로 첫 논사를 논파해 말한 것이다. "만약 이 소리가 업에서 생긴 대종으로부터 생기므로 제3전에 속하기 때문에 이숙이 아니라고 말한다면, 신식과 상응하는 느낌[身識相應受](=본문의 '신수身受')도 업에서 생긴 대종으로부터 생기기 때문에, 말하자면 업이 제1전이 되고, 이숙의 대종이 제2전이 되며, 이 대종에 의해 생긴 신수가 제3전이 되니, 신수는 소리와 같이 모두 제3전이 되므로 이숙이 아니어야 할 것인데, 만약 느낌이 소리처럼 이숙이 아니라고 한다면 곧 바른 이치에 위배될 것이다. 종지에서 느낌은 이숙에 통한다고 말하기 때문(=뒤의 제3권 중 게송 ⑩cd와 그 논설 참조)이다."

87 이는 제3·제4구를 풀이하는 것이다. 앞과 뒤가 균등均等한 것을 '등等'이라고 이름하고, 부류가 서로 비슷한 것[流類相似]을 '류'라고 이름하며, 혹은 결과가 원인을 이은 것[續因]을 '류流'라고 이름한다. 모든 이숙생은 비록 동류인에서 일어난 것이더라도 개별적인 모습을 나타내기 위해 총체적인 것을 폐하고 개별적인 것을 논하므로 이숙생이라고만 이름하니, 이숙생에 포함되지 않아야 비로소 '등류'라고 이름한다. 작용에 의거한다면 소장양은 무색인 것에도 통

'나머지'는 말하자면 그 나머지 4계인 색·향·미·촉계인데, 모두 세 가지에 통하니, 이숙생도 있고, 소장양도 있으며, 등류성도 있다.[88]

'유실사는 법계뿐'이라고 한 것에서 실체[實]는 무위를 말한다. 견고한 진실[堅實]이기 때문인데, 이것은 법계에 포함된다. 그래서 오직 법계만 홀로 유실사라고 이름한다.[89]

의계·법계·의식계를 '뒤의 3계'라고 이름한 것이니, 세 가지 6계 중 가장 뒤에 말하기 때문이다. 오직 이 3계에만 일찰나가 있으니, 말하자면 최초의 무루인 고법인품苦法忍品은 등류성이 아니기 때문에 일찰나라고 이름한 것이다. 이는 궁극[究竟]이어서 등류성이 아니라고 말한 것이니, 다른 유위법은 등류 아닌 것이 없다. 고법인과 상응하는 마음을 의계와 의식계라고 이름하고, 그 나머지 함께 일어나는 법[俱起法]을 법계라고 이름한 것이다.[90]

제9절 획득[得]·성취成就 분별

이와 같이 이숙생 등에 대해 설명했으니, 이제 생각해서 가려야 할 것이다. 만약 먼저 성취하지 않았던 안계가 있었는데, 지금 획득하거나 성취한다면, 안식계도 역시 획득하거나 성취하는가? 만약 먼저 성취하지 않았던 안식계가 있었는데, 지금 획득하거나 성취한다면, 안계도 역시 획득하거나 성취하는가? 이런 등의 물음에 대해 이제 간략히 답해야 할 것인데, 게송으

하지만, 여기에서는 체에 의거해 말하기 때문에 소장양은 없다. # '동류인과 변행인에서 생긴 것이 등류성'인 것에 대해서는 뒤의 제6권 중 게송 57c와 그 논설 참조.

88 이는 (제5구 중) '나머지는 세 가지'를 풀이한 것인데, 알 수 있을 것이다.

89 이는 (제5구 중) '유실사는 법계 뿐'을 풀이한 것인데, 이에 준하면 실체는 오직 무위뿐이다.

90 이는 제6구를 풀이하는 것이다. 의계·법계·의식계에 일찰나가 있다. 말하자면 최초의 무루인 고법인품은 등류가 아니기 때문에 일찰나라고 이름한다. 이는 궁극이어서 동류인에서 생기지 않는 것이라고 말하므로 일찰나라고 이름했는데, 다른 유위법은 등류 아닌 것이 없다. 고법인과 함께 하는 마음을 의계와 의식계라고 이름했는데, 뒤에서 바라보면 의계라고 이름하고, 앞에서 바라보면 의식계라고 이름한다. 나머지 함께 일어나는 법, 즉 상응법 등은 법계라고 이름한다.

로 말하겠다.

[37]c 안계와 안식계는[眼與眼識界]

　홀로나 함께 획득하며 아니기도 한 등이다[獨俱得非等]91

　논하여 말하겠다. '홀로 획득한다'는 것은, 말하자면 혹은 먼저 성취하지
않았던 안계가 있어, 지금 획득하거나 성취하더라도 안식계는 아닌 경우이
니, 욕계에 태어나 점차 안근을 획득할 때 및 무색계에서 죽어 제2·제3·제
4정려지靜慮地에 태어날 때를 말하며,92 혹은 먼저 성취하지 않았던 안식계

....
91 이하는 제15 획득과 성취의 문이다. '홀로 획득한다'는 것은 제1구와 제2구를
　말하고, '함께 획득한다'는 것은 제3구를 말하며, '아니다'는 제4구를 말하고,
　'등'은 성취 등을 같이 취하는 것을 말한 것이다. 여기에서 획득과 성취, 버림
　[捨]과 불성취를 전체적으로 밝히면서, 번거로울까 염려해서 서술하지 않고
　총체적으로 다시 '등'이라고 말한 것이다.
　　(문) 획득과 성취는 어떻게 다르며, 버림과 불성취는 어떻게 다른가? (해)
　각각 달라서 같지 않다. 만약 법이 지금 시기에 방금 생상生相에 이르면 그 때
　획득한다[得]고 이름하며, 만약 흘러서 현재에 이르렀다면 비로소 성취했다고
　이름한다. 획득할 때는 성취했다고 이름하지 않고, 성취했을 때는 획득한다고
　이름하지 않는다. 만약 법이 이전 시기에 상속하여 늘 일어나다가 지금 홀연
　연을 만나 생상에 이르지 못함으로써 현재까지만 여전히 성취했다면 그 때 버
　린다고 이름하며, 제2찰나에 이르러 현재까지 성취했던 법이 (과거로) 낙사
　하면 비로소 성취하지 않았다고 이름한다. 버릴 때에는 성취하지 않았다고 아
　직 이름하지 않고, 성취하지 않았을 때는 버린다고 이름하지 않는다. 예컨대
　고법인苦法忍이 생상에 이르면 그 때 성자의 성품[聖性]을 획득한다고 이름하
　지, 성취했다고 이름하지 않고, 만약 흘러서 현재에 이르렀다면 성자의 법을
　성취했다고 이름하지, 획득한다고 이름하지 않는 것과 같으며, 예컨대 세제일
　법(=유루 최후의 1찰나로서, 그로부터 무간에 무루의 고법인을 낳음은 뒤의
　제23권 중 게송 [30]c·[37]와 그 논설 참조)이 현재 있으면 그 때 이생의 성품을
　버린다[捨異生性]고 이름하지, 성취하지 않았다고 이름하지 않으며, 만약 과거
　로 낙사하면 비로소 성취하지 않았다고 이름하지, 버린다고 이름하지 않는 것
　과 같다. 만약 성자의 성품을 바로 획득할 때라면 곧 이생의 성품을 버리므로,
　이는 곧 획득과 버림이 동시이며, 만약 성자의 법을 성취했을 때라면 곧 이생
　의 성품을 성취하지 않으므로, 이는 곧 성취와 불성취가 동시이다. 이와 같이
　다른 법도 이에 준해서 생각해야 한다. 또 장차 성취할 때를 획득한다고 이름
　하고, 장차 성취하지 않을 때를 버린다고 이름한다고 알아야 한다.
92 이하는 획득에 대해 밝히는 것이다. (안근은 획득하지만 안식을 획득하지는

가 있어, 지금 획득하거나 성취하더라도 안계는 아닌 경우이니, 제2·제3·제4정려지에 태어나 안식이 현재 일어날 때 및 거기에서 죽어 그 아래의 지[下地]에 태어날 때를 말한다.93 '함께 획득한다'는 것은, 말하자면 혹 먼저 성취하지 않았던 안계와 안식계가 있어, 지금 획득하거나 성취하는 경우이니, 무색계에서 죽어 욕계 및 범천세계에 태어날 때를 말한다. '아니다'

....

않는 제1구의 경우) 말하자면 욕계에 태어나는 태생·난생·습생은 점차 안근을 획득(=예컨대 태생의 경우 입태 후 태내 제5위인 발라사가의 단계에 이르러 근이 원만하게 획득됨은 뒤의 제9권 중 게송 22ab와 그 논설 참조)−단박에 획득하는 경우(=화생)와 구별하는 것이다−하는데, 색근이 무기인 것은 과거·미래를 이루는 것이 아니므로 일어날 때 획득한다고 이름한다. 식識은 세 가지 성품(=선·악·무기)에 통해서 전후에 획득하는 것(=소위 '법전득·법후득'인데, 이에 대해서는 뒤의 제4권 중 게송 38a에 관한 논설 참조)도 또한 있으며, 식은 이전부터 성취했기 때문에 지금 획득한다고 이름하지 않는다. 비록 배냇소경[生盲] 및 점차 버리는 눈[漸捨眼] 등이 있지만, 욕계에서 죽어 다시 욕계 등에 태어나는 경우에는, 안근을 획득하지만 안식을 획득하지는 않는다고 이름한다. 만약 제2정려지 이상(=생득의 안근은 있지만, 전5식이 없음은 뒤의 제28권 중 게송 12cd에 관한 논설 참조)으로부터 욕계 등에 태어나는 중유의 첫 마음이라면, 곧 안식을 획득하지만, 안근을 획득하지는 않는다고 이름한다. 만약 무색계에서 죽어 욕계 등에 태어나면 곧 안근과 안식을 모두 획득한다. 욕계 등에 태어날 때에는 일정하지 않기 때문(='욕계 등'의 '등'으로써 포함하는, 초정려에 태어날 때에는 화생하므로 단박에 획득하고, 욕계에 태어날 때 태생·난생·습생은 점차 획득하지만, 화생은 단박에 획득함)에 점차 안근을 획득하는 것에 의거해 말한 것이다. 또 해석하자면 생략하고 논하지 않은 것이지, 모두 다 든 것이 아니다. 또 해석하자면 점차 안근을 획득한다는 말은 이런 것들도 또한 포함하는 것이다. 그리고 무색계에서 죽어 위의 3정려지에 태어날 때에는 중유의 첫 마음에 반드시 안근을 획득하므로 안근을 획득한다고 이름하지만, 식은 아직 일어나지 않기 때문에 (안식계를) 획득한다고 이름하지 않는다.

93 (안식은 획득하지만 안근을 획득하지는 않는) 제2구의 경우, 제2정려지 등에 태어나 안식이 현기現起할 때에는 식이 현기하기 때문에 획득한다고 이름한다. '현'은 바로[正]라는 말이고, '기'는 생긴다[生]는 말이니, 식이 생상에 있는 것을 '현기'라고 이름하고, 그 때 획득한다고 이름하지만, 안근은 먼저 성취했기 때문에 획득한다고 이름하지 않는다. 그리고 제2정려지 등에서 죽어 아래의 욕계나 초정려에 태어날 때 중유의 첫 마음에서 반드시 식을 얻기 때문에 식을 획득한다고 이름한다. 거기에서 죽는다는 것은 바로 사유死有에 머문다는 것을 나타내고, 중유가 생상에 이르렀을 때를 아래의 지에 태어난다고 이름하며, 그 때 획득한다고 이름하지만, 안근은 먼저 성취하였기 때문에 획득한다고 이름하지 않는다.

라고 한 것은 양쪽 모두 아닌 경우이니, 앞에서 말한 것들을 제외한 것을 말한다.[94]

'등'은 만약 안계를 성취함이 있으면 안식계도 역시 성취하는가를 말하는 것인데, 4구로 분별해야 할 것이다. 제1구는 제2·제3·제4정려지에 태어나 안식이 일어나지 않는 경우를 말하고, 제2구는 욕계에 태어나 아직 안근을 획득하지 못한 경우 및 획득했어도 이미 잃은 경우를 말한다. 제3구는 욕계에 태어나 안근을 획득하고 잃지 않은 경우 및 범천세계에 태어나거나 제2·제3·제4정려지에 태어나 바로 형색을 볼 때를 말한다. 제4구는 앞에서 말한 것들을 제외한 경우를 말한다.[95]

이와 같이 안계와 색계, 안식계와 색계의 획득·성취 등에 대해서도 이치대로 생각해야 할 것인데, 이렇게 아직 설명하지 않은 뜻을 포함시키기 위해 이 때문에 계송 중에서 전체적으로 다시 '등'이라고 말한 것이다.[96]

....
94 제3구와 제4구는 알 수 있을 것이다.
95 이는 성취에 관한 4구를 밝히는 것이다. 제1구에서 위의 3정려지에 태어났다는 것은 결정코 안근을 성취했다는 것을 나타내고, 안식이 일어나지 않는다는 것은 식을 성취하지 않았다는 것을 나타낸다. 제2구에서 욕계에 태어났다는 것은 결정코 식을 성취했다는 것을 나타내고, 아직 획득하지 않은 경우와 이미 잃은 경우라는 것은 안근을 성취하지 않았다는 것을 나타낸다. 제3구에서 욕계에 태어났다는 것은 결정코 식을 성취했다는 것을 나타내고, 안근을 획득하고 잃지 않았다는 것은 다시 안근을 성취했다는 것을 나타내며, 범천세계(＝초정려지)에 태어났다는 것은 안근 및 안식을 반드시 결정코 성취했다는 것을 나타내고, 위의 3정려지에 태어났다는 것은 결정코 안근을 성취했다는 것을 나타내며, '바로 형색을 본다'는 말은 다시 식을 성취했다는 것(＝뒤의 제28권 중 계송 13에 관한 논설에서 설명하는 소위 '차기식借起識')을 나타내니, 바로 형색을 볼 때라고 이미 말했으므로 법이 나타난 것[法現]을 성취라고 이름한다는 것을 분명히 알 수 있다.
96 이는 유추해 풀이하는 것이다. 만약 안계로써 색계를 대한다면 획득에는 2구가 있다. 색계를 획득한다면 반드시 안계도 획득한다. 중유의 온도 반드시 근을 갖추기 때문이다. 안계를 획득해도 색계를 획득하지 못하는 경우가 있으니, 욕계에 태어나 점차 안근을 획득하는 경우(＝예컨대 태내에서 아직 형색을 보지 못할 때)를 말한다. 성취에도 역시 2구가 있다. 만약 안근을 성취했다면 반드시 색계도 성취한다. 색계를 성취해도 안계를 성취하지 못하는 경우가 있으니, 욕계에 태어나 아직 안근을 획득하지 못한 경우 및 획득한 뒤 잃은 경우를 말한다. 만약 안식으로 색계를 대한다면 획득에는 4구가 있다. 안식을 획득해도 색계를 획득하지 못하는 경우가 있으니, 위의 3정려지에 태어나 안

제10절 내·외 분별

이와 같이 획득과 성취 등에 대해 설명했는데, 18계 중 몇 가지가 내적인 것[內]이고, 몇 가지가 외적인 것[外]인가? 게송으로 말하겠다.

38a 내적인 것은 안계 등 12계이고[內十二眼等]
색계 등 6계는 외적인 것이다[色等六爲外]

논하여 말하겠다. 6근·6식의 12계를 내적인 것이라고 이름하며, 외적인 것은 그 나머지 색경 등의 6경을 말한다. '나[我]'의 의지처를 내적인 것이라고 이름하며, 외적인 것은 이의 나머지를 말한다.[97]

....

식이 현전할 때 및 위의 3정려지에서 죽어 욕계 및 범천세계에 태어날 때를 말한다. 색계를 획득해도 안식을 획득하지 못하는 경우가 있으니, 무색계에서 죽어 위의 3정려지에 태어나는 때를 말한다. 모두 획득하는 경우는, 무색계에서 죽어 욕계 및 범천세계에 태어날 때를 말한다. 모두 획득하지 못하는 경우는, 앞에서 말한 것들을 제외한 경우를 말한다. 성취에는 2구가 있다. 만약 안식을 성취했다면 결정코 색계도 성취한다. 색계를 성취해도 안식을 성취하지 못하는 경우가 있으니, 위의 3정려지에 태어나 안식이 일어나지 않을 때를 말한다. 그래서 획득과 성취 등에 대해 이치대로 생각해야 할 것이라고 말한 것인데, 여섯 가지 3계 중 우선 처음 3계를 서로 바라보고 획득과 성취를 분별하였다. 뒤의 다섯 가지 3계에 대해서도 획득과 성취를 아울러 상호 서로 바라보고, 또 버림과 불성취 등에 대해서도 모두 생각해서 가려야 할 것이다. 자세한 것은 『대비바사론』(=제73권. 대27-377중 이하)에서와 같지만, 번거롭게 서술할 수 없어서 이 때문에 게송에서 다시 '등'이라고 말한 것이다.
[97] 이하는 제16 내외문이다. 널리 안과 밖을 밝힌다면 대략 세 종류가 있다. 그래서 『대비바사론』 제138권(=대27-714상)에서, "그런데 안팎의 법의 차별에 세 가지가 있다. 첫째는 상속의 안과 밖이니, 말하자면 자신의 몸에 있는 것을 안이라고 이름하고, 남의 몸 및 비유정에 속하는 것에 있는 것을 밖이라고 이름한다. 둘째는 처處의 안과 밖이니, 말하자면 심·심소의 의지처를 안이라고 이름하고, 그 소연을 밖이라고 이름한다. 셋째는 유정·비유정의 안과 밖이니, 말하자면 유정에 속하는 법을 안이라고 이름하고, 비유정에 속하는 법을 밖이라고 이름한다"라고 말하였다. 지금 이 논서 중에서는 처의 안과 밖에 의거한다. 마음을 이름해서 '나'라고 한 것이니, 이 '나'는 근에 의지하므로 곧 안이라고 이름하고, 그래서 12계라고 말한 것이다. 밖은 이의 나머지인 색경 등의 6경을 말하는 것이니, '나'의 의지처가 아니기 때문이다.

'나' 자체가 이미 없는데, 내외가 어떻게 있겠는가?[98] 아집의 의지처[我執依止]이기 때문에 임시로 마음을 말하여 '나'라고 한 것이다. 그래서 계경에서 이렇게 말하였다. "'나'를 잘 조복함으로 말미암아[由善調伏我] 지혜로운 자는 하늘에 태어날 수 있다네[智者得生天]" 세존께서 다른 곳에서 마음을 조복한다고 말씀하셨는데, 계경에서의 말씀과 같다. "마음을 잘 조복해야 할 것이니[應善調伏心] 마음의 조복이 능히 즐거움을 이끄네[心調能引樂]" 따라서 단지 마음을 임시로 말하여 '나'라고 한 것이다. 안근 등은 이것의 의지처가 되어 친근親近하기 때문에 '내적인 것'이라고 이름하고, 색경 등은 이것의 소연이 되어 소원疏遠하기 때문에 '외적인 것'이라고 이름한 것이다.[99]

만약 그렇다면 6식은 내적인 것이라고 이름하지 않아야 할 것이니, 아직 의계의 단계[意位]에 이르지 않아 마음의 의지처가 아니기 때문이다.[100] 의계의 단계에 이를 때에도 6식계를 잃지 않으며, 아직 의계의 단계에 이르지 않았을 때에도 역시 의계의 체상[意相]을 벗어난 것이 아니다. 만약 이와 다르다면, 의계는 오직 과거세에만 있어야 할 것이고, 6식은 오직 현재·미래세에만 있어야 할 것인데, 그럴 경우 곧 18계는 모두 3세에 통한다고 인정하는 자신의 종지에 위배될 것이다. 또 만약 미래·현재의 6식에 의계의 체

....
98 물음이다.
99 답이다. '아집'(=나에 대한 집착)은 아견我見을 말하고, '의지처'는 마음을 말하니, 마음이 아견과 상응하기 때문에 아집의 의지처라고 이름했다. 마음이 나의 의지처이기에 임시로 나라고 이름하므로, 나머지 마음(=예컨대 무루의 마음)은 비록 아견과 상응하는 것이 아니라고 해도 그 마음의 부류이기 때문에 역시 나라는 이름을 얻는다. 다시 경(=출전 미상)을 인용해 증명하는데, 앞의 경은 나를 조복하는 것이고, 뒤의 경은 마음을 조복하는 것이니, 그러므로 마음을 임시로 말하여 나라고 했다는 것을 알 수 있다. 안근 등의 12계는 이 가아假我의 의지처가 되어 친근하기 때문에 내적인 것이라고 이름하고, 색경 등의 6경은 이 가아의 소연이 되어 소원하기 때문에 외적인 것이라고 이름하였다. 모든 심소법은 그 심왕에 의지해 동일하게 생기는 등인데도 내적인 것이라고 이름하지 않는 것은, 다른 부류들과 서로 바라볼 때 의지처가 아니기 때문에 친근하다고 이름하지 못한다. 의지처(=5근)와 마음은 다른 부류들과 서로 바라볼 때 모두 의지처가 되기 때문에 친근하다고 이름하고, 내적인 것이라고 이름할 수 있다.
100 힐난하는 것이다.

상이 없다면 과거의 의계도 역시 건립되지 않아야 것이니, 체상은 3세에 바뀌는 일이 없기 때문이다.101

제11절 동분·피동분 분별

내적인 것과 외적인 것에 대해 설명했는데, 18계 중 몇 가지가 동분同分이고, 몇 가지가 피동분彼同分인가? 게송으로 말하겠다.

🄰c 법계는 동분이며, 나머지는 두 가지이니[法同分餘二]
　　자신의 업을 행하는 것과 행하지 못하는 것이다[作不作自業]102

1. 법계

논하여 말하겠다. '법계는 동분'이란 법계 하나는 오직 동분뿐임을 말하는 것이다. 만약 경계가 식에 대해 결정적으로 소연이 되면 식이 그것에 대해 이미 생겼거나 생길 법인데, 이런 소연의 경계를 말하여 동분이라고 이름한다. 그것에 대해 과거[已]·현재[正]·미래[當]에 끝없는 의식을 낳지 않는 법계는 하나도 없으니, 모든 성자들은 결정적으로 마음을 낳아 모든 법은 모두 무아無我라고 관찰하기 때문이다. 그 의식은 자체 및 함께 있는 법[俱有法]을 제외한 그 나머지 일체법을 모두 소연으로 하는데, 이와 같이 제외된 것들도 제2찰나에는 역시 마음의 소연의 경계이니, 이 2찰나의 마음

....
101 회통하는 것이다. 6식은 과거세의 의계의 단계에 이르렀을 때에도 6식계를 잃지 않으며, 현재세와 미래세가 아직 과거세의 의계의 단계에 이르지 않았을 때에도 역시 의계의 체상을 벗어난 것이 아니다. '만약 이와 다르다면' 이하는 외인에게 반론하면서 그 종지에 위배되는 허물을 나타내는 것이다. 또 만약 미래세와 현재세의 6식에 의계의 체상이 없다면 과거세의 의계 역시 건립되지 않아야 것이니, 이들의 종지에서 체상은 3세에 바뀌는 일이 없다고 말하기 때문이다.
102 이하는 제17 동분과 피동분을 밝히는 것이다. 법계는 결정코 의식의 연이 되므로 늘 동분이라고 이름하지만, 나머지 17계는 두 가지에 통한다. 자신의 업을 행하는 것[作自業]을 동분이라고 이름하고, 자신의 업을 행하지 못하는 것[不作自業]을 피동분이라고 이름한다.

이 일체 경계를 반연하므로, 두루 반연하지 않는 것이 없다. 이 때문에 법계는 늘 동분이라고 이름한다.103

2. 6근과 5경

'나머지는 두 가지'란 말하자면 그 나머지 17계에는 모두 동분과 피동분이 있다는 것인데, 무엇을 동분과 피동분이라고 이름하는가? 자신의 업을 행하는 것[作自業]과 자신의 업을 행하지 못하는 것[不作自業]을 말하는 것이니, 자신의 업을 행한다면 동분이라고 이름하고, 자신의 업을 행하지 못한다면 피동분이라고 이름한다.104

이 중 안계가 볼 수 있는 형색을 과거·현재·미래에 본다면 동분의 눈[同分眼]이라고 이름하며, 이와 같이 널리 말하여 나아가 의계에 이르기까지 각각 자신의 경계[自境]에 대해 자신의 작용[自用]을 말해야 할 것이다.105 가습미라迦濕彌羅국의 비바사 논사들은, "피동분의 눈에는 네 종류만 있을 뿐이니, 형색을 보지 않고 과거·현재·미래에 소멸하는 것 및 생기지 않을 법[不生法]을 말한다"라고 말한다. 서방西方의 논사들은 다섯 종류가 있다고 말하는데, 말하자면 생기지 않을 법을 다시, 첫째 유식속有識屬, 둘째 무식속無識屬의 두 가지로 나눈 것이다. 나아가 신계身界에 이르기까지도 역시 그러하다고 알아야 할 것이다. 의계의 피동분은 생기지 않을 법뿐이다. 색

....

103 이는 '법계는 동분'이라고 한 것을 풀이하는 것이다. 법계는 동분이라는 것을 해석하려고 먼저 경계가 동분인 모습을 밝힌다. 경계가 동분이라고 말하는 것은, 경계가 식에 대해 결정적으로 소연이 된다는 것이다. 결정적으로 소연이 된다는 것은 공유되지 않는다는 뜻[不共義]이니, 6경이 각각 자신의 식의 소연이 되는 것을 결정적 소연[定所緣]이라고 이름한다. 식은 소연인 경계에 대해 과거에 이미 생겼고, 현재 바로 생기며, 미래에 장차 생길 법이다. '생길 법'이란 생기지 않을 법[不生法]을 가려내는 것이다. 이런 소연의 경계를 동분이라고 이름하니, 이는 곧 경계가 동분인 모습을 전체적으로 밝힌 것이다.
104 이하는 나머지 17계를 해석하는 것인데, 전체적으로 표방하고 간략히 해석하였다.
105 이하 17계를 따로 해석하는데, 이는 곧 11계를 해석하는 것이다. 그 안에 나아가면 첫째 바르게 해석하고, 둘째 차이를 분별하는데, 이는 곧 바르게 해석하는 것이다. 6근이 각각 따로 그 6경을 대하는 것을 자신의 경계라고 이름한다. 또 해석하자면 5근이 자신의 경계를 취한다면 자신의 경계라고 이름하고, 의근은 일체를 취하는 것에 통하므로 모두 자신의 경계라고 이름한다.

계의 경우 눈에게 과거·현재·미래에 보이는 것을 동분의 색이라고 이름하는데, 피동분의 색에도 역시 네 종류가 있으니, 눈에게 보이는 것이 아니고 과거·현재·미래에 소멸하는 것 및 생기지 않을 법을 말한다. 자세히 말하면 나아가 촉계에 이르기까지도 역시 그러해서 각각 자신의 근에 대해 자신의 작용을 말해야 할 것이다.106

　동분의 눈 및 피동분의 눈이 만약 하나의 대상에게 동분이면 나머지 일체 대상에게도 역시 동분이고, 피동분도 역시 그러하며, 자세히 말하면 나아가 의계에 이르기까지도 역시 그러하지만, 형색은 곧 그렇지 않아서, 보는 자에게는 동분이지만, 보지 않는 자에게는 피동분이라고 알아야 할 것이다. 까닭이 무엇이겠는가? 형색에는 말하자면 하나에게 보이는 것이면 다수에게도 보이는 것이라는 이런 일이 있으니, 예컨대 달·춤·씨름 등의 형색을 보는 것과 같다. 눈에는 말하자면 하나의 안근으로 둘이 능히 형색을 본다는 이런 일이 없다. 안근은 공유되지 않기 때문에 하나의 상속에 의지해 동분과 피동분을 건립하지만, 형색은 공유되는 것이기 때문에 다수의

....
106 '가습미라'(=카시미르Kaśmira)에서 '가'는 악惡이라는 말이고, '습미라'는 이름[名]이라는 말이다. 구역에서 계빈罽賓이라고 말한 것은 그릇된 것이다. '서방의 논사들'이란 곧 가습미라국 서쪽의 건타라健馱邏(=간다라Gandhāra)국인데, 거기에도 설일체유부의 논사들이 많이 있다. 그들은 생기지 않을 법을 둘로 나누었는데, 이 해석은 그렇지 않다. 만약 생기지 않을 법에 근만 있고 식이 없는 경우(=본문의 무식속無識屬불생법. 이에 대해 유식속은 근과 식이 갖추어졌지만, 연이 결여된 경우를 가리킴)라면, 생길 법에도 역시 있을 것인데, 어찌 유독 생기지 않을 법만이겠는가? 생길 법이 이미 나누어지지 않는다면 생기지 않을 법이 어떻게 따로 서겠는가? 이는 곧 이치에 위배된다. 또 『대비바사론』(=제71권. 대27-368상)에서도, "옛날에는 이 나라의 논사들이 다섯 종류가 있다고 말하고, 서방의 논사들이 네 종류가 있다고 말했는데, 지금은 이 나라의 논사들이 네 종류가 있다고 말하고, 서방의 논사들이 다섯 종류가 있다고 말한다"라고 말하였다. 『대비바사론』을 지을 때 이미 네 종류를 바른 것으로 취했으니, 다섯 종류가 이치가 아니라고 말했다는 것을 분명히 알 수 있다. 눈이 이미 그런 것처럼 나아가 신계에 이르기까지도 역시 그러하다고 알아야 한다. 의계의 경우 과거·현재·미래에 생기는 것은 모두 동분이기 때문에 피동분은 생기지 않을 법뿐이다. 과거와 현재에 생긴 의계는 반드시 경계를 반연해서 일어나기 때문에 모두 동분이지만, 과거·현재·미래에 생기는 안근 등의 5근은 연에 의지하지 않고 생기는 경우가 있기 때문에 피동분이 있는 것이므로, 의계와 같은 것이 아니다. 나머지 글은 알 수 있을 것이다.

상속에 의지해 동분과 피동분을 건립하는 것이다. 형색의 계에 대한 설명처럼 소리·냄새·맛·감촉의 계도 역시 그러하다고 알아야 할 것이다.107

성계聲界는 색계와 같을 수 있겠지만, 향·미·촉의 3계는 근에 닿아야 비로소 인식되므로[至根方取] 공유되지 않는 것이기 때문에 하나가 인식할 때 나머지는 아니니, 이치상 안근 등과 같아야 하지, 색계와 같다고 해서는 안 될 것이다.108 비록 그런 이치가 있더라도 공유가 있다는 것이 인정된다. 왜냐하면 냄새 등의 3계는 하나 및 나머지에게 모두 비식 등의 식이 생길 수 있다는 뜻이 있기 때문이다. 안근 등은 그렇지 않기 때문에 색계와 같다고 말한다.109

3. 6식계

안식 등 6식의 동분과 피동분은 생기는 법과 생기지 않을 법이기 때문에 의계意界와 같다고 말한다.110

....

107 이하는 차이를 분별하는 것이다. 근은 공유되지 않는 것이다. 한 사람의 눈은 많은 사람들이 같이 이 눈을 써서 형색을 보게 되는 일이 결코 없기 때문에 근은 공유되지 않는 것이다. 5경은 많은 사람들이 있어 수용하는 것을 용납하기 때문에 공유된다고 이름한다. 공유되지 않기 때문에 한 사람이 작용을 일으킬 때 동분이라고 이름하는데, 그 나머지 모두가 작용을 일으키지 않는 경우에도 이 눈에서 바라보면 역시 동분이다. 피동분도 역시 그러하다. 형색은 공유되기 때문에 이 형색 등에 대해 보는 등의 작용을 일으키면 동분이라고 이름하지만, 보지 못하는 등의 경우에는 피동분이라고 이름한다.

108 반론이다. # 감관과 직접 접촉함으로써 인식되는 향·미·촉은 '합중지合中知'라고 칭하고, 그렇지 않은 색·성은 '이중지離中知'라고 칭한다.

109 답이다. 색·성의 2경은 많은 유정들이 같이 함께 보거나 듣는 일이 있기 때문에 공유한다고 이름한다. 향·미·촉의 3경은 비록 한 사람의 근과 바로 화합할 때에는 다른 사람들은 취할 수 없지만, 만약 미래의 근이나 아직 화합하지 않았을 때에 있으면, 한 사람 및 나머지 사람 모두 비식 등의 식을 낳을 수 있다는 뜻이 있으므로, 취하는 것을 공유하는 경우가 있다는 것이 인정된다. 안근 등은 그렇지 않기 때문에 형색과 같다고 말하는 것이다. 또 해석하자면 예컨대 두 사람의 비·설·신 3근이 각각 서로 붙어서, 중간의 냄새를 같이 맡거나 중간의 맛을 같이 맛보거나, 중간의 감촉을 같이 느끼는 것과 같은 경우 그 때문에 공유한다고 이름하지만, 근은 곧 그렇지 않아서 두 사람이 하나의 근을 함께 쓰는 경우는 없다. 혹은 한 부류의 향·미·촉은 많은 식을 일으킬 수 있기 때문에 공유한다고 이름하지만, 근은 곧 그렇지 않아서 한 부류의 근을 두 사람이 함께 써서 식을 일으키는 경우는 없다. 근이 각각 다르기 때문이다.

110 이는 6식을 풀이하는 것인데, 의계에 준해서 알 수 있을 것이다.

【동분·피동분의 의미】 어떤 것이 동분·피동분의 뜻인가? 근·경·식 3자가 다시 서로 교섭交涉하기 때문에 '분分'이라고 이름하였다. 혹은 다시 '분'이란 자기가 작용하는 것[己作用]이다. 혹은 다시 '분'이란 생기는 접촉[所生觸]이다. 이런 분分을 같이[同] 갖기 때문에 동분이라고 이름하고, 이와 상반되는 것을 피동분이라고 이름하니, 동분이 아니면서 그런[彼] 동분과 종류의 분[種類分]이 같으므로[同] 피동분이라고 이름한 것이다.111

제12절 견소단·수소단·비소단 분별

동분과 피동분에 대해 설명했는데, 18계 중 몇 가지가 견소단見所斷이고, 몇 가지가 수소단修所斷이며, 몇 가지가 비소단非所斷인가? 게송으로 말하겠다.

39 15계는 오직 수소단이고[十五唯修斷]
　　뒤의 3계는 세 가지에 통하니[後三界通三]
　　불염오법과 제6처 아닌 것에서 생긴 법과[不染非六生]
　　색법은 결정코 견소단이 아니다[色定非見斷]112

논하여 말하겠다. '15계'란 10색계와 5식계를 말하는 것인데, '오직 수소단'이라는 것은 이 15계가 오직 수소단이라는 것이다.113 '뒤의 3계'란 의계

---

111 이는 두 가지의 뜻에 대한 문답이다. 근·경·식 3자가 각각 작용을 일으키고 상호 서로 수순하며 다시 서로 교섭하기 때문에 '분'이라고 이름하는데, 이런 교섭하는 분을 같이 갖기 때문에 동분이라고 이름한다. 혹은 다시 '분'이란 자기의 작용이다. 그래서 앞에서 "만약 자신의 업을 행한다면 동분이라고 이름한다"라고 말한 것이니, 근·경·식 3자가 자기가 작용하는 이런 분을 같이 갖기 때문에 동분이라고 이름한다. 혹은 다시 '분'이란 생기는 접촉의 결과이니, 근·경·식이 이런 결과의 분을 같이 갖기 때문에 동분이라고 이름한다. 위와 상반되면 피동분이라고 이름한다. 예컨대 형색을 보지 않는 눈은 동분이 아니라고 이름하고, 형색을 보는 눈은 동분이라고 이름하는데, 동분이 아니어서 형색을 보지 않는 눈은 그 형색을 보는 동분인 눈과 그 종류의 분이 같으므로 피동분이라고 이름한다.
112 이하는 제18 삼단문三斷門이다. 위의 2구는 계로 분별하는 것이고, 아래 2구는 다른 계탁을 부정하는 것이다.

와 법계 및 의식계인데, '세 가지에 통한다'는 것은 이 뒤의 3계가 각각 견소단·수소단·비소단의 세 가지에 통한다는 것이다. 88수면隨眠 및 그것과 함께 있는 법[俱有法]과 아울러 따라 작용하는 획득[隨行得]은 모두 견소단이고, 그 나머지 모든 유루는 모두 수소단이며, 일체 무루는 모두 비소단이다.114

....

113 이는 위의 2구를 해석하는 것이다. '단斷'은 계박을 끊고 이계를 증득하는 것[斷縛證得離繫]을 말한다. 『현종론』 제4권(=대29-790하)에서 말하였다. "첫째는 자성단自性斷이고, 둘째는 소연단所緣斷이다. 만약 법으로서 이것의 결박[結] 및 그 동일한 결과(=상응법과 구유법) 등에 대한 대치가 생길 때 그것에 대해 끊어짐을 얻는 것을 자성단이라고 이름하고, 그 끊어짐 때문에 소연인 현상[所緣事]에 대해서도 곧 이계를 얻지만, 반드시 그에 대해 불성취를 얻지는 않는 것을 소연단이라고 이름한다." 해석하자면 자성단과 소연단 모두 계박 여읨에 의거해 '단'이라고 이름하는데, '등'이란 획득[得]을 같이 취한 것이다. 그 논서의 글에 준하면, 번뇌 등 위의 4상[四相] 및 획득이 성취되지 않는다는 뜻의 측면에서도 역시 자성단이라고 이름하지만, 만약 연박단緣縛斷이라면 그것을 반연하는 번뇌가 궁극적으로 다했을 때에 의거해 비로소 '단'이라고 이름한다는 것이다. 반드시 불성취하지는 않음의 자세한 것은 『순정리론』(=제6권. 대29-362하)의 설명과 같다. #『순정리론』에서는 다음과 같이 말하였다. "이들 중의 일체인, 유루의 색과 불염오·유루의 무색 및 그 모든 획득과 생 등의 법 위에 견소단 및 수소단의 모든 결박이 있어 계박되는데, 이와 같은 모든 결박이 점차 끊어질 때 그 낱낱 품의 각각 개별적인 체 위에서 이계의 획득을 일으킬 때에는 그 모든 결박 및 그 동일한 결과 등은 모두 이미 끊어졌다[已斷]고 이름하지만, 그 유루의 색 및 불염오·유루의 무색과 아울러 그 모든 획득과 생 등의 법 위의 모든 이계득이 그 때 아직 일어나지 않았다면 아직 끊었다고 이름하지 못하니, 그 모든 법은 오직 그 지의 최후의 무간도에 따라서만 끊어지는 것이기 때문이다. 모든 견도는 지의 개별적 순서에 따라 염오를 여읠 수 있는 것이 아닌데, 어떻게 그 색 등을 끊을 수 있겠는가? 4성제를 본 자에게, 모든 악취의 법은 온갖 연이 결여되기 때문에 이미 불생을 얻었지만, 그것을 반연하는 번뇌는 아직 다 끊어지지 않았기 때문에 여전히 아직 끊었다고 이름하지 못하는 것이다." 요컨대 자성단에도 소연단의 의미가 있지만, 소연에 대한 계박이 궁극적으로 끊어지는 연박단이라야 진정한 소연단이라는 취지이다.

　'15계는 오직 수소단'이라고 말한 것은, 만약 5근과 향·미·촉경이라면 불염오의 성품이며, 또 색법이어서 소연의 계박이 끊어져야 하기 때문[緣縛斷故]에, 색·성의 2계라면 수소단의 마음이 직접 일으키는 것이기 때문이며, 또 색법이어서 소연의 계박이 끊어져야 하기 때문에, 만약 5식계가 선·무기라면 불염오여서 소연의 계박이 끊어져야 하기 때문에, 염오인 것이라면 현상에 미혹해 일어나는 것이기 때문에 모두 오직 수소단이다. 견소단의 체상이 없으므로 견소단에 통하지 않고, 모두 무루가 아니므로 비소단에 통하지 않는다.

114 '뒤의 3계는 세 가지에 통한다'는 것은, 견소단의 수면 및 상응법은 이치에

어찌 견소단의 법이 다시 더 있지 않는가? 말하자면 이생성異生性 및 악취를 초래하는 신업·어업 등인데, 이것들은 성도聖道와 지극히 상위하기 때문이다.115 비록 그렇기는 해도 이런 법들은 견소단이 아니다. 그 모습을 간략히 말하자면 불염오의 법[不染法], 제6처 아닌 것에서 생긴 법[非六生], 색법을 말하는 것인데, 결정코 견소단이 아니다.116 그 이생성은 불염오로서, 무

....

미혹해서 일어나는 것이기 때문에, 4상과 획득은 그 견혹이 직접 일으키는 것이기 때문에 모두 견소단이다. 수소단의 체상이 없으므로 수소단에 통하지 않고, 무루가 아니기 때문에 비소단에 통하지 않는다. 또 해석하자면 88수면(=98수면 중 88수면은 견소단이고, 10수면은 수소단임은 뒤의 제19권 중 게송 ④·⑤와 그 논설 참조)은 이치에 미혹해서 일어나는 것이기 때문에 견소단이다. 그 수면과 상응하는 법은 수면에서 바라보면 직접적이며 상응박이기 때문이고 상응인이기 때문에, 그래서 수면에 따라 끊어진다. 4상은 수면에서 바라보면 상응하는 것은 아니지만, 같은 부[同部]의 계박이기 때문이며 구유인이기 때문에 역시 수면에 따라 끊어진다. 획득은 그 수면에서 바라보면 비록 상응하는 것이나 함께 있는 것은 아니지만, 같은 부의 계박이기 때문에 수면이 있으면 곧 있고, 수면이 없으면 곧 없어지며, 비록 소연의 계박이라고 해도 수면에서 바라보면 역시 직접적이기 때문에 수면에 따라 끊어진다. 현상에 미혹한 등이 아니기 때문에 수소단에 통하는 것이 아니고, 끊어지는 법이기 때문에 비소단에 통하지 않는다. 그 나머지 모든 유루의 경우, 만약 무색의 선·무부무기라면 불염오로서 소연의 계박이 끊어져야 하기 때문에, 만약 모든 번뇌 및 그 상응법이라면 현상에 미혹해서 일어나는 것이기 때문에, 4상 및 획득은 그 수혹이 직접 일으키는 것이기 때문에, 만약 선·염오의 무표색이라면 수소단의 마음이 직접 일으키는 것이기 때문이며, 또 색법이어서 소연의 계박이 끊어져야 하기 때문에 모두 수소단이다. 견소단의 체상이 없으므로 견소단에 통하지 않고, 무루가 아니기 때문에 비소단에 통하지 않는다. 일체 무루는 계박된 것이 아니기 때문에 모두 비소단이다.

115 이하에서 게송의 뒤의 2구를 해석하는데, 이는 경량부 등의 반론이다. 이생성異生性(=뒤의 제4권 중 게송 ㊶bc와 그 논설 참조) 등은 성도를 얻으면 일어나지 않으니, 성도와 상반된다. 이치상 견소단이어야 한다는 것이다.

116 답인데, 간략히 세 항목을 열어 견소단이 아님을 나타낸 것이다. 첫째는 불염오의 법이니, 『현종론』(=제4권. 대29-790하)에서, "불염오라는 말은 유루의 선과 무부무기를 말한다"라고 말하였다. 둘째는 '제6처 아닌 것에서 생긴 것[非六生]'이니, 말하자면 5식 등이 5근으로부터 생기는 것을 '비육생'이라고 이름한 것이다. 비록 의근도 또한 따르기는 하지만, 우선은 개별적 의지처에 의거한 것이다. 셋째는 색법이니, 『현종론』(=제4권. 대29-790하)에서, "색이란 유루의 염오·불염오의 색을 말한다"라고 말하였다. 또 한 가지 해석을 하자면, 일체 불염오의 법, 일체 제6처 아닌 것에서 생긴 법, 일체 색법과 무루의 법은 이치상 결정코 견소단이 아니기 때문이다. 혹 『현종론』에서는 우선

기의 성품에 포함되는 것이니, 이미 이욕한 자나 선근을 끊은 자도 여전히 성취하기 때문이다. 이 이생성이 만약 견소단이라면 고법인苦法忍의 단계에서도 이생이어야 할 것이다. '6'은 의처를 말하는 것으로서, 이와 다른 것에서 생긴 것을 '비육생非六生'이라고 이름했으니, 이는 안근 등의 5근으로부터 생긴 것이라는 뜻이므로 곧 5식 등이다. '색'은 일체 신업·어업 등을 말하는데, 앞의 것들 및 이 색법은 결정코 견소단이 아니다. 왜냐하면 사성제의 이치에 미혹하거나 (견혹이) 직접 일으킨 것이 아니기 때문이다.117

....

끊어지는 법에 의거해, 무루는 끊어지는 것이 아니어서 이치상 의심의 여지 없는 곳에 있기 때문에 따로 말하지 않은 것일 수 있다. 이들 중 불염오의 모든 법은 결정코 견소단이 아니므로 여기에서 이것만 말한 것이지, 염오의 법이 모두 다 견소단이라고 말하지는 않았다는 것을 알아야 한다. 그 염오의 법 중에서, 만약 견혹과 상응하는 등이라면 견소단이지만, 그 나머지는 수소단이어서, 일정하지 않기 때문에 말하지 않은 것이다. 제6처 아닌 것에서 생긴 것 (=무분별)은 결정코 견소단이 아니므로 여기에서 이것만 말한 것이지, 제6처에서 생긴 것이 모두 다 견소단이라고 말하지는 않았다. 제6처에서 생긴 것 중에서, 만약 견혹과 상응하는 등이라면 견소단이지만, 나머지 유루는 수소단이며, 만약 무루라면 비소단이어서, 일정하지 않기 때문에 말하지 않은 것이다. 색법은 결정코 견소단이 아니므로 여기에서 이것만 말한 것이지, 비색법이 모두 견소단이라고 말하지는 않았다. 비색법 중에서 만약 견혹과 상응하는 등이라면 견소단이지만, 나머지 유루는 수소단이며, 만약 무루라면 비소단이어서, 일정하지 않기 때문에 말하지 않은 것이다.

117 이는 개별적으로 해석하는 것이다. 그 이생성은 불염오의 법으로서 무기의 성품에 포함되는 것이다. 소연의 계박이 끊어져야 하는 것으로서, 이미 이욕한 자(=견도 전에 유루도로써 욕계의 수혹을 이미 끊은 범부)도 여전히 성취하기 때문에 염오가 아니라는 것을 분명히 알 수 있으며, 선근을 끊은 자도 여전히 성취하기 때문에 선이 아니라는 것을 분명히 알 수 있다. 이미 염오가 아니므로 분명히 견소단이 아니다. 비록 견소단이 아니기는 하지만, 먼저 버리기 때문에(=『대비바사론』 제45권=대27-233하에서, "세제일법이 막 소멸하면서 고법지인이 막 생기는 그 때 3계의 이생성을 버리고 그 불성취의 성품을 얻는다"라고 말하였다)에 이생이라고 이름하지 않으니, 도리어 경량부 등에게 힐난해 말한다. "이 이생성이 만약 견소단이라면 고법인의 단계에서도 이미 그 성품을 성취했으니, 이생이어야 할 것이다. 그 때 만약 성취했다면 곧 한 사람을 범부이면서 성자라고 이름해야 하는 허물이 있을 것이다. 성자의 법을 성취했기 때문에 성자라고 이름하고, 범부의 성품을 성취했기 때문에 범부라고 이름해야 하는데, 이치와 서로 위배되니, 따라서 견소단이 아니다"라고. 제6처 아닌 것에서 생긴 것 및 색법을 해석하는 글은 알 수 있을 것이다. 앞의 불염오의 법과 제6처 아닌 것에서 생긴 법 및 이 색법은 결정코 견소단

제13절 견·비견 분별

1. 바른 설명

이와 같이 견소단 등에 대해 설명했는데, 18계 중 몇 가지가 견見이고, 몇 가지가 비견非見인가? 게송으로 말하겠다.

⓵ 안계와 법계의 일부인[眼法界一分]
　여덟 가지를 말하여 견이라고 이름하고[八種說名見]
　5식과 함께 생기는 지혜는[五識俱生慧]
　비견이니, 결탁하지 않기 때문이다[非見不度故]

⓶ 형색을 보는 것은 동분의 눈이지[眼見色同分]
　그 능의의 식이 아니니[非彼能依識]
　전하는 학설에, 그 가려진 모든 형색은[傳說不能觀]
　볼 수 없다고 하기 때문이다[彼障諸色故]118

....

이 아니다. 왜냐하면 이 세 종류는 첫째 4성제의 이치에 미혹한 것이 아니고, 둘째 견혹이 직접 일으킨 것이 아니기 때문이다. 혹은 불염오와 제6처 아닌 것에서 생긴 법은 4성제의 이치에 미혹한 것이 아니고, 색법은 견혹이 직접 일으킨 것이 아니기 때문에 견소단이 아니다. 또 해석하자면 앞의 제6처 아닌 것에서 생긴 법 및 이 색법은 결정코 견소단이 아니니, 5식은 4성제의 이치에 미혹한 것이 아니고, 색법은 견혹이 직접 일으킨 것이 아니기 때문이며, 불염오법이 견소단이 아니라는 것은 앞에서 이미 따로 해석했기 때문이다.
118 이하는 제19 견·비견의 문이다. 그 안에 나아가면 첫째 바르게 밝히고, 둘째 방론傍論하는데, 이는 곧 바르게 밝히는 것이다. 첫 게송의 2구는 견의 체를 나타내는 것이고, 그 아래의 6구는 난점을 풀이하고 계탁을 부정하는 것이다. 존자 세우世友(=바수미뜨라Vasumitra)는 눈이 본다고 하고, 존자 법구法救(=다르마뜨라따Dharmatrāta)는 안식이 본다고 하며, 존자 묘음妙音(=고사Ghoṣa)은 안식과 상응하는 혜가 본다고 하고, 비유부(=경량부의 모태가 된 부파)의 논사는 안식과 동시의 심·심소법이 화합해서 본다고 한다. (문)『대비바사론』·『오사론五事論』『잡아비담심론』 등의 논서에서는 모두 식·혜·화합을 논파했는데, 이 게송에서는 어째서 식만을 논파하는가? 해석하자면 논서를 지은 분의 의요에 따라 논파하기 때문이다. 또 해석하자면 역시 혜도 겸해서 논파한 것이니, 게송에서 5식과 함께 생긴 혜는 비견이라고 말했으므로, 혜도 논파했

논하여 말하겠다. 안근은 전부가 견見이고, 법계의 일부인 여덟 가지도 견이지만, 그 나머지는 모두 비견非見이다.119 어떤 것이 여덟 가지인가? 유신견[身見] 등의 5염오견染汚見, 세간의 정견正見, 유학有學의 정견, 무학無學의 정견을 말한다. 법계 중 이 여덟 가지는 견이고, 그 나머지는 비견이다. 유신견 등의 5견은 수면품隨眠品 중에서 때가 되면 설명할 것이다. 세간의 정견은 의식과 상응하는 선법인 유루의 지혜[慧]를 말하는 것이고, 유학의 정견은 유학의 몸 안의 무루의 모든 견을 말하는 것이며, 무학의 정견은 무학의 몸 안의 무루의 모든 견을 말하는 것이다. 비유하자면 한밤과 한낮, 구름 있을 때와 구름 없을 때 여러 색상色像을 보면 밝음·어두움에 차이가 있듯이, 이와 같이 세간의 모든 견 중 염오 있는 것과 염오 없는 것, 유학의 견과 무학의 견은 그 법상法相을 관찰하면 밝음·어두움이 같지 않다.120

....

다는 것을 이미 알 수 있다. 화합만은 논파하지 않았는데, 혹 화합이라고 헤아리는 부분이 경량부와 같고, 논주의 의중임이 분명하기 때문에 따로 논파하지 않은 것일 수 있다. 또 해석하자면 세 가지를 모두 논파한 것이니, 가려진 형색은 보지 못한다는 말은 강한 것에 따라 식을 논파하면서 혜 및 화합도 준해서 논파한 것이라고 알아야 한다. 또 해석하자면 이 논서는 강한 것에 따라 식을 논파하면서, 세 가지도 갖추어 논파한 것이니, 자세한 것은 『오사론』 제1권(=대28-991중) 등 여러 논서에서 말한 것과 같다.

119 18계 중 안계는 전부가 견이고, 법계의 일부인 여덟 가지(=이어지는 논설 참조)도 견이지만, 나머지 16계 전부와 법계의 일부는 모두 견이 아니다. 여기에서 견見에는 두 종류가 있다고 알아야 한다. 첫째는 비추어 보는 것[觀照]을 견이라고 이름한다. 비록 혜慧도 역시 비추어 본다고 이름하기는 하지만, 여기에서는 우선 눈을 비추어 보는 것이라고 이름한다. 둘째는 미루어 판단하는 것[推度]을 견이라고 이름한다. 그 혜慧 중에서는 오직 이 여덟 가지뿐이고, 그 나머지 16계의 전부와 법계의 일부는 비추어 볼 수 없으며, 또 미루어 판단함도 없으므로 모두 견이 아니다.

120 '세간의 모든 견'은 염오 있는 것과 염오 없는 것을 말한다. 혹은 염오 있는 것과 염오 없는 것을 세간이라고 이름하고, 유학과 무학을 모든 견이라고 이름한 것이다. 한 밤에 구름 있을 때는 염오 있는 것을 비유했으니, 5견은 유루이기 때문에 밤과 같고, 번뇌이기 때문에 구름과 같다. 한밤에 구름 없을 때는 염오 없는 것을 비유했으니, 정견은 유루이기 때문에 밤과 같고, 번뇌가 아니기 때문에 구름 없는 것과 같다. 한낮에 구름 있을 때는 유학을 비유했으니, 정견은 무루이기 때문에 낮과 같고, 번뇌가 있기 때문에 구름과 같다. 한낮에 구름 없을 때는 무학을 비유했으니, 정견은 무루이기 때문에 낮과 같고, 번뇌가 없기 때문에 구름 없는 것과 같다. 나머지 글은 알 수 있을 것이다.

무엇 때문에 세간의 정견은 오직 의식과 상응하는 것만인가? 5식과 함께 생기는 지혜는 결탁決度할 수 없기 때문이다. 심사숙고한 뒤 결탁하는 것[審慮爲先決度]을 견이라고 이름하는데, 5식과 함께 하는 지혜는 무분별이어서 이런 능력이 없다. 그러므로 비견이다.121 이에 준해서 그 나머지 염오·무염오의 지혜 및 그 나머지 모든 법들도 비견이라고 알아야 할 것이다.122

【근견根見·식견識見 논쟁】 만약 그렇다면 안근도 결탁決度할 수 없는데, 어떻게 견이라고 이름하겠는가?123 여러 형색을 능히 밝고 예리하게 비추어 볼 수 있기 때문에 역시 견이라고 이름한다.124 만약 안근이 본다면 그 나머지 식이 작용할 때에도 역시 견이라고 이름해야 할 것이다.125 일체 안근이 모두 능히 현견現見하는 것은 아니다.126 그렇다면 무엇이 능히 현견하는가?127 말하자면 동분의 안근이 식과 화합하는 단계에서 볼 수 있지, 나머지는 아니다.128

만약 그렇다면 곧 안근이 아니라, 그 능의能依인 식이 형색을 보는 것이어야 할 것이다.129 그렇지 않다. 안식은 결정코 능히 보는 것이 아니다.130

---

121 이 문답은 알 수 있을 것이다.
122 이는 비례해서 해석하는 것이다. 18계 중 안계는 전부 견이니, 형색을 비추어 보기 때문이다. 법계 중 여덟 가지는 견이니, 미루어 판단하기 때문이다. 그 지혜 중에 나아가면 5식과 함께 하는 지혜는 모두 견이 아니니, 결탁하는 것이 아니기 때문이다. 이에 준하면 그 나머지 염오의 지혜, 그 나머지 무염오의 지혜 및 나머지 모든 법들도 비견이다. '그 나머지 염오의 지혜'는 말하자면 의지意地의 탐욕·성냄·거만·의심과 분노 등의 10혹(=10소번뇌지법)과 상응하는 지혜를 말한다. '그 나머지 무염오의 지혜'는 의지의 이숙생 등 4무기의 지혜를 말한다. '및 그 나머지 모든 법'은 곧 16계 전부와 법계의 일부이니, 이미 비추어 보는 것이 없고, 또 미루어 판단하는 것도 없기 때문에 모두 비견이다. 혹은 이 글은 법계를 따로 구별하는 것일 수도 있다.
123 이는 식견론자[識見家](=안식이 본다는 이론)의 힐난이니, 곧 법구와 대중부 등이다.
124 이는 근견론자[眼見家](=안근이 본다는 이론)의 답이다.
125 이는 식견론자의 반론이다. # 보는 것이 안근이라면 이식 등이 작용할 때에도 동시의 안근은 형색을 볼 것이라는 취지의 반론이다.
126 이는 근견론자의 답이다.
127 식견론자가 따지는 것이다.
128 근견론자가 변론하면서 게송의 제5구를 해석한 것이다.
129 식견론자의 반론이다.

왜냐하면 전하는 학설에, 가려진 형색[障色]을 볼 수 없다고 하기 때문이다. 현견할 때 벽 등으로 가려진 모든 형색은 곧 볼 수 없는데, 만약 식이 보는 것이라면 식은 무대無對이기 때문에 벽 등에 의해 장애되지 않으므로 가려진 형색도 보아야 할 것이다.131 가려진 형색에 대해서는 안식이 생기지 않는다. 식이 이미 생기지 않았는데, 어떻게 보아야 한다고 하겠는가?132

안식이 그것에 대해 무엇 때문에 생기지 않는가? 안근이 보는 것이라고 인정한다면, 안근은 유대有對이기 때문에 그런 가려진 형색을 보는 공능이 없다. 식과 그 의지처는 동일한 경계에서 구르기 때문에 그런 형색에 대해서는 안식도 생기지 않는다고 말할 수 있겠지만, 식이 보는 것이라고 인정한다면 어째서 일어나지 않는가?133 안근이 어찌 신근처럼 근根과 경境이 화합해야 비로소 인식[取]한다고 하겠으며, 유대이기 때문에 그런 것을 보지 못한다고 말하겠는가? 또 수정[頗胝迦]·유리·운모雲母·물 등으로 가려진 것은 어떻게 볼 수 있는가? 그러므로 안근이 유대이기 때문에 그런 가려진 형색을 보는 공능이 없지는 않다.134

....

130 식견론자를 총체적으로 부정하면서 게송의 제6구를 해석한 것이다.
131 근근론자가 변론하기 위해 반대로 따지면서 게송의 제7·8구를 해석한 것이다. 식은 이미 가려진 형색을 볼 수 없기 때문에 보는 주체가 아니라고 하고, 다시 식견론자에게 반대로 따진다. 만약 식이 보는 것이라면 식은 무대이기 때문에 벽 등에 의해 장애되지 않으므로 가려진 형색도 보아야 할 것이다.
132 이는 식견론자의 답이다.
133 근근론자가 전체적으로 따지면서 이치로 결정하는 것이다. '안식이 그것에 대해 무엇 때문에 생기지 않는가'라는 이것은 곧 전체적으로 따지는 것이고, '안근이 보는 것이라고 인정한다면' 이하는 이치로 결정하는 것이다. 우리 종지에서는 안근이 보는 것이라고 인정하는데, 눈은 유대이기 때문에 가려진 형색을 보지 못한다. 식과 의지처인 근은 동일한 경계에서 구르기 때문에 가려진 형색에 대해서는 안식도 생기지 않는다고 말할 수 있겠지만, 그대들은 식이 보는 것이라고 인정하는데, 가려진 형색에 대해 어떤 이유에서 (안식이) 일어나지 않는다는 것인가?
134 식견론자가 또 반론한다. 안근(=소위 이중지離中知의 감관)이 만약 경계와 결합해야 한다면, 신근(=소위 합중지合中知의 감관)처럼 가려진 형색을 인식하지 못한다고 할 수 있겠지만, 안근은 닿은 것 아닌 경계[非至境]도 이미 인식할 수 있거늘, 어째서 가려진 형색을 볼 수 없는가? '수정' 이하는 사물을 인용해 가려진 밖의 형색도 볼 수 있다고 반론하는 것이다.

만약 그렇다면 그대들이 집착하는 안식은 어떠한가?[135] 만약 이 곳에 대해 광명의 차단이 없으면 그런 가려진 형색에 대해서도 안식이 생기지만, 만약 이 곳에 광명의 차단이 있으면 그 가려진 형색에 대해 안식이 생기지 않는다. 식이 이미 생기지 않았기 때문에 볼 수 없는 것이다.[136] 그런데도 경에서, "눈이 능히 형색을 본다"라고 말한 것은, 이것이 봄[見]의 의지처이기 때문에 능히 본다고 말한 것이다. 예컨대 그 경에서, "의意가 능히 법을 인식한다"라고 말했어도, 의가 능히 인식하는 것이 아니니, 지나갔기 때문[過去故]이다. 무엇이 능히 인식하는가 하면 의식을 말하는 것이다. 의가 식의 의지처이기 때문에 능히 인식한다고 말한 것이다. 혹은 의지처에 나아가 의지주체[能依]의 업을 말한 것이니, 마치 세간에서 좌석의 말소리[床座言聲]라고 말하는 것과 같다. 또 예컨대 경에서 "눈에 의해 인식되는 사랑할 만하고 좋아할 만한 형색"이라고 말하지만, 실제로 이 사랑할 만하고 좋아할 만한 형색은 눈에 의해 인식되는 것이 아닌 것과 같다. 또 예컨대 경에서, "바라문이여, 알아야 하오. 눈이 문門이니, 오직 형색을 보기 때문이오"라고 말씀하신 것과 같으니, 따라서 안식이 눈의 문에 의지해 본다는 것을 알 수 있다. 또한 문門이 곧 보는 것[見]이라고 말해서도 안 될 것이니, 어찌 경에서 "눈이 보는 것[見]이니, 오직 형색을 보기 때문[見色]"이라고 말씀하셨다고 용납하겠는가?[137]

....

135 근견론자가 반대로 따지는 것이다.
136 식견론자의 답이다. 수정 등에 의해 광명의 차단이 없다면 식은 가려진 형색을 보지만, 벽 등에 의해 광명의 차단이 있다면 가려진 형색에 대해 안식이 생기지 않는다.
137 이는 식견론자의 변론인데, 경을 인용해 증명한다. 경에서 눈이 본다고 말한 것은 봄[見]의 의지처라는 것이니, 마치 의가 능히 식별한다는 것과 같다. 혹은 의지처인 근에 나아가 의지주체인 식의 업용業用을 말한 것이니, 마치 '좌석의 말소리'(=좌석에 앉은 사람의 말소리를 가리킨다는 뜻)와 같다. 또 눈에 의해 인식되는 형색처럼 역시 의지처에 나아가 의지주체인 식을 말한 것이다. 이상은 경(=잡 [9]9:245 사품법경四品法經 등)을 예로써 인용해 변론한 것이다. '또 경에서' 이하는 다시 안식이 눈의 문에 의지해 본다는 것을 증명하는 것이다. 이 경(=잡 [9]9:255 로혜차경魯醯遮經)을 인용한 마음이 말하는 것은, 문이 보는 것이 아니라 문에 의지해 식이 본다는 것이다. 만약 문이 곧 보는 것이라면, 그 경에서 본다[見]는 말을 중복해서 말씀하셨다고 어찌 용납하겠는가?

만약 식이 능히 본다면 무엇이 다시 요별了別하며, 보는 작용과 요별하는 작용은 어떻게 다른가?138 곧 형색을 보는 것을 형색을 요별한다고 이름하기 때문이다. 비유하자면 일부 혜慧를 이름하여 능히 본다고 하며, 능히 간택한다고도 하는 것처럼, 이와 같이 일부 식도 이름하여 능히 본다고 하며, 능히 요별한다고도 하는 것이다.139

어떤 다른 논사는, "만약 눈이 능히 본다면, 안근이 보는 주체[見者]일텐데, 무엇이 보는 작용[見用]인가?"라고 힐난한다.140 이 말은 그릇된 힐난이니, 마치 식이 능히 요별하는 것이라고 하면서도, 요별주체와 요별하는 작용의 같지 않음이 없는 것을 공히 인정하는 것처럼, 보는 것도 역시 그러해야 하기 때문이다.141

어떤 다른 논사는 다시, "안식이 보는 주체이지만, 보는 것의 의지처이기 때문에 안근도 역시 능히 본다고 이름한 것이니, 마치 울림[鳴]의 의지처이기 때문에 종鐘도 능히 울리는 것[能鳴]이라고 말하는 것과 같다"라고 말한다.142 만약 그렇다면 안근은 안식의 의지처이기 때문에 능히 인식한다[能

----

138 근견론자의 반박이다.
139 식견론자의 답이다. 마치 일부 지혜는 그 체가 미루어 구하는 것[推求]이므로 본다고도 이름하며, 간택한다고도 이름하는 것처럼, 식도 역시 응당 그러해서 능히 본다고도 이름하며, 능히 요별한다고도 이름한다. 견 아닌 지혜도 있기 때문에 '일부 지혜'라고 말한 것이니, 진지盡智 등(=무학의 진지·무생지)과 같다. 마치 이식耳識 등처럼 보는 것이 아닌 식도 있기 때문에 '일부 식'이라고 말하였다.
140 어떤 다른 논사는 달리 집착해서, "만약 눈이 능히 본다면 안근이 보는 주체일텐데, 무엇이 보는 작용인가?"라고 힐난해 말한다. 그는 보는 것과 작용은 각각 다르다고 계탁하니, 헤아리는 것이 같지 않기 때문에 이런 힐난을 하는 것이다. 혹 이것은 식견론자 중 다른 논사의 힐난이니, 그는 안근은 보는 주체이고, 식은 보는 작용이라고 계탁하기 때문이다.
141 근견론자의 답이다. 그 말은 그릇된 힐난이다. 마치 식이 능히 요별하는 것이라고 하면서도, 요별주체와 요별하는 작용의 같지 않음이 없어서, 식이 곧 요별이라고 이름한다는 것을 공히 인정하는 것처럼, 보는 것도 역시 그러해야 하니, 눈을 곧 보는 것이라고 이름하지만, 따로 보는 주체와 보는 작용의 같지 않음은 없다.
142 식견론자의 다른 논사가 다시 앞의 경에 대해 변론하는 것이다. 인용한 비유는 같지 않지만, 계탁은 역시 차이가 없다, 혹은 별개의 부파이기 때문에 지금 거듭 서술한 것일 수 있다.

識]고 표현해야 할 것이다.143 그런 허물은 없다. 세간에서 안식이 보는 것이라고 같이 인정하면서도, 그것이 생길 때 능히 형색을 본다고 말하지, 형색을 인식한다고 말하지 않기 때문이다. 『대비바사론』 중에서도 역시, "안근이 얻는 것[眼所得], 안식이 받아들이는 것[眼識所受]을 말하여 보이는 것[所見]이라고 이름한다"라고 말하였다. 그러므로 눈을 말하여 단지 능히 본다고 이름할 뿐, 능히 인식한다고 이름하지 않는 것이다. 오직 식이 현전할 때에만 능히 형색을 인식한다고 말하니, 비유하자면 태양을 말하여 능히 낮을 만드는 것[能作晝]이라고 이름하는 것과 같다.144

....
143 근견론자의 반론이다. 눈이 보는 것의 의지처여서 눈이 능히 본다고 말한 것이라면, 눈은 식(=안식)의 의지처이므로 눈이 능히 인식한다고 말해야 할 것이다.

144 식견론자의 답이다. 그런 허물은 없다. 안근에 의해 식이 생겼을 때 이 눈이 보는 것이라고 말한다는 것을 세간 사람들이 같이 인정한다. 또 해석하자면 안식이 생겼을 때 눈이 보는 것이라고 말한다는 것을 세간 사람들이 같이 인정한다. 또 해석하자면 '세간에서 같이, 안식이 보는 것이라고 인정한다'는 이 말은, 안근이 보는 것이라고 같이 인정한다고 말해야 하지만, 안식이라고 말한 이것은 의지주체(=안식)를 들어 의지대상(=안근)을 나타낸 것이다. 또 해석하자면 안근이 보는 것이라고 같이 인정한다고 말해야 하지만, 안식이라고 말한 것은, 의지대상인 원인에 대해 의지주체인 결과의 이름을 세운 것이다. 또 해석하자면 세간에서 같이 안식이 보는 것이라고 인정하면서도, 식의 체는 미세해서 세간에서 요지하지 못하여 안근이라고 말할 뿐, 눈이 본다고 말했을 때는 곧 식이 본다는 것이다. 그 식이 생겼을 때 눈이 능히 형색을 본다고 말하지, 안근이 능히 형색을 인식한다고 말하지 않기 때문이다.

　식견론자가 말한다. "어찌 나만 이런 해석을 하겠는가?『대비바사론』(=제73권. 대27-380상)에서도 역시, '눈이 얻는 것을 말하여 보이는 것이라고 이름한다'라고 말했으니, 눈을 능히 보는 것이라고 이름했다는 것을 분명히 알 수 있지만, '안식이 받아들이는 것'에 대해서도 글이 같기 때문에 이는 곧 눈을 능히 본다고 이름하지, 능히 인식한다고 이름하지 않는다는 사실을 증명한다." 또 해석하자면 '안식으로 받아들이는 것을 말하여 보이는 것이라고 이름한다'라고 했으므로, 안식을 능히 보는 것이라고 이름했다는 것을 분명히 알 수 있는데, 이는 곧 식을 보는 것이라고 이름한다는 것을 증명한다. 또 해석하자면 '눈으로 얻는 것을 말하여 보이는 것이라고 이름한다'라는 이것은 곧 눈을 능히 보는 것이라고 이름하지, 능히 인식하는 것이라고 이름하지 않는다는 사실을 증명하고, '안식이 받아들이는 것을 말하여 보이는 것이라고 이름한다'라는 이것은 곧 식을 능히 보는 것이라고 이름한다는 것을 증명한다. 이 때문에 다만 눈은 능히 본다고 이름할 뿐, 능히 인식한다고 이름하지 않는다고 말한 것이다.

경량부의 논사들은 이렇게 말하였다. "어찌하여 함께 무리지어 허공을 움켜쥐고 잡아당기는가? 눈과 형색 등이 조건되어 안식을 낳는데, 이들 중 무엇이 보는 것에 대해 주체나 객체가 된다고 하겠는가? 오직 법의 인과일 뿐, 실제로 작용은 없다. 세간의 생각에 따르기 위해 임시로 언설을 일으켜, 안근을 능히 보는 것이라고 이름하고, 안식을 능히 요별하는 것이라고 이름한 것이다. 지혜로운 사람이라면 그에 대해 크게 집착해서는 안 될 것이니, 마치 세존께서, 지방어에 굳게 집착해서는 안 되고, 세속의 명칭과 생각을 굳게 추구해서는 안 된다고 말씀하신 것과 같다."145

그렇지만 가습미라국의 비바사의 종지는, "눈이 능히 보고, 귀가 능히 들으며, 코가 능히 냄새 맡고, 혀가 능히 맛보며, 몸이 능히 느끼고, 의가 능히 요별한다"라고 말한다.146

2. 일안견一眼見과 이안견二眼見

....

오직 식이 현전할 때에만 능히 형색을 인식한다고 말한다. 비유하자면 태양을 말하여 능히 낮을 만드는 것이라고 이름하는 것과 같으니, 곧 태양을 낮이라고 이름한 것이지, 태양을 떠난 밖에 따로 그 낮이 있는 것이 아니다. 그식도 역시 그러해서 식이 현전할 때 곧 능히 인식한다고 이름하는 것이지, 식을 떠난 밖에 따로 능히 인식하는 것이 있는 것이 아니다.

이상 근견론자와 식견론자가 다르게 논쟁했는데, 그 글의 흐름을 보면 논주의 의중은 식견론자의 벗이다.

145 이상 보는 것에 대해 논쟁했듯이 양 설이 같지 않다. 이제 경량부의 논사가 곁에서 공덕과 허물을 관찰하고 양쪽을 함께 논파한다. 경량부의 논사들은 이렇게 말한다. "보는 작용은 본래 없거늘, 어찌 하여 헛되이 집착하는가? 혹은 눈이 본다고 말하고, 혹은 식이 본다고 말하는데, 마치 함께 무리지어 허공을 움켜쥐고 잡아당기는 것과 같다. 눈과 형색 등이 조건되어 안식을 낳는데, 이들 중 무엇이 보는 것에 대해 주체나 객체가 된다고 하겠는가? 모든 법이 생길 때에는 앞의 원인과 뒤의 결과가 서로 이끌어서 일어나는 것이지, 실제로 작용은 없다. 서로 이어지는 길 가운데서, 그리고 연이 이루어지는 단계에서 두루 계탁해 집착한 것에, 능히 보거나 듣는 등의 작용이 있다고 여기는 것이다. (문) 경량부의 종지에서는 작용이 없다고 하는가? (해) 모든 법에는 단지 공능이 있을 뿐, 실제로 작용은 없다. 세존께서 세간의 생각에 따르기 위해 임시로 보거나 듣는 것을 말씀하셨다. 모두 세속제에 포함되므로 크게 집착해서는 안 된다. 오직 법의 인과만이 승의제이기 때문이다. # 인용된 경문은 중 43:169 구루수무쟁경拘樓瘦無諍經(=MN 139경 상응)의 글로 보이지만, 그 표현은 상당히 다르다.

146 이는 설일체유부의 결론을 말하면서 본래 주장으로 돌아가는 것이다.

형색을 볼 때 하나의 눈으로 보는 것인가, 두 눈으로 보는 것인가?147 여기에는 일정한 기준이 없다. 게송으로 말하겠다.

㊷a 혹 두 눈으로 함께 볼 때[或二眼俱時]
　형색 보는 것이 분명하기 때문이다[見色分明故]

　논하여 말하겠다. 아비달마의 위대한 논사들은 모두, "혹 때로는 두 눈이 함께 본다"라고 말한다. 두 눈을 뜨면 형색을 보는 것이 분명하지만, 한 눈만을 뜰 때에는 분명하지 않기 때문이다. 또 한쪽 눈을 뜨고 그 한쪽 눈에 (손가락 등을) 댈 때에는 곧 그 현전에 두 개의 달 등을 보지만, 한쪽 눈을 감고 그 한쪽 눈에 대면 이런 일은 곧 없다. 그러므로 혹 때로는 두 눈이 함께 본다. 의지처가 다르다고 해서 식이 두 부분이 되는 것은 아니니, 처소 없이 머물기 때문에 장애하는 물질[礙色]과는 같지 않다.148

....
147 이하는 둘째 방론이다. 그 안에 나아가면 첫째는 두 눈으로 보는 것의 선후 先後이고, 둘째는 6근·6경의 분리와 결합[離合]이며, 셋째는 근·경의 분량의 크고 작음이고, 넷째는 6식의 의치처의 세 포함[世攝]이며, 다섯째는 안근 등이 의지처라는 이름을 얻음이고, 여섯째는 식은 근에 따라 명칭을 세운다는 것이며, 일곱째는 의지하는 지의 같음과 다름[依地同異]의 차별이다. 이하는 두 눈으로 보는 것의 선후를 밝히는 것인데, 이는 물음을 일으킨 것이다.
148 이하는 답이다. 예컨대 독자부에서는 양 눈이 번갈아 보는 것이지, 동시에 보는 것이 아니니, 장소가 떨어져 있기 때문이며, 신속히 전전하기 때문에 동시에 본다고 말할 뿐이라고 하는데, 예컨대 『대비바사론』 제13권(=대27-61하)에서 논파해 말하였다. "만약 하나의 눈으로 보는 것이지, 두 눈으로 보는 것이 아니라면, 몸의 여러 부분들도 역시 동시에 감촉을 느끼지 않아야 할 것이다. 마치 양 어깨의 신근이 비록 멀리 서로 떨어져 있다고 하더라도 동시에 감촉을 느껴서 하나의 신식을 낳을 수 있는 것처럼, 두 눈도 역시 그러해서 비록 멀리 서로 떨어져 있다고 하더라도 동시에 형색을 보고 하나의 안식을 낳는 것이 어찌 방해되겠는가?" 만약 이 주장에 의한다면 어떤 때는 하나의 눈이 형색을 보고, 혹 때로는 두 눈이 형색을 보는데, 형색을 보는 것이 분명하기 때문에 두 눈이 같이 본다는 것을 알 수 있다. 게송에서 '혹'이라고 말한 것은 일정하지 않다는 것을 나타내고, '두 눈으로 함께 본다'는 것은 독자부와 다르다는 것을 나타낸다. 또 예컨대 두 눈이 하나의 달을 같이 볼 경우, 손을 한쪽에 대는 것을 한쪽 눈에 대었다고 표현하고, 대지 않는 것을 한쪽 눈을 떴다고 표현했는데, 이 손을 댄 눈은 곧 두 개의 달 등이 앞에 나타나는 것을

3. 근·경의 분리와 결합

만약 이들의 종지에서 눈이 보고, 귀가 들으며, 나아가 뜻[意]이 요별한다고 말한다면, 그 인식대상인 경계를 근이 바로 취할 때 닿은 것[至]인가, 닿지 않은 것[不至]인가? 게송으로 말하겠다.

42c 안근·이근·의근의 경계는[眼耳意根境]

닿지 않고, 3근은 상반된다[不至三相違]149

논하여 말하겠다. 안근·이근·의근은 닿은 것 아닌 경계[非至境]를 취한다. 말하자면 안근은 먼 곳의 형색들은 볼 수 있어도 눈 안의 약 등은 곧 볼 수 없으며, 이근도 역시 먼 곳의 소리나 음향은 들을 수 있어도 이근을 핍박하는 것은 곧 들을 수 없다. 만약 안근·이근이 오직 닿은 경계[至境]만을 취한다면, 곧 선정을 닦는 자도 마치 비근 등처럼, 천안·천이의 근을 닦아서 생기게 하지 못해야 할 것이다.150

....

보지만, 실제로 손을 댄 눈과 손을 대지 않은 눈이 같이 하나의 달을 보는 것이지, 두 개의 달을 보는 것이 아닌데도, 다만 손을 댄 눈에 이끌린 의식이 망령되이 두 개의 달을 본다고 여기는 것일 뿐, 손을 댄 눈이 본 것이 아닌 것과 같다. 이는 두 눈이 같이 하나의 달을 보고, 함께 하나의 식을 일으킨다는 사실을 증명한다. 만약 그렇지 않고, 예컨대 한쪽 눈을 감고 그 한쪽 눈에만 손을 댈 경우 곧 그런 두 개의 달 등의 사물을 보지 않기 때문에 같이 하나의 달을 본다는 것을 알 수 있다. 이로써 단지 두 눈이 번갈아 보는 것이 아닐 뿐 아니라, 또한 혹 때로는 두 눈이 함께 본다는 것을 분명히 알 수 있다. 의지처가 다르다고 해서 의지주체인 식이 나누어져 두 부분이 되는 것이 아니다. 무색의 법은 처소 없이 머물기 때문에 장애하는 물질과는 같지 않다. 근은 비록 양쪽에 있더라도 의지처의 성품은 하나이기 때문에, 눈이 설령 백 개나 천 개라고 하더라도 오히려 하나의 식을 낳거늘, 하물며 둘뿐인 경우이겠는가?

149 이하는 둘째 6근·6경의 분리와 결합에 대해 밝히는 것이다. 만약 공능에 의거해 경계에 도달한 것을 닿은 것이라고 이름한다면 6근 모두 닿은 것이라고 이름하겠지만, 만약 체에 의거해 틈이 없기 때문에[無間故] 닿은 것이라고 이름한다면 곧 3근은 닿는 것이고, 3근은 닿지 않는 것인데, 여기에서는 두 번째에 의거해 답한 것이다. '3근은 상반된다'는 것은 곧 비근 등의 3근은 오직 닿은 경계만 취하므로, 닿지 않는다는 뜻에 어긋나기 때문에 '상반된다'고 말한 것이다.

150 이들의 종지에서는 안근·이근·의근의 3근은 닿은 것 아닌 경계를 취하고(=

만약 안근이 닿지 않은 형색을 볼 수 있다면, 무엇 때문에 멀거나 가려짐 있는 등의 닿지 않은 여러 형색들을 널리 볼 수 없는가?151 어째서 자석은 닿지 않은 쇠를 당기면서도, 닿지 않은 모든 쇠를 당기는 것이 아닌가? 닿은 경계를 본다고 집착한다면, 역시 같이 이렇게 힐난할 것이다. 무엇 때문에 일체 안약이나 그 약 넣는 산가지 등 눈에 닿은 모든 형색들을 널리 볼 수 없는가? 또 예컨대 비근 등은 닿은 경계를 취할 수 있지만, 그렇다고 해서 그 근과 함께 있는 모든 냄새 등을 취할 수 없는 것과 같다. 이와 같이 안근도 비록 닿지 않은 것을 보지만, 일체를 보는 것은 아니며, 이근도 역시 그러하다.152 의근은 무색無色이기 때문에 닿음이 있을 수 있는 것이 아니다.153 어떤 분은, "이근은 닿은 경계 및 닿지 않은 경계를 모두 취한다.

소위 이중지離中知), 비근·설근·신근의 3근은 닿은 경계만 취한다(=소위 합중지合中知)고 한다. 만약 승론 외도에 의한다면, 6근 모두 닿은 경계를 취한다고 한다. 그들은, "안근 등 5근은 그 순서대로 화계·공계·지계·수계·풍계를 체로 한다. 눈은 화계를 체로 하기 때문에 빛을 뻗어 경계에 닿게 하거나 햇빛 등이 눈에 닿아야 취할 수 있다. 귀는 빛이 없기에 소리가 와서 귀에 들어오니, 그래서 먼저 종 치는 것을 보고 뒤에 소리는 듣는다"라고 계탁하며, 나머지 3근에 대해서는 이 논서와 같다. 이는 곧 승론 논사들의 주장인데, 승론 논사들에 대해 반대로 힐난해 말하였다. "그대들의 종지에서, 만약 안근과 이근도 닿은 경계만을 취한다고 한다면, 곧 선정을 닦는 자도 마치 비근 등처럼, 천안과 천이를 닦아서 생기게 하지 못해야 할 것이다"라고 말한다. 이것을 논증식으로 말한다면, 「천안과 천이를 닦을 필요가 없어야 할 것이다. 닿은 경계를 취하기 때문이니, 마치 비근 등과 같다」이다.
151 외도의 반론이다.
152 이는 논주가 외도에게 반대로 반박하는 것이다. 눈은 닿지 않은 경계를 취할 수 있으므로, 곧 닿지 않은 경계를 널리 취하게 해야 한다면, '자석은 닿지 않은 철을 당길 수 있는데, 어째서 닿지 않은 철을 널리 당기지 못하는가?'라고 한 이것은 곧 사례를 인용해서 반박하는 것이다. 그대 승론 논사들은, 눈은 닿은 경계만 볼 수 있다고 집착하지만, 역시 같이 이런 힐난을 받을 것이다. '어째서 안약이나 산가지 등 눈에 닿은 모든 형색을 널리 보지 못하는가'라는 이것은 곧 그들의 주장으로 들어가서 반박하는 것이다. '또 예컨대 비근 등' 이하는 사례를 인용해서 반대로 성립시키는 것이다. 어둠 속에서 형색을 보지 못하는 것은, 그로써 가려진 병과 단지 등 및 아주 먼 형색을 보지 못하는 것일 뿐, 그 다음 가까운 것은 비록 광명이 없더라도 공간이 있기 때문에 보니, 눈의 세력이 강하거나 약한 것은 자연히 그 상응하는 바에 따른 예로써 생각해 가려야 할 것이다.
153 의근의 경우 무색이기 때문에 처소가 없으므로 닿음이 있을 수 있는 것이

자기 귓속의 소리도 들을 수 있기 때문이다"라고 집착한다.154

그 나머지 비근 등의 3유색근有色根은 앞의 것들과는 상반되어, 닿은 경계만을 취한다.155 어떻게 비근이 닿은 냄새만을 취한다고 아는가?156 숨을 멈출 때에는 냄새를 맡지 못하기 때문이다.157

【닿음[至]의 의미와 극미】 어떤 것을 닿는다[至]고 표현하는가?158 틈 없음이 생기는 것[無間生]을 말한다.159

또 극미들은 서로 접촉하는 것인가?160 가습미라국의 비바사 논사들은 서로 접촉하지 않는다고 말한다.161 까닭이 무엇이겠는가? 만약 극미들이 전체적으로[遍體] 서로 접촉한다면, 곧 실물實物의 체가 서로 뒤섞인다는 허물이 있고, 만약 부분적으로 접촉한다면, 부분이 있다는 허물을 이룰 것이다. 그렇지만 모든 극미는 더 이상 세분細分이 없는 것이다.162

....
아니다.

154 『대비바사론』(=제13권. 대27-63중)에서의 다른 설명인데, 바르지 못한 뜻이다. 만약 바른 뜻에 의한다면, 자신의 귓속의 소리는 매우 서로 가깝다고 해도 하나의 극미 이상으로 떨어져 있다. 만약 이근에 포함되는 것이라면 곧 들을 수 없을 것이다.

155 이는 게송의 제2구를 해석하는 것이다.

156 물음이다. 신근·설근이 닿은 것을 취한다는 것은 양상이 드러나서 알 수 있지만, 비근이 닿은 것을 취하는 것은 은밀하게 때문에 따로 가리켜 물었다.

157 답이다. 숨을 멈추었을 때에는 전혀 냄새를 맡지 못하지만, 숨이 냄새를 이끌면 코가 비로소 취할 수 있다. 숨이 있다고 해서 냄새를 모두 취할 수 있다고 말하는 것은 아니다.

158 또 닿는다는 의미에 대해 묻는다.

159 총체적인 답이다.

160 또 묻는다. 틈이 없다고 이미 말했는데, 극미들은 서로 접촉하는가?

161 답인데, 답 안에 나아가면 첫째 다른 설명을 서술하고, 둘째 그 장점을 서술하며, 셋째 그 단점을 지적한다. 다른 설명을 서술하는 것 중에는 모두 네 가지 설명이 있는데, 이는 첫 논사이다.

162 틈이 없지만, 접촉하는 것이 아닌 까닭을 바로 풀이하는 것이다. 만약 극미들이 전체적으로 서로 접촉한다면 같이 하나의 체가 되는 것이므로, 곧 실물인 물건의 체가 서로 뒤섞인다는 허물이 있고, 만약 일부와 접촉하고 나머지 부분과는 접촉하지 않는다면 극미에 곧 세분이 있다는 허물이 성립될 것이니, 한 쪽만 접촉하고 나머지 곳에서는 접촉하지 않기 때문이다. 그렇지만 모든 극미는 더 이상 세분이 없는 것이다. 따라서 서로 접촉하지 않는다. 다만 틈 없이 머무는 것을 닿은 경계를 취한다고 이름했을 뿐이다.

만약 그렇다면 무엇 때문에 서로 부딪치면 소리를 일으키는가?163 단지 극미에 틈 없음이 생기기 때문이다. 만약 서로 접촉한다는 것을 인정하면 돌을 치거나 손을 두드릴 때 체가 서로 뒤섞여야 할 것이다.164 서로 접촉하지 않는다면, 적취된 물질[聚色]이 서로 부딪칠 때 어떻게 흩어지지 않는가?165 풍계가 거두어 지탱하기 때문[攝持故]에 흩어지지 않게 한다. 혹은 겁이 무너질 때처럼 풍계가 능히 허물고 흩는 경우도 있으며, 혹은 겁이 이루어질 때처럼 풍계가 능히 이루고 거두는 경우도 있다.166 어떻게 3근에 틈 없음이 생기기에 닿은 경계를 취한다고 이름하는가?167 곧 틈이 없으므로 닿은 경계를 취한다고 이름한 것이니, 말하자면 그 중간에 조각[片物]조차 전혀 없다는 것이다.168

또 화합한 물질[和合色]은 부분이 있다는 것을 인정하기 때문에 서로 접촉한다고 해도 허물이 없다. 이런 이치가 인정됨으로써 『대비바사론』의 글의 뜻이 잘 성립된다. 그래서 거기에서, "접촉된 모든 물건은 접촉된 것[觸]을 원인으로 삼기 때문에 생기는 것인가, 접촉된 것 아닌 것[非觸]을 원인으로 삼기 때문에 생기는 것인가?"라고 묻고, 접촉된 것 아닌 모든 물건에 대해 묻는 것도 역시 그러한데, 거기에서는 이런 이치에 따라 일정하지 않다

....

163 힐난이다.
164 답이다. 단지 극미에 틈 없음이 생기기 때문이니, 저것과 이것이 서로 부딪치면 곧 소리를 일으켜 얻는다. 만약 극미가 서로 접촉한다고 인정하면 돌을 치거나 손을 두드릴 때 체가 서로 뒤섞여 합쳐져 하나의 체를 이루어야 할 것이니, 곧 실물의 체가 서로 뒤섞인다는 허물이 있을 것이다. 자기의 주장으로 외인에게 도리어 힐난하는 것이다.
165 외인의 반론이다.
166 답이다. 풍계가 거두고 지탱하기 때문에 흩어지지 않게 한다. 숨은 반론이 있어, 「풍계는 어찌 붙어서 흩어지지 않게 하는가?」라고 말하므로, '혹은' 이 하에서 이 숨은 반론에 대해 변론하는 것이다.
167 외인의 반론이다.
168 답이다. 곧 근과 경계에 틈 없음이 생길 때 닿은 경계를 취한다고 이름한다. 말하자면 근과 경계의 중간에 조각조차 전혀 없으며, 나아가 하나의 극미조차 용납함이 없는 것을 틈 없이 닿았다고 이름하는 것이지, 실제로 접촉하는 것은 아니다. 틈이 없다는 말은 다른 장애하는 물질과의 중간에 간격이 없기 때문에 틈이 없다고 이름한다. 혹은 결정적인 틈[定間]이라고도 이름하는데, 결정적으로 간격間隔이 있다는 것이다.

고 답하였다. "어떤 때에는 접촉된 것이 원인이 되어 접촉된 것 아닌 것을 낳으니, 화합한 물건이 바로 분리되어 흩어질 때를 말한다. 어떤 때에는 접촉된 것 아닌 것이 원인이 되어 접촉된 것을 낳으니, 분리되어 흩어졌던 물건이 바로 화합할 때를 말한다. 어떤 때에는 접촉된 것이 원인이 되어 접촉된 것을 낳으니, 화합한 물건이 다시 화합할 때를 말한다. 어떤 때에는 접촉된 것 아닌 것이 원인이 되어 접촉된 것 아닌 것을 낳으니, 향유진向遊塵이 같은 부류로 상속하는 것을 말한다"라고.169

존자 세우世友는 말하였다. "모든 극미가 서로 접촉한다면 곧 머물러서 뒷찰나에 이르러야 할 것[應住至後念]이다."170

....

169 이는 두 번째 논사의 해석이다. 비록 모든 극미는 상호 서로 접촉하지 않는다고 해도, 화합한 물질에는 방위와 부분이 있다는 것이 인정되기 때문에 서로 접촉한다고 해도 허물이 없다. 이로 말미암아 두드리거나 치면 소리를 일으킬 수 있기 때문에 이 화합한 물질은 서로 접촉한다는 이치가 인정되므로, 『대비바사론』(=제132권. 대27-184상)의 글의 뜻이 잘 성립된다. 이렇게 화합한 것을 '접촉된 것'이라고 이름했으니, 두드러진 적취[麤聚]라는 뜻을 나타내고, 분리되어 흩어진 것을 '접촉된 것 아닌 것'이라고 이름했으니, 미세한 적취[細聚](=극미 아님)라는 뜻을 나타낸다. 두드러진 것을 바라보고 '접촉된 것 아닌 것'이라고 이름한 것이다. 만약 그렇지 않다면 향유진(=극유진隙遊塵. 1극미의 7의 7승으로, 문틈[隙]으로 들어온 빛에 비쳐 겨우 눈으로 알아볼 수 있을 정도의 티끌) 중에 이미 한량없는 극미의 무더기가 있기 때문에 '접촉된 것'이라고 이름했어야 할 것이다. 제1구는 말하자면 화합한 것이 분리되어 흩어지는 것이니, 예컨대 덩어리진 가루가 공중으로 흩어지는 것과 같다. 이는 두드러진 적취가 미세한 적취를 낳는 뜻을 나타낸다. 제2구는 말하자면 분리되어 흩어진 것이 화합하는 것이니, 예컨대 가루를 취해서 덩어리로 만드는 것과 같다. 이는 미세한 적취가 두드러진 적취를 낳는 뜻을 나타낸다. 제3구는 말하자면 화합한 것이 화합하는 것이니, 예컨대 덩어리진 가루가 다시 덩어리지는 것과 같다. 이는 두드러진 적취가 두드러진 적취를 낳는 뜻을 나타낸다. 혹은 자신의 부류를 낳기도 하고, 혹은 더욱 두드러진 것을 낳기도 하는데, 비록 다시 앞과 뒤가 조금 다르더라도 모두 두드러진 것이라고 이름한다. 제4구는 말하자면 분리되어 흩어진 것이 다시 분리되어 흩어지는 것이니, 예컨대 향유진과 같다. 이는 미세한 적취가 미세한 적취를 낳는 뜻을 나타낸다. 혹은 자신의 부류를 낳기도 하고, 혹은 더욱 미세한 것을 낳기도 하는데, 비록 다시 앞과 뒤가 조금 다르더라도 모두 미세한 것이라고 이름한다. 이 논서에서는 우선 같은 부류로 상속하는 것에 의거한 것이다.

170 이는 세 번째 논사의 해석이다. 이 논사의 의중이 말하는 것은, 과거와 미래의 극미는 흩어져서 머문다는 것이다. 만약 미래로부터 흘러서 현재에 이르도

그러나 대덕大德께서는, "일체 극미는 실제로 서로 접촉하지 않는다. 단지 틈이 없기 때문에 임시로 접촉이라는 명칭을 세웠을 뿐이다"라고 말씀하셨다.171 이 대덕의 뜻이 사랑하고 좋아할 만한 것이다.172 만약 이와 다르다면 이 모든 극미에는 간극間隙이 있어야 할 것인데, 중간이 이미 비었다면 무엇이 그 작용을 장애하기에 유대有對라고 인정하는가?173 또 극미를 떠나서 화합한 물질은 없으므로, 화합한 것이 서로 접촉한다면 곧 극미에 접촉

....

록 극미가 서로 접촉하지 않고 흩어져서 과거로 들어간다면 이는 곧 쉽게 성립되지만, 만약 현재 서로 접촉한다면 과거로 들어가고자 분리되어 흩어지는 것은 곧 어려울 것이니, 반드시 조금의 시간이라도 경과해야 비로소 서로 분리될 수 있다. 마치 아교로 물건을 붙이고 급히 떼어내 서로 분리시키려면 조금의 시간이라도 경과해야 하는 것과 같다. 만약 현재 (접촉을 위해) 경과가 정지한다면 응당 뒷찰나에 이르렀을 것이고, 만약 뒷찰나에 이르렀다면 그 성품이 상주해야 할 것이다. 또 해석하자면 미래의 극미는 흩어져 머무는데, 만약 서로 접촉한다고 말한다면, 예컨대 2극미가 첫찰나에 현재에 이르는 중간에 빈 간극이 있을 것이고, 서로 접촉하려고 하자마자 곧 과거로 낙사할 것인데, 만약 이 빈 간극을 건넌다면 뒷찰나에 이르러야 할 것이다. 1극미를 건너는 것을 1찰나라고 이름하는데, 비록 빈 간극이 있더라도 1극미를 용납하지 않을 것이므로 서로 접촉하려고 할 때 다시 뒷찰나에 이를 것이다. 만약 뒷찰나에 이른다면 도리어 상주하는 것이어야 할 것이다.(=찰나에 생멸하는 극미의 성품에 어긋나므로 접촉은 불가능하다는 취지)

171 이는 곧 네 번째 해석인데, 4대 논사 중 법구法救이다. 그 분의 공덕을 존경해서 대부분 그 분의 이름을 서술하지 않기 때문에 대덕大德이라고 칭한 것이다. 실제로 말한다면 극미는 서로 접촉하지 않지만, 단지 틈 없이 지극히 인접해 가깝기 때문에 임시로 접촉한다는 명칭을 세운 것일 뿐이다.

172 이는 곧 둘째 그 장점을 서술한 것이다. 이상 비록 네 가지 해석이 있었지만, 논주는 네 번째 대덕을 평가해 취한다. 『대비바사론』 제132권(=대27-684상)에도 네 가지 해석이 있는데, 이 논서와 같다.

173 이하는 그 단점을 지적하는 것이다. 그 안에 나아가면 첫째 앞의 세 번째 논사를 논파하고, 둘째 앞의 두 번째 논사를 논파하며, 셋째 앞의 첫 번째 논사를 논파하니, 뒤에서 앞을 향하여 논파한다. 이는 곧 첫째 글인 까닭에 세 번째 논사를 먼저 논파한다. 논주의 의중은, 대덕께서 극미가 틈 없이 가장 서로 가깝다고 하셨는데, 세우는 중간이 조금 멀다(='빈 간극이 있다')고 말했기 때문에, "만약 이 대덕의 말씀과 다르다면, 모든 극미에 간극이 있어야 할 것인데, 중간이 이미 비었다면 무엇이 그 작용을 장애하기에 앞으로 나아가 서로 가까이 바짝 다가갈 수 없는가? 만약 각각 따로 머물고 중간에 공간이 있다면 곧 서로 장애하지 않을 것인데, 어떻게 장애유대를 인정하겠는가?"라고 말하는 것이다.

하는 것이니, (화합한 것은) 변애變礙할 수 있는 것처럼, 이것도 역시 그러해야 할 것이다.174 또 극미에 만약 방분方分이 있다고 인정한다면, 접촉하든 접촉하지 않든 모두 부분이 있을 것이고, 만약 방분이 없다고 한다면, 설령 서로 접촉하는 것을 인정하더라도 이런 허물은 역시 없을 것이다.175

4. 근·경의 분량과 형상 등

(1) 근·경의 분량의 크고 작음

또 안근 등의 근은 자신의 경계에 대해 같은 분량[等量]만을 취하지만, 마치 회전하는 불바퀴[旋火輪]처럼 신속히 구르기 때문에 큰 산 등을 보는가, 자신의 경계에 대해 같은 분량과 같지 않은 분량을 모두 취하는가?176 게송으로 말하겠다.

43a 비근 등의 3근은 오직 같은 분량의[應知鼻等三]
　　경계만을 취한다고 알아야 한다[唯取等量境]177

....

174 이는 곧 앞의 두 번째 논사를 논파하는 것이다. 만약 화합한 물질이 서로 접촉하는 것을 인정한다면, 그렇지만 극미를 떠나서 화합한 물질은 없으니, 화합한 것이 서로 접촉한다면 곧 극미에 접촉하는 것인데, 화합한 것은 변애하는 것처럼, 화합한 것 중의 하나하나의 극미도 역시 변애한다고 이름해야 할 것이다. 그대들이 서로 접촉한다고 세운 것도 역시 이런 이치와 같아서 화합한 것에 대해 접촉한다고 표현한다면, 화합한 것 중의 극미도 서로 바라볼 때 역시 서로 접촉해야 할 것이다. 그래서 '변애할 수 있는 것처럼 이것도 역시 그러해야 할 것'(=극미의 변애를 인정한다면 극미의 정의와 모순된다는 취지)이라고 말한 것이다.

175 이는 곧 앞의 첫 번째 논사를 논파하는 것인데, 논주가 이치로써 총체적으로 논파한다. 또 극미에 방분(=방위와 부분)이 있다는 것을 인정한다면, 접촉하든 접촉하지 않든 모두 방분이 있을 것이고, 만약 방분이 없다면 설령 서로 접촉하는 것을 인정해도 방분이 있다는 허물은 역시 없다. 극미가 서로 접촉한다는 것 때문에 어찌 허물 되는 것을 피해야 하겠는가?

176 이하는 셋째 근·경의 분량의 크고 작음을 밝히는 것이다. 혹 어떤 부파에서는, "안근 등의 근은 오직 같은 분량의 경계만을 취한다. 큰 산 등을 보는 것은 마치 회전하는 불바퀴처럼 신속하게 구르기 때문이다"라고 집착하기 때문에 이런 질문이 있는 것이다.

177 계송의 글에서는 간략하게 3근은 같은 분량이라는 것만 말했는데, 그 뜻에 준하면 나머지 3근은 크고 작음이 일정하지 않다는 것이다.

논하여 말하겠다. 앞에서 경계에 닿는다고 말한 비근 등의 3근은 오직 같은 분량의 경계만을 취한다고 알아야 할 것이다. 근의 극미의 분량과 같이 경계의 극미도 역시 그러하니, 서로 대칭적으로 화합하여 비식 등의 식을 낳기 때문이다. 안근·이근은 일정하지 않다. 말하자면 안근은 형색을, 어떤 때에는 예컨대 털끝을 보는 것처럼 작은 것을 취하기도 하고, 어떤 때에는 예컨대 잠깐 눈을 떠서 큰 산 등을 보는 것처럼 큰 것을 취하기도 하며, 어떤 때에는 예컨대 포도나 복숭아를 보는 것처럼, 같은 것을 취하기도 한다. 이와 같이 이근도 모기나 구름 등이 일으키는 갖가지 작거나 큰 소리를 듣는다. 그 상응하는 바에 따라 작거나 크거나 같은 분량을 취하는 것이다. 의근은 질애質礙가 없기 때문에 그 형상과 분량의 차별을 분별할 수 없다.178

(2) 근의 형상

안근 등 여러 근의 극미가 배치된 차별은 어떠한가?179 안근의 극미는 눈동자[眼星] 위에 옆으로 배치되어 머물고 있으니, 마치 향능화香菱花와 같다. 맑고 투명한 막에 덮여서 분산되는 일이 없게 한다. 어떤 분은, "겹겹이

---

178 장항에 나아가면 첫째 게송의 글을 바로 해석하고, 둘째 근의 형상을 밝히며, 셋째 동분 등에 대해 설명한다. 이는 곧 첫째 글이다. 비근 등의 3근은 경계에 닿아야 비로소 취하기 때문에 근·경의 극미가 서로 대칭되어 식을 일으킨다. 여기에서 '같은[等]'이라는 말은 그 상응하는 바에 따라 근·경이 서로 대칭되는 것을 분량이 같다고 이름한 것이니, 초과하는 분량의 경계를 취할 수 있는 것이 아니라는 것을 나타내기 때문이다. 적은 분량의 근이 적은 분량의 경계를 취하는 경우가 없다는 것은 아니다. 만약 안근이 옆으로 배치되었다고 말한다면 포도 위의 껍질과 같을 것이고, 만약 안근이 알[丸]과 같다고 말한다면 마치 포도의 안팎과 같을 것이다. 이근은 그 상응하는 바에 따라 일어나는 갖가지 작거나 큰 소리의 경계를 취한다. 만약 모기 소리를 듣는다면 곧 근은 크지만, 경계는 작고, 만약 구름 소리를 듣는다면 곧 근은 작지만, 경계는 크다. 서방에서는 우레 소리를 구름 소리라고 부르니, 우레는 구름에 의지해 일어나므로 의지처에 따라 이름한 것이다. 만약 거문고 소리를 듣는다면 곧 근과 경계의 분량이 같다. 모기나 구름 소리 등을 듣는다고 말한 것에서 '등'은 같은 분량을 말한다. 또 해석하자면 같은 분량의 거문고 소리를 같이 취한 것이다. 앞의 5색근은 극미로 이루어졌기 때문에 대하는 경계에 대해 크고 작은 등을 분별할 수 있지만, 의근은 질애가 없어서 경계에 대해 형상과 분량의 차별을 분별할 수 없다. 그렇지만 그 소연의 경계는 크거나 작다고 말할 수 있다고 인정된다. 나머지 글은 알 수 있을 것이다.

179 이하에서 근의 형상形狀에 대해 밝히는데, 이는 곧 묻는 것이다.

쌓여서 마치 알처럼 머무는데, 체가 맑고 투명하기 때문에 마치 수정이 서
로 장애하지 않는 것과 같다"라고 말하였다. 이근의 극미는 귓구멍 안에 있
으면서 나선형[旋環]으로 머무니, 마치 돌돌 .말린 자작나무 껍질[卷樺皮]과
같다. 비근의 극미는 콧줄기[鼻頞] 안에 있는데, 등[背]을 위로 하고 얼굴
[面]을 아래로 한 것이, 마치 한 쌍의 손톱[雙爪甲]과 같다. 이 처음 3근은
횡으로 길을 만들어서[橫作行度] 처소에 높고 낮음이 없으니, 마치 화만花鬘
을 머리에 쓴 것과 같다.180

　　설근의 극미는 혀 위에 펴져 있는데, 형상이 반달과 같다. 전하는 학설에,
혀 중앙의 털끝만한 분량은, 설근의 극미가 두루한 곳이 아니라고 하였다.
신근의 극미는 몸의 부분마다 두루 머물므로, 몸과 같은 형상과 분량이다.
여근女根의 극미는 형상이 북의 몸통[鼓[효*桑]]과 같고, 남근男根의 극미는
형상이 골무[指[韋*沓]]와 같다.181

　　(3) 근의 극미와 동분·피동분

　　안근의 극미는 어떤 때에는 일체가 모두 동분이고, 어떤 때에는 일체가

....

180 이하는 답이다. 안근의 극미에 대한 두 설명 중 앞의 설명이 월등한 듯하다.
　　'어떤 분은 말하였다'라고 말하지 않았기 때문이다.(='향능화'는 미나리과의
　　식물인데, 꽃이 한 방향을 향하고 있다고 함) 이근은 돌돌 말린 자작나무 껍
　　질과 같다. 서방의 풍속에 처음 귀가 뚫렸을 때 대부분 돌돌 만 자작나무 껍질
　　을 귓구멍 속에 넣어 점점 크게 하려고 하였다고 한다. 귀에 가깝고 서로 비슷
　　하기 때문에 비유로 삼은 것이니, 이에 준하면 귀 속에는 구멍이 있어서 뇌
　　안으로 통한다. 비근의 극미에 대해서는 알 수 있을 것이다. 이 처음 3근은
　　만약 근의 체에 의거한다면 처소의 높고 낮음이 없겠지만, 만약 의지처에 의
　　거한다면 곧 높고 낮음이 있으므로, 곧 앞 권(=게송 23)에서 '혹은 처소의 순
　　서에 따랐다'라고 말한 것이다.
181 설근의 극미는 알 수 있을 것이다. 설근 중앙의 털끝만한 분량에는 설근이
　　없다는 것은, 경론의 글에서 말한 것은 없지만, 서방의 고덕들이 서로 전해
　　해석한 것에 의하면, 의사들이 설근 중앙의 털끝만한 분량의 설근 없는 곳이
　　사절死節인 말마末摩라면서 만약 침으로 찔러 두면 그 사람은 곧 죽는다고 말
　　했다고 한다. 설근 중앙에는 자연히 이렇게 빈 곳이 있다는 것이다. 또 해석하
　　자면 사람의 뇌 안에는 지극히 악취나고 깨끗지 못한 뇌의 때가 있어서, 만약
　　음식을 보면 뇌의 때가 흘러나와 이 빈 곳에 떨어지는데, 만약 이 뇌의 때를
　　받아들이는 이런 곳이 없어서 설근에 달라붙으면, 사람으로 하여금 구토하게
　　하고 마시거나 먹을 수 없게 한다고 한다. 신근을 해석하는 기회에 덧붙여 남
　　근과 여근에 대해 설명했는데, 나머지 글은 알 수 있을 것이다.

모두 피동분이며, 어떤 때에는 일부는 피동분이고 그 나머지는 동분이다. 나아가 설근의 극미에 이르기까지도 역시 그러하다.

신근의 극미는, 일체가 모두 동분인 경우는 결정코 없다. 나아가 지극히 뜨거운 지옥 안에 이르러 맹렬한 화염이 몸을 감싼다고 해도, 여전히 피동분인 신근의 극미가 한량없이 있다. 전하는 학설에서도, "신근이 두루 신식을 일으킨다면, 몸이 응당 흩어져서 허물어질 것이다"라고 하였다. 각각 하나의 극미를 의지처와 소연으로 삼아 신식을 일으킬 수 있는 신근과 촉경은 없으니, 5식은 결정코 다수의 극미를 적집해야 비로소 의지처와 소연의 성품을 이루기 때문이다. 곧 이런 이치에 의해 역시 극미를 말하여 무견의 체[無見體]라고 이름한 것이니, 볼 수 없는 것이기 때문이다.182

5. 6식의 의지처의 세世 포함

앞에서 말한 것처럼 식에는 여섯 가지가 있으니, 안식계 내지 의식계를 말한다. 5식은 오직 현재만 반연하고, 의식은 3세와 3세 아닌 것[非世]을 모두 반연하는 것처럼, 이와 같이 여러 식의 의지처도 역시 그러하다고 할 것인가?183 그렇지 않다. 어떠한가? 게송으로 말하겠다.

43c 후자의 의지처는 오직 과거이고[後依唯過去]

　　5식의 의지처는 혹은 양쪽이다[五識依或俱]

....
182 이는 셋째 동분 등에 대해 밝히는 것이다. 앞의 4근에 대해서는 이해할 수 있을 것이다. 신근은 모두가 동분인 경우는 결정코 없다. 나아가 지극히 뜨거운 지옥 안에 이르러 맹렬한 화염이 몸을 감싼다고 해도, 여전히 신근이 있으니, 피동분이기 때문이다. 설일체유부의 논사들이 전하는 학설에서도, 신근이 만약 두루 식을 일으킨다면 몸이 흩어져서 허물어질 것이라고 하였다. 신근 및 그 취해질 경계로서, 각각 하나씩의 극미가 앞뒤로 간격되어 의지처와 소연이 되어 능히 신식을 일으키는 경우는 없으니, 5식의 무리는 결정코 많은 극미를 적집해야 비로소 의지처와 소연의 성품을 이루어 자신의 식을 일으킬 수 있기 때문이다. 곧 이런 이치에 의해 역시 극미 하나하나는 체가 볼 수 없는 것[無見]이라고 말하니, 하나의 극미는 볼 수 없기 때문이다. 반드시 많이 적집되어야 비로소 볼 수 있는 것[有見]이라고 이름한다.
183 이하는 넷째 6식의 의지처의 세世 포함에 대해 밝히는 것이다. 이는 곧 물음이다.

논하여 말하겠다. 의식은 오직 무간에 소멸한 의근[무간멸의無間滅意]에 의지한다. 안식 등 5식의 의지처는 혹은 양쪽이다. '혹은'이라는 말은, 이것은 과거의 것에도 역시 의지한다는 것을 나타낸다. 안근은 안식과 함께 생기는 의지처[俱生所依]이고, 이와 같이 나아가 신근도 신식과 함께 생기는 의지처인데, 같이 현재세이기 때문이다. 무간에 소멸한 의근은 과거의 의지처이다. 이 5식의 무리는 의지처가 각각 둘이니, 말하자면 안근 등의 5근은 개별적인 의지처[別所依]이고, 의근은 5식에 공통되는 의지처[通所依]의 성품이다.

그래서 이렇게 말한다. "만약 안식의 의지처의 성품인 것이면, 곧 안식의 등무간연等無間緣이며, 만약 안식의 등무간연인 것이면, 또한 안식의 의지처의 성품인가? 응당 4구로 분별해야 할 것이다. 제1구는 말하자면 구생俱生의 안근이고, 제2구는 말하자면 무간에 소멸한 심소의 법계이며, 제3구는 말하자면 과거의 의근이고, 제4구는 말하자면 앞에서 말한 법들을 제외한 것이다. 나아가 신식에 이르기까지도 역시 그러하니, 4구 각각에서 자신의 근을 말해야 할 것이다. 의식에 대해서는 순후구順前句로써 답해야 할 것이다. 말하자면 의식의 의지처의 성품인 것은 결정코 의식의 등무간연이지만, 의식의 등무간연인 것으로 의식에게 의지처의 성품이 되는 것 아닌 것이 있으니, 무간에 소멸한 심소의 법계를 말한다."184

....

184 '후자'는 의식을 말하는 것이니, 6식 중 가장 뒤에 있기 때문이다. '의지처가 오직 과거'인 것은 6식의 무리가 무간에 소멸하고 나면 모두 '의'라고 이름하는데, 이것이 의식에게 의지처인 근이 된다. 그러므로 의식은 과거 무간에 소멸한 의근에만 의지한다. (문) 이들의 종지에서는 18계 모두 3세에 통한다고 하면서, 어째서 의근이 오직 과거만이라고 말하는가? (해석) 만약 의근의 체에 의거한다면 실제로 3세에 통하지만, 세世에 의거한다면 작용이 두드러진 것에 나아가 논하기 때문에 오직 과거라고 한 것이다. 그래서 논서(=『대비바사론』제72권. 대27-371중)에서, "과거는 의라고 이름하고, 미래는 심이라고 이름하며, 현재는 식이라고 이름한다"라고 말하였다.
　5식의 두 가지 의지처는 글대로 이해할 수 있을 것이다. 의지처가 일정하지 않다는 것을 나타내니, 동시의 의지처이기도 하고 과거의 의지처이기도 하다. 그래서 근본 논서의 글(=『대비바사론』제71권. 대27-369하 및『잡아비담심론』제1권. 대28-878중)을 인용해, 의지처의 성품을 가지고 등무간연을 상대해서 문답함으로써 결정한 것이다. 6근은 세력과 작용이 증상한 것에 의거

6. 의지처의 명칭

식이 일어나는 것은 두 가지 연에 함께 의탁하는데, 무슨 이유에서 의지처의 명칭을 얻음은 근에 있고, 경계가 아닌가? 게송으로 말하겠다.

44a 근이 변함에 따라 식도 달라지니[隨根變識異]
　　그래서 눈 등을 의지처라고 이름하였다[故眼等名依]

논하여 말하겠다. '눈 등'은 곧 눈 등의 6계이니, 눈 등의 근에 바뀌어 변함[轉變]이 있기 때문에 여러 식도 바뀌어 달라진다[轉異]. 근의 증익과 손감[增損]에 따라 식도 밝거나 어둡기 때문이다. 색 등이 변해서 식에 달라짐이 있게 하는 것은 아니니, 식은 근에 따르지, 경계에 따르지 않기 때문에 의지처의 명칭은 오직 눈 등에 있을 뿐, 나머지에 있는 것이 아니다.185

7. 식의 명칭

색 등이 바로 인식대상[所識]인데도 어떤 이유에서 안식 내지 의식이라고 이름하고, 색식色識 내지 법식法識이라고 이름하지 않는가? 게송으로 말하겠다.

44c 그것 및 공유되지 않는 원인이기 때문에[彼及不共因]
　　근에 따라 식을 말하였다[故隨根說識]

논하여 말하겠다. '그것'은 말하자면 앞에서 '눈 등을 의지처라고 이름한 것'을 말한 것이니, 근이 의지처이기 때문에 근에 따라 식을 말했다는 것이

하기 때문에 심소는 (근이) 아니며, 등무간연은 열고 피해준다는 뜻[開避義]에 의거하므로 심소에도 역시 통하지만, 색근에는 통하지 않는다, 넓음과 좁음이 같지 않으므로, 문답함으로써 의지처의 차별을 결정하기 위해 인용한 것이다. # '제1구'는 의지처의 성품이면서 등무간연이 아닌 것, '제2구'는 등무간연이면서 의지처의 성품이 아닌 것, '제3구'는 양쪽인 것, '제4구'는 양쪽 모두 아닌 것이다. '순후구'에 대해서는 앞의 '유대와 무대'에 관한 설명 참조.
185 이는 다섯째 안근 등이 의지처의 명칭을 얻는 것에 대해 밝히는 것인데, 글대로 이해할 수 있을 것이다.

며, '및 공유되지 않는'이라고 한 것은, 말하자면 안근은 오직 자신의 안식만의 의지처라는 것이다. 형색은 남의 몸의 안식에도 역시 통하고, 그리고 자신과 남의 의식이 취하는 것에도 통한다. 나아가 신근과 감촉에 이르기까지도 역시 그러하다고 알아야 할 것이다. 의지처는 뛰어나고, 또 공유되지 않는 원인이기 때문에, 식은 경계가 아니라 근에 따라 명칭을 얻은 것이니, 마치 북소리 및 보리싹 등이라고 이름하는 것과 같다.186

8. 의지하는 지의 같음과 다름

(1) 총설

몸이 머무는 곳에 따라 안근으로 형색을 볼 때 몸, 안근, 색경, 안식의 지地는 같다고 할 것인가?187 이 네 가지는 다르기도 하고 같기도 하다고 말

---

186 이하는 여섯째 식은 근에 따라 명칭을 세웠다는 것을 밝히는데, 첫째는 의지처는 뛰어나기 때문이고, 둘째는 공유되지 않는 원인이기 때문이라는 것이다. 근은 두 가지 뜻을 갖추므로 근에 따라 식을 말하지만, 경계는 곧 그렇지 않다. 법계는 비록 공유되지 않는 것이기는 하지만, 의지처는 아니며, 5경은 두 가지 뜻이 모두 결여되었다. 의근의 경우 6식 공통의 의지처가 되는데도 공유되지 않는다고 말한 것은, 5식은 두 가지 의지처가 있어서 개별적인 것에 따라 명칭을 세우지만, 의식은 개별적인 의지처가 없으므로. 비록 총체적인 명칭을 표방했어도 곧 개별적인 명칭을 받은 것이기 때문에, 의근은 공유되지 않는 것이라고 이름한다. '마치 북소리 및 보리싹 등이라고 이름하는 것과 같다'는 것은, 비록 다시 손과 북이 함께 소리를 낳는 것이지만, 북이라는 의지처가 뛰어나기 때문에 소리가 북에 따랐으며, 또 공유되지 않는 원인이어서 오직 북소리만을 낳기 때문에 북소리라고만 이름한다. 손은 열등하기 때문에 손에 따를 것이 아니며, 또 공유되는 원인이어서 다른 소리도 역시 낳기 때문에 손소리[手聲]라고 말하지 않는다. 물과 흙도 역시 보리 등의 싹을 능히 낳게 하는 것이지만, 보리 등의 의지처가 뛰어나기 때문에 싹이 보리에 따랐으며, 또 공유되지 않는 원인이어서 오직 보리의 싹만을 낳기 때문에 단지 보리싹이라고만 이름한다. 물 등은 열등하기 때문에 그것에 따를 것이 아니며, 또 공유되는 원인이어서 다른 싹 등도 역시 낳기 때문에 물싹[水芽] 등이라고 이름하지 않는다. 6식이 생길 때 경계도 역시 생기지만, 근이 뛰어나기 때문이며, 공유되지 않는 원인이기 때문에 근에 따라 명칭을 세운 것이다.
187 이하는 일곱째 의지하는 지地의 같고 다름의 차별을 밝히는 것이다. 그 안에 나아가면 처음에는 법에 의거해 널리 밝히고, 다음에는 결정적 모습을 개별적으로 나타낸다. 이는 곧 처음의 글인데, 물음을 일으켰다. 먼저 안근에 의거해 묻고, 뒤에 나머지 계에 비례시킨다. 신체의 형상으로 모인 것[色形聚集]을 전체적으로 '몸'이라고 이름한 것이니, 신근만 말하는 것이 아니다. 몸이 머무는 곳에 따라 어떤 지에 머물든 안근으로 형색을 볼 때 몸, 안근, 형색, 안식의

해야 할 것이다. 말하자면 욕계에 태어나서, 만약 자신의 지[자지自地]의 안근으로 자지의 형색을 본다면 네 가지는 모두 자지이다. 만약 초정려지의 안근으로 욕계의 형색을 본다면, 몸과 형색은 욕계이지만, 안근과 안식은 초정려이고, 초정려의 형색을 본다면, 몸은 욕계에 속하지만, 세 가지는 초정려에 속한다. 만약 제2정려지의 안근으로 욕계의 형색을 본다면, 몸과 형색은 욕계이지만, 안근은 제2정려에 속하고, 안식은 초정려에 속하며, 초정려의 형색을 본다면, 몸은 욕계에 속하지만, 안근은 제2정려에 속하고, 형색과 안식은 초정려이며, 제2정려의 형색을 본다면, 몸은 욕계에 속하고, 안근과 형색은 제2정려에 속하며, 안식은 초정려에 속한다. 이와 같이 제3·제4정려지의 안근으로 하지下地의 형색이나 자지自地의 형색을 보는 경우에 대해서도 이치대로 생각해야 할 것이다.188

초정려지에 태어나서, 만약 자지의 안근으로 자지의 형색을 본다면, 네 가지는 모두 같은 지이고, 욕계의 형색을 본다면, 세 가지는 초정려에 속하지만, 형색은 욕계에 속한다. 만약 제2정려지의 안근으로 초정려의 형색을 본다면, 세 가지는 초정려에 속하지만, 안근은 제2정려에 속하고, 욕계의 형색을 본다면, 몸과 안식은 초정려에, 형색은 욕계에 속하지만, 안근은 제2정려에 속하며, 제2정려의 형색을 본다면, 몸과 안식은 초정려이지만, 안근과 형색은 제2정려이다. 이와 같이 제3·제4정려지의 안근으로 자지의 형색이나 혹은 하지[下]·상지[上]의 형색을 보는 경우에 대해서도 이치대로 생각해야 하며,189 이와 같이 제2·제3·제4정려지에 태어나서 자지나 타지의 안

지는 같다고 할 것인가?

188 이하는 답인데, 이는 몸이 욕계에 태어난 경우에 의거하되, 여러 지에 의거해 몸, 안근, 형색, 안식의 같음과 다름의 차별을 밝힌 것이다. # 제2정려의 안근으로 제2정려의 형색을 볼 경우 안식이 초정려인 것은, 뒤(=제28권 중 게송 ⓓ에 관한 논설)에서 보는 것처럼 제2정려 이상에서는 안·이·설식도 없으므로(=초정려에 향·미경과 비·설식이 없다는 것은 앞에서 보았음) 초정려의 식을 빌려 일으키기 때문(=소위 차기식借起識)이다.

189 이는 몸이 초정려지에 태어난 것에 의거하되, 여러 지에 의거해 몸, 안근, 형색, 안식의 같음과 다름의 차별을 밝힌 것이다. '이와 같이 제3·제4정려지의 안근으로 자지의 형색이나 혹은 하지·상지의 형색을 보는 경우'란 형색을 몸에서 바라볼 때 자지인지, 아래의 지인지, 위의 지인지를 말하는 것이다. 말

근으로 자지나 타지의 형색을 보는 경우에 대해서도 이치대로 생각해야 할 것이다.190 그 나머지 계에 대해서도 역시 이렇게 분별해야 할 것이다.191

(2) 결정적 모습

이제 이런 결정적 모습[決定相]에 대해 간략히 분별하겠다. 게송으로 말하겠다.

45 안근은 몸보다 내려가지 못하고[眼不下於身]
　안색과 안식은 안근보다 위가 아니며[色識非上眼]
　형색은 안식에 대해 모든 지이고[色於識一切]
　둘도 몸에 대해 역시 그러하다[二於身亦然]

46 안계처럼 이계도 역시 그러하며[如眼耳亦然]
　다음 3계는 모두 자지이지만[次三皆自地]
　신식은 자지나 하지이고[身識自下地]
　의계는 일정하지 않다고 알아야 한다[意不定應知]192

논하여 말하겠다. 몸·안근·형색의 세 가지는 모두 5지地에 통하니, 말하자면 욕계와 4정려지 중에 있지만, 안식은 오직 욕계와 초정려지에만 있다.193 여기에서 안근을 몸이 태어난 지에서 바라보면, 같은 지나 상지이지,

....
하자면 몸이 초정려지에 태어나서 제3·제4정려지의 안근으로 초정려의 형색을 본다면 자신의 지라고 이름하고, 욕계의 형색을 본다면 아래의 지라고 이름하며, 제2정려 이상의 형색을 본다면 위의 지라고 이름한다. 만약 형색을 안근에서 바라본다면 자지와 하지만 있을 뿐, 상지는 말할 수 없으니, 하지의 안근으로 상지의 형색을 보지는 못하기 때문이다.
190 이는 위의 3정려지에 태어난 경우에도 유추해서 해석하고 생각해야 한다는 것이다.
191 이상 처음 3계(=안근·색경·안식)에 대해서 설명했는데, 나머지 다섯의 3계에 대해서도 역시 이렇게 분별해야 한다는 것이다.
192 이하 결정적 모습을 개별적으로 나타내는데, 간략히 게송의 글을 들었다.
193 장차 차별을 분별하려고 먼저 네 가지(=몸·안근·형색·안식)에 대해 지에 의거해 공통되거나 국한됨을 밝힌 것이다.

결코 하지에는 있지 않다. 형색과 안식을 안근에서 바라보면, 같은 지나 하지이지, 상지는 아니니, 하지의 안근은 상지의 형색을 볼 수 없기 때문이며, 상지의 안식은 하지의 안근에 의지하지 않기 때문이다. 형색을 안식에서 바라보면, 같은 지, 상지, 하지에 통한다. 형색과 안식을 몸에서 바라보면, 형색을 안식에서 바라보는 것과 같다.194

....

194 이는 처음 1수의 게송을 해석하는 것이다. 여기에서 안근을 몸이 태어난 지에서 바라보면 같은 지나 상지이지, 결코 하지에는 있지 않다. 상지의 몸은 반드시 뛰어난 근이 있으므로, 하지의 저열한 것을 일으키지 않기 때문에 안근은 몸보다 내려가지 않는다. 상지의 뛰어난 근을 원하기 때문에 몸보다 위일 수는 있다. 형색과 안식을 안근에서 바라보면, 같은 지나 하지이지, 반드시 상지에 있는 것은 아니다. 하지의 안근은 상지의 형색을 볼 수 없기 때문에 형색은 안근의 위가 아니고, 상지의 안식은 하지의 안근에 의지하지 않으며, 하지의 안근은 자지에 안식이 있기 때문에 안식은 안근의 위가 아니라고 말한 것이다.
　(문) 무엇 때문에 하지의 안근은 상지의 형색을 보지 못하는가? (답) 상지의 형색은 미세하기 때문에 하지의 안근은 상지의 형색을 보지 못한다. (문) 하지의 안식이 상지의 안근에 따르고, 그 안근에 따라 상지의 형색을 요별한다면, 또한 하지의 안근도 상지의 안식에 따르고 그 안식에 따라 상지의 형색을 볼 수 있을 것이다. (답) 근은 그 주인이고, 식은 그것에 따르는 것이므로, 단지 식이 근에 따를 수 있을 뿐, 근이 식에 따르는 것은 인정될 수 없다. (문) 식은 근에 따를 수 있기 때문에 근에 따라 상지의 형색을 요별한다면, 식은 근에 따를 수 있기 때문에 상지의 안식도 하지의 안근에 의지할 것이다. (답) 하지의 안근에 만약 안식이 없다면, 상지의 안식의 의지처일 필요가 있을 수 있겠지만, 하지의 안근은 자지의 안식이 있으므로, 상지의 안식은 하지의 안근에 의지하지 않는다. (문) 하지에서 볼 수 없다면 상지의 안근으로 볼 필요가 있을 수 있겠지만, 하지의 안근은 하지의 형색을 보므로 상지의 안근으로 볼 것을 필요로 하지 않을 것이다. (답) 상지는 하지를 겸할 수 있으므로 상지의 안근으로 하지의 형색을 본다. (문) 상지는 하지를 겸할 수 있으므로 상지의 안근으로 하지의 형색을 본다면, 상지는 하지를 겸할 수 있으므로 상지의 신근도 하지의 감촉을 느낄 것이다. (답) 하지의 감촉은 거친 것이어서 상지의 신근이 느끼는 것이 아니다. (문) 하지의 감촉이 그렇게 거친 것이어서 상지의 신근이 느낄 수 없다면, 하지의 형색도 그렇게 거친 것이므로 상지의 안근이 볼 수 없을 것이다. (답) 형색은 이중지離中知이므로 겸하여 하지의 거친 것도 취할 수 있지만, 감촉은 합중지[合中覺]이기 때문에 하지의 거친 것을 취하는 것이 아니다.
　형색을 안식에서 바라보면 같은 지나 상지(＝예컨대 제2정려의 안근으로 초정려의 안식을 빌려 제2정려의 형색을 보는 경우)나 하지(＝예컨대 초정려의 안식으로 욕계의 형색을 보는 경우)이며, 형색과 안식(＝게송 제4구 중 이계耳界에 대해 자세히 말한다면 안계와 같다고 알아야 할 것이다. 말하자면 이근은 몸보다 내려가지 않고, 소리와 이식은 이근보다 위가 아니며, 소리는 이식에 대해 모든 지이고, 둘도 몸에 대해 역시 그러하니, 그 상응하는 바에 따라 널리 안계처럼 해석할 것이다.[195]

비·설·신의 3계는 전체적으로 모두 자지인데, 그 중 차별되는 것은, 말하자면 신근과 촉경은 그 지가 반드시 같지만, 신식을 촉경과 몸에서 바라보면 자지이기도 하고 하지이기도 하다는 점이다. '자지'는 욕계나 초정려지에 태어난 경우를 말하고, 위의 3정려지에 태어난 경우는 이것을 '하지'라고 말한다.[196]

의계의 네 가지는 일정하지 않다고 알아야 한다. 말하자면 의근은, 어떤 때에는 몸·의식·법경과 더불어 네 가지가 모두 같은 지이지만, 어떤 때에는 상지나 하지이기도 하다. 몸은 오직 5지일 뿐이지만, 세 가지는 모든 지에 통하니, 등지等至에서 노닐 때 및 수생受生할 때 그 상응하는 바에 따라 같기도 하도 다르기도 한 것은 뒤의 정품定品에서 자세히 분별하는 것과 같다. 번거로운 글을 피하기 위해 지금은 아직 분별하지 않으니, 앞뒤에서 재차 서술한다면 쓸모는 적고 공은 많이 들기 때문이다.[197]

제14절 능식·소식, 상·무상, 근·비근 분별

....
'둘')을 몸에서 바라보면, 같은 지나 상지나 하지여서, 형색을 안식에서 바라보는 것과 같다는 것은 생각해 보면 알 수 있을 것이다.

195 이는 제5구를 해석한 것인데, 유추해서 이해하면 알 수 있을 것이다.

196 이는 제6구와 제7구를 해석하는 것이다, 코·혀·몸의 세 가지가 전체적으로 모두 자신의 지인 것은 대부분 같기 때문이다. 향경·미경과 그것에 대한 2식은 오직 욕계이기 때문인데, 비근·설근은 오직 닿은 경계만을 취하기 때문이다. 그 중 차별되는 것은, 말하자면 신근과 촉경이 그 지가 반드시 같은 것은 닿은 경계를 취하기 때문인데, '신식을 촉경과 몸에서 바라보면' 이하는 알 수 있을 것이다. # 신식을 촉경과 몸에서 바라볼 때 위의 3정려지에 태어나는 경우에 하지인 것은, 초정려의 신식을 빌려(=앞서 말한 소위 차기식) 위의 3정려의 감촉을 느끼기 때문이다.

197 제8구를 해석하는 것이다. 아래에서의 해석과 같다고 가리켰는데, 생각하면 역시 알 수 있을 것이다.

방론을 두루 다했으니, 정론正論을 분별해야 하는데, 이제 생각해서 가려야 할 것이다. 18계 중 무엇이 6식 중 몇 가지 식의 인식대상이며, 몇 가지가 항상한 것이고, 몇 가지가 무상한 것이며, 몇 가지가 근根이고, 몇 가지가 비근非根인가? 게송으로 말하겠다.

47 밖의 5계는 2식의 인식대상이고[五外二所識]
　　항상한 것은 법계의 무위이며[常法界無爲]
　　법계의 일부는 근인데[法一分是根]
　　안의 12계까지 아우른다[并內界十二]¹⁹⁸

1. 능식과 소식

논하여 말하겠다. 18계 중 색계 등의 5계는 그 순서대로 안식 등의 5식 중 각각 1식의 인식대상이며, 또 전체 모두가 의식의 인식대상이니, 이와 같이 5계는 각각 6식 중 2식의 인식대상이다. 이에 의해 그 나머지 13계는 모두가 의식의 인식대상일 뿐이라는 것을 준해서 알 수 있으니, 5식의 무리의 소연의 경계가 아니기 때문이다.¹⁹⁹

2. 항상한 것과 무상한 것

18계 중 하나의 계도 그 전부가 항상한 것은 없고, 법계의 일부인 무위만이 항상한 것이다. 그 뜻에 준해서, 법계의 나머지와 그 나머지 계는 무상한 것이다.²⁰⁰

---

198 이하는 제22 여러 식에 의해 인식되는 것의 문, 제21 상·무상의 문, 제22 근·비근의 문이다. 게송 중 제1구는 식의 인식대상을 밝히고, 제2구는 상·무상을 해석하며, 아래 2구는 근·비근을 풀이한 것이다. 게송 중에서 간략히 '2식의 인식대상', '항상한 것', '근이다'라고만 말했지만, 그 뜻에 준해서 그 나머지는 '오직 1식만의 인식대상', '무상한 것', '근 아닌 것'이라고 알아야 한다.
199 5경은 2식의 인식대상이고, 13계는 오직 의식만의 인식대상이다. 그래서『잡아비담심론』(＝제1권. 대28-880상)에서, "색계는 2식에 의해 인식되고, 나아가 촉계에 이르기까지도 역시 그러하다. 나머지 13계는 한결같이 의식의 소연이다"라고 말하였다.
200 18계 중 법계의 일부만 항상한 것이니, 3무위를 말한다, 그 뜻에 준하면 곧 법계 중 3무위를 제외한 그 나머지 모든 법계는 무상하기 때문에 법계의 나머

3. 근과 비근

또 경에서 22근根을 말했으니, 안근·이근·비근·설근·신근·의근, 여근女根·남근男根·명근命根, 낙근樂根·고근苦根·희근喜根·우근憂根·사근捨根, 신근信根·정진근[勤根]·염근念根·정근定根·혜근慧根, 미지당지근未知當知根·이지근已知根·구지근具知根을 말하는 것이다. 아비달마의 위대한 논사들이 모두 경 중의 6처의 순서를 건너뛰어 명근 뒤에 비로소 의근을 말한 것은, 유소연有所緣이기 때문이다.201

이와 같이 말한 22근은 18계 중 안의 12계와 법계의 일부에 포함된다. '법계의 일부'란 명근 등의 11근과 뒤의 3근 중 일부이니, 법계에 포함되기 때문이다. '안의 12계'란, 안근 등의 5근은 자신의 명칭과 같은 계에 포함되며, 의근은 통틀어 7심계에 포함되는 것이다. 뒤의 3근 중 일부는 의계와 의식계에 포함된다. 여근과 남근은 곧 신계身界의 일부에 포함되는 것이니, 뒤에서 분별하는 바와 같다. 그 뜻에 준하면, 그 나머지 색계 등의 5계와 법계의 일부는 모두 그 체가 근이 아니다[비근非根].202

....

지 및 그 나머지 17계라고 말한 것이다.

201 이하 아래 2구를 해석하는데, 장차 근과 근 아닌 것을 풀이하려고 경에 의해 명칭을 열거하고, 순서를 회통해 해석하였다. 경은 6근의 순서에 의거하기 때문에 의근이 남근·여근의 앞에 있지만, 아비달마는 유소연과 무소연에 의거하기 때문에 의근을 명근의 뒤에 두는 것으로 말하였다. 명근 등의 8근은 무소연이기 때문에 한 부류로 만들어 말하고, 의근 등의 14근은 유소연이기 때문에 다시 한 부류로 만든 것이다.

202 '이와 같이 말한 22근은 18계 중 안의 12계와 법계의 일부에 포함된다'라고 한 이것은 곧 글을 여는 것이다. '법계의 일부'라고 말한 것 중 '명근 등의 11근'은, 명근, 낙·고·희·우·사근(=소위 5수근), 신·근·염·정·혜근(=소위 5력근)을 말하는 것이다. 그리고 '뒤의 3근의 일부'란 22근 중 말하자면 뒤의 3무루근인데, 이 3근은 9근을 그 체로 하는 것이니, 의근, 희·낙·사근, 신근 등 5근을 말하는 것이지만, 이 9근 중 뒤의 8근(=모두 심소법)은 법계에 포함되기 때문에 '뒤의 3근의 일부'(=9근 중 의근이 제외되기 때문)라고 말한 것이다. 이것들은 모두 법계의 일부에 포함된다. '안의 12계'라는 말은, 안근 등의 5근은 자신의 명칭과 계에 포함되고, 의근은 통틀어 7심계에 포함된다는 것이다. '뒤의 3근의 일부'는 곧 의근이니, 의계와 의식계에 포함되는 것이다. 여근과 남근은 뒤의 근품에서 분별하는 것처럼 신계의 일부에 포함된다. 이것들은 모두 안의 12계에 포함된다. 그 뜻에 준하면 그 나머지 색계 등의 5계 및 법계의 일부(=위에서 언급한 것을 제외한 것들)는 모두 그 체가 근이 아니다.

阿毘達磨俱舍論
아비달마구사론

第二 分別根品
제2 분별근품

尊者世親 造
존자세친 조

三藏法師玄奘 奉詔譯
삼장법사현장 봉조역

아비달마구사론
제3권

제2 분별근품分別根品1(의 1)

제1장 22근론

제1절 근의 뜻

이와 같이 계界로 인해 모든 근根을 열거했는데, 곧 여기에서 근은 어떤 뜻인가?2 가장 뛰어나고 자재한 것이 빛나고 드러나기에[最勝自在光顯] 근이라고 이름했으니, 이에 의해 근의 증상增上하다는 뜻을 전체적으로 이룬다.3 이 증상하다는 뜻은 무엇을 무엇에서 바라본 것인가?4 게송으로 말하겠다.

....

1 '분별근품'은 뛰어난 작용이 증상하기 때문에 '근'이라고 이름하는데, 이 품에서 자세히 밝히기 때문에 '분별'이라고 이름하였다. 계의 뒤에 다음으로 근을 밝히는 까닭은, 계품은 모든 법의 체를 밝히고, 근품은 모든 법의 작용을 밝히는데, 체에 의해 작용을 일으키기 때문에 다음으로 근을 밝히는 것이다. (문) 이 품에서 유위의 작용을 널리 밝히는데, 어째서 근을 명칭으로 표방했는가? (해석) 이 품에서 비록 유위의 작용을 밝히지만, 근을 처음에 분별하며, 또 그 작용이 증상하기 때문에 명칭으로 표방한 것이다.
2 유루와 무루의 법을 전체적으로 밝히는 가운데 나아가면 이 품의 글은 둘째 모든 법의 작용을 밝히는 것인데, 그 안에 나아가면 첫째 22근을 밝히고, 둘째 함께 생기는 여러 법[俱生諸法]을 밝히며, 셋째 6인을 밝히고, 넷째 4연을 밝힌다. 이하는 첫째 22근을 밝히는 것이니, 곧 근에 의거해 작용을 분별하는 것이다. 그 안에 나아가면 첫째 근의 뜻을 해석하고, 둘째 근의 폐립을 밝히며, 셋째 근의 체를 밝히고, 넷째 여러 문으로 분별하며, 다섯째 뒤섞어 분별[雜分別]한다.(=이상 설명된 분별근품의 과목과 그 제1장의 과목을 정리해 보이면 다음면의 도표와 같다. 다만 제1장 중 넷째와 다섯째는 제4절 '여러 문 분별'의 하나로 합쳤다) 그런데 처음 근의 뜻을 해석하는 중에서는 첫째 자파의 종지를 서술하고, 둘째 다른 부파를 서술한다. 이하는 자파의 종지를 서술하는 것이니, 곧 설일체유부인데, 이 부분은 게송 앞에서 물음을 일으킨 것이다.

① 전하는 학설에 5근은 네 가지에서[傳說五於四]
···························

제1장 22근론	제1절 근의 뜻	제3권
	제2절 근의 폐립	
	제3절 근의 체	
	제4절 여러 문 분별	
제2장 유위제법의 구생론		제4~5권
제3장 6인론		제6권
제4장 4연론		제7권

3 답이다. 서방의 문법[聲明法]에서 문자를 만드는 것에는 자계字界(＝자체字體＝어근)와 자연字緣(＝어미 내지 접미사)이 있는데, '가장 뛰어나고 자재한 것[最勝自在]'은 자계이고, '빛나고 드러난다[光顯]'은 자연이니, 이 자계와 자연에 의해 근의 증상하다는 뜻을 전체적으로 이룬다. 그래서 『순정리론』제9권(＝대29-37중)에서 말하였다. "이 증상하다는 뜻으로 자계의 뜻이 뚜렷하게 이루어진다. 자계는 말하자면 이지伊地(＝idi), 혹은 인지忍地(＝ind 혹은 indh)인데(＝근을 가리키는 indriya의 어근), 가장 뛰어나고 자재하다[最勝自在]는 것은 '이지'의 뜻이고, 비추어 밝혀서 명료하다[照灼明了]는 것은 '인지'의 뜻이다. 오직 이것만이 치성해서 빛나고 드러나기에[熾盛光顯] 근이라고 이름하였다." 해석하자면 22근은 각각 그 일에 대해 증상한 작용이 있다는 것이다. 증상하다는 어떤 뜻인가? 곧 큰 세력의 작용이 있는 모습이 지극히 밝게 드러나면 비로소 증상하다고 이름하니, 이 증상하다는 뜻으로 자계의 뜻이 뚜렷하게 이루어진다. '계'는 체라는 뜻인데, 서방의 문자의 체에 3백 게송이 있다. 말하자면 '이지'·'인지' 등인데, 하나하나에 각각 여러 뜻이 있다. '최승자재最勝自在'가 이지의 뜻이라고 해석한 것은, 범어로 해석해 말하면 이지는 파라미습벌라예波羅迷濕伐羅曳parama-Iśvarye이니, 이 중 '파라미'는 최승의 뜻이고, '습벌라'는 자재의 뜻이며, '예'는 제7전(＝의격依格)의 말로서, '그 중에'라는 뜻이다. 말하자면 최승자재라는 뜻 중에 이지라는 말을 세웠기 때문이다. '조작명료照灼明了'가 인지의 뜻이라고 말한 것은, 범어로 해석해 말하면 이지는 지반도地般到dīpte이니, 이 중 '지반'은 조명照明의 뜻이고, '도'도 제7전의 말이다. 말하자면 조명이라는 뜻 중에 인지라는 말을 세웠기 때문이다. 이와 같은 두 가지 자계의 뜻 중 전자는 최승자재이니, 곧 큰 세력의 작용이 있다는 것이고, 후자는 조명이니, 곧 모습이 지극히 밝게 드러난다는 것이다. '치성광현熾盛光顯'에서 '광현'을 범어로 말하면 인단저因檀底indanti로서 자연인데, 앞의 이지라는 자계를 도우면 곧 인질리염因姪唎焰indriya이라고 이름한다. 이것을 번역하면 근根이 되고, 증상하다는 뜻을 나타낸다. '치성'을 범어로 말하면 지일저地逸底dīpati로서 자연인데, 앞의 인지라는 자계를 도우면 곧 인질리염이라고 이름한다. 이것을 번역하면 근이 되고, 증상하다는 뜻을 나타낸다. 이 인질리염은 큰 세력의 작용을 갖추어 포함해 가진 모습이 지극히 밝게 드러나므로 이것을 근이라고 번역함으로써 아울러 증상함을 드러낸 것이다. 이 논서는 전자의 뜻에 의거해 해석했기 때문에 '최승자재광현'을 근이라고 이름한 것이라고 말한 것이니, 곧 바른 이치는

4근은 두 가지에서[四根於二種]

5근과 8근은 염오와 청정에 대해[五八染淨中]

각각 따로 증상하다고 하였다[各別爲增上]5

1. 5근

논하여 말하겠다. 안근 등의 5근은 각각 네 가지에서 능히 증상하니, 첫째 몸을 장엄하는 것[莊嚴身], 둘째 몸을 이끌고 기르는 것[導養身], 셋째 식 등을 낳는 것[生識等], 넷째 일을 공유하지 않는 것[不共事]이다.

우선 안근·이근이 몸을 장엄한다는 것은, 말하자면 소경·귀머거리는 몸이 누추하기 때문이다. 몸을 이끌고 기른다는 것은, 말하자면 봄·들음으로 인해 험난함을 피할 수 있기 때문이다. 식 등을 낳는다는 것은, 말하자면 2식 및 상응하는 것들을 일으키기 때문이다. 일을 공유하지 않는다는 것은, 말하자면 능히 형색을 보는 것과 소리를 듣는 것은 다르기 때문이다.

비근·설근·신근이 몸을 장엄하는 것은 안근·이근에 대해 말한 것과 같다. 몸을 이끌고 기르는 것은, 말하자면 단식段食을 수용할 수 있기 때문이다. 식 등을 낳는다는 것은, 말하자면 3식 및 상응하는 것들을 일으키기 때문이다. 일을 공유하지 않는 것은, 말하자면 냄새를 맡고, 맛을 맛보며, 감촉을 느끼기 때문이다.6

....

'광현'이라는 자연으로써 '이지'(라는 자계)를 도왔다는 것이다. '이지'는 최승 자재로서, 자연으로써 자계를 도움에 의해 '인질리염'을 이루었고, 이것을 근이라고 번역했으니, 이 최승 등에 의해 전체적으로 근의 증상하다는 뜻을 이룬다는 것이다. 또 해석하자면 근은 체가 뛰어나기 때문에 '최승'이라고 이름하고, 근은 작용이 뛰어나기 때문에 '자재'라고 이름하며, 체와 작용이 뛰어나기 때문에 '광현'이라고 이름한 것이다.

4 이는 따지는 것이다.

5 게송으로 답하는 것이다.

6 이상은 제1구를 해석하는 것이다, 만약 5근을 갖춘다면 몸이 곧 장엄되니, 그 중에 결여된 것이 있으면 몸이 곧 누추해진다. 신근이 모두 결여되는 경우는 결코 없으므로, 결여라는 말은 나머지 4근에 의거한다. 혹은 일부분에 의거해 결여되었다고 이름하니, 손 등이 없는 것과 같다. 혹은 나머지 4근에도 역시 일부 결여됨이 있으면 모두 누추하다고 이름한다. 이끌고 기른다고 말한 것은, 눈으로 험난한 것을 보고 피하며, 귀로 험난한 것을 듣고 피함으로써 몸을 이

2. 여근·남근·명근과 의근

여근·남근·명근과 의근은 각각 두 가지에서 능히 증상하다. 우선 여근·남근의 2근이 증상한 것은, 첫째는 유정의 차이[有情異]이고, 둘째는 분별의 차이[分別異]이다. 유정의 차이란 이 2근이 유정들로 하여금 여자·남자의 부류로 차별되게 하고, 분별의 차이란 이 2근이 형상, 말소리, 유방 등에서 차별되게 하기 때문이다.7

어떤 분은, "이것이 염오와 청정에 대해 증상하기 때문에 두 가지라고 이름하였다"라고 말하였다. 까닭이 무엇인가 하면 선천적인 성품이든[本性] 후천적으로 손괴되었든[損壞] 선체扇搋·반택半擇 및 이형二形의 사람에게는 불율의不律儀나 무간업[無間]이나 선근을 끊는[斷善] 여러 잡염법雜染法이 없으며, 또한 율의律儀나 성과를 얻거나[得果] 염오를 여의는[離染] 여러 청정법淸淨法도 없기 때문이다.8

끌고 기르는 것이다. 몸은 단식을 빌어야 비로소 증상해질 수 있는데, 단식은 냄새·맛·감촉을 그 체로 하니, 코로 냄새맡고 혀로 맛보며 몸으로 느낀다. 이 3근이 단식을 수용할 수 있기 때문에 몸이 증상해질 수 있는 것을, 몸을 이끌고 기른다고 이름하였다. '식 등을 낳는다'는 것은 상응법(=심소)을 같이 취한 것이다. 일을 공유하지 않는다는 것에서, '일'은 형색 등의 현상을 말하는 것이니, 5근이 개별적으로 취하기 때문에 공유하지 않는다고 이름하였다.

7 이하는 제2구를 해석하는 것이다. 유정의 차이란 겁초에는 유정의 형상과 부류가 다 같았지만, 2근이 생김으로 말미암아 유정들을 여자와 남자의 부류로 차별되게 했다는 것이다. 분별의 차이란 이 2근으로 말미암아 남자의 몸은 거칠고 크며, 말소리가 웅장하고 낭랑하며, 유방이 적고, 여자의 몸은 형상이 연약하며, 말소리가 가늘고 작으며, 유방이 크다는 것이다. '등'이란 하는 일 등을 같이 취한 것이다. 이 형상 등의 차별이 분별되어 다르다는 이해를 능히 낳기 때문에 분별의 차이라고 이름하였다. 또 해석하자면 형상 등이 분별되어 각각 다른 것을 분별의 차이라고 이름하였다. 앞의 유정의 차이는 전체적인 모습에 의거한 것이고, 뒤의 분별의 차이는 개별적인 모습에 의거한 것이다.

8 상이한 학설을 서술하는 것이다. 두 가지에 증상하다는 것은, 이 남근과 여근이 그 중 하나를 성취하면 염오나 청정에 대해 증상한 작용이 있기 때문에 두 가지라고 말했다는 것이다. 염오에 증상하다는 것은 불율의를 얻거나 무간업을 짓거나 선근을 능히 끊는 것을 말하고, 청정에 증상하다는 것은 율의를 얻거나 성과聖果를 얻거나 염오를 여의는 것을 말하는 것이니, 저 선체 등에게는 곧 이런 일이 없다는 것이다. 증상한 염오·청정은 모두 뛰어난 몸에 의지하는데, 이 몸은 열등하기 때문에 그것들의 의지처가 아니다. 마치 짠 소금밭에는 더러운 풀도 자라지 못하는 것과 같으니, 그래서 불율의가 없고, 5무간업이 없고, 선근

명근의 두 가지란, 중동분衆同分을 능히 상속하게 하는 것 및 능히 유지되게 하는 것을 말한다.[9]

의근의 두 가지란 능히 후유後有를 상속하게 하는 것 및 자재하게 따라 행하는 것[自在隨行]을 말한다. '능히 후유를 상속하게 한다'는 것은 계경에서, "그 때 건달박健達縛에게 두 가지 마음 중의 하나가 현전하니, 갈애[愛]와 함께 하거나 성냄[恚]과 함께 하는 것을 말한다"라고 말한 등과 같다. '자재하게 따라 행한다'는 것은 계경에서, "마음이 능히 세간을 이끌고, 마음이 능히 두루 섭수하니, 이와 같이 마음이란 하나의 법이 모두 자재하게 따라 행하네"라고 말한 것과 같다.[10]

....

을 끊는 여러 잡염법이 없으며, 마치 짠 소금밭에는 좋은 싹을 심지 않는 것과 같으니, 이 때문에 율의도 없고, 성과를 얻는 것도 없고, 염오를 여의는 여러 청정법도 없다. 그 하나하나를 개별적으로 밝히는 것은 업품에서 말하는 것과 같다.

선체ṣuṇḍha와 반택paṇḍaka은 모두 황문黃門이라고 이름하니, 그래서 업품(=제15권 중 게송 44b)에서 2황문과 이형二形(=여근·남근 공유)이라고 말한 것이라고 알아야 한다. 선체는 근이 없는 것뿐인데, 근이 없는 것에는 둘이 있다. 첫째 선천적인 성품이 선체인 경우, 둘째 (후천적으로) 손괴된 선체이다. 반택은 근이 있는 것(=근이 있지만 불구인 경우)뿐인데, 근이 있는 것에 셋이 있다. 첫째는 질투, 둘째는 반월半月, 셋째는 관쇄灌灑이다. 또 해석하자면 선체는 근이 없는 것뿐이지만, 반택은 근이 있는 것과 근이 없는 것에 통하니, 선천적인 성품이든 후천적으로 손괴되었든 (선체는) 반택에도 통하기 때문이다. 이렇게 해석한다면 반택이 넓고 선체가 좁아서, 만약 선체라면 곧 반택이지만, 반택은 선체가 아닌 경우도 있으니, 질투·반월·관쇄를 말한다. 그래서 『대법론』제8권(=대31-730중)에서, "또 반택가半擇迦에는 다섯 종류가 있으니, 생편生便반택가, 질투반택가, 반월반택가, 관쇄반택가, 제거반택가를 말한다"라고 말하였다. 해석하자면 '생편'은 본래의 성품인 경우를 말하고, '질투'는 남이 음행 행하는 것을 보아야 남근의 세력이 비로소 일어나는 경우를 말하며, '반월'은 반 달은 남근의 일을 행할 수 있지만, 반 달은 불가능한 경우를 말하고, '관쇄'는 목욕 등 물을 뿌려 주어야 남근의 세력이 비로소 일어나는 경우를 말하며, '제거'는 (후천적으로) 손괴를 입은 경우를 말한다.

9 이는 명근이 두 가지에 증상하다는 것을 해석하는 것이다. 첫째는 명근 때문에 중동분으로 하여금 능히 앞을 상속하게 하고, 둘째 명근 때문에 중동분으로 하여금 능히 유지되어 끊어지지 않게 한다는 것이다. 능히 상속하게 한다는 것은 앞에서 바라본 것이고, 능히 유지되게 한다는 것은 현재에 의거한 것이다.

10 이는 의근이 두 가지에 증상하다는 것을 해석하는 것이다. 첫째 능히 후유를 상속하게 함에 대해 증상하다는 것은, 말하자면 중유의 마지막 마음[中有末心]

3. 5수근과 신근 등의 8근

낙근 등의 5수근과 신근 등의 8근은 염오와 청정에 대해 그 순서대로 증상하다. 낙근 등의 5수근이 염오에 대해 증상한 것은, 탐욕 등의 수면隨眠이 따라 증장하기 때문이고, 신근 등의 8근이 청정에 대해 증상한 것은, 청정한 법들이 따라 생장하기 때문이다.11

4. 다른 학설

어떤 다른 논사는, "낙근 등은 청정에 대해서도 역시 증상하니, 계경에서, 안락 때문에 마음이 집중되고, 괴로움은 믿음의 의지처가 되며, 또한 출리의 의지처는 기쁨 및 근심과 평정이라고 말한 것과 같다"라고 말하였다. 비바사 논사들이 전하는 학설은 이와 같다.12

....

이 갈애 등과 함께 해서 능히 생유生有로 이어지게 하기 때문에 능히 후유를 상속하게 한다고 이름하였다. '건달박gandharva'에서 '건달gandha'은 향香이라고 이름하고, '박arva'은 심尋이라고 이름하니, 향기라는 먹이를 찾기 때문이며, 혹은 '식食'이라고 이름하니, 향기를 먹기 때문이다. 이는 곧 중유의 이름이다. 둘째 자재하게 따라 행함에 대해 증상하다는 것은, 경(=잡 [46]36:1009 심경心經)을 인용해서 해석하였다. 마음이 능히 세간을 이끄는 것이 자재의 뜻이니, 말하자면 능히 일체 세간을 이끌기 때문에 자재라고 이름하였고, 마음이 능히 두루 섭수하는 것이 따라 행한다는 뜻이니, 말하자면 마음이 능히 모든 법을 따라 섭수하기 때문에 따라 행한다고 이름하였다. 또 해석하자면 마음이 능히 세간을 이끄는 것이 따라 행함의 뜻이고, 마음이 능히 두루 섭수하는 것이 자재의 뜻이다. 또 해석하자면 2구 모두 자재와 따라 행함에 통하니, 세력이 있기 때문에 자재라고 이름하고, 경계에 따라 일어나는 것을 따라 행한다고 이름하였다.

11 이는 제3·제4구를 해석하는 것이다. 5수근이 염오에 대해 증상한 것은 탐욕 등의 수면이 수순하여 증장하기 때문인데, 혹은 그 상응법에, 혹은 그 소연에 수순하여 증장한다. 비록 이 5수근은 선법에도 역시 통하기는 하지만, 염오에 대해 작용이 뛰어나므로 염오에 증상하다고 말한 것이다. 신근 등의 5력근 및 3무루근이 청정에 대해 증상하다는 것은 알 수 있을 것이다.

12 이는 다른 논사의 학설을 서술하는 것이다. 낙근 등의 5수근은 염오에만 증상한 것이 아니라 청정에도 역시 증상하다. 계경에서 안락 때문에 마음이 곧 삼매를 얻고(=예컨대 중 10:42 하의경何義經), 괴로움을 싫어하기 때문에 열반의 즐거움으로 이끌며(=예컨대 증일 23:31:3경), 믿으면 6경에서의 출리를 기뻐해 구하는 일이 있다(=예컨대 중 42:163 분별육처경)고 말한 것과 같으니, 6경을 반연했을 때의 기쁨·근심·평정 때문이다. '출리'는 열반을 말하는 것이니, 선한 기쁨·근심·평정이 출리에게 의지처가 되므로 출리의 의지처라고 이름하였다. 그래서 이 논서의 아래 글(=제10권 중 '18의근행의 성취·불

【식견론자 등의 다른 해석】 어떤 다른 논사는 말하였다. "능히 몸을 이끌고 기르는 것은 안근 등의 작용이 아니라 식識의 증상함이다. 식이 요별해야 비로소 험난한 것을 피할 수 있고, 단식을 수용하기 때문이다. 형색을 보는 등의 작용도 역시 식의 그것과 다른 것이 아니다. 그러므로 일을 공유하지 않는 것을, 안근 등의 근에 대해 개별적 증상한 작용으로 건립할 수 없으며, 따라서 이 때문에 안근 등이 근을 이루는 것은 아니다."13 그렇다면 어떠하다는 것인가? 게송으로 말하겠다.

② 자신의 경계의 요별에 증상하기에[了自境增上]
　　모두 6근을 세웠으며[總立於六根]
　　신근에서 2근을 세운 것은[從身立二根]
　　여성·남성에 증상해서이다[女男性增上]

③ 중동분을 머물게 하고, 잡염과[於同住雜染]
　　청정에 증상하기 때문에[淸淨增上故]
　　명근, 5수근과[應知命五受]
　　믿음 등을 근으로 세웠다고 알아야 한다[信等立爲根]

....
　　성취 분별')에서도, "출리의 의지처란 여러 선의 느낌을 말한다"라고 말하였다. 이상 근이 증상하다는 것에 대해 해석했는데, 비바사 논사들이 전하는 학설은 이와 같다는 것이다.
13 이는 두 번째 다른 논사의 학설을 서술하는 것인데, 어떤 다른 식견론자 등이 이렇게 말한다. 능히 몸을 이끌고 기르는 것은 식의 증상함이니, 식이 요별해서 험난을 피하고, 단식을 수용하기 때문인데, 형색을 보는 등의 작용도 식의 작용과 다른 것이 아니다. 그러므로 일을 공유하지 않는 것도 안근 등 근의 개별적인 증상한 작용이 아니다. 이는 곧 앞 논사의, 몸을 이끌고 기르며, 일을 공유하지 않는다는 주장을 논파하는 것이다. 여기에서 몸을 장엄한다는 것을 논파하지 않은 까닭은, 앞의 제1권(=게송 ⑲cd에 관한 논설)에서 이미, '만약 본래부터 그러했다면 누가 누추하다고 말하겠는가?'라고 논파해 말했기 때문이다. 혹은 앞의 글(=제2권의 제4장 제2절)에서, '만약 몸을 장엄하며 말을 일으키는 용도를 위한 것이라면, 의지처만을 필요로 할 것인데, 어찌 2근을 쓰겠는가?'라고 말한 까닭에 논파하지 않았으며, 식을 일으킨다는 것은 식견론자도 역시 인정하기 때문에 따로 논파하지 않은 것이다.

④ 미지당지근과 이지근과[未當知已知]
　구지근도 역시 그러하니[具知根亦爾]
　후후의 도와[於得後後道]
　열반을 얻는 등에 증상해서이다[涅槃等增上]14

　논하여 말하겠다. '자신의 경계의 요별[了自境]'이란 6식의 무리를 말하는 것이니, 안근 등의 5근은 각각 개별 경계를 능히 요별하는 식에 대해 증상한 작용이 있으며, 제6 의근은 일체 경계를 능히 요별하는 식에 대해 증상한 작용이 있기 때문에 안근 등의 6근을 각각 근으로 세운 것이다.15

　형색 등도 능히 요별하는 식에 대해 역시 증상한 작용이 있으니, 어찌 근으로 세워야 하지 않는가?16 경계는 식에 대해 증상한 작용이 없다. 대저 증상한 작용이란 뛰어나고 자재한 것[勝自在]을 말하는 것이니, 안근은 형색을 요별하는 식을 일으키는 데 가장 뛰어나고 자재하기 때문에 증상하다고 이름한다. 온갖 형색을 요별하는 데 공통의 원인이 되기 때문이며, 식이 안근에 따라 밝음과 어둠이 있기 때문이다. 형색은 곧 그렇지 않으니, 두 가지가 상반되기 때문이다. 나아가 의근의 법경에 대한 관계에 이르기까지도 역시 그러하다.17

....

14 이상은 따지는 것과 게송으로 답한 것이다.
15 5식은 각각 자신의 경계를 반연하므로 '각각 개별 경계에 대한 식'이라고 이름하고, 의식은 일체를 두루 반연하므로 '일체 경계에 대한 식'이라고 이름했는데, 또한 '자신의 경계에 대한 식'이라고도 이름한다. 6근은 6식을 능히 낳는 것에 대해 증상한 작용이 있기 때문에 근으로 세웠다.
16 이는 힐난하는 것인데, 경계로써 근에 비례시키려는 것이다.
17 풀이하는 것이다. 증상한 작용은 가장 뛰어나고 자재한 것인데, 안근은 형색을 요별하는 식을 일으키는 데 가장 뛰어나고 자재하다. 첫째는 여러 형색을 요별하는 데 공통의 원인이 되기 때문이니, 말하자면 하나의 안근이 여러 형색을 요별하는 여러 식에게 능히 공통의 원인이 되기 때문이며, 둘째는 식이 안근에 따라 밝음과 어둠이 있기 때문이니, 말하자면 근이 강하면 식이 밝고, 근이 약하면 식이 어둡기 때문에 증상하다고 이름하였다. 공통의 원인이 되기 때문에 가장 뛰어나다고 이름하고, 밝음과 어둠이 있기 때문에 자재하다고 이름하였다. 혹은 밝음과 어둠이 있기 때문에 가장 뛰어나다고 이름하고, 공통의 원인이 되기 때문에 자재하다고 이름하였다. 혹은 공통의 원인이며 밝음과

신근에서 다시 여근·남근을 세운 것은, 여성·남성에 대해 증상함이 있기 때문이다. 여근·남근의 체는 신근을 떠나지 않으니, 신근의 일부에 대해 이 명칭을 세운 것이기 때문이다. 그 순서대로 여자·남자의 몸 중 이 여근·남근에 증상한 작용이 있으니, 이 곳은 다른 곳의 신근과는 조금 다르기 때문에 신근에서 따로 2근을 세운 것이다. 여자로서의 몸의 유형[身形類], 음성 音聲, 하는 일[作業], 의요[志樂]의 차별을 여성이라고 이름하고, 남자로서의 몸의 유형, 음성, 하는 일, 의요가 같지 않음을 남성이라고 이름하는데, 두 가지 성[二性]의 차별은 여근·남근에 의한 것이기 때문에 여근·남근이 두 가지 성에 대해 증상하다고 말한 것이다.18

중동분衆同分이 머무는 것에 대해 명근은 증상한 작용이 있다.19

잡염에 대해 낙근 등의 5수근은 증상한 작용이 있다. 왜냐하면 계경에서, "즐거운 느낌[樂受]에서는 탐욕이 따라 증장하고, 괴로운 느낌[苦受]에서는 성냄이 따라 증장하며, 괴롭지도 않고 즐겁지도 않은 느낌에서는 무명이 따라 증장한다"라고 설했기 때문이다. 청정에 대해 신근 등의 5근은 증상한 작용이 있다. 왜냐하면 이들의 세력에 의해 여러 번뇌를 조복하고, 성도聖 道를 견인하기 때문이다. '알아야 한다'라고 말한 것은 그 하나하나가 각각

....

어둠이 있는 것을 함께 가장 뛰어나고 자재하다고 이름하였다. 형색은 곧 그 렇지 않으니, 두 가지가 상반되기 때문이다. 첫째는 공통의 원인이 아니니, 말 하자면 청색 등의 형색은 단지 청색 등의 식을 낳을 수 있을 뿐, 황색 등의 식을 낳을 수 없다. 둘째는 색경에 따라 밝음과 어둠이 있는 것이 아니기 때문 이니, 말하자면 경계에 강함과 약함이 있는 것에 따르기 때문에 식에 밝음과 어둠이 있지는 않다. 혹 경계가 약해도 식이 강한 경우가 있으니, 예컨대 푸른 형색을 볼 때와 같고, 혹 경계가 강해도 식이 약한 경우가 있으니, 예컨대 태 양 등을 볼 때와 같다. 두 가지가 상반되기 때문에 근으로 세우지 않았다. 나 아가 의근의 법경에 대한 관계에 이르기까지도 역시 그러하다.

18 이는 제3·제4구를 해석하는 것이다. 여자의 몸의 유형은 연약하고, 음성은 가 늘고 작으며, 옷을 깁는 등의 일을 하고, 지분脂粉 등을 마음으로 즐기지만, 남 자의 몸의 유형은 거칠고 크며, 음성은 웅장하고, 쓰거나 베끼는 등의 일을 하며, 활이나 말 등을 마음으로 즐기니, 두 가지 성이 같지 않은 것은 여근·남 근에 의한 것이다. 그러므로 여근·남근은 두 가지 성에 대해 증상하다. 그 나 머지 글은 알 수 있을 것이다.

19 이하 두 번째 게송을 해석한다. 명근이 있기 때문에 중동분이 머물 수 있다. 따라서 중동분에 대해 명근은 증상한 작용이 있다.

능히 근이 된다는 것을 인정하기를 권하는 말이다.[20]

3무루근은 후후의 도와 열반을 얻는 등에 대해 증상한 작용이 있다. '역시 그러하다'라고 말한 것은, 그 하나하나가 각각 능히 근이 된다는 것을 유추해 나타내는 것이다. 말하자면 미지당지근은 이지근의 도를 얻는 데 증상한 작용이 있고, 이지근은 구지근의 도를 얻는 데 증상한 작용이 있으며, 구지근은 열반을 얻는 데 증상한 작용이 있으니, 마음이 아직 해탈하지 못하고도 반열반할 수 있는 것은 아니기 때문이다.[21] '등'이라는 말은 다시 다른 문[異門]이 있다는 것을 나타내기 위한 것이다. 어떤 것이 다른 문인가? 말하자면 견소단 번뇌의 소멸에 대해 미지당지근은 증상한 작용이 있고, 수소단 번뇌의 소멸에 대해 이지근은 증상한 작용이 있으며, 현법락주現法樂住에 대해 구지근은 증상한 작용이 있으니, 이것에 의해 능히 해탈의 기쁨과 즐거움을 받아들이기 때문이다.[22]

제2절 근의 폐립

....

20 다섯 가지 느낌으로 말미암아 여러 번뇌를 일으키기 때문에 잡염에 대해 5수근은 증상한 작용이 있다. 경(=잡 [17]17:470 전경箭經 등)을 인용한 것은 알 수 있을 것인데, 경은 세 가지 느낌에 의거하고, 근심과 기쁨은 말하지 않았지만, 괴로움은 근심을 포함하고, 즐거움은 기쁨을 포함한다. 신근 등의 5근이 청정에 대해 증상한 작용이 있는 것은, 이 신근 등 선근의 세력에 의해 여러 번뇌를 조복하고, 성도를 견인해 낳기 때문이다. 나머지 글은 알 수 있을 것이다.

21 이하는 세 번째 게송을 해석하는 것인데, 3무루근을 해석한다. 처음 근은 두 번째 근을 견인하기 때문에 이지근에 증상한 작용이 있고, 두 번째 근은 세 번째 근을 견인하기 때문에 구지근에 증상한 작용이 있으며, 세 번째 근으로 능히 열반을 증득하기 때문에 열반에 증상한 작용이 있는 것이다. 마음에 번뇌가 없어야 비로소 열반을 증득하니, 마음이 아직 번뇌에서 해탈하지 못하고도 반열반할 수 있는 것이 아니기 때문이다. '후후'라는 말은, 두 번째 근은 처음 근의 후의 도이고, 세 번째 근은 두 번째 근의 후의 도이기 때문에 후후의 도라고 말한 것이다. 세 번째 근은 열반에 대해 증상함이 있다.

22 이상은 '등'이라는 글자를 별도로 해석하는 것이다. 견혹의 소멸에 대해 미지당지근은 증상한 작용이 있고, 수혹의 소멸에 대해 이지근은 증상한 작용이 있으며, 현재세에서 법락을 수용하며 머무는 것에 대해 구지근은 증상한 작용이 있으니, 이 구지근에 의해 해탈신解脫身 중의 여러 기쁨과 즐거움을 능히 받아들이기 때문이다.

1. 설일체유부의 종지

만약 증상하기 때문에 근으로 세운 것이라면, 무명 등의 성품도 근으로 세워야 할 것이니, 무명 등의 원인은 행行 등의 결과에 대해 각각 개별적으로 증상한 작용이 있기 때문이다.23 또 말하는 도구[語具] 등도 근으로 세워야 할 것이니, 말하는 도구, 손·발, 대·소변처는 말하는 일, 붙잡고 가고 배설하고 즐기는 일에 대해 그 순서대로 증상함이 있기 때문이다.24　이런 등

....

23 이하는 둘째 근의 폐립에 대해 밝히는 것이다. 그 안에 나아가면 첫째 자파의 종지를 서술하고, 둘째 다른 학설을 서술하는데, 이는 곧 자파의 종지를 서술하는 것이다. 장차 밝히려고 물음을 일으키는데, 물음에 나아가면 첫째 자파의 종지에 의거해 묻고, 둘째 수론數論(=소위 상키야Sāṃkhya학파)에 의거해 묻는다. 이는 곧 자파의 종지에 의거해 묻는 것이니, 12연기 중 무명 등의 원인은 행 등의 결과에 대해 각각 개별적으로 증상한 작용이 있기 때문에 응당 근으로 세웠어야 한다는 것이다.

24 이는 곧 수론數論에 의거해 묻는 것이다. 수론학파에서는 25제諦의 이치를 세운다. '25제'라고 말한 것은 첫째는 자아[我](=소위 푸루샤puruṣa)이다. 그것은 영원한 것[常]이라고 계탁하는데, 그 성품은 수동적인 존재[受者]일 뿐, 능동적인 존재[作者]가 아니다. 나머지 24제는 자아에 속하는 것[我所]이니, 자아에 의해 수용되는 것들이다. 둘째는 자성自性(=소위 프라크르티prakṛti)이다. 살타薩埵(=사트바sattva)·자사刺闍(=라자스rajas)·답마答摩(=타마스tamas)를 체로 하는데, 즐거움·괴로움·어리석음이라고도 이름하고, 기쁨·근심·어둠이라고도 이름한다. 이 셋은 마치 자아의 신하들과 같아서, 만약 자아가 경계를 얻어 수용하려고 할 때에는 곧 자아를 위해 변하지만, 아직 변하지 않았을 때에는 각각 자성에 머물기 때문에 자성이라고 이름한 것이다. 셋째는 자성에서 생긴 붓디buddhi[大]이니, 말하자면 자아가 생각하고 헤아려서 여러 경계를 얻어 수용하려고 할 때에는 3법이 곧 알고 움직이는데, 그 때 그 체가 커지기 때문에 '대'라고 이름한 것이다. 넷째는 붓디에서 생긴 아집我執(=아함카라 ahaṃkāra)이니, 말하자면 그 자아를 반연하는 것이기 때문에 아집이라고 이름한 것이다. 다섯째는 아집에서 생긴 5유[五唯量]이니, 형색·소리·냄새·맛·감촉을 말한다. 여섯째는 5유에서 생긴 5대五大이니, 지·수·화·풍·공을 말한다. 말하자면 형색은 능히 화대를 낳으니, 불은 적색이기 때문이고, 소리는 능히 공대를 낳으니, 공 중에 소리가 있기 때문이며, 냄새는 능히 지대를 낳으니, 땅속에 냄새가 많기 때문이고, 맛은 능히 수대를 낳으니, 물 중에 맛이 많기 때문이며, 감촉은 능히 풍대를 낳으니, 바람이 능히 몸에 닿는 것이기 때문이다. 일곱째는 5대에서 생긴 11근이니, 안·이·비·설·신근, 의근·손·발·대변처·소변처와 말하는 도구[語具]인데, 말하는 도구는 곧 육신의 혀[肉舌]이다. 말하자면 화대가 능히 눈을 낳으면 다시 형색을 볼 수 있고, 공대가 능히 귀를 낳으면 다시 소리를 들을 수 있으며, 지대가 능히 코를 낳으면 다시 냄새를 맡을 수 있고, 수대가 능히 혀를 낳으면 다시 맛을 맛볼 수 있으며, 풍대가 몸을 낳으

의 사물은 근으로 세우지 않아야 하니, 근으로 인정되는 것에는 이와 같은 모습이 있기 때문이다. 게송으로 말하겠다.

5 마음의 의지처이고, 이들의 차별이며[心所依此別]
　　이들의 머묾이고, 이들의 잡염이며[此住此雜染]
　　이들의 자량이고, 이들의 청정이니[此資量此淨]
　　이런 근거에 의해 근을 세운다[由此量立根]

　　논하여 말하겠다. 마음의 의지처란 안근 등의 6근인데, 이 안의 6처가 유정의 근본이다. 이들 모습의 차별은 여근·남근에 의하고, 다시 명근에 의해 이들이 일기—期 동안 머물며, 이들이 잡염을 이루는 것은 5수근에 의하고, 이들의 청정의 자량은 신근 등의 5근에 의하며, 이들이 청정을 이루는 것은 뒤의 3근에 의하니, 이에 의해 근을 세우는 일이 모두 완성된다. 그러므로 무명 등 및 말하는 도구 등도 역시 근으로 세워야 한다는 것을 인정해서는 안 될 것이니, 그것들은 이들에 대해 증상한 작용이 없기 때문이다.25

....

면 다시 감촉을 느낄 수 있다. 5대는 아울러 능히 의근·손·발·대변처·소변처와 말하는 도구를 낳는다고 하니, 그들은 육신의 심장[肉心]을 계탁해서 의근이라고 이름한다. 그들의 종지에서 집착하는 모든 법은, 마치 금을 변화시켜 반지나 팔찌 등을 만들면 금색은 바뀌지 않아도 반지 등의 모습은 다른 것처럼, 영원하다고 한다. 만약 자아가 경계를 얻어 수용하려고 할 때면, 자성에서 붓디가 생기고, 붓디에서 아집이 생기며, 아집에서 5유가 생기고, 5유에서 5대가 생기며, 5대에서 11근이 생기지만, 만약 자아가 경계를 수용하지 않을 때에는 11근에서 다시 5대로 들어가고, 5대에서 다시 5유로 들어가며, 5유에서 다시 아집으로 들어가고, 아집에서 다시 붓디로 들어가며, 붓디에서 다시 자성으로 들어간다고 한다.
　　지금 그 종지의 11근 중 5작업근作業根(=손·발·대변처·소변처와 말하는 도구)에 의거해 힐난하는 것이다. 말하는 도구는 육신의 혀를 말하는 것인데, 말에 증상함이 있고, 손은 붙잡는 것에 증상하며, 발은 가는 것에 증상하고, 대변처는 변의 더러움을 버리는 것에 증상하며, 소변처는 음욕을 즐기는 일에 증상하니, 이들도 모두 증상하므로 근으로 세워야 한다는 것이다.
25 이는 자파의 종지를 서술해서 답하는 것인데, 곧 설일체유부이다. 이 안의 6처가 함께 유정을 이루므로 유정의 근본인데, 이것들은 마음의 의지처로서, 모두 근의 뜻이 있다. 곧 이 6근의 모습이 차별되는 것은 여근·남근에 의한

2. 식견론자의 다른 해석

다시 어떤 다른 논사는 근의 모습에 대해 다르게 말하는데, 게송으로 말하겠다.

6 혹은 유전의 의지처이며[或流轉所依]
  아울러 생김, 머묾, 수용이므로[及生住受用]
  앞의 14근을 건립하였고[建立前十四]
  환멸시키는 뒤의 것들도 그러하다[還滅後亦然]

논하여 말하겠다. '혹은'이라는 말은 이것이 다른 논사의 의견임을 나타내는 것인데, 유전流轉과 환멸還滅에 의거해 22근을 세우는 것이다.[26] '유전의 의지처'는 안근 등의 6근을 말하고, '생김'은 여근·남근에 의한 것이니, 그것으로부터 생기기 때문이며, '머묾'은 명근에 의한 것이니, 그것에 기대어 머물기 때문이며, '수용'은 5수근에 의한 것이니, 그것들로 인해 받아들이기 때문이다. 이에 의거해 앞의 14근을 건립하였다.[27] 환멸의 단계에서

....

것인데, 다시 명근에 의해 이 6근이 1기 동안 머문다. 이 6근이 잡염을 이루는 것은 5수근에 의하고, 이 6근이 청정 무루의 자량이 되는 것은 신근 등의 5근에 의하며, 이 6근이 청정 무루를 이루는 것은 뒤의 3근에 의한 것이다. 차이가 있다면 차별과 머묾 두 가지는 모두 6근을 포함하지만(=여근·남근은 6처의 모습의 차별의 근거이고, 명근은 6근의 1기期 머묾의 근거이므로 모두 6근을 포함한다는 취지), 잡염과 자량 및 청정은 오직 의근에만 있다는 점이다. 또 해석하자면 '이들 모습의 차별' 이하 다섯 가지는 모두 마음을 '이들'로 하거나 유정을 '이들'로 하는 것이다. 이 여섯 가지에 의해 모든 근을 건립하는 일이 모두 완성되고, 저 무명 등이나 말하는 도구 등은 이들에 대한 증상한 작용이 없기 때문에 근으로 세워서는 안 된다.
26 이하는 둘째 다른 학설을 서술하는 것인데, 식견론자 등이 근을 세우는 모습이다. 유전과 환멸이라고 말한 것은, 『순정리론』(=제9권. 대29-379하)에서는, "생사가 상속되는 것이 유전의 뜻이고, 생사가 그쳐 멈추는 것이 환멸의 뜻이니, 곧 6처가 완전히 끊어져 소멸하는 것이다"라고 말하였고, 『대비바사론』 제100권(=대27-515중)에서는, "유전이란 다시 생을 받는 것을 말하고, 환멸이란 열반으로 나아간 것이다"라고 말하였다.
27 이는 유전하는 단계에서 네 가지 뜻에 의거해 앞의 14근을 세웠다는 것이다. 3계의 생사는 식을 주인으로 삼는데, 식이 일어나면 반드시 6근이 의지처가

도 곧 이 네 가지에 의거하는데, 뜻의 부류가 다르기 때문에 뒤의 8근을 세웠다. 환멸의 의지처는 신근 등의 5근을 말하고, 3무루근 중 처음 것에 의하기 때문에 생기며, 다음 것에 의하기 때문에 머물며, 뒤의 것에 의하기 때문에 수용한다. 근의 수량은 이로 말미암아 덜함도 없으며 더함도 없으니, 곧 이런 이유에 의해 경에서 순서를 세운 것이다.[28]

　말하는 도구를 말에 대해 근이라고 해서는 안 될 것이니, 배움[學]의 차별을 기다려야 말이 비로소 이루어지기 때문이다.[29] 손과 발을 붙잡고 가는 일에 대해 각각 근으로 세워서는 안 될 것이니, 다른 성품이 없기 때문이다. 말하자면 곧 손·발이 처소를 달리하고 모습을 달리하여 차별이 생길 때 붙잡거나 간다고 이름하기 때문이다. 또 예컨대 배로 가는 부류[腹行類]처럼 손·발을 떠나서도 붙잡거나 가는 것이 있으니, 그러므로 손·발은 그것에 대해 근으로 건립될 수 없다.[30] 대변을 내보내는 처소도 능히 배설하는 일

된다. 이 6근이 생기는 것은 여근과 남근에 의하고, 이 6근이 머무는 것은 다시 명근에 의하며, 6근이 경계를 수용하는 것은 다시 5수근에 의하니, 그 5수근으로 인해 6근이 그 경계를 받아들이기 때문이다.

28 이는 환멸의 단계에서 곧 네 가지 뜻에 의거해 뒤의 8근을 세웠다는 것이다. 『순정리론』의 의중은 열반의 증득에 의거해 밝히는 것이니, 그래서 『순정리론』 제9권(=대29-379하)에서 말하였다. "생사가 그쳐 멈추는 것이 환멸의 뜻이니, 곧 6처가 완전히 끊어져 소멸하는 것이다. 이의 획득[得]의 의지처는 신근 등의 5근을 말하는 것이니, 이는 일체 선근이 생장하는 가장 뛰어난 원인이기 때문이다. 처음의 무루근은 이의 획득을 낳을 수 있으니, 정정취 안에서 이것이 처음 생기기 때문이며, 다음의 무루근은 이의 획득을 머물게 하니, 그것으로 말미암아 긴 시간 동안 상속하여 일어나기 때문이며, 뒤의 무루근은 획득으로 하여금 현법낙주를 수용하게 하니, 그것이 드러난 것이기 때문이다." 말하자면 환멸의 획득의 의지처는 신근 등의 5근을 말하고, 처음의 무루근에 의해 열반의 획득이 생기며, 다음의 무루근에 의해 열반의 획득이 머물고, 뒤의 무루근에 의해 열반의 획득이 현법낙주를 수용한다는 것이다. 근의 수량은 이 네 가지 뜻에 의해 건립된 것이므로 덜함도 없고 더함도 없으니, 곧 이 유전과 환멸의 네 가지 뜻의 인연에 의해 경에서 22근의 앞뒤의 순서를 세웠다는 것이다.

29 이하에서 (5작업근에 대해) 개별적으로 논파하는데, 이는 곧 말하는 도구에 대해 논파하는 것이다. 이 말은 익히고 배우는 것의 차별을 기다려야 말 등이 비로소 이루어지기 때문이다. 따라서 말하는 도구는 말에서 바라볼 때 증상함이 있는 것이 아니라는 것을 알 수 있다. 만약 말하는 도구가 말에 대해 증상한 것이 될 수 있다면 처음 태어날 때 혀가 있으니, 곧 말할 수 있어야 할 것이다.

에 대해 근으로 세워서는 안 될 것이니, 무거운 물건은 공중에서 두루 떨어지기 때문이며, 또 바람의 힘이 견인해서 나가게 하기 때문이다.31 소변을 내보내는 처소도 즐거움을 낳는 일에 대해 근으로 세워서는 안 될 것이니, 곧 여근·남근이 이런 즐거움을 일으키기 때문이다.32

또 목구멍, 이빨, 눈꺼풀, 사지마디도 근으로 세워야 할 것이니, 능히 삼키고, 씹으며, 깜박이고, 굽히고 펴는 데 힘과 작용이 있기 때문이다. 혹은 일체 원인은 자신이 만든 것에 대해 힘과 작용이 있기 때문에 모두 근으로 세워야 할 것이다. 그것들은 비록 작용이 있다고 해도 증상한 것이 아니기 때문에 근으로 세우지 않으니, 이 말하는 도구 등도 역시 증상한 것이 아니므로 근으로 세워서는 안 될 것이다.33

....

30 이는 손·발에 대해 논파하는 것이다. 손은 붙잡는 것에 대한 것이고, 발은 가는 것에 대한 것인데, 이 붙잡는 것과 가는 것은 손·발을 떠난 밖에 다른 성품이 없기 때문이다. 말하자면 곧 손·발이 여기에서 저기에 이르는 것을 처소를 달리한다고 이름하고, 들고 내리며 굽히고 펴는 것을 모습을 달리한다고 이름하니, 이런 차별이 생길 때 붙잡는 것이라고 이름하며, 가는 것이라고 이름할 뿐, 손·발을 떠난 밖에 따로 붙잡거나 가는 것은 없다. 또 손·발을 떠나 붙잡거나 가는 것도 있으니, 마치 뱀 등처럼 배로 가는 부류들은 비록 발이 없더라도 역시 갈 수 있으며, 비록 손이 없더라도 역시 붙잡을 수 있다. 그러므로 손·발은 그 붙잡고 가는 것에 대해 근으로 건립될 수 없다. 만약 굳게 집착한다면 배에 의한 것도 있으므로 배도 근으로 세워야 할 것이다.

31 이는 대변처에 대해 논파하는 것이다. 대변을 내보내는 처소는 능히 변의 더러움을 배설하는 등의 일에 대해 근으로 세워서는 안 된다. 공중에 있는 무거운 물건은 그 성품이 멈추어 머물지 않으니, 안의 것이든 밖의 것이든 두루 떨어지기 때문에 그 처소(=대변처)에 의할 것이 아니다. 만약 굳게 집착한다면 공중에서 떨어지기 때문에 공근空根을 세워야 할 것이다. 몸 안의 더러운 것은 또 바람의 힘이 견인해서 나오게 하기 때문에 그 처소에 관계되는 것이 아니다. 만약 굳게 집착한다면 또한 바람이 견인해 내보낸다고 해서 풍근風根을 세워야 할 것이다.

32 이는 소변처에 대해 논파하는 것이다. 소변을 내보내는 처소는 음욕의 즐거움을 낳는 일에 대해 근으로 세워서는 안 될 것이니, 곧 여근과 남근이 능히 이런 즐거움을 일으키는데, 어찌 처소를 따로 근으로 세워야 한다고 계탁할 필요가 있겠는가?

33 이는 예를 인용해서 반대로 논파하는 것이다. 예컨대 목구멍은 삼키는 것에, 이빨은 씹는 것에, 눈꺼풀은 깜박이는 것에, 사지마디는 굽히고 펴는 것에 각각 힘과 작용이 있으므로 모두 근으로 세워야 할 것이다. 혹은 일체 원인은 일체 자신이 만든 결과에 대해 각각 힘과 작용이 있으므로 모두 근으로 세워

제3절 근의 체

1. 5수근의 체

이들 중 안근 등에서부터 남근까지는 앞에서 설명한 것과 같다. 명근의 체는 불상응행이기 때문에 불상응행 중에서 저절로 자세히 분별될 것이며, 신근 등의 체는 심소법이기 때문에 심소법 중에서 역시 자세히 분별될 것이다. 낙근 등의 5수근과 3무루근은 다시 분별하는 곳이 없기 때문에 지금 해석해야 할 것이다.34 게송으로 말하겠다.

⑦ 몸의 즐겁지 않음을 고근이라고 이름하고[身不悅名苦]
　곧 이의 즐거움을 낙근이라고 이름하며[卽此悅名樂]
　아울러 제3정려의 마음의 즐거움인데[及三定心悅]
　다른 곳에서는 이를 희근이라고 이름한다[餘處此名喜]

⑧ 마음의 즐겁지 않음을 우근이라고 이름하고[心不悅名憂]
　중간은 사근인데, 두 가지로서 무분별이며[中捨二無別]
　견도·수도·무학도에서[見修無學道]
　9근에 의해 3근을 세운다[依九立三根]35

논하여 말하겠다. '몸'은 몸의 느낌[신수身受]을 말하는 것이다. 몸에 의

....
야 할 것이다. 그 목구멍이나 이빨 등은 비록 힘과 작용이 있어도, 증상한 것이 아니기 때문에 근으로 세우지 않으니, 이 말하는 도구 등도 역시 증상한 것이 아니므로 근으로 세워서는 안 된다. 이에 의해 무명 등에 대한 힐난도 역시 회통하였다. 혹은 '등'이라는 말 중에는 무명 등도 포함되기 때문이다.
34 이하는 셋째 근의 체성을 밝히는 것인데, 게송의 글을 일으키는 것이다. 이들 중 안근 등의 6근은 앞의 계품의 온·처·계 중에서 설명한 것과 같고, 남근·여근은 이 품의 처음에 설명한 것과 같으며, 명근은 뒤의 불상응행에 이르면 거기에서 분별할 것이고, 신근 등의 5근은 심소법에 이르면 거기에서 분별할 것이니, 이 14근은 앞에서 설명했거나 뒤에서 설명할 것이기 때문에 여기에서 밝히지 않는다. 그 나머지 근은 아직 밝히지 않았기 때문에 지금 해석해야 한다.
35 이는 게송의 글로 간략히 해석한 것이다.

지해 일어나기 때문이니, 곧 5식과 상응하는 느낌이다. '즐겁지 않음[不悅]'이라고 말한 것은 손상시키고 괴롭힌다[損惱]는 뜻이니, 몸의 느낌 중 능히 손상시키고 괴롭히는 것을 고근이라고 이름한다. '즐거움[悅]'이라고 말한 것은 거두어 이익한다[攝益]는 뜻이니, 곧 몸의 느낌 중 능히 거두어 이익하는 것을 낙근이라고 이름한다. 아울러 제3정려의 마음과 상응하는 느낌이 능히 거두어 이익하는 것은 역시 낙근이라고 이름한다. 제3정려 중에는 몸의 느낌이 없으며 5식이 없기 때문에 마음의 즐거움[心悅]을 낙근이라고 이름한 것이다. 곧 이런 마음의 즐거움을, 제3정려를 제외한 그 아래의 3지地에서는 희근이라고 이름한다. 제3정려에서의 마음의 즐거움은 편안하고 고요하며[安靜] 기쁨에 대한 탐욕[喜貪]을 떠났기 때문에 오직 낙근이라고만 이름하지만, 그 아래 3지 중에서의 마음의 즐거움은 거칠게 움직이고[蠢動] 기쁨에 대한 탐욕이 있기 때문에 오직 희근이라고만 이름한다. 의식과 상응하면서 능히 손상시키고 괴롭히는 느낌은 마음의 즐겁지 않음이니, 우근이라고 이름한다.36

'중간[中]'은 즐거움도 아니고 즐겁지 않음도 아닌 것을 말하는 것이므로 곧 괴롭지도 않고 즐겁지도 않은 느낌[不苦不樂受]이니, 이런 중간의 느낌[處中受]을 사근捨根이라고 이름한다.37

이와 같은 사근은 신수身受인가, 심수心受인가?38 두 가지에 통한다고 말해야 할 것이다.39 어째서 이 두 가지는 전체를 하나의 근으로 세웠는가?40 이런 느낌은 몸에 있든 마음에 있든 같이 무분별이기 때문이다. 마음에 있

....

36 이상은 처음 5구를 해석하는 것이다. '신身'에는 두 가지 뜻이 있다. 만약 6수 신六受身이라고 말할 경우의 신이라면 곧 체體이고, 만약 신수身受와 심수心受라고 말할 경우의 신이라면 곧 물질의 무더기[色聚]이니, 물질의 무더기를 신이라고 이름한다. 여기에서 말한 신은 물질의 무더기를 신이라고 이름한 것이니, 곧 여러 색근이다. 몸에 의지해 일어나기 때문에 신수身受라고 이름하니, 의지처에 따라 이름으로 삼은 것이다. 나머지 글은 알기 쉽다.
37 이는 제6구 중 사근에 대해 해석하는 것이다.
38 물음이다.
39 답이다.
40 물음이다. 어째서 이 몸과 마음에 있는 것 두 가지는 전체를 하나의 사근으로 세웠는가?

는 괴로움과 즐거움은 대부분 분별로 생기지만, 몸에 있는 것은 그렇지 않으니, 경계의 힘에 따르기 때문이며, 아라한 등에게도 역시 이런 느낌이 생기기 때문이다. 이 때문에 근을 세울 때 몸과 마음을 각각 달리했지만, 사수[捨]는 분별 없이 저절로 생기니, 이 때문에 근을 세울 때 몸과 마음을 합쳐서 하나로 하였다. 또 괴롭거나 즐거운 느낌은 몸에 있든 마음에 있든 손상하거나 이익하니, 그 모습이 각각 다르기 때문에 별도로 근으로 세웠지만, 사수는 몸에 있든 마음에 있든 같이 무분별로서, 손상하는 것도 아니고 이익하는 것도 아니어서 그 모습에 차이가 없기 때문에 전체를 근으로 세운 것이다.[41]

2. 3무루근의 체

의근, 낙근·희근·사근, 신근 등의 5근, 이와 같은 9근이 세 가지 도에 있을 때 순서대로 3무루근을 건립한다. 말하자면 견도見道에 있으면 의근 등의 9근에 의해 미지당지근未知當知根을 세우고, 수도修道에 있으면 곧 이 9근에 의해 이지근已知根을 세우며, 무학도無學道에 있으면 역시 이 9근에 의해 구지근具知根을 세운다.[42]

이러한 3근의 명칭은 무엇을 원인으로 해서 세운 것인가?[43] 말하자면 견

....

41 답하면서 (제6구 중) '무분별'을 해석하는 것이다. 이 사수는 몸에 있든 마음에 있든 같이 무분별이기 때문에 따로 세우지 않았지만, 고수와 낙수는 차이가 있으니, 이 때문에 따로 세웠다. 마음에 있는 고수와 낙수는 대부분 분별로 생기므로 우수라고 이름하며, 희수라고 이름하고, 제3정려의 마음에 있는 낙수는 비록 무분별이지만, 많은 부분에 따라 말하기 때문에 '대부분 분별로 생긴다'고 말한 것이다. 몸에 있는 고수와 낙수는 무분별로 생기니, 경계의 힘에 따라 일어나므로 고수라고 이름하며, 낙수라고 이름한다. '아라한 등'은 앞의 3과三果도 같다는 것이니, 그 상응하는 바에 따라 그 다섯 가지 느낌(=5식 상응의 신수)을 일으키므로 '역시 이런 느낌이 생긴다'라고 한 것인데, 이는 곧 성자를 들어 범부도 같이 포함한 것이다. 그래서 이 고와 낙은 근으로 세울 때 몸과 마음을 각각 달리했지만, 사수는 분별 없이 저절로 생기므로, 이 때문에 근으로 세울 때 몸과 마음을 합쳐서 하나로 하였다. 또 괴로움은 몸이나 마음에 있으면 손상하는 것이 각각 다르고, 즐거움은 몸이나 마음에 있으면 이익하는 것이 각각 다르기 때문에 따로 근으로 세웠지만, 사수는 다른 모습이 없기 때문에 전체를 하나로 세웠다.
42 이하는 뒤의 2구를 해석하는 것이다. 3무루근은 9근을 체로 해서, 세 가지 도에 세운 것이다. 나머지 글은 알 수 있을 것이다.

도에 있으면 아직 알지 못한 것을 알아야 한다는 행의 일어남이 있기 때문에 그것을 말하여 미지당지未知當知라고 이름하였다.44 만약 수도에 있다면 아직 알지 못한 것은 없고, 다만 나머지 수면을 끊고 제거하기 위해 곧 그런 경계를 다시 자주 요지了知하니, 이 때문에 그것을 말하여 이지已知라고 이름하였다.45 무학도에 있다면 이미 안다는 것을 알기 때문에 지知라고 이름하는데, 이런 지知가 있는 것을 구지具知라고 이름하였다. 혹은 이런 지知를 익힘으로써 이미 성품을 이룬 것을 구지라고 이름한 것이다. 말하자면 진지盡智와 무생지無生智를 얻었기 때문에 여실하게 스스로 알고, '나는 고苦를 두루 알았으니, 더 이상 두루 알지 않을 것이다'라고 하며, 나아가 널리 말할 것이다.46 거기에 있는 근을 미지당지근 등이라고 이름한 것이다.47

....

43 이는 명칭을 세운 이유를 묻는 것이다.

44 이하 답하는 것인데, 그 안에 나아가면 첫째 세 가지 도에 의거해 밝히고, 둘째 따로 근에 대해 해석한다. 이는 곧 견도에 의거해 미지당지근을 세웠다는 것이다. '지知'란 지혜[智]이니, 견도에 있는 15찰나의 8인八忍과 7지七智(=제16찰나의 도류지道類智의 단계는 수도위에 포함됨은 뒤의 제23권 중 게송 ③ab와 그 논설 참조)를 말하는 것이다. 상계와 하계에 대한 8제八諦에 대해, 모두 아직 알지 못한 것을 알아야 한다는 행의 일어남이 있기 때문에 그 행을 말하여 '미지당지'라고 이름하였다.

45 이는 수도에 의거해 이지근을 세웠다는 것이다. 만약 수도에 있다면 상계와 하계에 대한 8제에 대해, 아직 알지 못한 것을 알아야 한다는 것이 없으니, 8제를 아는 것이 모두 널리 두루하기 때문이다. 다만 나머지 수면을 끊고 제거하기 위하여 곧 그 진리[諦]를 다시 자주자주 요지하니, 이 때문에 그런 행을 말하여 '이지'라고 이름한 것이다. 수도의 첫 순간인 도류지의 시기에, 상계의 도에 대해 그 때 바로 아는 것은 앞의 7지와 같은데도 이지라고 이름한 것은, 이후의 한량없고 끝없는 여러 지혜들이 모두 앞과는 다르므로, 적은 것을 많은 것에 따르게 함으로써 모두 이지라고 이름한 것이다.

46 이는 무학도에 의거해 구지근을 세웠다는 것이다. 말하자면 수도 중에는 여전히 번뇌가 있으므로, 4성제의 이치에 대해 이미 안다는 것을 알았다는 이해를 아직 지을 수 없지만, 무학도에 있다면 번뇌가 없기 때문에 4성제의 경계에 대해 이미 안다는 것을 알았다는 이해를 지을 수 있기 때문에 '지知'라고 이름한다. 이는 '지'의 뜻을 해석한 것이다. 이런 지를 성취함이 있으면 '구지'라고 이름한다는 것은, 성취에 의거해 '구具'를 해석한 것이다. 혹은 자주자주 이런 지를 익힘으로써 성품을 이룬 것을 구지라고 이름한다는 것은, 익힘에 의거해 '구'를 해석한 것이다. 말하자면 진지와 무생지를 얻었기 때문에 구지라고 이름한다는 것은, 나는 고를 두루 안다는 것이 진지(=다 안다는 것을 아는 지혜)이고, 더 이상 두루 알지 않을 것이라는 것이 무생지(=더 이상 생기게 할

제4절 여러 문 분별

제1항 유루·무루 분별

이와 같이 근의 체가 같지 않다는 것을 해석했으니, 여러 문의 뜻의 부류의 차별에 대해 분별하겠다. 이 22근 중 몇 가지가 유루이고, 몇 가지가 무루인가? 게송으로 말하겠다.

⑨ 오직 무루인 것은 뒤의 3근이고[唯無漏後三]
　　유색근과 명근·우근·고근은[有色命憂苦]
　　오직 유루라고 알아야 하며[當知唯有漏]
　　나머지 9근은 두 가지에 통한다[通二餘九根]

논하여 말하겠다. 바로 앞에서 설명한 최후의 3근은 체가 오직 무루이다. 이는 무구無垢라는 뜻이니, 구垢와 누漏는 명칭만 다를 뿐, 체는 같다. 7유색근有色根 및 명근·우근·고근은 한결같이 유루이다. 7유색근이란 안근 등의 5근 및 여근·남근이니, 색온에 포함되기 때문이다. 의근, 낙근·희근·사근과 신근 등의 5근, 이 9근은 모두 유루와 무루에 통한다.48
　　어떤 다른 논사는, "신근 등의 5근도 역시 오로지 무루이다. 그래서 세존

것이 없다는 것을 아는 지혜)이며, 나는 집을 이미 끊었다는 것이 진지이고, 더 이상 집을 끊지 않을 것이라는 것이 무생지이며, 나는 이미 멸을 증득했다는 것이 진지이고, 더 이상 멸을 증득하지 않을 것이라는 것이 무생지이며, 나는 도를 이미 닦았다는 것이 진지이고, 더 이상 도를 닦지 않을 것이라는 것이 무생지이니, 그래서 '나아가 널리 말할 것'이라고 말한 것이다.

47 이는 근에 대해 따로 해석하는 것이다. 그런 미지당지의 행 등에 있는 근을 미지당지근 등이라고 이름했다는 것이다. 또 『순정리론』제9권(＝대29-380중)에서, "이와 같이 근의 명칭은 비록 스물둘이 있지만, 모든 근의 체는 열일곱일 뿐이니, 여근과 남근은 신근에 포함되기 때문이며, 3무루근은 9근에 포함되기 때문이다"라고 말하였다.

48 이하 넷째 여러 문 분별이다. 모두 6문이 있는데, 이는 곧 처음 유루·무루의 문이다. 색온에 포함되기 때문에 유색이라고 이름한다. 의근 등의 9근은 3무루근에 포함되는 것이면 무루이고, 그 나머지는 유루라고 이름한다.

께서, '만약 이 신근 등의 5근이 전혀 없다면, 그는 밖의 이생의 품류[外異生品]에 머문다고 나는 말한다'라고 말씀하셨다"라고 말하였다.49 이는 진실한 증거가 아니니, 무루근에 의거해 이런 말씀을 하신 것이기 때문이다.50 어떻게 그러하다고 아는가?51 먼저 무루의 신근 등 5근에 의해서 여러 성자의 단계의 차별을 건립하신 뒤 이 말씀을 하셨기 때문이다.52 혹은 모든 이생에는 대략 두 종류가 있으니, 첫째는 안[內]이고, 둘째는 밖[外]이다. '안'은 선근을 끊지 않은 자를 말하고, '밖'은 선근이 이미 끊어진 자를 말하는데, 밖의 이생에 의해, "만약 이 신근 등의 5근이 전혀 없다면, 그는 밖의 이생의 품류에 머문다고 나는 말한다"라는 이런 말씀을 하셨던 것이다.53 또 계경에서, "세간에 처해 있는 동안 혹 (5근을) 낳기도 하고 기르기도 하는 여러 유정들이 있으니, 상·중·하의 여러 근의 차별이 있다"라고 말씀하셨는데, 이 때는 붓다께서 아직 법륜을 굴리시지 않은 때였다. 그러므로 신근 등은 유루에도 통한다는 것을 알 수 있다.54 또 세존께서, "내가 만약 이

....

49 이는 화지부化地部에서 계탁하는 것을 서술한 것이다. 곧 비바사바제毘婆沙婆提 Vibhajyavādin이니, 여기 말로는 분별론사分別論師인데, 신근 등은 오직 무루라고 계탁한다. 그래서 세존께서, "만약 사람이 이와 같은 신근 등을 성취했다면 아라한이라고 이름하고, ⋯ 만약 사람이 이와 같은 신근 등을 (그보다 약하게) 성취했다면 예류향이라고 이름한다"라는 이런 말씀하신 뒤, 다시 "만약 이런 신근 등의 5근이 전혀 없다면 그는 밖의 이생(=잡 [26]26:652경에는 '밖의 이생'이 아니라, '외도나 범부'라고 되어 있고. 그 다음 제653경에는 '범부'라고만 되어 있음)의 품류에 머문다고 나는 말한다"라고 말씀하셨다. 이 때문에 신근 등은 오직 무루라는 것을 알 수 있다는 것이다.

50 이는 논주의 논파이다. 경에서 이생을 신근 등이 없는 자라고 말씀하신 것은, 무루근에 의해서 없는 경우를 말씀하신 것이다.

51 따지는 것이다.

52 해석하는 것이다. 계경 중에서 먼저 무루의 신근 등 5근에 의거해 4과·4향의 여러 성자의 단계의 차별을 건립하신 뒤, "만약 이 무루의 신근 등의 5근이 전혀 없다면, 그는 밖의 이생의 품류에 머문다고 나는 말한다"라는 이런 말씀을 하셨기 때문에 (여기에서는) 유루를 포함한 것이 아니었다.

53 또 변론하는 것이다. 경에서 '밖의 이생'이라고 말한 것은 선근을 끊은 사람인데, 그런 사람에 의거해 없는 경우를 말한 것이다.

54 또 경(=『불본행집경』 제33권. 대3–806하)을 인용해 신근 등이 유루라는 것을 증명한다. 말하자면 붓다께서 장차 법륜을 굴리시고자 했을 때 먼저 불안佛眼으로 세계를 두루 관찰하셨는데, 유정들이 세간에 처해 있는 동안 처음 낳

신근 등의 5근에 대해, 이것이 일어남[集]이고 사라짐[沒]이며 맛들임[味]이고 재난[過患]이며 벗어남[出離]이라는 것을 미처 여실하게 알지 못했다면, 이 천신·인간의 세간 및 악마와 범천 등을 미처 뛰어넘을 수 없었을 것이며, 나아가 무상정등보리를 아직 증득할 수 없었을 것이다"라고 말씀하시고, 나아가 널리 말씀하셨는데, 무루법에 대해서는 이런 품류의 관찰을 지을 수 있는 것이 아니기 때문에 신근 등의 5근은 유루와 무루에 통하는 것이다.55

제2항 이숙·비이숙 분별

이와 같이 유루·무루에 대해 설명했는데, 22근 중 몇 가지가 이숙異熟이며, 몇 가지가 이숙 아닌 것[非異熟]인가? 게송으로 말하겠다.

⑩ 명근은 오로지 이숙이고[命唯是異熟]
  우근 및 뒤의 8근은 이숙이 아니며[憂及後八非]
  유색근, 의근, 나머지 4수근은[色意餘四受]
  하나하나가 두 가지에 모두 통한다[一一皆通二]56

....
거나 뒤에 길러서 신근 등 여러 근에 상·중·하의 차별이 있었다. 이 때는 붓다께서 아직 법륜을 굴리시지 않은 때였는데, 유정들에게 신근 등의 차별이 있어서 응당 도탈度脫시킬 만하다는 것을 관찰하셨다. 그러니 신근 등은 유루에도 통한다는 것을 알 수 있다. 만약 붓다께서 아직 법륜을 굴리시지 않았는데도 세간에 무루의 근이 이미 있다면, 여래의 출세는 곧 부질없는 일이 될 것이다.
55 또 경(=잡 [26]26:651경)을 인용해 신근 등이 유루라는 것을 증명한다. '집'은 말하자면 생사를 불러 일으키는 것이니, 곧 고의 원인이고, '몰'은 말하자면 침몰하여 빠지는 곳이며, '미'는 말하자면 사랑하여 맛들이는 곳이고, '과환'은 재난인 곳이며, '출리'는 말하자면 응당 벗어나야 할 것이므로, '집' 등은 모두가 유루의 다른 명칭이다. 또 해석하자면 '능히 여실하게 아는 것'은 능히 관찰하는 지혜이니, 곧 도제이고, '집'·'몰'·'미'는 집제, '과환'은 고제이며, 혹은 '집'은 집제, '몰'·'미'·'과환'은 고제이며, 혹은 '몰'·'미'는 고·집제에 통하며, '출리'는 멸제이다. 무루법에 대해서는 이와 같은 집·몰·미 등의 품류의 관찰을 지을 수 있는 것이 아니기 때문에 신근 등은 두 종류에 통한다는 것을 알 수 있다.

1. 명근

논하여 말하겠다. 명근 하나만은 결정코 이숙이다.[57]

【명근과 유수행·사수행】 그렇다면 아라한들의 유다수행留多壽行, 이것도 곧 명근인가? 이와 같은 명근은 누구의 이숙인가?[58] 근본 논서에서 이렇게 말한 것과 같다. "어떤 것이 필추의 유다수행인가? 말하자면 신통을 성취하고 마음의 자재를 얻은 아라한이, 승가 대중이나 개인[別人]에게 수명과 관계 있는 의발衣鉢 등의 물건들을 분수에 따라 보시하되, 보시한 뒤 발원發願하고, 곧 제4변제정려邊際靜慮에 들었다가 그 선정에서 일어난 뒤 마음으로 생각하고 입으로, '부富의 이숙과를 능히 감득할 나의 모든 업이 모두 바뀌어 수명[壽]의 이숙과를 초래하기를 원하나이다'라고 말하면, 그 때 부의 이숙과를 능히 감득할 그의 업이 곧 모두 바뀌어 수명의 이숙과를 초래한다."[59] 다시 어떤 분은 숙업宿業의 남겨진 이숙과를 견인해 취한 것이 되게

----

56 이하는 둘째 이숙·비이숙의 문인데, 맺으면서 묻고 게송으로 답했다.

57 이는 제1구를 해석하는 것이다.

58 묻는 것이다. 만약 오직 이숙이라면, 아라한이 목숨을 남겨 백 년이나 천 년 등을 경과하는 것은, 모두 현재세에 옷 등을 보시하는 것에 의해 수명을 견인해 앞과 이어지게 하는 것(=소위 유다수행)이므로, 이숙이 아니어야 할 것인데, 이와 같은 명근은 누구의 이숙이기에 오로지 명근만 결정코 이숙이라고 말하는가?

59 답 안에 나아가면 첫째 종지에 의해 바로 답하고, 둘째 다른 학설을 서술하는데, 이하는 종지에 의해 바로 답하는 것이다. 그 안에 나아가면 둘이 있는데, 이는 곧 첫 논사가 근본 논서(=『발지론』제12권. 대26-981상)를 들어 답하는 것이다. 근본 논서에서, "어떤 것이 비구의 유다수생인가?"라며 말한 것과 같은데, 답의 글에 여섯 가지가 있다. 첫째는 사람의 뛰어남이니, 아라한을 말한다. 곧 성문의 궁극의 과보이니, 유학의 사람과는 다르다고 구별한 것이다. 둘째는 해탈의 뛰어남이니, 신통을 성취했다고 해서 구해탈임을 나타내고, 혜해탈과 구별한 것이다. 셋째는 닦고 익힌 것의 뛰어남이니, 마음의 자재를 얻었다고 해서 부동의 성품이라는 것을 나타내고, 일시적 해탈과 구별한 것이다. 넷째는 복전의 뛰어남이니, 승가 대중이나 '개인[別人]'에게 보시한다. 승가 대중은 4인 이상을 말하고, '개인'은 처음으로 자애삼매, 무쟁삼매, 멸진삼매, 견도, 수도에서 일어난 자를 말하는데, 목숨의 보전[活命]과 관계 있는 옷, 발우, 침통 등의 물건들을 분수에 따라 보시한다. 보시는 보시의 업을 바르게 행하는 것을 말하고, 저열한 복전과는 다르다고 구별한 것이다. 다섯째는 의지처의 뛰어남이니, 보시한 뒤 발원하는데, 혹은 자재하게 변제정邊際定(=순역으로 8유심정을 두루 수순한 후에 들어간 제4정려의 최상품을 가리키는 것

하려고 했으니, 그는, "앞의 생에서 일찍이 받고 남겨진 업의 이숙이 있어서, 지금 닦은 변제정의 힘에 의해 견인해 취하고 수용한 것이다"라고 말하였다.60

어떤 것이 필추의 사다수행捨多壽行인가? 말하자면 신통을 성취하고 마음의 자재를 얻은 아라한이 승가 대중 등에게 앞과 같이 보시하되, 보시한 뒤 발원하고, 곧 제4변제정려에 들었다가 선정에서 일어난 뒤 마음으로 생각하고 입으로, "수명의 이숙과를 능히 감득할 나의 모든 업이 모두 바뀌어 부의 이숙과를 초래하기를 원하나이다"라고 말하면, 그 때 수명의 이숙과를 능히 감득할 그의 업이 곧 모두 바뀌어 부의 이숙과를 초래한다.61 존자 묘음妙音은 이렇게 말하였다. "그가 제4변제정려의 힘을 일으켜서 색계의 대종을 견인해 몸 안에 현전하게 하면, 그 대종이 수명의 형성[壽行]을 수순하기도 하고, 수명의 형성을 거스르기도 하는데, 이런 인연으로 말미암아 수

....

임은 뒤의 제27권 중 게송 囧과 그 논설 참조)에 들 수 있기를 원하며, 혹은 이로써 이숙과를 초래하기를 원하고, 곧 색계 제4변제정려邊際靜慮에 든다. 모든 선정의 상품上品이므로 '변제邊際'라고 이름하는데, 지·관이 균등한 가운데 그 세력과 작용이 가장 뛰어나기 때문에 이 선정에 드는 것이다. 나머지 선정 및 발원하지 않는 것과는 다르다고 구별한 것이다. 여섯째는 업 전이[轉業]의 뛰어남이니, 선정에서 일어난 뒤 마음으로 생각하고 입으로, "부의 이숙과를 감득할 나의 모든 업이 모두 바뀌어 수명의 이숙과를 초래하기를 원하나이다"라고 말하는 것이다. 감득할 수 없을 것을 염려하기 때문에 출정한 뒤 다시 이것을 세심하게 정하는 것인데, 이런 서원을 하고 나면 그 때 부의 이숙과를 능히 초래할 그의 업이 곧 모두 바뀌어 수명의 이숙과를 초래한다는 것은 업을 전이하지 않는 것과 구별한 것이다. 이 논사의 의중은, 보시할 때 무탐과 상응하는 의도[思]가 바로 능히 현재의 이숙의 명근을 감득한다는 것이니, 변제정을 연으로 해서 능히 부의 업을 전이시켜 수명의 과보를 감득케 한다면, 이는 곧 현재의 업으로 현재의 수명의 과보를 감득한 것이다.

60 이는 곧 두 번째 논사인데, 숙업의 남겨진 수명의 이숙과[宿業殘壽異熟]를 견인해 취한 것이라고 한다. 남겨진 업이 비록 많기는 하지만, 강하고 뛰어난 것을 취하거나 가까운 것을 취하거나 자주 닦은 것을 취하는 것이다. 만약 이 학설에 의거한다면 명근을 현세에 감득한 것이 아니다. 나머지 글은 알 수 있을 것이다.

61 이는 수명을 연장시키는 뜻을 해석하는 기회에, 편의상 겸해서 수명의 단축에 대해 밝히는 것이다. 만약 『대비바사론』 제126권(=대27-656중)에 의한다면 5설이 있는데, 이 논서의 이 글은 그 제1설과 같다.

명의 형성을 연장[留]하기도 하고 수명의 형성을 단축[捨]하기도 한다."62

응당 이렇게 말해야 할 것이다. "그 아라한은 이런 자재한 삼매의 힘에 의해, 일찍이 얻은, 숙업에서 생긴 여러 근의 대종의 지속력[住時勢分]을 전환시켜, 아직 얻지 못했던, 선정의 힘으로 일으켜진 여러 근의 대종의 지속력을 견인해 취한 것이다. 따라서 이 명근은 이숙이 아니고, 그 나머지 일체 명근은 모두가 이숙이다."63

【유수행·사수행의 인연】논의로 인해 논의가 생긴다. 그 아라한은 무슨 인연이 있어 유다수행을 하는가? 말하자면 남을 이익하고 안락하게 하기 위한 때문이다. 혹은 성스러운 가르침을 세상에 오래 머물게 하기 위한 때문이다. 자신의 수명의 형성이 장차 다하려는 것을 관찰해 알 때, 남에게 이 두 가지를 감당할 능력이 없음을 관찰한 것이다.64

다시 무슨 인연이 있어 사다수행을 하는가? 그 아라한이 세상에 머물면서 남을 이익하거나 안락하게 하는 일이 적다고 스스로 관찰할 때, 혹은 질병 등의 괴로움이 자신의 몸을 핍박하는 것이니, 예컨대 어떤 게송에서, "범행은 훌륭히 성취되어 확립되었고, 성도聖道는 이미 잘 닦였으니, 수명

---

62 이하는 둘째 두 가지 다른 학설을 서술하는 것이다. 이는 곧 그 첫 논사인데, 바르지 못한 뜻이다. 그 아라한이 변제정의 힘에 의해 색계의 4대종을 견인해 몸 안에 현전하게 하면, 그 대종에는 첫째 수명의 형성을 수순하거나 둘째 수명의 형성을 거스르는 그런 두 종류가 있는데, 만약 수순하는 것을 일으켜 몸을 증익增益케 하면 수명의 형성을 능히 연장시키고, 만약 거스르는 것을 일으켜 몸을 산괴散壞케 하면 수명의 형성을 능히 단축시킨다고 한다.

63 이는 곧 둘째 경량부의 학설을 서술하는 것이다. 논주의 의중은 경량부의 벗이므로 '응당 이렇게 말해야 할 것'이라고 말한 것이다. 만약 수명을 연장할 때라면 그 아라한은 이런 자재한 삼매의 힘에 의해, 일찍이 얻은, 숙업에서 생긴 이숙의 여러 근의 대종의 지속력을 전환시켜, 아직 얻지 못했던, 선정의 힘으로 일으켜 장양한 여러 근의 대종의 지속력을 견인해 취한 것이다. 경량부의 논사는, "여러 근의 대종의 지속력이 끊어지지 않는다는 뜻의 측면에서 임시로 명근을 세운 것이다. 장양된 세력으로 임시로 건립된 것은 선정의 힘에 의한 것이기 때문에 이숙이 아니고, 등류이다"라고 말한다. 그 나머지 일체 이숙의 세력에 의해 임시로 건립된 것은 모두 이숙이다. 만약 수명을 단축할 때라면 단지 숙업에 의한 여러 근의 대종을 전환시켜 현전치 않게 한 것일 뿐, 선정의 힘으로 여러 근의 대종을 견인하지는 않는다.

64 이는 유다수행을 하는 인연에 대해 문답하는 것이다.

이 다할 때 환희하는 것이, 마치 온갖 질병에서 나았을 때와 같네"라고 말한 것과 같다.65

【유수행·사수행의 처소와 사람】 여기에서 어떤 처소에 의지해서, 누가 능히 이렇게 수명의 형성을 연장하거나 단축하는지 알아야 할 것이다. 여성·남성이 상속하는 3주三洲의 사람으로서 불시해탈不時解脫하고 변제정을 얻은 아라한들을 말하는 것이니, 그의 몸 안에는 자재한 선정[自在定]이 있고 번뇌가 없기 때문이다.66

【수행壽行과 명행命行】 경에서, 세존께서 유다명행留多命行과 사다수행捨多壽行을 하셨다고 설했는데, 명命과 수壽는 어떻게 다른가?67 어떤 분은 차이가 없다고 말했으니, 근본 논서에서, "무엇을 명근이라고 말하는가? 3계의 수명[壽]을 말한다"라고 말한 것과 같다. 어떤 다른 논사는, "선세先世의 업의 과보를 수행壽行이라고 이름하고, 현재세의 업의 과보를 명행命行이라고

....

65 이는 사다수행을 하는 인연에 대해 문답하는 것이다. 그 아라한이 남을 이익하거나 안락하게 하는 일이 적으면서 세상에 머문다고 스스로 관찰하고, 또 성스러운 가르침을 머물게 하고 유지하는 사람이 있는 것을 보거나, 혹은 질병 등의 괴로움이 자신의 몸을 핍박하는 것이다. '질병 등'이라고 말한 것은 운영하는 일 등의 네 가지를 같이 취한 것이니, 그래서 『대비바사론』 제60권(=대27-312중)에서 말하였다. "또 계경에서 일시적으로 해탈한 아라한으로 하여금 물러나게 하고 숨기나 침몰하게 하며 잊어버리게 하는 다섯 가지 인연이 있다고 하였다. 어떤 것이 다섯 가지인가? 첫째 많은 사업을 운영하는 것, 둘째 여러 희론을 즐기는 것, 셋째 싸우는 자를 화합시키는 것을 좋아하는 것, 넷째 먼 길 가는 것을 기뻐하는 것, 다섯째 몸에 늘 병이 많은 것이다." 이 게송(=잡 [9]9:252 우파선나경優波先那經)을 인용한 뜻은 아라한이 수명을 버리는 것을 밝히려는 것인데, '범행'은 계를 지키는 것을 말하고, '성도'는 무루의 성스러운 도를 말하는 것이다.
66 이는 처소 및 사람에 대해 문답하는 것이다. '3대주'는 북구로주 등을 가려낸 것이고, 3대주 중에 나아가 '여성·남성의 상속[女男相續]'을 취한 것은 선체 등을 가려낸 것이다. 여성·남성 중에 나아가 '불시해탈'(=부동법의 아라한)을 취한 것은 일시적 해탈[時解脫]을 가려낸 것이고, 불시해탈 중에 나아가 '변제정을 얻은 것'을 취한 것은 얻지 못한 자를 가려낸 것이며, '아라한들'은 유학의 사람과는 다르다고 구별한 것이다. 그 몸 안에 첫째 자재한 선정이 있다는 것은 이근利根임을 나타내고, 둘째 번뇌가 없다는 것은 모든 번뇌가 다했다는 것을 나타낸다.
67 이는 경(=장 2:2 유행경遊行經 중 졸역 4.3 및 5.3 참조)에 의해 물음을 일으킨 것이다.

이름한다"고 말하였다. 어떤 분은, "이것에 의해 중동분이 (1기 동안) 머무는 것을 수행이라고 이름하고, 이것에 의해 (중동분이) 잠시 머무는 것을 명행이라고 이름한다"라고 말하였다.[68]

'다多'라는 말은 다찰나[多念] 동안 명행·수행을 연장하거나 단축한다는 것을 나타내기 위한 것이니, 1찰나의 명행·수행은 연장이나 단축이 있는 것이 아니기 때문이다. 어떤 분은, "이 말은 단일한 명·수의 실체[一命壽實體]가 있어 많은 시간을 거치면서 머문다는 주장을 막기 위한 것이다"라고 말하였다. 어떤 분은, "이 말은 실법인 하나의 명·수의 체[一實命壽體]는 없으며, 단지 다수의 형성된 것[多行]에 대해 이와 같은 명·수라는 두 가지 명칭을 임시로 세웠을 뿐임을 나타내기 위한 것이다. 만약 그렇지 않다고 말한다면, 행行이라고 말하지 않았어야 할 것이다"라고 말하였다.[69]

....

68 답 중에 세 가지 해석이 있다. 첫째 논사는 차이가 없다고 해석한다. '수'는 '명'을 해석한 것이기 때문이다.(='근본 논서'는 『품류족론』 제1권. 대 26−649상) 둘째 논사는 선세의 업의 과보를 수행이라고 이름하고, 현재세에 보시한 업의 과보를 명행이라고 이름한다고 한다. 셋째 논사는, 이 명근에 의해 중동분으로 하여금 1기 동안 머물게 하는 것을 수행이라고 하고, 이 명근에 의해 중동분으로 하여금 잠시 연장해 머물게 하는 것을 명행이라고 이름한다고 한다.

69 이는 '다多'라는 말에 대해 따로 해석하는 것인데, 역시 세 가지 해석이 있다. 첫째 해석은, 이는 명·수의 연장이나 단축이 다찰나임을 나타내는 것이니, 1찰나에는 연장하거나 단축한다는 뜻이 있는 것이 아니라는 것이다. 그래서 『대비바사론』(=제126권. 대27−657하)에서, "다多라는 말은 연장된 것[所留]과 단축된 것[所捨]이 1찰나가 아니라는 것을 나타내 보이는 것이고, 행이라는 말은 연장된 것과 단축된 것이 무상한 법이라는 것을 나타내 보이는 것이다"라고 말하였다. 둘째는 설일체유부 논사의 해석인데, 이는 정량부正量部의 주장을 막기 위한 것이다. 그들은 단일한 명·수의 실체가 있어 많은 시간을 거치면서 머무니, 처음에 일어나면 생겼다고 이름하고, 끝에 다하면 소멸하였다고 말하며, 중간은 머물면서 달라진다고 이름한다고 계탁하므로, '다'라고 말함으로써 연장되거나 단축된 다찰나의 명행·수행은 찰나찰나 체가 다르고, 하나의 명·수가 많은 시간을 거치면서 머무는 것이 아님을 나타내기 위한 것이다. 셋째는 경량부의 논사가 설일체유부의 실법인 명·수의 체[實命壽體]가 있다는 주장을 논파하는 것이다. 경량부의 논사는, "이 '다'라는 말은 실제인 하나의 명·수의 체는 없으며, 단지 5온의 많은 행 위에 이와 같은 명·수라는 두 가지 명칭을 세운 것일 뿐(=가법)임을 나타내기 위해 '다행多行'이라고 말한 것이다. 만약 그렇지 않다고 말한다면, 행이라고 말하지 않았어야 하고, 다

【세존의 유수행·사수행】 세존께서는 무엇 때문에 사다수행과 유다명행을 하셨는가?70 죽음[死]에 대해 자재를 얻으셨음을 나타내기 위해 사다수행을 하시고, 삶[活]에 대해 자재를 얻으셨음을 나타내기 위해 유다명행을 하셨다. 3개월만 연장하시고 더하지도 덜하지도 않으신 것은, 이를 넘어 더 이상 교화하실 일이 없었기 때문이며, 이보다 줄면 중생들 이롭게 하는 일이 완성되지 못하기 때문이다. 또 먼저 스스로 칭하여, "나는 사신족을 잘 수행했기 때문에 1겁이나 1겁 이상 머물려고 하면 마음이 바라는 대로 곧 능히 머물 수 있다"라고 말씀하셨는데, 이 말씀을 성립시키기 위해서였다.71 비바사 논사들은 이렇게 말하였다. "지금 온마蘊魔와 사마死魔를 능히 항복시키셨다는 것을 나타내신 것이다. 세존께서 먼저 보리수 밑에서 천마

....

만 다명多命을 연장하거나 다수多壽를 단축한다고 말했어야 할 것이다. 이 '행'은 유위의 공통된 명칭이지, 오직 명·수에 대한 것만은 아니다."

70 이는 아라한의 연장과 단축에 대해 해석하는 기회에, 다시 세존에 대해 묻는 것이다.

71 논주의 해석이다. 죽음에 대해 자재를 얻으셨음을 나타내기 위해 사다수행을 하셨는데, 40년을 버리셨다고도 하고, 20년을 버리셨다고도 한다. 그래서『대비바사론』제126권(＝대27-503상)에서 말하였다. "세존께서 유다명행과 사다수행을 하셨다고 경에서 말했는데, 그 뜻은 어떤 것인가? 모든 붓다 세존께서는 제3분分의 수명을 버리신다고 말하는 분이 있고, 모든 붓다 세존께서는 제5분의 수명을 버리신다고 말하는 분이 있다. 만약 모든 붓다께서 제3분의 수명을 버리신다고 말한다면, 그는 세존 석가모니의 수명의 분량은 120세를 머무셔야 하는데, 뒤의 40년을 버리고, 80년만을 받으셨다고 말하는 것이다. 만약 모든 붓다께서 제5분의 수명을 버리신다고 말한다면, 그는 세존 석가모니께서 감득한 수명의 분량은 100세를 머무셔야 하는데, 뒤의 20년을 버리시고, 80년만을 받으셨다고 말하는 것이다. 이로 말미암아 경에서 수명의 형성을 버리셨다고 말한 것에 대해, 40년을 버리셨다거나 20년을 버리셨다고 말하는 것이다." 삶에 대해 자재를 얻으셨음을 나타내기 위해 많은 수명의 형성을 연장하셨는데, 더하지도 덜하지도 않고 3개월만 연장하신 것은, 이를 넘어도 더 이상 교화하실이 없었기 때문에 더하지 않았고, 이보다 줄면 중생들 이롭게 하는 일이 완성되지 못하기 때문에 덜하지 않았다. 그래서 세존께서 최후에 설법하셔서 소발다라蘇跋陀羅Subhadda를 제도하셨는데, 여기 말로는 선현善賢이다. 또 세존께서 먼저 스스로 칭하여, "나는 사신족을 잘 수행했기 때문에 선정에 자재해서 연장하거나 단축하는 것을 마음에 맡겨, 1겁이나 1겁 이상 머물려고 하면 마음이 바라는 대로 곧 능히 머물 수 있다"라고 말씀하셨는데,(＝장 2:2 유행경 중 졸역 5.1) 이 말을 성립시키기 위해서였다.

와 번뇌마를 이미 항복시키셨기 때문이다."72

2. 우근과 뒤의 8근

방론이 끝났으니, 정론正論에 대해 분별해야 할 것이다. 우근과 뒤의 신근 등 8근은 모두 이숙이 아니니, 유기有記이기 때문이다.73

3. 나머지 12근

나머지가 모두 두 가지에 통하는 뜻은 준해서 이미 성립되었다. 말하자면 7색근, 의근, 우근을 제외한 나머지 4수근의 12근은 하나하나가 두 가지에 모두 통한다. 7유색근은, 장양된 것이면 곧 이숙이 아니지만, 그 나머지는 모두 이숙이다. 의근과 4수근은, 선·염오이거나, 위의로威儀路 및 공교처工巧處와 아울러 능변화能變化의 것이면 그 상응하는 바에 따라 역시 이숙이 아니지만, 그 나머지는 모두 이숙이다.74

....

72 이는 붓다의 연장과 단축에 대한 두 번째 해석이다. 온마蘊魔의 마음은 수행자로 하여금 연장해서 많은 시간 세상에 머물면서 상속이 끊어지지 않게 하려고 하고, 사마死魔의 마음은 수행자를 재촉해서 세상에 머물지 않고 속히 무상으로 돌아가게 하려고 하는데, 여래께서 수명을 버리신 것은 온마를 항복시키셨음을 나타내고, 다시 3개월간 연장하신 것은 사마를 항복시키셨음을 나타내신 것이다. 세존께서 먼저 보리수 밑에서 천마와 번뇌마를 이미 항복시키셨기 때문에, 연장과 단축은 바로 온마와 사마를 항복시키셨음을 나타내면서, 뜻의 편의상 천마와 번뇌마를 항복시키셨음을 겸하여 나타냄으로써, 여래께서 4마를 항복시키셨음을 전체적으로 밝힌 것이다. 또 해석하자면 만약 연장·단축하지 않으면 2마만 파괴한 것이므로, 붓다 세존께서 4마를 모두 파괴하셨다는 것을 나타내기 위해 연장·단축되게 하신 것이다.

73 우근은 선이나 불선이고, 신근 등의 5근과 3무루근은 오직 선이니, 모두 이숙이 아니다. 이것들은 유기이기 때문(=이숙은 무기)이다.

74 나머지 12근은 모두 두 종류에 통한다. 7유색근은 만약 장양된 것이면 곧 이숙이 아니지만, 그 나머지는 모두 이숙이다. '4수근'은 곧 고·락·희·사근인데, 의근 및 4수근은 만약 선이나 염오(=불선과 유부무기)라면 이숙(=무부무기)이 아니다. '위의로'와 '공교처'라고 말한 이것은, 의지대상[所依]을 들어서 의지주체[能依](=위의로·공교처의 마음)를 나타낸 것인데, 그 명칭은 아래(=뒤의 제4권 중 게송 ㉝cd의 논설에 관한 『기』의 글)에서 해석하는 것과 같다. 의근 및 사수捨受가 만약 위의로나 공교처의 것(=위의무기·공교무기)이라면 이숙(=이숙무기)이 아니다. (문) 어째서 고·락·희근에는 통하지 않는가? (답) 『대비바사론』 제144권(=대27-503상)에서 고근이 세 가지 성품에 통한다는 것을 해석하면서, "어떤 것이 무기인가? 무기의 작의와 상응하는 고근을 말한다. 이것은 다시 어떤 것인가? 이숙생을 말하는 것이다"라고 말했는데, 『대비바사

4. 특히 우근에 대해

만약 우근이 이숙이 아니라고 말한다면, 예컨대 계경에서, "세 가지 업이

....
론』에서 고근은 4무기 중 단지 이숙생만이라고 말하고, 나머지 3무기를 말하
지 않았으므로, 고근은 위의로·공교처에는 통하지 않는다는 것을 분명히 알
수 있다. 고근이 위의로·공교처에 이미 통하지 않는다면, 이에 준해서 낙근도
역시 그것에 통하지 않는다는 것을 알 수 있다. 희근에는 두 가지가 있으니,
첫째는 분별에 의한 것이고, 둘째는 저절로 일어나는 것이다. 만약 분별이 강
한 것이라면 오직 우근과 같을 뿐이므로, 무기에는 통하지 않는다. 만약 저절
로 일어나는 것이라면 4무기 중 오직 이숙생일 뿐이므로, 나머지 3무기에는
통하지 않는다. 이상에 준해서 다만 이 위의로·공교처의 마음은 오직 사근만
이고, 고·락·희근에는 통하지 않는다는 것을 알 수 있다. 또 해석하자면 의근
및 희수·사수가 만약 위의로·공교처의 것이라면 이숙이 아니다. 우근은 강한
분별이므로 선·악뿐일 수 있지만, 희근은 무기에도 통한다. 지나치게 강한 것
아닌 것[非過强]이 있으며, 다시 오직 의지意地일 뿐이기 때문에 희근은 위의로·
공교처에도 역시 통한다는 것을 알 수 있다. 다만 고근·낙근에는 통하지 않으
니, 고·락은 5식이어서 업을 일으킬 수 없는 것이며, 제3정려의 낙근은 비록
의지에 있는 것이지만, 심구·사찰과 함께 하는 것이 아니어서 역시 업을 일으
키는 것이 아니다. 또 해석하자면 의근과 고·락·희·사근이 만약 위의로·공교
처의 것이라면 이숙이 아니다. 만약 위의·공교를 일으키는 마음에 의거한다면
6식 중에서는 오직 의식일 뿐이고, 4수 중에서는 오직 희수·사수일 뿐이므로,
고·락수에는 통하지 않으며, 업을 일으킬 수 없다는 것은 앞에서 해석한 것과
같다. 그러나 만약 위의로의 가행심과 위의로를 반연하는 마음에 의거한다면,
4식(=위의로의 마음이 소리를 반연하지 않음은 뒤의 제7권 중 게송 ⑦⑬에 관
한 논설 참조)에도 역시 통하고, 위의로와 유사한 마음은 5식에도 통하며, 만
약 공교처의 가행심, 공교처를 반연하는 마음, 공교처와 유사한 마음에 의거한
다면 5식에도 역시 통하기 때문에 위의·공교는 고·락근에도 역시 통한다고 말
한다. '능변화의 것'이라고 말한 것은 의근 및 사수이니, 만약 능변화의 것이라
면 이숙이 아니며(=통과通果무기), 고·락·희수에는 통하지 않는다. 여러 논서
에서 18의근행에 대해 해석하면서 모두, "만약 색계에 태어났다면 욕계의 평정
의 법[捨法]에 대한 근행 한 가지만을 성취하니, 통과심과 함께 하는 것을 말한
다"라고 말했으니(=뒤의 제10권 중 '18의근행의 성취·불성취 분별' 참조), 이
로써 희·락수에는 통하지 않는다는 것을 알 수 있다. 또 해석하자면 의근과
희·락·사수가 만약 능변화의 것이라면 이숙이 아니다. 고근만은 아니니, 오직
5식일 뿐이기 때문이다. '그 상응하는 바에 따라'라고 말한 것은, 3무기의 마음
은 느낌[受]과 상응하는 것이 다르기 때문에, 상응하는 것에 따라 이숙이 아니
기도 하지만, 그 나머지는 모두 이숙이라고 말한 것이다. # 요컨대 의근 및 4
수근이 무부무기일 경우(=유부무기일 경우는 앞의 '염오'에 포함), 위의로·공
교처·통과심에 포함되는 것이면 위의무기·공교무기·통과무기로서 이숙이 아
니지만, 나머지는 모두 이숙이라는 취지이다.

있으니, 순희수업順喜受業·순우수업順憂受業·순사수업順捨受業이다"라고 말씀
하셨는데, 이 경에서의 말씀을 어떻게 회통하겠는가?75 수受와 상응한다는
것에 의거해 '순順'이라고 말한 것이므로 허물이 없다. 말하자면 업이 우수
와 상응하기 때문에 순우수업이라고 이름한 것이니, 마치 낙수와 상응하는
접촉을 말하여 순락수촉順樂受觸이라고 이름하는 것과 같다.76 만약 그렇다
면 순희수업과 순사수업도 역시 그러해야 할 것이니, 같은 경에서의 말씀
이기 때문이다.77 그대가 바라는 바에 따르더라도 나에게 어긋남은 없으니,
이숙이든 상응이든 이치에 모두 허물이 없다.78

　반론을 피할 곳이 없어서 이렇게 경에 대해 회통했겠지만, 이치상 실제
로 어떤 근거에서 우근은 이숙이 아니라는 것인가?79 근심[憂]은 차별에 대
한 분별에서 생기는 것[分別差別所生]으로서, 그 멈춤[止息]도 역시 그러한
데, 이숙은 그렇지 않은 것이다.80 만약 그렇다면 희근도 이숙이 아니어야
할 것이니, 역시 분별에 의해 생기고, 또 멈추기 때문이다.81 만약 우근이
이숙이라고 인정할 경우, 무간업을 지은 뒤 그로 인해 곧 근심이 생긴다면,
이 업은 그 때 과보가 이미 성숙했다고 이름해야 할 것이다.82 그렇다면 희

．．．．．．．．．．．．．．．．．．．．．．

75 물음이다. 경(=출전 미상)에서 '순우수업'(=우수에 수순하는 업)을 설했으
　니, 우근이 이숙이라는 것을 분명히 알 수 있다는 것이다.
76 답이다. 경에서 순우수업이라고 말한 것은 상응하는 것에 의거해 '순'이라고
　말한 것이지, 전후에 의거한 것이 아니니, 마치 '순락수촉'과 같다.
77 반론이다. 만약 그렇다면 순희수업과 순사수업도 역시 그러해야 할 것이니,
　그 우근과 상응하는 것에 대해 순이라고 한 것이지, 이숙이 아니라면, 우근과
　같은 경에서의 말씀이기 때문(에 희근과 사근도 이숙이 아닐 것)이다.
78 변론이다. 그대가 바라는 바에 따르더라도 나에게 어긋남은 없다. 희수·사수
　가, 혹 이숙이라는 것에 의거해 '순'이라고 밝힌 것이든, 혹 상응한다는 것에
　의거해 '순'이라고 밝힌 것이든, 이치에 모두 허물이 없다.(=희근·사근은 이
　숙과 비이숙에 통한다고 앞에서 밝혔다)
79 다시 반론하는 것이다.
80 다시 이치로써 변론하는 것이다. 우수는 차별에 대한 분별에서 생기는 것이
　다. 만약 멈출 때라면 역시 분별이 멈추는 것이기 때문에 멈추는 것도 역시
　그러하다고 말하였다. '차별'이라고 말한 것은 수많은 여의치 못한 일[衆多不如
　意事]을 차별이라고 이름한 것이니, 우근은 이런 차별을 반연함으로써 생기는
　것이다.
81 다시 반론하는 것이다.

근에 대해서도 역시, "만약 희근이 이숙이라고 인정할 경우 수승한 복업을 지은 뒤 그로 인해 곧 기쁨이 생긴다면, 이 업은 그 때 그 과보가 이미 성숙했다고 이름해야 할 것이다"라고 이렇게 따지고 힐난해야 할 것이다.[83]

비바사 논사들은 모두 이렇게 말한다. "이미 이욕離欲한 분에게는 우근이 없기 때문이다. 이숙은 그렇지 않기 때문에 (우근은) 이숙이 아니다."[84] 만약 그렇다면 이욕한 유정의 이숙의 희근은 어떤 모습으로 있다는 것을 안다고 말해야 하는가?[85] 그것이 있는 모습에 따라 이것의 모습도 역시 그러하다. 말하자면 선의 희근은 이 단계에 있다고 인정되는데, 무기의 이숙(의 희근)도 유추할 때 없는 것이 아니어야 하지만, 이 단계 중에 우근은 일체 종류가 있다고 인정될 수 없기 때문에 결정코 이숙이 아니다.[86]

5. 이숙인 근의 선·악 분별

안근 등의 8근은, 만약 선취에 있다면 선업의 이숙이고, 만약 악취에 있다면 악업의 이숙이다. 의근은 선취에 있든 악취에 있든 양쪽[俱]의 이숙이다. 희근·낙근·사근은 어떤 취에 있든 선업의 이숙이다. 고근은 선취에 있든 악취에 있든 악업의 이숙이다.

선취 중 2형形을 가진 자는 오직 근의 처소[根處所]만이 불선업에 의해 초

....

82 앞의 반론에 대해 도리어 따지는 것이다. 만약 우근이 이숙이라고 인정할 경우 5무간업을 지은 뒤 그로 인해 곧 근심이 생긴다면, 이 업은 그 때 그 과보가 이미 성숙했다고 이름해야 한다는 것이다.(=그렇지만 5무간업은 뒤에 지옥에 떨어지는 과보를 받는다)

83 다시 희근을 예로 들어 도리어 반론하는 것이다.

84 비바사 논사들은 다시 해석하는 것을 좋아해 모두 이렇게 말한다.(=『현종론』 제5권. 대29-797상) 이미 이욕한 분에게는 우근이 없기 때문이니, 그 우근은 이욕하면 버리기 때문이다. 이숙은 그렇지 않아서, 이욕해도 버리는 것이 아니다. 그래서 우근은 이숙이 아니라고 말하는 것이다.

85 다시 반론하는 것이다.

86 다시 변론하는 것이다. 말하자면 선의 희근은 이 이욕한 단계에도 있다고 인정되기 때문에 '그것이 있는 모습에 따라'라고 말하였고, 이 무기의 이숙의 희근도 (선의 희근이 있는 모습에) 유추할 때 없는 것이 아니어야 하기 때문에 '이것의 모습도 역시 그러하다'라고 말하였다. 그렇지만 이 이욕한 단계 중에 우근은, 선이든 염오든 일체 종류가 있을 수 없기 때문에 모두 현행하지 않으니, 이미 이욕한 분에게는 근심이 없기 때문에 그래서 현행하지 않는다. 이에 의해 결정코 이숙이 아니라는 것을 준해서 알 수 있다.

래된 것이니, 선취의 색근은 선업이 견인한 것이기 때문이다.87

제3항 이숙 있는 것과 이숙 없는 것 분별

이와 같이 이숙 등에 대해 설명했는데, 22근 중 몇 가지가 이숙 있는 것
[有異熟]이고, 몇 가지가 이숙 없는 것[無異熟]인가? 게송으로 말하겠다.

① 우근은 결정코 이숙과가 있고[憂定有異熟]
　앞의 8근과 뒤의 3근은 없으며[前八後三無]
　의근, 나머지 수근과 신근 등은[意餘受信等]
　하나하나가 모두 두 가지에 통한다[——皆通二]88

논하여 말하겠다. 앞에서 말한 것과 같은 우근은 결정코 이숙과가 있는
것이라고 알아야 한다. '오직[唯]'과 '뛰어넘어[越]'라는 뜻에 의해 게송에서

....

87 이는 곧 취趣에 의거해 선·악의 이숙을 밝히는 것이다. '8근'은 7색근과 명근을
말하고, '선취'는 천신·인간을 말하며, '악취'는 3악취를 말한다. 안근 등의 8근
은, 선취라면 선업의 이숙이고, 악취라면 악업의 이숙이다. 의근은 선취 중에서
는, 만약 희근·낙근·사근과 상응하는 것이면 선업의 이숙이고, 만약 고근과
상응하는 것이면 악업의 이숙이며, 악취 중에서는 만약 축생·아귀취에 있다
면 선취에서 말한 것처럼 양쪽의 이숙이고, 만약 지옥에 있다면 오직 고근과
만 상응하므로 악업의 이숙일 뿐, 선업의 이숙은 없지만, 전체적인 모습에 의
거해 말하기 때문에 악취도 두 가지에 통한다고 말한 것이다. 희근·낙근·사근
은 인간·천신·축생·아귀취에 따르는 것인데, 선업의 이숙이니, 오직 선업으로
만 감득하기 때문이다. 지옥 중에서는 선업의 과보가 없기 때문이다. 고근은,
인간·천신의 선취 및 3악취에 따라 있는 것인데, 악업의 과보이니, 사랑할 만
한 과보가 아니기 때문이다. '선취 중' 이하는 숨은 반론에 대해 해명하는 것이
다. 숨은 반론으로, 「안근 등의 8근이 만약 선취에 있다면 선업의 이숙이라고
했는데, 선취의 2형이 어떻게 선이겠는가?」라고 말하므로, 이제 옮겨서 해명
해 말한다. 선취 중 2형을 가진 자는, 오직 2근이 의지하는 처소만이 불선업이
초래한 것이다. 근의 체를 감득한 것이 아니니, 그 2근은 신근에 포함되기 때문
이며, 선취의 색근은 선업이 견인한 것이기 때문이다.

88 이하는 셋째 이숙 있는 것과 이숙 없는 것(=이숙 있는 것은 이숙과를 낳는
것, 이숙 없는 것은 이숙과를 낳지 않는 것으로, 불선과 유루의 선은 전자, 무
기와 무루는 후자)의 문인데, 맺으면서 묻고 게송으로 답한 것이다.

'결정코'라는 말을 한 것이니, 말하자면 우근만 '오직' 이숙과가 있는 것이며, 아울러 두 가지 뜻을 갖추었기 때문에 순서를 '뛰어넘어' 말했다는 것을 나타낸다. 두 가지 뜻을 갖추었다는 것은, 근심[憂]은 강한 생각[强思]에서 일어나기 때문에 무기가 아니며, 오직 산심의 지[散地]이기 때문에 또한 무루가 아니라는 것이다. 이에 의해 순서를 뛰어넘어 먼저, 우근은 결정코 이숙과가 있는 것이라고 말했다는 것이다.[89]

안근 등 앞의 8근 및 최후의 3근은 결정코 이숙과가 없는 것이니, 8근은 무기이기 때문이고, 3근은 무루이기 때문이다.

그 나머지가 모두 두 가지에 통한다는 뜻은 그에 준해서 이미 성립되었다. 말하자면 의근, 나머지 4수근, 신근, '등'이라는 말로 같이 취한 정진근 등의 4근, 이 10근은 하나하나가 모두 두 가지에 통한다. 의근과 낙근·희근·사근은, 만약 불선이나 유루의 선이면 이숙과가 있는 것이고, 만약 무기나 무루라면 이숙과가 없는 것이다. 고근은, 만약 선이나 불선이면 이숙과가 있는 것이고, 만약 무기라면 이숙과가 없는 것이다. 신근 등의 5근은, 만약 유루라면 이숙과가 있는 것이고, 만약 무루라면 이숙과가 없는 것이다.[90]

제4항 3성 분별

이와 같이 이숙과 있는 것 등에 설명했는데, 22근 중 몇 가지가 선이고, 몇 가지가 불선이며, 몇 가지가 무기인가? 게송으로 말하겠다.

....

89 이상은 제1구를 해석하는 것이다. 다음과 같이 앞의 글에서 말한 우근은 결정코 이숙과가 있는 것이다. 첫째는 '오직'이라는 뜻에 의하고, 둘째는 '뛰어넘어'라는 뜻에 의해서, 게송에서 '결정코'라는 말을 한 것이다. '오직'은 곧 오직 이숙과가 있는 것뿐이며, '뛰어넘어'는 곧 다시 두 가지 뜻을 갖추었다는 것이다. 첫째 근심은 무기가 아니니, 강한 생각[强思]에서 일어나는 것이기 때문에 선이나 불선이다. 무기의 법은 열등한 생각에서 일어나기 때문이다. 둘째 또한 무루가 아니니, 오직 산심의 지[散地](=선정의 지[定地]가 아님)이기 때문이다. 이런 두 가지 뜻에 의해 22근 중 순서를 뛰어넘어 먼저, 우근은 결정코 이숙과가 있는 것이라고 말한 것이다.

90 이상은 (게송 중) 아래 3구를 해석하는 것인데, 글이 드러나서 알 수 있을 것이다.

⑫ 뒤의 8근은 오직 선이고[唯善後八根]
　우근은 선·불선에 통하며[憂通善不善]
　의근과 나머지 수근은 세 가지이고[意餘受三種]
　앞의 8근은 오직 무기이다[前八唯無記]

　논하여 말하겠다. 신근 등의 8근은 한결같이 선이다. 수數의 순서는 비록 뒤에 있지만, 앞의 내용에 편승해 먼저 말한 것이다. 우근은 선·불선의 성품에만 통하며, 의근 및 나머지 수근은 하나하나가 세 가지에 통하고, 안근 등의 8근은 오직 무기의 성품이다.91

　　제5항 3계 계박 분별

　이와 같이 선·불선 등에 대해 설명했는데, 22근 중 몇 가지가 욕계에 계박되는 것이고, 몇 가지가 색계에 계박되는 것이며, 몇 가지가 무색계에 계박되는 것인가? 게송으로 말하겠다.

⑬ 욕계, 색계, 무색계에 계박되는 것은[欲色無色界]
　순서대로 뒤의 3근을 제외한 것[如次除後三]
　아울러 여근·남근·우근·고근을 제외한 것[兼女男憂苦]
　아울러 색근과 희근·낙근을 제외한 것이다[幷除色喜樂]92

．．．．．．．．．．．．．．．．．．．．．．
91 이상은 곧 넷째 3성문이다. 22근의 앞뒤 순서상 신근 등 8근의 순서는 뒤에 있지만, 앞의 글에서 신근 등 5근에 대해 밝힌 글의 다음이라는 흐름에 편승해서 지금 먼저 신근 등의 8근은 선이라고 말한 것이다. 3무루근은 앞에서 비록 뒤가 아니었지만, 많은 부분에 따라 말하는 뜻의 편의상 함께 편승한 것이다. 또 해석하자면 앞에서 먼저 선에 대해 물은 것에 편승한 것이니, 이 때문에 먼저 말한 것이다. 우근이 무기에 통하지 않는 까닭은 강한 생각에 의해 일어나는 것이기 때문이다. 의근 및 나머지 4수근은 하나하나가 세 가지 성품에 통한다. 7색근과 명근의 8근은 오직 무기의 성품이다.
92 이하는 다섯째 3계 계박문인데, 맺으면서 묻고 게송으로 답했다.

1. 욕계계

논하여 말하겠다. 욕계는 뒤의 3무루근을 제외하니, 그 3근은 오직 불계
不繫이기 때문이다. 이에 준해서 욕계에 계박되는 것은 19근이 있을 뿐임을
알 수 있다.93

2. 색계계

색계는 앞과 같이 3무루근을 제외하고, 아울러 남근·여근·우근·고근의 4
근을 제외하니, 이에 준해서 15근은 색계에 계박되는 것에도 역시 통한다
는 것을 알 수 있다. 여근·남근을 제외하는 것은, 색계는 이미 음욕의 법을
떠났기 때문이며, 여근·남근이 있는 몸은 누추하기 때문이다.94

만약 그렇다면 어째서 그를 남자라고 말했는가?95 어느 곳에서 말했는
가?96 계경 중에서 말했으니, 계경에서, "여자의 몸으로 범천이 되는 것은
도리도 없고 가능성도 없지만, 남자의 몸으로 범천이 되는 것은 도리도 있
고 가능성도 있다"라고 말씀하신 것과 같다.97 남자의 모습이 따로 있으니,
말하자면 욕계 중 남자의 몸에 있는 것이다.98

．．．．．．．．．．．．．．．．．．．．．．．．．．

93 이는 욕계에 계박되는 것에 대해 밝히는 것인데, 알 수 있을 것이다.
94 이는 색계에 계박되는 것에 대해 밝히는 것이다. 색계는 음욕의 법을 이미 떠
났기 때문에 남근·여근이 없다. 또 여근·남근이 있는 몸은 누추하기 때문에
거기에는 없다. 『순정리론』(＝제9권. 대29-381하)에서 논파하면서, "이 말은
그렇지 않으니, 음마장은 은밀해서 누추한 것이 아니기 때문이다"라고 말했는
데, 구사론사는, "논주가 일부러 이런 해석을 함으로써, 뒤의 반론을 부르고
자기의 앞의 글에 수순시키려 한 것이다"라고 변론한다.
95 만약 색계에 남근이 없다면 어째서 그 색계의 유정을 남자라고 말했는지 묻는
것이다.
96 설한 곳을 반대로 따지는 것이다.
97 외인의 답이다. 예컨대 계경(＝중 28:116 구담미경 등)에서, "여자의 몸으로
범천이 되는 것은 결코 도리도 없고 결코 가능성도 있을 수 없다. 그렇지만
남자의 몸으로 범천이 되는 것은 도리도 있고 가능성도 있다"라고 말씀하신
것과 같다.
98 이는 외인을 위해 경문에 대해 회통하는 것이다. 말하자면 대범천왕에게는 욕
계 중 남자의 몸에 있는 모습이 따로 있지만, 여자 몸의 형상의 부류는 없기
때문에 남자라고 말한 것이지, 남근이 있다는 것은 아니다. 또 『순정리론』(＝
제9권. 대29-381하)에서는, "욕망을 떠나 위엄 있고 용맹스러운 것이 남자의
작용과 비슷하기 때문이다"라고 말하였다.

고근이 없는 것은 몸이 정묘淨妙하기 때문이며, 또 거기에는 불선법이 없기 때문이다. 우근이 없는 것은 사마타奢摩他가 상속을 윤택하기 때문이며, 또 거기에는 결정코 괴롭히고 해치는 일[惱害事]이 없기 때문이다.99

3. 무색계계

무색계는 앞과 같이 3무루근과 여근·남근·우근·고근을 제외하며, 아울러 5색근 및 희근·낙근을 제외한다. 이에 준해서 그 나머지 8근은 무색계에 계박되는 것에 통한다는 것을 알 수 있으니, 의근·명근·사근과 신근 등의 5근을 말하는 것이다.100

제6항 3단 분별

이와 같이 욕계에 계박되는 것 등에 대해 설명했는데, 22근 중 몇 가지가 견소단이고, 몇 가지가 수소단이며, 몇 가지가 비소단인가? 게송으로 말하겠다.

⑭ 의근과 3수근은 세 가지에 통하고[意三受通三]
　　우근은 견소단·수소단이며[憂見修所斷]
　　9근은 오직 수소단이고[九唯修所斷]
　　5근은 수소단·비소단이며, 3근은 비소단이다[五修非三非]

논하여 말하겠다. 의근과 희근·낙근·사근은 하나하나가 세 가지에 통하니, 모두 견소단·수소단·비소단에 통하기 때문이다.

---

99 이는 색계에 우근·고근이 없는 것을 해석하는 것이다. 신체가 정묘하기 때문에 괴로움의 의지처가 아니며, 불선법이 없기 때문에 괴로움의 경계가 없다. 사마타가 상속신을 윤택하기 때문에 근심의 의지처가 아니며, 괴롭히고 해치는 일이 없기 때문에 근심의 경계가 없다.
100 글대로 알 수 있을 것이다. 만약 경량부에 의한다면 고근·낙근은 몸에 따르므로 제4정려까지 이르고, 우근·희근은 마음에 따르므로 유정천에까지 이른다. 그들의 종지의 뜻은, 몸이 있으면 곧 괴로움과 즐거움이 있고, 마음이 있으면 근심과 기쁨이 있다고 말하는 것이다.

우근은 견소단과 수소단에만 통하니, 무루가 아니기 때문이다.

7색근과 명근·고근은 오직 수소단이니, 불염오이기 때문이며, 제6처 아닌 것에서 생긴 것이기 때문이며, 모두 유루이기 때문이다.

신근 등의 5근은 수소단이나 비소단이니, 염오가 아니기 때문이며, 모두 유루 및 무루에 통하기 때문이다.

최후의 3근은 오직 비소단이니, 모두 무루이기 때문인데, 허물 없는 법[無過法]은 끊을 것이 아니기 때문이다.101

제7항 수생시 얻는 이숙근 분별

여러 문의 뜻의 부류의 차별에 대해 설했는데, 어떤 계에서 몇 가지 이숙근異熟根을 처음 얻는가?102 게송으로 말하겠다.

15 욕계의 태생·난생·습생은[欲胎卵濕生]

....

101 이상은 여섯째 3단三斷 분별문이다. 의근과 희근·낙근·사근은, 견혹과 상응하는 것이라면 견소단이고, 그 나머지 유루라면 수소단이며, 무루라면 비소단이다. 우근은, 견혹과 상응하는 것이라면 견소단이고, 그 나머지 유루는 수소단이다. 무루가 아니기 때문에 비소단에는 통하지 않는다. 7색근과 명근·고근은 오직 수소단이니, 7색근과 명근은 불염오이기 때문이며, 고근은 제6처 아닌 것에서 생긴 것이기 때문에 견소단이 아니다. 모두 유루이기 때문에 오직 수소단이다. 무루가 아니기 때문에 비소단에는 통하지 않는다. 신근 등의 5근은 염오가 아니기 때문에 견소단에는 통하지 않는다. 유루에 통하는 것은 그 때문에 수소단이며, 무루에 통하는 것은 그 때문에 비소단이다. 최후의 3근은 모두 무루이기 때문에 오직 비소단이니, 허물 없는 법은 끊을 것이 아니기 때문이다. 또 『순정리론』 제9권(=대29-381하)에서도 말하였다. "어찌 성도聖道도 역시 끊을 것이 아니겠는가? 저 계경에서, '성도는 마치 뗏목과 같다고 알아야 한다고 하고, 법도 오히려 끊어야 하거늘, 어찌 하물며 비법이겠는가?' 라고 말한 것과 같다. 이것은 견도와 수도로써 끊을 것이 아니지만, 무여열반계의 단계에 들 때 버리기 때문에 끊는다고 이름한 것이다."

102 이하는 큰 글의 다섯째 뒤섞어 분별하는 것[雜分別]인데, 모두 6문이 있다. 이는 곧 첫째 수생할 때 얻는 이숙근을 밝히는 것이다. 『순정리론』 제9권(=대29-381하)에서 말하였다. "처음 이숙근을 얻는 것에 대해 물어야 할 필요에 대해, 염오의 마음이 능히 속생續生(=생을 상속하는 것 내지 상속하여 태어나는 것)하게 하는 것을 막아서 없애야 하기 때문이다."

처음에 2이숙근을[初得二異熟]

화생은 6·7·8이숙근을[化生六七八]

색계는 6이숙근을, 위는 명근만을 얻는다[色六上唯命]

논하여 말하겠다. 욕계의 태생·난생·습생은, 처음 수생하는 단계에서 신근과 명근의 두 가지 이숙근만을 얻으니, 이 3생에서는 근이 점차 일어나기 때문이다.103 그 때 어째서 의근과 사근을 얻지 않는가?104 이것들은 속생續生할 때에는 결정코 염오이기 때문이다.105

화생은 첫 단계에 여섯 가지, 일곱 가지, 여덟 가지 이숙근을 얻는다. 말하자면 무형자無形者는 처음에 6근을 얻으니, 겁의 첫 시기의 유정과 같다. 어떤 것이 여섯 가지인가 하면 소위 안·이·비·설·신근과 명근이다. 만약 일형자一形者라면 처음에 7근을 얻으니, 여러 천신 등과 같다. 만약 이형자二形者라면 처음에 8근을 얻는다.106 어찌 화생을 받는 2형자가 있겠는

....

103 태생·난생·습생을 든 것은 화생을 제외했음을 나타낸 것이니, 화생의 색근은 점차 일어나는 것이 없기 때문이다. 이에 의해 3생은 또한 중유도 아니니, 그 중유는 화생에 포함되기 때문이다. '처음 수생하는 단계'는 생유의 첫 순간이라는 것을 나타낸다. 이미 근이 점차 일어나기 때문에 처음에는 2이숙근만을 얻는다.

104 "의근과 사근도 처음 태어날 때 반드시 있는데, 그것들은 어째서 얻지 않았는가?"라고 묻는 것이다.

105 답이다. 이 의근과 사근은 속생續生할 때 비록 또한 반드시 있는 것이기는 하지만, 결정코 염오(=부모에 대한 애愛 또는 에恚와 상응하는 것)이기 때문에 이숙이 아닌 것이다. 이숙에 의거해 문답하기 때문이다. 고근·낙근·우근·희근과 신근 등의 5근도 처음 수생할 때 비록 또한 성취했지만, 이숙이 아니기 때문에 여기에서 말하지 않은 것이다. 의근과 사근은 성취했으며 또한 현행하기까지 하는데도 오히려 말할 것이 아니었거늘, 하물며 고근 등의 9근이겠는가? 성취했어도 현행하지 않으므로, 이치상 말이 끊어져야 할 곳에 있기 때문에 따로 묻지 않은 것이다.

106 화생은 중유도 포함하는데, 나머지 3생과 구별하기 때문에 화생이라고 말한 것이다. '첫 단계'는 중유나 생유로 처음 생을 받는 단계를 말하지만, 2형의 화생은 오직 생유의 첫 순간만이고, 중유에는 통하지 않으니, 중유의 몸은 여자·남자가 결정되기 때문이다. 그래서 아래 논서의 글(=제9권의 '제4항 중유의 9문 분별' 중 '8. 결생하는 마음')에서, "중유로서 남성도 아니고 여성도 아닌 경우는 반드시 없으니, 중유의 몸은 반드시 근을 갖추기 때문이다"라고 말

가?107 악취에는 이형의 화생이 있을 수 있다.108

욕계 중에서 처음 얻는 이숙근에 대해 설명했으니, 이제 다음으로 색계·무색계에 대해 설명하겠다. 욕계는 욕망이 수승하기 때문에 다만 '욕'이라고만 말하고, 색계는 색色이 수승하기 때문에 다만 '색'이라고만 말했으니, 계경에서도, "색과 무색을 뛰어넘는 적정寂靜한 해탈"이라고 말하였다. 색계에서는 처음에 6이숙근을 얻으니, 욕계에 화생한 무형자에 대해 말한 것과 같다. '위는 명근만'이라고 한 것은, 말하자면 무색계는 선정도 수승하고 태어남도 수승하기 때문에 '위[上]'라는 말을 한 것인데, 무색계에서 최초로 얻는 이숙근은 명근뿐이고, 나머지는 아니다.109

제8항 삼계 명종시 소멸하는 근

최초로 얻는 이숙근에 대해 설명했는데, 어떤 계界에서 죽는 단계에서 몇 가지 근이 최후로 소멸하는가? 게송으로 말하겠다.

....

하였다. 나머지 글은 알 수 있을 것이다. 여기에서 4생이 처음 얻는 이숙근이란 통틀어 중유·생유의 첫 순간에 의거한 것임을 알아야 하니, 이 이숙근의 체가 현전하는 찰나에 새로이 이루어지는 것[新成]을 곧 얻는다고 이름한 것이다. 먼저 성취되지 않았던 것이라야 비로소 얻는다고 이름한 것이 아니므로, 앞에서 해석한 획득과는 뜻이 조금 같지 않다. # 일형자의 7근은 무형자의 6근에 남근·여근 중의 하나를 더한 것이고, 이형자의 8근은 둘 모두를 더한 것이다.
107 "화생은 수승한 복이라야 감득하는 것인데, 어찌 화생을 받는 이형 중생이 있겠는가?"라고 묻는 것이다.
108 답이다. 악취의 이형 화생을 감득할 수 있는 악업도 있다.
109 이상은 제4구를 해석하는 것이다. 곧 욕계와 색계라는 명칭을 해석했는데, 욕계는 욕망[欲]이 수승하기 때문에 다만 '욕'이라고 말하였고, 색계는 색色이 수승하기 때문에 다만 '색'이라고 말했으니, 계경(=잡 [14]14:347 수심경須深經의 표현을 가리키는 것으로 보이는데, 이 논서에 의하면 현존 『잡아함경』 중 '寂靜解脫起色無色'은 '寂靜解脫過色無色'의 오기인 듯)에서도, "8해탈 중 멸진정의 해탈이 가장 지극히 적정한 것으로서 색계와 무색계를 뛰어넘는 해탈[過色無色解脫]"이라고 말하였다. '선정이 수승하다'는 것은 원인을 나타내고, '태어남이 수승하다'는 것은 결과를 나타낸 것이다. 나머지 글은 알 수 있을 것이다.

[16] 바로 죽을 때 소멸하는 근은[正死滅諸根]

　무색계에서는 3근, 색계에서는 8근이며[無色三色八]

　욕계에서는 단박 죽으면 10·9·8근이고[欲頓十九八]

　점차 죽으면 4근인데, 선하면 5근을 더한다[漸四善增五][110]

　논하여 말하겠다. 무색계에 있다가 목숨이 끝나려고 할 때에는 명근·의
근·사근의 3근이 최후로 소멸한다.

　만약 색계에 있다가 목숨이 끝나려고 할 때라면, 곧 앞의 3근 및 안근 등
의 5근, 이와 같은 8근이 최후로 소멸하니, 일체 화생들은 반드시 모든 근
을 갖추어서 태어나고 죽기 때문이다.

　만약 욕계에 있다가 단박 목숨이 끝날 때라면 10근, 9근, 8근이 최후로
소멸한다. 말하자면 이형자는 최후에 10근이 소멸하니, 곧 여근·남근과 아
울러 앞의 8근이고, 만약 일형자라면 최후에 9근이 소멸하니, 여근·남근 중
어느 한 가지를 제외한 것이며, 만약 무형자라면 최후에 8근이 소멸하니,
말하자면 여근·남근은 없고, 오직 앞의 8근만 있는 것이다. 이와 같은 설명
은 단박 목숨이 끝나는 경우에 의한 것이고, 만약 점차 목숨이 끝나는 경우
라면 최후에 오직 4근만 버린다. 말하자면 욕계에 있다가 점차 목숨이 끝날
때에는 신근·명근·의근·사근이 최후에 소멸하니, 이 4근은 앞뒤로 소멸하
는 이치가 결코 없다. 이와 같은 설명은 다만 염오나 무기의 마음으로 목숨
이 끝나는 자에 의한 것이라고 알아야 할 것이다.[111]

....
110 이하는 둘째 죽는 단계에 의거해 소멸하는 근의 다소를 밝히는 것이다. '소
멸'이라는 말은 버린다[捨]는 것이니, 최후에 죽는 단계에서 체가 앞에 나타나
있다가 사라져 과거로 들어감으로써 앞에 나타나지 않게 되기 때문에 버린다
고 이름한 것이지, 장차 성취하지 않으므로 버린다고 말한 것이 아니다. 예컨
대 선한 마음으로 죽으면 다시 자지自地에 태어나고, 또 염오의 마음으로 죽으
면 자지나 하지에 태어나는데, 비록 선이나 염오를 성취하더라도 역시 버린다
고 이름하기 때문이다. 여기에서는 목숨이 끝나는 단계에 있던 세 가지 성품의
마음이 단지 사라져 과거로 들어가는 것을 곧 버린다고 이름한 것일 뿐, 그
뒤의 단계에 성취하거나 불성취하는 것을 논하는 것이 아니라고 알아야 한다.
111 이상은 3계에서 염오나 무기의 마음으로 목숨이 끝나는 경우에 의거해, 버
리는 근의 다소를 밝힌 것인데, 글이 드러나서 알 수 있을 것이다.

만약 3계에 있다가 선한 마음으로 죽을 때라면, 신근 등의 5근이 반드시 모두 갖추어져 있었기 때문에 앞에서 말한 모든 단계 중의 그 수에 모두 신근 등의 5근을 더해야 할 것이다. 말하자면 무색계에서는 증가하여 8근에 이르고, 나아가 욕계에서 점차 목숨이 끝나는 경우에는 9근에 이를 것이니, 그 중간의 많고 적음은 이치대로 알아야 할 것이다.112

제9항 사문과를 얻을 때 쓰는 근의 수

근을 분별하는 기회에 근에 관한 모든 법을 모두 생각해서 가려야 할 것이다. 22근 중 몇 가지로 어떤 사문과를 능히 증득하는가? 게송으로 말하겠다.

⏼ 9근으로 양 끝의 2과를 얻고[九得邊二果]
　　7·8·9근으로 중간의 2과를 얻는데[七八九中二]
　　11근으로 아라한과를 얻는다고[十一阿羅漢]
　　한 몸에 있을 수 있음에 의해 말하였다[依一容有說]113

1. 예류과·아라한과
　논하여 말하겠다. '양 끝'은 예류과와 아라한과를 말하니, 사문과 중 처음과 뒤에 있기 때문이다. '중간'은 일래과와 불환과를 말하니, 이것을 처음과 뒤에서 보면 중간에 있기 때문이다.

....

112 이는 3계에서 선한 마음으로 목숨이 끝나는 경우에 의거해 버리는 근의 다소를 밝히는 것이다. 무색계에서는 3근에 더해 8근에 이르고, 나아가 욕계에서 점차 죽는 경우에는 9근에 이른다. 그 중간의 많고 적음은 이치대로 알아야 할 것이라고 한 것은, 말하자면 색계에서는 8근에 더하여 13근에 이르고, 욕계의 경우 10근에 더하면 15근에 이르며, 9근에 더하면 14근에 이르고, 8근에 더하면 13근에 이른다는 것이다.
113 이하는 셋째 사문과를 얻을 때 쓰는 근의 다소에 대해 밝히는 것이다. 『순정리론』(＝제9권. 대29－382중)에서, "사문과는 근이 아닌 것으로도 얻지만, 여기에서는 근을 분별하기 때문에 근에 대해서만 물은 것이다"라고 말하였다.

처음의 예류과는 9근에 의해 얻으니, 말하자면 의근 및 사근, 신근 등의 5근, 미지당지근, 이지근이 9근이 된다. 미지당지근은 무간도無間道에 있고, 이지근은 해탈도解脫道에 있는데, 이 두 가지가 서로 도와 최초의 사문과를 얻으니, 그 순서대로 이계의 획득[離繫得]에 대해 능히 인인引因과 의인依因의 성품이 되기 때문이다.114

아라한과도 역시 9근에 의해 얻으니, 말하자면 의근, 신근 등의 5근, 이지근·구지근 및 희근·낙근·사근 중의 어느 한 가지가 9근이 된다. 이지근은 무간도에 있고, 구지근은 해탈도에 있는데, 이 두 가지가 서로 도와 최후의 사문과를 얻으니, 그 순서대로 이계의 획득에 대해 능히 인인과 의인의 성품이 되기 때문이다.115

2. 일래과·불환과의 경우

중간의 두 가지 사문과는 그 상응하는 바에 따라 각각 7·8·9근으로 얻는다.116 까닭이 무엇인가? 우선 일래과는 차제증次第證의 경우, 세간도에

....

114 초과 및 초과향은 미지정지[未至地]에 포함되기 때문에 오직 사근만 있다. 만약 미지당지근이 무간도에 있어서 능히 번뇌를 끊는다는 측면에 의거한다면, 이계의 획득에서 바라볼 때 능히 인인引因의 성품이 되기 때문(에 미지당지근의 작용이 있는 것)이다. '인인'은 동류인을 말하는 것이니, 능히 그 이계의 획득을 견인해 일으켜서 등류과와 사용과로 삼는다는 것이다. 만약 이지근이 해탈도에 있는 것에 의거한다면, 이계의 획득에서 바라볼 때 능히 의인依因의 성품이 되기 때문(에 이지근의 작용이 있는 것)이다. '의인'은 능작인을 말하는 것이니, '의'란 '유지하는 것[持]'이다. 동시에 능히 이계의 획득을 유지하기 때문에 '의인'이라고 이름한 것이다. 무간도가 능히 획득을 견인해 일으키므로, 무위의 사문과를 능히 증득한다[能證得]고 말하고, 해탈도가 획득에게 의지처가 되므로, 무위의 사문과를 바로 증득했다[正證得]고 말하니, 따라서 두 가지가 서로 도와 초과를 증득하는 것이다. 여기에서 '획득[得]'이라는 말은 '증證'을 '득得'하므로 '획득'이라고 이름한 것이기 때문에 2도에 통하지만, 만약 (이생의 성품을) 버리는 것[捨]을 '획득'하는 것에 의거해 '획득'이라고 이름했다면, 곧 무간도만을 획득이라고 이름할 것이다. 또 해석하자면 여기에서 '득'이라는 명칭은 성취에도 통하는 것이니, 무간도에서 획득하기 때문에 득이라고 이름하고, 해탈도에서 성취하기 때문에 득이라고 이름한 것이다.

115 아라한과 및 아라한향은 모두 9지(=미지정, 중간정, 4근본정, 아래 3무색정)에 포함되기 때문에 3수근 중의 어느 하나(=초·제2정려에 의지한 경우 희수, 제3정려에 의지한 경우 낙수, 그 나머지의 경우 사수)를 취한 것이고, 그 나머지는 앞에서 해석한 것에 준한다.

의지한 것이면 7근에 의해 얻으니, 의근 및 사근과 신근 등의 5근을 말하며, 출세간도에 의지한 것이면 8근에 의해 얻으니, 말하자면 곧 앞의 7근과 이지근이 여덟 번째이다. 배리욕탐倍離欲貪하여 초월증超越證하는 경우 예류과처럼 9근에 의해 얻는다.117

만약 불환과라면 차제증의 경우, 세간도에 의지한 것이면 7근에 의해 얻고, 출세간도에 의지한 것이면 8근에 의해 얻는 것은 앞의 차제증으로 일래과를 얻는 경우와 같으며, 전리욕탐全離欲貪하여 초월증하는 경우, 9근에 의해 얻는 것은 앞의 초월증으로 일래과를 얻는 경우와 같다.

전체적으로 말하면 비록 그러하지만, 차별이 있다. 말하자면 이 경우는 의지하는 지[依地]에 차별이 있기 때문에 낙근·희근·사근 중의 어느 하나를 취할 수 있지만, 일래과의 초월증은 사근 한 가지 뿐이다. 또 차제증의 불환과의 경우, 만약 제9해탈도 중에서 근본지根本地에 들 때 세간도에 의지한다면 8근에 의해 얻으니, 그것의 무간도는 사수와 상응하지만, 해탈도 중에는 다시 희수가 있는 것이다. 이 2도가 서로 도와서 제3과를 얻으니, 이계의 획득에 대해 두 가지 원인인 것은 앞에서와 같다. 출세간도에 의지한다면 9근에 의해 얻으니, 8근은 앞에서와 같고, 이지근이 아홉 번째이다. 무간도와 해탈도에 이것이 모두 있기 때문이다.118

....

116 이하 중간의 2과를 해석하는데, 이는 곧 전체적으로 해석한 것이다.
117 이상은 일래과를 해석한 것이다. 유루도를 세간도라고 이름하고, 무루도를 출세간도라고 이름한다.(=예류과·아라한과는 무루도에 의해서만 획득되고, 일래과·불환과는 유루도에 의해서도 획득된다) 먼저 범부 단계에서 욕계 9품의 탐욕 중 앞의 6품을 이미 끊은 경우를 '배리욕탐'이라고 이름한다. 여기에는 7근으로 얻는 한 종류(=세간도에 의지할 경우 무루근이 없다), 8근으로 얻는 한 종류, 9근으로 얻는 한 종류(=배리욕탐하여 초월증하는 경우, 견도 15심의 미지당지근을 무간도로 하고, 제16심의 시기에 도법지의 이지근을 해탈도로 해서 일래과를 얻기 때문에 예류과와 같다)가 있다고 알아야 한다.
118 이상은 불환과를 해석하는 것이다. 전체적으로 말한다면 일래과와 같이 7·8·9으로 얻지만, 차별이 있다. 말하자면 이를 전리욕탐(=범부 단계에서 욕계 9품의 탐욕을 전부 끊은 경우)하여 초월증하는 경우 비록 9근이라는 수는 같지만, 느낌[受]에 차이가 있다. 만약 미지정과 중간정 및 제4정려에 의지한다면 사근을 써서 증득하고, 초정려와 제2정려에 의지한다면 희근을 써서 증득하며, 제3정려에 의지한다면 낙근을 써서 증득하기 때문에 '그 중의 하나를 취할

3. 아라한과 11근 획득설에 대해

근본 아비달마에서 '몇 가지 근에 의해 아라한과를 얻는가?'라는 물음에 대해 "11근이다"라고 어찌 답하지 않았는가? 그런데도 어째서 9근에 의해 얻는다고 말하는가?[119] 실제로 제4과를 얻는 것은 단지 9근에 의할 뿐이다. 그런데도 근본 논서에서 11근이라고 말한 것은, 한 몸 안에 있을 수 있음에 의해 말한 것이다. 말하자면 한 보특가라補特伽羅는 무학위로부터 자주자주 물러난 뒤 낙근·희근·사근 중의 어느 하나가 현전함에 의해 자주 다시 아라한과를 증득하는 일이 있다고 인정되니, 이로 말미암아 근본논서에서 11근이라고 말한 것이다. 그렇지만 일시에 세 가지 느낌이 함께 일어나는 일은 없다. 이 때문에 지금 결정코 9근에 의한다고 말한 것이다.[120]

....

수 있다'라고 말하였고, 앞의 일래과의 초월증의 경우 미지정에 의지하므로 오직 사근 하나뿐이다. 이는 곧 초월증의 경우 느낌을 쓰는 것의 차별이다. 또 차제증의 불환과의 경우, 만약 제9해탈도 중에서 근본지에 들지 않고 세간도에 의지한다면 7근에 의해 얻으니, 의근·사근과 신근 등의 5근을 말한다. 만약 근본지(=초정려지)에 들고, 세간도에 의지한다면 8근에 의해 얻으니, 희수를 더한 것이다. 그 무간도는 사수이지만, 해탈도는 희수이니, 이 두 가지 느낌이 서로 도와 제3과를 얻는데, 이계의 획득에 대해 인인·의인인 것은 앞에서 말한 것과 같다. 만약 제9 해탈도 중에서 근본지에 들지 않고, 출세간도에 의지한다면 8근에 의해 얻으니, 의근·사근과 신근 등의 5근 및 이지근이며, 근본지에 들고, 출세간도에 의지한다면 9근에 의해 얻으니, 8근은 앞과 같고(=근본지에 들고 세간도에 의지하는 경우의 8근, 즉 의근·사근과 신근 등의 5근 및 희근), 이지근이 아홉 번째이다. 무간도와 해탈도에 이 이지근이 모두 있기 때문이다. 혹은 이 2도에 이지근이 모두 있으므로, 불환과에 한 종류의 7근, 두 종류의 8근, 두 종류의 9근이 있기 때문에 일래과와는 차별이 있다고 알아야 한다. 만약 게송의 '7·8·9근으로 중간의 2과를 얻는다'는 글에 의거한다면, 전체적으로는 두 종류의 7근, 세 종류의 8근, 세 종류의 9근이 있지만, 그 수는 같기 때문이다. 또 『대비바사론』 제148권(=대27-759하)에서도, "(문) 욕계의 염오를 떠나는 제9해탈도에서 누가 곧 정려(=위에서 말한 '근본지')에 들고, 누가 들지 않는가? (답) 어떤 분은, 기뻐함이 많은 자는 들고, 싫어함이 많은 자는 들지 않는다고 말하고, 어떤 분은 정려를 구하기 위해 염오를 떠나는 자는 들고, 해탈을 구하기 위해 염오를 떠나는 자는 들지 않는다고 말하며, 어떤 분은 이근자는 들고, 둔근자는 들지 않는다고 말한다"라고 말했는데, 자세한 것은 거기에서 해석하는 것과 같다.

119 외인의 힐난이다. 근본논서인 『발지론』(=제15권. 대26-994하)에서 11근으로 얻는다고 말했는데, 지금은 9근으로 얻는다고 말했으니, 어찌 상반되지 않겠는가?

불환과에 대해서는 어째서 이렇게 말하지 않았는가?121 낙근으로 불환과를 증득했다면 그 뒤에 물러남이 있을 수 있는 뜻이 없으며, 또한 물러난 뒤 낙근에 의해 다시 얻는 일도 없다. 먼저 이욕하고 제3과를 초월증했다면 다시 물러나는 뜻이 있을 것이 아니니, 이 이욕한 자의 제3과는 두 가지 도로 얻은 것이어서 지극히 견고하기 때문이다.122

제10항 근 성취시 22근의 상호관계

....

120 힐난에 대해 회통하는 것이다. 실제로 제4과를 얻는 데 오직 9근만을 쓴다. 우리는 이에 의거해 말했는데, 근본논서는 자주 퇴전하는 분에 의거한 것이니, 세 가지 느낌별로 얻는 경우가 있을 수 있기 때문에 11근이라고 말한 것이다. 그러나 일시에 세 가지 느낌이 함께 일어나 제4과를 얻는 경우는 없으니, 이 때문에 지금 결정코 9근에 의한다고 말한 것이다. 각각 한 가지 뜻에 의거한 것이므로 양 논서에 어긋남은 없다.

121 「불환과도 역시 세 가지 느낌으로 얻을 수 있을 것인데, 어째서 그 무학과처럼 11근이라고 말하지 않았는가?」라고 묻는 것이다.

122 답이다. 제3정려의 낙근으로 불환과를 증득했다면 그 뒤에 물러남이 있을 수 있는 뜻은 없다. 낙근으로 불환과를 증득했다면 필시 초월증인데(=차제증이라면 사근 또는 사근과 희근임은 전술), 대저 초월증한 사람에게는 결코 물러나는 뜻이 없다. 차제증한 사람은 물러난 뒤 낙근에 의해 다시 얻는 일도 역시 없으니(=낙근에 의해 얻는 경우는 초월증뿐임), 낙근은 제3정려에 의지하기 때문이다. 대저 차제증하는 사람의 무간도는 미지정에 의하므로 사수와 상응하며, 해탈도는 혹 미지정의 사수와 상응하거나 혹은 들어간 근본정의 희수와 상응해서 불환과를 얻으므로, 물러난 뒤 낙근에 의해 다시 얻는 일은 결코 없다. 따라서 한 사람이 세 가지 느낌을 모두 쓰는 경우는 없기 때문에 11근으로 얻는다고 말할 수 없다. 초월증한 사람은 희근이나 사근으로 불환과를 증득했더라도 역시 물러나는 뜻이 없지만, 만약 차제증자라면 희근이나 사근으로 증득했을 경우 곧 물러남이 있을 수 있다. 이런 즉 희근·사근에 의한 경우 결정적이지 않지만, 낙근에 의한 경우 곧 결정코 물러나지 않기 때문에 치우쳐 낙근을 말한 것이니, 만약 낙근을 써서 불환과를 얻었다면 다시 희근이나 사근을 써서 얻는 일은 결코 없으며, 만약 희근이나 사근을 써서 얻었다면 낙근에 의해 다시 얻는 일도 역시 없다. 먼저 욕계를 떠나고 제3과를 초월증했다면 다시 물러나는 뜻이 있을 것이 아니니, 이 이욕한 자의 불환과는 두 가지 도로 얻은 것이어서 지극히 견고하기 때문이다. 첫째는 먼저 세간도로써 얻었고, 둘째는 뒤에 출세간도로써 얻었다. 이는 초월증의 불환과는 물러나지 않는다는 것을 나타낸다. 만약 차제증이라면 두 가지 도를 겹쳐서 얻는다는 뜻이 없기 때문에 물러남이 있을 수 있는데, 그 제4과는 차제증으로만 얻을 뿐, 초월증하는 뜻이 없기 때문에 자주 물러날 수 있는 것이다.

이제 어떤 근을 성취할 때 그 여러 근 중 몇 가지를 결정코 성취하는지 생각해서 가려야 할 것인데, 게송으로 말하겠다.

⑱ 명근이나 의근이나 사근을 성취하면[成就命意捨]
　　각각 결정코 3근을 성취하고[各定成就三]
　　낙근이나 신근을 성취하면[若成就樂身]
　　각각 결정코 4근을 성취한다[各定成就四]

⑲ 안근 등 및 희근을 성취하면[成眼等及喜]
　　각각 결정코 5근을 성취하고[各定成五根]
　　고근을 성취하면[若成就苦根]
　　그는 결정코 7근을 성취한다[彼定成就七]

⑳ 여근, 남근, 우근이나[若成女男憂]
　　신근 등을 성취하면 각각 8근을[信等各成八]
　　2무루근을 성취하면 11근을[二無漏十一]
　　첫 무루근을 성취하면 13근을 성취한다[初無漏十三]¹²³

　　논하여 말하겠다. 명근·의근·사근 중의 어느 하나를 성취하면 그는 결정코 이와 같은 3근을 성취한다. 이 3근 중 어느 하나라도 결여된 것이 있으면서 그 나머지 근을 성취하는 경우는 있을 수 있는 것이 아니다.¹²⁴
　　이 3근을 제외한 나머지는 모두 일정하지 않으니, 말하자면 성취하기도 하고, 성취하지 않기도 한다. 이 중 안근·이근·비근·설근의 4근은, 무색계에 태어나면 결정코 성취하지 않으며, 욕계에 태어났어도 아직 얻지 못했거나 이미 상실했다면 역시 성취하지 않는다. 신근은 무색계에 태어나 있

---

123 이하는 넷째 여러 근의 성취가 결정하는 근의 수량에 대해 밝히는 것이다.
124 명근·의근·사근 중의 어느 하나를 성취하면 결정코 3근을 성취하고, 그 나머지 근의 성취가 결여되는 이치는 결코 없다. 이 3근은 (3계의) 9지에 두루해서 일체 유정들이 모두 결정코 성취하는 것이기 때문이다.

는 경우에만 결정코 성취하지 않는다. 여근·남근은 위의 2계에 태어나면 결정코 성취하지 않으며, 욕계에 태어났어도 아직 얻지 못했거나 이미 상실했다면 역시 성취하지 않는다. 낙근은, 제4정려 및 무색계에 태어난 이생異生은 결정코 성취하지 않고, 희근은, 제3·제4정려 및 무색계에 태어난 이생은 결정코 성취하지 않으며, 고근은, 색계와 무색계에 태어나면 결정코 성취하지 않고, 우근은, 욕탐을 떠난 모든 자는 결정코 성취하지 않는다. 신근 등의 5근은 선근이 끊어진 자는 결정코 성취하지 않는다. 첫 무루근은 일체 이생 및 이미 사문과에 머무는 분[己住果]은 결정코 성취하지 않고, 다음 무루근은 일체 이생과 견도·무학의 단계에서는 결정코 성취하지 않으며, 뒤의 무루근은 일체 이생 및 유학의 단계에서는 결정코 성취하지 않는다. 이렇게 부정된 것 아닌 단계[非遮位]에서는 앞에서 말한 것과 같은 여러 근들은 모두 결정코 성취된다고 알아야 할 것이다.125

만약 낙근을 성취하면 결정코 4근을 성취하니, 명근·의근·사근 및 이 낙근을 말하는 것이다. 만약 신근身根을 성취하면 역시 4근을 결정코 성취하니, 명근·의근·사근 및 이 신근을 말하는 것이다.

만약 안근을 성취하면 결정코 5근을 성취하니, 명근·의근·사근·신근·안근을 말하는 것이다. 이근·비근·설근을 성취한 경우도 역시 5근이라고 알아야 하니, 앞의 4근은 안근의 경우와 같고, 제5는 자신의 근이다.126

만약 희근을 성취하면 역시 결정코 5근을 성취하니, 명근·의근·사근과

---

125 이상은 나머지 19근이 성취되거나 성취되지 않는 것에 대해 밝히는 것이다. 위에서 부정된 것과 같은 것은 곧 성취되지 않지만, 이렇게 부정된 것이 아닌 단계에서는 모두 결정코 성취된다. # '낙근은, 제4정려 및 무색계에 태어난 이생은 결정코 성취하지 않고, 희근은, 제3·제4정려 및 무색계에 태어난 이생은 결정코 성취하지 않는다'라고 말한 것은, 이생 아닌 성자는 성취하는 경우 (=무루의 낙근·희근)가 있음을 나타낸다.

126 이상은 낙근·신근 및 안근 등의 4근이 결정코 성취하는 것에 대해 해석하는 것이다. 여기에서 '결정코 성취한다'라는 말은, 3계 9지에 의거하여 범부와 성자를 통틀어 망라해서 전체적으로 결정코 성취한다는 것을 말하는 것이지, 한 사람에 의거한 것이 아니니, 생각해 보면 알 수 있을 것이다. # 낙근 성취의 경우 신근이 제외된 것은 예컨대 성자가 무색계에 태어났을 경우가, 신근 성취의 경우 낙근이 제외된 것은 예컨대 범부가 제4정려지에 태어난 경우가 각각 그에 해당한다.

낙근·희근을 말하는 것이다.127 제2정려지에 태어나 아직 제3정려를 얻지 않았다면 그 하지下地의 것은 버렸고, 그 상지上地의 것은 아직 얻지 못했는데, 이 경우에 어떤 낙근을 성취하는가?128 제3정려의 염오한 낙근이라고 말해야 할 것이니, 그 나머지는 아직 얻지 못했기 때문이다.129

만약 고근을 성취하면 결정코 7근을 성취하니, 신근·명근·의근과 우근을 제외한 4수근을 말하는 것이다.

만약 여근을 성취하면 결정코 8근을 성취하니, 7근은 고근에서 말한 것과 같고, 제8은 여근이다. 만약 남근을 성취하면 역시 결정코 8근을 성취하니, 7근은 고근에서 말한 것과 같고, 제8은 남근이다. 만약 우근을 성취하면 역시 결정코 8근을 성취하니, 7근은 고근에서 말한 것과 같고, 제8은 우근이다. 만약 신근[信] 등을 성취하면 역시 각각 8근을 성취하니, 명근·의근·사근과 신근 등의 5근을 말하는 것이다.130

만약 구지근을 성취하면 결정코 11근을 성취하니, 명근과 의근·낙근·희근·사근, 신근 등의 5근 및 구지근을 말하는 것이다. 만약 이지근을 성취하면 역시 결정코 11근을 성취하니, 위와 같은 10근 및 이지근이다.131 만약 미지당지근을 성취하면 결정코 13근을 성취하니, 신근·명근·의근, 고근·낙

127 이는 희근이 결정코 성취하는 것에 대해 해석하는 것이다.
128 예컨대 제2정려지에 태어나 아직 제3정려를 얻지 못한 경우, 아래 초정려의 낙근은 버렸고, 위의 제3정려의 선의 낙근은 아직 얻지 못했는데(=제2정려지에 태어나면 희근은 있고, 낙근은 없음은 뒤의 제28권 중 게송 12와 그 논설 참조), 이 사람은 어떤 낙근을 성취하는지 묻는 것이다.
129 답이다. 아직 제3정려를 얻지 못했을 때에는 제3정려의 염오한 낙근을 성취한다고 말해야 할 것이다. 그 나머지 선·무부무기의 낙근은 아직 얻지 못했기 때문이다. # 이 논서의 구역이나 『현종론』(=제5권. 대29-798하), 『순정리론』(=제9권. 대29-383상), 『대비바사론』 제90권(=대27-464상)에서의 설명도 모두 같은데, 제3정려의 염오한 낙근을 (성취할 수는 있겠지만) '결정코' 성취한다는 근거에 대한 설명은 찾을 수 없었다.
130 이상은 고근과 여근·남근·우근 및 신근 등의 5근이 결정코 성취하는 것에 대해 해석하는 것인데, 생각해 보면 알 수 있을 것이다. # 고근의 경우 우근을 제외한 것은, 욕계에 태어난 자(=고근 성취)가 이욕離欲하면 우근을 버리기 때문에 결정코 우근을 성취한다고는 말할 수 없다.
131 이상은 구지근과 이지근에 대해 해석하는 것인데, 생각해 보면 알 수 있을 것이다.

근·희근·사근, 신근 등의 5근 및 미지당지근을 말하는 것이다.132

제11항 성취하는 근의 최소한과 최대한

1. 성취하는 근의 최소한
여러 근은 최소한 몇 가지 근을 성취하는가? 게송으로 말하겠다.

㉑ 최소한 8근이니, 선근 없는 자는[極少八無善]
　5수근과 신근·명근·의근을 성취하고[成受身意命]
　어리석은 자가 무색계에 태어나면[愚生無色界]
　선인 근과 명근·의근·사근을 성취한다[成善命意捨]133

....

132 이는 미지당지근의 경우 결정코 13근을 성취하는 것에 대해 해석하는 것이다. 미지당지근을 성취하는 자는 반드시 욕계에 있기 때문에 신근 및 고근도 역시 결정코 성취한다고 말한다.『구사론』의 구역(＝진제 역)에서 고근을 말하지 않고 남근·여근 중의 하나를 든 것은 번역한 분의 오류이다. (문) 견도 중에 남·여의 2근 중 어느 하나를 성취하는가? 만약 성취한다면 어째서 말하지 않았으며, 만약 성취하지 않는다면 어떻게 성법에 드는가? (해) ··· 이제 바르게 해석해 말하자면, 견도 중에 남·여의 2근은 있기도 하고 없기도 하니, 만약 있다면 그 중의 어느 하나를 성취하고, 만약 없다면 아래에서 점차 남·여의 근을 버리는 것에 의거해 말한 것이다. 그래서 무형이 능히 성법에 드는 것은, 점차 목숨이 끝나는 단계에서 깊은 마음으로 맹렬하게 생사를 싫어하기 때문에 능히 견도에 드는 것이다. 그래서『대비바사론』제150권(＝대27-767하)에서, 수신행이 최소한 13근을 성취한다는 것을 해석하면서, "13근이란 신근·명근·의근, 4수근, 신근 등의 5근, 1무루근이니, 곧 욕계의 염오를 떠나 점차 목숨이 끝나는 단계에서 견도에 드는 자이다"라고 말한 것이다.『대비바사론』의 뜻이 말하는 것은, 점차 목숨이 끝나는 단계에는 남·여근을 버리고 안근 등의 4근이 없어도 견도에 들 수 있는 이것은 의심할 수 없는 곳에 있다는 것이다. 따라서 점차 끝난다는 것의 뜻은 남·여근(을 버리는 것)을 말한다는 것을 알 수 있다. 혹은『대비바사론』의 '1무루근'이라는 말은 나머지 2무루근을 성취하지 않음을 나타내고, '욕계의 염오를 떠나'라는 말은 우근을 성취하지 않음을 나타내며, '점차 목숨이 끝나는 단계에서 견도에 든다'는 말은 남·여근 및 안근 등의 4근을 버리는 것을 나타내는 것일 수 있으니, 이로써 점차 남·여근을 버리더라도 견도에 들 수 있다는 것을 알 수 있다.
133 이하는 다섯째 성취하는 근의 최소한에 대해 밝히는 것이다.

논하여 말하겠다. 선근을 이미 끊은 자를 '선근 없는 자[無善]'라고 이름했는데, 그런 자는 최소한 8근을 성취하니, 5수근 및 신근·명근·의근을 말하는 것이다. (수근의) '수受'는 말하자면 능히 받아들이는 것[能受]이니, 능히 영납하기 때문[能領納故]이다. 혹은 받아들이는 성품[受性]이기 때문에 '수'라고 이름한 것이니, 예컨대 원만한 성품[圓滿性]에 대해 원만이라는 명칭을 세우는 것과 같다.134

선근을 끊은 자가 최소한 8근을 성취하는 것처럼, 어리석은 자가 무색계에 태어나면 역시 8근을 성취한다. 어리석은 자는 이생異生을 말하는 것이니, 아직 진리[諦]를 보지 못했기 때문이다. 어떤 것이 8근인가 하면 신근 등의 5근과 명근·의근·사근을 말하는 것이다. 신근 등의 5근은 한결같이 선이기 때문에 전체를 '선인 근[善]'이라고 이름한 것이다.135 만약 그렇다면 3무루근도 포함해야 할 것이다.136 그렇지 않다. 여기에서는 8근에 의했기 때문이며, 또 '어리석은 자가 무색계에 태어난' 경우에 대해 말한 것이기 때문이다.137

2. 성취하는 근의 최대한

여러 근은 최대한 몇 가지 근을 성취하는가? 게송으로 말하겠다.

....

134 이는 위의 2구를 해석하는 것이다. '이미 끊었다'는 말은 바로 끊는 것과는 다르다고 구별한 것이니, 바로 끊을 때는 여전히 선을 성취(되어 현전했다가 과거로 낙사)하기 때문이다. 그런 자는 최소한 8근을 성취한다고 한 것은 점차 목숨을 버리는 것에 의거했기 때문에 오직 신근뿐(=남근·여근 및 안근 등의 4근은 아님)인 것이다. 뜻의 편의상 '수受'에 대해 해석했는데, 능히 받아들이는 것을 수라고 이름했다는 것은 작용에 따라 명칭을 세운 것이고, 받아들이는 성품을 수라고 이름했다는 것은 바로 그 체를 명칭으로 세운 것이다.

135 이상은 아래 2구를 해석하는 것이다. 어리석은 범부인 이생이 무색계에 태어나면(=이 경우가 성취한 근의 수가 가장 적은 경우인데, 무색계에 태어났다면 5력근이 있었다는 취지) 역시 8근을 성취한다. 신근 등의 5근은 한결같이 선이기 때문에 게송의 글에서 전체를 '선인 근[善]'이라고 이름하였다.

136 힐난하는 것이다. 만약 선이라고 말했기 때문이라면 응당 3무루근도 포함해야 할 것이다.

137 답이다. 이 게송의 글에서는 명근·의근·사근과 신근 등의 8근 중에서 오직 선인 것에 의해 말한 것이지, 22근 중 오직 선인 것에 의해 말한 것이 아니며, 또 어리석은 자가 무색계에 태어난 경우에 대해 말한 것이기 때문에 3무루근을 성취하지 않는다는 것을 분명히 알 수 있다.

㉒ 최대한 19근을 성취하니[極多成十九]

　이형은 3청정근을 제외하며[二形除三淨]

　성자가 아직 이욕하지 못했다면[聖者未離欲]

　2청정근과 일형을 제외한다[除二淨一形]138

　논하여 말하겠다. 안근 등의 근을 갖춘 모든 이형자二形者는 3무루근을
제외한 나머지 19근을 성취한다. 무루를 '청정'이라고 이름했으니, 두 가지
계박[二縛]을 떠났기 때문이다. 이형자는 반드시 욕계의 이생으로서 아직
욕탐을 떠나지 못했기 때문에 19근이 있는 것이다.139

　이런 자만 19근을 갖추는가, 다시 더 있는가? 성자가 아직 이욕하지 못했
다면 역시 19근을 갖춘다. 말하자면 성자가 유학으로서 아직 욕탐을 떠나지
못했을 경우 최대한 성취하면 역시 19근을 갖추니, 2무루근을 제외하고, 또
일형一形을 제외한다. 만약 견도에 머문다면 이지근 및 구지근을 제외하고,
만약 수도에 머문다면 미지당지근 및 구지근을 제외하며, 여근·남근 중 어
느 한 가지를 제외하니, 모든 성자에게는 이형二形이 없기 때문이다.140

　18계의 근과 근 아닌 것의 차별을 분별하는 기회에 편승해서 여기에서

----

138 이하는 여섯째 성취하는 근의 최대한에 대해 밝히는 것이다.

139 이상은 위의 2구를 해석하는 것이다. 최대한 19근을 성취할 수 있다. 말하자
　면 이형자는 반드시 욕계의 이생인데, 만약 안근 등의 4근을 얻은 뒤 잃지 않
　았다면 이미 있을 것이고, 이형자라고 해서 반드시 선을 끊지는 않으므로 신
　근 등의 5근이 있으며, 이형자는 이욕할 수 없으므로 결정코 5수근을 성취하
　고, 그 신근·명근·의근도 역시 결정코 성취하기 때문에 19근을 성취한다. 이형
　자는 성자의 지위에 들어갈 수 없으므로, 3무루근은 제외된다. '두 가지 계박'
　은 상응박 및 소연박을 말하는 것이다.

140 이상은 아래 2구를 해석하는 것인데, 여기에서 아직 이욕하지 못한 성자도
　최대한 19근을 성취할 수 있다는 것을 해석한다. 그 상응하는 바에 따라 2무
　루근을 제외하고, 또 일형을 제외하니, '여근·남근 중 어느 한 가지'를 제외하
　는 것이다. 모든 성자는 이형인 자가 없기 때문에 20근을 성취하지 않는다.
　또 『순정리론』(=제9권. 대29-383중)에서도, "'일형'이라고 말한 것은, 이형
　및 무형無形으로서 성자의 법을 얻는 경우는 없기 때문이다"라고 해석하였다.
　그 논서에서 무형인 자로서 성자의 법을 얻는 경우는 없다고 이미 말했으니,
　곧 여근·남근 중 어느 한 가지를 결정코 성취한다고 알아야 한다.

22근에 대해 자세히 분별하는 것을 마쳤다.141

141 이는 전체적으로 맺는 말이다.

아비달마구사론
제4권

제2 분별근품(의 2)

제2장 유위제법의 구생론俱生論

제1절 총론

제1항 5위의 제법

이제 생각해서 가려야 할 것이다. 일체 유위법은, 그 모습이 같지 않은
것처럼, 생기는 것도 역시 각각 다른가, 모든 법은 결정코 함께 생기는 것
[俱生]이 있는가?1 결정코 함께 생기는 것이 있다. 말하자면 일체법은 간략
히 다섯 품류가 있으니, 첫째 색법, 둘째 심법, 셋째 심소법, 넷째 심불상응
행법, 다섯째 무위법인데, 무위법은 생김이 없으므로[無生] 여기에서는 말
하지 않을 것이다.2

....

1 이하는 이 품의 큰 글의 둘째 함께 생기는 법[俱生法]에 대해 밝히는 것이다.
곧 함께 생기는 것에 의거해 작용을 분별하는데, 그 안에 나아가면 첫째 함께
일어나는 것을 바로 밝히고, 둘째 그 차별을 자세히 분별한다. 그 처음의 문
가운데 나아가면 첫째 색법이 함께 생기는 것을 밝히고, 둘째 4품류(=심법·심
소법·심불상응행법·색법을 가리킴은 후술)가 같이 일어나는 것을 밝힌다. 이
하는 첫째 색법이 함께 생기는 것을 밝히는 것인데, 장차 밝히려고 물음을 일
으켰다. 그 안에 나아가면 첫째 묻고, 둘째 답하는데, 이는 곧 묻는 것이다. 일
체 유위법은 그 체상이 같지 않은 것처럼 생길 때에도 역시 각각 따로 다르게
생기는지, 모든 법은 결정코 함께 생기는 것이 있는지, 이제 생각해서 가려야
한다는 것이다. 또 해석하자면 전체적으로 하나의 물음이 된다. 일체 유위법은
그 체상이 같지 않은 것처럼 그 생기는 것도 역시 각각 다른가? 이 체를 달리하
여 따로 생기는 유위법 중 모든 법은 결정코 함께 생기는 것이 있는가? # 여기
에서 제2장의 세부 과목을 포함한 분별근품의 큰 과목을 정리해 보이면 다음
도표와 같다.

제2항 색법의 구생俱生

이제 먼저 색법이 결정코 함께 생기는 것에 대해 분별하는데, 게송으로 말하겠다.

23 욕계의 미취는 소리 없고[欲微聚無聲]
　근 없는 것은 8사가 있고[無根有八事]
　신근 있는 것은 9사가 있으며[有身根九事]
　그 나머지 근 있는 것은 10사가 있다[十事有餘根][3]

1. 욕계 색법의 구생

논하여 말하겠다. 지극히 미세한 물질의 무더기[色聚極細]에 대해 미취微聚라는 명칭을 세웠으니, 이것보다 미세한 것은 더 이상 없다는 것을 나타

....

제1장 22근론			제3권
제2장 유위제법의 구생론	바로 분별함	제1절 총론	제4권
	차별을 분별함	제2절 심소법론	제4권
		제3절 심불상응행법론	제4~5권
제3장 6인론			제6권
제4장 4연론			제7권

2 답 중에 나아가면 첫째 전체적으로 답하고, 둘째 개별적으로 밝히는데, 이는 곧 전체적인 답이다. 형성된 모든 것은 결정코 함께 생기는 것이 반드시 있다. 모든 법을 전체적으로 말한다면 간략히 5품이 있는데, 무위에 대해 말하지 않는 까닭은 이 품이 모든 법의 작용을 밝히는 것인 까닭에 다만 앞의 4품의 법에 대해서만 밝히는 것이다. 그 안에 나아가면 색법과 심법은 계품에서 자세히 밝혔으므로 다시 따로 나타내지 않고 다만 구생하는 것만을 분별하며, 심소법과 심불상응행법은 앞에서 설명하지 않았으므로 이 품에서 자세히 밝히는데, 우선 구생하는 것에 대해 분별한다.
3 이하에서 곧 개별적으로 답하는데, 이하는 색법의 구생에 대해 밝히는 것이다. 일체 모든 색법은 대략 두 종류가 있는데, 첫째는 극미의 무더기[극미취極微聚]이니, 곧 5근과 5경이며, 둘째는 극미의 무더기 아닌 것이니, 곧 무표색이다. 여기에서는 우선 극미의 무더기에 대해 분별한다. '미취微聚'는 가법[假]인데, 가법은 반드시 실법[實]에 의지한다. 실법에는 다소 같지 않음이 있는데, 이는 곧 가법인 미취에 의거해서, 있는 실법의 수[有實數]를 밝히는 것이다.

내기 위한 것이다. 이것은, 욕계에 있으면서 소리 없고 근 없는 것은 8법
[事]이 함께 생기고, 그 중 어느 하나도 줄지 않는다. 어떤 것이 8법인가 하
면, 4대종 및 4대종으로 만들어진 색·향·미·촉을 말한다.4

소리는 없고 근이 있는 극미취極微聚들의 경우, 이와 함께 생기는 법은 아
홉 가지나 열 가지이다. 신근이 있는 미취는 9법이 함께 생기니, 8법은 앞
과 같고, 신근이 제9가 된다. 그 나머지 근이 있는 미취는 10법이 함께 생
기니, 앞과 같은 9법에 안근 등의 1법을 더한 것이다. 안·이·비·설근은 반
드시 몸을 떠나지 않으며, 번갈아 서로 바라볼 때 처소가 각각 다르기 때
문이다.5 앞의 여러 미취들에서 만약 소리가 생기는 일이 있다면 순서대로

....

4 장항에 나아가면 첫째 게송의 글을 해석하고, 둘째 편승해 상계에 대해 밝히며,
셋째 문답해서 분별하고, 넷째 논쟁을 멈추게 한다. 게송의 글을 해석하는 것
에 나아가면 첫째 바로 해석하고, 둘째 외인의 힐난에 대해 풀이한다. 이하에
서 곧 바로 해석하는데, 곧 위의 2구를 해석한다. 욕계 중 지극히 미세한 물질
의 무더기로서 소리 없고 근 없는 것인 외부의 산이나 강 등은 8법이 구생하고,
그 중 어느 하나도 줄지 않는다.(=소위 '8사구생八事俱生') 미취라는 명칭을 세
운 것은, ·이것보다 미세한 것은 더 이상 없다는 것을 나타내기 위한 것이니,
미취라는 말은 미세하고 적은 무더기[細少聚]를 나타낸다. 말하자면 물질의 무
더기 중 지극히 적고 미세한 무더기를 미취라고 이름한 것이니, '미'가 곧 '취'
이니, 극미를 미취라고 이름한 것이 아니다. 또 『순정리론』 제10권(=대
29-383하)에서는, "이와 같이 여러 미가 전전하여 화합한 것으로서 결정코 분
리되지 않는 것을 미취라고 말한다"–그 논서는 미의 취이기 때문에 미취라고
이름한다는 것인데, 각각 한 가지 뜻에 의거한 것이므로 역시 서로 어긋나지
않는다–라고 말했으니, '미'에는 두 종류가 있다고 알아야 한다, 첫째는 물질
의 무더기인 미[色聚微]이다. 곧 최소한 8법이 함께 생기고 줄어들 수 없는 것
이니, 이 논서는 이에 의거해 말한 것이다. 둘째는 극미의 미[極微微]이다. 곧
더 이상 나눌 수 없는 지극히 적은 물질이니, 『순정리론』은 이에 의거해 말한
것이다. # 요컨대 '미취'는 극미가 여럿 결합한 것으로서 더 이상 분리되지 않
는 최소 단위를 일컫는다는 취지. 본문 중 한자 '사事'는 구역에서는 '물物'이라
고 번역했는데, 유위법의 또다른 명칭이므로, 장항의 글에서는 '법'이라고 번역
하였다.
5 이는 아래 2구를 해석하는 것이다. 만약 내적인 것으로서 소리는 없지만, 근이
있는 극미취들이라면, 신근이 있는 미취는 9법이 구생하니, 8법은 앞의 외부의
소리 없는 처소의 경우와 같고, 신근이 제9가 되며, 그 나머지 안·이·비·설근이
있는 미취는 10법이 구생하니, 앞의 신근 있는 처소의 경우와 같은 9법에 안근
등의 1법을 더한 것이다. '안·이·비·설근은 반드시 몸을 떠나지 않는다'는 것은
몸에 의지해 일어나기 때문에 결정코 신근이 있다는 것을 나타내고, 안근 등의

그 수가 9·10·11로 증가한다. 어떤 성처聲處는 근을 떠나지 않고 생기니, 유집수의 대종이 원인이 되어 일어나는 것을 말한다.6

2. 8사구생과 개별성 인식

만약 4대종이 서로 떠나지 않고 생긴다면, 여러 미취들에서 어떻게 견堅·습濕·난煖·동動 중의 어느 하나를 얻을 수 있고, 그 나머지는 아닌가?7 그 미취 중 세력과 작용이 증상한 것은 분명하게 알 수 있지만, 그 나머지도 체가 없는 것은 아니니, 마치 바늘이나 칼날이 산가지와 합쳐진 것의 감촉을 느끼는 것과 같으며, 마치 소금이 보릿가루와 합쳐진 것의 맛을 맛보는 것과 같다.8 어떻게 거기에 그 나머지도 있다는 것을 아는가?9 거두고[攝]

....

4근은 '번갈아 서로 바라볼 때 처소가 각각 다르기 때문'이라는 것은 같은 취聚가 아니라는 것을 나타낸 것이다.

6 이는 증가되는 경우를 별도로 나타낸 것이니, 앞의 8·9·10법이 구생하는 여러 미취에서, 만약 생기는 소리가 있다면, 8법은 증가되어 9법에 이르고, 9법은 증가되어 10법에 이르며, 10법은 증가되어 11법에 이른다. '어떤 성처' 이하는 숨은 반론에 대해 변론하는 것이다. 숨은 반론의 뜻이 말하는 것은, 「외부의 소리는 모습이 드러나므로 이것을 곧 알 수 있지만, 내부의 근이 있는 처소에는 어떻게 소리가 있을 수 있는가?」라는 것이다. 그래서 지금 "어떤 성처는 근을 떠나지 않고 생기니, 유집수의 대종이 원인이 되어 일어나는 것(=입으로 내는 소리와 같은 것)을 말한다"라고 변론해 말한 것이니, 이는 곧 바로 근을 떠나지 않는 소리를 나타낸 것이다.

7 이하는 둘째 힐난에 대해 풀이하는 것인데, 그 안에 나아가면 첫째 4대종에 의한 힐난에 대해 풀이하고, 둘째 만들어진 물질에 의한 힐난에 대해 풀이한다. 전자에 나아가면 첫째 묻고, 둘째 답하는데, 이는 곧 묻는 것이다. 만약 4대종이 서로 떠나지 않고 생긴다고 말한다면, 여러 물질의 미취가 어떻게 견堅·습濕·난煖·동動 중의 하나만일 수 있고, 그 나머지 3대는 아니기에, 예컨대 금 등에서는 오직 단단함만 얻을 수 있으며, 물 등에서는 오직 축축함만 얻을 수 있으며, 화염 등에서는 오직 따뜻함만 얻을 수 있으며, 허공 등에서는 오직 움직임만 얻을 수 있는가?

8 이하는 둘째 답하는 것인데, 모두 3논사가 있다. 이는 곧 첫째 설일체유부의 논사가 작용의 증상함에 의거해 풀이하는 것이다. 그 미취 중에 체는 함께 있지만, 작용에는 뛰어남과 열등함이 있는데, 그 세력과 작용이 증상한 것은 그 상응하는 바에 따라 분명하게 알 수 있지만, 그 나머지도 체가 없는 것은 아니다. 예컨대 바늘과 산가지가 같이 몸에 접촉할 때 바늘이 강하므로 먼저 느껴지고, 산가지는 열등하므로 알기 어려운 것과 같으며, 소금과 보릿가루를 동시에 맛볼 때 소금의 세력이 먼저 느껴지고, 보리의 작용은 알기 어려운 것과 같다.

9 다시 따지는 것이다. 그 나머지도 체가 없는 것은 아니라고 말했는데, 어떻게

익히며[熟] 기르고[長] 유지하는[持] 업이 있기 때문이다.10

어떤 분은 말하였다. "인연을 만나면 단단함[堅] 등도 곧 흐르는[流] 등의 모습을 갖기 때문이니, 예컨대 물의 무더기[水聚] 중에서 지극한 차가움 때문에 따뜻한 모습의 일어남이 있는 것과 같다. 비록 서로 분리되지 않았지만, 차가운 작용이 증상했던 것이니, 마치 느낌 및 소리의 작용에 뛰어남과 열등함이 있는 것과 같다."11 어떤 다른 논사는 말하였다. "이 미취 중에 그 나머지는 종자만 있고 그 체의 모습은 아직 있지 않다. 그래서 계경에서도, '나무의 무더기 중에 갖가지 계界가 있다'라고 말씀하셨으니, '계'는 종자를 말하는 것이다."12

....
그 미취 중에 그 나머지 3대도 있다는 것을 알 수 있는가?
10 이는 통틀어 풀이하는 것인데, 업에 의거해 있다는 것을 증명하는 것이다. 물질의 무더기 중에 수대의 거둠, 화대의 익힘, 풍대의 기름, 지대의 유지함이라는 네 가지 업의 작용이 있는 것에 의해서, 4대종의 체가 모든 미취에 두루하다는 것을 분명히 알 수 있다.
11 이는 곧 둘째 설일체유부의 논사가 인연에 의거해 있다는 것을 나타내면서, 다시 작용의 증상함에 의거하였다. 마치 금·은·구리·쇠와 같은 견고한 등의 물건도 불 등의 인연을 만나면 흐르면서 축축해지고 따뜻해지며 움직이는 등의 모습이 있기 때문에 그 물질의 무더기에 먼저 수대 등이 있었다는 것을 알 수 있다. 예컨대 물의 무더기 중에서 지극한 차가움 때문에 변하여 차가운 눈[凍雪]이 되는 것과 같은데, 이 차가운 눈 위에 마르는 작용[乾燥用]이 있는 것을 '따뜻한 모습의 일어남'이라고 이름하였다. 차가움과 따뜻함이 비록 서로 분리되지 않았지만, 차가운 작용이 증상했던 것이니, 찬 것은 비록 물이 아니지만, 이것이 물의 결과이기 때문에 결과에 의거해 원인을 나타내어 여기에서 차가움이라고 말한 것이다. 또 예컨대 비가 내리려고 할 때 공중의 물의 무더기가 지극한 차가움 때문에 부딪쳐서 번개가 나오는 것을 '따뜻한 모습의 일어남'이라고 이름하였다. 또 지극히 차가운 우물의 물이 곧 따뜻해지는 것과 같고, 지옥 안에서는 고수가 뛰어나고 사수는 열등하므로 괴로움을 느낀다고만 말하는 것과 같으며, 또 제3선 중에서는 낙수가 뛰어나고 사수는 열등하므로 즐거운 느낌만 말하는 것과 같다. 이것들은 처소에 의거해 말한 것으로, 찰나에 의거해 말한 것이 아니다. 예컨대 북을 칠 때 비록 다시 손과 북이 함께 각각 소리를 나오게 하지만, 북이 뛰어나고 손은 열등하므로 북소리라고만 말하는 것과 같다.
12 이는 셋째 경량부 논사의 해석이다. 어떤 다른 경량부 논사는, 그 상응하는 바에 따라 이 한 쪽만 증상하게 현행하는 물질의 무더기 중 현행하는 것만 체가 있고, 그 나머지 현행하지 않는 것은 종자만 있을 뿐, 그 체의 모습은 아직 있지 않다고 한다. 그래서 계경(=잡 [18]18:494 고수경枯樹經)에서도, "나무

어떻게 바람 중에 현색顯色이 있다는 것을 아는가?13 이 뜻은 믿어야 할 뿐, 견주어 알 수는 없다. 혹은 결합된 냄새를 현재 취할 수 있기 때문이니, 냄새와 현색은 서로 분리되지 않기 때문이다.14

3. 색계 색법의 구성

앞에서 색계에는 냄새와 맛이 모두 없다고 말했기 때문에 거기에서는 소리가 없다면 함께 생기는 것은 6·7·8법이 있고, 소리가 있다면 함께 생기는 것은 7·8·9법이 있다. 이것은 준해서 알 수 있기 때문에 따로 말하지 않았다.15

4. 사事의 의미

....

의 무더기 중 갖가지 계가 있다"라고 말씀하셨는데, '계'는 종자를 말하는 것이니, 곧 화대 등의 종자이다. 또 해석하자면 그 상응하는 바에 따라 이 지·수·화·풍의 한 쪽만 증상하게 현행하는 무더기 중 현행하는 것만 체가 있고, 그 나머지 현행하지 않은 3대종은 종자의 공능만 있을 뿐, 그 체의 모습은 아직 있지 않다는 것이다.

13 이하는 둘째 만들어진 물질[造色]에 의한 힐난에 대해 풀이하는 것이다. 그 안에 나아가면 첫째 묻고, 둘째 답하는데, 이는 곧 묻는 것이다. 외부의 미취는 반드시 8미八微(=앞서 말한 소위 '8사')를 갖춘다고 이미 말했는데, (외부의 미취에 속하는) 바람 중에 어떻게 현색이 있다는 것을 아는가?

14 이는 곧 답이다. 바람 중에 현색이 있다는 이 뜻은 다만 가르침에 의하여 믿어야 할 뿐, 견주어 알 수는 없다. 혹은 (바람과) 결합된 냄새를 코가 현재 취할 수 있는데, 냄새와 현색은 서로 분리되지 않기 때문에 바람 중에 냄새가 있다는 사실로써 현색이 있다는 것을 분명히 알 수 있다. 이는 곧 냄새가 현색을 증명한다는 것이다. 비록 노란 바람, 검은 바람 등이 있는 것도 현재 취할 수 있지만, 이는 미세하고 맑은 바람에 의거해 문답한 것이다. (문) 욕계 중에서 색·향·미·촉은 결정코 서로 분리되지 않는데, 어째서 여기에서는 색에 대해서만 물었는가? (해) 글이 번거롭게 넓어지는 것이 염려되어 갖추어 말할 수 없으니, 색이 처음에 있기 때문에 처음을 들어 뒤도 나타낸 것이다. 또 해석하자면 맑은 바람의 현색의 모습은 양상이 은밀해서 알기 어려운 까닭에 이것만 물은 것이니, 그 나머지 물질의 무더기의 색·향·미·촉 등은 양상이 드러나기 때문에 생략하고 논하지 않았다. 또 해석하자면 외인이 의심하는 바에 따라 곧 물은 것이다. 어찌 반드시 두루 들어야 하겠는가?

15 이는 곧 둘째 편승해서 상계에 대해 밝히는 것인데, 유추해서 색계에 대해 풀이한다. 앞의 글에서, 색계 중에는 냄새와 맛이 모두 없다는 것을 갖추어 말했기 때문에 거기에 소리가 없다면 함께 생기는 것은 6·7·8법이 있고, 소리가 있다면 함께 생기는 것은 7·8·9법이 있다. 이것은 준해서 알 수 있기 때문에 게송의 글에서 따로 말하지 않은 것이다.

여기에서 말한 '사事'는 체體에 의해 말한 것인가, 처處에 의해 말한 것인가?16 만약 그렇다면 무엇이 허물인가?17 두 가지 모두 허물이 있다. 만약 체에 의해 말한 것이라면 8·9·10법 등은 곧 너무 적은 것이 될 것이다. 모든 미취에는 반드시 형상과 현색이 있고, 다수의 극미가 함께 쌓여 모여서 있는 것이기 때문에 무거운 성품과 가벼운 성품 중의 어느 하나도 결정코 있으며, 매끄러운 성품과 껄끄러운 성품 중의 어느 하나도 역시 그러하며, 혹 어떤 곳에는 차가움이 있거나 배고픔이 있거나 목마름도 있을 것이니, 이런 즉 위에서 말한 것에는 너무 적다는 허물이 있다. 만약 처에 의해 말한 것이라면 8·9·10법 등은 곧 너무 많은 것이 될 것이다. 4대종은 촉처에 포함되기 때문에 4법 등이라고 말했어야 할 것이니, 이런 즉 말한 것에는 너무 많다는 허물이 있다.18 두 가지 모두 허물이 없다. 여기에서 말한 '사事'는, 일부는 체에 의해 말한 것이니, 의지대상[所依]인 대종을 말하고, 일부는 처에 의해 말한 것이니, 의지주체[能依]인 만들어진 물질을 말하는 것이라고 알아야 할 것이다.19

....

16 이하는 셋째 문답해서 분별하는 것이다. 그 안에 나아가면 첫째 묻고, 둘째 답하며, 셋째 따지고, 넷째 풀이하며, 다섯째 반론하고, 여섯째 변론하는데, 이는 곧 묻는 것이다.

17 이는 곧 답이다.

18 이는 곧 따지는 것인데, 체에 의했든 처에 의했든 두 가지 모두 허물이 있다는 것이다. 만약 체의 성품에 의해 말한 것이라면 8법 등은 곧 적다. 모든 미취에는 현색이 있을 뿐만 아니라 형상도 반드시 있으며, 많은 극미가 모인 것이기 때문에 체가 많이 있어야 한다. 비록 빛·그림자·밝음·어둠 등 중에는 현색만 있고, 형상은 없지만, 여기에서는 우선 형상과 현색 양쪽(이 있는 것)에 의거해 말한 것이다. 무거운 성품과 가벼운 성품 중의 어느 하나도 결정코 있으며, 매끄러운 성품과 껄끄러운 성품 중의 어느 하나도 결정코 있고, 차가움·배고픔·목마름의 셋은 있기도 하고 없기도 할 것이니, 결정코 있는 것은 아니기 때문에 결정코 있다고 말하지 않았다. 이런 즉 말한 것에는 너무 적다는 허물이 있을 것이다. 만약 12처에 의거해 말한 것이라면 8법 등은 곧 많을 것이니, 4대종은 촉처에 포함되기 때문에 8법은 4법이라고 말했어야 하고, 9법은 5법이라고 말했어야 하며, 10법은 6법이라고 말했어야 할 것이다. 이런 즉 말한 것에는 너무 많다는 허물이 있을 것이다.

19 이는 곧 풀이하는 것이다. 여기에서 '사'는, 대종은 체에 의하고, 만들어진 물질은 처에 의한 것이니, 만드는 주체[能造](=본문의 '의지대상')는 뜻이 뛰어나기 때문에 체에 의거해 말하였고, 만들어진 것[所造](=본문의 '의지주체')

만약 그렇다면 대종인 '사'가 많아져야 할 것이니, 만들어진 물질은 각각 따로 하나씩의 4대종에 의지하기 때문이다.20 여기에서는 체의 부류에 의해 말한 것이라고 알아야 할 것이니, 모든 4대종은 부류에 차별이 없기 때문이다.21

어찌 분별을 써서 이런 말을 하겠는가? 말은 바람[欲]에 따라 생기는 것이니, 이치를 생각해서 가려야 할 것이다.22

제3항 심·심소·불상응행법의 구생

이와 같이 색법이 결정코 구생하는 것에 대해 분별했으니, 이제 다음에는 그 나머지가 결정코 구생하는 것에 대해 분별하는데, 게송으로 말하겠다.

24a 심과 심소는 반드시 함께 하며[心心所必俱]
형성된 모든 것은 상, 혹은 득과 반드시 함께 한다[諸行相或得]23

....
은 뜻이 열등하기 때문에 처에 의거해 말하였다.
20 이는 곧 반론하는 것이다. 만약 4대종이 체에 의거해 말한 것이라면 '사'가 곧 많아져야 할 것이다. 색·향·미·촉의 모든 만들어진 물질은 각각 따로 하나씩의 4대종에 의지하기 때문에 기본되는 것과 아우르면 5법이 되니, 8법은 20(=4×4+4)법이 되어야 하고, 9법은 25(=5×4+5)법이 되어야 하며, 10법은 30(=6×4+6)법이 되어야 할 것이다. 만약 생긴 소리가 있다면 20법은 25법에 이르고, 25법은 30법에 이르며, 30법은 35법에 이를 것이다.
21 이는 곧 변론하는 것이다. 대종이 비록 많다고 해도 여기에서 다만 4법이라고 말한 것은 체의 부류에 의해 말한 것이니, 모든 4대종은 부류가 서로 비슷하고 차별이 없기 때문이다. 만들어진 물질은 차별되기 때문에 처에 의해 말하였다.
22 이는 곧 넷째 논쟁을 멈추게 하는 것이니, 논주가 권고해 말한다. 이 색법이 구생하는 것은 분리시키기도 하고 합치기도 하므로, 많아지기도 하고 적어지기도 하니, 또한 다시 어떻게 일정하겠는가? 이것은 심오한 이치가 아닌데, 어찌 이와 같은 말을 분별을 써서 하겠는가? 말은 바람에 따라 생기는 것이니, 이치를 생각해서 가려야 한다는 것이다.
23 이하는 4품의 법(=색법·심법·심소법·심불상응행법. 색법이 다시 등장하는 것은 심불상응행법 중에서 색법에 대해 다시 논하는 것이 있기 때문)이 같이 일어나는 것에 대해 밝히는 것인데, 맺으면서 묻고 게송으로 답한 것이다.

논하여 말하겠다. 심과 심소는 반드시 결정코 함께 생기니, 그 중의 하나가 결여될 때에는 다른 것도 곧 일어나지 않는다. '형성된 모든 것[諸行]'은 곧 일체 유위이니, 색·심·심소·심불상응행을 말하는 것인데, 그 앞의 '반드시 함께 한다'라는 말이 흘러서 여기에 이른다. 말하자면 색·심 등 형성된 모든 것이 생길 때에는 반드시 유위의 4상과 함께 일어나며, '혹은 득'이라고 말한 것은, 형성된 모든 것 중 유정有情의 법만은 득과 함께 생기고, 그 나머지 법은 그렇지 않다는 것을 말한 것이니, 이 때문에 '혹은'이라고 말하였다.24

제2절 심소법론

제1항 심소법 총론

앞에서 심소心所라고 말했는데, 무엇이 심소인가? 게송으로 말하겠다.

24c 심소에는 우선 다섯 가지가 있으니[心所且有五]
대지법 등으로 다르다[大地法等異]25

....

24 심과 심소 두 가지를 서로 바라보면 반드시 결정코 함께 생기고, 하나가 결여되면 일어나지 않는다. 세 가지 성품의 심소를 그 심왕에서 바라보면 차별이 없는 것은 아니지만, 전체적인 모습에 따라 말하기 때문에 결정코 함께 한다고 말한 것이다. 형성된 모든 것은 곧 색 등의 4법인데, 앞의 제1구의 (한문 중) '반드시'와 '함께 한다'라는 두 가지 말이 흘러 이 제2구에 이르렀다. 말하자면 색·심 등의 형성된 모든 것이 생길 때에는 반드시 유위의 4상(=생·주·이·멸상)과 함께 일어난다는 것이다. '혹은 득'이라고 말한 것은 말하자면 형성된 모든 것 중 오직 유정有情의 법만은 득과 함께 생기며, 그 나머지 비정非情의 법은 득과 함께 생기는 것이 아니므로, 득의 경우 일정하지 않음을 나타낸 것이니, 이 때문에 '혹은'이라고 말하였다.

25 이하는 큰 글의 둘째 차별을 자세히 분별하는 것인데, 그 안에 나아가면 첫째 심소법[心所有]을 밝히고, 둘째 불상응행을 분별한다. 색과 심은 계품에서 자세히 밝혔기 때문에 따로 설명하지 않는다. 심소를 밝히는 가운데 나아가면 첫째 다섯 가지 지법[五地法]에 대해 밝히고, 둘째 결정코 함께 생기는 것을 밝히며, 셋째 서로 비슷한 것의 차이를 밝히고, 넷째 여러 명칭의 차별을 밝힌다. 그 첫째 다섯 가지 지법에 대해 밝히는 가운데 나아가면 첫째 명칭과 수를

논하여 말하겠다. 모든 심소법에는 우선 다섯 품류가 있다.26 어떤 것이 다섯 가지인가? 첫째 대지법大地法, 둘째 대선지법大善地法, 셋째 대번뇌지법大煩惱地法, 넷째 대불선지법大不善地法, 다섯째 소번뇌지법小煩惱地法이다.27

제2항 대지법大地法

'지地'는 작용하는 곳[行處]을 말하니, 만약 이것이 그것이 작용하는 곳이라면 곧 이것을 말하여 그 법의 지라고 한다. 대법大法의 지이기 때문에 대지大地라고 이름한 것인데, 이 중 만약 법이 대지에 있는 것이라면 대지법이라고 이름하니, 법이 늘 일체 마음에 있는 것을 말한다.28 그런 법은 무

....
전체적으로 표방하고, 둘째 명칭의 체를 개별적으로 해석한다. 이하는 첫째 명칭의 수를 전체적으로 표방하는 것인데, 묻고 게송으로 답했다. # 여기에서 설명된 심소법에 관한 글의 과목을 도표로 요약해 보이면 다음과 같다.

다섯 가지 지법	명칭과 수의 표방	제1항 심소법 총론
	명칭의 체의 해석	제2항 대지법
		제3항 대선지법
		제4항 대번뇌지법
		제5항 대불선지법
		제6항 소번뇌지법
심소법의 구생		제7항 심소법의 구생론
유사한 것의 차이		제8항 유사한 심소법의 차별
여러 명칭의 차별		제9항 여러 명칭의 차별

26 마음이 가진 것(=또는 마음에 있는 것)[心之所有]이기 때문에 심소라고 이름한다. 응당 '심소유心所有'라고 말해야 하지만, 생략했기 때문에 '심소'라고만 말한 것이다.
27 '다섯 품류'에 대해 문답하는 것인데, 알 수 있을 것이다.
28 이하는 둘째 명칭의 체를 개별적으로 해석하는 것인데, 같지 않은 5지를 해석함에 따라 글도 곧 다섯이 된다. 처음 대지법을 밝히는 가운데 나아가면 첫째 명칭을 해석하고, 둘째 체를 분별하는데, 이는 곧 명칭을 해석하는 것이다. '대지법'이라고 말한 것에서 '지'는 작용하는 곳을 말하니, 곧 심왕이다. 만약 이 심왕이 그 심소가 작용하는 곳이라면 곧 이 심왕을 말하여 그 심소법의 '지'라고 하는데, 이는 곧 '지'의 뜻을 따로 해석한 것이다. 느낌[受] 등의 10법은 일체 마음에 통하므로 '대법'이라고 이름하는데, 이 지가 대법의 지이므로 '대지'라고 이름하니, 의주석이다. 곧 심왕을 가리키는 것이니, 이는 곧 '대지'의 뜻을 따로 해석한 것이다. 이 심소들 중 만약 그 법이 대지 가문[大地家]에

제2 분별근품(의 2)　275

엇인가?[29] 게송으로 말하겠다.

[25] 느낌·지각·생각·접촉·의욕과[受想思觸欲]

　　지혜·알아차림과 더불어 작의와[慧念與作意]

　　승해·삼마지는[勝解三摩地]

　　일체 마음에 두루한 것이다[遍於一切心][30]

　　논하여 말하겠다. 전하는 학설에, 이와 같이 열거된 10법은 모든 마음과
찰나에 화합하여 두루 있는 것이라고 하였다.[31]

　　이들 중 느낌[受]은 말하자면 세 가지이니, 괴로움, 즐거움, 괴롭지도
않고 즐겁지도 않음을 받아들이는 것[領納苦樂俱非]에 차별이 있기 때문이
다.[32] 지각[想]은 경계에서 차별된 표상을 취하는 것[於境取差別相]을 말

　　　　　　　　　　　　　　　　

　　　　있는 것이라면 대지법이라고 이름하니, 두 번째 의주석이다. 곧 느낌 등의 10
　　　　법을 가리키는 것이니, 법이 늘 일체 마음에 있는 것이기 때문에 대지법이라
　　　　고 이름한다. 이는 곧 대지법을 따로 해석한 것이다. 만약 단지 '대'라고만 말
　　　　한다면 곧 느낌 등을 가리키고, 만약 '대지'라고 말한다면 곧 심왕을 가리키며,
　　　　만약 '대지법'이라고 말한다면 다시 느낌 등을 가리킨다.
　29　이하는 둘째 체를 분별하는 것인데, 장차 밝히려고 물음을 일으켰다.
　30　이는 곧 게송으로 답한 것이다. 예로부터 여러 대덕들은 모두 많은 뜻으로써
　　　　대지법 등을 폐립廢立했는데, 각각 지남指南이라고 말하면서 일제히 제일이라
　　　　고 칭했지만, 모두 다 언론을 허비한 것임을 갖추어 말할 수 없을 정도이다.
　　　　이제 이 논서에 의하면 각각 한 가지 뜻으로써 대지법 등을 폐립하는데, 이
　　　　논서를 서방에서 총명론聰明論이라고 칭한 것은 허언이 아니라고 믿는다. 어
　　　　떤 고덕은 다섯 가지 뜻으로써 폐립했지만, 지금 이 논서에 의하면 한 가지
　　　　뜻으로써 대지법을 폐립한다. 말하자면 일체 마음에 두루한 것을 대지법이라
　　　　고 이름하고, 그 나머지 심소법은 일체 마음에 두루한 것이 아니기 때문에 대
　　　　지법으로 건립하지 않는다는 것이다.
　31　이는 곧 제4구를 해석하는 것인데, 비바사 논사들이 전하는 학설은 이와 같다
　　　　는 것이다. 열거된 10법은 일체 모든 마음과 일찰나에 화합하여 두루 있다는
　　　　것인데, 논주의 의중은 경량부의 벗이어서, 10법 모두 별도의 체가 있다는 것
　　　　을 믿는 것이 아니기 때문에 '전하는 학설'이라고 말한 것이다.
　32　'수'는 곧 명칭을 표방한 것이고, '세 가지'는 그 수를 든 것이며, 앞의 경계를
　　　　'받아들이는 것'은 작용에 의거해 체를 나타낸 것이다. '고'는 고수를 말하고,
　　　　'낙'은 낙수를 말하며, '구비俱非'는 사수를 말하는 것이니, 세 가지 수가 같지
　　　　않은 것을 '차별이 있다'라고 말하였다. 경계를 받아들인다는 뜻의 측면에서

한다.33 생각[사思]은 능히 마음으로 하여금 만드는 것이 있게 하는 것[能令心有造作]을 말한다.34 접촉[촉觸]은 근·경·식의 화합에서 생겨서 능히 마주하는 것과의 접촉이 있게 하는 것[根境識和合生 能有觸對]을 말한다.35 의욕[욕欲]은 할 일을 희구하는 것[希求所作事業]을 말한다.36 지혜[혜慧]는 법에 대해 능히 간택함이 있는 것[於法能有簡擇]을 말한다.37 알아차림[염念]은 반연하는 것을 분명히 기억해서 잊지 않게 하는 것[於緣明記不忘]을 말한다.38 작의作意는 능히 마음을 경각하게 하는 것[能令心警覺]을 말한다.39 승

<hr />

는 심과 심소를 모두 '수'라고 이름해야 하겠지만, 수 심소의 받아들이는 것이 강하기 때문에 이것만 수라는 명칭을 얻었다.

33 '상'은 경계에서 남자·여자 등 갖가지 차별된 표상을 붙잡아 취하는 것을 말한다. 능히 경계 중에서 한계를 봉함으로써 경계를 획정해서[封疆畫界] 이것은 남자 등이지, 남자가 아닌 등이 아니라고 하기 때문에 '남자 등'이라고 표현하였다.

34 '사'는 세력이 있어서 능히 심왕으로 하여금 경계에서 움직여서 만드는 작용이 있게 하는 것[運動有造作用]이다. 이치의 실제로는 나머지 심소법들로도 하여금 만드는 것이 있게 하지만, 강한 것에 따라 '마음'이라고 말한 것이다. 그래서 『순정리론』(=제10권. 대29-384중)에서도, "사가 있기 때문에 마음으로 하여금 경계에서 움직여 만드는 작용[動作用]이 있게 하는 것이니, 마치 자석의 세력이 능히 쇠로 하여금 움직이게 하는 작용이 있게 하는 것과 같다"라고 말하였다.

35 근·경·식 3자의 화합에서 생긴다는 것은 원인을 들어서 분별한 것이고, 능히 마주하는 앞의 경계와 접촉하는 작용이 있게 한다는 것은 업을 들어서 밝힌 것이다. 또 해석하자면 능히 마음 등으로 하여금 마주하는 앞의 경계와 접촉하게 하는 것이라면, 경계와 마주한다는 뜻의 측면에서는 심과 심소를 모두 '촉'이라고 이름해야 하겠지만, '촉'의 마주하는 뜻이 강하기 때문에 이것만 촉이라는 명칭을 얻었다.

36 '욕'은 경계에서 능히 할 일을 희구함이 있게 하는 것을 말하는 것이니, 이 욕이 있음으로 말미암아 마음 등이 경계로 향해 나아가는 것이다.

37 헤아려 구하는 것[推求]을 '견見'이라고 이름하고, 결단決斷하는 것을 '지智'라고 이름하며, 간택簡擇하는 것을 '혜慧'라고 이름하니, 여러 '법에 대해 능히 간택함이 있는 것을 말한다'는 것은 작용에 의해 분별한 것이다. (문) 혜가 어찌 의심과 함께 하겠는가? (답) 『순정리론』제10권(=대29-389중)에서, "만약 의심과 상응해서 전혀 혜가 없다면, 어떻게 두 가지 품류(=선·악, 유·무 등)를 헤아리고 살필 수 있을 것인가? 두 가지 품류 중 차별을 간택(=혜)하면서 그 이치를 헤아리고 살필 때 마침내 의심을 이루기 때문이다"라고 말했는데, 그 논서에 준하기 때문에 의심과 함께 할 수 있다. 혜는 무명과도 상응하기 때문에 의심과도 함께 한다는 것을 알 수 있다.

해勝解는 능히 경계를 인가하는 것[能於境印可]을 말한다.[40] 삼마지三摩地는 심일경성心一境性을 말한다.[41]

여러 마음과 심소의 다른 모습들은 미세해서 하나하나가 상속하는 것도 분별하기 오히려 어렵거늘, 하물며 1찰나에 동시에 있는 것이리오. 색근色根으로 파악되는 유색有色의 여러 약의 그 맛의 차별도 오히려 요지하기 어렵거늘, 하물며 무색의 법을 각혜覺慧만으로 파악함이리오.[42]

....

38 염의 작용은 소연의 경계를 분명히 기억해 지녀서[於所緣境分明記持] 능히 뒤의 시기에 잊어버리지 않는 원인이 되는 것이니, 단지 과거의 경계를 생각하는 것만 말하는 것이 아니다. 그래서 『순정리론』(=제10권. 대29-389중)에서도, "경계를 분명히 기억해서 잊어버리지 않는 원인을 말하여 염이라고 이름한다"라고 말하였고, 『입아비달마론』(=상권. 대28-982상)에서도, "염은 마음으로 하여금 경계를 분명히 기억하게 하는 것을 말하는 것이니, 곧 이미 행했거나 지금 행하거나 장차 행할 일들을 잊어버리지 않는다는 뜻이다"라고 말하였다.

39 마음을 작동시키기[作動於意] 때문에 작의라고 이름하니, 말하자면 능히 마음으로 하여금 앞의 경계에 대해 경각警覺하게 하는 것이다. 마치 잠든 것처럼 침몰하여 작용하지 않던 마음이 작의의 힘에 의해 경계를 경각하여 취하는 것이다. 이치의 실제로는 능히 심소도 경각케 하지만, 강한 것에 따라 마음이라고 말한 것이다.

40 수승한 이해[殊勝之解]이기 때문에 승해라고 이름하니, 말하자면 능히 경계를 인가해서, 이것은 반드시 그러하지, 그러하지 않은 것이 아니라고 살펴 결정하는 것이다.

41 등지等持(=삼매)의 힘이 능히 심왕으로 하여금 하나의 경계에서 구르게 하니[能令心王於一境轉], 만약 등지가 없다면 마음의 성품은 들떠 움직이므로 경계에 머물 수 없는 것이다. 강한 것에 따라 마음이라고 말했지만, 이치의 실제로는 여러 심소법도 하나의 경계에서 구르게 한다. 그래서 『순정리론』(=제10권. 대29-389중)에서도, "마음으로 하여금 산란함 없이 소연의 경계를 취하게 하고, 흐르거나 흩어지지 않게 하는 원인을 삼마지라고 이름한다"라고 말하였다. '삼마지samādhi'라고 말한 것은 여기 말로는 등지이니, 곧 심·심소법을 평등하게 지녀서 하나의 경계에 전념함으로써 성취하는 것이 있게 하는 것을 말한다.

42 이는 마음과 심소의 행상의 미세함을 찬탄하는 것인데, 글처럼 알 수 있을 것이다. 만약 뜻의 순서에 의한다면, ① 욕, ② 작의, ③ 사, ④ 촉, ⑤ 수, ⑥ 상, ⑦ 승해, ⑧ 혜, ⑨ 염, ⑩ 삼마지여야 하겠지만, 게송의 글이 이에 의하지 않은 까닭은 1찰나에 동시에 함께 일어난다는 것을 나타낸 것이다. 혹은 수 등의 5법은 잡염의 작용이 뛰어남을 나타내고, 혜 등의 5법은 청정의 작용이 뛰어남을 나타내므로, 작용의 부류에 의해 말한 것이다.

제3항 대선지법大善地法

이와 같이 10대지법에 대해 설명했는데, 대선법大善法의 지地를 대선지大善地라고 이름하고, 이들 중 만약 법이 대선지에 있는 것이라면 대선지법이라고 이름한다. 늘 모든 선심에 있는 법을 말하는 것인데,[43] 그런 법은 무엇인가?[44] 게송으로 말하겠다.

[26] 믿음 및 불방일[信及不放逸]
경안, 평정, 참, 괴[輕安捨慚愧]
2선근 및 불해와[二根及不害]
정진은 오직 선심에만 두루하다[勤唯遍善心][45]

논하여 말하겠다. 이와 같은 법들은 오직 선심에만 두루하다.[46] 이들 중 믿음[信]은 마음을 맑고 깨끗하게[令心澄淨] 하는 것이다. 어떤 분은, "사성제, 삼보, 업과 과보를 현전에 인가하여 인정하기[現前忍許] 때문에 '믿음'이라고 이름한다"라고 말하였다.[47]

....

43 이하는 둘째 대선지법에 대해 밝히는 것인데, 그 안에 나아가면 첫째 명칭을 해석하고, 둘째 체를 분별한다. 이는 곧 명칭을 해석하는 것이다. '지'의 뜻은 앞에서와 같기 때문에 지금 해석하지 않았으니, 두 겹의 의주석은 앞의 대지법에서의 해석에 준한다. 늘 선심에 있는 것이기 때문에 '대'라고 이름하였다.

44 이하는 둘째 체를 분별하는 것인데, 게송에 앞서 물음을 일으킨 것이다.

45 위의 3구는 체를 나타낸 것이고, 제4구는 '대'의 뜻을 해석한 것이다. 이제 이 논서에 의하면 하나의 뜻으로써 10대선지법을 폐립하니, 말하자면 오직 선심에만 두루하다는 것이다. 10대지법도 비록 선심에 두루하지만, 오직 선심에만 두루한 것은 아니고, 나머지 심소법은 선심에만 있는 것이 아니며, 선심에 두루한 것도 아니기 때문에 모두 대선지법이라고 이름하지 않는다.

46 이는 제4구를 해석한 것이다.

47 믿음은 마음을 맑고 깨끗하게 하는 것을 말한다. 이치로는 심소도 능히 깨끗하게 하지만, 강한 것에 따라 마음이라고 말하였다. 이 믿음이란 구슬이 마음에 있음으로 말미암아 모두 맑고 깨끗해질 수 있으니, 그래서 『입아미달마론』(=상권. 대28-982상)에서도 믿음을 해석하면서, "이것이 능히 마음의 흐리거나 더러운 법[心濁穢法]을 제거할 수 있다. 마치 물을 맑히는 구슬[수청주水淸珠]을 못 안에 두면 흐리거나 더러운 물을 모두 즉시 맑고 깨끗하게 하는

불방일은 모든 선법을 닦는 것[修諸善法]이다.48 모든 선법을 떠나서 다시 무엇을 닦는 것[修]이라고 이름하는가?49 말하자면 이것은 선에 대해 전념하는 것[專注]을 성품으로 한다. 다른 어떤 부파의 경 중에는, "능히 마음을 수호하는 것을 불방일이라고 이름한다"라는 이런 해석도 있다.50

경안輕安은 마음의 감당할 수 있는 성품[心堪任性]을 말한다.51 몸의 경안[身輕安]도 있다고 설한 경이 어찌 없겠는가?52 비록 그런 설이 없는 것은 아니지만, 신수身受처럼 이것도 역시 그러하다고 알아야 할 것이다.53 그렇

것처럼, 이와 같이 믿음이라는 구슬도 마음이라는 못 안에 있으면, 마음의 모든 흐림과 더러움이 모두 즉시 제거된다"라고 말하였다. 어떤 분은, "이 믿음은 사성제, 삼보, 선악의 업과 이숙의 과보를 현전에 인가하여 인정하기 때문에 '믿음'이라고 이름한다"라고 말하였다.

48 말하자면 능히 모든 선법을 닦는 것을 불방일이라고 이름한다. 곧 방일과 상반되는 것이다.

49 곧 모든 선법을 곧 말하여 닦는 것[修]이라고 이름하는데, 모든 선법을 떠나서 다시 무엇을 닦는다고 이름하는지 묻는 것이다.

50 답이다. 말하자면 이 불방일이 있기 때문에 모든 선법에 대해 전념하는 것을 성품으로 하는 것이다. 다른 부파의 경(=증일 4:10:1경)에서, '능히 마음을 수호하는 것'이라고 말했으니, 체가 있다는 것을 분명히 알 수 있다. 이치의 실제로는 심소도 역시 수호하지만, 강한 것에 따라 마음이라고 말한 것이다.

51 경안은 능히 마음으로 하여금 선에 대해 감당함이 있게 하는 것을 말한다. 그래서 『순정리론』(=제11권. 대29-391상)에서도, "바른 작의가 일어날 때 몸과 마음이 가볍고 이로우며 편안하고 쾌적한 원인이 되는, 마음의 감당할 수 있는 성품을 말하여 경안이라고 이름한다"라고 말했으며, 또 『입아비달마론』(=상권. 대28-982중)에서도, "마음의 감당할 수 있는 성품을 말하여 경안이라고 이름하는데, 혼침을 거슬러 해치고 선법을 수순하는 것이다"라고 말하였다.

52 이는 경량부의 힐난이다. 어찌 경에서 몸의 경안도 있다고 설한 것이 없겠는가? 어째서 다만 마음의 경안만 말하는가? 경량부에서는, 몸의 경안은 감촉을 본질로 하는 경안[觸事輕安]이고, 그 감촉은 바람을 써서 체로 하는 것으로서, 경안이라는 명칭은 가벼운 감촉[輕觸]에 통한다고 헤아리기 때문에 이로써 힐난하는 것이다. 그들의 종지는, 마음의 경안은 심소이지만, 몸의 경안은 가벼운 감촉이라는 것이다.

53 이는 설일체유부에서 경에 대해 회통하는 것이다. 경에 비록 몸의 경안의 성품이 있다고 말하기는 하지만, 이는 마치 신수의 경우와 같다. '수'는 심소이지만, 만약 5식과 상응하는 것이면 신수라고 이름하고, 의식과 상응하는 것이면 심수라고 이름하는데, 경안도 역시 그래서 비록 심소이지만, 5식과 상응하는 것이면 몸의 경안이라고 이름하고, 의식과 상응하는 것이면 마음의 경안이라고 이름한다고 알아야 한다는 것이다.

다면 어떻게 이것을 각지覺支로 세울 수 있겠는가?54 이 중 몸의 경안은 몸의 감당할 수 있는 성품이라고 알아야 할 것이다.55 다시 어떻게 이것이 각지가 된다고 말하겠는가?56 능히 각지에 따르는 것이기 때문에 허물이 없으니, 몸의 경안이 각지인 마음의 경안을 능히 견인하기 때문이다.57 다른 곳에서도 이런 설이 있는 것을 볼 수 있는가?58 있다. 예컨대 경에서, 기쁨[喜] 및 기쁨에 따르는 법을 기쁨각지[喜覺支]라고 이름한다고 하고, 성냄[瞋] 및 성냄의 인연을 성냄의 덮개[瞋恚蓋]라고 이름한다고 하며, 정견正見·정사유正思惟·정정진[正勤]을 혜온慧蘊이라고 이름한다고 설한 것과 같으니, 사유 및 정진은 혜의 성품이 아니지만, 혜에 수순하기 때문에 또한 혜라는 명칭을 얻은 것이다. 따라서 몸의 경안도 각지에 따르는 것이기 때문에 명칭을 얻은 것에 허물이 없다.59

....

54 경량부에서 다시 힐난하는 것이다. 만약 5식과 상응하는 것을 몸의 경안이라고 이름한 것이라면 곧 이것은 유루인데, 어떻게 (무루인) 칠각지의 하나로 세울 수 있겠는가?

55 이는 논주가 경량부의 종지에 의해 다시 해석하기를 좋아해서, "이 중 몸의 경안이라고 말한 것은 몸의 감당할 수 있는 성품이라고 알아야 할 것"이라고 하였다. 경안은 곧 풍대의 감촉[風觸]인 경안인데, 이 감촉이 몸에 있으면 모든 선법에 대해 감당함이 있다는 것이다. 여러 논사들이 많이 해석했는데, 이것이 설일체유부의 답이라고 말한다면 이 해석은 오류이다. 잘 생각해야 한다.

56 설일체유부의 논사가 경량부의 논사에 대해 반론하는 것이다. 이 몸의 경안이 이미 가벼운 감촉이라면 도리어 유루인데, 다시 어떻게 이것이 (무루인) 각지가 된다고 말하는 것인가?

57 경량부가 반론에 대해 변론하는 것이다. 이 몸의 경안인 풍대는 비록 유루이지만, 각지인 마음의 경안에 능히 따르기 때문에 각지라고 이름해도 허물이 없다. 어떻게 따르는가 하면, 선정에 들기 때문에 몸 안에 곧 경안의 풍대가 있어 일어나면, 각지인 마음의 경안을 능히 견인하기 때문이다. 이것이 곧 동시이므로 능히 견인한다고 이름하니, 이렇게 서로 따르기 때문에 (이것도 역시) 각지라고 이름한다.

58 설일체유부에서 다시 경량부에 대해 따지는 것이다.

59 경량부에서 있다고 답한다. '예컨대' 이하는 경을 인용해 그 예를 나타낸 것이다. '기쁨'은 회수이고, '기쁨에 따르는 법'은 곧 기쁨과 상응하거나 함께 있는 등의 법인데, 모두 기쁨각지라고 이름한다. '진'은 곧 성냄이고, '성냄의 인연'은 곧 성냄과 상응하거나 함께 있는 등의 법인데, 모두 성냄의 덮개라고 이름한다. '혜온'은 엄격한 성품으로는 단지 정견만을 포함하는 것이지만, 정사유 및 정정진도 포함하는 것은 혜에 수순하기 때문에 사유와 정진도 역시 포함한

마음의 평등한 성품이 경각하는 성품이 없게 하는 것[心平等性 無警覺性]을 말하여 평정[捨]이라고 이름한다.60 어떻게 하나의 마음[一心] 안에 경각하는 성품이 있는 작의와 경각하는 성품이 없게 하는 평정의 두 가지가 상응하여 일어난다고 말할 수 있겠는가?61 어찌 앞에서 여러 마음과 심소는 그 모습이 미세해서 요지하기 어렵다고 말하지 않았던가?62 비록 알기 어렵더라도 살피고 헤아리면 다시 알 수 있는 것도 있지만, 이는 가장 알기 어려우니, 말하자면 서로 위배되면서 모순되지 않는 것[相違背而不乖反]이다.63 이것에는 경각이 있고, 다른 것에는 곧 없어서, 두 가지가 이미 현격하게 다른데, 무슨 모순이 있겠는가?64 만약 그렇다면 하나의 경계를 같이 반연하지 않아야 할 것이고, 혹은 일체가 모두 상호 상응해야 할 것이다.65 이와 같은

....
것이다. 따라서 몸의 경안도 각지인 마음의 경안에 능히 따르기 때문에 각지라는 명칭을 얻더라도 역시 허물이 없다.

60 마음을 평등하게 하는 성품이다. 강한 것에 따라 마음이라고 말했지만, 심소도 그렇게 한다. 혹은 마음의 평등한 성품이 마치 저울을 지탱하는 실[持秤縷]처럼 경각하는 성품이 없게 함으로써, 도거와 상반되는 것을 말하여 평정(=소위 행사行捨=행온의 평정)이라고 이름한다. 그래서 『입아비달마론』(=상권. 대28-982중)에서도, "마음의 평등한 성품을 평정이라고 이름한다. 이치 아님을 등지는 것 및 이치를 향하는 것을 버렸기 때문[捨背非理 及向理故]이니, 이것의 세력에 의해 마음으로 하여금 이치 및 이치 아님에 대해 향함도 없고 등짐도 없이 평등하게 머무는 것이 마치 저울을 지탱하는 실과 같다"라고 말했으며, 또 『순정리론』(=제11권. 대29-391상)에서도, "마음의 평등한 성품을 말하여 평정이라고 이름하는데, 도거와 상반되는 것으로서, 이치대로 이끄는 것에 대해 마음으로 하여금 이것을 벗어나지 않게 하는 것[如理所引 令心不越是]이 평정의 뜻이다"라고 말하였다.
61 힐난이다. 작의는 경각하는 성품이 있는 것이고, 평정은 경각하는 성품이 없게 하는 것인데, 어떻게 하나의 마음에 두 가지가 상응하여 일어나겠는가?
62 앞에서 미세해서 알기 어렵다고 한 것을 인용해 답하는 것이다.
63 다시 힐난한다. 세간의 여러 사물 중에는, 비록 알기 어려워도 살피고 헤아리면 다시 알 수 있는 것도 있지만, 이 평정과 작의는 가장 알기 어렵다. 말하자면 경각 있는 것 및 경각 없게 하는 것의 두 가지는 서로 위배되는데도, 하나의 마음 중에 일어나더라도 모순되지 않는다는 것이다.
64 이는 풀이하는 것이다. 만약 하나의 체 위에서 경각이 있다고 말하면서 경각이 없다고 말한다면 모순된다고 말할 수 있겠지만, 이 작의는 경각이 있는 것이지만, 평정에는 곧 없으므로, 두 가지가 이미 현격하게 다른데, 무슨 모순이 있겠는가?
65 다시 힐난하는 것이다. 비록 하나의 체에 그 두 가지 작용은 없지만, 성품이

종류의 그 나머지 여러 법들도 이 마음 중에서 탐구되어야 할 것인데, 그 이 치처럼 지금 이들에 대해서도 역시 그러하다고 알아야 할 것이다.66

참慚과 괴愧 두 가지는 뒤에서 해석하는 것과 같다.67 '2선근[二根]'이란 무탐無貪과 무진無瞋을 말한다.68 무치無癡의 선근은 지혜[혜慧]를 그 성품으로 한다. 따라서 앞의 대지법 중에 이미 설명이 있었으므로 거듭 대선지 법으로 설명하지 않는다.69 불해不害라고 말한 것은 손상시킴과 괴롭힘이 없는 것[無損惱]을 말한다.70 정진[勤]은 말하자면 마음을 용맹스럽게 하는 것[令心勇悍]을 성품으로 한다.71

....

상반되므로 하나의 경계를 같이 반연하지 않아야 할 것이다. 만약 두 가지의 성품이 상반되는데도 하나의 경계를 같이 반연한다면, 혹은 응당 일체 탐욕·성냄 등의 법들도 모두 상호 상응해야 할 것이다.

66 예를 인용해서 풀이하고 변론하는 것이다. 이와 같은 종류의, 그 나머지 수受 등의 여러 법들(=예컨대 수와 상이나 심과 사 등)도 종류와 작용이 각각 같지 않으니, 이 하나의 성품인 마음 중에서 탐구해야 할 것이다. '종류'라는 말은 작의 및 평정에 비례해서 같다는 것이니, 그 수 등이 각각 다르면서 상응하는 이치처럼, 지금 이 평정과 작의가 각각 다르면서 상응하는 것도 역시 그러하다고 알아야 할 것이다. 또 해석하자면 지금 이 하나의 마음 중에서 평정·작의의 두 가지가 행상이 다르면서 상응하는 것도 역시 그러하다고 알아야 하지만, 심소가 상호 상응하는 중에는, 혹 마치 수와 상 등처럼 행해行解가 같지 않지만, 상호 서로 수순하면서 하나의 마음과 상응하는 것이 있기도 하고, 혹 마치 탐욕과 성냄처럼 행해가 같지 않아서 상호 서로 수순하는 것도 아니고 하나의 마음에서 일어나지 않는 것이 있기도 하다고 알아야 하니, 따라서 모두 상호 상응해야 한다고 반론할 수 없다는 것이다.

67 아래(=뒤의 게송 ㉝ab와 그 논설)에서 해석하는 것과 같다고 가리키는 것이다.

68 모든 경계에서 애착해 물드는 성품이 없는 것[無愛染性]을 말하여 무탐이라고 이름하니, 탐욕과 상반되는 것이다. 유정과 무정물에 대해 성내어 해치려는 성품이 없는 것[無恚害性]을 말하여 무진이라고 이름하니, 성냄과 상반되는 것이다.

69 3선근 중 무치도 말해야 하지만, 대지법 중의 혜를 성품으로 하는 것이기 때문에 대선지법 중에서는 말하지 않는다.

70 마음의 어질고 선한 성품[心賢善性]으로서 남을 손상시킴과 괴롭힘이 없는 것을 불해라고 이름하니, 능히 해치는 것을 거스른다.

71 정진은 마음을 용맹스럽게 하는 것을 성품으로 하니, 곧 두 가지 악(=이생악과 미생악)을 부지런히 끊고, 두 가지 선(=이생선과 미생선)을 부지런히 닦으면서 물러나는 뜻이 없는 것이므로, 해태懈怠와 상반되는 것이다. 그래서『입아비달마론』(=상권. 대28-982중)에서도, "정진은 선법과 불선법이 생기고 사라지는 일에 대해 용맹스러운 것을 성품으로 하니, 곧 생사의 진창에 침

제4항 대번뇌지법大煩惱地法

이와 같이 대선지법에 대해 설명했는데, 대번뇌법大煩惱法의 지를 대번뇌지라고 이름한다. 이들 중 법이 대번뇌지에 있는 것이면 대번뇌지법이라고 이름하니, 늘 염오한 마음에 있는 법[法恒於染汚心有]을 말하는 것이다.72 그런 법은 무엇인가? 게송으로 말하겠다.

27a 무명·방일·해태·불신과[癡逸怠不信]
    혼침·도거는 늘 염오에만이다[惛掉恒唯染]73

논하여 말하겠다. 이들 중 '치癡'란 소위 우치愚癡이니, 곧 무명無明이고, 무지無智이며, 무현無顯이다.74 '일逸'은 방일放逸을 말하는 것이니, 모든 선

....

몰하려고 하면 능히 마음을 책려해서 속히 벗어나게 한다는 뜻이다"라고 말하였다.
72 이하는 셋째 대번뇌지법에 대해 밝히는 것인데, 그 안에 나아가면 첫째 명칭을 해석하고, 둘째 체를 분별한다. 이는 곧 명칭을 해석하는 것인데, 두 겹의 의주석은 앞에 준해서 해석해야 한다. 늘 염오한 마음에 있는 것이기 때문에 '대'라고 이름한 것이다.
73 이는 곧 체를 분별하는 것인데, 묻고 답하는 것은 알 수 있을 것이다. 어떤 옛날의 대덕은 다섯 가지 뜻으로 폐립했지만, 지금 이 논서에 의하면 한 가지 뜻으로 대법뇌지법 여섯 가지를 폐립한다. 말하자면 늘 염오한 마음에만 있는 것을 대번뇌지법이라고 이름한다. '늘 염오'라는 것은 염오한 마음에 두루하다는 것을 나타내고, '염오에만'은 청정한 것에는 통하지 않는 것을 나타낸다. 대지법 10법은 늘 염오한 마음에도 있는 것이지만, 염오한 마음에만 있는 것은 아니고, 다른 염오의 심소(=대불선지법2, 소번뇌지법10, 탐욕·성냄·거만·의심)는 비록 염오한 마음에만 있지만, 늘 염오한 마음에 있는 것이 아니며, 대선지법 10법 및 심구·사찰, 수면·악작은 늘 염오한 마음에 있는 것도 아니고, 염오한 마음에만 있는 것도 아니므로, 모두 대번뇌지법이라고 이름하지 않는다.
74 '치癡'는 우치를 말하는 것이니, 알아야 할 경계에서 이치대로 아는 것을 장애하여, 분별하여 아는 모습이 없는 것을 말하여 우치라고 이름한다. 비추어 보는 것[照矚]을 명明이라 이름하고, 살펴 결정하는 것[審決]을 지智라 이름하며, 밝게 아는 것[顯了]을 현顯이라 이름하니, 이 셋은 모두 혜慧의 다른 명칭이다. '치'는 명 등이 없기 때문에 '무無'라고 이름한 것이니, 곧 상대되는 무치가 제거된 법이다. 또 해석하자면 욕계·색계·무색계를 그 순서대로 무명·무지·무

을 닦지 않는 것이다. 이는 모든 선을 닦는 것에 의해 대치對治되는 법이다.75 '태怠'는 해태懈怠를 말하는 것이니, 마음이 용맹스럽지 않은 것이다. 이는 앞에서 말한 정진[勤]에 의해 대치되는 법이다.76 불신不信이란 마음이 맑고 깨끗하지 않은 것을 말하는 것이다. 이는 앞에서 말한 믿음에 의해 대치되는 것이다.77

'혼惛'은 혼침惛沈을 말하는 것인데, 대법對法 중에서 말하였다. "어떤 것이 혼침인가? 말하자면 몸의 무거운 성품[重性]과 마음의 무거운 성품, 몸의 감당할 수 없는 성품[無堪任性]과 마음의 감당할 수 없는 성품, 몸의 어둡게 가라앉은 성품[惛沈性]과 마음의 어둡게 가라앉은 성품, 이것을 혼침이라고 이름한다."78 이것은 심소인데, 어찌하여 몸이라고 이름했는가?79 신수身受라는 말과 같기 때문에 허물이 없다.80 '도掉'는 도거掉擧를 말하는 것이니, 마음을 고요하지 못하게 하는 것[令心不靜]을 말한다.81

....

현이라고 이름한다. 또 해석하자면 과거·현재·미래를 그 순서대로 무명·무지·무현이라고 이름한다. 또 해석하자면 그 순서대로 견도·수도·무학도를 장애하는 것을 무명·무지·무현이라고 이름한다.
75 '일逸'은 방일을 말하는 것이다. 모든 선을 닦지 않는 것이라고 한 것은 '무기無記'와 혼동할까 염려한 것이니, 그래서 모든 선을 닦는 것, 곧 불방일에 의해 대치되는 법이라고 말한 것이다.
76 '태怠'는 해태를 말하는 것이니, 모든 선법에 대해 마음이 용맹스럽지 않은 것이다. 이는 앞에서 말한 정진에 의해 대치되는 것이다.
77 이는 알 수 있을 것이다.
78 근본논서(=『발지론』제2권. 대26-925중)를 인용해 증명하였다. 몸과 마음의 무거운 성품, 감당할 수 없는 성품, 어둡게 가라앉은 성품이기 때문에 혼침이라고 이름했으니, '혼'은 혼미한 것[惛昧]을 말하고, '침'은 무겁게 가라앉았다[沈重]는 뜻이다. 『순정리론』(=제11권. 대29-391하)에서는 경안에 의해 대치되는 것이라고 말하였다.
79 「몸」은 물질의 무더기[色聚]이고, 이 혼침은 심소인데, 어찌하여 몸이라고 이름했는가?」라고 묻는 것이다.
80 마치 느낌이 5식과 상응해서 몸에 의지해 일어나면 그 때문에 신수라고 이름하고, 의식과 상응해서 마음에 의지해 일어나면 그 때문에 심수라고 이름하는 것처럼, 혼침에 대해 몸이라고 말한 것이니, 따라서 역시 허물은 없다.
81 이치의 실제로는 심소도 역시 고요하지 못하게 하지만, 강한 것에 따라 마음이라고 말한 것이다. 『순정리론』(=제11권. 대29-391상)에서는 평정[捨]에 의해 대치되는 것이라고 말하였다.

【대번뇌지법의 수】 대번뇌지법이라고 이름하는 것에는 이와 같은 여섯 가지가 있을 뿐이다.82 어찌 근본아비달마 중에서 열 가지 대번뇌지법이 있다고 말하지 않았는가? 또 그 논서에서는 혼침을 말하지 않았다. 무엇이 열 가지인가 하면, 말하자면 불신·해태·실념失念·심란心亂·무명無明·부정지不正知·비리작의非理作意·사승해邪勝解·도거·방일이다.83 천애天愛여, 그대는 지금 단지 말만 알고, 뜻은 익히지 못했구나.84 '뜻'이란 무엇이겠는가? 말하자면 실념, 심란, 부정지, 비리작의, 사승해는 그에 대한 말이 이미 대지법 중에 있었으므로 대번뇌지법으로 중복해 세우지 않아야 한다는 것이다. 예컨대 무치無癡의 선근은 혜慧를 그 체로 하기 때문에 대선지법이 아니라고 한 것처럼, 그것들도 역시 그러해야 하는 것이다. 즉 염오한 염念을 실념이라고 이름하고, 염오한 등지等持를 심란이라고 이름하며, 모든 염오한 혜를 부정지라고 이름하고, 염오한 작의와 승해를 비리작의와 사승해라고 이름한다. 그래서 만약 대지법인 것이면 역시 대번뇌지법이기도 한 것인지 말해야 하는데, 4구로 분별해야 한다. 제1구는 수受·상想·사思·촉觸·욕欲을 말하고, 제2구는 불신·해태·무명·도거·방일을 말하며, 제3구는 앞에서 말한 것과 같은 염念 등의 5법을 말하고, 제4구는 앞에서 말한 것들을 제외한 것이다.85

....

82 수를 맺는 것이다.

83 묻는 것이다. 근본논서(=『품류족론』제2권. 대26-698하.『계신족론』제1권. 대26-614중.『대비바사론』제42권. 대27-220상 등)에서는 열 가지를 말하였고, 또 혼침은 말하지 않았는데, 지금은 여섯 가지를 말하니, 너무 줄이고 너무 늘린 것이라는 것이다.

84 서방에서는 상대방을 조롱할 때 '천애天愛'라고 칭한다. 스스로 살아갈 수 없고, 하늘이 사랑해야 존재할 수 있다는 것이다. 그대는 지금 근본논서의 말만 알았을 뿐, 그 뜻은 익히지 못했다는 것이다.

85 이는 줄인 허물이 아님을 나타내는 것이다. 무치는 혜를 성품으로 하므로 대선지법 중에서 말하지 않았는데, 실념 등의 5법도 염 등을 체로 하므로 대번뇌지법 중에서 말하지 않은 것이다. 그래서 근본논서의 설명과 상대하면 4구로 분별해야 하는데, 그 내용은 본문과 같이 알 수 있을 것이다. 따라서 염 등의 5대지법에 포함되는 것이다. (문) 10대지법은 모두 염오에 통하는데, 무엇 때문에 근본논서에서 대번뇌지법 중에 염 등의 5법(에 반대되는 것)만을 말하고, 수 등의 5법(에 반대되는 것)은 말하지 않았는가? (해) 수·상·사·촉·

어떤 분은, "사등지邪等持가 곧 심란心亂인 것은 아니다"라고 집착하는데, 그가 만드는 4구는 이와 같지 않을 것이다.[86]

또 혼침은 일체 번뇌와 상응하는 것에 통한다고 인정하면서도 그 말이 대번뇌지법에 있지 않았는데, 누구에게 허물이 있는가?[87] 어떤 분은, "말이 여기에 있어야 하지만, 말하지 않은 것은 등지에 따르는 것이기 때문이다"라고 말하였다. 그는 말하자면 혼침을 행하는 모든 자는 신속히 등지를 일으키지만, 도거를 행하는 자는 아니라는 것이다.[88] 누가 혼침을 행하면서 도거를 행하는 것이 아니며, 누가 도거를 행하면서 혼침을 행하는 것이 아닌가? 이 두 가지는 미상불 함께 작용하기 때문[未嘗不俱行故]이다.[89] 비록 그렇기는 해도, 증상한 것에 따라 행하는 자라고 말한다고 알아야 할 것이다.[90] 비록 어느 하나의 작용이 치우쳐 증상한 것에 따라 행하는 자라고 말

욕은 염오에 수순하는 면이 치우쳐 강하지만, 염·정·혜·작의·승해는 청정에 수순하는 면이 치우쳐 강하므로, 염 등의 5법은 오직 청정에만 있고, 염오에는 통하지 않는다고 의심할 것을 염려해, 이런 의심을 풀어주기 위한 때문에 따로 뒤집은 것이다. # 본문의 '제1구'는 대지법일 뿐, 대번뇌지법이 아닌 것, '제2구'는 대번뇌지법일 뿐, 대지법이 아닌 것, '제3구'는 대지법이면서 대번뇌지법인 것, '제4구'는 두 가지 모두가 아닌 것을 가리킨다.

86 다른 학설을 서술한 것인데, 이것은 바른 뜻이 아니다. 어떤 분은, 대지법 중의 사등지가 곧 대번뇌지법 중의 심란인 것은 아니(고 별개의 심소)라고 집착한다. 그가 만드는 4구는 여기의 4구와는 같지 않을 것이니, 제1구에는 등지를 더할 것이고, 제2구에는 심란을 더할 것이며, 제3구는 (5법에서) 정定(=등지=삼마지)을 제외할 것이고, 제4구는 알 수 있을 것(=동일)이다.

87 이하는 늘린 허물이 아님을 나타내는 것이다. 논주가 책망해 말한다. 그대들의 종지에서 혼침은 모든 번뇌와 상응하는 것에 통한다는 것을 스스로 인정하면서, 그 말이 대번뇌지법 중에 있지 않았는데, 누구에게 허물이 있는가?

88 이는 법구法救의 풀이이다. 혼침을 대번뇌지법 중에서 말해야 하지만, 말하지 않았는데, 그것은 말하자면 혼침을 행하는 자는 속히 등지를 일으키지만, 도거를 행하는 자는 아니다. 그 허물이 가볍기 때문에 별도로 말하지 않은 것이니, 등지에 따르는 것이기 때문이다. # 이 점에 대해『대비바사론』제49권(=대27-254중)에서, "저 도거는 허물이 맹리하고, 허물이 무거우며, 허물이 많기 때문에 붓다께서 순상분결로 세우셨으며, 또한 이 때문에 10대번뇌지법 중에 세우셨고, 또 … 그렇지만 혼침은 그렇지 않다."라고 말하였다.

89 이는 논주의 반론이다. 두 가지는 이미 때를 같이 하고, 일찍이 따로 일어나는 일이 없었는데, 어떻게 두 가지 행이 같지 않다고 말할 수 있겠는가?

90 이는 법구의 풀이이다. 두 가지가 비록 함께 일어난다고 해도, 행에 증상함과

한다는 것을 안다고 해도, 체 있는 것[有體]에 의거해 지地의 법을 건립해야 하기 때문에 이 지의 법은 오직 6법만 그 뜻이 성립된다.91 이들은 두루 염오한 마음에서만 함께 일어날 뿐, 다른 마음에서는 아니기 때문이다.92

제5항 대불선지법大不善地法

이와 같이 대번뇌지법에 대해 설명했는데, 대불선법大不善法의 지를 대불선지라고 이름한다. 이들 중 법이 대불선지에 있는 것이면 대불선지법이라고 이름하니, 늘 불선한 마음에 있는 법을 말하는 것이다.93 그런 법은 무엇인가? 게송으로 말하겠다.

27c 불선한 마음에만 두루한 것은[唯遍不善法]
　　무참 및 무괴이다[無慚及無愧]94

....

미미함이 있는데, 증상한 것에 따라 행하는 자라고 이름한 것이다. 역시 무슨 허물이 있겠는가?

91 논주의 재반론이다. 비록 작용이 치우쳐 증상한 것에 따라 행하는 자라고 말한다는 것을 안다고 해도, 체가 있는 것에 의거해 지법地法을 건립해야 하기 때문에 이 대번뇌지법은 오직 6법만 그 뜻이 성립된다.

92 '늘 염오에만'을 해석하는 것이다. 이 6법은 염오에만이고, 나머지 청정한 마음에는 (있는 것이) 아니다. 염오한 마음에 두루하다는 것은 염오와 함께 일어난다[俱起]는 것을 나타낸다. '함께 일어난다'는 것은 곧 함께 생긴다[並生]는 것을 나타낸다.

93 이하는 넷째 대불선지법에 대해 밝히는 것인데, 그 안에 나아가면 첫째 명칭을 해석하고, 둘째 체를 분별한다. 이는 곧 명칭을 해석하는 것인데, 두 겹의 의주석은 역시 앞에 준해서 해석할 것이다. 늘 불선에 두루하기 때문에 '대'라고 이름하였다.

94 이하는 체를 분별하는 것인데, 묻고 답하는 것은 알 수 있을 것이다. 어떤 옛날의 대덕은 역시 다섯 가지 뜻으로 대불선지법을 폐립했는데, 역시 언론을 허비했다는 점은 갖추어 서술할 수 없을 정도이다. 이제 이 논서에 의하면 한 가지 뜻으로 대불선지법 두 가지를 폐립하니, 말하자면 오직 불선한 마음에만 두루하다는 것이다. 이제 해석하자면 대지법 10법, 대번뇌지법 6법 및 심구·사찰의 이 18법은 비록 불선한 마음에도 두루하지만, 오직 불선에만 두루한 것은 아니고, 분노·덮음·인색·시기·괴롭힘·해침·원한 및 성냄의 이 8법은 비록 불선한 마음에만 있지만, 불선한 마음에 두루한 것은 아니며, 나머지 대선

논하여 말하겠다. 오직 2심소만이 단지 일체 불선한 마음과 함께 할 뿐이니, 무참無慚과 무괴無愧를 말하는 것이다. 그래서 두 가지만을 대불선지법이라고 이름하는데, 이 두 가지 법의 모습은 뒤에서 분별하는 것과 같다.95

제6항 소번뇌지법小煩惱地法

이와 같이 대불선지법에 대해 설명했는데, 소번뇌법小煩惱法의 지를 소번뇌지라고 이름한다. 이들 중 법이 소번뇌지에 있는 것이면 소번뇌지법이라고 이름하니, 일부 염오한 마음과 함께 하는 법을 말하는 것이다.96 그런 법은 무엇인가? 게송으로 말하겠다.

28 분노·덮음·인색·시기·괴롭힘[忿覆慳嫉惱]
　　해침·원한·아첨·속임·교만[害恨諂誑憍]
　　이와 같은 부류를 이름해서[如是類名爲]
　　소번뇌지법이라고 한다[小煩惱地法]97

....

　　지법 10법과 소번뇌지법 중 아첨·속임·교만 및 지地 밖의 수면睡眠·악작·탐욕·거만·의심의 이 18법은 오직 불선에만인 것이 아니고, 또한 불선에 두루한 것도 아니기 때문에 모두 대불선지법이라고 이름하지 않는다. 이런 해석을 한다면 무방하다고 할 만하다.
95 아래(=뒤의 게송 33ab와 그 논설)에서 해석하는 것과 같다고 가리키는 것이다.
96 이하는 다섯째 소번뇌지법에 대해 밝히는 것인데, 첫째는 명칭을 해석하고, 둘째는 체를 분별한다. 이는 곧 명칭을 해석하는 것인데, 두 겹의 의주석은 역시 앞에 준해서 해석할 것이다.
97 이하는 체를 분별하는 것이다. 어떤 옛날의 대덕은 역시 다섯 가지 뜻으로써 소번뇌지법을 폐립했으니, 첫째는 6식에 통하지 않고, 둘째 5단(=4견소단+수소단)에 통하지 않으며, 셋째 3성에 통하지 않고, 넷째 3계에 통하지 않으며, 다섯째 따로따로 일어난다는 것인데, 역시 언론을 허비한 것임은 갖추어 말할 수 없을 정도이다. 지금 이 논서에 의하면 한 가지 뜻으로써 소번뇌지법 10법을 폐립한다. 말하자면 오직 수소단으로서, 의지의 무명[意癡]과만 상응한다는 것이다. 거만과 의심 두 가지는, 비록 의지의 무명과만 상응하는 것이기는 해도 오직 수소단인 것은 아니고, 악작은 비록 오직 수소단이기는 해도 의지의 무명과만 상응하는 것이 아니며, 그 나머지 심소법은 오직 수소단인 것도 아니고, 의지의 무명과만 상응하는 것도 아니기 때문에 모두 소번뇌지법

논하여 말하겠다. 이와 같은 부류의 법은 오직 수소단修所斷으로서, 의식의 지地에서 일어나는 무명과만 상응하며, 각각 따로 현행하기 때문에 소번뇌지법이라고 이름한다. 이들 법은 뒤의 수번뇌隨煩惱 중에서 자세히 분별하는 것과 같다.98

이와 같이 다섯 품류의 심소에 대해 설명했는데, 다시 이 밖에 악작惡作·수면睡眠·심구[尋]·사찰[伺] 등 부정不定심소의 법이 있다.99

이라고 이름하지 않는다.

98 장항 안에 나아가면 첫째 '소'를 해석하면서 아래(=제21권)를 가리키고, 둘째 총결하면서 나머지를 나타낸다. 이는 곧 '소'를 해석하면서, 아래에서 해석하는 것과 같다고 가리키는 것이다. # '소'를 해석한다는 것은 '일부 염오한 마음과 함께 하는 법'의 뜻을 해석하는 것을 가리킨다.

99 이는 곧 총결하면서 나머지 부정심소를 나타낸 것이다. 5지地에 들어가지 않으므로 부정이라고 이름하는데, 부정(심소)의 의지처이므로 부정지不定地라고 이름한다. 부정지 가문의 법을 부정지법이라고 이름하는데, '등'은 탐욕·성냄·거만·의심을 같이 취한 것이다. 이 부정지의 법은 5지를 해석하는 기회에 글의 편의상 겸하여 밝힌 것이다. # 이들 중 악작·심구·사찰은 본권의 뒤에서, 탐욕·성냄·거만·의심은 뒤의 제19권에서, 수면은 뒤의 제21권에서 자세히 설명된다. 이 논서에 의하면 심소(=대지법10+대선지법10+대번뇌지법6+대불선지법2+소번뇌지법10+부정지법8)에는 모두 46법이 있다. 여기에서 소위 '5위75법'을 도표로써 정리해 보이면 다음과 같다.

색법(11)	5근, 5경, 무표색	
심법(1)	심왕	
심소법(46)	대지법(10)	느낌, 지각, 생각, 접촉, 작의, 의욕, 지혜[慧], 알아차림[念], 승해, 삼마지
	대선지법(10)	믿음, 불방일, 경안, 평정[捨], 참, 괴, 무탐, 무진, 불해, 정진[勤]
	대번뇌지법(6)	무명, 방일, 해태, 불신, 혼침, 도거
	대불선지법(2)	무참, 무괴
	소번뇌지법(10)	분노, 덮음, 인색, 시기, 괴롭힘, 해침, 원한, 아첨, 속임, 교만
	부정지법(8)	악작, 수면, 심구, 사찰, 탐욕, 성냄, 거만, 의심
불상응행법(14)	명근, 득·비득, 동분, 무상과, 무상정, 멸진정, 생·주·이·멸상, 명·구·명신	
무위법(3)	허공, 택멸, 비택멸	

제7항 심소법의 구생론

1. 욕계에서의 구생

  여기에서 어떤 마음의 품류에 몇 가지 심소가 있어 결정코 함께 생기는
지 설명해야 할 것인데,100 게송으로 말하겠다.

29 욕계는 심구·사찰이 있기 때문에[欲有尋伺故]
  선심의 품류 중에서는[於善心品中]
  22심소가 있는데[二十二心所]
  악작을 더할 때가 있다[有時增惡作]

30 불선심에서는 불공무명이나[於不善不共]
  소견이 함께하면 오직 20심소인데[見俱唯二十]
  4번뇌나 분노 등이나[四煩惱忿等]
  악작이 함께하면 21심소이다[惡作二十一]

31 유부무기이면 18심소가 있고[有覆有十八]
  무부무기이면 12심소가 인정되며[無覆許十二]
  수면은 두루 거스르지 않기에[睡眠遍不違]
  만약 있다면 모두 하나씩 더한다[若有皆增一]101

  논하여 말하겠다. 우선 욕계의 마음의 품류에는 다섯 가지가 있다. 말하

---

100 이하는 큰 글의 둘째 결정코 함께 생기는 것을 밝히는 것인데, 그 안에 나아
    가면 첫째 욕계에 의거한 구생이고, 둘째 상계에 의거한 구생이다. 이하는 곧
    욕계에 의거한 구생인데, 이는 게송 앞에서 물음을 일으킨 것이다.
101 게송의 답 중에 나아가면 처음 1구는 전체적으로 표방하면서 심구·사찰이
    있다는 것을 나타내고, 그 다음 3구는 선품에서 구생하는 것에 대해 밝히며,
    그 다음 4구는 불선품에서 구생하는 것에 대해 밝히고, 그 다음 2구는 무기에
    서 구생하는 것에 대해 밝히며, 뒤의 2구는 수면을 두루 더한다는 것을 나타
    낸다.

자면 선품은 오직 한 가지이고, 불선품에는 두 가지가 있으니, 불공무명과 상응하는 것 및 그 나머지 번뇌 등과 상응하는 것을 말하며, 무기에는 두 가지가 있으니, 유부무기 및 무부무기를 말한다.102

(1) 선심의 구생

그런데 욕계의 마음에는 결정코 심구·사찰이 있기 때문에 선품의 마음에는 반드시 22심소가 함께 생기니, 10대지법과 10대선지법 및 심구·사찰의 2부정지법을 말한다. 모든 선심에 모두 악작惡作이 있는 것은 아니지만, 있을 때에는 그 수가 증가하여 23심소에 이른다.103

【악작에 대해】 악작이란 무엇인가? 잘못 행한 것[惡所作] 자체를 악작이라고 이름하지만, 여기에서는 잘못 행한 것을 반연하는 법[緣惡作法]을 말하여 악작이라고 이름한 것이라고 알아야 할 것이니, 말하자면 잘못 행한 것을 반연하여 마음이 후회하는 성품[緣惡作 心追悔性]이다. 마치 공空을 반연하는 해탈문을 말하여 공이라고 이름하고, 부정不淨을 반연하는 무탐無貪을 말하여 부정이라고 하는 것과 같다.104 또 세간을 보면 의지처[所依處]에 의거해

....

102 이는 마음의 품류에는 다섯 가지가 있다는 것을 전체적으로 표방해 나타낸 것이다.
103 이는 첫 게송을 해석한 것이다. 선심과 함께 생기는 경우의 그 수는 알 수 있을 것이다. 심소 중 수종隨從과 자력自力을 상대시켜 차별하면 4구를 이루는데, '수종'은 다른 것에 따라 일어나는 것[隨他起]을 말하고, '자력'은 따로 머리를 만들어 생기는 것[別作頭生]을 말한다. 수종일 뿐, 자력이 아닌 제1구에는 29법이 있으니, 10대지법 중 혜를 제외한 나머지 9법, 10대선지법, 6대번뇌지법 중 무명을 제외한 나머지 5법, 2대불선지법 및 심구·사찰·수면을 말하는 것이다. 자력일 뿐, 수종이 아닌 제2구에는 15법이 있으니, 10소번뇌지법 및 악작·탐욕·성냄·거만·의심을 말하는 것이다. 수종이기도 하고 자력이기도 한 제3구에는 2법이 있으니, 혜와 무명을 말하는 것이다. 혜의 경우, 만약 5견이면 자력이라고 이름하고, 그 나머지 세 가지 성품과 상응하는 것이면 수종이라고 이름한다. 무명의 경우, 만약 탐욕 등이나 분노 등이나 악작과 상응하지 않는 것이면 자력이라고 이름하고, 만약 탐욕 등의 9근본번뇌 및 분노 등의 10번뇌와 아울러 악작과 상응하는 것이면 수종이라고 이름한다. 제4구는 앞에서 말한 것들을 제외한 것을 말하는 것이다.
104 이는 답이다. 잘못 행한 것 자체를 악작이라고 이름하지만, 악작은 소연의 경계이고, 그 체는 바로 후회하는 것[追悔]이다. 또 해석하자면 체는 일[事]을 말하는 것이니, 잘못 행한 일을 악작이라고 이름한다면 이는 곧 악작을 바로 해석한 것이다. 그렇지만 여기에서는 잘못 행한 것을 반연하는 법이라고 알아

의지주체인 것[能依事]을 말하기도 하니, 예컨대 일체 촌읍과 국토가 모두 와서 모였다고 말하는 것과 같다. 악작은 곧 후회[追悔]의 의지처이기 때문에 의지처에 의거해 악작이라고 말한 것이다.105 또 결과 자체에 대해 임시로 원인의 명칭을 세우기도 하니, 예컨대 이 6촉처를 말하여 과거에 지은 업[숙작업宿作業]이라고 이름하는 것과 같다고 알아야 할 것이다.106

아직 행하지 않은 일을 반연한다면 어떻게 악작이라고 이름하겠는가?107 아직 행하지 않은 일에 대해서도 작作이라는 명칭을 세울 수 있으니, 예컨대 '내가 먼저 이런 일을 하지 않은 것은 내가 잘못한 것[惡作]이다'라고 후회하여 말하는 것과 같다.108

어떤 악작을 말하여 선이라고 이름하는가? 말하자면 선을 행하지 않았거나 악을 행한 것에 대해 마음이 후회하는 성품을 말하고, 이와 상반되는 것을

야 할 것이니, 마음이 후회하는 성품을 말하여 악작이라고 이름한 것이다. 이는 곧 소연에 따라 명칭을 세운 것이니, 마치 공을 반연하는 해탈문의 경우 그 체는 바로 선정인데도 공이라고 이름한 것은, 소연에 따라 명칭을 세운 것이다. 또한 예컨대 부정관不淨觀의 경우 무탐을 체로 하는 것인데도 부정이라고 말한 것은, 소연에 따라 명칭을 세운 것이다.

105 이는 두 번째 해석으로서, 후회를 악작이라고 이름한 것은 의지처에 따라 명칭을 세운 것이다. 악작은 곧 후회의 의지처이니, 말하자면 악작이라는 말은 의지주체인 후회를 나타내는 것이다. 예컨대 촌읍 등이 모두 와서 모였다고 하는 것과 같으니, 이는 의지처를 들어서 마음으로 의지주체인 사람들을 나타낸 것이다.

106 이는 세 번째 해석으로서, 악작은 원인이고, 후회는 결과이니, 잘못 행한 일로 인해 후회가 있기 때문이다. 악작이 원인이고, 후회는 결과인데도, 지금 후회하는 것을 말하여 악작이라고 이름한 것은, 그 결과의 체에 대해 원인의 명칭을 임시로 세운 것이다. 예컨대 이 6촉처라는 결과를 말하여 숙작업(=과거에 지은 선악업이라는 원인)이라고 이름하는 것과 같다고 알아야 한다. 이것도 역시 결과에 대해 원인의 명칭을 세운 것이니, 6촉의 의지처는 곧 안근 등의 6근이기 때문이다.

107 이는 힐난이다. 이미 행한 일을 반연한다면 악작이라고 이름할 수 있겠지만, 아직 행하지 않은 일을 반연한다면 어떻게 악작이라고 이름하겠는가?

108 이는 풀이한 것이다. 아직 행하지 않은 일에 대해서도 역시 '작'이라는 명칭을 세울 수 있다. 예컨대 '내가 먼저 이런 계戒를 수지하는 등의 일을 하지 않은 것은 내가 잘못한 것이다'라고 후회하여 말하는 것과 같으니, 이는 곧 아직 행하지 않은 일을 반연하는 것도 역시 악작이라고 이름한다는 것이다. 역시 그 경계에 따라 이름할 수 있다.

불선이라고 이름한다. 이 두 가지는 각각 두 가지 처소에 의지해 일어난다.109

(2) 불선심의 구생

만약 불선으로서 불공인 마음의 품류[不共心品]라면 반드시 20심소가 있어 함께 생기니, 10대지법, 6대번뇌지법, 2대불선지법과 아울러 심구·사찰의 2부정지법을 말하는 것이다.110 어떤 것을 불공인 마음의 품류라고 이름하는가? 이런 마음의 품류에는 오직 무명이 있을 뿐, 그 나머지 탐욕의 번뇌 등은 없는 경우를 말하는 것이다.111

불선의 소견[見]과 상응하는 마음의 품류에서도 역시 20심소가 있어 함께 생기니, 그 명칭은 곧 앞의 불공인 마음의 품류에서 말한 것과 같다. 소견이 증가하기 때문에 21심소가 있는 것이 아니니, 곧 10대지법 중 지혜[慧]의 작용의 차별을 말하여 소견이라고 하기 때문이다. 불선의 소견과 상응하는 마음이라고 말한 것은, 말하자면 이 마음 중에 사견邪見이 있거나 견취見取가 있거나 계금취戒禁取가 있는 경우이다.112

....

109 말하자면 선을 행하지 않았거나 악을 행한 것에 대해 마음이 후회하는 성품을 선의 악작이라고 이름하고, 만약 이런 선의 악작과 상반되는 것이라면 불선의 악작이라고 이름하니, 선을 행했거나 불선을 행하지 않은 것에 대해 마음이 후회하는 성품을 말하는 것이다. 이 선·불선의 두 가지 악작은 각각 선·악의 두 가지 처소에 의지해 일어난다. 그래서 『대비바사론』 제37권(=대27-191중)에서, "여기에서 악작은 모두 4구가 있다. 첫째 어떤 악작은 선이면서 불선의 처소에서 일어나고, 둘째 어떤 악작은 불선이면서 선의 처소에서 일어나며, 셋째 어떤 악작은 선이면서 선의 처소에서 일어나고(=예컨대 조금의 선을 행한 것에 대한 후회), 넷째 어떤 악작은 불선이면서 불선의 처소에서 일어난다(=예컨대 조금의 악을 행한 것에 대한 후회)"라고 말하였다.
110 이는 곧 둘째 불공무명(과 함께 하는 불선심)인 경우에 대해 밝히는 것인데, 알 수 있을 것이다.
111 말하자면 이런 마음의 품류에는 오직 무명이 있을 뿐, 그 나머지 탐욕 등의 근본번뇌, 분노 등의 소번뇌지법 및 악작 등이 없기 때문에 불공이라고 이름하니, 자력自力으로 일어나기 때문이다. 만약 이렇게 이해한다면 불공무명은 오직 견소단이다. 만약 탐욕 등이나 분노 등이나 악작과 상응하는 무명이라면 모두 상응하는 것이므로 불공이라고 이름하지 않으니, 타력他力으로 일어나기 때문이다.
112 이하는 셋째 5품 중 그 나머지 번뇌 등과 상응하는 (불선심인) 경우에 대해 밝히는 것인데, 곧 (먼저) 불선의 3소견(=욕계의 유신견·변집견은 무기임은 뒤의 제19권 중 게송 ⑲)과 상응하는 경우에는 20심소가 구생한다는 것을 밝

탐욕·성냄·거만·의심의 번뇌와 상응하는 네 가지 불선인 마음의 품류에
서는 21심소가 있어 함께 생기니, 불공인 마음의 품류에서와 같은 20심소
에 탐욕 등 중의 어느 하나를 더한 것이다. 앞에서 말한 분노 등의 수번뇌
와 상응하는 마음의 품류에서도 역시 21심소가 함께 생기니, 불공인 마음
의 품류에서와 같은 20심소에 분노 등 중의 어느 하나를 더한 것이다.113
불선의 악작과 상응하는 마음의 품류에서도 역시 21심소가 함께 생기니,
곧 악작이 제21심소인 것을 말한다.114

간략히 말한다면 불선의 불공무명 및 소견과 상응하는 품류 중에서는 오
직 20심소만 있고, 그 나머지 4번뇌 및 수번뇌隨煩惱와 상응하는 품류 중에
서는 21심소가 있다.115

(3) 무기심의 구생

만약 무기로서 유부有覆인 마음의 품류라면 오직 18심소가 있어 함께 생
기니, 10대지법, 6대번뇌지법과 아울러 심구·사찰의 2부정지법을 말한다.
욕계의 무기로서 유부인 마음이란, 말하자면 살가야견薩迦耶見 및 변집견邊
執見과 상응하는 것인데, 여기에서 소견이 증가하지 않는 것은 앞에서 해석
한 것과 같다고 알아야 할 것이다.116

나머지 무기로서 무부無覆인 마음의 품류에서는 오직 12심소만이 함께
생긴다고 인정해야 할 것이니, 10대지법과 아울러 부정지법인 심구·사찰을
말한다.117 바깥 지방[외방外方]의 논사들은, 악작을 무기에도 통하게 하고

....

히는 것이다.
113 이는 4번뇌나 분노 등과 상응하는 경우에는 21심소가 구생한다는 것을 밝히
는 것이다.
114 이는 불선의 악작과 상응하는 경우에는 21심소가 구생한다는 것을 밝히는
것이다. 불선의 악작은 자력으로 일어나기 때문에 탐욕 등이나 분노 등과 상
응하지 않고, 오직 무명과만 상응한다.
115 장차 무기에 대해 밝히려고 간략히 불선의 네 마디[四節] 번뇌(=불공무명·
소견·4번뇌·수번뇌)에 대해 맺는 것이다. 불선의 악작은 10전纏(=뒤의 제21
권 중 게송 㐌d와 그 논설 참조)에 포함되기 때문에 '수번뇌'에 포함시켰다.
116 이는 곧 넷째 5품 중 유부무기의 마음일 경우 심소의 구생에 대해 밝히는
것이다. 능히 장애하는 덮음[障覆]이 있거나 어리석음의 덮음[癡覆]이 있기 때
문에 '유부'라고 이름하고, 허물이 가볍기 때문에 뛰어난 작용을 가릴 수 없고
[無記], 과보를 감득할 수 없기 때문에 '무기'라고 이름한다.

자 했는데, 이것과 상응하는 품류에서는 곧 13심소가 있어 함께 일어날 것이다.118

수면睡眠은 앞에서 말한 일체 마음의 품류와 모두 상위하지 않는다고 알아야 할 것이니, 선·불선·무기의 성품에 통하기 때문이다. 그 어떤 품류에서든 있다면 곧 이것을 더하여 말해야 할 것이니, 말하자면 22심소인 경우 23심소에 이르고, 23심소라면 24심소에 이르며, 불선과 무기의 경우에도 이런 예처럼 알아야 할 것이다.119

2. 상계에서의 구생

욕계에서 심소가 함께 생기는 여러 품류의 결정적 수량에 대해 설명했으니, 상계에 대해 설명하겠다. 게송으로 말하겠다.

....

117 이는 곧 다섯째 무부무기의 마음일 경우 심소의 구생에 대해 밝히는 것이다. 능히 장애하는 덮음이 없거나 어리석음의 덮음이 없기 때문에 '무부'라고 이름하고, 뛰어난 작용을 가릴 수 없고 과보를 감득할 수 없기 때문에 '무기'라고 이름한다. 또 『순정리론』(=제11권. 대29-392하)에서는, "공교처 등 여러 무기(=무부무기)의 마음은 용맹스러움이 있는 듯해도 이치에 맞게 가행을 일으키는 것이 아니기 때문에 정진이 없고, 또 염오가 아니기 때문에 해태가 없으며, 믿음이나 불신이 없는 것도 이에 견주어 알아야 한다"라고 말하였다. (문) 어째서 악작은 무기에 통하지 않는가? (답) 『순정리론』(=제11권. 대29-392중)에서, "그런데 이 악작은 선과 불선에 통하지만, 무기에는 통하지 않는다. 근심에 따라 작용하기 때문이며, 욕탐을 여읜 자는 성취하지 않기 때문이니, 무기의 법에는 이런 일이 없다"라고 말하였다.

118 앞의 12심소는 가습미라 논사들의 설이다. 이제 외국外國의 논사들은 13심소가 있다고 말하니, 곧 인도국의 논사들이다. 그래서 『순정리론』(=제11권. 대29-392하)에서 말하였다. "어떤 분은 악작은 무기에도 통한다고 주장한다. 근심은 희근처럼 오직 유기有記인 것만은 아니므로, 이와 상응하는 품류에는 곧 13심소가 있어 함께 생긴다고 하였다."

119 이는 뒤의 2구를 해석하는 것이다. 수면은 앞에서 말한 다섯 가지 마음의 품류와 모두 상위하지 않는다고 알아야 하므로, 수면이 있다면 모두 하나를 더해야 한다. 수면이 세 가지 성품에 통한다는 것은 꿈이 있을 때에 의거해 말한 것{=『대비바사론』제37권(=대27-192상)에서, "어떤 것이 선인가 하면, 말하자면 선심으로 잠잘 때 흐릿하고 미미하게 일어나는 마음의 어둡고 소략한 성품[惛微而轉心昧略性]이니, 그는 깨어 있을 때 선한 일들을 좋아해 행하고 계속 익힌 까닭에 잠의 꿈 속에서도 또한 다시 따라 일어나는 것이다"라고 말하고, 불선과 무기에 대해서도 이와 같이 말하였다}이니, 만약 꿈이 없을 때라면 오직 무기이다.

㉜ 초정려에서는 불선인 것[初定除不善]

　　및 악작·수면을 제외하고[及惡作睡眠]

　　중간정려에서는 또 심구를 제외하며[中定又除尋]

　　그 위에서는 사찰 등도 아울러 제외한다[上兼除伺等]120

　논하여 말하겠다. 초정려 중에서는 앞에서 말한 심소법들 중 오직 불선
인 것과 악작·수면을 제외한 그 나머지를 모두 갖추고 있다. '오직 불선인
것'이란 성냄의 번뇌, 아첨·속임·교만을 제외한 그 나머지 분노 등의 번뇌
및 무참·무괴를 말하며, '그 나머지를 모두 갖추고 있다'는 것은 욕계에 대
해 말한 것과 같다.121

　중간정려에서는 앞에서 제외한 것들을 제외하고, 또 심구를 다시 제외하며,
그 나머지는 모두 갖추고 있다. 제2정려 이상부터 무색계에 이르기까지는 앞
에서 제외한 것들을 제외하고, 또 사찰 등도 제외하는데, '등'이란 아첨·속임
도 제외한다는 것을 나타내며, 그 나머지는 앞에서처럼 갖추고 있다.122

　경에서, "아첨과 속임은 최고로 범천에까지 이른다"라고 설하였다. 무리
가 서로 의지하기 때문이니, 그 위의 지에는 없다. 대범천왕은 자신의 범천
대중들 속에 있다가 갑자기 마승馬勝 필추로부터, "이 4대종은 어떤 단계에
서 남음 없이 다 사라지는가?"라는 질문을 받았는데, 범천왕은 남음 없이
사라지는 단계에 대해 알지 못해서 곧, "나는 이 범천대중들 중에서 대범大
梵으로서 자재自在하며, 만든 자이고, 변화시키는 자이며, 낳은 자이고, 기
르는 자이니, 모두의 아버지이다"라고 교란矯亂하며 답하고, 이런 말을 마
친 뒤 대중들 밖으로 불러내어 아첨해 말하고 부끄럽다고 사죄하며, 돌아

----

120 이하는 둘째 상계에 의거해 밝히는 것인데, 맺으면서 묻고 게송으로 답하였다.
121 이는 위의 2구를 해석하는 것이다. 선정에 의해 자윤滋潤되어서 성냄 등의
　　번뇌와 불선법이 없기 때문에 불선이 없고, 우근이 없기 때문에 악작이 없으
　　며, 단식이 없기 때문에 수면이 없다. 그 나머지는 욕계와 같다.
122 이는 아래 2구를 해석하는 것이다. 상지에서는 점점 미세해지고 점점 재난
　　을 여의기 때문에 중간정려에서는 심구를 제외하고, 그 위에서는 사찰도 아울
　　러 제외하며, 제2정려 이상에서는 무리가 서로 의지하는 왕과 신하 등의 차별
　　이 없으므로 아첨과 속임도 없다. 그 나머지는 모두 앞에서처럼 갖추고 있다.

가 붓다께 여쭈게 하였다.123

　　제8항 유사한 심소의 차별

　이와 같이 모든 계界와 지地의 여러 마음의 품류 중에서 구생하는 심소의
수량에 대해 설명했으니, 이제 다음으로 앞에서 분별한 여러 심소 중 일부
의 차별에 대해 설명하겠다.124

....

123 이는 경(=장 16:24 견고경)을 인용해 증명해 이루는 것이다. 경에서 아첨
　과 속임은 욕계에서부터 초정려의 범천에까지 이른다고 설했으니, 왕과 신하
　의 존·비의 차별이 있어서 다시 서로 받들어 섬기면서 무리가 서로 의지하기
　때문에 아첨과 속임이 있지만, 제2정려 이상에서 나아가 유정천까지는 왕과
　신하 등의 존·비의 차별이 없으므로 아첨과 속임이 없다는 것이다. 초정려에
　아첨과 속임이 있다는 것을 알 수 있는 까닭은, 다음과 같은 일과 같다. 붓다
　께서 옛날에 사위성의 서다림에 머물고 계실 때 마승馬勝(=위 견고경에는 '아
　실이阿室已'라고 되어 있는데, 최초의 5비구 중 1인인 앗사지Assaji⑤Aśvajit를
　가리킨다)이라는 이름의, 아라한인 비구가 있어 이런 생각을 하였다. '모든 4
　대종은 어떤 단계에서 남음 없이 다 소멸하는가?' 알고 싶어서 수승한 등지에
　들어 곧 선정의 마음으로 서다림에서 사라져 사대천왕천에 나타나 선정에서
　일어나 그 천신대중들에게, "모든 4대종은 어떤 단계에서 남음 없이 다 소멸
　합니까?"라고 물었는데, 알지 못한다고 대답하였다. 이와 같이 욕계6천으로
　계속 나아갔는데, 서로 미루어 나아가 타화자재천에 이르렀지만, 그들도 다
　시 범천대중을 쳐다보며 미루므로, 범천세계로 가려고 수승한 등지에 들어 다
　시 선정의 마음으로 자재천궁에서 사라져 범중천에 나타나 선정에서 일어나
　다시 위의 질문을 하였다. 범천대중들도 모두 "우리들은 알지 못합니다"라고
　말하며, 다시 대범천에게 미루므로 마승 비구는 곧 그 대범천왕에게 물었다.
　그 때 대범천왕이 자신의 범천대중들 속에 있다가 갑자기 마승 비구의, "이
　욕계와 색계의 모든 4대종은 어떤 단계에서 다 소멸하며, 다른 번뇌에 의한
　계박이 없어집니까?"라는 질문을 받았는데, 범천왕은 그 상응하는 바에 따라
　4근본정려, 미지정, 중간정, 공무변처의 근분정에 의지해 제4정려의 번뇌를
　끊어 다할 때 모든 4대종이 궁극적으로 계박을 떠나 남음 없이 소멸하는 단계
　라는 것을 알지 못해서, 곧 교란하며 스스로 찬탄한 것은 그에게 속임이 있었
　다는 것을 나타내고, 아첨해 말하며 부끄럽다고 사죄한 것은 그에게 아첨이
　있었다는 것을 나타낸다는 것이다. 대략 서술하면 이와 같은데, 자세한 것은
　『대비바사론』 제129권(=대27-670중 이하)에서 말하는 것과 같다.
124 이하는 큰 글의 셋째 서로 비슷하면서 다른 것을 밝히는 것이다, 그 체성은
　실제로 각각 같지 않지만, 조금 서로 비슷함이 있기 때문에 차별을 분별하는
　것이다. 모두 네 가지 상대가 있는데, 이하에서 앞의 두 가지 상대를 밝힌다.

1. 무참·무괴와 참·괴

(1) 무참과 무괴

무참無慚과 무괴無愧, 애愛와 경敬의 차별은 어떠한가?125 게송으로 말하겠다.

③③ 무참과 무괴는 존중하지 않는 것과[無慚愧不重]
　　죄를 두렵게 보지 않는 것이며[於罪不見怖]
　　애와 경은 말하자면 믿음과 참인데[愛敬謂信慚]
　　오직 욕계와 색계에만 있다[唯於欲色有]126

논하여 말하겠다. 이 중 무참과 무괴의 차별이다. 모든 공덕 및 공덕 있는 분에 대해 공경[敬]이 없고 존중[崇]이 없으며, 두려워거나 어려워하는 것[所忌難]이 없고, 따라 소속되는 것[所隨屬]이 없는 것을 말하여 무참이라고 이름하니, 곧 공경恭敬에 적대敵對되는 법이다.127

모든 선한 분들이 꾸짖고 싫어하는 법을 말하여 죄罪라고 이름하는데, 이런 죄에 대해 두렵게 보지 않는 것[不見怖畏]을 말하여 무괴라고 이름한다. 여기에서 '두렵다[怖]'는 말은 사랑스럽지 못한 과보[非愛果]를 나타내니, 능

게송 앞에서 물음을 일으켰는데, 물음을 일으킴 중에 나아가면 첫째는 전체적인 것이고, 둘째는 개별적인 것이니, 이는 곧 전체적인 것이다.
125 이는 곧 개별적인 것이다.
126 게송의 답 가운데 나아가면 위의 2구는 무참과 무괴에 대해 밝히는 것이고, 아래 2구는 애와 경에 대해 밝히는 것이다.
127 '모든 공덕'은 계와 선정 등을 말하고, '공덕 있는 분'은 스승과 어른 등을 말한다. 공경이 없다는 등의 네 가지는 모두 존중하지 않는다는 것을 나타낸다. 앞의 2대상(=모든 공덕과 공덕 있는 분)에 대해 공경이 없고 존중이 없거나, 혹은 모든 공덕에 대해 공경이 없고 공덕 있는 분에 대해 존중이 없거나, 혹은 공덕 있는 분에 대해 공경이 없고 모든 공덕에 대해 존중이 없는 것, 앞의 2대상에 대해 두려워거나 어려워하는 것이 없고 따라 소속되는 것(=예컨대 제자로서의 예의)이 없거나, 혹은 모든 공덕에 대해 두려워거나 어려워하는 것이 없고, 공덕 있는 분에 대해 따라 소속되는 것이 없는 것을 말하여 무참이라고 이름하니, 곧 이는 공경과 참慚에 적대되는 법이다. 공경은 참을 그 체로 하기 때문이다.

히 두려움을 낳기 때문이다.128

두렵게 보지 않는다는 말은 어떤 뜻을 나타내고자 한 것인가? 보고도 두려워하지 않는 것을 두렵게 보지 않는다고 표현한 것인가, 그것의 두려움을 보지 않는 것을 두렵게 보지 않는다고 표현한 것인가?129 만약 그렇다면 무엇이 허물인가?130 두 가지 모두 허물이 있다. 만약 보고도 두려워하지 않는 것이라면 응당 지혜를 나타낼 것이고, 그것의 두려움을 보지 않는 것이라면 응당 무명을 나타낼 것이다.131 이 말은 소견[見]이나 보지 못하는 것[不見]을 나타내지 않는다.132 무엇을 나타내는 것인가?133 이는 수번뇌인 어떤 법이 그런 두 가지를 원인으로 하는 것을 말하여 무괴라고 이름한다는 것을 나타낸다.134

······················

128 이는 무괴를 해석하는 것이다. '죄'는 죄업을 말하는데, 이런 죄에 대해 능히 두려워할 만한 과보를 초래한다는 것을 보지 않는 것을 말하여 무괴라고 이름한다. 여기에서 '두렵다'는 말은 사랑스럽지 못한 과보를 나타내니, 능히 두려움을 낳기 때문에 두렵다고 이름한 것이다.

129 외인의 힐난이다. 두렵게 보지 않는다는 말은 어떤 뜻을 나타내고자 한 것인가? 그 죄의 두려워할 만한 과보를 보고도 두려워하지 않는 것을 두렵게 보지 않는다고 표현한 것인가, 그 죄의 두려워할 만한 과보를 보지 않는 것을 두렵게 보지 않는다고 표현한 것인가? 또 해석하자면 '죄를 보고도 두려워하지 않는 것을 두렵게 보지 않는다고 표현한 것인가?'라는 이 물음은, 두려움이 마음에 속하는 것으로서, 곧 경계를 반연하는 두려움이라는 것이고, '그 죄 가문의 두려워할 만한 과보를 보지 못하는 것을 두렵게 보지 않는다고 표현한 것인가?'라는 이 물음은 두려움이 경계에 속하는 것으로서, 곧 두려워해야 할 과보라는 것이다.

130 논주가 전체적으로 답한 것이다.

131 이는 외인이 허물을 나타내는 것이다. 만약 그 죄의 두려워할 만한 과보를 보고도 두려워하지 않는 것을 두렵게 보지 않는다고 표현한 것이라면, 응당 지혜를 나타낼 것이다. '지혜'란 사견을 말하는 것이니, 이 사견이 인과를 부정하기 때문이다. 만약 그 죄의 두려워할 만한 과보를 보지 못하는 것을 두렵게 보지 않는다고 표현한 것이라면, 응당 무명을 나타낼 것이다. 이 무명 때문에 두려움을 보지 못하기 때문이다.

132 이는 논주의 답이다. 두렵게 보지 않는다는 이 말은 사견이나 무명을 나타내는 것이 아니다.

133 이는 외인이 다시 따지는 것이다.

134 이는 논주의 답이다. 이는 수번뇌(=근본번뇌에 따라 일어나는 번뇌)인 무괴라는 법이 있어 그런 사견과 무명 두 가지를 원인으로 하는 것을 말하여 무괴라고 이름한다는 것을 나타낸다. 그래서 『순정리론』(=제11권. 대29-393

어떤 다른 논사는 말하였다. "지은 죄에 대해 자신을 관찰하고 부끄러워함이 없는 것[自觀無恥]을 무참이라고 이름하고, 남을 관찰하고 부끄러워함이 없는 것[觀他無恥]을 무괴라고 이름한다."135 만약 그렇다면 이 두 가지는 관찰대상이 같지 않은데, 어떻게 함께 일어나겠는가?136 이 두 가지가 동시에 함께 일어나 따로 자신과 남을 관찰한다고 말하지 않는다. 그렇지만 부끄러워함 없음을 갖는 것이 자신을 관찰할 때 월등한 것을 말하여 무참이라고 이름하고, 다시 부끄러워함 없음을 갖는 것이 남을 관찰할 때 증상한 것을 말하여 무괴라고 한다.137

(2) 참과 괴

참과 괴의 차별은 이와 반대라고 알아야 한다. 말하자면 처음 해석과 반대로, 공경이 있고 존중이 있으며, 두려워하거나 어려워하는 것이 있고, 따라 소속되는 것이 있는 것을 말하여 慚懺이라고 이름하고, 죄에 대해 두렵게 보는 것을 말하여 괴愧라고 이름한다. 두 번째 해석과 반대로, 지은 죄에 대해 자신을 관찰하고 부끄러워함을 갖는 것을 말하여 참이라고 이름하고,

....
중)에서도, "능히 현행하는 무지無智와 사지邪智가 인근인鄰近因이 된 것을 말하여 무괴라고 이름한다"라고 말하였다.
135 이는 상이한 해석을 서술하는 것이다. 이 논사는 자신과 남에 의거해 부끄러워함 없는 것으로써 두 가지의 차별을 분별한다.
136 이는 반론이다. 무참과 무괴가 자신과 남을 따로 관찰한다면, 어떻게 함께 일어나겠는가?
137 다른 논사의 풀이이다. 이 무참·무괴 두 가지가 동시에 함께 일어나, 무참은 따로 자신을 관찰하고, 무괴는 따로 남을 관찰한다고 말하지 않는다. 그렇지만 부끄러워함 없음을 갖는 것이 자신을 관찰할 때 작용이 월등한 것을 말하여 무참이라고 이름하니, 자신을 관찰하는 그 때 비록 무괴도 있지만, 자신을 관찰할 때에는 그 작용이 열등하기 때문이며, 다시 부끄러워함 없음을 갖는 것이 남의 몸을 관찰할 때 작용이 증상한 것을 말하여 무괴라고 하니, 남의 몸을 관찰하는 그 때 비록 무참도 있지만, 남의 몸을 관찰할 때는 그 작용이 열등하기 때문이다. 또『순정리론』(=제11권. 대29-393중)에서, "어떤 분은 홀로 있을 때 죄를 짓고 부끄러워함이 없는 것을 무참이라고 이름하고, 대중들 속에 있을 때 죄를 짓고 부끄러워함이 없는 것을 무괴라고 말한다"라고 말했는데, 자세한 것은 거기에서 해석한 것과 같으며,『대비바사론』제34권(=대27-178하)에서도 두 가지의 차별에 대해 자세히 설명하는데, 모두 서술할 수는 없다.

남을 관찰하고 부끄러워함을 갖는 것을 말하여 괴라고 이름한다.138

2. 애愛와 경敬

무참과 무괴의 차별에 대해 설명했는데, 애愛와 경敬의 차별은 이러하다. 애는 말하자면 애락愛樂하는 것이니, 그 체는 곧 믿음이다.

그런데 애愛에는 두 가지가 있으니, 첫째는 염오染汚 있는 것이고, 둘째는 염오 없는 것이다. 염오 있는 것은 탐욕[貪]을 말하는 것이니, 예컨대 처자 등을 사랑하는 것과 같고, 염오 없는 것은 믿음을 말하는 것이니, 예컨대 스승이나 어른 등을 사랑하는 것과 같다. 믿음으로서 애 아닌 것이 있으니, 고苦·집集을 반연하는 믿음을 말하고, 애로서 믿음 아닌 것이 있으니, 모든 염오의 애를 말하며, 믿음과 애에 통하는 것이 있으니, 멸滅·도道를 반연하는 믿음을 말하고, 믿음도 애도 아닌 것이 있으니, 앞에서 말한 세 가지를 제외한 것을 말한다.139

....

138 이는 편승해서 참과 괴를 해석하는 것인데, 위의 두 가지 해석과 반대되는 것이라고 알아야 한다. 앞에서 참·괴와 무참·무괴를 말할 때 '뒤에서 분별하는 것과 같다'라고 말한 것은 이 글을 가리킨 것이다.

139 이하는 애와 경의 차별을 분별하는 것이다. '애'는 애락을 말하는 것이니, 체는 곧 믿음이다. 그런데 널리 애를 밝힌다면 그것에는 두 가지가 있으니, 첫째는 염오 있는 것으로, 탐욕을 말하고, 둘째는 염오 없는 것으로 믿음을 말한다. 만약 널리 믿음[信]을 밝힌다면 역시 두 가지가 있으니, 첫째는 인가하고 인정하는 모습[忍許相]으로, 신가信可(=옳다고 믿는 것)라고도 이름하는데, 명칭은 달라도 뜻은 같으며, 둘째는 원하고 좋아하는 모습[願樂相]으로, 신락信樂이라고도 이름하고 신애信愛라고도 이름하는데, 명칭은 달라도 뜻은 같다. 이로 말미암아 신과 애는 넓고 좁음이 같지 않으므로 4구로 분별해야 한다. 제1구인 믿음으로서 애 아닌 것이 있으니, 고·집을 반연하는 믿음을 말한다. 고·집을 인가하고 인정하여 첫째의 믿음이 있기 때문에 믿음이 있다고 이름하고, 유루의 법은 애락할 만한 것이 아니어서 둘째의 믿음이 없기 때문에 애가 아니라고 이름한다. 제2구인 애로서 믿음 아닌 것이 있으니, 모든 염오의 애를 말한다. 처자 등을 반연하여 염오의 애를 일으키면 둘째의 애가 있기 때문에 애가 있다고 이름하지만, 이는 염오이기 때문에 믿음이 아니다. 제3구인 믿음과 애에 통하는 것이 있으니, 멸·도를 반연하는 믿음을 말한다. 멸·도를 인가하고 인정하여 첫째의 믿음이 있기 때문에 믿음이 있다고 이름하고, 무루의 법은 애락할 만한 것이어서 둘째의 믿음도 있기 때문에 애가 있다고 이름한다. 이 중 멸·도를 반연하는 믿음은 두 가지를 통틀어 포함한다고 알아야 한다. 제4구는 앞에서 말한 것을 제외한 것이다.

어떤 분은 말하였다. "믿음이란 공덕 있는 분을 인가하고 인정하는 것이니, 이것이 선행함에 의해 비로소 애락이 생기기 때문에 애는 믿음이 아니다."140

경敬은 공경하고 존중하는 것[敬重]을 말한다. 그 체는 곧 참慚으로, 앞에서 참에 대해 해석한 것과 같으니, 공경이 있다고 한 등을 말함이다. 참으로서 공경 아닌 것이 있으니, 고·집을 반연하는 참을 말하고, 참과 공경에 통하는 것이 있으니, 멸·도를 반연하는 참을 말한다.141

어떤 분은 말하였다. "공경이란 존중하는 바가 있는 것[有所崇重]으로서, 이것이 선행함에 의해 비로소 부끄러워하는 참이 생기기 때문에 공경은 참이 아니다."142

소연의 경계인 보특가라補特伽羅에서 바라볼 때 애와 경의 유무는 4구로 분별해야 한다. 애가 있어도 경이 없는 경우는, 처자나 함께 사는 문인門人 등에 대한 것을 말한다. 경이 있어도 애가 없는 경우는, 남의 스승이나 공덕 있는 귀인貴人 등에 대한 것을 말한다. 애도 있고 경도 있는 경우는, 자신의 스승, 부모, 백부·숙부 등에 대한 것을 말한다. 애도 없고 경도 없는

....

140 이는 바르지 못한 뜻을 서술한 것이다. 이 논사의 의중이 말하는 것은, 인가하고 인정하는 것과 애락하는 것은 이미 동시가 아니기 때문에 애는 믿음이 아니라는 것이다.

141 이는 공경과 참에 대해 따로 해석하는 것이다. 참은 넓고, 공경은 좁으므로 단지 2구로만 된다. 제1구, 참으로서 공경 아닌 것이 있으니, 고·집을 반연하는 참을 말한다. 그 고·집을 반연하는 선심이 일어날 때 부끄러워하는 참이 있는 까닭에 참이 있고, 유루의 법이어서 존중할 만한 것이 아닌 까닭에 공경이 없다. 제2구, 참과 공경에 통하는 것이 있으니, 멸·도를 반연하는 참을 말한다. 그 멸·도를 반연하는 선심이 일어날 때 부끄러워하는 참이 있기 때문에 참이 있고, 무루의 법이어서 존중할 만한 것이기 때문에 공경이 있다.

142 이는 바르지 못한 뜻을 서술한 것이다. 공경은 앞이고, 참은 뒤여서, 때가 이미 같지 않으므로 공경은 참이 아니라는 것이다. 『순정리론』 제11권(=대29-393하)에서 이 논사를 논파해 말하였다. "그 논사는 부끄러워하는 참 없는 자도 공경을 일으킬 수 있다고 인정해야 할 것이니, 먼저 공경을 일으킬 때 부끄러워하는 참이 아직 있지 않다고 집착하기 때문에 참 없는 자도 공경을 일으킬 수 있어야 할 것이다. 만약 공경할 때 이미 부끄러워하는 참이 있었다고 말한다면, 곧 공경이 선행함에 의해 비로소 부끄러워하는 참이 생긴다고 말하지 않았어야 하고, 만약 공경할 때 부끄러워하는 참이 없는 것은 아니었지만, 그렇더라도 공경은 참이 아니라고 말한다면, 이것도 역시 이치가 아니니, 공경은 참이 아니라는 말을 증명할 근거가 없기 때문이다."

경우는, 앞에서 말한 세 가지를 제외한 것을 말한다.143

이와 같은 애와 경은 욕계·색계에만 있고, 무색계에는 없다.144 믿음과 참
은 대선지법인데, 어찌 무색계에도 역시 있지 않겠는가?145 애와 경에는 두
가지가 있으니, 법을 반연하는 것과 보특가라를 반연하는 것을 말한다. 법을
반연하는 애와 경은 3계에 공통으로 있지만, 여기에서의 뜻은 보특가라를
반연하는 것을 말하기 때문에 욕계·색계에만 있고, 무색계에는 없다.146

3. 심구와 사찰

이와 같이 애와 경의 차별에 대해 설명했는데, 심구와 사찰, 거만과 교만
의 차별은 어떠한가? 게송으로 말하겠다.

34 심구·사찰은 마음의 미세함·거침이고[尋伺心細麤]
　　거만은 남에 대한 마음의 오만이며[慢對他心舉]
　　교만은 자신의 법에 염착함에 의해[憍由染自法]
　　마음이 높아져 돌아보는 것 없는 것이다[心高無所顧]147

....

143 소연의 경계에 의거해 애와 경의 유무에 대해 4구로 분별하는 것이다. 제1
　구는 애가 있어도 경이 없는 경우로, 처자 등에 대해서는 탐욕에 물들기 때문
　에 염오의 애는 있지만, 존중할 만한 것이 아닌 까닭에 경이 없다. 제2구는
　경이 있어도 애가 없는 경우로, 남의 스승 등에 대해서는 존중할 만하기 때문
　에 경은 있지만, 원하고 좋아하는 분이 아니기 때문에 애가 없다. 제3구는 애
　도 있고 경도 있는 경우로, 자신의 스승 등에 대해서는 원하고 좋아할 만한
　분이기 때문에 애가 있고, 염오의 애 없이 존중할 만한 분이기 때문에 경도
　있다. 제4구는 애도 없고 경도 없는 경우로, 앞의 세 가지를 제외한 것이다.
　'보특가라'는 여기 말로 삭취취數取趣이다. 자주자주 여러 취(=윤회세계)를
　취하는 것[數數取諸趣]이니, 전체적으로 말한다면 5취에 통한다.
144 이는 계界에 의거해 분별하는 것이다.
145 이는 힐난이다. 애는 믿음을 체로 하고, 경은 참을 체로 한다면, 대선지법이
　어서 무색계에도 있을 것인데, 어째서 없다고 하는가?
146 이는 답이다. 만약 법을 반연하는 애와 경이라면 실제로 3계에 통하지만, 여
　기에서의 뜻은 보특가라를 반연하는 것을 말하기 때문에 무색계에는 통하지
　않는다. 욕계와 색계는 색신이 있기 때문이고, 존·비가 있기 때문이며, 모습이
　드러나기 때문에 서로 바라볼 때 애가 있고, 경이 있을 수 있지만, 무색계는
　그렇지 않기 때문에 거기에는 없다.
147 이하는 뒤의 두 가지 상대를 밝히는 것이다. 게송의 처음 1구는 세 번째 상
　대인 심구·사찰에 대해 밝히는 것이고, 아래 3구는 네 번째 상대인 거만·교만

논하여 말하겠다. 심구와 사찰의 차별이란 마음의 거침과 미세함을 말하는 것이니, 마음의 거친 성품[心之麤性]을 심구[尋]라고 이름하고, 마음의 미세한 성품[心之細性]을 사찰[伺]이라고 이름한다.148

어떻게 이 두 가지가 하나의 마음[一心]과 상응하겠는가?149 어떤 분은 이렇게 해석하였다. "마치 찬 물 위에 떠 있는 숙소熟酥에 위의 뜨거운 햇빛이 비추어 부딪치면, 숙소는 물과 햇빛으로 인해 풀리는 것도 아니고[非釋] 엉기는 것도 아닌 것[非凝]처럼, 이와 같이 하나의 마음에 심구도 있고 사찰도 있으면, 마음은 심구와 사찰로 말미암아 지나치게 미세해지지도 않고 거칠어지지도 않는다. 따라서 하나의 마음에서 함께 작용할 수 있다."150 만약 그렇다면 심구와 사찰은 거칠어지고 미세해지는 원인이지, 거침과 미세함 자체는 아니다. 마치 물과 햇빛은 엉김과 풀림의 원인이지, 그 체가 엉김과 풀림은 아닌 것과 같다.151 또 거칠거나 미세한 성품은 서로 의지해

....
에 대해 밝히는 것이다.

148 마음의 거친 성품을 심구라고 이름하고, 마음의 미세한 성품을 사찰이라고 이름한다. 심소 중에 각각 따로 체가 있어서 마음과 상응하므로, 체가 곧 마음인 것은 아니다. 마음의 거침과 미세함이라는 말은 의주석이다. # '거침'과 '미세함'만으로는 차별을 알기 어려운 것이 사실인데, 이에 대해 『성유식론』 제7권(=대31-35하)에서의 다음과 같은 설명이 이해에 도움이 될 듯하다. "심[尋]은 찾아 구하는 것[심구尋求]을 말한다. 심왕으로 하여금 바쁘고 급하게 의언意言의 경계에서 거칠게 구르는 것[麤轉]을 체성으로 한다. 사[伺]는 자세히 살피는 것[사찰伺察]을 말한다. 심왕으로 하여금 바쁘고 급하게 의언의 경계에서 미세하게 구르는 것[細轉]을 체성으로 한다."

149 이는 논주의 힐난이다. 심구는 거칠고, 사찰은 미세하다면, 성품과 모습이 상반되기 때문에 어떻게 이 두 가지가 하나의 마음과 상응하겠는가? 경량부에서는 심구·사찰의 2법은 하나의 마음과 상응한다는 것을 인정하지 않는데, 논주의 의중은 경량부의 벗이기 때문에 이런 힐난을 한 것이다.

150 이하 비바사 논사의 해석에는 모두 두 가지가 있는데, 이는 곧 첫 논사이다. 숙소는 물로 말미암아 풀리지 않고, 햇빛으로 말미암아 엉기지 않으니, 물은 엉김의 원인이고, 햇빛은 풀림의 원인이다. 이와 같이 하나의 마음에 심구가 있기 때문에 지나치게 미세해지지 않고, 사찰이 있기 때문에 지나치게 거칠어지지 않으니, 심구는 거칠어지는 원인이고, 사찰은 미세해지는 원인이다. 따라서 하나의 마음에서 함께 작용할 수 있는데, 어찌 이치와 상반되겠는가?

151 이는 논주가 비유에 의거해 반론하는 것이다. 마치 물은 엉김의 원인이고, 햇빛은 풀림의 원인일 뿐, 그 체가 엉김과 풀림은 아닌 것처럼, 심구는 거칠어지는 원인이고, 사찰은 미세해지는 원인이지, 거침과 미세함 자체는 아니다.

건립되는 것으로, 3계界 9지地 9품品은 그 차별이 위와 아래를 서로 나타내므로, 나아가 유정천에 이르기까지 심구와 사찰이 있어야 할 것이다. 또 거칠고 미세한 성품에 별도의 체의 부류가 없다면, 그것에 의해 심구와 사찰을 분별할 수는 없다.152

다시 어떤 분은 이렇게 해석하였다. "심구·사찰 2법은 언어의 행[語言行]이니, 그래서 계경에서도, '반드시 심구·사찰이 있어야 비로소 언어가 있다'라고 말한 것이다. 심구·사찰이 없다면 이런 언어를 행할 것이 아니니, 거친 것을 심구라고 이름하고, 미세한 것을 사찰이라고 이름한다. 하나의 마음 안에서 개별적인 법이 거칠고, 개별적인 법이 미세하다고 한들, 이치에 어찌 거스르겠는가?"153 만약 개별적인 체의 부류[別體類]가 있다면 이치상 실제로 어긋남이 없겠지만, 개별적인 체의 부류가 없기 때문에 이치에 어긋남을 이루니, 하나의 체의 부류 중에 위·아래가 동시에 일어날 수 없기 때문이다. 만약 체의 부류에도 역시 차별이 있다고 말한다면, 체의 부류의 차별상이 어떤지 설명해야 할 것이다.154 이 두 가지 체의 부류의 차별상은 설명하

....

152 논주가 또 반론한다. 거칠고 미세한 성품은 서로 의지해 건립되는 것이다. 3계에 의거하거나 9지에 의거하거나 9품에 의거할 때 차별되고 같지 않아서 위와 아래를 서로 나타내므로, 아래의 지는 거칠다고 이름하고, 위의 지는 미세하다고 이름한다. 나아가 유정천에 이르기까지 아래의 지에서 바라보면 미세하고, 멸진정에서 바라보면 거칠므로, 심구와 사찰이 있어야 할 것이다.(= 그렇지만 제2정려지 이상에는 심구와 사찰이 없다) 또 해석하자면 거친 것을 위라고 이름하고, 미세한 것을 아래라고 이름하므로, 곧 거침과 미세함은 서로 나타내는 것이니, 나아가 유정천에 이르기까지 심구와 사찰이 있어야 할 것이다. 또 모든 법 중 거칠고 미세한 두 가지 성품은 별도의 체의 부류가 없으니, 그것에 의해 심구와 사찰 두 종류의 차별을 분별할 수는 없다. 예컨대 느낌은 받아들이는 것으로 나타나는 것이고, 지각은 표상을 취하는 것으로 나타나는 것이듯, 모든 심소법은 모두 별도의 체상이 있는데, 이 거칠고 미세한 성품은 5온에 모두 통하기 때문에 그것에 의해 심구와 사찰을 분별할 수는 없다.

153 이는 곧 두 번째 비바사 논사의 해석이다. '행'은 원인이라는 말이다. 심구·사찰 두 가지는 언어의 원인이니, 능히 언어를 일으키기 때문이다. 원인 중에 두 가지가 있으니, 거친 것은 심구라고 이름하고, 미세한 것은 사찰이라고 이름한다. 하나의 마음 중에 거친 것과 미세한 것이 함께 일어난다고 한들, 어찌 이치와 상반되겠는가?

154 논주가 다시 반론한다. 심소 중에 만약 거침과 미세함이라는 두 가지 개별적

기 어렵다. 단지 위와 아래에 의해 그 차별상을 나타낼 수 있을 뿐이다.155 위와 아래에 의해 차별상을 나타낼 수 있는 것은 아니니, 하나하나의 부류 중에도 위와 아래가 있기 때문이다. 이 때문에 심구·사찰 2법은 하나의 마음과 상응한다고 결정코 집착해서는 안 된다고 알아야 할 것이다.156

만약 그렇다면 어째서 계경 중에서, "초정려에서는 다섯 가지 지분[五支]을 완전히 갖춘다"라고 설했겠는가?157 다섯 가지 지분을 갖춘다는 말은 하나의 지地에 따라 말한 것이지, 1찰나에 따른 것이 아니기 때문에 허물이 없다.158

4. 거만과 교만

이와 같이 심구·사찰의 차별에 대해 설명했는데, 거만·교만의 차별은 이러하다. 거만[慢]은 말하자면 남에 대해 마음으로 자신을 치켜세우는 성품

인 체의 부류가 있어 심구·사찰을 구별한 것이라면 이치상 실체로 어긋남이 없겠지만, 거침과 미세함이라는 두 가지 개별적인 체의 부류가 없기 때문에 이치에 어긋남을 이룬다. 위[上]인 것을 거칠다고 이름하고, 아래[下]인 것을 미세하다고 이름할 것이니, 같은 하나의 마음의 체의 부류 중에 거침과 미세함이 동시에 일어날 수는 없기 때문이다. 또 해석하자면 같은 하나의 성품인 체의 부류의 심·심소 중에 미세함과 거침이 동시에 일어날 수는 없기 때문이다. 그대 비바사 논사가 만약 심구·사찰의 체의 부류에도 역시 차별이 있다고 말한다면, 그 체의 부류의 차별상이 어떤지 설명해야 할 것이다.
155 비바사 논사의 대답이다. 심구·사찰의 체의 부류의 차별상은 설명하기 어렵다. 단지 위는 거칠고, 아래는 미세하다는 것에 의해 그 차별상을 나타낼 수 있을 뿐이다.
156 논주의 재반론이다. 거침과 미세함에 의해 심구·사찰의 차별상을 나타낼 수 있는 것은 아니니, 심·심소법 하나하나의 부류 중에서도 서로 의지하는 상대에 의거해 모두 거침과 미세함이 있다. 이미 차별상으로 심구와 사찰을 구별할 수 없으니, 이에 의해 심구와 사찰 2법은 하나의 마음과 상응한다고 결정코 집착해서는 안 된다고 알아야 한다.
157 비바사 논사가 경을 인용해 도리어 반론하는 것이다. 만약 그 심구·사찰 2법이 하나의 마음과 상응한다는 것을 인정하지 않는다면, 어떻게 계경(=중 58:210 법락비구니경 등)에서, "초정려에서는 심구·사찰·기쁨·즐거움 및 심일경성의 다섯 가지 지분을 완전히 갖춘다"라고 설했겠는가?
158 논주가 경에 대해 회통하는 것이다. 다섯 가지 지분을 완전히 갖춘다는 말은, 하나의 지地의 앞과 뒤에 나아가 말한 것이지, 1찰나에 따라 말한 것이 아니기 때문에 허물이 없다. 논주의 의중은 경량부의 벗이기 때문에 그들의 해석을 따르고, 여기에서 (비바사 논사쪽을) 돕는 것을 거절한 것이다.

[對他心自擧性]이니, 자신과 남의 공덕의 부류의 차별을 재고 헤아려, 마음으로 자신을 믿고 치켜세우며, 남을 능멸하기 때문에 거만이라고 이름한다. 교만[憍]은 말하자면 자신의 법에 물들어 집착함이 선행해서, 마음을 오만 방일하게 하여 돌아보는 것이 없는 성품[令心傲逸 無所顧性]이다.159

어떤 다른 논사는 말하였다. "마치 술로 인해 생긴 흔거欣擧의 차별을 말하여 취했다[醉]고 이름하는 것처럼, 이와 같이 탐욕에서 생긴 흔거의 차별을 말하여 교만이라고 이름한다."160

이것이 말하자면 거만과 교만의 차별상이다.

   제9항 여러 명칭의 차별

이와 같이 여러 심·심소의 품류의 같지 않음, 함께 생김, 다른 모습에 대해 설명하였다. 그런데 심·심소에 대해 계경 중에서 뜻에 따라 갖가지 명칭과 모습[名相]을 건립했으므로, 이제 이런 명칭의 뜻의 차별에 대해 분별하

....
159 이는 네 번째 상대를 밝히는 것이다. 거만은 남을 상대해 공덕의 부류를 재고 헤아려, 마음으로 자신을 믿고 치켜세우며 남을 능멸하는 것을 말한다. 여기에서 종성 등을 재고 헤아리는 것에 대해서도 말해야 하지만, 생략해서 논하지 않은 것이다. 교만은 종성·형색 등 자신의 법에 물들어 집착하는 것이 선행해서, 마음을 오만 방일하게 함으로써 여러 선법에 대해 돌아보는 것이 없는 성품을 말한다. 그래서 『대비바사론』 제43권(=대27-223상)에서도, "여기에서 교만이란 남과 견주지 않고 단지 스스로 종성·형색·힘·재산·지위·지혜 등에 염착해서 마음이 오만 방일한 모습을 말하고, 여기에서 거만이란 남의 종성·형색·힘·재산·지위·지혜 등과 견주어서 자신을 믿고 치켜세우는 모습을 말한다"라고 말하였다. (문) 거만은 모두 남과 견주기 때문인가? (답) 남과 견준다는 말은 많은 부분에 따라 말한 것이다. 그래서 『대비바사론』 제43권(=대27-223중)에서도 논평해 말하면서, "모든 거만이 반드시 남과 견주어야만 일어나는 것은 아니니, 시작을 알 수 없는 때로부터 자주 익힌 힘 때문에 자신의 상속에 의지해서도 거만은 현행한다고 말해야 한다"라고 말하였다.
160 교만에 대한 다른 논사의 해석을 서술한 것이다. 마치 술에 인해 생긴 흔거欣擧(=기뻐하며 뽐내는 것)의 차별을 말하여 '취했다'고 이름하는 것처럼, 교만은 탐욕의 등류과이므로, 이와 같이 탐욕으로 인해 생긴 흔거의 차별을 말하여 교만이라고 이름한다. 흔거라는 명칭은 넓고, 교만이라는 명칭은 좁은데, 이 교만은 이런 흔거의 차별인 것이다.

겠다.161 게송으로 말하겠다.

35 심·의·식은 체가 하나인데[心意識體一]
　심·심소는 유소의이며[心心所有依]
　유소연이며, 유행상이며[有緣有行相]
　상응이니, 뜻에 다섯이 있다[相應義有五]162

　논하여 말하겠다. 집기集起하기 때문에 '심心'이라고 이름하고, 사량思量하기 때문에 '의意'라고 이름하며, 요별了別하기 때문에 '식識'이라고 이름한다.163 다시 어떤 분은, "청정하거나 청정하지 못한 계界가 갖가지로 차별되기 때문에 심이라고 이름하고, 곧 이것이 다른 것의 의지대상[所依止]이 되기 때문에 의라고 이름하며, 의지주체[能依止]가 되기 때문에 식이라고 이름한다"라고 해석해 말하였다.164 따라서 심·의·식 세 가지는 명칭과 표현

....
161 이하는 큰 글의 넷째 여러 명칭의 차별에 대해 밝히는 것이다. 이와 같이 여러 심·심소의 5지법五地法 등 품류의 같지 않음, 세 가지 성품의 마음의 품류 중에서 함께 생기는 심소의 결정적 수량, 네 가지 상대되는 심소의 다른 모습의 차별에 대해 설명했다. '그런데 심·심소' 이하는 물음을 일으키는 것인데, '명칭과 모습'이라고 말한 것은, 결과에 따라 명칭[名]을 세우기도 하고, 원인에 따라 모습[相]을 세우기도 하기 때문에 '명칭과 모습'이라고 말한 것이다.
162 위의 1구는 마음의 다른 명칭을 밝히는 것이고, 아래 3구는 심·심소의 다른 명칭을 통틀어 밝히는 것이다.
163 이하에서 다른 명칭의 뜻을 풀이한다. 범어로 질다質多citta라고 이름한 것이 여기 말로는 심心이니, 이는 집기한다는 뜻이다. 말하자면 마음의 힘에 의해 심소 및 사업 등을 모아 일으키는 것이니, 그래서 경(=앞의 제3권에서 인용된 잡 [46]36:1009 심경)에서도, "마음이 능히 세간을 이끌고[心能導世間], 마음이 능히 두루 섭수한다[心能遍攝受]"라고 말한 것이다. 따라서 능히 집기하는 것을 말하여 심이라고 이름한다. 범어로 말나末那manas라고 말하는 것이 여기 말로는 의意이니, 사량한다는 뜻이다. 범어로 비야남毘若南vijñāna이라고 말하는 것이 여기 말로는 식識이니, 요별한다는 뜻이다.
164 이는 두 번째 설일체유부의 해석이다. '계界'는 성품[性]을 말하는 것이니, 청정하거나 청정하지 못한 성품의 갖가지가 차별되어 행상이 같지 않기 때문에 심이라고 이름한다. 곧 갖가지로써 '심'의 뜻을 해석한 것이다. 곧 이 마음이 다른 것의 의지대상(=과거로 낙사한 소위 의근)이 되기 때문에 의라고 이름한다. 곧 의지대상으로써 '의'의 뜻을 해석한 것이다. 의지주체(=현행의 식)가

하는 뜻에는 비록 차이가 있지만, 그 체는 하나이다.165

심·의·식 세 가지의 명칭과 표현하는 뜻은 달라도 체는 하나인 것처럼, 모든 심·심소를 유소의有所依, 유소연有所緣, 유행상有行相, 상응相應이라고 이름하는 것도 역시 그러해서, 명칭과 뜻은 비록 달라도 그 체는 하나이다. 말하자면 심·심소를 모두 유소의라고 이름하니, 의지대상인 근根에 의탁하기 때문이며, 혹은 유소연이라고 이름하니, 소연의 경계를 취하기 때문이며, 혹은 유행상이라고 이름하니, 즉 소연의 품류의 차별에 대해 평등하게 행상을 일으키기 때문[等起行相故]이며, 혹은 상응이라고 이름하니, 평등하게 화합하기 때문[等和合故]이다.166

....

되기 때문에 식이라고 이름한다. 곧 의지주체로써 '식'의 뜻을 해석한 것이다.
165 맺는 글인데, 알 수 있을 것이다. 또『대비바사론』제72권(=대27-371중) 에서는 심·의·식을 해석하면서 말하였다. "혹 어떤 분은 차별이 없다고 말했지 만, 다시 어떤 분은 말하였다. 말하자면 곧 명칭이 곧 차별된다. 또 다음 세世 에도 역시 차별이 있으니, 말하자면 과거의 것을 의라고 이름하고, 미래의 것 을 심이라고 이름하며, 현재의 것을 식이라고 이름하기 때문이다. 또 다음 시 설施設에도 역시 차별이 있으니, 말하자면 계에 대해 심을 시설하고, 처에 대 해 의를 시설하며, 온에 대해 식을 시설하기 때문이다. 또 다음 뜻에도 역시 차별이 있으니, 말하자면 심은 종족種族이라는 뜻이고, 의는 생문生門이라는 뜻이며, 식은 적취積聚라는 뜻이다. 또 다음 업에도 역시 차별이 있으니, 말하 자면 멀리 가는 것[遠行]이 심의 업이고, 앞서 가는 것[前行]이 의의 업이며, 생을 잇는 것[續生]이 식의 업이다."-세 번의 '또 다음'이 더 있어 업을 해석하 는데, 모두 서술할 수는 없다-
166 심·심소법에는 네 가지 다른 명칭이 있다. 첫째 명칭은 유소의이니, 반드시 근(=소의)에 의탁하기 때문이다. 둘째 명칭은 유소연이니, 반드시 경계(=소 연)에 의지해 일어나기 때문이다. 셋째 명칭은 유행상이니, 곧 소연인 일체 모든 법의 품류의 차별이 갖가지로 같지 않은 것에 대해 심·심소법은 어떤 법 을 따라 반연하더라도 평등하게 행상을 일으키기 때문이다. 유행상이라고 이 름한 것은, 말하자면 심·심소법은 그 체가 밝고 깨끗해서 어떤 경계를 따라 대하더라도 자연히 앞의 경계가 모두 다 심·심소 위에 나타나는데, 이렇게 나 타나는 것[此所現者]을 행상이라고 이름한다. 곧 이렇게 경계를 나타내어 띤다 는 뜻[現帶境義]의 측면에 의해서 앞의 경계와 비슷한 쪽을 능연能緣이라고 말 한다. 그런데 이 행상은 별도의 체가 있는 것이 아니라, 심 등을 떠나지 않고 곧 심 등에 포함되므로 소연이 아니다. 마치 밝은 거울이 여러 형색의 모습을 대하면 모두 거울면에 나타나는데, 이렇게 나타난 영상은 비추어진 대상[所照] 이 아니다. 그렇지만 영상의 나타남[像現]에 의거해 거울을 능조能照라고 말하 는 것처럼, 이것도 역시 그러해야 하는 것이다. '행상'이라는 말은 말하자면

어떤 뜻에 의해 평등하게 화합한다고 이름하는가?167 다섯 가지 뜻이 있기 때문이다. 말하자면 심·심소는 다섯 가지 뜻에서 평등[五義平等]하기 때문에 상응이라고 말하니, 소의·소연·행상·시기[時]·체[事]가 모두 평등하기 때문이다. 체가 평등하다는 것은 하나의 상응 중에서는 마음의 체가 하나인 것처럼, 모든 심소법도 각각 역시 그러하다는 것이다.168

....

경계의 모습을 갖기 때문에 행상이라고 이름한다. 또 해석하자면 작용대상인 경계 가문의 모습[所行境家相]을 갖기 때문에 행상이라고 이름한다. 또 해석하자면 천류遷流하는 것을 '행'이라고 이름하고, 마음 등 위에 나타난 것을 '상'이라고 이름하니, 곧 행을 상이라고 이름하기 때문에 행상이라고 이름한다. 또 해석하자면 행은 행해行解를 말하니, 요별하는 등과 같고, 상은 모습을 말하니, 영상 등과 같은데, 행 가문의 상이기 때문에 행상이라고 이름한다. 넷째 명칭은 상응이니, 평등하게 화합하기 때문이다.

167 이미 평등하게 화합한다고 했는데, 그 상응을 해석하자면 '어떤 뜻에 의해 평등하게 화합한다고 이름하는가?'라고 묻는 것이다.

168 답이다. 말하자면 심·심소는 다섯 가지 뜻에서 평등해서 서로 비슷하기 때문에 상응이라고 말한다. 첫째 소의(=의지처)가 평등하다는 것은 반드시 의지처인 근을 같이 한다는 것이다. 의식 및 그 상응법은 한 가지 의지처가 있으니, 무간에 소멸한 의근을 말한다. 5식 및 그 상응법은 각각 두 가지 의지처가 있으니, 첫째 동시에 의지하는 근과 둘째 무간에 소멸한 의근이다. 상응함에 따라 모두 소의가 평등하다. 이 글에서는 두 가지 의지처를 포함시키고자 했기 때문에 따로 동일한 소의라고 말하지 않았지만, 여러 논서 중에서 심·심소법이 동일한 소의라고 말한 것은, 우선 개별적인 의지처에 의거했기 때문에 6식 및 상응법이 각각 동일한 소의라고 말한 것이다. 또 해석하자면 소의가 평등하다는 이것은 6식 및 그 상응법이 각각 동일한 의지처라는 것을 나타낸 것이다. 그래서 상응인을 해석하는 곳(=뒤의 제6권 중 게송 54d에 관한 논설)에서, "여기에서 같이 한다는 말은 의지처가 하나임을 나타낸다"라고 말했으니, 비록 다시 5식은 의근에도 역시 의지하지만, 이 글은 우선 동시의 의지처에 의거해 말한 것이다. 둘째 소연이 평등하다는 것은 반드시 소연의 경계를 같이 한다는 것이다. 소연 중 혹 때로는 하나를 반연하고, 혹은 다시 여럿을 반연하지만, 상응함에 따라 모두 소연이 평등하다. 여러 논서 중에서 심·심소법이 동일한 소연이라고 말한 것은 우선 개별적으로 하나의 법을 반연하는 경우에 의거해 말한 것이다. 또 해석하자면 소연이 평등하다는 이것은 6식 및 그 상응법이 각각 동일하게 반연한다는 것을 나타낸다. 그래서 여러 논서 중에서 심·심소법이 동일한 소연이라고 말한 것이니, 비록 다시 여러 경계를 반연하는 경우도 있지만, 이 글에서는 우선 하나의 경계를 반연하는 것에 의거해 말한 것이다. 셋째 행상이 평등하다는 것은 심·심소법은 그 체가 밝고 깨끗해서 어떤 경계를 따라 반연하더라도 각각 행상을 일으키니, 혹 하나의 법을 반연하면 각각 하나의 행상이고, 혹 여러 법을 반연하면 각각 여러 행상이

제3절 심불상응행법론

제1항 총론

심·심소에 대해 설명하고 그 뜻도 자세히 분별했는데, 심불상응행心不相應行은 무엇인가?169 게송으로 말하겠다.

36 심불상응행은[心不相應行]

....

다. 하나든 여럿이든 행상이 각각 따로 상응함에 따라 모두 행상이 평등하다. 여럿을 나타낼 때에는 각각 여러 상이 있기 때문에 동일한 행상이라고 말하지 않는다. 여러 논서 중에서 심·심소법이 동일한 행상이라고 말한 것은 우선 하나의 경계를 반연함으로써 서로 비슷하다는 뜻에 의거한 것이지, 이치의 실체로는 모두 다르다. 또 해석하자면 행상이 평등하다는 이것은 심·심소법이 같이 하나의 경계를 반연하는 것을 동일한 행상이라고 이름했다는 것을 나타낸다. 따라서 여러 논서에서 심·심소법이 동일한 행상이라고 말한 것은, 비록 다시 행상이 각각 달라서 같지 않다고 해도, 서로 비슷해서 같다는 것에 의거해 동일한 행상이라고 말한 것이다. 비록 다시 여러 경계를 반연할 때 여러 행상을 나타내는 경우가 있더라도, 각각 상호 서로를 바라보면 서로 비슷하지 않으므로, 여기에서는 우선 하나의 경계를 반연하는 것에 의거해 말한 것이다. 넷째 시기가 평등하다는 것은 말하자면 심·심소법은 반드시 결정코 동일한 찰나라는 시기라는 것이다. 혹은 같이 생기거나 머물거나 소멸하고, 또 하나의 세世에 따르기 때문에 시기가 평등하다고 말한 것이다. 다섯째 '사事'가 평등하다는 것에서 '사'는 체를 말하는 것이니, 각각 체가 하나라는 것을 나타내기 때문에 '체가 평등하다'고 말한 것이다. 하나의 상응하는 심·심소 중에서는 심의 체가 하나인 것처럼 여러 심소법의 체도 역시 각각 하나이므로, 두 개의 체가 동시에 함께 작용하는 경우는 결코 없다. 이것은 찰나의 동시에는 체가 같다는 것에 의거한 것이지, 앞뒤로 품수品數가 다를 경우를 평등하다고 말한 것이 아니다. 여기에서 소의·소연·행상 세 가지는 앞에서 해석한 것과 같고, 시기의 뜻은 알 수 있을 것이기 때문에 따로 해석하지 않았고, '체[事]'는 조금 알기 어렵기 때문에 이것만 밝힌 것이라고 알아야 한다.

169 이하는 큰 글(=함께 생기는 법을 밝히는 글의 둘째 자세히 분별하는 글)의 둘째 불상응행에 대해 밝히는 것이다. 그 안에 나아가면 첫째 명칭과 수를 전체적으로 표방하고, 둘째 개별적으로 해석하며, 셋째 여러 문으로 분별한다. 이하에서 곧 첫째 명칭과 수를 전체적으로 표방하는데, 이는 앞을 맺고 뒤를 일으키는 것이다. # 그 중 둘째 개별적으로 해석하는 글은 14불상응행을 일곱으로 나누어 설명하므로, 여기에서 이 제3절의 과목을 미리 도표로 정리해 보이면 다음과 같다.

득, 비득, 동분[得非得同分]

무상, 두 가지 선정, 명근과[無想二定命]

상과 명신 등의 부류이다[相名身等類]

논하여 말하겠다. 이와 같은 모든 법은 마음과 상응하지 않으며, 색 등의
성품도 아닌 것으로서, 행온에 포함되는 것이니, 이 때문에 심불상응행이라
고 이름하였다.170

제2항 득과 비득

....

명칭과 수의 표방	제1항 총론
	제2항 득과 비득
	제3항 동분
	제4항 무상
개별적 해석	제5항 두 가지 선정
	제6항 명근
	제7항 4상
	제8항 명·구·문신
여러 문의 분별	제9항 여러 문 분별

170 '심불상응'은 심소와 다르다고 구별하는 것이고, '행'은 행온을 말하는 것이
니, 색·심·무위와 다르다고 구별하는 것이다. (색·심·무위는) 행온이 아니기
때문이다. 또 해석하자면 '심불상응'은 행온 중 여러 심소법과 구별하는 것이고,
'행'은 행온을 말하는 것이니, 색·수·상·식 및 무위와 구별하는 것이다. (색·수·
상·식 및 무위는) 행온이 아니기 때문이다. '2정二定'은 무상정과 멸진정을 말하
고, '상'은 4상을 말하며, '등'은 구신·문신을 같이 취하는 것을 말한다. 이제
이 논서에 의하면 심불상응행으로는 14법만 있는데, 만약 『순정리론』(=제12
권. 대29-396하)에 의한다면 화합성和合性을 더한다. 그래서 『순정리론』 제
12권에서는, "'등'은 구신·문신 및 화합성을 같이 취한 것이다"라고 말하였다.
2논서가 이미 말하는 것이 같지 않으니, 모두 옳을 수는 없다. 가정적으로 손님
과 주인을 세워 문답함으로써 연구하고 살펴보자. 구사론사가 묻는다. "이 화합
성은 어떻게 증명하고 알 수 있는가?" 정리론사가 해석한다. "예컨대 승가를
파괴할 때 화합성을 버리니, 따로 있다는 것을 분명히 알 수 있다." 정리론사가
묻는다. "우리가 세우는 것과 같은, 별도로 있는 체성을 그대들이 세우지 않는
다면, 어떤 법에 포함되는가?" 구사론사가 해석한다. "이 화합성은 중동분에 포
함된다."(=이하 문답이 길게 이어지는데, 생략하였다)

제1목 득과 비득의 자성

그 중 우선 득과 비득의 모습에 대해 분별하겠다. 게송으로 말하겠다.

37 득은 획득과 성취를 말하고[得謂獲成就]
　　비득은 이와 상반되는 것이니[非得此相違]
　　득과 비득은 오직[得非得唯於]
　　자신의 상속과 두 가지 소멸에만 있다[自相續二滅][171]

1. 득·비득의 체성

　논하여 말하겠다. 득得에는 두 가지가 있으니, 첫째는 아직 얻지 못했거나 이미 잃은 것을 지금 획득하는 것[今獲]이고, 둘째는 얻은 뒤 잃지 않는 성취成就이다. 비득非得은 이와 상반되는 것이라고 알아야 할 것이다.[172]

....

171 이하는 둘째 개별적으로 해석하는 것인데, 그 안에 나아가면 일곱이 있다. 첫째는 득과 비득에 대해 밝히고, 둘째는 동분에 대해 밝히며, 셋째는 무상과 無想果에 대해 밝히고, 넷째는 두 가지 선정에 대해 밝히며, 다섯째는 명근에 대해 밝히고, 여섯째는 4상에 대해 밝히며, 일곱째는 명신 등에 대해 밝힌다. 첫째 득과 비득에 대해 밝히는 것에 나아가면 첫째 자성을 밝히고, 둘째 차별을 밝힌다. 이는 곧 자성을 밝히는 것인데, 위의 2구는 체를 바로 나타내는 것이고, 아래 2구는 의지처를 밝히는 것이다.

172 장항에 나아가면 처음은 게송을 바로 해석하고, 뒤는 자세히 문답한다. 이하 게송을 해석하는데, 이는 곧 위의 2구를 해석하는 것이다. 득得, 획득[獲], 성취成就는 그 뜻은 비록 하나이지만, 상이한 문에 의거해 차별되는 명칭을 말한다. 따라서 이 글에서 총체적으로 하나의 득을 말했더라도 그 중에서 뜻이 다르다면 획득과 성취를 세울 것이다. 말하자면 만약 어떤 법으로서 종래 아직 얻지 못했던 것 및 얻은 뒤 잃은 것을 모두 지금 처음 얻는다면, 이 법 위에 득이 처음 생상生相에 이르러 장차 성취되려고 할 때 '획득[獲]'이라고 이름하고, 만약 그것이 현재까지 흘러서 획득한 뒤 잃지 않았다면 성취라고 이름한다. 획득할 때에는 성취라고 이름하지 않고, 성취할 때에는 획득이라고 이름하지 않는다. 만약 그 법에 대해 획득이 있으면 결정코 성취가 있을 것이라고 알아야 하니, 득이 생상에 이르면 결정코 현재세에 흘러 들어오기 때문이다. 저절로 그 법에 대해 성취가 있고, 획득이 없는 경우도 있으니, 예컨대 비상비비상처의 견혹과 같은 것은 시작을 알 수 없는 때로부터 성취되어, 처음 얻는 것이 없기 때문이다.

2. 득·비득의 의지처

어떤 법에 대해 득과 비득이 있는가?173 자신의 상속[自相續]과 두 가지 소멸[二滅]에 대해서이다.174 말하자면 유위법으로서 만약 자신의 상속 중

....

비득은 이와 상반되는 것이라고 알아야 한다는 것은, 말하자면 만약 어떤 법으로서 먼저 일찍이 잃은 적 없던 것 및 거듭 얻었던 것을 다만 지금 처음 잃는다면, 이 법에 대해 비득이 처음 생상에 이르러 장차 불성취되려고 할 때를 불획득[不獲](=상실)이라고 이름하고, 만약 흘러서 현재에 이르면 불성취라고 이름한다. 불획득 시에는 아직 불성취라고 이름하지 않고, 불성취 시에는 불획득이라고 이름하지 않는다. 만약 그 법에 대해 불획득이 있다고 말한다면 결정코 불성취가 있을 것이라고 알아야 하니, 비득이 생상에 이르면 결정코 현재세로 흘러 들어오기 때문이다. 저절로 그 법에 대해 불성취가 있고, 불획득이 없는 경우도 있으니, 예컨대 무생지와 같은 것은 그 지혜를 처음 비득한다는 것이 없기 때문이다. (문) 성취하지 않은 단계에서 비득이 생상에 이른 경우[於不成位 非得至生相] 불획득이라고 이름하는가, 불성취라고 이름하는가? (해) 이는 첫 비득이 아니기 때문에 불획득이라고 이름하지 못하고, 아직 현재에 이르지 않았기 때문에 불성취라고 이름하지 못하니, 단지 전후 (모두) 비득이라고 말할 수 있을 뿐이다. 여기에서 획득과 불획득은 득·비득이 처음 생상에 이르렀음에 의거한 것이고, 성취와 불성취는 득·비득이 흘러서 현재에 이르러 상속한 이후에 의거한 것임을 알아야 한다. 또 『순정리론』(= 제12권. 대29-396하)에서는 이 네 가지의 차별을 해석해서 말하기를, "득에는 두 가지가 있으니, 말하자면 먼저 아직 얻지 못했던 것 및 먼저 이미 얻은 것이다. 먼저 아직 얻지 못했던 것을 말하여 획득이라고 이름하고, 먼저 이미 얻은 것을 말하여 성취라고 이름한다. 비득은 이와 상반되는 것이라고 알아야 하니, 말하자면 먼저 아직 얻지 못했던 것 및 얻었다가 상실한 것이다. 아직 얻지 못한 비득을 말하여 불획득이라고 이름하고, 이미 상실한 비득을 말하여 불성취라고 이름한다"라고 하였다. 해석하자면 『순정리론』의 뜻은, 단지 종래 아직 얻지 못했던 것을 지금 처음 얻으면 획득이라고 이름한다는 점에만 의거해, 곧 아직 얻지 못한 법 위의 비득을 불획득이라고 이름한다는 것이다. 만약 일찍이 얻었던 것이라면 설령 퇴실함으로 인해 지금 거듭 얻는다고 해도 성취라고 이름할 뿐이니, 거듭 얻었기 때문이다. 곧 상실한 법 위의 비득을 써서 불성취라고 이름한 것인데, 『순정리론』이 만약 이런 이해를 한다면 득과 버림[捨], 성취와 불성취의 4문구가 서로 어긋날 것이다. 혹은 득·획득·성취는 하나의 물건일 뿐이니, 논을 만드는 자의 넓거나 좁은 다른 문에 따라 이치를 장엄할 수도 있으므로, 모두 비례해서 같게 할 것은 아니다.

173 이하에서 뒤의 반 게송을 해석하는데, 이는 곧 물음을 일으키는 것이다.
174 이는 곧 총체적인 답이니, 득과 비득이 의지하는 법을 나타내는 것인데, '자신의 상속'은 자신을 말하는 것이고, '두 가지 소멸'은 택멸과 비택멸을 말하는 것이다.

에 떨어져 있는 것[墮在自相續中]이 있다면 득과 비득이 있다. 남의 상속에서는 아니니, 남의 몸의 법[他身法]을 성취하는 일은 없기 때문이며, 비상속非相續에서도 아니니, 비유정의 법을 성취하는 일은 없기 때문이다. 우선 유위법의 경우는 결정코 이와 같다.175

　무위법 중에서는 두 가지 소멸에 대해서만 득과 비득이 있다. 일체 유정으로서 비택멸을 성취하지 않은 자는 없으니, 그래서 대법 중에서 전하는 말이 이와 같았다. "누가 무루법을 성취하는가? 말하자면 일체 유정이다." 첫 찰나의 구박具縛의 성자 및 나머지 일체 구박의 이생異生을 제외한, 그 나머지 모든 유정들은 모두 택멸을 성취하였다. 결정코 허공을 성취하는 일은 없기 때문에 허공에 대해서는 득이 있다고 말할 수 없고, 득이 없기 때문에 비득도 역시 없다. 종지에서 득과 비득은 서로 반대로 건립된다고 밝혔기 때문이다.176 득이 있는 모든 것에는 비득도 역시 있다. 그 뜻은 준

----

175 이하에서 개별적으로 해석하는데, 그 안에 나아가면 의지하는 것에 두 가지가 있으니, 첫째는 유위이고, 둘째는 무위인데, 이는 곧 유위의 경우를 개별적으로 해석하는 것이다. 말하자면 유위법 중 만약 자신의 상속하는 몸에 떨어져 있는 것이라면 득과 비득이 있지만, 남의 상속하는 몸에서는 아니다. 남의 몸의 법을 성취하는 일은 없기 때문이니, 나에게 속한 것이 아니기 때문에 의지처로서 성립될 수 없다. 만약 남의 상속하는 몸에 성취되는 경우가 있다면 곧 취趣·몸[身]·업이 무너지고 자·타가 뒤섞여 혼란해지는 허물이 있을 것이기 때문이다. '비상속'은 밖의 비유정[外非情]을 말하는 것이니, 이것은 안의 상속하는 몸이 아니기 때문에 비상속이라고 말한 것이다. 비상속에서도 아닌 것은 비유정의 법을 성취하는 일이 없기 때문이니, 나에게 속하는 것이 아니기 때문에 성취하지 못한다. 만약 비유정에서도 성립된다면 곧 법의 성품을 무너뜨릴 것이니, 유정이라고 하겠는가, 비유정이라고 하겠는가?

176 이는 무위법에 대해 개별적으로 해석하는 것이다. 무위법에 나아가면 두 가지 소멸에 대해서만 득과 비득이 있다. 택멸은 증득할 법이므로 득과 비득이 있고, 비택멸은 법을 장애하여 생기지 않는 것이므로 득과 비득이 있다. '일체 유정' 이하는 두 가지 소멸을 성취하는 것을 증명하는 것이다. 순간순간 인연의 결여로 인한 생기지 않음이 반드시 있기 때문에 모든 유정은 무루의 비택멸을 결정코 성취한다.(=『대비바사론』 제186권. 대27-931상) 먼저 아직 번뇌를 끊지 못한 채 지금 처음 성법[聖]에 드는 고법지인의 단계를 '첫 찰나의 구박의 성자'라고 이름하니, 그의 몸 안에 번뇌를 모두 성취했기 때문이다.(= '구박'은 견도에 들기 전 유루도로써 욕계의 수혹을 전혀 끊지 못하여 모두 갖춘 채 견도에 드는 것) 그런 성자 및 3계의 견혹·수혹을 모두 아직 끊지 못한 그 나머지 구박의 이생은 택멸을 성취하지 못했지만, 이 두 종류를 제외한 나

해서 알 수 있기 때문에 별도로 해석하지 않았다.177

3. 가·실 논쟁

어떤 이유로 득이라고 이름하는 별도의 물건[別物]이 있다는 것을 알 수 있는가?178 계경에서 설했기 때문이니, 예컨대 계경에서, "성자는 그 열 가지 무학의 법을 낳음[以生]으로써, 획득함[以得]으로써, 성취함[以成就]으로써 다섯 가지[五支]를 이미 끊었다"라고 말하고, 나아가 자세히 말한 것과 같다.179

만약 그렇다면 비유정 및 타상속에서도 역시 성취해야 할 것이다.180 까닭이 무엇인가?181 계경에서 말씀하셨기 때문이니, 예컨대 계경에서, "필추들이여, 전륜왕에게는 칠보의 성취가 있다고 알아야 한다"라고 말씀하시고, 나아가 자세히 말씀하신 것과 같다.182 여기에서는 자재한 것을 말하여 성취라고 이름한 것이니, 전륜왕은 그 칠보에 대해 자재한 힘이 있음을 말한

....

머지 모든 유정들(=견도 제2찰나 이후의 성자 및 유루도로써 수혹의 일부를 끊은 범부)은 택멸을 성취하였다. '결정코 허공' 이하는 허공에 대해서는 득과 비득이 없다는 것을 따로 해석한 것이니, 허공은 증득대상이 아니어서 택멸과 같지 않고, 능히 법을 장애하여 생기지 않게 하는 것이 아니어서 비택멸과 같지 않으니, 그래서 득과 비득이 없다.

177 이치로써 말한다면 득이 있는 모든 것에는 비득도 역시 있는데, 그 뜻에 준해서 알 수 있기 때문에 앞의 글에서는 단지 두 가지 소멸의 득에 대해서만 해석하고, 두 가지 소멸의 비득에 대해서는 따로 해석하지 않았다.

178 이하는 자세히 문답하는 것인데, 이는 곧 경량부 논사의 물음이다.

179 이는 설일체유부 논사의 답인데, 성스러운 가르침을 인용해 득은 별도의 체가 있다는 것을 증명한다. '열 가지 무학의 법'은 8지성도 및 바른 지혜와 바른 해탈을 말하고, '다섯 가지'는 5상분결을 말한다. '으로써[以]'는 '의해서[由]'라는 말이니, 성자는 그 열 가지 무학의 법을 낳음에 의해, 획득함에 의해, 성취함에 의해 다섯 가지를 이미 끊었다고 말하고, 나아가 자세히 말하였다. 경 (=『광의법문경廣義法門經』 대1-922상)에서 획득과 성취를 말했으니, 따로 실물實物이 있다는 것을 알 수 있다.

180 경량부의 힐난이다.

181 설일체유부에서 따지는 것이다.

182 경량부에서 경(=중 11:59 삼십이상경 등)을 인용해서 허물을 나타내는 것이다. 경에서 "전륜성왕은 7보를 성취한다"라고 말씀하셨는데, 만약 성취가 가법[假]이라면 남의 몸이나 비유정에서도 성취한다고 말할 수 있겠지만, 그 대들이 만약 실물이라고 말한다면, 7보 중 윤보와 주보를 성취한다는 것은 비유정에서도 성취한다는 허물이 있으며, 상보·마보·여보·주장신보·주병신보를 성취한다는 것은 타상속에서도 성취한다는 허물이 있을 것이다.

것이다. 좋아함에 따라 일으킬 수 있기 때문이다.183

이 경우 자재함을 말하여 성취라고 이름한 것이라면, 그 나머지 경우 다시 어떤 이유에서 별도의 물건이 있다는 것을 알 수 있는가?184 별도의 물건이 있다고 인정한다고 해서 무슨 이치 아님[非理]이 있는가?185 이와 같이 이치가 아니다. 말하자면 그대들이 집착하는 득은 형색·소리 등이나 탐욕·성냄 등처럼 알 수 있는 체가 없으며, 눈·귀 등처럼 알 수 있는 작용이 없기 때문에 득이라고 이름하는 별도의 물건이 있다고 인정될 수 없으니, 별도의 물건이 있다고 집착하는 이것이 이치 아님이다.186

만약 이 득에도 역시 작용이 있으니, 말하자면 획득되는 법들의 생인生因이 되는 것이라고 말한다면, 이런 즉 무위에는 득이 없어야 할 것이다. 또 획득대상인 법을 아직 얻지 못했거나 계界·지地의 바뀜 및 이염離染 때문에 이미 버렸을 경우, 그런 법에는 현재 득이 없는데, 어떻게 생기겠는가? 만약 함께 생기는 득[俱生得]은 생인이 된다고 한다면, 생生과 생생生生은 다시 무엇이 하는 일이겠는가? 또 비유정의 법은 결정코 생기지 않아야 할 것이다. 또 구박자具縛者에게 상·중·하품의 번뇌가 현행해 일어나는 차별도 없어야 할 것이니, 득에 차별이 없기 때문이다. 만약 다른 원인에 의해 차

....
183 설일체유부에서 경에 대해 회통하는 것이다. 말하자면 전륜왕이 그 칠보에 대해 자재한 힘이 있어서 좋아함에 따라 수용하니, 자재함에 의거해 성취한다고 표현한 것이지, 별도로 체가 있는 것은 아니다.
184 경량부에서 다시 반론한다. 이 전륜왕의 경우 경에서 자재함을 말하여 성취라고 이름했다고 말한다면, 그 나머지 경에서의 성취는 다시 어떤 이유에 의해 별도의 물건이 있다는 것을 알 수 있는가?
185 설일체유부에서 다시 경량부에게 묻는 것이다. 다시 별도의 물건이 있어 득이라고 이름한 것이라고 인정한다고 해서, 무슨 이치 아님이 있는가?
186 이는 경량부에서 허물을 나타내는 것이다. 위에서는 성언량에 의거해 논파했는데, 지금은 현량과 비량에 의거해 논파한다. 말하자면 그대들이 집착하는 득은, 5식이 현량으로 취하는 형색·소리 등처럼, 타심지가 현량으로 취하는 탐욕·성냄 등처럼 알 수 있는 체가 없으며, 눈·귀 등처럼 알 수 있는 작용이 없다. 말하자면 눈·귀 등은 보고 듣는 등의 작용이 있는 것에 의해 눈 등의 감관이 있다는 것을 추론해 알 수 있지만, 득은 이미 작용이 없는데, 어찌 실재한다고 알 수 있겠는가? 현량·비량의 2량으로 구해도 모두 알 수 없으니, 따라서 득이라고 이름하는 별도의 물건을 집착할 수 없다. 이것이 이치 아님이다.

별이 있다고 한다면, 곧 그것에 의해 모든 법은 응당 생길 수 있을 것인데, 득은 다시 어떻게 작용하는가? 따라서 그들이 말하는 바, 득에는 말하자면 획득대상인 법들의 생인이 되는 작용이 있다는 이치는 성립될 수 없다.187

이 득이 법의 생인이 된다고 누가 말했는가?188 만약 그렇다면 이 득에는 무슨 작용이 있는가?189 말하자면 차별을 건립하는 원인이 된다.190 까닭이 무엇인가?191 만약 득이 없다면 이생과 성자가 세속의 마음을 일으킬 때 응당 이생과 여러 성자의 차별을 건립할 수 없을 것이다.192 어찌 번뇌

....

187 이는 경량부에서 가정적으로 논파하는 것[縱破]이다. 만약 득에도 법의 생인이 되는 작용이 있다고 말한다면, 무위는 불생법이므로 득이 없어야 할 것이다. 또 만약 득이 법의 생인이 된다고 집착한다면, 예컨대 획득대상인 법을, 혹은 아직 얻지 못했을 때나, 혹은 3계界 9지地로 왕래하여 (계·지가) 바뀜으로써, 혹은 다시 염오를 떠남으로써 이미 버렸을 때의 이와 같은 모든 법, 그것에는 현재 득이 없는데, 뒤에 만약 일어난다면 그 때 어떻게 생기겠는가? 만약 법 앞의 득(=소위 법전득法前得인데, 이에 대해서는 뒤의 게송 88a에 관한 논설 참조)이 낳는 것은 없다고 해도, 법과 함께 생기는 득[法生得](=소위 법구득法俱得)이 있어서 생인이 된다고 말한다면, 대생大生과 소생小生(=본문의 '생'과 '생생'인데, 이에 대해서는 뒤의 게송 46cd·47ab에 관한 논설 참조)은 다시 무엇이 하는 일인가? 또 비유정의 법은 이미 득이 없으므로 결정코 생기지 않아야 할 것이다. 또 구박의 이생에게는 번뇌가 아직 끊어지지 않았음이 동등해서 9품의 번뇌의 생인이 있으니, 생인이 이미 동등하므로 하·중·상품의 번뇌가 현행해 일어나는 것에도 차별이 없어야 할 것이다. 왜냐하면 득이 생인이 되는 것에 차별이 없기 때문이다. 이미 득에 차별이 없으므로, 상품의 탐욕이 현행하고 중·하품은 아닌 자를 탐행자貪行者라고 이름한다고 말할 수 없어야 할 것이며, 성냄 등의 경우도 역시 그러할 것이다. 지금 이 힐난의 의중은, 「생인이 이미 동등하다면, 현행해 일어나는 3품이 같지 않아서 그 중의 하나가 증상한 것을 '행'이라고 말할 수 없을 것」이라는 것이다. 그대들이 만약 다른 원인에 의해 번뇌가 현행해 일어나는 것에 차별이 있다고 변론해 말한다면, 곧 그 다른 원인에 의해 모든 법이 응당 생길 수 있을 것인데, 득은 다시 어떻게 작용하는가? 따라서 득에게 법의 생인이 되는 작용이 있다고 집착하는 이치는 성립될 수 없다.
188 이는 설일체유부의 변론인데, 우리에게 따지고 반론하는 것이다.
189 경량부에서 다시 따지는 것이다.
190 설일체유부의 답이다.
191 경량부에서 다시 따지는 것이다.
192 설일체유부의 답이다. 만약 득의 체가 있다면 이생과 성자 두 종류의 차별을 건립할 수 있지만, 만약 득이 없다면 이생과 성자가 세속의 유루심을 일으킬 때 두 종류에 차별이 없을 것이다.

를 이미 끊었는가, 아직 끊지 못했는가의 차별이 있기 때문에 차별이 있다고 해야 하지 않겠는가?193 만약 득이 없다고 집착한다면, 번뇌를 이미 끊은 것과 아직 끊지 못한 것을 어떻게 설명할 수 있겠는가? 득이 있다고 인정해야 끊은 것과 아직 끊지 못한 것이 성립될 것이니, 번뇌의 득을 떠난 것과 아직 떠나지 못한 것에 의하기 때문이다.194

이는 의지처에 차별이 있기 때문에 번뇌를 이미 끊었거나 아직 끊지 못했다는 뜻이 성립된다. 말하자면 성자들은 견도와 수도의 힘으로써 의지처인 몸을 전변轉變시켜 본래와 다르게 했으므로, 그 두 가지 도로써 끊은 번뇌에 대해 다시 그것을 현행해 일어나게 하는 공능이 없는 것이다. 마치 불로 태워진 종자는 이전과 다르게 전변되어 싹을 낳을 수 있는 작용이 없어지는 것처럼, 이와 같이 성자의 의지처인 몸 중에 번뇌를 낳는 능력이 없어진 것을 번뇌를 끊었다고 이름한다. 혹은 세간도로써 의지처 중의 번뇌의 종자를 손상시킨 것도 역시 끊었다고 이름하며, 위와 상반되는 것을 아직 끊지 못했다고 이름한다. 아직 끊어지지 않은 모든 것을 말하여 성취했다고 이름하고, 이미 끊어진 모든 것을 불성취했다고 이름하니, 이런 두 종류는 가법[假]일 뿐, 실재[實]가 아니다.195

....

193 경량부에서 그들을 위해 차별을 풀이하는 것이다. 번뇌를 이미 끊었다면 성자라고 이름하고, 아직 끊지 못했다면 범부라고 이름하는 차별이 있기 때문에 어찌 차별이 있다고 해야 하지 않겠는가?

194 설일체유부의 반론이다. 우리는 득이 있다고 인정하기에 번뇌를 끊은 것과 아직 끊지 못한 것이 성립되니, 번뇌의 득을 떠났기 때문에 끊었다고 이름하고, 아직 떠나지 못했기 때문에 아직 끊지 못했다고 이름한다. 만약 득이 없다고 집착한다면, 어떻게 번뇌를 끊은 것과 아직 끊지 못한 것을 설명할 수 있겠는가?

195 이는 경량부의 해석이다. 끊은 것과 아직 끊지 못한 것은, 대치도의 힘에 의해 의지처인 몸으로 하여금 다시 그것을 현기現起할 수 있는 공능을 없게 한 것을 끊었다고 이름하고, 불성취했다고 이름하며, 이와 상반되는 것은 아직 끊지 못했다고 이름하고, 성취했다고 이름한다. 만약 성도聖道의 힘에 의한 것이라면 필경단畢竟斷이기 때문에 끊었다고 이름하고, 만약 세간도에 의한 것이라면 손복단損伏斷이기 때문에 끊었다고 이름한다. 성취와 불성취도 모두 가법이지, 실재가 아니다. 과거에 있던 번뇌의 종자가 지금 끊어져서 곧 없기 때문에 본래와 다르게 전변되었다고 이름한 것이다.

선법善法에는 두 가지가 있다. 첫째는 공력功力에 의해 닦지 않고 얻는 것이고, 둘째는 반드시 공력에 의해 닦아서 얻는 것인데, 곧 생득生得 및 가행득加行得이라고 이름한다. 공력에 의해 닦지 않고 얻은 것일 경우, 만약 의지처 중의 종자[種]가 아직 손상되지 않았다면 성취했다고 이름하고, 만약 의지처 중의 종자가 이미 손상되었다면 불성취했다고 이름한다. 말하자면 선근 끊은 자가 사견邪見의 힘에 의해 의지처 중의 선근의 종자를 손상시킨 것[損]을 끊었다고 이름하는 것이라고 알아야 한다. 의지처 중의 선근의 종자가 필경 해침 받은 것[畢竟被害]을 말하여 끊었다고 이름하는 것이 아니다. 반드시 공력에 의해 닦아서 얻는 것일 경우, 만약 의지처 중에 그런 법이 이미 일어나서 그것을 낳는 공력이 손상 없이 자재한 것을 말하여 성취했다고 이름하고, 이와 상반되는 것을 불성취했다고 이름한다. 이런 두 종류도 역시 가법이지, 실재가 아니다.196 따라서 의지처 중에 종자가 있어 아직 뽑히지 않았고 아직 손상되지 않았으며 증장함이 자재할 때, 이와 같은 단계에 성취라는 명칭을 세운 것일 뿐, 별도의 물건은 없다.197

....

196 경량부에서 뜻의 편의상 두 가지 선에 의거해 성취와 불성취, 끊은 것과 아직 끊지 못한 것에 대해 분별하는 것이다. 생득선은 공력에 의해 닦지 않고 얻은 것인데, 끊은 것과 아직 끊지 않은 것이 있고, 성취와 불성취가 있다. 끊었다는 말은, 말하자면 사견의 힘에 의해 몸 안의 생득선의 종자를 능히 손상시켜 현행의 선심을 낳을 수 없게 한 것을 끊었다고 이름하는 것이지, 필경 해쳐서 그것을 전체적으로 없어지게 했기 때문[畢竟害令其總無故]에 끊었다고 이름하는 것이 아니라고 알아야 한다. 있지만 작용이 없기 때문에 손상이라고 이름하고, 손상되었을 때 끊었다고 이름하고 불성취했다고 이름하며, 아직 손상되지 않았으면 성취했다고 이름하고, 아직 끊지 않았다고 이름한다. 가행선은 반드시 공력에 의해 닦아서 얻은 것인데, 성취와 불성취가 있다. 만약 의지처 중의 그 선법의 종자가 이미 일어났기 때문에 선법의 종자가 증장하여 그 현행을 낳는 공능이 자재하고 세력에 손상이 없으면, 자재하다는 뜻의 측면에서 성취했다고 이름한다. 곧 대승에서의 자재성취에 해당한다. 만약 그 선법의 종자가 또한 먼저 있었다고 해도 혹 아직 일어나지 못했을 때, 혹 일어났다가 물러나서 다시 자재하지 못하게 되면 불성취했다고 이름한다.
197 이는 경량부에서 뜻을 맺어서 이루는 것이다. 따라서 의지처인 몸 중에 종자가 있어, 아직 성도에 의해 번뇌의 종자가 영원히 뽑히지 않았고, 아직 세간도에 의해 번뇌의 종자가 손상되지 않았으며, 아직 사견에 의해 생득선의 종자가 손상되지 않았고, 만약 가행선의 경우라면 증장함이 자재할 때에만, 이와 같은 단계에 성취라는 명칭을 세운 것이니, 가법일 뿐, 별도의 실재는 없다.

여기에서 어떤 법을 종자라고 이름하는가?198 말하자면 명名과 색色이 자신의 결과를 낳을 때에 있는, 전전하여 인근하는 공능[展轉隣近功能]을 말하는 것이니, 이는 상속 전변의 차별[相續轉變差別]에 의한 것이다. 무엇을 전변이라고 이름하는가? 상속 중에 앞뒤가 성품을 달리하는 것을 말한다. 무엇을 상속이라고 이름하는가? 원인·결과의 성품인 3세의 제행諸行을 말한다. 무엇을 차별이라고 이름하는가? 무간에 결과를 낳는 공능이 있었음을 말한다.199

....

앞에서 득의 체에 대해서는 다투었기 때문에 지금은 성취에 대해서만 맺은 것이다.

198 설일체유부의 물음이다.

199 이상은 경량부의 답이다. '명색'이라는 말에서 '명'은 4온을 말하고, '색'은 색온을 말한다. 그들의 종지에서 종자는 명 및 색을 훈습하는 것[熏]이다. 말하자면 명색이 자신의 결과를 낳을 때 그 중에 있는 종자가 상속하면서 끊어지지 않는 것을 '전전'이라고 이름하고, 장차 자신의 결과를 낳는 것을 '인근'이라고 이름하니, 결과에 인근한 것이라는 것이며, 무간에 결과를 취하는 것을 '공능'이라고 이름하니, 바로 공능을 일으키는 것이다. 이 세 가지(=전전·인근·공능)는 모두 종자의 다른 명칭이다. 이것의 전전은 종자의 '상속'에 의한 때문에 전전하여 끊어지지 않고, 이것은 인근은 종자의 '전변'에 의한 때문에 결과에 인근하며, 이것의 공능은 종자의 '차별'에 의한 때문에 바로 공능을 일으키니, 이 세 가지(=상속·전변·차별)도 역시 종자의 다른 명칭이다. 그 순서대로 위의 세 가지를 해석한 것이다.(=제1해) 또 해석하자면 이 결과는 종자의 상속 전변의 차별에 의한 때문에 생긴다. 무엇을 두 번째의 전변이라고 이름하는가? 말하자면 상속하는 종자 중에 장차 결과를 낳으려고 하면 그 종자가 전변하여 뒤가 앞과 달라지니, 마치 종자가 장차 싹을 낳으려고 하면 그 체가 바뀌어 변하는 것과 같다. 무엇을 첫 번째의 상속이라고 이름하는가? 말하자면 이 종자를 뒤에서 바라보면 원인이 되고, 앞에서 바라보면 결과가 되기 때문에 3세의 제행을 통틀어 포함할 수 있으므로, 전체적으로 상속이라고 이름한다. 이 글 중에서도 먼저 전전을 해석하고 뒤에 상속을 해석하는 까닭은, 상속에 의거해 전전을 밝히기 때문이다. 무엇을 세 번째의 차별이라고 이름하는가? 말하자면 종자가 무간에 결과를 낳는 공능을 가지면, 이 뒷 순간의 종자는 앞의 종자와 다르기 때문에 차별이라고 이름한다. 경량부에서는 인과의 앞과 뒤는 같지 않다고 하기 때문에 무간에 결과를 낳은 공능을 말하는 것이다.(=제2해) 또 해석하자면 말하자면 전전의 공능이고, 인근의 공능이니, 말하자면 상속의 전변이고, 상속의 차별이다. 이 상속의 전변에 의한 것이 곧 전전의 공능이고, 이 상속의 차별에 의한 것이 곧 인근의 공능이다.(=제3해) # 세 가지 해석에 따라 본문의 '전전인근공능'과 '상속전변차별'의 번역이 조금씩 달라질 수 있겠다.

그런데 어떤 곳에서는, "만약 탐욕을 성취하면 곧 4념주四念住를 닦을 수 없다"라고 말했는데, 그 말은 이미 탐욕의 번뇌에 붙들린 자는 싫어해 버릴 수 없기 때문에 성취라고 이름한 것이니, 계속 탐착하여 탐애貪愛하는 시간의 분위에서는 4념주를 반드시 닦을 수 없기 때문이다.200 이와 같은 성취는 일체 종류에 두루한 것이므로, 가법일 뿐, 실재가 아니다. 이런 성취를 막는 것을 불성취라고 이름할 뿐이므로, 역시 가법이지, 실재가 아니다.201

비바사 논사들은 이 두 종류는 모두 별도의 물건이 있으므로 실재이지, 가법이 아니라고 말한다.202 이와 같은 두 가지 길은 모두 선설善說이라고 하겠다.203 까닭이 무엇인가?204 이치에 어긋나지 않기 때문이며, 우리가 종지로 하는 것이기 때문이다.205

제2목 득과 비득의 차별

....

200 이는 경량부에서 경에 대해 회통하는 것이다. 이 경문에 대해 회통해야 하는 까닭은 이러하다. 경량부의 뜻이 말하는 것은, 「비록 다시 염오법의 종자를 성취했다고 해도 선을 닦을 수 있다. 그런데 어떤 곳의 경(=출전 미상)에서, '만약 탐욕을 성취하면 곧 4념주를 닦을 수 없다'라고 말하는데, 그 경의 뜻이 말하는 것은, 탐욕에 대한 탐착이 현행하는 자는 현행한 탐욕의 번뇌를 싫어해 버릴 수 없기 때문에 성취라고 이름한 것이고, 계속 탐착해서 탐애가 현행하는 시간의 분위에서는 4념주를 반드시 닦을 수 없다는 것이다. 경은 현행에 의거해 성취라고 말하고, 닦을 수 없다고 말한 것이지만, 우리는 종자의 성취에 의거해서 선을 닦을 수 있다는 것이다」라는 것이다. 그래서 『대법론』(=『대승아비달마집론』 제3권. 대31-673하 및 『대승아비달마잡집론』 제5권. 대31-718하)에서, "세 가지 성취가 있으니, 첫째는 종자성취, 둘째는 자재성취, 셋째는 현행성취이다"라고 말했는데, 경량부도 그것과 같다.
201 경량부에서 전체적으로 맺는 것이다. 이와 같은 성취는 그것이 상응하는 바에 따라 일체 종류에 두루하므로, 가법일 뿐, 실재가 아니며, 이런 성취를 막는 것을 불성취라고 이름할 뿐이므로, 역시 가법이지, 실재가 아니다.
202 이는 설일체유부의 근본 종지로 맺어 돌아온 것이다.
203 이는 논주가 양 종지를 쌍으로 인정하는 것이다.
204 논주에 대해 따지는 것이다. 이치상 양쪽이 옳을 수는 없고, 반드시 어느 한 쪽은 그를 것인데, 어째서 모두 선설이 된다고 찬탄해 말하는가?
205 이는 논주의 풀이이다. 경량부에서 가법이라고 말하는 것은 이치에 어긋나지 않기 때문이고, 또한 실재라고 말하는 설일체유부는 우리가 종지로 하는 것이기 때문이다. 논주의 의중은 경량부의 벗이기 때문에 이런 해석을 한 것이다.

1. 득의 차별

득과 비득의 자성에 대해 분별했는데, 그 차별은 어떠한가? 우선 득에 대해 분별해야 할 것이다.206 게송으로 말하겠다.

⟨38⟩ 삼세의 법에는 각각 세 가지이고[三世法各三]
선법 등에는 선 등뿐이며[善等唯善等]
유계에는 자계의 득이고[有繫自界得]
무계의 득은 네 가지에 통한다[無繫得通四]

⟨39⟩a 학·무학이 아닌 것에는 세 가지이고[非學無學三]
비소단에는 두 가지이다[非所斷二種]207

(1) 3세 분별문

논하여 말하겠다. 삼세법의 득에는 각각 세 가지가 있으니, 말하자면 과거의 법에는 과거의 득이 있고, 미래의 득이 있고, 현재의 득이 있으며, 이와 같이 미래 및 현재의 법에도 각각 세 가지 득이 있다.208

....

206 이하는 둘째 차별을 밝히는 것이다. 그 안에 나아가면 첫째 득의 차별을 밝히고, 둘째 비득의 차별을 밝힌다. 득의 차별을 밝히는 것에 나아가면 첫째 바로 차별을 분별하고, 둘째 어려운 것에 따라 별도로 해석한다. 이하는 첫째 바로 차별을 분별하는 것인데, 장차 밝히려고 물음을 일으켰다. 물음을 일으킨 것에 나아가면 첫째 전체적인 것, 둘째 개별적인 것인데, 앞은 곧 전체적인 물음이고, '우선 득에 대해 분별해야 한다'는 이것은 곧 개별적인 물음이다.

207 게송의 답에 나아가면 처음 1구는 3세문이고, 제2구는 3성문이며, 제3·4구는 계·불계문이고, 제5구는 3학문이며, 제6구는 3단문이다. 이제 이 글 중에서는 소득所得의 법에 의거해 능득能得의 차별을 설명한다.

208 이는 3세 분별문이다. 과거의 법에 과거의 득이 있다는 것은 법전득이거나 법후득이거나 법구득이며, 현재와 미래의 득이 있다는 것은 모두 법후득이다. 세에 의거해 횡으로 바라보면 모두 법후득이지만, 작용을 일으키는 전후에 의거하면 미래에도 그 법전득(=미래법의 법전득)이 있다. 미래의 법에 과거와 현재의 득이 있다는 것은 모두 법전득이고, 미래의 득이 있다는 것은 법전득이거나 법후득이거나 법구득이다. 미래에는 비록 전후의 순서가 없지만, 득의 부류가 다른 것에 의거하거나 작용을 일으킬 가능성에 의거해 전후를 말한 것이다. 현재의 법에 과거의 득이 있다는 것은 오직 법전득이고, 미래의 득이

(2) 3성 분별문

또 선 등 법의 득은 오직 선 등이니, 말하자면 선·불선 및 무기의 법에는 그 순서대로 선·불선·무기의 세 가지 득이 있다.209

있다는 것은 오직 법후득이다. 세에 의거해 횡으로 바라보면 오직 법후득이지만, 작용을 일으키는 전후에 의거하면 미래에도 역시 그 법전득이 있다. 현재의 득이 있다는 것은 오직 법구득이다. 있을 가능성이라는 뜻에 의거해 우선 이렇게 말하지만, 그 중의 차별은 뒤(=(6) 어려운 것에 따라 해석하는 글)에 다시 분별할 것이다. 만약 『대비바사론』 제158권(=대27-801하)에 의하면, "능득에는 모두 네 가지가 있다. 첫째 그 법 전에 있는 것, 둘째 그 법 후에 있는 것, 셋째 그 법과 함께 있는 것, 넷째 그 법의 전후 및 함께가 아닌 것이다. 만약 소득의 법이라면 곧 여섯 가지가 있다. 첫째 어떤 소득의 법에는 오직 법구득만 있으니, 이숙생 등과 같다. 둘째 어떤 소득의 법에는 오직 법전득만 있으니, 3유지변三類智邊의 세속지(=뒤의 제26권 중 게송 23cd와 그 논설 참조) 등과 같다. 어떤 분은 이런 것 등에도 법구득이 있다고 말한다. 셋째 어떤 소득의 법에는 오직 법구득과 법후득만 있으니, 별해탈계(=버리지 않는 동안은 법구득, 수지한 제2찰나 이후는 법후득) 등과 같다. 넷째 어떤 소득의 법에는 오직 법구득과 법전득만 있으니, 도류지인[道類忍](=견도 최후인 제15찰나의 현관에 의한 지혜. 뒤의 제23권 중 게송 31ab와 그 논설 참조) 등과 같다. 다섯째 어떤 소득의 법에는 법전·법후·법구득이 모두 있으니, 그 나머지 선과 염오 등과 같다. 여섯째 어떤 소득의 법에는 법전·법후·법구득이 있다고 말할 수 없지만, 모든 득이 있으니, 택멸과 비택멸을 말한다. 오직 법후득만 있는 법은 결코 없으니, 현전할 때에는 반드시 득이 있기 때문이다"라고 말하였다. 해석하자면 '이숙생 등'은 나머지 무기를 같이 취한 것이고, '세속지 등'은 상응법 등을 같이 취한 것이니, 이 세속지는 이미 필경 생기지 않을 것이기 때문에 법구득과 법후득이 없는 것이다. '별해탈계 등'은 나머지 악계惡戒 등을 같이 취한 것이고, '도류지인 등'은 상응법 등을 같이 취한 것이다. (문) 현재의 도류지인에 어떻게 법전득이 있을 수 있는가? (해) 현재의 도류지인에는 비록 법구득만 있지만, 미래의 도류지인(=뒤의 제26권 중 게송 23ab와 그 논설 참조)에는 법전득도 역시 있다. 인忍의 종류에 의거해 말했기 때문에 법전득이 있다고 말한 것이니, 소득의 법을 종류에 의거해 말했기 때문이다. # 법전득은, 예컨대 지극한 선심이나 악심은 그 성품이 맹렬해서 그 결과의 법이 생기기 전에 득의 세력이 먼저 유정에게 나타나는 것처럼, 소득의 법이 생기기 전에 득이 앞서 나타나는 것으로서, 마치 어미소가 송아지를 이끌고 나아가는 것과 같고(=소위 우왕인전득牛王引前得), 태양이 떠오르려고 할 때 그 서광이 동쪽하늘에 먼저 비치는 것과 같다고 하며. 법후득은 소득의 법이 이미 과거로 낙사한 후에도 여전히 득의 세력이 남아 낙사한 법을 유정에게 계속시키는 것으로서, 마치 송아지가 어미소를 따르는 것과 같고(=소위 독자수후득犢子隨後得), 해가 진 후에도 그 빛이 서쪽하늘에 비치는 것과 같다고 한다.

209 이는 3성 분별문이다. 이 득의 대부분은 소득에 의거해 성품을 판가름한 것

(3) 계·불계 분별문

또 계박 있는 법[有繫法]의 득은 오직 자계自界의 것뿐이다. 말하자면 욕계·색계·무색계의 법에는 그 순서대로 오직 욕계·색계·무색계의 세 가지 득만 있다. 계박 없는 법[無繫法]의 득이라면 네 가지에 통한다. 말하자면 무루법에 대해 전체적으로 말한다면 득에 네 가지가 있으니, 3계의 득과 무루의 득인데, 개별적으로 분별한다면, 비택멸의 득은 3계의 계박에 통하지만, 택멸의 득은 색계·무색계에 계박된 것 및 무루이고, 도제道諦의 득은 오직 무루이다. 따라서 계박 없는 법의 득에는 네 가지가 있는 것이다.210

(4) 3학 분별문

또 유학의 법의 득은 오직 유학이고, 무학의 법의 득은 오직 무학이며,

....

이지만, 그 중에 일부 차별이 없는 것은 아니다. 그래서 『대비바사론』 제158권(=대27-801상)에서 말하였다. "(문) 무엇 때문에 득과 소득의 법은 성품의 부류가 같기도 하고 다르기도 한가? (답) 득에는 세 가지가 있으니, 첫째 유위법의 득, 둘째 택멸의 득, 셋째 비택멸의 득이다. 유위법의 득은 소득의 법에 따라 성품의 부류가 차별되니, 유위법은 능히 작용이 있어 자신의 득을 견인하기 때문이다. 택멸의 득은 능히 증득하는 도에 따라 성품의 부류가 차별되니, 모든 택멸은 스스로 작용이 없고, 다만 도의 힘에 의해 그 증득을 구할 때 그 득을 견인하기 때문이다. 비택멸의 득은 자신의 의지처에 따라 성품의 부류가 차별되니, 비택멸은 스스로 작용이 없고 도에 의해 구하는 것도 아니며, 그 득은 단지 명근과 중동분에만 의지해 현전하기 때문이다."

210 이는 계·불계 분별문이다. 만약 3계에 계박된 법의 득이라면 소득의 법에 따라 3계에 계박된 것에 통하니, 유위법의 득은 소득의 법에 따라 성품을 판가름하기 때문이다. 만약 무루인 계박되지 않은 법의 득이라면 3계에 계박된 것 및 계박되지 않은 것[不繫]이다. 전체적인 모습은 이와 같지만, 개별적으로 분별한다면 모든 계박되지 않은 법에는 모두 세 부류가 있다. 첫째는 택멸, 둘째는 비택멸, 셋째는 도제이다. 만약 비택멸의 득이라면 3계에 계박된 것에 통하니, 몸이 어떤 계에 있는지에 따라 득도 곧 그 계에 계박된 것이다. 비택멸의 득은 의지처에 따라 성품을 판가름하는 것이다. 만약 택멸의 득이라면 능증의 도에 따라 성품을 판가름한다. 만약 유루도에 의해 인기引起된 것이라면 색·무색계에 계박된 것이니, 욕계에는 능히 끊는 도[能斷道]가 없기 때문이다. 만약 무루도에 의해 인기된 것이라면 곧 계박되지 않은 것이기 때문에 '및 무루'라고 말하였다. 만약 도제의 득이라면 오직 무루이므로, 계박되지 않은 것이다. 도제는 유위인데, 유위법의 득은 소득의 법에 따라 성품을 판가름하는 것이다. 따라서 계박 없는 법의 득은 3계와 계박되지 않은 것의 네 가지에 통한다.

유학도 아니고 무학도 아닌 법의 득에는 차별이 있다. 말하자면 이런 법의 득에는 전체적으로 말하면 세 가지가 있다. 개별적으로 분별하자면 일체 유루 및 세 가지 무위는 모두 유학도 아니고 무학도 아닌 법이라고 이름하는데, 우선 유루법에는 오직 유학도 아니고 무학도 아닌 득만이 있고, 비택 멸의 득 및 성도聖道에 의해 견인된 것 아닌 택멸의 득도 역시 이와 같지만, 만약 유학의 도에 의해 견인된 택멸의 득이라면 곧 유학이며, 만약 무학의 도에 의해 견인된 택멸의 득이라면 곧 무학이다.211

(5) 3단 분별문

또 견소단과 수소단의 법에는 그 순서대로 견소단과 수소단의 득이 있는데, 비소단의 법에는 득에 차별이 있다. 말하자면 이런 법의 득에는 전체적으로 말하면 두 가지가 있다. 개별적으로 분별하자면 모든 무루법은 비소단이라고 이름하는데, 비택멸의 득은 오직 수소단이고, 성도聖道에 의해 견인된 것 아닌 택멸의 득이라면 역시 이와 같으며, 성도에 의해 견인된 택멸의 득 및 도제의 득은 모두 비소단이다.212

....

211 이는 3학 분별문이다. 유학과 무학의 법은 유위이기 때문에 득은 소득의 법에 따라 유학이나 무학이지만, 유학도 아니고 무학도 아닌 법의 득은 차별이 있다. 만약 전체적으로 말한다면 3학에 통한다. 만약 개별적으로 분별한다면 일체 유루 및 3무위는 유학도 아니고 무학도 아닌 법인데, 우선 유루법의 경우 오직 유학도 아니고 무학도 아닌 득만이 있으니, 유위법의 득은 소득의 법에 따라 판가름하기 때문이다. 만약 비택멸의 득이라면 의지처에 따라 판가름하며, 만약 성도에 의해 견인된 것 아닌 택멸의 득이라면 능증의 도에 따라 판가름하는데, 모두 유루이기 때문에 모두 유학도 아니고 무학도 아닌 것이다. 만약 유학의 도에 의해 견인된 택멸의 득이라면 곧 유학이니, 능증의 도에 따르는데, 이것이 유학이기 때문이다. 만약 무학의 도에 의해 전근轉根(=6종 성과 전근에 대해서는 뒤의 제25권 참조)할 때 견인된 택멸의 득이라면 곧 무학이니, 능증의 도에 따르는데, 이것이 무학이기 때문이다.

212 이는 3단 분별문이다. 견소단·수소단의 법은 그 체가 유위이므로 능득能得도 그것에 따라 역시 견소단·수소단이다. 일체 무루를 비소단의 법이라고 이름하는데, 그 득에는 차별이 있다. 전체적으로 말한다면 두 가지가 있어, 수소단이거나 비소단이다. 개별적으로 분별하자면, 비택멸의 득은 오직 수소단이니, 의지처인 몸에 따라 같이 닦아서 끊기 때문이다. 만약 유루도에 의해 견인된 택멸의 득이라면 역시 오직 수소단이니, 능증의 도에 따라 같이 닦아서 끊기 때문이다. 만약 무루도에 의해 견인된 택멸의 득이라면 능증의 도에 따르는데, 이것이 무루이기 때문에 비소단이라고 이름한다. 만약 도제의 득이라면 유위

(6) 어려운 것에 대한 해석

앞에서 3세의 법에는 각각 세 가지 득이 있다고 전체적으로 말했지만, 이제 그 중의 차별상을 구별해야 할 것인데, 게송으로 말하겠다.

㊿c 무기의 득은 함께 일어나지만[無記得俱起]

2신통과 능변화를 제외하고[除二通變化]

㊵a 유부무기의 색의 득도 역시 함께 일어나며[有覆色亦俱]

욕계의 색은 앞서 일어남이 없다[欲色無前起]213

논하여 말하겠다. 무부무기의 득은 오직 함께 일어날 뿐, 앞·뒤에 생기는 것이 없으니, 세력이 열등하기 때문이다. 법이 만약 과거이면 득도 역시 과거이고, 법이 만약 미래이면 득도 역시 미래이며, 법이 만약 현재이면 득도 역시 현재이다.214

일체 무기무기법의 득은 모두 이와 같은가? 그렇지 않다. 어떠한가?215 천안통·천이통 및 능변화能變化를 제외하니, 말하자면 천안통·천이통의 지혜 및 능변화의 마음은 세력이 강하기 때문이며, 가행의 차별에 의해 성취되는 것이기 때문에, 비록 무부무기의 성품에 포함되는 것이더라도 앞·뒤 및 함께 일어나는 득이 있다.216 만약 공교처工巧處 및 위의로威儀路를 지극하게 수습한 자의 득이라면 역시 그러하다고 인정해야 할 것이다.217

....

이므로 소득의 법에 따르는데, 같이 무루이므로 비소단이라고 이름한다.

213 이하는 둘째 어려운 것에 따라 따로 해석하는 것인데, 물음을 일으키고 게송으로 답하였다.

214 이는 제1구를 해석한 것이다.

215 이상은 차례대로 묻는 것, 답하는 것, 따지는 것이다.

216 이는 풀이하면서, 곧 제2구를 해석하는 것이다. 말하자면 2신통의 지혜 및 능변화의 마음과 함께 생기는 4온은, 첫째 그 세력이 강하기 때문이고, 둘째 가행의 차별에 의해 성취되는 것이기 때문에, 비록 무기이기는 해도 앞(=법전득)·뒤(=법후득) 및 함께 일어나는(=법구득) 득이 있다.

217 공교처(=갖가지 기예)는 색·성·향·미·촉을 체로 하고, 위의로(=일상의 위의)는 색·향·미·촉을 체로 하는데, 이것들은 의지대상을 들어서 의지주체인 (5온 내지) 4온을 나타낸 것이다. 그래서 『대비바사론』 제126권(=대27-661

무부무기법의 득만 함께 일어나는 것만이 있는가? 그렇지 않다. 어떠한 가?218 유부무기의 색의 득도 역시 그러하다. 말하자면 모든 유부무기의 표색의 득도 역시 앞의 경우처럼 함께 일어나는 것만이 있다. 비록 상품의 번뇌가 있기는 해도, 역시 무표를 일으킬 수 없기 때문에 세력이 미약하니, 이 때문에 결정코 법전득과 법후득은 없다.219

무기법의 득에 별도의 차이가 있는 것처럼, 선과 불선의 득에도 역시 차이가 있는가? 역시 있다. 어떠한가?220 말하자면 욕계에 계박된 선·불선인 색의 득에는 앞서 일어나는 것은 없고, 함께 생기는 득 및 뒤에 일어나는

....

상)에서도, "공교처는 말하자면 색·성·향·미·촉의 5처를 체로 하지만, 공교처를 일으키는 것은 말하자면 능히 그것을 일으키는 의·법의 2처를 체로 한다"라고 말하였고, 또 "위의로는 색·향·미·촉의 4처를 체로 하지만, 위의로를 일으키는 것은 말하자면 능히 그것을 일으키는 의·법의 2처를 체로 한다"라고 말하였다. 또 해석하자면 공교처의 마음과 위의로의 마음이라고 말해야 하지만, '마음'을 말하지 않은 것은 생략하고 논하지 않은 것이다. 또 한 가지 해석에서는, "마음이 위의와 공교의 의지대상이므로 '처'라고 이름하고, '로'라고 이름한 것이다"라고 말했는데, 만약 이런 해석을 한다면 곧 『대비바사론』에는 어긋난다. 만약 공교처 및 위의로의 4온을 지극하게 수습한 자라면 역시 법전·법후·법구득이 있다. 위에서 따로 구별하여 3세의 득이 있다고 한 경우를 제외한 그 나머지 일체 이숙의 5온 및 위의로·공교처와 신통의 과보[通果]인 색온 및 위의로·공교처인 4온의 일부(=지극하게 수습한 것이 아닌 경우)와 아울러 자성 무기의 색온과 행온의 일부(=법구득과만 함께 일어나는 4상 등)는 오직 법구득만 있다.

218 이상도 차례대로 묻는 것, 답하는 것, 따지는 것이다.
219 이는 풀이하면서 제3구를 해석하는 것이다. 말하자면 오직 색계 초정려 중의 수소단의 번뇌만 유부무기의 신표업와 어표업을 일으키는데, 득도 역시 앞의 경우처럼 함께 일어나는 것만 있다. (여기에) 비록 상품의 번뇌가 있기는 해도, 역시 무표업을 일으킬 수 없기 때문에 세력이 미약하니, 이 때문에 법전득과 법후득은 결정코 없다. 혹은 상품의 (번뇌에 의한) 표업이 있다고 해도, 일체 유부무기의 4온에 3세의 득이 있는 것은, 마음은 색에서 바라보면 강하며, 또 이것은 일으키는 주체이기 때문에 3세의 득이 있는 것이고, 색은 마음에서 바라보면 열등하며, 또 이것은 일으켜지는 대상이기 때문에 법구득만 있다고 알아야 한다. 이런 색이 오직 초정려에만 있는 까닭은, 욕계의 유부무기의 유신견·변집견(=안의 문에서 구르는 견소단)은 업을 일으킬 수 없으며, 제2정려 이상은 심구·사찰과 함께 하는 것이 아니어서 역시 업을 일으킬 수 없어서이다.
220 이상도 차례대로 묻는 것, 답하는 것, 따지는 것이다.

득만 있다.221

2. 비득의 차별

비득非得에도 득처럼 앞과 같은 품류의 차별이 있는가?222 그렇지 않다.
어떠한가? 게송으로 말하겠다.

⑩c 비득은 청정의 무기로서[非得淨無記]
　　과거·미래세에는 각각 세 가지이다[去來世各三]

⑪ 3계와 불계에도 세 가지이니[三界不繫三]
　　성도의 비득을 말하여[許聖道非得]
　　이생성이라고 이름함을 인정해서이며[說名異生性]
　　법을 얻거나 지를 바꿈으로써 버린다[得法易地捨]223

....

221 이는 풀이하면서 제4구를 해석하는 것이다. 말하자면 욕계에 계박된 선·불
　　선의 표색과 무표색은 유기有記이기 때문에 법구득과 법후득만 있고, 마음과
　　함께 하는 것이 아니(어서 세력이 미약하)기 때문에 법전득은 없다. (문) 초정
　　려의 선의 신표·어표색에도 역시 법구득과 법후득만 있는데, 어째서 게송 및
　　장항에서 따로 말하지 않았는가? (해) 전체적으로 말하자면 색계의 선의 색은
　　그 득이 일정하지 않으니, 만약 초정려의 선의 표색이라면 법구득과 법후득이
　　있지만, 만약 마음에 따르는 계[隨心戒]라면 3세의 득이 있다. 이렇게 일정하지
　　않기 때문에 생략하고 논하지 않았지만, 욕계의 선의 색은 일정하기 때문에
　　따로 표방한 것이다. 응당 알아야 할지니, 욕계의 선·불선의 색 및 초정려의
　　선의 표색(=이상은 법구득·법후득만 있다)을 제외한 나머지 일체 불선의 4
　　온 및 나머지 일체 선의 5온, 즉 유루·무루의 선의 4온 및 마음에 따른 도道·
　　정定의 선의 색온(=도공계·정공계)에는 모두 3세의 득이 있다고.
222 이하는 둘째 비득의 차별에 대하여 밝히는 것인데, 장차 밝히려고 물음을
　　일으킨 것이다. 그 아래는 답하는 것과 따지는 것이다.
223 이하 풀이하는데, 게송의 제1구는 3성문이고, 제2구는 3세문이며, 제3의 3
　　구는 계계문界繫門이고, 뒤의 1구는 명사문明捨門(=버림에 대해 밝히는 문)이
　　다. 이제 이 글에서는 얻지 않은 법[所不得法](=먼저 일찍이 잃은 적 없거나
　　거듭 얻었던 법을 처음 잃는 상실=불획득[不獲]과 그 지속인 불성취를 가리키
　　는, 이 논서의 비득 개념에 따른 번역인데, 만약 먼저 아직 얻지 못한 것을
　　비득으로 규정하는 『순정리론』 제12권에 의한다면 '얻지 못한 법'이라고 번역
　　할 수 있을 것이다)에 의거해 비득의 차별을 말한 것이다. 만약 득에 준한다
　　면 응당 3학과 3단의 분별도 있어야 하겠지만, 첫 구에서 '비득은 청정의 무
　　기'라고 말한 것으로써 오직 유학도 아니고 무학도 아닌 것만임을 분명히 알

(1) 3성 분별문

논하여 말하겠다. 성품을 차별하자면 일체 비득은 모두 오직 무부무기의 성품에만 포함된다.224

(2) 3세 분별문

세를 차별하자면, 과거와 미래에는 각각 세 가지가 있다. 말하자면 현재의 법에는 현재의 비득이 결정코 없고, 과거와 미래의 비득만이 있으며, 과거와 미래의 법에는 각각 3세의 비득이 있다.225

(3) 계계界繫 분별문

계界를 차별하자면, 3계에 계박된 법과 불계不繫의 법에는 각각 세 가지 비득이 있으니, 말하자면 욕계에 계박된 법에는 3계의 비득이 있고, 색계·무색계에 계박된 법 및 불계의 법에도 역시 그러하다. 비득이 무루인 것은 결정코 없다. 왜냐하면 성도聖道의 비득을 말하여 이생성異生性이라고 이름

수 있고, 오직 수소단만이라는 뜻도 준해서 알 수 있기 때문에 따로 설명하지 않았다.

224 이는 3성 분별문이다. 일체 비득은 무부무기이다. 모든 비득은 의지처의 명근과 중동분에 따라 무기의 성품이기 때문이다. 그래서 『대비바사론』 제158권(=대27-801상)에서도, "(문) 비득은 무엇에 따라 성품의 부류가 차별되는가? (답) 그것은 결정코 얻지 않은 법에 따르지 않으니, 서로 어긋나기 때문이며, 또 도에 따르지 않으니, 도로써 구하는 것이 아니기 때문이다. 단지 명근과 중동분에 의지해서만 일어나기 때문에 의지처에 따라 성품의 부류가 차별되는 것이다"라고 말하였다.

225 이는 3세 분별문이다. 과거의 법에 과거의 비득이 있는 것은, 말하자면 법전에 있었든 법 후에 있었든 지금의 시기에는 같이 과거에 있으므로 모두 과거의 비득이라고 이름하고, 현재와 미래의 비득이 있는 것은 모두 법후의 비득이다. 미래의 법에 미래의 비득이 있는 것은, 말하자면 법전의 것이든 법후의 것이든 지금의 시기에는 같이 미래이므로 모두 미래의 비득이라고 이름한다. 비록 다시 미래는 아직 전후 순서가 안립되어 있지 않지만, 성품의 부류의 차별에 의거하며, 작용을 일으킬 가능성에 의거해 전후라고 말하는 것이다. (미래의 법에) 과거와 현재의 비득이 있는 것은, 말하자면 모두 법전의 비득이다. 현재의 법에 과거의 비득이 있는 것은 법전의 비득만 있고, 미래의 비득이 있는 것은 법후의 비득만 있다. 현재의 법에 현재의 비득은 결정코 없다. 그래서 『순정리론』(=제12권. 대29-399상)에서도 말하였다. "현재의 법은 불성취와는 함께 작용하기 않기 때문(=모두 성취하고 있기 때문)이다. 어떤 분은, 현재의 법에 현재의 비득이 없는 것은 성품이 서로 어긋나기 때문이라고 말하였다."

한다는 것을 인정하기 때문이니, 마치 근본 논서에서, "어떤 것이 이생성인가? 성법을 획득하지 않았음[不獲聖法]을 말한다"라고 말한 것과 같다. 획득하지 않았음은 곧 비득의 다른 명칭이므로, 이생성이 무루라고 말하는 것은 이치에 맞는 것이 아니다.[226]

어떤 성법을 획득하지 않아야 이생성이라고 이름하는가?[227] 일체 성법을 획득하지 않은 것을 말하니, 따로 말하지 않았기 때문이다. 이 획득하지 않았다는 말은 획득을 여의었음[離於獲]을 나타낸다. 만약 이와 다르다면 모든 붓다 세존들도 역시 성문·독각 종성의 성법을 성취하지 않았기 때문에 이생이라고 이름해야 할 것이다.[228] 만약 그렇다면 그 논서에서 '순전히[純]'라는 말을 했어야 할 것이다.[229] 반드시 말할 필요는 없으니, 이 1구

....

226 이는 계계界繫 분별문이다. 비득은 의지처의 계박에 따르기 때문에 하나하나의 법의 비득은 모두 3계의 계박에 통한다. 비득이 무루인 것은 결정코 없다고 한 것은, 불계의 법에 통하는 것이 아니기 때문이다. 왜냐하면 성도의 비득을 말하여 이생성이라고 이름한다는 것을 인정하기 때문이다. 이생성은 결정코 무루가 아니니, 의지처인 몸에 따라 유루이기 때문이다. 근본논서(=『발지론』제2권. 대26-926중)를 인용해 증명하는 것은 알 수 있을 것이다. # 게송과 장항에서 '인정한다'고 표현한 것은, 첫째 후술하는 것처럼 '일찍이 성법을 낳은 적 없는 상속의 분위 차별을 이생성이라고 이름한다'는 경량부 논사의 주장에 동조하는 논주가, 비득의 실재성을 전제로 하는 설일체유부의 이생성에 관한 주장을 따르기 어렵고, 둘째 이 논서에서의 해석(=비득은 먼저 일찍이 잃은 적 없거나 거듭 얻었던 법을 처음 잃는 상실=불획득[不獲]과 그 지속인 불성취를 가리킨다)과 어긋나는 비득의 개념 규정(=이생성에 관한 본문의 비득 개념은, 앞서 본 『기』의 글에 인용된 『순정리론』제12권의 해석에 따른 것이다)에 따르기 어려운 반면, 셋째 이 논점에 관한 한 양 주장 간에 결과적으로 차이가 없는 점 등이 복합적으로 작용한 것으로 보인다.
227 이는 이생성이 얻지 못한 법에 대해 묻는 것이다.
228 이는 답이다. 만약 범부의 지위에 있다면 일체 삼승의 성법을 획득하지 않은 비득을 이생성이라고 이름하니, 근본논서 중에서 따로 말하지 않았기 때문이다. 이 '획득하지 않았다'는 말은 획득 여읜 것을 나타낸다. 만약 일부분 성법이라도 획득했다면 곧 성자라고 이름한다. 비록 성자의 몸 중에 비득도 역시 있어 그 나머지 성법을 획득하지 못했더라도 이생성이라고 이름하지 않는다. 만약 이와 달리 일체 성법을 획득하지 않은 비득만을 모두 이생성이라고 이름한다면, 모든 붓다 세존들도 역시 성문·독각종성의 성법을 성취하지 않았으므로 이생이라고 이름해야 할 것이다.
229 이는 힐난이다. 만약 그렇다면 근본논서에서 성법을 '순전히[純]' 획득하는 못한 것을 이생성이라고 이름한다고 말했어야 할 것이다.

안에 '순전히'라는 뜻이 포함되기 때문이다. 예컨대 '이런 부류는 물을 먹고 바람을 먹는다'라고 말하는 것과 같다.230

어떤 분은, "고법지인苦法智忍 및 그것과 함께 생기는 법을 획득하지 않은 것을 이생성이라고 이름한다"라고 말하였다. 도류지道類智의 시기에 이 법을 버리기 때문에 성자가 아니게 될 것이라고 힐난할 수 없을 것이니, 앞서 이미 그 비득을 영원히 해쳤기 때문이다.231 만약 그렇다면 이것의 성품은 이미 3승에 통하는데, 어떤 것을 획득하지 않으면 이생성이라고 이름하는가?232 이 역시 일체를 획득하지 않은 것이라고 말해야 할 것이다.233 만약 그렇다면 이 경우에도 앞에서와 같은 힐난이 있을 것이다.234 이 힐난은 다시 앞에서와 같이 회통해 해석해야 할 것이다.235 만약 그렇다면 거듭 말함

....

230 이는 변론이다. '순전히'라는 말을 반드시 할 필요는 없으니, 이 성법을 획득하지 않았다는 한 문구의 글 중에 '순전히'라는 뜻이 포함되기 때문이다. 예컨대 물고기 종류는 물을 먹고, 거북이 종류는 바람을 먹는다고 말하는 것과 같으니, 비록 '순전히'라는 말이 없어도, 그것들은 순전히 물이나 바람을 먹는다는 것을 알 수 있다.

231 이는 두 번째 논사의 해석이다. 말하자면 고법지인(=견도 첫 단계의 지혜) 및 그것과 함께 생기는 법을 획득하지 않은 것을 이생성이라고 이름한다. (이 경우) 도류지의 과보를 얻을 때 이 예류향 중의 고법지인을 버리기 때문에 그 고법지인의 비득이 다시 일어난다고 해서 성자가 아니게 될 것이라고 나에 대해 힐난해 말할 수 없을 것이니, 앞의 고법지인의 시기에 이미 그 이생성에 의한 (성법의) 비득을 영원히 해쳤기 때문이다. 고법지인의 비득에는 두 가지가 있다고 알아야 한다. 첫째는 범부의 몸에 의한 것이니, 무루의 득과 함께 작용하는 것이 아니기 때문에 이것은 이생성이다. 따라서 견도 이전의 고법지인의 비득은 범부의 몸에 의지하기 때문에 이생성이라고 이름한다. 둘째는 성자의 몸에 의한 것이니, 무루의 득과 함께 작용하기 때문에 단지 비득이라고 이름할 뿐, 이생이라고 이름하지 않는다. 도류지의 시기에 비록 고법지인의 비득이 있다고 해도, 성자의 몸에 의한 것이므로 이생이라고 이름하지 않는다.

232 묻는 것이다. 이 고법지인은 그 성품이 이미 3승에 통하는데, (그 중) 어떤 것을 획득하지 않은 것을 이생성이라고 이름하는가?

233 답이다. 일체 3승의 고법지인을 획득하지 않은 것을 말하는 것이다.

234 반론이다. 만약 그렇다면 이 경우에도 앞에서와 같은 힐난이 있을 것이다. 근본논서에서 '순전히'라고 말했어야 한다는 것이다.

235 회통하는 것이다. 이 경우에도 역시 앞에서와 같이 회통해 해석해야 할 것이다. 반드시 말할 필요는 없으니, 이 성법을 획득하지 않았다는 한 문구의 글 중에 '순전히'라는 뜻이 포함되어 있기 때문이다.

으로써 그 공력을 허비한 것이다.236

경량부 논사의 설명과 같은 것이 훌륭하다고 하겠다.237 경량부에서 설명하는 그 뜻은 어떠한가?238 말하자면 일찍이 성법을 낳은 적 없는 상속의 분위 차별을 이생성이라고 이름한다는 것이다.239

(4) 비득의 사捨분별문

이와 같은 비득은 어느 시기에 버리게 되는가?240 이런 법의 비득은 이런 법을 획득할 때, 혹은 지地를 바꿀 때 이 비득을 버린다. 마치 성도聖道의 비득을 말하여 이생성이라고 이름하는데, 이 성도를 획득할 때, 혹은 지를 바꿀 때 곧 버리는 것처럼, 그 나머지 법의 비득도 이에 유추해서 생각해야 할 것이다. 비득의 득이 끊어지면 비득의 비득이 생기니, 이와 같은 것을 비득을 버렸다고 이름한다.241

....

236 논주가 두 번째 논사에 대해 힐난하는 것이다. 그대가 지금 세운 바는 큰 뜻에서 앞과 같고, 양 설에 차별이 없다. 그러니 다시 거듭 말한 것은 어찌 허비한 것이 아니겠는가? 또 해석하자면 논주가 앞의 두 논사를 힐난한 것이다. 모두 근본논서에서 성법을 획득하지 않은 것을 말한다는 것과 차별이 없다. 두 논사가 거듭 말했어도 그 공력을 허비한 것이다.
237 논주가 경량부의 설을 인정하는 것이다.
238 물음이다.
239 경량부의 답이다. 말하자면 일찍이 성법을 낳은 적 없이 상속하는 몸 위의 분위의 차별에 대해 임시로 이생성을 건립했다는 것이다.
240 물음이다.
241 이는 답하면서 버림을 분별하는 문이다. 두 시기에 비득을 버린다. 첫째는 이런 법의 비득은 이런 법을 획득할 때 이 비득을 버린다. 이는 득으로써 비득을 대체하는 도리에 의거해 버린다고 이름한 것이니, 마치 성도의 비득을 이생성이라고 이름하는데, 이 성도를 획득할 때 그 비득을 버리는 것과 같다. 둘째는 계를 바꿀 때 이 비득을 버린다, 이는 결정코 득이 있어서 비득을 대체하는 도리인 것이 아니다. 그 비득은 의지처인 몸에 따르므로, 다만 몸을 버릴 때 비득도 역시 버리는 것이다. 지를 바꿀 때 비록 이생성(=성법의 비득)을 모두 다 능히 버리는 것은 아니라고 해도, 역시 일부는 버리는 것이다. 나머지 법의 비득도 그 상응하는 바에 따라 이에 준해서 생각해야 한다. 만약 비득 위의 법구득이 끊어지면, 버릴 비득 위에도 다시 비득의 생김이 있으니, 전의 비득을 비득하는 것이다. 이와 같은 것을 비득을 버리는 것이라고 이름한다. 실제에 의거해 말한다면 버릴 비득 위의 법구득에도 역시 비득의 생김이 있는 것이지만, 이 논서의 글은 바로 비득을 버리는 것에 대해 밝히는 것이기 때문에 단지 비득의 비득이 생긴다고만 말하고, 득의 비득이 생긴다고 말하지 않

【득·비득의 득과 비득】 득과 비득에 어찌 다시 다른 득과 비득이 있겠는가?242 이 두 가지에는 각각 다시 다른 득과 비득이 있다고 말해야 할 것이다.243 만약 그렇다면 어찌 무한소급의 허물[無窮過]이 있지 않겠는가?244 무한소급의 허물은 없으니, 득이 전전展轉해서 다시 서로 이룬다고 인정되기 때문이다. 법이 생길 때에는 그 자체와 아울러 3법이 함께 일어나니, 첫째 본법本法, 둘째 그 법의 득, 셋째 그 득의 득이다. 말하자면 상속 중에 법의 득이 일어나기 때문에 본법 및 득의 득을 성취하고, 득의 득이 일어나기 때문에 법의 득을 성취하는 것이다. 그러므로 여기에 무한소급의 허물은 없다. 이처럼 선법이나 염오법 하나하나의 자체가 처음 생기할 때에는 그 자체와 아울러 3법이 함께 일어나고, 제2찰나에는 6법이 함께 일어나니, 말하자면 그 3법의 득 및 세 가지 득의 득이다. 제3찰나에는 18법이 함께 일어나니, 말하자면 제1·제2찰나에 생긴 모든 법에 그 9법의 득 및 아홉 가지 득의 득이 있는 것이다. 이와 같이 모든 득은 후후로 갈수록 점점 증가한다.245

....
은 것이다.
242 묻는 것이다. 득에 다시 득이 있는 것인가? 비득에 다시 비득이 있는 것인가? 또 해석하자면 득에도 다시 득과 비득이 있으며, 비득에도 다시 득과 비득이 있는가? 묻는 것이다.
243 답하는 것이다. 이 득에도 다시 득이 있고, 비득에도 다시 비득이 있다고 말해야 할 것이다. 만약 구별해 말한다면 득에는 동시의 득과 전후의 득이 있다. 만약 비득이라면 전후의 비득은 있지만, 동시의 비득은 없다. 또 해석하자면 득에도 다시 다른 득과 비득이 있고, 비득에도 다시 득과 비득이 있다고 말해야 할 것이다. 만약 구별해 말한다면 득에는 동시의 득과 전후의 득이 있고, 비득에는 동시의 비득은 없다. 만약 비득이라면 동시의 득이 있고, 전후의 비득은 있어도, 동시의 비득은 없다.
244 이는 힐난이다. 득에 다시 득이 있고, 비득에도 다시 비득이 있다면, 어찌 무한소급의 허물이 있지 않겠는가? 또 해석하자면 아래의 답하는 글에 준해서 이것은 오직 득에 대해서만 물은 것이니, 현재의 비득에는 현재의 비득이 없어 무한소급의 허물이 없기 때문에 따로 묻지 않은 것이다.
245 풀이하는 것이다. 법의 득[法之得]이기 때문에 법득法得이라고 이름하니, 곧 대득大得이다. 대득의 득을 득득得得이라고 이름하니, 곧 소득小得이다. 대득은 힘이 강해서 두 가지(=법과 득득)를 성취하지만, 득득은 힘이 열등해서 한 가지(=법득)만 성취하기 때문에, 첫찰나에는 3법 중 대득으로 두 가지를 얻고, 소득으로 한 가지를 얻는다.{=이에『대비바사론』제158권(=대27-801

일체 과거·미래의 번뇌 및 수번뇌와 아울러 생득선生得善과, 찰나찰나 상응하고 함께 있는 법에는, 시작도 없고 끝도 없이 생사에서 윤회하므로 끝없는 득이 있다. 우선 하나의 유정이 생사하면서 상속하는 찰나찰나에도 끝없는 득을 일으키니, 이와 같이 일체 유정들이 상속하는 하나하나에도 각각 달라서, 한량없고 끝없는 여러 득이 함께 일어난다.246 이와 같은 모든 득은 지극히 많이 모일 수 있는 것인가?247 부딪쳐 장애함[對礙]이 없기 때문에 상호 서로 수용할 수 있다. 만약 그렇지 않다면 하나의 유정의 득조차 허공이 수용하지 못할 것인데, 하물며 두 번째 등이겠는가?248

....

중)에서, "다시 상호간에 서로 얻기 때문에 끝없는 것이 아니다"라고 말하였다} 이 세 가지가 낙사하는 제2찰나에는 앞의 3법에 따라 3법(=법·대득·소득)의 득을 일으키고, 그 세 가지 득득을 일으키므로 6법(=제1찰나의 기본3법의 법후득과 그 3소득)이 함께 일어나며, 이 여섯 가지가 낙사하면 앞(=제1찰나의 기본3법)에 더해서 아홉 가지를 성취한다. 제3찰나에는 앞의 9법에서 9법의 득을 일으키고 아홉 가지 득득을 일으키므로 열여덟 가지가 함께 일어난다. 이와 같은 모든 득이 후후 찰나에 전전하여 점점 증가해 많아지는 것은 이치에 맞게 해석해야 할 것이다.
246 득의 끝없음을 찬탄하는 것인데, 글과 같이 알 수 있을 것이다. 무기의 과거·미래는 결정코 성취하는 것은 아니니, 가행에 의해서는 일으키기 어렵고, 저절로 일어나는 것도 아니므로, 우선 번뇌와 생득선에 의거해 밝힌 것이다.
247 이와 같은 여러 득은 지극히 많이 모이더라도 정녕 수용할 수 있는지 묻는 것이다.
248 답이다. 득은 부딪쳐 장애함이 없으므로 상호 서로 수용할 수 있다. 만약 물질처럼 장애하는 것이라면 하나의 유정의 득조차 허공이 수용하지 못할 것인데, 하물며 두 번째 유정의 득 등이겠는가?

아비달마구사론
제5권

제2 분별근품(의 3)

제3항 동분同分

이와 같이 득과 비득의 모습에 대해 분별했는데, 동분同分이란 무엇인가?
게송으로 말하겠다.

42a 동분은 유정들의 같음이다[同分有情等]¹

1. 종지의 서술

논하여 말하겠다. 별도의 실물[別實物]이 있어서 동분이라고 이름하니, 말
하자면 여러 유정들을 서로서로 부류가 같게 하는 것[諸有情 展轉類等]이다.²

----

1 이하는 큰 글의 둘째 동분에 대해 밝히는 것인데, 맺으면서 묻고 게송으로 답하
였다. '동분은'은 글을 이어받는 것이고, '유정들의 같음'은 바로 해석하는 것이
다. 체 있는 부류의 같음[等]을 '동'이라고 이름한 것은 경량부와 다르다고 구별
한 것이니, 그들은 동분 자체는 가법이라고 계탁하기 때문이다. '분'은 다르다
[別]는 뜻이니, 비록 다시 부류는 같지만, 체는 각각 다르다고 한 것은, 승론에
서 범주[句] 등의 뜻이 있다고 한 것과는 다르다고 구별한 것이니, 그들은 하나
의 물건이 여러 법을 관통한다고 집착하기 때문이다. '분'을 곧 '동'이라고 이름
한 것이기 때문에 동분이라고 이름했으니, 지업석이다. '유정'은 비유정과 다르
다고 구별한 것이니, 의지대상인 법을 든 것이고, '등'은 같지 않은 것과 구별한
것이니, 바로 의지주체인 동분의 체를 나타낸 것이다. 또 해석하자면 몸의 형상
등이 같기 때문에 '동'이라고 이름한 것이니, 낳은 결과[所生果]를 나타내고,
'분'은 원인의 뜻이기 때문에 분이라고 이름한 것이니, 낳은 주체인 원인[能生
因]을 나타낸 것이다. '동'의 '분'이기 때문에 동분이라고 이름했으니, 의주석이
다. 이는 결과에 따라 원인을 불러서 명칭으로 삼은 것이다. 그래서 『순정리론』
제12권(=대29-400상)에서도 말하였다. "이들 중 몸의 형상, 업용, 낙욕이 전
전하여 서로 비슷하기 때문에 '동'이라고 이름하였고, '분'은 원인이라는 뜻이
다. 별도의 실물[別實物]이 있어서 이것이 이들을 같게 하는 원인이기 때문에
동분이라고 이름하였다."

근본논서에서는 이것을 말하여 중동분衆同分이라고 이름하였다.3

　이것에는 다시 두 가지가 있으니, 첫째는 차별 없는 것이고, 둘째는 차별 있는 것이다. 무차별 동분이란 말하자면 모든 유정들의 유정으로서의 동분이니, 일체 유정들에게 각각 같이 있기 때문이다. 유차별 동분이란 말하자면 여러 유정들의 계界·지地, 취趣·생生, 종種·성姓, 남·여, 근사近事·필추苾芻, 유학·무학 등이 각각 다른 동분이니, 한 부류의 유정에게 각각 같이 있기 때문이다.4

　다시 법동분法同分이 있으니, 온·처·계에 따른 것을 말한다.5

2 장항 중에 나아가면 첫째 스스로 자기 종지를 서술하고, 둘째 문답으로 따져서 결정한다. 자기 종지를 서술하는 것에 나아가면 첫째 게송을 간략히 해석하고, 둘째 다른 명칭을 모으며, 셋째 따로 해석하고, 넷째 체가 있음을 증명하며, 다섯째 얻음과 버림에 대해 밝히니, 이는 곧 게송을 간략히 해석하는 것이다. 별도의 실물이 있어서 동분이라고 이름한다는 이것은 곧 종지를 표방한 것이다. ‘말하자면 여러 유정들을’은 의지대상인 법을 나타내고, ‘서로서로 부류가 같게 한다’는 것은 의지주체인 동분을 나타낸 것이다. 혹은 여러 유정들을 서로서로 부류가 같게 한다는 이것은 곧 결과를 들어 그 원인을 나타낸 것이니, 여러 유정들로 하여금 서로서로 부류가 같게 하는 것이다.
3 이는 곧 둘째 다른 명칭을 모으는 것이다. 여러 체의 부류가 같으므로 ‘중동衆同’이라고 이름하였고, ‘분分’은 곧 다르다는 뜻이다. 또 해석하자면 중다한 법을 서로 비슷하게 하는 원인을 중동분이라고 이름한다. 또 해석하자면 중다한 유정들을 서로서로 같게 하는 원인을 중동분이라고 이름한다. # ‘근본논서’는 『발지론』 제2권(=대26-926중)과 『품류족론』 제1권(=대26-692하)을 가리킨다.
4 이하는 따로 해석하는 것이다. 그 안에 나아가면 첫째 유정동분에 대해 밝히고, 둘째 법동분에 대해 밝히는데, 이는 곧 유정동분에 대해 밝히는 것이다. 이 동분에는 다시 두 가지가 있는데, 첫째는 차별 없는 것(=무차별 동분)이다. 말하자면 ‘모든 유정들’은 의지대상을 나타내고, ‘유정으로서의 동분’은 의지주체를 나타내니, 모든 유정들 위의, 유정으로서의 동분이 일체 유정들에게 각각 평등하게 있기 때문에 무차별 동분이라고 이름한다. 말하자면 이 동분은 능히 유정들로 하여금 서로서로 부류가 같게 하는 것이다. 둘째는 차별 있는 것(=유차별 동분)이다. 말하자면 여러 유정들 중에 3계·9지·5취·4생, 바라문 등의 종성[種], 가섭파·구담등의 성姓, 남자의 몸, 여자의 몸, 5계의 근사近事(=우바새와 우바이), 대계大戒의 필추苾芻(=비구와 비구니), 4향·3과의 유학의 사람, 아라한인 무학 등의 각각 다른 동분이 한 부류의 유정들에게 각각 동등하게 있기 때문이니, 이런 중다함이 있기 때문에 차별이 있다고 말한 것이다. ‘유정들의 계’ 등은 의지대상을 나타내고, ‘각각 다른 동분’은 의지주체를 나타내니, 이 동분에 의해 능히 계 등으로 하여금 서로서로 같게 하기 때문이다.

만약 동분이라고 이름하는, 무차별상의 실재[實物無差別相]가 없다면 서로서로 차별되는 여러 유정들에 대해, 유정과 유정이 같고 차별이 없다는 깨달음[覺] 및 시설施設이 있을 수 없어야 할 것이며, 이와 같이 온蘊 등이 같고 차별이 없다는 깨달음 및 시설도 이치에 맞게 알아야 할 것이다.6

혹시 죽고 태어나면서 유정동분을 버리지 않고 얻지 않는 경우가 있는가? 4구로 분별해야 할 것이다. 제1구는 이 곳에서 죽어 다시 이 곳에 태어나는 경우를 말하고, 제2구는 정성이생의 단계[正性離生位]에 들 때 이생異生의 동분을 버리고 성자의 동분을 얻는 경우를 말하며, 제3구는 이 취趣에

....

5 이는 법동분에 대해 밝히는 것이다. 동분 중에 '다시 법동분이 있으니, 온·처·계에 따르는 것'이라고 한 이것은, 의지대상인 법을 들어 의지주체인 동분을 나타낸 것이다. 이 동분에 의해 능히 온·처·계의 법으로 하여금 서로서로 같게 하기 때문이다. 유정동분에 준해서 법동분에도 두 가지가 있다고 말해야 하지만, 말하지 않은 것은 생략했기 때문에 논하지 않은 것이다. 법동분에서의 하나의 체와 여러 체는 앞의 설명에 준해서 알아야 한다. (문) 유정동분과 법동분은 체가 각각 다른가, 하나의 체의 뜻이 나누어진 것인가? (해) 체성이 각각 다르다. 능히 유정으로 하여금 서로 비슷하게 하는 것을 유정동분이라고 이름하고, 능히 법문法門으로 하여금 서로 비슷하게 하는 것을 법동분이라고 이름한다. 유정과 법문의 뜻이 다른 까닭에 양 동분은 같지 않다. 그래서 여러 논서의 글에서도 두 가지를 말한다. 비록 다시 법을 떠난 별도의 유정은 없다고 해도, 뜻에 의거하면 차이가 있으므로 동분은 각각 별개이다. (문) 어째서 게송의 글에서는 유정에 대해서만 말했는가? (해) 생략했기 때문에 법동분은 말하지 않은 것이다. 혹은 게송의 글이 법동분도 포함하는 것일 수 있으니, '유정'이라고 말한 것은 비유정과 다르다고 구별한 것이다.

6 이는 곧 넷째 체가 있다는 것을 증명하는데, 반대로 경량부에게 따져서 실체가 있다는 것을 증명한다. 유정은 하나가 아니므로 '유정과 유정'이라고 이름하였고, 같이 유정이므로 '같고 차별이 없다'라고 이름하였다. 만약 유정동분이라고 이름하는 무차별상의 실재가 없다면, 욕·색계의 서로서로 차별되는 모든 유정들에 대해서, 유정과 유정이 같고 차별이 없다고 깨닫는 지혜[覺慧]와, 유정과 유정이 같고 차별이 없다고 시설하는 명언名言은 응당 있을 수 없어야 할 것이니, 깨닫는 지혜는 반드시 경계를 반연하기 때문이고, 명언은 반드시 법을 표현해 말하는 것이기 때문이다. 이미 지혜와 말을 일으켰으니, 체가 있다는 것을 분명히 알 수 있다. 이렇게 무차별의 유정동분에 의거해 힐난한 것은 두루한 것이기 때문에 이것만 들어서 물은 것이고, 유차별 동분은 두루하지 않은 것이기 때문에 그것에 의거해 논하지 않았다. 다시 법동분에 대해서도 비례해서 해석해 말하자면, 이와 같이 온 등에 대해서도 같고 차별이 없다고 깨닫는 지혜, 같고 차별이 없다고 시설하는 명언이 응당 있을 수 없어야 할 것이다. 그래서 '이치에 맞게 알아야 할 것'이라고 말한 것이다.

서 죽어 다른 취에 태어나는 등의 경우를 말하고, 제4구는 앞에서 말한 것들을 제외한 경우를 말한다.7

2. 가·실 논쟁

(1) 경량부의 힐난

만약 이생동분異生同分이라는 이름의 실재[實物]가 별도로 있다면 이생성異生性을 따로 세워서 무엇에 쓰겠는가? 사람의 동분과는 다른, 사람의 성품[人性]이 별도로 있는 것은 아니기 때문이다.8 또 색법이 아니기 때문에 세

....

7 이는 곧 다섯째 얻고 버리는 것에 대해 밝히는 것이다. 죽고 태어남으로써 동분을 얻고 버림을 상대하면 4구로 분별해야 한다. 제1구는 죽음이 있고 태어남이 있지만, 유정동분을 버리지도 않고 얻지도 않는 경우인데, 그 상응하는 바에 따라 이 곳에서 죽어 다시 이 곳에 태어나는 경우를 말한다. 제2구는 유정동분을 버림도 있고 얻음도 있지만, 죽지도 않고 태어나지도 않는 경우인데, 정성이 생의 지위에 들 때 이생의 동분을 버리고 성자의 동분을 얻는 경우를 말한다. 제3구는 죽음이 있고 태어남이 있으면서 유정동분을 버리기도 하고 얻기도 하는 경우인데, 이 취에서 죽어서 다른 취에 태어나는 등의 경우를 말한다. 제4구는 앞에서 말한 것들을 제외한 경우를 말한다. '유정동분'은 비유정과 다르다고 구별한 것이고, '그 상응하는 바에 따라'는 차별 동분[別同分]이지, 전체적인 유정동분[總有情同分]이 아니라는 것이니, 전체적인 유정동분은 무여열반에 들 때라야 비로소 버릴 수 있기 때문이다.

8 이하는 둘째 문답으로 따져서 결정하는 것이다. 글에 모두 여섯이 있는데, 이하는 첫째로 경량부의 다섯 가지 힐난을 서술하는 것이다. 첫째는 이생성이 없을 것이라는 힐난, 둘째는 보이는 것이 아니며, 작용이 없다는 힐난, 셋째는 비정동분에 의한 힐난, 넷째 따로 동분이 있으리라는 힐난, 다섯째 승론과 같을 것이라는 힐난인데, 이는 곧 첫째 이생성이 없을 것이라는 힐난이다. 그 안에 나아가면 첫째는 글에 의한 힐난의 서술, 둘째는 『순정리론』의 변론, 셋째는 구사론사의 논파인데, 다른 힐난도 이에 준해서 모두 3문[門]으로 만들 것이다. '글에 의한 힐난의 서술'이라고 말한 것은, 「이생동분은 성자와 다르다는 것인데, 따로 이생성을 세워서 무엇에 쓰겠는가? 사람의 동분 외에 따로 사람의 성품[人性]을 세우지 않는 것과 같을 것인데, 무엇 때문에 이생동분 외에 따로 이생성을 세우는가?」라는 것이다. 둘째 『순정리론』(=제12권. 대29-400중)에서 변론해 말하였다. "'어찌 이생성이 곧 이생동분이 아니겠는가?'라고 한다면, 이것은 응당 그러하지 않아야 하니, 하는 일이 다르기 때문이다. 말하자면 그 몸의 형상, 업용, 낙욕이 상호 서로 비슷한 원인을 동분이라고 하고, 만약 성도의 성취와 상위하다면 이것이 이생의 원인이므로 이생성이라고 이름한다. 정성이생의 단계에 들 때, 중동분의 경우 버리기도 하고 얻기도 하지만, 이생성은 버릴 뿐, 얻지는 않는다"라고. 셋째 구사론사가 논파해 말한다. "성자의 단계에 들 때 동분을 버리지 않는다면 별도로 이생성을 세울 필요가 있을 수 있겠지만, 성자의

간에서 동분을 현견現見하는 것이 아니며, 또한 별도의 작용이 없기 때문에 각혜覺慧로써 능히 요별되는 것도 아니다. 세간에서 비록 유정동분을 알지 못하지만, 유정들에 대해 차별이 없다고 말한다. 그러니 설령 체가 있다고 한들 또한 무슨 소용이 있겠는가?9 또 어떤 이유로 무정동분無情同分이 있다고 인정하지 않는가? 여러 곡식·보리·콩, 금·쇠, 암라菴羅·반나사半娜沙 등에도 역시 자신의 부류와 상호 서로 비슷함이 있기 때문이다.10 또 여러 동

단계에 들 때 동분(=이생동분)도 이미 버리거늘, 어찌 별도로 이생성을 세울 필요가 있겠는가? 만약 하는 일이 각각 다르기 때문에 별도로 사람의 동분을 세울 필요가 있다고 말한다면, 사람의 성품도 하는 일이 각각 다른데, 어째서 따로 세우지 않는가? 자신의 부류와 서로 비슷한 것을 사람의 동분이라고 이름하고, 사람 아닌 것[非人]과 상위하는 것을 사람의 성품이라고 이름한다."

9 이는 곧 둘째 보이는 것이 아니며, 작용이 없다는 힐난이다. 또 세간에서 이 동분의 체를 현량現量으로 증견證見하는 것이 아니니, 색법이 아니기 때문이며, 또한 각혜로써 도리를 추론해서 요별할 수 있는 것도 아니니, 별도의 작용이 없기 때문이다. 세간 사람들은 비록 유정동분에 별도로 실제의 체가 있다는 것을 알지 못하지만, 유정들에 대해 차별이 없다고 말하며, 지각과 언설을 일으킨다. 그러니 설령 체가 있다고 한들 또한 무슨 소용이 있겠는가? 둘째『순정리론』(=제12권. 대29-400중)에서 변론해 말하였다. "동분은 색법이 아닌데, 어떻게 차별 없는 일의 부류[無別事類]를 능히 낳는다는 것을 알 수 있겠는가? 그 결과를 보는 것에 의해 그것이 있다는 것을 알기 때문이니, 마치 업으로 얻은 과보가 나타나 있는 것을 봄으로써 전생에 일찍이 지은 업이 있다는 것을 아는 것과 같다. 또 관행자觀行者는 밝게 증지하기 때문이다." 셋째 구사론사가 논파해 말한다. "만약 인연이 그 동류과를 낳을 수 없다면 동분에 의지해 낳을 수 있겠지만, 인연이 스스로 그 결과를 낳거늘, 어찌 동분에 의지해 낳겠는가? 외도의 관행자는 '자아'도 증지한다고 말하지만, 어찌 '자아'의 실제의 체가 있다는 것을 믿을 수 있겠는가?"

10 이는 곧 셋째 비정동분에 의한 힐난이다. 곡식 등의 무정물들도 역시 상호 서로 비슷한데, 어째서 그것에 대해서는 동분을 세우지 않는가? '암라'는 과일의 이름으로서, 형상이 모과[木瓜]와 비슷한데, 시종 형색이 서로 비슷해서 날 것인지 익었는지 알기 어렵다. '반나사'도 역시 과일의 이름으로서, 형상이 동아[冬瓜]와 같은데, 그 맛이 감미롭고 그 나무는 지극히 크다. 둘째『순정리론』(=제12권. 대29-400중)에서 변론해 말하였다. "'어째서 무정동분이 있다고 인정하지 않는가?'라고 이렇게 책망해서는 안 되니, 큰 허물이 있기 때문이다. 그대들도 인·천 등의 취나 태생·난생 등의 생이 있다는 것은 인정하면서, 어째서 암라 등의 취나 녹두綠豆 등의 생은 인정하지 않는가?" 또 말하였다. "그 초목 등에는 서로서로 업용이나 낙욕의 상호 서로 비슷함이 없기 때문에 그것들에 대해서는 별도로 동분을 세워서 있다고 말하지 않는 것이다." 셋째 구사론사가 논파해 말한다. "취는 5취를 말하고, 생은 4생을 말하는데, 무정물은

분은 서로서로 차별되는데, 어떻게 그것에 대해서는 다시 동분 없이 차별이
없다는 깨달음[覺]과 시설을 일으키는가?11 또 승론勝論에서 집착하는 바를
드러내어 이룰 것이니, 그 종파에서는 보편의 범주라는 이치[總同句義]가 있
어 일체법에 대해 모두 같다는 말과 지혜는 이것에 의해 발생한다고 집착하
고, 그들은 다시 특수의 범주라는 이치[同異句義]가 있어 다른 품류와 같으
면서 다르다는 말과 지혜는 이것에 의해 발생한다고 집착한다.12

....

그런 것이 아니므로 취·생이 아닐 수 있지만, 체의 부류가 서로 비슷하므로
동분이 있어야 할 것이다." 또 논파한다. "낙욕 등이 같기 때문에 별도로 동분
을 세워야 한다면, 녹두綠豆 등도 (형상의 부류가) 역시 같은데, 어째서 동분
을 세우지 않는가?"

11 이는 곧 넷째 따로 동분이 있으리라는 힐난이다. 동분의 대상인 법의 체는 각
각 다른데, 별도의 동분에 의하기 때문에 같을 수 있다면, 같게 하는 주체[能
同]도 서로 바라보면 역시 각각 다를 것인데, 어떻게 다시 동분에 의해 같게
함 없이 차별 없음을 반연할 수 있는 깨달음의 지혜를 일으키며, 차별 없다고
시설하는 명언을 일으키는가? 만약 다시 동분이 있다면, 계속 나아가서 곧 끝
이 없는 허물이 있을 것이다. 둘째 『순정리론』(=제12권. 대29-400중)에서
변론해 말하였다. "여러 동분은 같은 부류의 일 등의 원인의 성품이기 때문에
곧 같은 부류들이 서로서로 비슷하다는 깨달음과 시설의 원인이 된다. 마치
안근과 이근 등은 대종에 의해 만들어짐으로써 비로소 색의 성품을 이루지만,
대종은 비록 다른 대종이 만드는 일이 없어도 색의 성품이 이루어지는 것과
같다." 셋째 구사론사가 논파해 말한다. "만약 같게 하는 원인이기 때문에 체
가 곧 같다고 말한다면, 동분의 자신의 부류 등도 별도의 동분에 의해 같게
함 없이 곧 깨달음과 시설의 원인이 될 것이며, 또한 같게 되는 대상인 자신의
부류 등도 동분에 의해 같게 함을 기다리지 않고 곧 깨달음과 시설의 원인이
될 수 있을 것이다. 또 인용한 비유는 종지와 어긋나는 허물이 있으니, 안근
등의 색의 성품은 3세에 항상 결정적이라면서 어떻게 대종에 의해 만들어짐
으로써 비로소 색의 성품을 이룬다고 말하는가? 단지 대종에 의해 만들어진
것이기 때문이라고 말해야 할 뿐, 대종에 의해 만들어짐으로써 비로소 색의
성품으로 이룬다고 말해서는 안 될 것이다."

12 이는 곧 다섯째 응당 승론과 같을 것이라는 힐난이다. 범어로 폐세사吠世師
Vaiśeṣika라고 말하는 것이 여기 말로는 승론이다. 그대들 설일체유부에서 법
위에 별도로 동분이 있다고 집착한다면 또 승론에서 집착하는 것을 드러내어
이룰 것이다. 그들의 종지에서 보편의 범주[總同句]라는 이치가 있다고 집착하
는데, 일체법에 통하기 때문에 보편[總同]이라고 이름하였다. 일체법 위에서
모두 같다는 말과 모두 같다는 지혜는 이 보편의 범주라는 이치에 의해 발생
한다고 한다. 그들은 다시 특수의 범주[同異句]라는 이치가 있다고 집착하는
데, 여러 다른 품류 중에서 같은 부류를 서로 바라보고 같다고 이름하며, 다른
부류를 서로 바라보고 다르다고 이름한다고 한다. '동同'은 곧 같은 법에 두루

존재하고, '이異'는 곧 다른 법에 두루 존재해서, 여러 다른 품류의 법 위에서 같으면서 다르다는 말, 같으면서 다르다는 지혜는 이 특수의 범주라는 이치에 의해 발생한다고 한다. 또 해석하자면 그대들이 말하는 무차별동분은 승론의 보편의 범주라는 이치를 드러내어 이룰 것이고, 유차별동분은 승론의 특수의 범주라는 이치를 드러내어 이룰 것이다.

만약 승론의 종지 중 선대의 옛 논사에 의한다면 여섯 가지 범주의 이치[육구의六句義]를 세웠으니, 첫째 실체[實], 둘째 속성[德], 셋째 행위[業], 넷째 보편[有], 다섯째 특수[同異], 여섯째 화합和合이다. 후대의 혜월慧月 논사는 열 가지 범주의 이치[십구의十句義]를 세웠으니, 『승종십구의론』(=대54-1262하)에서 세운 것과 같다. 첫째는 실체[實]이니, 해석해 말하자면 모든 법의 체의 실질[體實]로서 속성 등의 의지처이다. 둘째는 속성[德]이니, 해석해 말하자면 실체 가문의 도덕道德을 말하는 것이다. 셋째는 행위[業]이니, 해석해 말하자면 움직여 짓는 것[動作]을 말하는 것인데, 실체 가문의 업이다. 넷째는 보편[同]이니, 해석해 말하자면 체가 실체 등에 두루해서 같이 있는 것[同有]을 보편이라고 이름한다. 다섯째는 특수[異]이니, 해석해 말하자면 오직 실체 위에만 있어 실체를 따로 다르게 하는 것이다. 여섯째는 화합和合이니, 해석해 말하자면 모든 법에 대해 이름[至](=밀착해 떨어지지 않게 결합시키는 원리)을 낳는 원인이 되는 것을 말하는 것이다. 일곱째는 유능有能이니, 해석해 말하자면 실체 등이 자신의 결과를 낳을 때 이 유능의 도움에 의해 비로소 결과를 낳는 것을 말하는 것이다. 여덟째는 무능無能이니, 해석해 말하자면 다른 결과 낳는 것을 막는 것을 말하는 것이다. 아홉째는 구분俱分이니, 해석해 말하자면 성품이 실체·속성·행위 등에 두루한 것을 말하는 것인데, 같게도 하고 다르게도 하기 때문에 구분이라고 이름한 것이다. 열째는 없음[無說]이니, 해석해 말하자면 없다고 말하는 것을 말한다.

실체의 범주의 뜻은 어떠한가? 말하자면 아홉 가지 실체를 실체의 범주라고 이름한다. 무엇이 아홉인가 하면 첫째 지地, 둘째 수水, 셋째 화火, 넷째 풍風, 다섯째 공空, 여섯째 시간[時], 일곱째 방위[方], 여덟째 자아[我], 아홉째 마음[意](=의근)이다. 형색[色]·맛[味]·냄새[香]·감촉[觸]을 가진 것을 지地라고 한다. 형색·맛·감촉 및 진액성[液]·습윤성[潤]을 가진 것을 수水라고 한다. 형색·감촉을 가진 것을 화火라고 한다. 감촉만을 가진 것을 풍風이라고 한다. 소리[聲]만을 가진 것을 공空이라고 한다. 저것[彼]과 이것[此], 함께 함[俱]과 함께 하지 않음[不俱], 더딤[遲]과 빠름[速], 표현[詮]과 조건[緣]의 원인인 것을 시간이라고 한다. 동·남·북 등과 표현·조건의 원인인 것을 방위라고 한다. 지각[覺]·즐거움[樂]·괴로움[苦]·욕망[欲]·성냄[瞋]·노력[勤勇]·성향[行]·법法·비법非法 등의 인연과 화합하여 지혜 일으키게 함을 행상으로 하는 것을 자아라고 한다. 이런 지각·즐거움·괴로움·욕망·성냄·노력·법·비법·성향의 인연과 화합하지 않고 지혜 일으킴을 행상으로 하는 것을 마음[意]이라고 한다.

속성의 범주의 뜻은 어떠한가? 말하자면 24속성을 속성의 범주라고 이름한다. ① 형색[色], ② 맛[味], ③ 냄새[香], ④ 감촉[觸], ⑤ 수數, ⑥ 양量, ⑦ 개별성[別體], ⑧ 결합[合], ⑨ 분리[離], ⑩ 원격성[彼體], ⑪ 근접성[此體], ⑫ 지각

(2) 논쟁

이에 대해 비바사 논사들은 이렇게 말한다. "그들의 집착하는 것과 이것은 뜻의 부류가 같지 않으니, 하나의 물건[一物]이 다수[多]에서 일어난다고 말하기 때문이다. 또 설령 그것에서 드러나든 드러나지 않든 이 동분은 반드시 실제의 물건[實物]이 있으니, 계경에서 말씀하셨기 때문이다. 예컨대 세존께서, '만약 여기에 다시 돌아온다면 사람의 동분[人同分]을 얻는다.

....

[覺], ⑬ 즐거움[樂], ⑭ 괴로움[苦], ⑮ 욕망[欲], ⑯ 성냄[瞋], ⑰ 노력[勤勇], ⑱ 무거움[重體], ⑲ 진액성[液體], ⑳ 습윤성[潤], ㉑ 성향[行], ㉒ 법法, ㉓ 비법非法, ㉔ 소리[聲], 이와 같은 것들을 24속성이라고 한다.
　행위의 범주의 뜻은 어떠한가? 말하자면 다섯 가지 행위를 행위의 범주라고 이름하는데, 무엇이 다섯 가지인가? 첫째 취하는 행위[取業], 둘째 버리는 행위[捨業], 셋째 구부리는 행위[屈業], 넷째 펴는 행위[申業], 다섯째 가는 행위[行業]이다.
　보편의 범주의 뜻은 어떤 것인가? 있는 성품[有性](=존재성 일반)을 말한다. 무엇을 있는 성품이라고 하는가? 말하자면 일체 실체·속성·행위의 범주와 화합하여 일체 감관에 의해 인식되는 것으로서, 실체·속성·행위에 대해, 있다고 표현할 수 있는 지혜의 원인, 이것을 있는 성품이라고 말한다. 특수의 범주의 뜻은 어떤 것인가? 말하자면 실체에 대해 일어나는 것으로서, 하나의 실체에 의해, 저것을 부정하는 지각의 원인 및 이것을 나타내는 지각의 원인을 특수의 범주라고 이름한다.
　화합의 범주의 뜻은 어떤 것인가? 말하자면 실체 등으로 하여금 (속성 등과) 여의지 않고 서로 속하게 해서 이것이라고 표현할 수 있는 지혜의 원인이면서, 또 성품이 하나인 것을 일컬어 화합의 범주라고 이름한다. 유능의 범주의 뜻은 어떤 것인가? 말하자면 실체·속성·행위와 화합하는 것으로서, 공동으로, 혹은 단일한 것이 아닌 상태로[共或非一] 각각 자신의 결과를 만드는 것에 결정적으로 필요한 것, 이와 같은 것을 유능의 범주라고 이름한다. 무능의 범주의 뜻은 어떤 것인가? 말하자면 실체·속성·행위와 화합하는 것으로서, 공동으로, 혹은 단일한 것이 아닌 상태로 나머지 결과를 만들지 않는 것에 결정적으로 필요한 것, 이와 같은 것을 무능의 범주라고 이름한다. 구분의 범주의 뜻은 어떤 것인가? 말하자면 실체의 성품, 속성의 성품, 행위의 성품으로서, 아울러 그 한 가지 뜻과 화합하는 지地의 성품, 색의 성품, 취함(=취하는 행위)의 성품 등인 것, 이와 같은 것을 구분(=보편이면서 특수인 것)의 범주라고 이름한다. 없음의 범주의 뜻은 어떤 것인가? 말하자면 다섯 가지 없음이니, 이를 없음의 범주라고 이름하는데, 무엇이 다섯 가지인가? 첫째 아직 생기지 않은 없음[未生無], 둘째 이미 소멸한 없음[已滅無], 셋째 상호간에 다시 없음[互更無], 넷째 모이지 않은 없음[不會無], 다섯째 필경 없음[畢竟無]이다. 자세한 해석은 『승종십구의론』과 같다.

···'라고 말씀하신 것과 같다."13 비록 그런 말씀이 있었지만, 동분이라고 이름하는 실제의 물건이 별도로 있다고 말씀하시지는 않았다.14

그렇다면 그대들이 말하는 동분은 무엇인가?15 즉 이와 같은 부류의 제행諸行이 생길 때 그것에 대해 사람의 동분 등을 임시로 세운 것이니, 마치 여러 곡식·보리·콩 등의 동분과 같다.16 이는 훌륭한 설명이 아니니, 우리의 종지에 어긋나기 때문이다.17

제4항 무상無想

동분에 대해 분별했는데, 무상無想이란 무엇인가? 게송으로 말하겠다.

42b 무상은 무상천 중에서[無想無想中]

　심·심소법이 소멸한 것인데[心心所法滅]

　광과천에 있는 이숙과이다[異熟居廣果]18

....

13 이는 곧 둘째(=동분에 관한 장항의 설명 중 둘째 문답으로 따져서 결정하는 글의 여섯 중의 둘째) 비바사 논사들의 변론이다. 다섯 가지 힐난 중 앞의 네 가지에 대해서는 변론하지 않고, 다섯째 승론과 같을 것이라고 다투는 것에만 변론한다. 그들이 집착하는 두 가지 범주와 이 동분은 뜻의 부류가 같지 않다. 그들은 하나의 물건이 여러 법에서 일어난다고 말하기 때문인데, 우리가 말하는 동분은 여러 법 위에서 그 체가 각각 다르다. 체가 많은 것과 체가 하나인 것은 그 뜻이 이미 다른데, 어떻게 우리로 하여금 승론과 드러나게 같게 한다고 하는가? 또 설령 그것(=동분)에서 승론 외도가 드러나든 드러나지 않든 이 동분은 반드시 실제의 물건이 있다. 경(=중 24:97 대인경大因經 참조)에서 동분을 말씀하셨으므로, 따로 있다는 것을 분명히 알 수 있다.

14 이는 곧 셋째 경량부에서 다시 힐난하는 것인데, 승론과 같다고 다투는 것은 알 수 있을 것이다.

15 이는 넷째 비바사 논사들이 도리어 경량부에 대해 따지는 것이다. 우리가 말하는 것과 같은 동분이 실재한다는 것을 그대들은 곧 인정하지 않는데, 그 종지에서 말하는 동분은 무엇인가?

16 이는 곧 다섯째 경량부의 답이다. 서로 비슷한 종류의 제행이 생길 때 그것에 대해 사람의 동분 등을 임시로 세운 것일 뿐, 별도로 실제의 체는 없으니, 마치 곡식 등의 동분이 실제가 아닌 것과 같다.

17 이는 곧 여섯째 비바사 논사들이 이치가 다해 말이 궁하므로 이런 말을 한 것이다.

논하여 말하겠다. 무상유정천 중에 태어나면 능히 심·심소를 소멸하게 하는 법이 있어 무상無想이라고 이름한다. 이것은 실재하는 것으로서 능히 미래의 심·심소법을 막아서 잠시 일어나지 않게 하니, 마치 강을 막은 보와 같다.19 이 법은 한결같이 이숙과異熟果이다.20 무엇의 이숙인가? 무상정無想定을 말한다.21

무상유정은 어느 처소에 거주하고 있는가? 광과천[廣果]에 거주하고 있다. 말하자면 광과천 중에 중간정려처럼 높고 수승한 곳이 있어서 무상천이라고 이름한다.22 그들은 늘 지각이 없다고 하는가, 지각이 있기도 하다

....

18 이하는 큰 글의 셋째 무상에 대해 밝히는 것이다. 위의 2구는 무상의 체를 밝히는 것이고, 아래 1구는 2문門(＝소재와 이숙과)으로 분별한 것이다. 위의 '무상'은 무상이숙(＝무상과)이고, 아래의 '무상'은 무상천인데, (후술하는 것처럼) 유심·무심에 통한다.

19 이는 앞의 2구를 해석하는 것이다. 만약 무상유정천 중에 태어나면 불상응행인 이숙과의 법이 있어 능히 미래의 심·심소를 소멸하게 하니, 무상이라고 이름한다. 이 법은 그 체성이 실재하는 것인 까닭에 능히 미래의 심·심소법을 막아서 5백 겁 동안 잠시 일어나지 않게 하니, 마치 강을 막은 보와 같다. 따라서 실재한다는 것을 알 수 있는데, 풀 등과 혼동할 것을 염려했기 때문에 '유정'(＝무상유정천)이라고 말한 것이다.

20 이는 5부류(＝이숙생·소장양·등류성·일찰나·유실사)로 분별한 것인데, 오직 이숙일 뿐이라는 것이다.

21 무엇의 이숙인지 묻고 답하는 것이다. 그래서 『대비바사론』 제118권(＝대27-615상)에서, "혹 어떤 분은, '무상정은 무상 및 색의 이숙을 감득하고, 명근과 중동분은 그 유심정려(＝제4정려)의 이숙이며, 그 나머지 여러 온은 양자의 이숙이다'라고 말하였다. 다시 어떤 분은, '무상정은 무상 및 색의 이숙을 감득하고, 명근은 그 유심정려의 이숙이며, 그 나머지 여러 온은 양자의 이숙이다'라고 말하였다. 다시 어떤 분은, '무상정은 무상이숙을 감득하고, 그 나머지 여러 온은 양자의 이숙이다'라고 말하였다. 다시 어떤 분은, '마음이 있을 때에도 역시 무심의 여러 온의 이숙을 감득하고, 마음이 없을 때에도 역시 유심의 여러 온의 이숙을 감득한다'라고 말하였다"라고 말하고, 논평하여 이렇게 말해야 한다고 하였다. "무상이숙은 오직 무상정만으로 감득하고, 일체 명근 및 중동분과 안근 등의 색은 모두 업으로 감득한 것이며, 나머지 온은 양자로 감득한다." 『순정리론』 제12권(＝대29-400하)은 『대비바사론』의 첫 논사의 바르지 못한 뜻과 같고, 이 논서는 『대비바사론』의 논평한 분과 같다.

22 이는 문답해서 거주하는 처소를 밝히는 것이다. 광과천 중에 높고 수승한 곳이 있는데, 무상유정은 그 위에 거주한다. 마치 중간정려의 범천왕이 범보천 중에 누대를 일으켜서 따로 머무는 것처럼, 이 곳도 역시 그와 같은데, 무상천

고 하는가? 생사하는 단계[生死位] 중 다수의 시간 동안[多時] 지각이 있는데도 무상이라고 말한 것은, 그 유정들에게 중간의 장구한 시간 동안 지각이 일어나지 않기 때문이니, 예컨대 계경에서, "그 유정들은 지각이 일어나기 때문에 그 곳에서 죽는다"라고 설한 것과 같다. 그래서 그 유정들은 마치 오래 잠들었다가 깨는 것처럼 다시 지각을 일으키는 것이다.23

거기에서 죽은 뒤에는 반드시 욕계에 태어나지, 다른 처소에 태어나는 것이 아니다. 먼저 닦았던 정행定行의 세력이 다했기 때문이며, 거기에서는 다시 선정을 닦을 수 없기 때문이니, 마치 허공으로 쏜 화살은 힘이 다하면 곧 떨어지는 것과 같다. 만약 그 곳에 태어나야 할 유정들이라면, 반드시 욕계의 순후수업順後受業이 있어야 하니, 마치 저 북구로주에 태어나야 할 자는 반드시 결정코 하늘에 태어날 업이 있어야 하는 것과 같다.24

....
이라고 이름한다.

23 중생이 거기에 태어나고 죽는 단계 중 다수의 시간 동안(=무상천에 태어나는 순간과 무상천에서 죽는 순간) 지각이 있는데도 무상이라고 말한 것은, 그 유정이 태어난 후 죽기 전까지 중간의 5백 대겁의 장구한 시간 동안 지각이 일어나지 않기 때문에 많은 부분에 따라 무상이라고 말한 것이다. 계경(=장14:21 범동경 중 졸역 3.6의 (17)) 중 지각이 일어나는 것을 인용해 증명하는 것과 같다.

24 이는 물러나 태어나는 곳에 대해 밝히는 것이다. 무상천에서 죽고 나면 3계중 반드시 욕계에 태어나지, 다른 곳은 아니다. 까닭이 무엇인가? 첫 논사(=아래의 『대비바사론』 제154권에 여러 다른 해석이 있다)는 해석해 말하였다. "먼저 무상정을 닦은 원인의 세력이 다했기 때문이고, 혹은 유심정이나 무심정의 원인의 세력이 다했기 때문에 과보를 감득할 수 없어, 거기에서 목숨이 끝나면 다시 욕계에 태어난다. 거기에서는 다시 무상정을 닦을 수 없기 때문이고, 혹은 유심정이나 무심정 때문에 그 계에 태어날 것이 아니니, 마치 허공으로 쏜 화살은 세력이 다할 때 곧 땅에 떨어지는 것처럼, 다시 욕계에 태어나는 것도 역시 그러하다고 알아야 한다. 만약 무상천의 처소에 태어나야 할 유정들이라면 반드시 욕계의 순후수업(=제3생 이후에 과보를 받는 업)이 있어야 하니, 마치 저 북구로주에 태어나야 할 자는 반드시 하늘에 태어날 순후수업이 있는 것처럼, 욕계의 순후수업이 있기 때문에 오직 욕계에만 태어날 뿐, 다른 계에는 태어나지 않는다." 그래서 『대비바사론』 제154권(=대27-784상)에서 말하였다. "어떤 분은, '만약 무상천의 순차생수업順次生受業(=바로 다음 생에 과보를 받는 업=순생수업)을 지었다면 자연히 욕계의 순후차수업順後次受業(=순후수업)도 역시 지었으니, 마치 북구로주의 순차생수업을 지었다면 자연히 욕계천의 순후차수업도 역시 지은 것과 같다'라고 말하였다."

제5항 무상정과 멸진정

1. 무상정無想定

무상에 대해 분별했는데, 두 가지 선정이란 무엇인가?25 무상정無想定 및 멸진정滅盡定을 말한다. 처음의 무상정은 그 모습이 어떠한가? 게송으로 말하겠다.

43 이와 같이 무상정은[如是無想定]
　　최후 정려에서 해탈을 구하는 것인데[後靜慮求脫]
　　선이며, 오직 순생수이고[善唯順生受]
　　성자는 아니며, 1세의 것을 얻는다[非聖得一世]26

논하여 말하겠다. 앞에서 말한 것처럼 어떤 법이 능히 심·심소를 소멸하게 하였다면 무상無想이라고 이름하는데, 이와 같이 다시 별도의 법이 있어 능히 심·심소를 소멸하게 하는 것을 무상정無想定이라고 이름한다. 무상인 자[無想者]의 선정이기 때문에 무상정이라고 이름하며, 혹은 선정이 무상無想이므로 무상정이라고 이름한다. (게송에서) '이와 같이'라는 말을 한 것은, 이 선정에서 심·심소를 소멸하게 하는 것이 무상천과 같다는 것을 나타낼 뿐이다.27

....

25 이는 큰 글의 넷째 두 가지 선정에 대해 밝히는 것이다. 그 안에 나아가면 첫째 무상정에 대해 밝히고, 둘째 멸진정에 대해 밝히며, 셋째 의지하는 몸의 차별을 밝힌다. 이하에서 무상정에 대해 밝히는데, 장차 밝히려고 물음을 일으켰다. 그 안에 나아가면 첫째는 전체적인 것이고, 둘째는 개별적인 것인데, 이는 곧 전체적인 물음이고, 이어지는 한 문장은 전체적인 답이다.
26 이는 개별적인 물음과 개별적인 답이다. 처음 1구는 체를 밝히는 것이고, '최후의 정려'는 의지하는 지를 밝히는 것이며, '해탈을 구하는 것'은 작의를 밝히는 것이고, '선'은 포함되는 성품을 밝히는 것이며, '순생수만'은 초래하는 과보를 밝히는 것이고, '성자가 아니다'는 닦는 사람을 밝히는 것이며, '일세를 얻는다'는 성취하는 것을 밝히는 것이다.
27 앞에서 말한 것처럼 무상이숙의 법이 있어 능히 심·심소를 소멸하게 하였다면 무상이라고 이름하는데, 이와 같이 다시 별도의 심불상응행법이 있어 능히 심·심소를 소멸하게 하면 무상정이라고 이름한다. 몸 안이 무상이라고 해서

이것은 어느 지地에 있는가? 말하자면 최후 정려이니, 곧 제4정려에 있지, 다른 지가 아니다.[28] 무상정을 닦는 것은 무엇을 구하는 바로 하는가? 말하자면 해탈을 구하는 것이니, 그들은 무상無想이 진정한 해탈이라고 집착해서 그 증득을 구하기 위해 무상정을 닦는다.[29]

앞에서 무상은 이숙이라고 말했기 때문에 무기의 성품에 포함됨은 말하지 않았어도 저절로 이루어졌는데, 지금의 무상정은 한결같이 선善이다. 이것이 선이기 때문에 무상유정천 중의 오온의 이숙을 초래할 수 있는 것이다.[30]

이것이 선의 성품이라면, 어떤 수受에 따르는가? 오직 순생수順生受일 뿐, 순현수·순후수 및 부정수不定受가 아니다. 만약 이 선정을 일으켰다면 후에 비록 물러나 잃더라도, 전하는 학설로는 현재의 몸으로 반드시 다시 능히 일으켜 장차 무상유정천 중에 태어난다고 하였다. 그래서 이 선정을 얻으면 반드시 정성이생正性離生에 들어갈 수 없다고 하였다.[31]

....

무상인 자라고 이름했는데, 무상인 자의 선정이므로 무상정이라고 이름했다면 의주석이다. 혹은 선정이 곧 무상이므로 무상정이라고 이름했다면 지업석이다. 게송에서 '이와 같이'라는 말을 한 것은 이 선정이 심·심소를 소멸하게 하는 것이 앞의 무상이숙천과 같다는 것을 나타낼 뿐, 그 일체와 같다는 것은 아니다. 『대비바사론』 제151권(=대27-773상)에 준하면, 무상정에 들어갈 때의 마음 및 무상정에서 나올 때의 마음은 모두 제4정려의 유루의 선심이다.

28 오직 제4정려에만 있지, 다른 상하의 여러 지는 아니다. 그래서 『대비바사론』 제152권(=대27-773중)에서 말하였다. "또 아래의 여러 지에는 기뻐하거나 근심하는 느낌이 있어 행상이 거칠게 움직이므로 소멸시키기 어렵지만, 제4정려에는 중간의 느낌(=사수)만 있어 행상이 미세하므로 끊어 소멸시키기 쉽기 때문에 아래의 지에는 무상정이 없다." (문) 어째서 무색계에는 그 선정이 없는가? (답) 오직 이생들만 이 선정을 익히는 것에 의해 무상無想의 열반을 증득하게 된다고 헤아림이 있을 뿐, 무색계 중에는 헤아릴 만한 무상이숙이 없기 때문에 무상정이 거기에는 역시 없다. 또 모든 이생은 단멸斷滅을 두려워하는데, 그 계에는 신체가 없어서, 만약 다시 마음을 소멸시켜 곧 단멸하게 한다면, 이는 그들이 두려워하는 것이기 때문에 그 계 중에는 무상정이 없다.

29 무상을 닦는 사람은 해탈과 열반을 구하려고 하는데, 그들은 무상이숙이 진정한 해탈과 열반이라고 집착해서, 그 증득을 구하기 위해 무상정을 닦아 출리의 도로 만드는 것이다.

30 앞에서 무상은 이숙이라고 말했기 때문에 무기의 성품에 포함된다는 것은 말하지 않았어도 저절로 이루어졌기 때문에 따로 말하지 않았다. 이 선정은 오직 선이므로 무상유정천 중의 오온의 이숙을 초래할 수 있다. 처음 태어날 때와 뒤에 죽을 때에는 심·심소가 있기 때문에 오온을 갖춘다.

또 이 선정은 오직 이생들만 얻지, 성자들은 아니라는 것이 인정된다. 모든 성자들은 무상정을 마치 깊은 구덩이을 보듯이, 들어가기를 좋아하지 않기 때문이다. 반드시 무상無想이 진정한 해탈이라고 집착해야 출리의 지각[出離想]을 일으켜 이 선정을 닦는데, 일체 성자들은 유루인 것이 진정한 해탈 및 진정한 출리가 된다고 집착하지 않기 때문에 이 선정을 반드시 수행하지 않는다.32

성자들이 제4정려의 선정을 닦아서 얻을 때, 마치 정려처럼 과거와 미래의 무상정도 역시 얻는가?33 나머지도 역시 얻지 않는다.34 까닭이 무엇인가? 그가 비록 일찍이 익힌 적이 있더라도 무심이기 때문이며, 반드시 큰 가행의 방편으로 닦아야 얻는 것이기 때문에 처음 얻을 때에는 일세一世의 것만을 얻는다. 말하자면 현재의 것을 얻으니, 마치 별해탈계를 처음 받아서 얻는 것과 같다. 이 선정을 얻고 나면 제2찰나 등에서부터 나아가 아직

....

31 오직 순생수(=순차생수업)일 뿐임은 글대로 이해할 수 있을 것이다. 『순정리론』(=제12권. 대29-401상)의 1설은 이 논서와 같은데, 또 1설로서, "한 부류의 논사들은 이런 결정적 집착을 한다. 말하자면 순생수 및 부정수라고. 왜냐하면 이 선정을 이룬 자도 역시 정성이생에 들어갈 수 있기 때문이다. (정성이생위에) 들어간 뒤에는 이 선정을 현행시키는 일이 없으니, 현행에 의거해 무상정을 말하여 이생의 선정[異生定]이라고 이름한 것이지, 성취에 의거한 것이 아니다"라고 하였다.

32 이는 범·성 분별인데, 오직 이생들만 얻는다. 무상정은 5백 겁 만에 생사하는 큰 과보를 감득하지만, 공空이어서 얻는 것이 없으므로 성자들은 싫어해 떠나야 한다고 하며, 깊은 구덩이를 보듯이 들어가기를 좋아하지 않기 때문이다. 반드시 무상이숙이 진정한 해탈과 열반이라고 집착해야, 무상정에 대해 능히 생사에서 출리하게 하는 것이라는 지각을 일으켜 이 선정을 닦지만, 일체 성자들은 유루인 무상이숙이 진정한 해탈과 열반이 된다고 집착하지 않고, 유루인 무상정이 진정한 출리의 성도가 된다고 집착하지 않기 때문에 이 선정을 반드시 수행하지 않는다.

33 이하는 성취하는 것에 대해 밝히는 것인데, 이는 묻는 것이다. 만약 성자들이 제4정려의 선정을 닦아서 얻을 때라면 반드시 시작을 알 수 없는 과거와 미래의 여러 유심의 선정들도 얻는데, 이 무상정도 정려의 경우처럼 역시 과거와 미래의, 시작을 알 수 없이 일찍이 익힌 무상정도 역시 얻는 것인가?

34 이는 답이다. 다른 범부인 사람(=본문의 '나머지')도 제4정려를 닦아서 얻을 때 과거와 미래의 무상정은 역시 얻지 않는데, 어찌 하물며 성자인 사람이겠는가?

버리지 않은 동안은 과거의 것도 역시 성취하지만, 무심이기 때문에 미래의 것을 닦는 일은 없다.[35]

2. 멸진정滅盡定

다음 멸진정滅盡定은 그 모습이 어떠한가? 게송으로 말하겠다.

44 멸진정도 역시 그러한데[滅盡定亦然]
　고요한 머묾을 위한 것으로, 유정천에 머물며[爲靜住有頂]
　선이고, 두 가지 수나 부정수이며[善二受不定]
　성자가 가행에 의해 얻는 것이다[聖由加行得]

45a 성불할 때 얻는 것은 전자가 아니니[成佛得非前]
　34찰나이기 때문이다[三十四念故][36]

논하여 말하겠다. 무상정과 같이 '멸진정도 역시 그러하다'에서 이 '역시 그러하다'는 말은 어떤 뜻에 비례시킨 것인가? 무상정의 심·심소의 소멸에 비례시킨 것이니, '다시 별도의 법이 있어 능히 심·심소를 소멸하게 하는 것을 무상정이라고 이름한다'라고 말한 것처럼, 이와 같이 다시 별도의 법이 있어 능히 심·심소를 소멸하게 하는 것을 멸진정이라고 이름한다는 것이다.[37]

....

35 그 무상정을 비록 다시 과거에 일찍이 닦은 적이 있더라도 무심이기 때문이며, 반드시 큰 가행의 방편을 일으켜 닦아야 얻는 것이기 때문에 처음 얻을 때에는 오직 현재의 것만을 얻는다. 마치 별해탈계를 처음 받아서 얻는 것처럼, 역시 현재의 것만을 이룬다. 이 선정을 얻고 나면 제2의 순간 등에서부터 아직 버리지 않은 동안은 과거의 것도 역시 성취하지만, 무심이기 때문에 미래의 것을 닦는 일은 없다.

36 이하는 둘째 멸진정에 대해 밝히는 것이다. 처음 1구는 자체를 밝힌 것이고, '고요한 머묾을 위한 것'은 작의를 밝히는 것이며, '유정천에 머문다'는 것은 의지하는 지를 밝히는 것이고, '선'은 포함되는 성품을 밝히는 것이며, '두 가지 수나 부정수'는 초래하는 과보를 밝히는 것이고, '성자'는 닦는 사람을 밝히는 것이며, '가행에 의해 얻는다'는 처음의 수행을 밝히는 것이고, 뒤의 2구는 성불할 때 얻는 것에 대해 밝히는 것이다.

37 이는 바로 체를 나타내는 것이다. 이와 같이 다시 별도의 불상응행법이 있어

이와 같은 두 가지 선정의 차별상은 다음과 같다. 앞의 무상정은 해탈을 구하기 위해 출리상出離想의 작의作意를 우선으로 하지만, 이 멸진정은 고요한 머묾[靜住]을 구하기 위해 지식상止息想의 작의를 우선으로 한다.38 앞의 무상정은 최후 정려에 있는 것이지만, 이 멸진정은 오직 유정천[有頂], 즉 비상비비상처에만 있는 것이다.39 이것은 앞의 선정처럼 성품이 오직 선이고, 무기나 염오가 아니니, 선과 등기等起하기 때문이다.40 앞의 무상정은 오직 순생수順生受이지만, 이 멸진정은 순생수·순후수 및 부정수에 통한다. 말하자면 이숙에 의거할 때 순생수이거나 순후수이거나 부정수로서, 혹은 완전히 받지 않는 경우도 있으니, 하지下地에서 반열반을 얻는 경우를 말한다. 이 선정에 의해 초래되는 것은 어느 지地의 몇 가지 온인가? 오직 유정천의 4온의 이숙과만을 초래한다.41

....

능히 심·심소를 소멸하게 하는 것을 멸진정이라고 이름한다.

38 이는 작의가 같지 않음을 상대시켜 차별을 구별하는 것이다. 앞의 무상정은 무상이숙의 해탈을 구하려고 지각[想]을 싫어하여 허물기 위해 마음의 지각에서 출리하려는 작의를 우선으로 하니, 즉 무상정이 능히 생사에서 출리하게 한다는 것이다. 또 해석하자면 능히 지각에서 출리하게 한다는 것이다. 이 멸진정은 적정寂靜한 머묾을 구하려고 산란한 움직임을 싫어하여 허물기 위해 마음의 지각을 지식止息하려는 작의를 우선으로 하니, '지식'은 곧 심·심소법을 멈추어 종식시키는 것이다. 또 해석하자면 지각[想]을 지식한다는 것은, 비록 느낌[受] 등도 멈추어 종식시키지만, 지각이 가깝고 강하기 때문에 별도로 표방한 것이다.

39 이는 의지하는 지의 같지 않음이다. 또 『대비바사론』 제152권(=대27-774중)에서 말하였다. "(문) 무엇 때문에 하지下地에는 이 선정이 없는가? (해) 한 가지 해석은, 또 멸진정은 극히 미세한 심·심소를 소멸케 했기 때문에 얻는 것인데, 하지는 극히 미세한 심·심소의 소멸에 따르지 않는다고 한다, 또 한 가지 해석은, 하지는 모두 유상有想이라고 이름하니, 행상이 거칠게 움직여서 지식하기 어렵지만, 이 지는 비상비비상처라고 이름하니, 행상이 미세해서 지식하기 쉽다고 한다."

40 이 멸진정은 앞의 무상정처럼 성품이 오직 선이고, 무기나 염오가 아니니, 네 종류 선(=자성선·상응선·등기선·승의선) 중 등기선이기 때문이다. 또 염오나 무기는 고요한 것[寂靜]이 아니기 때문이다.

41 이는 초래하는 과보를 밝히는 것이다. 앞의 무상정은 오직 순생수이지만, 이 멸진정은 순생수·순후수·부정수에 통한다. 이숙과에 의거할 때 순생수도 있고, 순후수도 있으며, 부정수 중에도 두 가지가 있다. 혹은 부정수의 이 결정되지 않음에, 이숙은 결정되었지만, 시기가 결정되지 않기도 하고, 혹은 완전

앞의 무상정은 이생異生들만 얻지만, 이 멸진정은 성자들만 얻는 것이다. 이생은 일으킬 수 있는 것이 아니니, 단멸斷滅을 두려워하기 때문이며, 오직 성도聖道의 힘으로만 일으킬 수 있는 것이기 때문이며, 현법열반現法涅槃의 승해로써 들어가는 것이기 때문이다.42 이것도 역시 앞의 무상정처럼 이염離染으로 얻는 것이 아니다.43 무엇에 의해 얻는가? 가행에 의해 얻으니, 반드시 가행에 의해야 비로소 증득하기 때문이다. 또 처음 얻을 때에는 현재의 것만을 얻고, 과거의 것은 얻지 않으며, 미래의 것도 닦지 않으니, 반드시 마음의 힘에 의해야 비로소 닦을 수 있기 때문이다. 제2의 찰나 등에서부터 나아가 아직 버리지 않은 동안은 과거의 것도 역시 성취한다.44

....

히 받지 않기도 하니, 말하자면 하지에서 이 선정을 일으킨 뒤 상지에 태어나지 않고 나머지 번뇌를 끊음으로써 곧 하지에서 반열반을 얻는 경우이다. 이것은 결정되지 않음 중에 이숙 및 시기가 모두 결정되지 않은 것이다. 오직 유정천의 4온(=색온이 없기 때문)의 이숙만을 초래하는데, 『대비바사론』제19권(=대27-97상)에서도 말하였다. "(문) 멸진정은 어떤 이숙과를 받는가? (답) 비상비비상처의 4온의 이숙과를 받는데, 명근과 중동분은 제외하니, 그 것들은 업의 과보일 뿐이기 때문이다."

42 이는 범·성을 분별하는 것인데, 오직 성자인 사람들만 이것을 얻는다. 무상정은 제4정려에 있는데, 그 곳에서는 신체가 있어서, 무상을 닦는 사람은, '내가 비록 마음을 소멸시키더라도 여전히 신체가 있다'라는 이런 생각을 한다. 단멸을 두려워하지 않으므로 이생도 일으킬 수 있지만, 이 멸진정은 유정천에 있는데, 거기에서는 신체가 없어서, 다시 마음을 소멸시키려고 하면 단멸을 이룰까 두려워하고, 두려움이 생기기 때문에 일으킬 수 없다. 또 이 멸진정은 오직 성도의 힘으로만 일으키는 것(=유정천의 견혹은 유루도로써는 끊을 수 없음)이기 때문에 성자들만이지, 범부는 아니다. 또 성자인 사람이 이 선정에 들려고 하면 이 선정에 현법열반(=이 현재세의 열반)의 승해의 지각에 의해 들어가게 되니, 열반이라는 마음의 지각을 지음에 의하기 때문이다. 이생은 들어갈 수 없으니, 단멸을 두려워하기 때문이다. 또 승해의 작용이 강하기 때문에 따로 표방한 것이다. 또 『순정리론』(=제12권. 대29-401하)에서 말하였다. "모든 이생은 멸진정을 일으킬 수 있는 것이 아니니, 그들은 자지自地(=유정천)에서 멸진정을 일으키는 것에 대한 장애가 있어 여전히 아직 끊어지지 않았기 때문이고, 아직 유정천에 대한 견소단의 번뇌를 초월하지 못했으므로 멸진정을 일으킬 수 있는 능력이 필경 없다."

43 이 멸진정은 앞의 무상정처럼 이염득離染得이 아니라는 것(=가행득)을 밝히는 것이다.

44 가행으로 얻는 것이다. 처음에는 현재의 것만을 이루고, 과거의 것은 얻지 않는다. 미래의 것도 역시 닦지 않으니, 무심이기 때문이다. 반드시 마음의 힘에

【붓다 세존의 멸진정】세존께서도 역시 가행으로써 얻으셨는가?[45] 그렇지 않다. 어떠한가? 성불할 때 얻으셨으니, 말하자면 붓다 세존들께서는 진지盡智의 시기에 얻으신다. 붓다께서는 하나의 공덕도 가행에 의해 얻으신 것이 없고, 잠시 욕락欲樂을 일으켜 현전시키려고 하면 그 때 일체 원만한 공덕이 그 욕락에 따라 일어나기 때문에, 붓다의 온갖 공덕은 모두 이염득離染得이다.[46]

세존께서는 일찍이 멸진정을 일으키신 적이 없는데, 진지를 얻으실 때 어떻게 구분해탈俱分解脫을 이루실 수 있었는가?[47] 멸진정을 일으키는 것에 자재를 얻으셨기 때문에 이미 일으킨 자처럼 구분해탈을 이루신 것이다.[48]

....

의해야 비로소 미래의 것을 닦는 것이다. 제2의 찰나 등에서부터 아직 버리지 않는 동안은 과거의 것도 역시 성취한다.

45 이하는 성불할 때 얻는 것에 대해 해석하는 것이다.

46 붓다의 멸진정은 이염할 때에 얻으신 것임을 밝히는 것이다. 『순정리론』(=제12권. 대29-401하)에서 비판해 말하였다. "어찌 진지도 성불할 때 역시 얻는다고 이름하지 않아야 하지 않겠는가?(=진지의 획득 역시 성불과는 틈이 있다는 취지) 하물며 멸진정이리오. 모든 보살들은 금강유정에 머물 때 진지를 얻는다고 이름하니, 득의 체가 생길 때 얻는다고 이름하기 때문이다." 또 말하였다. "마땅함에 따라 그들을 위해 회통해 해석하자면, 말하자면 가까운 일[近事](=성불)에 대해 먼 말[遠聲](=진지의 획득)을 한 것이다. 혹은 금강유정의 시기에 반드시 성불하기 때문에 역시 성불이라고 이름하니, 무간의 찰나에 결정코 성불하기 때문이다." 이를 해석하자면 정리론주가 구사론을 위해, "이치의 실제로는 획득이 보살의 단계에 있었다고 말할 것이지만, 지금 붓다의 성취라는 가까운 일에서, 보살이 처음 획득하는 먼 말을 한 것이기 때문에 붓다의 단계에 얻었다고 말해도 허물이 없다"라고 변론한 것인데, 구사론사가 변론해 말할 것이다. 「성불이라는 말은 원인에 결과의 명칭을 세운 것이고, 진지의 시기에 얻었다는 말은 진지가 생상에 있을 때를 말한 것이다. 스스로도 족히 해석할 수 있으니, 애써 그렇게 해석할 필요가 없다.」

47 이미 구분해탈이라고 말했으니, 멸진정을 말한 것인데, 「붓다께서는 진지의 시기에 아직 멸진정을 일으키시지 않았거늘, 어떻게 '구분'이라고 이름하겠는가?」라고 묻는 것이다.

48 답이다. 붓다께서 진지의 시기에 비록 아직 멸진정을 일으키시지 않았어도 멸진정에 대해 자재를 일으키셨기 때문에, 이미 일으킨 자처럼 구분해탈을 이루신 것이다. 또 『대비바사론』 제153권(=대27-780중)에서도, "(문) 어떻게 진지가 일어났을 때 구분해탈이라고 이름하겠는가? (답) 이미 그 선정에 들어가고 나오는 마음을 얻었기 때문에 구분해탈이라고 이름한 것이지, 선정 자체를 얻었다는 것이 아니다. 곧 이런 이치에 의해 이염득이라고 말한 것이니,

서방의 논사들은, "보살께서는 유학의 단계에서 먼저 이 선정을 일으키셨고, 그 뒤에 보리를 얻으셨다"라고 말했는데, 어째서 여기에서는 그런 설을 인정하지 않는가?49 그런 설을 인정하면 곧 존자 오파국다鄔波麴多의 『이목족론理目足論』에 따를 것이니, 그 논서에서, "여래께서는 먼저 멸진정을 일으키셨고, 그 뒤에 진지를 낳았다고 말해야 한다"라고 말한 것과 같기 때문이다.50 그러나 가습미라국의 비바사 논사들은, "앞에 멸진정을 일으키고, 그 후에 비로소 진지를 낳은 것이 아니다"라고 말한다. 까닭이 무엇인가? 전하는 학설에, 보살은 34찰나에 보리를 얻으셨다고 했기 때문이다. 사성제의 현관現觀에 16찰나가 있고, 유정지의 탐욕을 떠나는 것에 18찰나가 있으니, 말하자면 유정지의 9품의 번뇌를 끊을 때 9무간도와 9해탈도를 일으키는데, 이와 같은 18찰나에 앞의 16찰나를 더하면 34찰나가 되는 것이다. 일체 보살들은 결정코 먼저 무소유처에서 이미 이탐離貪을 얻고 비로소 견도에 들어가므로, 다시 하지의 번뇌를 끊을 필요가 없고, 그 중간에 같지 않은 부류의 마음[不同類心]을 일으킬 수는 없다. 따라서 모든 보살은 유학의 단계에서 멸진정을 일으키지 않아야 하는 것이다.51

....

뒤의 시기에 가행에 의하지 않고 일으키기 때문이다"라고 말하였다.
49 이하에서 '전자가 아니니, 34찰나이기 때문이다'라고 한 것을 해석하는데, 다른 설을 서술하려고 묻는 것이다. '서방의 논사'는 곧 가습미라국 서쪽의 건타라국의 논사들인데, 이 논사들의 뜻은, "보살께서는 유학의 단계에서 먼저 이 선정을 일으키셨다. 말하자면 그 보살께서 먼저 무소유처의 번뇌를 끊고 비로소 견도에 드셨으며, 견도에서 나오신 뒤 비로소 멸진정에 드셨으며, 멸진정에서 나오셔서 유정처의 번뇌를 끊으셨고, 그 후 보리를 얻으셨으며, 진지의 시기에 과거의 멸진정을 성취하셨다. 어째서 여기에서는 그 서방 논사들의 설을 인정하지 않는가?"라고 말하는 것이다.
50 논주가 그들을 위해 풀이하는 것이다. 만약 그 서방 논사들의 설을 인정하려면 곧 존자 오파국다가 지은 『이목족론』에 따라야 할 것이니, 그 논서에서, "붓다께서는 먼저 멸진정을 일으키셨고, 그 뒤에 보리를 얻으셨다"라고 말했기 때문이다. 논주의 마음은 서방 논사들의 설에 동조하기 때문에 이런 해석을 한 것이다. '오파국다Upagupta'는 여기 말로 근장近藏인데, 붓다의 열반 100년 뒤에 출생하신 분으로, 아육왕 가문의 스승이다. 예전에 우파국다優婆鞠多라고 부른 것은 잘못이다.
51 가습미라국 논사들이 마음으로 말하는 것이다. 먼저 멸진정을 일으킨 뒤 비로소 진지가 생긴 것이 아니니, 34찰나에 보리를 얻기 때문이다. 이 34찰나의

이에 대해 외국의 논사들은, "만약 중간에 같지 않은 부류의 마음을 일으
킨다면, 여기에 무슨 허물이 있는가?"라고 말하였다.52 만약 그렇다면 곧
기약한 마음[期心]을 넘는 허물이 있을 것인데, 모든 보살은 기약한 마음을
넘지 않는다.53 이치의 실제로 보살은 기약한 마음을 넘지 않지만, 그렇다
고 무루의 성도를 넘지 않는다는 것은 아니다.54 만약 그렇다면 기약한 마
음을 어떻게 넘지 않겠는가?55 말하자면 '나는 모든 번뇌의 영원히 다했음
을 미처 얻지 못한다면, 결코 이 결가부좌를 풀지 않을 것이다'라고 이렇게
기약한 마음을 결정코 넘지 않고, 오직 한자리의 시기에서만 모든 일을 다
마치기 때문이다.56 앞의 설이 훌륭하다고 할 것이니, 우리가 종지로 하는
바이기 때문이다.57

3. 의지하는 몸의 차별

　두 가지 선정 사이에 다수의 같고 다른 모습이 있는 것을 이미 설명했지
만, 그들 중에도 다시 같고 다름이 있다. 게송으로 말하겠다.

45c 두 가지 선정은 욕계와 색계에 의지하는데[二定依欲色]

....

　중간에 비상비비상지의 유루의, 같지 않은 부류의 마음(=멸진정에 들어가는
　마음은 유루, 34찰나의 마음은 무루)을 일으킬 수는 없기 때문에 모든 보살은
　유학의 단계에서 멸진정을 일으키지 않아야 한다.
52 '외국의 논사들'은 곧 가습미라국 밖의 인도국의 논사들인데, 서방의 논사들
　이 말하는 뜻과 같기 때문에 지금 따라 열거하며 묻는 것이다. 만약 34찰나의
　중간인, 견도 후에 비상비비상지에서, 부류가 같지 않은 유루의 마음을 일으
　켜 멸진정을 얻는다면 여기에 무슨 허물이 있는가?
53 가습미라국의 논사들이 그들을 위해 허물을 나타내는 것이다. 만약 다른 부류
　를 일으킨다면 곧 기약한 마음을 넘을 것이다. 그러나 모든 보살은 기약한 마
　음을 넘지 않기 때문이다.
54 이는 외국 논사들의 해석이다. 이치의 실제로 보살은 기약한 마음을 넘지 않
　지만, 그렇다고 무루의 성도를 넘어 다른 유류를 일으키지 않는다는 것은 아
　니다.
55 가습미라국의 논사들이 다시 반론하는 것이다. 만약 유루를 일으킨다면 곧 기
　약한 마음을 넘을 것인데, 어떻게 넘지 않는다고 하겠는가?
56 이는 외국 논사들의 해석인데, 알 수 있을 것이다.
57 가습미라국 논사들이 능히 반론을 펴지 못하고, 맺어서 본래의 종지로 돌아오
　는 것이다.

멸진정의 처음은 인간 중이다[滅定初人中]58

(1) 의지하는 지의 같음과 다름

논하여 말하겠다. '두 가지 선정'이라는 말은 무상정과 멸진정을 말하는
것인데, 이 두 가지는 모두 욕계·색계에 의지해 현재 일으킬 수 있다.59 만
약 누군가가 역시 색계에 의지해서도 무상정을 일으키는 것을 인정하지 않
는다면, 곧 이런 글에 위배될 것이다. 말하자면 근본논서에서, "혹 색계의
존재[色有]이면서 이 존재가 5온[五行]이 아닌 경우가 있으니, 색계[色塵]의
유정이 혹은 유상천有想天에 태어나 같지 않은 부류의 마음에 머물거나, 무
상정에 들었거나, 멸진정에 들었거나, 혹은 무상천에 태어난 뒤 무상에 듦
[入無想]을 얻은 경우를 말한다"라고 말하였다. 이들을 색계의 존재이면서
이 존재가 5온이 아닌 경우라고 말한 것이니, 이에 의해 이와 같은 두 가지
선정은 모두 욕계·색계에 의지해 현재 일으킬 수 있다는 것을 분명히 알 수
있다. 이런 것을 같은 모습이라고 이름한다.60
다른 모습이라고 말한 것은, 말하자면 무상정은 욕계와 색계에서 모두

....
58 이하는 셋째 의지하는 몸[所依身]에 대해 밝히는 것이다.
59 이는 제1구를 해석하는 것이니, 두 가지 선정은 모두 욕계·색계에 의지해 현
기現起(=현재 일으킨다, 또는 현행시켜 일으킨다는 뜻)할 수 있다.
60 만약 어떤 자부自部의 논사들이 색계에 의지해서도 무상정을 일으킨다는 것을
인정하지 않는다면 곧 근본논서인 『발지론』에서 말한 것에 위배될 것이다. 그
논서에서 색유色有로써 5행五行을 상대(하여 분별)하는데, '색유'는 색계의 존
재를 말하고, 오온을 '5행'이라고 이름한 것이니, 무상한 것을 행이라고 이름
하기 때문이다. (한역문 중) '전塵'은 시장의 점포[市塵]를 말하는 것이니, 3계
의 뒤섞여 어지러움이 마치 시장의 점포와 같다는 것이다. 말하자면 『발지론』
(=제19권. 대26-1024상)에서, 색계의 존재로서, 이 색계의 존재인 중생이
5온을 갖춘 것 아닌 경우가 있으니, 색계의 유정이 혹 유상천에 태어나(=무
상천에 태어난 경우가 아님) 다른 계(=무색계) 및 무루의, 같지 않은 부류의
마음에 머물거나, 무상정에 들었거나, 멸진정에 들었거나, 혹은 무상천에 태
어나 이미 무상이숙에 들어감을 얻은 경우를 말한다고 말하였다. 이와 같은
등은 단지 색온과 행온만 있을 뿐, 나머지 3온이 결여되었으니, 이들을 색계
의 존재로서 이 존재가 5온이 아닌 경우라고 말한 것이다. 그 논서에서 색계
의 유정으로서 무상정에 든 경우를 이미 말했는데도, 들어가지 않는다고 말
한다면 그 때문에 스스로의 가르침과 상반될 것이다.

처음 일으킬 수 있지만, 멸진정을 처음 일으키는 것은 오직 인간 중에 있을 때이니, 이것은 인간 중에 있을 때 처음 닦아서 일으킨 뒤 물러남[退]이 선행함으로 말미암아 바야흐로 색계에 태어나고, 그 색계의 몸에 의지해 뒤에 다시 닦아서 일으키는 것이다.61

(2) 멸진정의 퇴·불퇴

이 멸진정도 역시 물러남이 있는가?62 역시 있다고 말해야 할 것이다. 만약 그렇지 않다면 곧 오다이경鄔陀夷經에 위배될 것이니, 그 경에서, "존자들이여, 어떤 필추들이 먼저 이 곳에서 청정한 계를 갖추고 삼매를 갖추며 지혜를 갖춘다면 능히 자주 멸진정[滅受想定]에 들어가고 나오는 이것은 가능한 일이라고 여실하게 알아야 합니다. 그가 이 현세에서나 임종의 단계에서 부지런히 닦음으로써 승해[解]를 능히 만족케 하지 못했더라도, 여기에서 몸이 무너지면 단식천段食天을 뛰어넘는 어느 한 곳의 의성천意成天의 몸을 받고, 거기에 태어난 뒤 다시 자주 멸진정에 들어가고 나오는 이것도 역시 가능한 일이라고 여실하게 알아야 합니다"라고 말했는데, 이 의성천의 몸을 붓다께서 색계라고 말씀하셨기 때문이다. 멸진정은 오직 유정천에만 있는 것인데, 만약 이 선정을 얻었을 때 반드시 물러남이 없다면, 어떻게 색계로 가서 태어남을 받을 수 있겠는가?63

....
61 이는 제2구를 해석하는 것이다. 말하자면 무상정은 욕계와 색계에서 모두 처음 일으킬 수 있으니, 무시 이래로 자주자주 닦고 익혔으므로 일으킬 때 곧 쉽기 때문에 2계를 통해서 모두 처음 일으킬 수 있다. 멸진정을 처음 일으키는 것은 오직 인간 중에 있을 때이니, 무시 이래로 아직 일찍이 닦고 익힌 적이 없어서 일으킬 때 곧 어렵고, 반드시 설법의 힘 및 강한 가행에 의해야 비로소 생길 수 있기 때문이다. 그래서 『순정리론』(=제12권. 대29-402하)에서도, "오직 인간 중에만 설법하는 분과 해석하는 분이 있으며, 또 강성한 가행의 힘이 있기 때문이다"라고 말하였다. 또 해석하자면 무상정은 천안통으로 인해 그 무상유정을 보고 열반이라고 여겨서 문득 곧 닦기 때문에 색계 중에서 처음 일으킬 수 있다. 또 해석하자면 무상정은 비록 색계에서 처음 일으킬 수 있다고 해도, 반드시 먼저 욕계에서 처음 가행을 일으켜 욕계 중에서 순후수업을 만들고, 바야흐로 색계에 태어나서 숙주통을 일으켜 먼저 얻지 못한 것을 알고 이제 다시 닦기 때문에 처음 일으킬 수 있다. 그러나 이 멸진정은 인간 중에 있을 때 처음 닦아서 일으킨 뒤 물러남이 선행함으로 말미암아 비로소 색계에 태어나고, 색계의 몸에 의지해 뒤에 다시 닦아서 일으키는 것이다.
62 물음이다.

어떤 다른 부파에서는, "제4정려에도 역시 멸진정이 있다"라고 집착하는데, 그들의 집착에 의하면 멸진정에 물러남이 없다는 이 뜻도 또한 성립된다고 한다.64 제4정려에도 멸진정이 있다는 이치는 반드시 성립될 수 없다. 왜냐하면 9차제정次第定이라고 계경에서 설했기 때문이다.65 이것이 반드시

....

63 답이다. 경(=중 5:22 성취계경)을 인용해 물러날 수 있음을 증명하는 것인데, 큰 뜻은 알 수 있을 것이다. '오다이'는 여기 말로 출현出現이다. '만족케 한다'는 것은 무학과를 가리키고, '단식천'은 욕계6천을 말한 것이니, 단식에 의지하기 때문이며, '의성천意成天의 몸'은 색계의 하늘을 말한 것이니, 정혈 등에 의해 태어나지 않고, 마음에 따라 태어남을 받으므로 의성천의 몸이라고 이름하였다. 만약 『대비바사론』 제153권(=대27-778하)에 의한다면 이렇게 갖추어 말하였다. "계경에서 설했으니, 존자 사리자가 비구 대중들에게 말하였다. '만약 비구가 계·정·혜를 완전히 갖춘다면 능히 자주자주 멸진정에 들어가고 나오는데, 그가 이 현세에서, 또 장차 죽을 때 여래의 성스러운 뜻을 능히 갖추지 못했다면 목숨이 끝난 뒤 단식천의 처소를 뛰어넘어 의성천의 천신의 몸 중에 태어나 있으면서 거기에서 다시 능히 자주자주 멸진정에 들어가고 나오는 이것은 가능한 일이라고 여실하게 알아야 합니다.' 그 때 존자 오다이가 그 법회에 앉아 있다가 존자 사리자에게 말하였다. '그 비구가 의성천의 몸으로 태어나 능히 자주 멸진정에 들어가고 나온다는 이것은 있을 수 없는 일일 것입니다.' 두 번째 세 번째에도 역시 이렇게 말하였다. (문) 어째서 존자 오다이는 재삼 존자 사리자에게 거역한 것인가? (답) 그가 의심한 것은 도리가 없는 것이 아니었으니, 그는 이렇게 생각했던 것이다. '이 선정을 얻었다면 반드시 무소유처의 잡염을 떠났으니, 목숨이 끝나면 응당 비상비비상처에 태어날 것인데, 거기에서는 반드시 이 선정을 일으킬 수 있는 이치가 없다.' 또 그는 사리자의 뜻을 알지 못한 것이니, 이 때문에 바로 앞에서 재삼 사리자에게 거역한 것이다. (문) 사리자에게 어떤 취지가 있었기에, 그 존자가 어떻게 알지 못한 것인가? (답) 사리자는 색계에 태어나는 자를 말한 것인데, 오다이는 무색계에 태어나는 자를 말한 것이었으니, 사리자는 물러나는 경우를 말하고, 오다이는 물러나지 않는 경우를 말한 것이다. 이로 말미암아 알지 못했기 때문에 재삼 거역한 것이다." 자세한 것은 거기에서 말한 것과 같다.

64 어떤 다른 대중부 등에서 제4정려에도 멸진정이 있으며, 의성천에 태어난다고 집착한다. 그들의 집착에 의하면 멸진정에 물러남이 없다는 이 이치도 역시 성립된다. 그들은, 「범부도 제4정려를 얻어 오히려 무상정에 들어갈 수 있거늘, 하물며 성자인 사람이 제4정려를 얻어 멸진정에 들어갈 수 없겠는가?」라고 말하는 것이다.

65 이는 경(=장 17:28 포타바루경布吒婆樓經)을 인용해 집착을 깨뜨리는 것이다. 4정려와 4무색정의 이 8유심정 뒤에 비로소 멸진정이 제9가 된다고 말하기 때문에 그 비상비비상처 후에 비로소 이 선정에 들어간다고 알아야 한다. 만약 멸진정이 제4정려에도 있다면 그 선정 뒤에 일으키는 것은 제5라고 이름

그러하다면 어떻게 초월정超越定의 이치가 있을 수 있겠는가?66 이 선정의
순서는 초학자[初學]에 의거해 말한 것일 뿐, 자재를 얻었을 때에는 좋아함
에 따라 초월해 들어갈 수 있다.67

(3) 차이의 요약

이와 같이 두 가지 선정에는 여러 가지 차이가 있다. 말하자면 지地에 차
이가 있으니, 제4정려와 유정지有頂地이기 때문이다.68 가행에 차이가 있으
니, 출리상出離想과 지식상止息想의 작의를 우선으로 하기 때문이다. 상속에
차이가 있으니, 이생과 성자의 상속에서 일어나기 때문이다. 이숙에 차이가
있으니, 무상無想과 유정천의 이숙과이기 때문이다.69 순수順受에 차이가 있
으니, 순수의 결정됨과 결정되지 않음, 순생수와 순생·순후의 2수이기 때문
이다.70 처음 일으키는 것에 차이가 있으니, 2계와 인간 중에서 최초로 일
으키기 때문이다.71

(4) 명칭의 뜻

두 가지 선정은 전체적으로 심·심소의 소멸을 그 자성으로 하는데, 어째

....

해야 할 것이다.

66 이는 대중부 등의 반론이다. 만약 경문과 같다고 집착해서, 경의 '9차제'라는
말이 곧 제4정려에 있지 못하게 한다면, 경의 '차제'라는 말이 초월(=초월증
超越證)의 이치도 없게 해야 할 것이지만, 경의 '차제'라는 말이 초월도 통하게
하거늘, 어찌 경의 '제9정'이라는 말이 제4정려에서 들어가는 것을 방해하겠
는가?

67 이는 그들을 위해 경에 대해 변론하는 것이다. '차제'라는 말은 초학자에 의거
해 말한 것이므로, 뒤에 자재를 얻으면 초월하는 것을 방해할 수 없다.

68 이하에서 전체적으로 여러 문으로 두 가지 선정의 차별을 분별한다. 이는 곧
의지하는 지의 같지 않음인데, 앞에서 자세히 해석한 것과 같다.

69 이상은 3문인데, 알 수 있을 것이다.

70 '순수順受'(=따라서 과보를 받는 것)에 차이가 있으니, 순수의 결정됨과 결정
되지 않음, 순생수와 순생수·순후수이기 때문이다'라고 한 여기에는 양 상대
가 있다. 결정됨과 결정되지 않음이 1상대이니, 무상정은 결정됨이고, 멸진정
은 결정되지 않음이며, 순생수와 2수가 다시 1상대이니, 무상정은 순생수이
고, 멸진정은 순생수와 순후수의 2수이다. 부정수를 상대시키기 위해 따로 결
정됨을 세웠지만, 이치의 실제로 이 선정은 곧 순생수라고 알아야 한다.

71 무상정은 욕계와 색계에서 처음 일으키지만, 멸진정은 인간 중에서 처음 일으
킨다.

서 단지 무상無想과 멸수상滅受想이라고만 이름했는가?72 두 가지 선정의
가행 중에 오직 이것만을 싫어하고 거역하기 때문이니, 예컨대 느낌 등도
역시 알지만, 타심지他心智라고만 이름하는 것과 같다.73

　(5) 출정하는 마음

　이 두 가지 선정 중에는 마음이 오랜 시간 동안 끊어지는데, 어떻게 그
후에 마음이 다시 생길 수 있는가?74 비바사 논사들은 과거에 있었던 앞의
마음이 뒤의 등무간연等無間緣이 되는 것을 인정한다.75

　어떤 다른 논사는 이렇게 말하였다. "예컨대 무색계에 태어나면 색법이
오랜 시간 동안 끊어지는데, 어떻게 그 후에 색법이 다시 생길 수 있는가
하면, 그것이 생기는 것은 결정코 마음에 의한 것이지, 색법에 의한 것이
아닌 것처럼, 이와 같이 선정에서 나오는 마음도 역시 그러해야 하니, 유근
신有根身에 의한 것이지, 마음에 의해 일어나는 것이 아니다. 그래서 그 선

....

72 이는 묻는 것이다. 두 가지 선정 중에서 그처럼 심·심소법이 따라 소멸한다면
곧 그와 같은 불상응행이 있어 버리는 대상이 두 가지 선정의 체가 될 것인데,
무슨 이유로 (버리는 대상을 모두 들지 않고) 단지 무상과 멸수상이라고만 이
름했는가?
73 이는 답이다. 비록 이 두 가지 선정이 전체적으로 심·심소의 소멸을 그 자성
으로 하는데도 단지 무상과 멸수상이라고만 말한 것은, 가행에 따라 명칭을
세운 것이다. 여러 외도 등은 괴로움과 즐거움을 생사라고 계탁하여 그것에서
벗어나려고 무상정을 닦으니, 욕계에는 고수가 있으며, 초선·제2선·제3선에
는 희수와 낙수가 있는 것을 취하고, 제4선의 사수 및 다른 심·심소법을 알지
못해서 이런 말을 한다. "제4선 중에서 비록 괴로움과 즐거움을 벗어났다고 해
도 여전히 지각이 있다면 열반을 아직 얻지 못하니, 나는 이제 소멸시켜야 한
다." 그래서 가행 중에 다만 지각만을 치우쳐 싫어하므로 무상정이라고 이름하
였다. 멸수상정은 가행할 때 역시 느낌과 지각을 치우쳐 싫어한다. 말하자면
성자인 사람은 2계의 피로한 느낌에서, 여러 정려의 지각에서, 무색정에서 이
느낌과 지각을 싫어해서 잠시 멈추어 쉬려고 하기 때문에 가행 중에 느낌과 지
각을 치우쳐 싫어하는 것이다. 그래서 이 두 가지 선정은 모두 가행에 따라 명
칭을 세운 것이니, 마치 타심지로는 느낌 등도 역시 알지만, 가행할 때 다만
남의 마음을 알려고 했기 때문에 가행에 따라 명칭을 세운 것처럼, 두 가지 선
정도 역시 그러하다.
74 이는 물음이다.
75 이는 첫째 비바사 논사의 답이다. 과거 선정 전에 있었던 마음이 등무간연이
되어 능히 선정에서 나오는 마음을 견인해 일으킨다고 인정한다.

대先代의 궤범사軌範師들은 모두, '두 가지 법이 상호 종자가 된다'라고 말했으니, 두 가지 법이란 말하자면 마음과 유근신이다."[76]

존자 세우世友는 『문론問論』 중에서 말하였다. "만약 멸진정에 마음이 전혀 없다고 집착한다면 이런 허물이 있을 수 있지만, 나는 멸진정에도 여전히 미세한 마음[細心]이 있다고 말하기 때문에 이런 허물이 없다."[77] 이에 대해 존자 묘음妙音은 말하였다. "이는 이치가 아니다. 왜냐하면 만약 이 선정 중에 여전히 식識이 있다면 3자의 화합 때문에 반드시 접촉[觸]이 있어야 할 것이고, 접촉이 연이 됨에 의해 느낌과 지각도 있어야 하기 때문이다. 마치 세존께서, '의意와 법法이 연이 되어 의식을 낳고, 3자의 화합인 접촉과 함께 느낌·지각·생각을 일으킨다'라고 말씀하신 것과 같으니, 곧 이 선정 중에 느낌·지각 등의 법도 역시 소멸하지 않아야 할 것이다."[78] 만약 "예컨대 경에서 느낌이 갈애의 연이라고 말하지만, 아라한에게는 비록 여러 느낌이 있더라도 갈애가 생기지 않는 것처럼, 접촉도 역시 그러해야 하니, 일체 접촉이 모두 느낌 등의 연緣인 것은 아니다"라고 말한다면, 이런 예는

....

76 이는 둘째로 어떤 다른 경량부 논사의 말이다. 예컨대 무색계에 태어나면 색법이 오랜 시간 동안 끊어지는데, 어떻게 그 후에 색법이 다시 생길 수 있는가 하면, 그것이 생기는 것은 결코 마음 중의 색법의 종자에 의해 생기는 것이어야 하지, 과거의 색법에 의해 생기는 것이 아닌 것과 같다는 이것은 예를 든 것이다. 이와 같이 선정에서 나오는 마음도 역시 응당 그러해야 하니, 선정 중의 5근을 가진 몸 안의 유심의 종자에 의해 선정에서 나오는 마음이 생기는 것이지, 과거 선정의 마음 전의 마음에 의해 일어나는 것이 아니다. 그래서 그 경량부의 선대의 궤범사(=교수사敎授師를 가리키는 아사리ācārya의 번역어)들은 모두, '몸과 마음의 2법이 상호 종자가 된다'라고 말하였다.

77 경량부의 다른 논사인 존자 세우는 그가 지은 『문론』 중에서, "만약 멸진정에 앞의 두 가지 설처럼 마음이 전혀 없다고 집착한다면, 무심에서 유심이 생긴다는 이런 허물이 있을 수 있지만, 나는 멸진정에도 여전히 미세한 마음이 있어서 선정에서 나오는 마음을 낳는다고 말하기 때문에 이런 허물이 없다"라고 말하였다. '세우'의 범어 이름은 벌소밀다라伐蘇蜜多羅Vasumitra인데, 예전에 화수밀和須蜜이라고 부른 것은 잘못이다. 인도국에 세우라는 이름이 하나가 아니니, 비바사 회중의 세우가 아니다.

78 존자 묘음이 이런 세우의 주장은 이치가 아니라고 말한다. 만약 이 선정 중에 여전히 식이 있다면 근·경·식 3자가 화합하기 때문에 반드시 접촉이 있어야 하고, 접촉이 연이 됨으로 말미암아 느낌과 지각도 있어야 할 것이니, 곧 이 멸진정 중에 느낌과 지각 등의 법도 소멸하지 않아야 할 것이다,

옳지 않으니, 차별이 있기 때문이다. 경에서 스스로, "만약 무명과 함께 하는 접촉[無明觸]에서 생긴 느낌들이라면, 연이 되어 갈애를 낳는다"라고 구별해 말하면서도[簡言], 접촉이 느낌을 낳는 것에 대해 구별한 곳은 일찍이 없었기 때문에 차별이 있는 것이다. 이런 도리에 의해 비바사 논사들은 멸진정 중에는 모든 마음이 모두 소멸한다고 말하는 것이다.79

만약 마음이 전혀 없다면 어떻게 선정이라고 이름하겠는가?80 이것은 대종으로 하여금 평등하게 작용하게 하기 때문에 선정이라고 이름한다. 혹은 마음의 힘에 의해 여기에 평등하게 이르렀기 때문에 선정이라고 이름한다.81

⑹ 2선정의 가·실

이와 같은 두 가지 선정은 실재[實有]라고 할 것인가, 가유假有라고 할 것인가?82 실재라고 말해야 할 것이니, 능히 마음을 막고 장애하여 생기지 않게 하기 때문이다.83

....

79 이는 묘음이 세우의 변론을 옮겨와서 논파하는 것이다. 만약 "경에서 느낌이 연이 되기 때문에 갈애가 생긴다고 말하지만, 아라한에게는 느낌이 있더라도 갈애가 생기지 않는다. 접촉도 역시 그러해야 하므로 일체 접촉이 모두 느낌 등의 연인 것은 아닌데, 멸진정 중의 접촉이 느낌을 낳지 않는 것을 어찌 방해하겠는가?"라고 말한다면, 이런 예는 옳지 않으니, 접촉과 느낌의 양 연에 차별이 있기 때문이다. 경에서 스스로, "만약 이생이나 유학인 사람의, 무명과 함께 하는 접촉에서 생긴 여러 느낌이라면, 연이 되어 갈애를 낳는다"라고 구별해 말했으니, 무명과 함께 하는 접촉에서 생긴 모든 느낌으로부터는 곧 갈애가 생기지 않는 것은 아니라는 것을 분명히 알 수 있다. 그러나 접촉이 느낌을 낳는 것에 대해 구별한 곳은 일찍이 없었기 때문에 모든 접촉은 모두 능히 느낌을 낳는다는 것을 알 수 있다. 따라서 차별이 있다. 이런 도리에 의해 비바사 논사들은 멸진정 중에는 모든 마음이 모두 소멸한다고 말하는 것이다.

80 이는 세우가 묻는 것이다.

81 이는 답이다. 이 선정을 얻은 것이 몸에 있음에 의해 모든 대종으로 하여금 가라앉아 능히 평등하게 머물게 하므로, 물·불·바람 등에 의해 손상을 입지 않을 수 있게 한다. 단지 대종만 평등하게 머문다면 대종에 의해 만들어진 물질도 반드시 평등하게 머물기 때문에 생략하고 말하지 않은 것이다. 이는 곧 결과에 따라 명칭을 세운 것이다. 혹은 선정 전의 마음이 혼침과 도거를 떠나 평등했기에 이 선정에 이르렀으니, 이 이유 때문에 선정이라고 이름한다. 이는 원인에 따라 명칭을 세운 것이다. 그래서 『대비바사론』(=제152권. 대27-775중)에서도, "등지等至에는 두 가지 있으니, 첫째는 마음으로 하여금 평등하게 하는 것이고, 둘째는 대종으로 하여금 평등하게 하는 것이다"라고 말하였다.

82 이는 두 가지 선정의 가·실에 대해 묻는 것이다.

어떤 분은 말하였다. "이 증명은 이치상 그렇지 않아야 하니, 선정 전의 마음이 능히 막고 장애하기 때문이다. 말하자면 선정 전의 마음과 그 나머지 마음은 상반되게 일어나는데, 이것이 일어났기 때문에 그 나머지 마음을 잠시 일어나지 않게 한 것일 뿐이다. 이것은 마음을 거스르는 의지처를 견인해 일으켜서 상속하게 했기 때문에, 오직 마음이 일어나지 않는 단계를 임시로 선정이라고 세운 것일 뿐, 따로 실제의 체는 없다. 이것은 오직 마음이 일어나지 않는 분위에 대해 임시로 정한 것일 뿐, 입정 전과 출정 후의 양쪽 단계에 모두 없는 것이다. 따라서 임시로 이것을 유위에 포함되는 것이라고 말한 것이다."[84] 혹은 곧 의지처가 선정의 마음에 의해 견인되어 이와 같이 일어나게 된 것에 대해 임시로 선정으로 세운 것이다.[85] 무상정도 역시 이와 같다고 알아야 할 것이다. 말하자면 선정 전의 마음과 그 나머지 마음은 상반되게 일어나는데, 이것이 일어났기 때문에 그 나머지 마음을 잠시 일어나지 않게 한 것일 뿐으로서, 오직 마음이 일어나지 않는 단계에 대해 임시로 무상정을 세운 것이다. 나머지 설명은 앞에서와 같다."[86]

....

83 이는 설일체유부의 답이다. 두 가지 선정은 실재라고 말해야 한다. 능히 미래의 마음을 막고 장애해서 생기지 않게 하기 때문에 실제의 체성이 있다는 것을 분명히 알 수 있다.

84 어떤 경량부 논사의 설명이다. 이 증명은 이치상 그렇지 않아야 한다고 하면서 자신의 해석을 서술한다. "그가 말하는 멸진정에 전혀 마음이 없는 것은, 선정 전의 마음이 능히 막고 장애하기 때문이다. 말하자면 선정 전의 마음과 그 후의 다른 마음은 상반되게 일어나는데, 이 선정 전의 마음이 일어났기 때문에 그 뒤에 일어날 다른 마음으로 하여금 잠시 일어나지 않게 한 것일 뿐이다. 이 선정 전의 마음이 또 마음을 거스르는 소의신所依身을 견인해 일으켜서 상속하게 했기 때문에 마음이 일어나지 않는 상태를 임시로 세워서 선정이라고 한 것일 뿐이다. 다만 마음이 없는 것일 뿐이지, 따로 실제의 체는 없다." 혹시 숨은 힐난으로, '없음[無]에 의지해 세운 것이라면, 어떻게 멸진정이 유위에 포함되는 것이겠는가?'라고 말할 것을 염려해서, 이런 힐난에 대해 변론하기 위해 이런 말을 한 것이다. "이것은 오직 마음이 일어나지 않는 분위에 대해 임시로 세운 것일 뿐, 입정 전의 단계에도 없고 출정 후의 단계에도 없는 것인데, 생멸이 있는 것과 비슷하기 때문에 이것이 유위에 포함된다고 임시로 말한 것이다."

85 이는 경량부의 다른 해석이다. 혹 곧 소의신이 앞의 선정의 마음에 의해 견인되어 이와 같이 일어나게 되어 마음과 서로 거스르게 되므로, 곧 그 소의신에 대해 임시로 멸진정을 세운 것이다.

이것은 훌륭한 설명이 아니니, 우리의 종지와 어긋나기 때문이다.[87]

제6항 명근命根

두 가지 선정에 대해 분별했는데, 명근이란 무엇인가? 게송으로 말하겠다.

46a 명근의 체는 곧 수명인데[命根體卽壽]
　　능히 체온과 의식을 유지하는 것이다[能持煖及識][88]

1. 명칭과 체

　논하여 말하겠다. 명命의 체는 곧 수명[壽]이다. 그래서 대법對法에서, "무엇을 명근이라고 하는가? 3계의 수명[三界壽]을 말한다"라고 말한 것이다.[89]
　이것도 또한 알지 못하겠다. 어떤 법을 수명[壽]이라고 이름하는가?[90] 말하자면 능히 체온[煖]과 의식[識]을 유지하는 별도의 법이 있어서 수명이라

....
86 이는 무상정도 멸진정과 같다고 비례시키는 것이다. 선정 전의 마음이 능히 막고 장애하기 때문이다. 뒤의 그 나머지 마음과는 상반되게 일어나는데, 이 선정 전의 마음이 일어났기 때문에 그 뒤의 마음으로 하여금 잠시 일어나지 않게 한 것일 뿐이다. 오직 마음이 일어나지 않는 단계에 대해 임시로 무상정을 세운 것일 뿐이니, 단지 마음이 없는 것일 뿐, 따로 실제의 체는 없다. 나머지 설명은 앞에서와 같다. 이 논서의 글에 의거하면 마음이 일어나지 않는 것이나 의지처인 몸[所依身]에 대해 임시로 두 가지 선정을 세운 것이다. 어떤 분은 "경량부는 마음을 싫어하는 종자[厭心種子]에 대해 두 가지 선정을 임시로 세운다"라고 말했지만, 아직 글을 보지 못했다.
87 이는 비바사 논사가, 이런 경량부의 주장은 우리의 종지에 위배되기 때문에 훌륭한 설명이 아니라고 말하는 것이다.
88 이하는 큰 글의 다섯째 명근에 대해 해석하는 것이다. 윗 구는 명칭을 모으는 것이고, 아랫 구는 작용으로써 증명하는 것이다. '명命'은 생존한다[活]는 뜻이고, '수壽'는 기한期限이라는 뜻이다. '활'이 곧 '명'이기 때문에 이 '명'은 곧 '수'의 다른 이름이라고 알아야 한다.
89 장항에 나아가면 첫째 게송의 글을 해석하고, 둘째 문답해서 분별한다. 이는 곧 첫 구를 해석하는 것인데, '대법'은 곧 『발지론』(=제14권. 대26-993중)의 말이다.
90 이하에서 제2구를 해석하는데, 이는 곧 묻는 것이다.

고 이름한다. 그래서 세존께서도, "수명과 체온 및 의식이라는[壽煖及與識] 세 가지 법이 몸을 버릴 때[三法捨身時] 버려진 몸은 나자빠지니[所捨身僵仆] 생각과 지각 없는 나무와 같도다[如木無思覺]"라고 말씀하셨다. 따라서 능히 체온과 의식을 유지해서 상속하여 머물게 하는 원인인 별도의 법이 있어서 수명이라고 이름한다.91

만약 그렇다면 이 수명은 어떤 법이 능히 유지하는가?92 곧 체온과 의식 이 다시 이 수명을 유지한다.93 만약 그렇다면 3법이 다시 상호 서로 유지 해서 상속하여 일어나게 하기 때문에 어떤 법이 먼저 소멸하기에, 이것의 소멸에 의해 나머지 2법이 따라 소멸하겠는가? 이런 즉 이 3법은 항상 낙 사하는 일이 없어야 할 것이다.94 이미 그렇다면 이 수명은 업이 능히 유지 한다고 해야 할 것이니, 업이 견인하는 바에 따라 상속하여 일어나기 때문 이다.95

만약 그렇다면 어째서 오직 업이 능히 체온과 의식을 유지한다고 인정하 지 않고, 수명을 필요로 하는가?96 이치상 그러하지 않아야 하니, 일체 의식

....

91 답이다. '능히 체온과 의식을 유지한다'는 것은 별도의 수명이 있다는 것을 밝 힌 것인데, 경(=잡 [21]21:568 가마경伽摩經)을 인용해 증명하였다. 경에서 3법이 능히 몸을 유지하므로, 만약 3법이 몸을 버리면 몸은 곧 나자빠진다[僵 仆]라고 하셨다. 쳐다보고 죽는 것을 '강僵'이라고 이름하고, 엎드려 죽는 것을 '부仆'라고 이름한다. 또한 측면으로 죽는 것도 있지만, 우선 '강'과 '부'를 말한 것이거나 혹은 많은 것에 따라 말한 것이다. 따라서 능히 체온과 의식을 유지 해서 상속하여 머물게 하는 원인인 별도의 법이 있어서 수명이라고 이름한다.
92 경량부의 힐난이다.
93 설일체유부의 답이다.
94 경량부의 힐난이다. 만약 그렇다면 3법이 다시 상호 서로 유지해서 상속하여 일어나게 하기 때문에 3자의 협력으로 서는 것인데[鼎足而立], 어떤 법이 먼저 소멸하기에, 이것의 소멸에 의해 나머지 2법이 따라 소멸하겠는가? 만약 먼저 소멸하는 하나의 법이 없다면, 이 때문에 곧 이 3법은 항상 낙사하는 일이 없 어야 할 것이다.
95 설일체유부의 해석이다. 힐난으로 핍박받자 이제 다시 바꾸어 변론한다. 그렇 다면 이 수명은 업이 능히 유지한다고 해야 할 것이니, 업이 견인하는 바에 따라 길거나 짧게 상속하여 일어나기 때문이다. 논주의 의중은 경량부의 벗이 기 때문에 이제 생각을 바꾸게 해서 앞뒤가 상반되게 하는 것이다.
96 경량부에서 다시 힐난하는 것이다. 업의 힘이 체온과 의식을 유지하기에 충분 한데, 어째서 수명을 필요로 하는가?

이 처음부터 끝까지 늘 이숙이라고 해서는 안 되기 때문이다.97 이미 그렇다면 업이 능히 체온을 유지하고, 체온이 다시 의식을 유지한다고 말해야 할 것이다. 어째서 이 수명을 필요로 하는가?98 이와 같다면 의식이 무색계 중에 있을 때에는 유지할 수 없어야 할 것이니, 거기에는 체온이 없기 때문이다.99 그 의식은 업이 능히 유지한다고 말해야 할 것이다.100 어찌 사정에 따라, 혹은 이 의식을 오직 체온이 능히 유지한다고 말했다가, 혹은 다시 오직 업이 의식을 유지한다고 말하는 등, 자주 생각을 바꿀 수 있겠는가? 또 앞에서 이미 설명하기도 하였다.101 앞에서 설명하였다는 것은 무엇인가?102 앞에서 일체 의식이 처음부터 끝까지 모두 이숙이라고 해서는 안 된다고 설명한 것을 말한다. 그러므로 능히 체온과 의식을 유지하는 별도의 법이 있어서 수명이라고 이름한다는 것을 결정코 인정해야 할 것이다.103

지금 우리도 수명 자체[壽體]가 전혀 없다고 말하지는 않는다. 단지 수명 자체는 별도의 실재[別實物]가 아니라고 말할 뿐이다.104 그렇다면 어떤 법을 말하여 수명 자체라고 이름하는가?105 말하자면 3계의 업에 의해 견인된 동분이 머무는 시간의 세력 분위[同分住時勢分]를 말하여 수명 자체라고 한다. 3계의 업에 의해 견인된 동분이 머무는 시간의 세력 분위는, 상속이

....

97 설일체유부에서 도리어 책망하며 허물을 나타내는 것이다. 이치상 그러하지 않아야 하니, 일체 의식은 처음부터 끝까지 늘 이숙인 것이 아니기 때문(=의식에는 등류성과 이숙생이 함께 있음은 앞의 제2권에서 설명되었다)이다. 세 가지 성품의 의식이 서로 사이하여 일어나기 때문이다.
98 경량부의 해석이다.
99 설일체유부의 힐난이다. 욕계와 색계에는 체온이 있으므로 체온이 의식을 유지할 수 있지만, 무색계에는 체온이 없으므로 응당 유지할 수 없을 것이다.
100 경량부의 해석이다. 그 의식은 업이 능히 유지한다고 말해야 할 것이라고, 힐난으로 핍박받았기 때문에 다시 생각을 바꾼 것이다.
101 설일체유부에서, 그들이 생각을 바꾸어 업이 의식을 유지한다고 한 것의 허물을 책망하는 것이다. 또 앞에서 이미 설명하기도 했다는 것이다.
102 경량부에서 따지는 것이다.
103 설일체유부에서 앞의 글을 인용해 답하면서 본래의 종지로 돌아와야 한다고 결정하는 것이다.
104 경량부에서 자기 종지를 스스로 서술하는 것이다.
105 설일체유부의 물음이다.

응당 머물러야 할 시간에 따라 결정되어 그 만큼의 시간 동안만 머물기 때문에, 이 세력의 분위를 말하여 수명 자체라고 한다. 마치 곡식의 종자 등에 의해 견인되어 나아가 성숙할 때까지의 세력의 분위와 같고, 또 마치 화살의 발사에 의해 견인되어 나아가 머물 때까지의 세력의 분위와도 같다.106

어떤 분은 말하였다. "속성[德]의 차별인 성향[行]이 있으니, 화살 등에 의해 생기는 것이다. 그 힘에 의한 때문에 나아가 미처 떨어지지 않는 동안 늘 작용하고 쉬지 않는다."107 그것의 체는 하나이기 때문이며, 장애가 없기 때문에, 다른 방향으로 나아갈 때 빠르거나 느리거나 이르는 시간의 분위의 차

....

106 경량부의 답이다. 말하자면 3계의 업에 의해 견인된 중동분이 머무는 시간의 세력 분위가 끊어지지 않으면 이 세력의 분위를 말하여 수명 자체라고 한다. '3계의 업' 이하는 동분이 머무는 시간의 세력 분위의 길고 짧음을 따로 나타낸 것이니, 3계의 업에 의해 견인된 동분이 머무는 시간의 세력 분위는, 혹은 10년이 지날 동안이나 100년이 지날 동안 등, 응당 머물러야 할 시간에 따라 상속이 결정되어, 그 만큼의 시간 동안만 머무는데, 곧 이 세력의 분위를 임시로 말하여 수명이라고 한다. 마치 곡식의 종자 등에 의해 견인되어 나아가 성숙할 때까지의 세력의 분위처럼, 이 세력의 분위가 끊어지지 않는 것에 대해 임시로 공능功能이라고 말하고, 또 마치 화살의 발사에 의해 견인되어 나아가 머물 때까지의 세력의 분위, 이 세력의 분위에 대해 임시로 행行이라고 말하는 것과도 같다. 경량부는 빈 것[虛]을 다시 겹치고, 임시인 것[假]을 겹쳐서, 임시의 동분 위에 다시 임시로 명근을 세운다.

107 이는 이치에 편승해서 승론을 겸해 논파하는 것인데, 이는 곧 서술하는 것이다. 그들의 속성[德]의 범주에 24종이 있다고 계탁하는데, '성향[行]'은 그 제21이기 때문에 '속성의 차별'이라고 말한 것이다. 그들은 모든 법이 여기에서 저기에 이를 때 신속하거나 회전하는 등은 모두 '성향'의 힘에 의해 있는 것이라고 계탁한다. 승론 외도는 말하자면, '성향'이 있는 것은 속성의 범주의 차별로서, 화살 등에 의해 생기는 것이고, 그 '성향'의 힘에 의한 때문에 그 화살 등이 나아가 미처 떨어지지 않는 동안은 늘 작용하고 쉬지 않는 것이, 마치 새가 과일을 문 것과 같다고 집착한다. # 앞에 나온 『승종십구의론』(=대54-1263중)에서 말하였다. "성향[行]은 어떤 것인가? 이것에는 두 가지가 있으니, 첫째는 기억의 원인[念因]인 것, 둘째는 동작의 원인[作因]인 것이다. 기억의 원인이란 말하자면 자아와 화합하여 하나의 실체에 대한 현량·비량의 지혜의 작용에서 생기는 것을 자주 익힌 차별이니, 이를 기억의 원인이라고 이름한다. 동작의 원인이란 말하자면 뚫거나 던지는 등이 낳은 업에서 생겨서, 하나의 실체에 의지해 따르며 질애를 갖는, 실체에 존재하는 세력의 작용이니, 이를 동작의 원인이라고 이름한다. 성향은 (요컨대 반복된 인식·행위에 의해 생겨서 잠재된) 세력의 작용[勢用]을 말하는 것이다."

별은 있을 수 없어야 할 것이고, 또 떨어질 때도 필경 없어야 할 것이다. 만약 바람에 의해 장애되기 때문이라고 말한다면, 처음에 곧 떨어졌거나 떨어질 때가 없어야 할 것이니, 능히 장애하는 바람은 차별이 없기 때문이다.108

능히 체온과 의식을 유지하는 별도의 실재가 있어 수명 자체라고 이름한다는 이 설명이 훌륭한 것이 될 것이다.109

2. 문답 분별

⑴ 수명과 죽음의 관계

수명이 다했기 때문에 죽는가, 다시 다른 원인이 있는가?110 『시설족론』에서는 수명이 다했기 때문에 죽는 것이지, 복이 다했기 때문에 죽는 것이 아닌 경우가 있다고 말하면서, 널리 4구로 분별하였다. 제1구는 수명의 이숙을 감득한 업의 힘이 다했기 때문인 경우이고, 제2구는 부락富樂의 과보를 감득한 업의 힘이 다했기 때문인 경우이며, 제3구는 능히 두 가지를 감득한 업이 함께 다했기 때문인 경우이고, 제4구는 횡액의 연을 능히 피하여 벗어나지 못했기 때문인 경우라고 했는데,111 또 수명의 형성[壽行]을 버렸

....

108 논주가 논증식을 만들어 논파하는 것이다. 먼저 두 가지 이유를 들고, 뒤에 주장과 비유를 들었다. '그 성향의 체는 하나이기 때문'이라는 것이 첫째 이유이고, '장애가 없기 때문'이라는 것이 둘째 이유이다. 화살이 발사되었을 때 다른 방향으로 나아가는 것에, 처음에 빠르고 중간에 느리며 뒤에 이르는 세 가지 시간의 분위의 차별은 있을 수 없어야 할 것이다. 첫 단계의 시기에 빠른 것이 아니어야 할 것이니, 성향의 체는 하나이기 때문에 중간이나 뒤의 단계와 같을 것이다. 중간 단계의 시기에 느린 것이 아니어야 할 것이니, 성향의 체는 하나이기 때문에 처음이나 뒤의 단계와 같을 것이다. 뒷 단계의 시기에 이르지 않아야 할 것이니, 성향의 체는 하나이기 때문에 처음이나 중간 단계와 같을 것이다. 또 논파해 말하기를, 뒷 단계의 시기에 떨어지는 일이 없어야 할 것이니, 장애가 없기 때문에 여전히 처음 단계와 같을 것이다. 승론에서 변론하면서 허물이 성립되지 않게 하려고, 뒷 단계에 떨어지는 것은 바람이 장애하기 때문이라고 하자, 만약 바람에 장애되기 때문이라고 말한다면 또 논파해 말한다. 이 화살은 첫 단계에 응당 곧 떨어졌어야 할 것이니, 능히 장애하는 바람은 차별이 없기 때문에 뒷 단계와 같을 것이다. 이 화살은 뒷 단계에 떨어지는 일이 없어야 할 것이니, 능히 장애하는 바람은 차별이 없기 때문에 첫 단계와 같을 것이다.
109 논주가 곧 설일체유부의 설명을 취(해 승론을 반박)하는 것이다.
110 이하는 둘째 문답해서 분별하는 것인데, 이는 곧 묻는 것이다.
111 이는 곧 답인데, 『시설족론』을 인용해 4구로 분별한 그 글은 알 수 있을 것

기 때문인 경우도 역시 말했어야 할 것이다.112 수명이 다한 단계에서 복의 다함은 죽음에 대해 더 이상 공능이 없지만, 따라서 함께 다했을 때 죽음이 있었으므로 함께 다했기 때문에 죽는 경우라고 말한 것이다.113

(2) 상속에 따라 바뀌는가, 한 번 일어나면 곧장 머무는가

....
이다. # 현존 『시설족론』에는 글이 빠져 있는데, 『대비바사론』 제20권(=대 27-103중)에 그 논서의 글이라면서 인용하는 다음의 글이 수록되어 있다. "네 종류의 죽음이 있다. 첫째는 수명이 다했기 때문에 죽는 것이지, 재물이 다했기 때문이 아닌 경우이니, 예컨대 어떤 한 부류가 짧은 수명의 업과 많은 재물의 업을 가진 것과 같은데, 그는 그 후에 수명이 다했기 때문에 죽지, 재물이 다했기 때문에 죽는 것이 아니다. 둘째는 재물이 다했기 때문에 죽는 것이지, 수명이 다했기 때문이 아닌 경우이니, 예컨대 적은 재물의 업과 긴 수명의 업을 가진 것과 같은데, 그는 그 후에 재물이 다했기 때문에 죽지, 수명이 다했기 때문에 죽는 것이 아니다. 셋째는 수명이 다했기 때문이며, 또 재물도 다했기 때문에 죽는 경우이니, 예컨대 어떤 한 부류가 짧은 수명의 업과 적은 재물의 업을 가진 것과 같은데, 그는 그 후에 수명이 다했기 때문이며, 재물이 다했기 때문에 죽는다. 넷째는 수명이 다했기 때문에 죽는 것도 아니고, 또한 재물이 다했기 때문인 것도 아닌 경우이니, 예컨대 어떤 한 부류는 긴 수명의 업과 많은 재물의 업을 가졌으므로, 그는 그 뒤의 시기에 비록 재물과 수명의 둘이 모두 아직 다하지 않았지만, 나쁜 연을 만나서 때가 아닐 때에 죽는 경우와 같다."
112 이는 논주가 해석해 말하는 것이다. 이 제4구 중에서 또 모든 붓다 아라한이 수명의 형성을 버렸기 때문인 경우도 역시 말했어야 할 것인데도, 말하지 않은 것은, 횡액의 연이 아니기 때문이라는 것이니, 논서를 지은 사람은 횡액의 연에 의거했기 때문이다.
113 이는 거듭 제3구에 대해 해석하는 것이다. 두 가지 업 중에서는 수명을 감득하는 업이 수승하므로, 제3구에서 수명이 다해서 죽는 경우, 복의 다함은 죽음에 대해 더 이상 공능이 없으니, 수명이 다했을 때 자연히 죽기 때문이다. 그런데도 모두 다했기 때문에 죽는다고 말한 것은, 수명이 다했을 때 복도 역시 다했기 때문에 그래서 함께 다했을 때 죽음이 있었으므로, 모두 다했기 때문에 죽는다고 말한 것이다. 또 해석하자면 숨은 힐난에 대해 변론하는 것이다. 숨은 힐난의 뜻이 말하는 것은, 「복이 다해도 수명이 아직 다하지 않았다면 괴로움을 받으면서 살아갈 수 있지만, 수명이 다하고 복이 아직 다하지 않았다면 필시 더 이상 살 수가 없다. 따라서 양자가 다했을 때 복의 다함은 죽음에 대해 공능이 없으니, 응당 수명이 다했기 때문에 죽는다고 말해야 하고, 복이 다했기 때문에 죽는다고 말하지 않아야 한다」라는 것이므로, 이런 힐난에 대해 변론하기 위해 이 글이 있는 것이다. "복의 다함은 죽음에 대해 실제로 공능이 없지만, 단지 함께 다한 단계에서 죽음이 있게 되었으므로, 함께 다했기 때문에 죽는 경우라고 말한 것이다."

『발지론』에서, "이 수명은 상속에 따라 바뀌는 것[隨相續轉]이라고 말해야 하는가, 또는 한 번 일어나면 곧장 머무는 것[一起便住]이라고 말해야 하는가? 욕계의 유정이 무상정에 들지 않고, 멸진정에 들지 않는다면, 이 수명은 상속에 따라 바뀌는 것이라고 말해야 하고, 만약 무상정에 들거나 멸진정에 든 경우 및 색계·무색계의 일체 유정이라면, 이 수명은 한 번 일어나면 곧장 머무는 것이라고 말해야 한다"라고 말했는데, 그 말은 무슨 뜻인가?[114]

만약 의지처인 몸이 손해損害 받을 수 있고 그 때문에 수명도 따라 손해 받는다면, 이것을 첫째 상속에 따라 바뀌는 것이라고 이름하고, 만약 의지처인 몸이 손해 받을 수 없고 일어난대로 머문다면, 이것을 둘째 한 번 일어나면 곧장 머무는 것이라고 이름한다.[115] 가습미라국의 비바사 논사들은

---

114 이는 『발지론』(=제15권. 대26-997중)의 글을 들어 그 말의 뜻을 나무라는 것이다. (문) 예컨대 아래에서 자·타 모두 해칠 수 없는 경우에 대해, 욕계에 여러 종류가 있다고 말하는 것처럼, 한 번 일어나면 곧장 머무는 것도 뜻이 그와 같을텐데, 어째서 무상정과 멸진정만 말했는가? (해석) 두 가지 선정은 무심의 전부를 포함하므로, 이 때문에 따로 말하였고, 그 나머지는 각각 유심의 일부이므로, 이 때문에 말하지 않았다. 또 해석하자면 두 가지 선정의 경우 수명을 손상시킬 수 없으므로 이 때문에 따로 말한 것이다. 예컨대 사람이 응당 100년을 살아야 할 명근을 받았는데, 50년에 이르렀을 때 그 두 가지 선정에 들면 설령 50년을 지나 비로소 처음 선정에서 나왔다고 해도, 또한 단식을 먹는 자였더라도 다시 나머지 50년의 남은 수명을 받은 것과 같지만, 나머지 경우는 곧 수명을 손상시킬 수 있기 때문에 따로 말하지 않은 것이다. # 설명 중 '또한 단식을 먹는 자였더라도'라는 표현은 다음과 같은 『대비바사론』(=제153권. 대27-779하)의 글 때문으로 보인다. "욕계 유정의 여러 근의 대종은 단식에 의해 머물므로, 만약 선정에 오래 있을 경우 곧 선정에 있을 때에는 몸에 손상이 없더라도 뒤에 선정에서 나올 때 몸이 곧 흩어져 무너진다, 그래서 이 선정에 머무는 것은 단지 짧은 시간만이어야 한다. 최대한 길더라도 7일 밤낮을 초과할 수 없으니, 단식이 다했기 때문이다. … 그러나 색계 유정의 여러 근의 대종은 단식에 의하지 않고 유지되는 것이기 때문에 이 선정에 머무는 것이 반 겁을 지나거나 1겁을 지나거나 다시 이를 초과하기도 한다."
115 논주의 답이다. 의지처인 색신을 '상속'이라고 이름한다. 그래서 『대비바사론』(=제151권. 대27-771중)에서도 말하였다. "어떤 분은 말하였다. 색신色身을 상속이라고 이름한다. 말하자면 욕계에 태어나 무상정·멸진정에 머물지 않으면 수명은 색신의 상속에 따라 바뀐다. 왜냐하면 만약 몸이 평화로우면 수명도 곧 요절이 없지만, 만약 몸이 손괴되면 수명도 곧 중간에 요절하기 때문이다."

말하였다. "처음 것은 장애가 있음을 나타내고, 뒤의 것은 장애가 없음을 나타낸다. 이 때문에 결정코 때 아닌 때에 죽는 경우가 있다."116

【자해·타해에 의거한 유정의 4구 분별】 그래서 계경에서 자신의 몸[自體]을 얻는 네 가지 경우가 있다고 설하였다. 말하자면 자신의 몸을 얻으면 자신만이 해칠 수 있고 남은 해칠 수 있는 것 아닌 경우가 있으므로, 널리 4구로 분별한 것이다. 자신만이 해칠 수 있고, 남이 해칠 수 있는 것 아닌 경우는, 말하자면 욕계의 희망념천戲忘念天·의분에천意憤恚天에 태어난 경우이니, 그들은 증상한 기쁨[喜]·분노[怒]를 일으킴으로 말미암아 이 때문에 거기에서 죽지, 다른 것으로는 아니다. 또 모든 붓다들도 말해야 하니, 스스로 반열반하시기 때문이다.117 남만이 해칠 수 있고, 자신은 해칠 수 있는 것 아닌 경우는, 말하자면 태胎·알[卵]에 처한 유정들의 부류를 말한다.118 양

....

116 이는 둘째 비바사 논사의 해석이다. 처음 상속에 따라 바뀌는 것은 수명에 장애가 있음을 나타내고, 뒤의 한 번 일어나면 곧장 머무는 것은 수명에 장애가 없음을 나타낸다. 이 때문(=장애가 있음 때문)에 결정코 때 아닌 때에 죽는 경우가 있는 것이다. #『대비바사론』(=제151권. 대27-771상)에서 '상속'의 의미를, 제1설은 재횡災橫(=재난과 횡액)이라고 해석하고, 제2설은 색신이라고 해석하며, 제3설은 남의 몸(에 의한 가해)라고 해석했는데, 이 글 중의 '장애'는 제1설의 재횡과 제3설의 남의 몸에 의한 가해를 합쳐 가리키고, 본문에서 앞서 말한 '의지처인 몸'은 제2설의 색신을 가리키는 것이다.
117 이는 경(=AN 4:172 자기존재경[Attabhāva-sutta])을 인용해 증명을 이루는 것이다. 4구 중에 나아가면 앞의 3구는 상속에 따라 바뀌는 경우를 나타내고, 제4구는 한 번 일어나면 곧장 머무는 경우를 나타내는데, 이는 제1구를 해석하는 것이다. '희망념천'은 말하자면 즐겁게 노는 것[嬉戲]에 탐착해서 신심이 피로하므로 마음으로 생각하는 것을 잊어버리니[意念忘失], 기쁨이 증상하기 때문에 거기에서 죽는다. '의분에천'은 말하자면 마음이 증상한 분노를 일으키니, 원한의 마음 때문에 각진 눈으로 상대방을 쳐다보다가 오래도록 분노가 쉬지 않아 거기에서 죽는다. 이 두 가지는 사천왕천이라고 하기도 하고 삼십삼천이라고 하기도 한다. 이 제1구 중에 또 모든 붓다들도 말해야 하니, 수명을 단축해서(=소위 사다수행) 스스로 반열반하시기 때문이다. 이 경우는 우선 간략히 표방한 것이니, 모두 두루 열거한 것이 아니기 때문이다.『대비바사론』제151권(=대27-771하)에서도 이 제1구에 대해 또 말하였다. "다시 혹은 용·금시조, 혹은 귀신 및 사람, 혹은 다시 그 나머지 중에도, 자신만 해칠 수 있고, 남은 해칠 수 있는 것 아닌 한 부류가 있다."
118 이는 제2구를 해석하는 것이다. 이 경우도 간략히 표방한 것이니, 모두 두루 열거한 것이 아니다. 그래서『대비바사론』(=제151권. 대27-771하)에서 제2

쪽이 해칠 수 있는 경우는, 말하자면 나머지 대부분의 욕계 유정들이다.119 양쪽이 해칠 수 있는 것 아닌 경우는, 말하자면 중유中有와 색계·무색계에 있는 일체 유정 및 욕계에 있는 일부 유정이니, 예컨대 지옥[那落迦]·북구로주北俱盧洲의 유정, 바로 견도·자애삼매[慈定]·멸진정 및 무상정에 머무는 유정, 왕선王仙과 붓다의 사자[佛使], 붓다의 기별記別을 받은 달미라達弭羅, 올달라嗢達羅, 긍기라兢耆羅, 장자의 아들 야사耶舍, 구마라시바鳩摩羅時婆, 최후신最後身 보살 및 이런 보살의 어머니가 보살을 태에 품었을 때, 일체 전륜왕 및 이런 전륜왕의 어머니가 전륜왕을 태에 품었을 때이다.120

구에 대해서도 말하였다. "다시 혹은 용·금시조, 혹은 귀신 및 사람, 혹은 다시 그 나머지 중에도 남만 해칠 수 있고, 자신은 해칠 수 있는 것 아닌 한 부류가 있다."

119 이는 제3구를 해석하는 것인데, 그 상응하는 바에 따라 생각하면 이해할 수 있을 것이다. 이 경우도 간략히 표방한 것이지, 모두 두루 열거한 것이 아니다. 그래서 『대비바사론』(=제151권. 대27-771하)에서 제3구에 대해서 말하였다. "말하자면 여러 날짐승과 길짐승, 혹은 용·금시조, 혹은 귀신 및 사람, 혹은 다시 그 나머지도 자신도 해칠 수 있고, 남도 또한 해칠 수 있다."

120 이는 제4구를 해석하는 것이다. 중유는 반드시 연을 기다려 태어남을 받아야 하기 때문에 남이 해칠 수 있는 것이 아니며, 색계·무색계에는 살해하는 업이 없다. 또 해석하자면 중유와 색계의 몸은 특히 승묘하기 때문에 양쪽이 해칠 수 없고, 무색계에는 색신이 없기 때문에 역시 해칠 수 없다. 지옥은 악업에 매인 것이므로 해쳐서 죽게 할 수 없고, 북구로주는 1천 년을 받은 것이 결정되어 있으며, 또 살해하는 업도 없다. 견도의 15찰나에는 반드시 중간에 요절하는 일이 없고, 자애삼매에서 나오면 이익과 즐거움을 주고자 하는 것이 뛰어나기 때문이고, 멸진정과 무상정은 선정의 힘 때문에 모두 양쪽이 해칠 수 있는 것이 아니다. '왕선'은 말하자면 전륜왕이 집을 버리고 도를 닦아서 5신통을 구족하면 왕선이라고 이름한다. 또 해석하자면 전륜왕의 태자를 말함이니, 이미 관정을 받은 뒤 먼저 예전의 선왕仙王(=전륜왕이었던 선인)이 수행한 범행을 응당 배워서 닦아야 하기 때문에 왕선이라고 말한다. 그는 장차 전륜왕의 지위를 이어야 하기 때문에 역시 양쪽이 해칠 수 있는 것이 아니다. 붓다의 사자는 붓다의 심부름을 받은 사람을 말하니, 붓다께서 심부름을 시킨 힘 때문에 할 일이 아직 끝나지 않았다면 역시 양쪽이 해칠 수 있는 것이 아니다. 『대비바사론』 제151권(=대27-771하)에 준하면, 달미라 등 5인은 모두 붓다의 기별을 받은 분들이다.(=장차 아라한이 될 것이라는 등의 붓다의 기별이 실현되어야 하기 때문) '최후신 보살'은 왕궁에서 태어난 분으로서 반드시 성불할 것이 결정된 분을 말하는 것이니, 할 일을 아직 성취하지 못했기 때문이고, 또 이런 보살의 어머니가 보살을 태에 품었을 때에는 보살의 복덕의 힘 때문에 어머니를 손상이 없게 한다. 일체 전륜왕은 수승한 업에 의해

그렇다면 어째서 계경 중에서, "대덕이시여, 어떤 유정이, 얻은 자신의 몸을 자신이 해칠 수 있는 것도 아니며, 남이 해칠 수 있는 것도 아닙니까? 사리자여, 비상비비상처에 태어남을 받아서 있는 유정을 말한다"라고 말씀하셨는가?[121] 전하는 학설로는, 그 나머지 무색정과 정려에서 얻은 자신의 몸은 자지自地의 성도聖道에 의해 해침을 받을 수 있고, 다른 상지의 근분정에 의해서도 또한 해침을 받을 수 있지만, 유정천의 경우 자지·상지의 두 가지 도에 의한 해침이 모두 없으므로, 이 때문에 양쪽이 해칠 수 있는 것이 아니라고 말씀하셨다고 하였다.[122]

유정천도 역시 다른 지地의 성도에 의해 해침을 받는데, 어찌 남이 해친다고 이름해야 하지 않겠는가?[123] 예컨대 혹 어떤 곳에서는 처음 것을 들어 뒤의 것을 나타내고, 혹 다시 어떤 곳에서는 뒤의 것을 들어 처음 것을 나타내는 것처럼, 이와 같이 뒤의 것을 들어 처음 것을 나타낸 것이라고 설명해야 할 것이다. '어떤 곳에서는 처음 것을 들어 뒤의 것을 나타내었다'는 것은 어떤 것이겠는가? 예컨대 계경에서, "범중천 같은 곳[如梵衆天]은, 이

....

유지되기 때문이고, 또 이 전륜왕의 어머니가 전륜왕을 태에 품었을 때에는 전륜왕의 복덕의 힘 때문에 어머니에게 손상이 없게 한다. 이 경우도 우선 간략히 표방한 것이니, 모두 두루 열거한 것이 아니다. 그래서 『대비바사론』(=제151권. 대27-771하)에서도 제4구 중 붓다의 수기를 받은 분에 대해 "수저색가殊底稱迦가 있다"라고 말하고, 다시 말하였다. "최후의 존재에 머무는 보특가라로서 할 일을 아직 성취하지 못한 분, 겁초 시기의 사람, 애라벌나哀羅伐拏 용왕, 선주善住 용왕, 염마왕琰摩王 등 및 그 나머지의 한 부류도 양쪽이 해치지 못한다."

121 논주가 경(=앞의 AN 4:172경)을 인용해 힐난하는 것이다. 비바사 논사들이 만약 양쪽이 해칠 수 있는 것 아닌 경우에 대해, 색계·무색계의 일체 유정은 모두 양쪽이 해칠 수 있는 것 아닌 경우라고 말한다면, 어째서 경 중에서 오직 유정천의 유정만을 말씀하셨는가?

122 답이다. 비바사 논사들이 전하는 학설로는, 그 나머지 3무색정과 4정려에서 얻은 자신의 몸(=수명 아닌 소의신)은 자지·상지의 두 가지 도에 의해서 해침을 받을 수 있지만, 유정천의 경우 자지·상지의 두 가지 도에 의해 해침을 받는 일이 모두 없으므로(=자지의 성도가 없고, 상지의 유루도가 없음), 이에 의거해 양쪽이 해칠 수 있는 것이 아니라고 말씀하셨다고 하였다.

123 논주의 힐난(=자지에는 성도가 없으므로 자지의 성도에 의해 해침을 받지는 않지만, 다른 지의 성도에 의해 해침을 받을 수는 있음)이다.

를 첫 번째 낙생천樂生天이라고 이름한다"라고 설하신 것과 같다. '어떤 곳에서는 뒤의 것을 들어 처음 것을 나타내었다'는 것은 어떤 것이겠는가? 예컨대 계경에서, "극광정천 같은 곳[如極光淨天]은, 이를 두 번째 낙생천이라고 이름한다"라고 설하신 것과 같다.[124]

그 경에서 '같은[如]'이라는 말은 비유하는 뜻을 나타내므로, 하나를 들어 나머지를 나타내었다는 이런 말을 할 수 있으니, 비유법은 하나를 들어 같은 부류를 나타내기 때문이다. 그러나 여기에는 '같다'는 말이 없으므로, 그것을 예로 삼을 수 없다.[125] 만약 비유하는 뜻을 나타내는 데 곧 '같다'는 말이 있어야 한다면, 이런 즉 '같다'는 말이 다른 경에는 있지 않았어야 할 것이니, 예컨대 다른 경에서, "사람과 일부 천신과 같이[如人一分天] 신체 있는 유정이 몸[身]이 다르고 생각[想]이 다르면 이것이 제1 식주이다"라고 설한 것과 같다. 따라서 비유하는 것이 아니더라도 '같다'는 말이 또한 있기도 하다는 것을 알 수 있다.[126] 방론은 이만 그치겠다.

제7항 4상四相

1. 4본상

명근에 대해 분별했는데, 여러 상[諸相]이란 무엇인가? 게송으로 말하겠다.

---

124 논주가 경을 해석하는 것이다. 경에서 유정천은 양쪽이 해칠 수 있는 것이 아니라고 말한 것은, 이와 같이 설명해야 할 것이니, 「뒤의 유정천을 들어 처음의 3무색정 및 4정려를 나타낸 것이다」라고. '예컨대 혹' 이하는 예를 인용한 것인데, 알 수 있을 것이다. # 예로서 인용한 경은 장 8:9 중집경衆集經 중 졸역 2.4의 ㉗ 부분으로서, 본문 중 첫 번째 낙생천(=즐거움에 태어난 하늘)은 범중천을 처음으로 하는 초선천을 가리키고, 두 번째 낙생천은 극광정천을 최후로 하는 제2선천을 가리킨다.

125 이는 외인의 반론이다. 인용된 경 중에는 그 '같은(곳)'이라는 말이 있어서 비유하는 뜻을 나타내므로, 하나를 들어 나머지를 나타낼 수 있지만, 이 사리자경에는 '같다'는 말이 없으니, 그 범중천에 관한 경 등을 예로 삼을 수 없다.

126 이는 논주가 도리어 힐난하는 것이다. 7식주에 관한 경(=장 8:9 중집경 중 졸역 2.10 및 중 24:97 대인경 중 졸역 25.⑴ 등) 중에서 제1식주는 비록 비유를 나타내는 것이 아니어도 '같다'는 말이 있기 때문에 '같다'는 말이 결정코 비유를 나타내는 것은 아님을 알 수 있다는 것이다.

46c 상은 말하자면 모든 유위의[相謂諸有爲]

생·주·이·멸의 성품이다[生住異滅性]127

논하여 말하겠다. 이 네 가지가 유위의 상相이니, 법에 만약 이런 것이 있다면 응당 유위법이고, 이와 상반되는 것이면 무위법이다. 이것이 여러 법을 능히 일으키면[能起] 생生이라고 이름하고, 능히 안주시키면[能安] 주住라고 이름하며, 능히 쇠퇴시키면[能衰] 이異라고 이름하고, 능히 허물면[能壞] 멸滅이라고 이름한다. '성품[性]'은 체體라는 뜻이다.128

....

127 이하는 큰 글의 여섯째 4상에 대해 밝히는 것이다. 그 안에 나아가면 첫째 상의 체를 밝히고, 둘째 외인의 힐난에 대해 회통하는데, 상의 체를 밝히는 것에 나아가면 첫째 본상本相을 밝히고, 둘째 수상隨相을 밝히니, 이는 곧 본상을 밝히는 것이다. (게송 중) '상은'은 글을 이어받는 것이고, '말하자면' 이하는 바로 해석하는 것이다. 인연에 의해 만들어지는 것[因緣造作]을 '위爲'라고 이름한다. 색·심 등의 법은 인연에 의해 생기니, 그런 '위'가 있기 때문에 유위라고 이름하고, 유위는 하나가 아니므로 '모든'라고 이름하였다. 이런 모든 유위는 상이 의탁하는 것[相所託]인데, 상은 드러내는 모습[標相]이니, 곧 능히 모든 유위법의 체가 유위라는 것을 나타내어 보이는 것이다. 각각 별도의 체가 있는 것을 성품이라고 이름한다. 상은 홀로 일어나지 않고, 반드시 법에 의탁하니, 완전히 갖춘다면 모든 유위의 생의 성품 내지 모든 유위의 멸의 성품이라고 말해야 한다.

128 장항에 나아가면 처음에 게송의 글을 해석하고, 뒤에 문답해서 분별하니, 이는 게송을 해석하는 것이다. 이 네 가지가 유위법의 드러내는 모습[標相]이기 때문에, 법에 만약 이런 상이 있으면 응당 유위법에 포함되고, 이와 상반되는 것이면 무위법이다. 이 부파(=설일체유부)에서는 모든 법의 체는 모두 본래 있다고 한다. 4상은 법을 다만 작용에서 바라보고 말한 것일 뿐, 체에 의거해 논한 것은 아니다. 이들 중 법에 대해 능히 그 작용을 일으켜서 현재에 들어가게 하면 '생'이라고 이름한다. 만약 생상이 없다면 모든 유위법은 마치 허공 등처럼 본래부터 생기지 않아야 할 것이다. 현재에 이른 뒤 머물러서 그 작용으로 하여금 잠시 안주하게 해서 각각 자신의 결과를 견인하기 때문에 '주'라고 이름한다. 만약 주상이 모든 법으로 하여금 잠시 머물게 함이 없다면 응당 다시 자신의 결과를 견인할 수 없을 것이다. 만약 주상에 맡긴다면 자주 결과를 견인하게 하겠지만, '이'에 의해 그 결과 견인하는 작용을 능히 쇠퇴하게 해서 그로 하여금 자신의 결과를 거듭 견인할 수 없게 하기 때문에 '이'라고 이름한다. 만약 이상이 그 공능을 쇠퇴하게 함이 없다면 무슨 이유로 자주 자신의 결과를 견인할 수 없겠는가? 혹은 이상이란 행의 상속 후에 앞과 달라지게 하는 원인이니, 만약 주상의 힘에 맡긴다면 모든 형성된 법으로 하여금 뒤에 점점 앞보다 뛰어나게 하겠지만, 이상이 쇠퇴하게 하기 때문에 뒤가 앞보

어찌 경에서는 유위의 세 가지 유위상이 있다고 설하지 않았던가?129 이 경에서 네 가지를 설했어야 할 것이다.130 설하지 않은 것은 무엇인가?131 소위 주상住相이다. 그렇지만 경에서 주이住異를 설했는데, 이것은 이 이異의 다른 명칭이다. 마치 생生을 기起라고 이름하고, 멸滅을 진盡이라고 이름했듯이, 이와 같이 이異를 주이住異라고 이름한 것이라고 알아야 할 것이다. 만약 법이 행行을 3세로 천류遷流하게 한다면, 이 경에서 유위의 상이라고 설했으니, 모든 유정들로 하여금 싫어함과 두려움을 낳게 하려는 때문이었다. 말하자면 그 모든 행은 생상의 힘에 의해 옮겨져 미래로부터 현재로 흘러 들어오고, 이상 및 멸상의 힘에 의해 옮겨지고 핍박되어 현재로부터 과거로 흘러 들어가니, 그것으로 하여금 쇠퇴해 달라지게 하고, 또 무너져 소멸하게 하기 때문이다. 전하는 학설로는, 예컨대 어떤 사람이 밀림에 있는데, 세 명의 원적怨敵이 있어 손해를 가하려고, 한 명은 밀림에서 그를 끌어내어 나오게 하고, 한 명은 그의 힘을 쇠퇴하게 하며, 한 명은 명근을 무너뜨리는 것처럼, 행에 대한 3상도 역시 그러하다고 알아야 한다고 하였다. 주상은 그런 행을 섭수하고 안립하니, 항상 그것과 더불어 즐기면서 서로 버리고 떠나려고 하지 않기 때문에 유위상 중에 세워서 있게 하지 않았다는 것이다.132 또 무위법은 자상으로서 주住를 가지므로, 주상은 그것과 혼

....

다 열등하게 하는 것이다. 이상이 현재의 작용을 이미 쇠퇴하게 한 뒤 멸이 다시 그 현재의 법의 작용을 무너지게 해서 과거로 소멸해 들어가게 하기 때문에 '멸'이라고 이름한다. 만약 멸상이 없다면 작용이 응당 소멸하지 않을 것이고, 작용이 만약 소멸하지 않는다면 그것은 항상한 것이어야 할 것이다. 이 부파에서는, 생상은 미래에 작용을 일으키는 것이고, 주상·이상·멸상 셋은 현재세에 동시에 작용을 일으키는 것이라고 하므로, 비록 다시 하나의 법 위에 의지해 함께 세우지만, 바라보는 것이 같지 않으므로 작용도 각각 다른 것이라고 알아야 한다.

129 이하는 둘째 문답해서 분별하는 것인데, 이는 곧 묻는 것이다. 경(=증일 12:22:5경을 가리키는 것으로 보이는데, 이 경에서는 3상을 소종기所從起, 당천변當遷變, 당멸진當滅盡이라고 표현)에서는 3상만 설하셨는데, 논에서는 어찌 4상을 말하는가?

130 이 경 중에서 이치상 네 가지를 설하셨어야 한다는 답이다.

131 이는 따지는 것이다.

132 이는 경에서 소위 주상을 설하지 않은 것에 대한 첫째 해석이다. 이 논사의

동되기 때문에 경에서 설하지 않은 것이다.133

　어떤 분은, "이 경에서도 주住와 이異를 설했으니, 전체적으로 하나로 합쳐서 주이상住異相이라고 이름한 것이다"라고 말하였다.134 무엇에 쓰려고 이와 같이 전체적으로 합쳐서 설한 것인가?135 주住는 유정이 애착하는 대상이므로, 싫어해 버리게 하기 위해 이異와 합쳐서 설한 것이니, 마치 흑이黑耳와 길상吉祥이 함께 하는 것을 보인 것과 같다. 그러므로 결정코 네 가지 유위상이 있다.136

2. 4수상

　해석은, 경에서 주상을 말하지 않은 것은, 3상의 허물과 재난은 유정이 싫어하기 쉽기 때문에 경에서 따로 말했지만, 주상은 안주하게 하므로 중생들이 싫어하기 어렵기 때문에 경에서 말하지 않았다는 것이다. 그렇지만 경에서 '주이'를 설했는데, 이것이 이 '이'의 다른 명칭이라고 한 것은, '주'에 의거해 '이'를 분별한 것이니, '주'의 '이'이기 때문에 '주이'라고 이름한 것이다. 마치 생을 기라고 이름하고, 멸을 진이라고 이름하며, 안眼은 목目의 다른 명칭이듯이, 이와 같이 '이'를 '주이'라고 이름한 것이니, 3상 중 '주이'라는 명칭을 그 주상과 혼동할까 염려했기 때문에 따로 해석한 것이라고 알아야 한다. 생의 힘은 법을 옮겨서 작용으로 하여금 현재로 들어오게 하고, 이와 멸의 옮기는 작용이 과거로 들어가게 하는데, 바로 과거로 들어가게 하는 것은 단지 멸의 힘일 뿐인데도, 이상을 말하는 것은 멸을 돕기 때문이다. 이런 허물이 무겁기 때문에 경에서 3상을 말한 것이다. 비유로 말한 것을 알 수 있을 것이다. 주는 변천시키고 핍박하는 것이 아니어서 항상 안주하기를 즐기므로, 싫어함을 낳게 하기 위해 경에서 유위상 중에 말하지 않은 것이다.

133 이는 두 번째 해석인데, 주상은 무위와 혼동되기 때문에 경에서 설하지 않았다는 것이다.

134 이는 세 번째 해석인데, 주와 이를 합쳐서 말하기 때문에 경에서 3상을 설했다는 것이다.

135 이는 묻는 것이다.

136 이는 답인데, '주'를 싫어하게 하기 위해 '이'와 합쳐서 말한 것이다. 마치 흑이와 길상이 함께 하는 것을 보인 것은, 길상을 싫어하게 하기 위해 먼저 흑이를 보인 것과 같다. 흑이와 길상 자매 두 사람은 항상 서로 따르고 쫓았다. 언니의 이름이 길상인데, 이르는 곳마다 능히 이익을 주고, 동생은 흑이라고 하는데, 귀가 검었기 때문에 일부러 이로써 이름한 것으로서, 이르는 곳마다 쇠퇴와 손상을 주었다. 어리석은 사람이 길상에 물들어 탐내므로 지혜로운 사람이 싫어해 버리게 하려고 먼저 흑이를 보이니, 이미 흑이를 보았으므로 길상도 또한 버렸다는 것이다. 예전에 공덕천功德天과 흑암녀黑闇女라고 말한 것은 번역한 분의 오류이다. 주와 이도 역시 그래서 주를 싫어하게 하기 위해 이와 합쳐서 설한 것이다. 그러므로 결정코 4유위상이 있다고 알아야 한다.

이 생 등의 상이 이미 유위라면, 다시 별도의 생 등 4상이 있어야 할 것인데, 만약 다시 상이 있다면 곧 끝없음[無窮]에 이를 것이니, 그것에 다시 다른 생 등의 상이 있을 것이기 때문이다.[137] 다시 있다고 말해야 하지만, 끝이 없는 것은 아니다. 까닭이 무엇인가? 게송으로 말하겠다.

47a 이것에 생생 등이 있는데[此有生生等]
　　8법과 1법에 공능이 있다[於八一有能][138]

　　논하여 말하겠다. '이것'은 앞에서 말한 네 가지 본상本相을 말하고, '생생 등'이란 생생生生·주주住住·이이異異·멸멸滅滅의 네 가지 수상隨相을 말한다. 제행의 유위는 4본상에 의하고[由四本相], 본상의 유위는 4수상에 의한다.[139]
　　본상도 상의 본법[소상법所相法]처럼 하나하나에 네 가지 수상이 있어야

---

137 이하에서 수상隨相에 대해 밝히려고 물음을 일으킨 것이다. 본상本相이 유위라면 생 등이 있어야 할 것인데, 만약 다시 상이 있다면 곧 무한소급을 이룰 것이다.

138 윗 구는 처음의 물음에 답한 것이고, 아랫 구는 힐난에 대해 회통하면서 두 번째 물음에 답한 것이다.

139 장항에 나아가면 처음에 게송의 글을 해석하고, 뒤에 널리 결택한다. 게송의 글을 해석하는 것에 나아가면 이는 첫 구를 해석하는 것이다. 이 4본상은 수상이 있어 드러내는 모습[標相]을 만들기 때문에 유위라고 이름하니, 여기에서는 바로 본상의 유위는 4수상에 의한 것임을 밝히는 것이다. 그런데도 제행의 유위는 네 가지 본상에 의한다고 말한 것은 서로 편승하기 때문에 말한 것이다. 비록 다시 본상도 역시 본상에 의하지만, 여기에서는 우선 수상을 상대해 논한 것이다. 대·소 4상에는 각각 세 가지 명칭이 있다고 알아야 한다. 대상의 세 가지 명칭이란 첫째는 본상이라고 이름하니, 수상에 상대되기 때문이다. 혹은 본법 위의 상이기 때문에 본상이라고 말한다. 둘째는 대상大相이라고 이름하니, 소상小相에 상대되기 때문이다. 혹은 8법을 표상하기 때문에 대상이라고 이름한다. 셋째는 단순히 생 등이라고만 이름하니, 생생 등에 상대되기 때문이다. 소상의 세 가지 명칭이란 첫째는 수상이라고 이름하니, 본상을 따르는 것이기 때문이다. 둘째는 소상이라고 이름하니, 대상을 나타내기 때문이다. 혹은 1법을 표상하기 때문에 소상이라고 이름한다. 셋째는 생생 등이라고 이름하니, 생 등에 상대되기 때문이다. 위의 '생'자는 소생이고, 아래 '생'자는 대생이니, 능히 생을 낳기 때문이다. 또 해석하자면 위의 '생'자가 대상이고, 아래 '생'자가 소생이니, 생의 생이기 때문에 생생이라고 이름한 것이다. 생생을 해석한 것처럼 나머지 3상도 역시 그러하다.

할 것이며, 이것에도 다시 각각 네 가지가 있어야 할 것이니, 어찌 계속하여 끝이 없지 않겠는가?140 이런 허물은 없다. 4본상과 4수상은 8법에 대한 것과 1법에 대한 것이어서 공능이 다르기 때문이다.141 무엇을 공능이라고 말하는가?142 말하자면 법의 작용이다. 혹은 말하자면 사용士用이다. 네 가지 본상은 하나하나가 모두 8법에 대해 작용이 있지만, 네 가지 수상은 하나하나가 모두 1법에 대해 작용이 있다.143

그 뜻은 어떤 것인가?144 말하자면 법이 생길 때에는 그 자체와 아울러 9법이 함께 일어나니, 자체가 하나가 되고, 상과 수상이 여덟이다. 본상 중 생은 그 자신의 성품을 제외한 나머지 8법을 낳고, 수상인 생생은 9법 중 본상인 생만을 낳는다. 말하자면 마치 암탉이 많은 새끼를 낳는 경우도 있고, 하나만을 낳는 경우도 있는 것처럼, 생과 8법을 낳고, 생생이 1법을 낳는 그 힘도 역시 그러하다. 본상 중 주도 역시 자신의 성품을 제외한 나머지 8법을 머물게 하고, 수상인 주주는 9법 중 본상인 주만을 머물게 한다. 이상 및 멸상도 따라서 응당 역시 그러하다. 그러므로 생 등의 상에는 다시 상이 있지만, 수상은 네 가지뿐이니, 끝이 없다는 허물은 없다.145

3. 상의 가·실

경량부의 논사들은, "어째서 이와 같이 허공을 분석하는가? 분별한 것처럼 생 등의 상은 실법實法의 체가 있는 것이 아니다. 왜냐하면 결정적 근거 [定量]가 없기 때문이다. 말하자면 이런 모든 상은, 색법 등처럼 체의 실재

....

140 이하는 제2구를 해석하는 것이다. 본상도 소상법所相法(=상의 대상인 본법) 처럼 하나하나에 네 가지 수상이 있어야 할 것이며, 이 네 가지 수상에도 다시 각각 네 가지가 있어야 할 것이니, 어찌 계속 나아가 끝이 없지 않겠는가 묻는 것이다.

141 본상과 수상은 공능이 다르므로 끝없음이 있는 것이 아니라는 답이다.

142 따지는 것이다.

143 해석하는 것이다. 공능은 곧 8법에 대한 작용이다. 혹은 사용士用이라고 이름하는데, '사'는 사람[士夫]을 말하는 것이니, 마치 사람의 작용과 같다는 것으로서, 비유에 따라 이름한 것이다. 본상은 8법에 대해, 수상은 1법에 대해 각각 작용이 있다는 것이다.

144 다시 따지는 것이다.

145 해석하는 글인데, 알 수 있을 것이다.

를 증명할 결정적인 현량·비량 혹은 지교량至敎量이 있는 것이 아니다"라고 말한다.146

만약 그렇다면 어째서 계경 중에서, "유위법의 일어남[起]도 요지할 수 있고, 다함[盡] 및 머물며 달라짐[住異]도 요지할 수 있다"라고 말씀하셨겠는가?147 천애여! 그대들은 글에 집착할 뿐, 뜻에는 미혹하구나. 박가범께서 말씀하신 뜻이 의지해야 할 것이다.148

무엇을 이 경에서 말씀하신 진실한 뜻이라고 말하는가?149 말하자면 어리석은 범부들은 무명으로 눈이 멀어 형성된 것[行]의 상속에 대해 자아나 자아의 소유라고 집착해서 긴 세월 동안 그에 대해 탐착을 낳았으므로, 세존께서 그들의 집착을 끊어 주시기 위해 형성된 것의 상속은 체가 유위이며, 아울러 연생緣生의 성품임을 나타내시려고 "유위의 세 가지 유위상[三有爲之有爲相]이 있다"라는 이런 말씀을 하신 것이지, 모든 형성된 것의 1찰나 중에 3상을 갖추고 있음을 나타내신 것이 아니니, 1찰나에 일어남 등의 3상을 알 수는 없기 때문이다. 알 수 없는 것은 상으로 세워야 할 것이 아니니, 그래서 그 계경에서 다시, "유위법의 일어남도 요지할 수 있고, 다함 및 머물며 달라짐도 요지할 수 있다"라는 이런 말씀을 하신 것이다.150 그런데

....

146 이하에서 널리 결택하는데, 이는 곧 경량부에서 3량에 의거해 논파하는 것이다. 경량부의 논사들은, "생 등의 4상은 본래부터 실제의 체가 없다. 지금 분별한 내용 같은 것은 마치 허공을 분석하는 것과 비슷하다"라고 말한다. '색법 등'은 나머지 4경 및 5근 등을 같이 취한 것이다. 말하자면 이런 모든 상은, 5경처럼 현량으로 실재를 증명할 수 있는 것이 아니고, 5근처럼 비량으로 실재를 증명할 수 있는 것도 아니며, 지교량으로 체의 실재를 증명할 수 있는 것도 아니다. 지극한 가르침이기 때문에 '지교至敎'라고 이름하는데, 성교량聖敎量이라고도 이름한다. 이렇게 곧 3량이 모두 없는데, 어떻게 있다는 것을 알 수 있겠는가?
147 설일체유부에서 그 경량부를 나무라는 것이다. 비록 현량이나 비량으로 증지할 수는 없지만, 성스러운 가르침이 있다. 경(=증일 12:22:5경) 중에서 이미 '유위의 일어남' 등을 말씀하신 것은, 제6전성轉聲(=속격. '유위의 일어남' 중 '의'라는 표현을 가리킴)인데, 다시 요지할 수 있다고 말했으니, 체가 있다는 것을 분명히 알 수 있다.
148 경량부에서 상대를 길들이는 것이니, 다만 뜻에 의지해야 할 뿐, 글에 집착해서는 안 된다는 것이다.
149 따지는 것이다.

경에서 유위라는 말을 겹쳐 말씀하신 것은, 이 상이 이것이 유위임을 나타내는 것을 알게 하려는 것이었다. 마치 백로가 있다면 물이 없는 것 아님을 나타내는 것처럼, 이 상이 유위 있음을 나타내는 것이라고 여겨서는 안 되며, 마치 동녀童女의 모습이 선善이나 선 아님을 나타내는 것처럼, 유위가 선이나 악임을 나타내는 것이라고도 여겨서도 안 될 것이다.151

....

150 경량부의 경에 대한 해석으로서, 실제의 체가 없다는 것을 나타낸다. 말하자면 어리석은 범부의 부류들이 무명으로 눈이 멀어 혜안이 없으므로 유위의 행이 전후 상속하는 것에서 무상하다는 것을 알지 못하여, 하나라고 말하고 항상하다고 말하면서 자아라고 집착하거나 자아의 소유라고 집착해서, 긴 세월 동안 그것에 대해 탐착을 낳았으므로, 세존께서 그 집착을 끊어주시고 그 탐착을 깨뜨려 주시기 위해, 행의 상속은 체가 유위이며 아울러 연생의 성품임을 나타내시려고 임시로 3상을 세우신 것이다. 그래서 그 계경에서 "유위의 세 가지 유위상이 있다"라는 이런 말씀을 하신 것이지, 제행의 1찰나 중에 3상이 실제의 체를 갖추고 있음을 나타내신 것이 아니다. 1찰나에 일어남 등의 3상은 지혜로 관찰해도 알 수 없기 때문이다. 알 수 없는 것은 상으로 세워야 할 것이 아니니, 그래서 그 계경에서 다시, "유위법의 일어남도 요지할 수 있고, 다함 및 머물며 달라짐도 요지할 수 있다"라는 이런 말씀을 하신 것이다. 이미 1찰나에 일어남 등의 3상은 요지할 수 없는데도, 경 중에서 다시 요지할 수 있다고 말씀하신 것은, 결코 상속에 의거해 임시로 세운 것이지, 찰나에 의거한 것이 아니라는 것을 분명히 알 수 있다. 상속에 의거해야 비로소 요지할 수 있기 때문에 그 경을 인용한 뜻은 찰나에는 3상이 없다는 것을 증명하고, 상속에 의거해 세운 것임을 나타내려는 것이다.

151 경량부에서 경을 해석하는 것이다. 그런데 앞의 경문에서 "유위의 세 가지 유위상이 있다"고 설했는데, 경에서 다만 세 가지 유위의 상이 있다고만 말했어야 할 것인데, 경에서 뒤의 유위라는 말을 겹쳐서 말한 것은, 이 능상이 상의 본법[所相法]의 체가 유위임을 나타내는 것을 알게 하려는 것이었다. 만약 다만 유위의 상이라고만 말한다면, 곧 이 상이 상의 본법의 체가 유위임을 결정적으로 나타내는 것을 알지 못할 것이다. 혹은 이 상이 유위가 있다는 것 및 선이나 악 등인 것을 나타내는 것이라고 의심하기 때문에, 뒤의 유위라는 말을 붙여서 이 상은 상의 본법이 결정코 유위임을 나타내는 것임을 알게 한 것이다. 그래서 말하였다. "마치 백로가 있는 곳은 물이 없는 것 아님을 나타내는 것처럼, 이 상이 유위가 있음을 나타내는 것이라고 여겨서는 안 되며, 또한 마치 동녀童女의 모습이 남자나 여자, 선善이나 선 아님을 능히 나타내는 것처럼, 이 상이 유위법이 선이나 악임을 나타내는 것이라고 여겨서도 안 된다"라고. 만약 성품이 정결하면 다리와 무릎이 가늘게 둥글고, 피부가 미세하고 부드러우며, 치아가 희고, 입술이 얇아서 반드시 훌륭한 아들을 낳으니, 이런 상은 선을 나타내고, 만약 성품이 정결하지 못하면 다리와 무릎이 거칠게 크고, 피부가 거칠고 껄끄러우며, 치아가 검고, 입술이 두터워서 훌륭하지 못

모든 형성된 것[諸行]의 상속이 처음 일어나는 것을 생이라고 이름하고, 끝에 다하는 단계를 말하여 멸이라고 이름하며, 중간의 상속하여 계속 구르는 것을 주라고 이름하고, 이것의 전후 차별을 주이住異라고 이름한다. 세존께서도 이에 의하여 난다難陀에 대해, "이 선남자는 느낌의 생을 잘 알고, 느낌의 머묾을 잘 알며, 또 느낌의 쇠퇴해 달라짐과 무너져 소멸함을 잘 안다"라고 말씀하셨던 것이다.152 그래서 게송에서 말하였다. "상속의 처음을 생이라고 이름하고[相續初名生], 멸은 끝에 다한 단계를 말하며[滅謂終盡位], 중간에 계속 구르는 것을 주라고 이름하고[中隨轉名住], 주이는 그

....

한 아들을 낳으니, 이런 상은 선이 아님을 나타내지만, 이 유위상은 백로가 물이 있음을 나타내는 것과는 같지 않으며, 동녀의 모습이 선이나 선 아님을 나타내는 것과 같지 않고, 단지 상의 본법의 체가 유위임을 나타낼 뿐이다.
152 이는 논주가 경량부의 종지를 서술하는 것이다. 제행의 상속에 의거해 임시로 4상을 세운 것이지, 찰나에 의거한 것이 아니다. '상속'이라고 말한 것은 1기一期의 상속이나 한번 움직이는[一運] 상속을 말하는 것이니, 그 상응하는 바에 따라 처음 일어나는 단계를 생이라고 이름하고, 끝에 다하여 소멸하는 단계를 멸이라고 이름하며, 중간에 상속하여 계속 구르며 끊어지지 않는 것을 주라고 이름하는데, 곧 이 주의 시기에 앞뒤 찰나의 차별을 주이라고 이름한다. 주에 의거해 이를 밝히기 때문에 주이라고 이름한 것이다. 그래서 붓다 세존께서도 이런 상속에 의하여 4상의 뜻을 나타내셨으니, 한 때 대중들을 마주해서 난다에 대해, "이 난다 선남자는 느낌의 생·주·이·멸을 잘 안다"(=잡[11]11:275 난다경)라고 말씀하셨던 것이다. 난다가 아직 도를 얻지 못했을 때 탐욕을 많이 일으켰는데, 욕망은 느낌으로 인해 생기므로 탐욕을 떠나기 위해 항상 모든 느낌의 생·주·이·멸을 관찰했기 때문에, 뒤에 도를 얻었어도 여전히 그 느낌을 관찰하였다. 붓다께서는 난다에 의거해 이런 뜻을 나타내셨던 것이니, 만약 상속에 의거한다면 능히 잘 알 수 있다고 하겠지만, 만약 찰나에 느낌의 생·주·이·멸을 잘 안다고 말씀하신 것이라면, 느낌의 미래의 생도 현재 알 수 있어야 할 것이다. 느낌의 주·이·멸은 반드시 현재에 있으며, 아는 주체인 지혜도 이치상 과거와 미래가 아니니, 이미 모두 현재라면 같은 하나의 상응하는 품류에 대해 지혜가 능히 느낌(의 주·이·멸)을 알 수는 없을 것이다. 이치와 상반되기 때문이다. 이미 느낌의 생·주·이·멸을 안다고 말씀하셨으니, 생 등은 1찰나가 아니라는 것을 분명히 알 수 있다. 현재의 지혜는 찰나에 다르게 일어나므로 느낌이 상속하는 생 등의 4상을 아는 것은 이치에 곧 상위함이 없다고 알아야 한다. 또 해석하자면 만약 생 등에 실제의 체가 있다면, 어떻게 느낌에 의거해 생·주 등을 관찰하겠으며, 만약 생·주 등이 찰나에 갖추어져 있다면 어떻게 함께 관찰할 수 있겠는가? 이미 느낌의 순서에 의거해 따로 관찰하기 때문에 생 등은 별도로 실제의 체가 없으며, 1찰나가 아님을 알 수 있는 것이다.

전후의 차별이네[住異前後別]” 다시 어떤 게송에서도 말하였다. “본래 없던 것이 지금 있는 것이 생이고[本無今有生], 상속하여 계속 구르는 것이 주이며[相續隨轉住], 그 전후의 차별이 주이고[前後別住異], 상속의 끊어짐을 멸이라고 이름하네[相續斷名滅]” 또 어떤 게송에서도 말하였다. “모든 법은 찰나이기 때문에[由諸法刹那], 머묾은 없고 소멸이 있으니[無住而有滅], 그것은 저절로 소멸하기 때문에[彼自然滅故], 머묾 있다는 집착은 이치가 아니네[執有住非理]” 그러므로 상속에서만 주住를 말할 수 있다.153

이에 의해 대법에서 말한 이치도 성립되니, 그래서 그 논서에서, “어떤 것을 주住라고 이름하는가? 말하자면 일체 형성된 것이 이미 생겨서 아직 소멸하지 않은 것이다”라고 말하였다. 생긴 뒤 소멸하지 않은 것은 찰나법의 성품이라고 이름할 것이 아니다.154 비록 『발지론』 중에서, “하나의 마음 중 무엇이 일어남[起]인가? 생生을 말한다. 무엇이 다함[盡]인가? 사死를 말한다. 무엇이 주이住異인가? 노老를 말한다”라는 이런 말을 했지만, 그 논서의 글은 중동분이 상속하는 마음에 의해 말한 것이지, 1찰나에 의한 것이 아니다.155

....

153 이는 게송을 인용해 증명하는 것이다. 이 3수의 게송은 모두 경량부의 논사들이 말하는 게송이다. 앞의 2수의 게송은 상속에서 생 등의 상을 세웠다는 것으로서, 글은 달라도 뜻은 같다. 뒤의 1수의 게송은 설일체유부의 찰나에 실제로 머문다는 주장을 논파하는 것이니, 모든 법은 찰나이므로 실제로 머무는 일이 없고, 가법의 소멸[假滅]이 있다는 것이다. 그 법은 생기고 나면 밖의 연을 기다리지 않고 찰나찰나에 저절로 소멸하기 때문에, 찰나 중에 실제의 머묾이 있다는 집착은 이치가 아니다. 그러므로 오직 상속에서만 머묾을 말할 수 있을 뿐, 찰나에 의거한 것이 아니다.

154 논주가 다시 말하는 것이다. 이 상속에서 주住의 뜻을 세우기 때문에 설일체유부의 아비달마에서 말한 이치도 성립된다. 그래서 그 논서(=『품류족론』 제1권. 대26-694상)에서, “어떤 것을 주住라고 이름하는가? 일체 행이 이미 생겨서 아직 소멸하지 않고 상속하는 것을 주라고 말한다”라고 말하였다. 생긴 뒤 경과가 멈추고 소멸하지 않는 것[生已經停不滅]은 찰나법의 성품이라고 이름할 것이 아니니, 시간이 지극히 짧은 것을 1찰나라고 이름하므로, 만약 다시 경과가 멈춘다면 곧 지극히 짧은 것이 아니기 때문이다.

155 논주가 『발지론』(=제2권. 대26-926중)의 글을 회통하는 것이다. 그 논서에서 비록 하나의 마음 중의 생 등의 상에 대해 설명했지만, 그것은 일생一生의 중동분이 상속하는 마음에 의해 모두를 말해서 ‘하나의 마음’이라고 한 것

또 하나하나의 찰나의 모든 유위법에 대해 실재라는 집착을 떠나더라도 4상은 역시 성립될 수 있다.156 어떻게 성립될 수 있는가?157 말하자면 하나하나의 찰나에 본래 없던 것이 지금 있다면 생이라고 이름하고, 있었다가 다시 없어지면 멸이라고 이름하며, 후후後後의 찰나에 전전前前에 이어서[嗣] 일어나면 주라고 이름하고, 곧 그 전후에 차별이 있기 때문에 주이住異라고 이름하니, 전후 찰나에 서로 비슷하게 생길 때에도 앞뒤에서 서로 바라보면 차별이 없는 것이 아니다.158 그 차별상은 어떻게 알아야 하는가?159 말하자면 금강金剛 등도 던져졌을 때와 아직 던져지지 않았을 때, 또 강한 힘으로 던져졌을 때와 약한 힘으로 던져졌을 때, 빠르게 추락할 때와 느리게 추락할 때 차별이 있기 때문에 대종大種이 전변하여 차별된다는 뜻이 성립된다. 형성된 모든 것[諸行]은 서로 비슷하게 상속하여 생길 때 앞뒤에서 서로 바라보면 많은 차별이 없기 때문에, 비록 차이가 있더라도 서로 비슷하게 보이는 것이다.160

....
이지, 1찰나를 하나의 마음이라고 이름한 것이 아니기 때문에 상반되지 않는다. 또 해석하자면 세 가지 성품의 마음이 각각 따로 일어날 때 한번 움직이는 [一運] 상속을 하나의 마음이라고 이름한 것이다. 혹은 10위(=태내 5위에 영아·동자·소년·성년·노년의 태외 5위를 더한 것)에 의거하거나 혹은 한 부류에 의거해 그 상응하는 바에 따른 중동분을 말한 것이다.

156 경량부 논사의 말이다. 어찌 상속에 의거해서만 4상을 임시로 세우겠는가? 찰나에 의거해 임시로 세우는 것도 역시 가능하다.

157 따지는 것이다.

158 해석하는 것이다. 본래 없던 것이 지금 있다면 체가 일어났으므로 생이라고 이름하고, 있었다가 다시 없어지면 없을 때 멸이라고 이름한다. 능히 후후의 찰나를 견인해서 전전에 이어 일어나면, 혹은 곧 이 순간의 후후의 찰나에서 전전에 이어 일어나면 주라고 이름하고, 곧 그 주상住相이 혹은 앞 순간과 더불어, 혹은 뒷 순간과 더불어 차별이 있기 때문에 주이住異라고 이름하니, 주에 의거해 이를 성취하기 때문에 주이라고 이름한다. 숨은 힐난으로, 「금강 등처럼 매우 견고한 물건은 전후 차별이 없는데, 어떻게 이異라고 이름하겠는가?」라고 하므로, 이런 힐난에 대해 변론하여 말한다. 이 금강 등이 앞뒤 순간에 서로 비슷하게 생길 때에도 앞뒤에서 서로 바라보면 차별이 없는 것은 아니다.

159 따지는 것이다.

160 해석하는 것이다. 말하자면 금강 등도 던져졌을 때와 아직 던져지지 않았을 때 차별이 있기 때문에, 따라서 역시 이異도 있다. 던져진 것 중에 나아가면 다시 차별이 있으니, 만약 강한 힘으로 던졌다면 곧 빠르게 떨어지고, 만약

만약 그렇다면 최후 찰나의 소리나 빛, 그리고 열반할 때의 최후의 6처는 뒷찰나가 없기 때문에 응당 주이住異가 없을 것이고, 이런 즉 그대들이 세운 상相은 응당 유위에 두루하지 못할 것이다.161 이것은 주住가 유위상이 된다고 말하지 않는다. 그 뜻은 어떤 것인가? 말하자면 주住의 이異이기 때문에 만약 주가 있다면 반드시 이도 있으니, 이에 의해 세운 상이 두루하지 못하다는 허물은 없다.162 그렇지만 이 경에서 세존께서 말씀하신 유위의

약한 힘으로 던졌다면 곧 느리게 떨어진다. 또 해석하자면 강한 힘으로 던졌다면 멀리 가기 때문에 느리게 떨어지고, 만약 약한 힘으로 던졌다면 가까이 가기 때문에 빠르게 떨어진다. 이렇게 시기가 차별되기 때문에 이상이 있는 것이다. 이런 도리에 의해 대종大種이 전변하여 차별된다는 뜻이 성립된다. 강한 것에 따라 대종을 말한 것이므로, 만들어진 물질은 말하지 않아도 저절로 성립된다. 제행이 서로 비슷하게 찰나찰나 상속하여 생길 때, 앞뒤에서 서로 바라보되 두드러진 모습으로 관찰하면 비록 다시 많은 차별이 없지만, 미세하게 말하면 이異가 없는 것이 아니다.

161 이는 이상異相에 대한 힐난이다. 만약 전후 차별이 있기 때문에 주이住異라고 이름한 것이라고 말한다면, 최후 순간의 소리나 최후 순간의 빛 및 무여열반에 들기에 임했을 때의 최후의 6처, 이런 등의 여러 법은 모두 분별할 만한 뒷찰나가 없으므로, 응당 주이가 없을 것이고, 이런 즉 그대들이 세운 상相은 응당 유위에 두루하지 못할 것이다. 또 해석하자면 주·이 2상은 이미 이을 수 있는 뒷찰나가 없으므로 응당 주가 없을 것이고, 이미 분별할 만한 뒷찰나가 없으므로 응당 이가 없을 것이다.

162 경량부의 답인데, 이는 이상에 관한 힐난에 대해 변론하는 것이다. 경문에서 '이'를 말하여 '주이'라고 이름한 것은, 그 의중이 '이'만이 유위상이 된다고 말할 뿐, 이것은 '주'가 유위상이 된다고 말하지 않으니, 그래서 경에서도 유위의 세 가지 유위상이 있다고 말한 것이다. (문) 그 뜻은 어떤 것인가? (답) 말하자면 '주'의 '이'이기 때문에 '주이'라고 이름한 것이다. 따라서 만약 '주'가 있는 곳이라면 반드시 결정코 '이'도 역시 있다. 뒷찰나의 소리 등은, 비록 뒷찰나에 현재 찰나를 이을 것[嗣]은 없지만, 앞에 지나간 찰나를 능히 이은 것이므로 역시 '주'라고 이름하고, 비록 '이'라고 할 만한 뒷찰나는 없지만, 앞찰나와 달라진 것이기 때문에 역시 '이'도 있다. 이것은 바로 '이'를 해석한 것이다. 그런데도 '주'라고 말한 것은 '주'에 의거해 '이'를 밝힌 것이니, 이에 의해 세운 상이 두루하지 못하다는 허물은 없다. 또 해석하자면 이것은 주·이 2상에 관한 힐난에 대해 변론하는 것이다. 2상에 대한 의중은, 이상을 세워서 유위상이 되는 것을 나타내는 것이지, 이것은 주가 유위상이 된다고 말하지 않는다. '주'에 의거해 '이'를 분별하고자 했기 때문에 앞에서 '주'를 해석한 것인데, 나의 뜻도 얻지 못한 채 어찌 함부로 주상에 대해 힐난하는가? 이것은 곧 우선 주상에 관한 힐난을 배척한 것이다. 다시 그 뜻은 어떤 것인가 묻자, 답한다. 말하자면 '주'의 '이'이기 때문에 '주이'라고 이름한 것이다. 따라서 만약

상을 간략하게 나타내어 보이자면, 말하자면 유위법은 본래 없던 것이 지금 있고, 있었다가 다시 없어지며, 또 상속해 머물렀는데, 곧 이것을 앞뒤에서 서로 바라보면 구별되어 달라졌다는 것이다. 여기에 생 등의 별도의 물건[別物]을 무엇에 쓰겠는가?163

어떻게 상의 본법[所相法]을 곧 세워서 능상能相으로 삼겠는가?164 어떻게 대인상[大士相]이 대인과 다른 것이 아니겠으며, 소의 뿔·턱·살·발굽·꼬리의 상이 소와 다른 것이 아니겠는가? 또 단단함 등 지계 등의 상은 지계 등과 다른 것이 아니며, 멀리서 솟아오르는 것을 보고 아는 연기의 상이 연기의 체와 다른 것이 아닌 것과 같다. 이 유위의 상도 이치가 역시 그러해야 할 것이다. 비록 유위인 색법 등의 자성을 알았다고 해도, 나아가 먼저 없었음[先無], 뒤에 없을 것임[後無], 상속의 차별을 아직 알지 못하는 동안은, 그 체가 유위인 것을 아직 알지 못한 것이다. 따라서 그것의 성품이 곧 유위상인 것은 아니지만, 그렇다고 그것의 성품을 떠나 생 등의 실재[實物]가 있는 것은 아니다.165

....

'주'가 있는 곳이라면 반드시 '이'도 역시 있다. 뒷찰나의 소리 등은, 비록 뒷찰나에 이을 수 있는, '이'라고 할 만한 것은 없지만, '이'라고 할 만한, 앞찰나를 이을 수 있는 것이 있었기 때문에 '주이'가 있음을 얻는다. 이것은 '이'가 유위상인 것을 바로 밝힌 것이다. 그런데도 '주'라고 말한 것은 '주'에 의거해 '이'를 밝힌 것이니, 이에 의해 세운 상이 두루하지 못하다는 허물은 없다. 만약 글의 기세에 준한다면 앞의 해석이 낫지만, 답하는 글에 준한다면 뒤의 해석도 역시 통한다. '주이'가 만약 최후찰나라면 비록 '이'라고 할 만한, 이을 수 있는 찰나가 없다고 해도 능히 앞을 이어 앞과 달라진 것이며, 만약 최초찰나라면 비록 '이'라고 할 만한 이을 수 있었던 앞찰나가 없다고 해도 뒤에 이은 것이 있어 뒤에 달라진 것이며, 만약 중간의 찰나라면 전후에 이어 달라진 것을 갖추고 있다고 알아야 할 것이다. 설령 1찰나라고 해도 이음과 달라짐의 부류[嗣異流類]라면 역시 '주이'라고 이름할 것이다.

163 경량부에서 경의 뜻을 간략히 표방한 것이다. 세존께서 말씀하신 유위의 상을 간략히 나타내어 보이자면, 말하자면 유위법이 본래 없다가 지금 있는 것을 생이라고 이름하고, 있었다가 다시 없어지는 것을 멸이라고 이름하며, 상속해서 계속 구르는 것을 주라고 이름하는데, 곧 이 주의 상이 앞뒤에 차별되는 것을 이라고 이름한다. 여기에 생 등의 별도의 물건이 무슨 소용이 있겠는가?

164 설일체유부의 반론이다. 만약 별도의 능상이 없다고 한다면, 어떻게 상의 본법이 곧 능상이 된다고 세우겠는가?

165 경량부에서 도리어 힐난함으로써 자기 이치를 수순해 이루는 것이다. 어떻

만약 유위인 색법 등의 자성을 떠나 생 등의 실재가 있다고 한다면, 다시 무엇이 이치 아님[非理]인가?166 하나의 법이 일시에 곧 생기고 머물며 쇠퇴해 달라지고 무너져 소멸해야 할 것이니, 함께 있음[俱有]을 인정하기 때문이다.167 이런 힐난은 옳지 않으니, 작용하는 시기가 다르기 때문이다. 말하자면 생의 작용은 미래에 있으니, 현재 이미 생긴 것은 더 이상 생기지 않기 때문이고, 모든 법은 생긴 뒤 바로 현재 있을 때 주상 등 3상의 작용이 비로소 일어나므로, 생이 작용할 때 나머지 3상은 작용이 있는 것이 아니다. 따라서 함께 있다고 해도 서로 거스르지 않는다.168

우선 미래의 법은 체가 있는 것인지, 없는 것인지 생각해서 가려야 할 것이다. 그런 뒤라야 생이 그 단계에 작용이 있는지, 작용이 없는지 논의될 수 있다.169 설령 미래의 법을 인정한다고 해도 생이 작용을 가진다면 어떻

....

게 세존의 대인의 32상이 대인과 다른 것이 아니겠는가? 소의 뿔 등에 의한 세 가지 힐난도 이에 준해서 알 수 있을 것이다.(=본문의 네 가지 예를 같은 차원의 비유로 보는 취지인데, 앞의 두 가지와 뒤의 두 가지는 차원이 다른 듯하다. 즉 앞의 두 가지는 소상법과 능상이 동일한 것[卽]이 아니라는 비유이고, 뒤의 두 가지는 별개인 것[離]이 아니라는 비유이다. 혹은 『기』의 설명처럼 뜻은 서로 준하는 것이지만, 전자는 의문문, 후자는 서술문으로 되어 있음[如何大士相 非異於大士, 角辇胡蹄尾牛相 非異牛? 又如堅等 地等界相 非異地等, 遠見上升 知是煙相 非異煙體]에 의한 의미의 차이일 수도 있다) 이 유위의 상도 이치가 역시 그러해야 하니, 상의 본법과 다른 능상이 따로 있는 것이 아니다. 비록 유위인 색법 등의 자성을 알았다고 해도, 나아가 먼저 없었다가 지금 있는 것이 생이고, 있었다가 뒤에 없는 것이 멸이며, 상속해서 계속 구르는 것이 주이고, 그 앞뒤의 차별이 이라는 것을 아직 알지 못하는 동안은, 그 체가 유위인 것을 아직 알지 못한 것이다. 따라서 그 색 등의 성품이 곧 유위상인 것은 아니지만, 그렇다고 그 색 등의 성품을 떠나 생 등의 실재가 있는 것은 아니다. 능상能相과 소상所相은 해석하는 것이 각각 다르기 때문에 '즉했다[卽]'고 말할 수 없고, 색 등을 떠난 밖에 별도의 성품이 없기 때문에 '떠났다[離]'고 말할 수 없으니, 이것이 곧 부즉불리不卽不離의 이치이다.

166 설일체유부에서 도리어 따지는 것이다.
167 경량부에서 반대로 힐난해서 허물을 나타내는 것이다. 하나의 유위법에 있는 네 가지 개별적인 상은 일시에 곧 생주이멸해야 할 것이니, 함께 있다고 인정(=4상이 있는 것이어야 유위법)하기 때문이다.
168 설일체유부의 해석이다. 생의 작용은 미래이고, 3상의 작용은 현재로서, 작용하는 시기가 각각 다르기 때문에 함께 있다고 해도 서로 거스르지 않는다.
169 이하에서 경량부가 자세히 논파하는데, 이는 곧 미래의 법은 체가 있는 것인

게 미래를 이루겠는가? 응당 미래의 상을 말해야 할 것이다. 법이 현재 있을 때에는 생의 작용은 이미 낙사했는데, 어떻게 현재를 이루겠는가? 응당 현재의 상을 말해야 할 것이다.[170]

또 주상 등의 3상의 작용이 함께 현재 있다면, 1법의 체가 1찰나 중에 곧 안주함, 쇠퇴해 달라짐, 무너져 소멸함이 있어야 할 것이다. 만약 주상이 이 법을 능히 머물게 할 때, 즉시 이상·멸상이 능히 쇠퇴하게 하고, 무너지게 한다면, 그 때 이 법은 안주한다고 이름할 것인가, 쇠퇴해 달라진다고 이름할 것인가, 무너져 소멸한다고 이름할 것인가?[171] 여러 분들이 주상 등의 작용은 시간을 같이 하지 않는 것이라고 말하는데, 그런 설은 곧 찰나멸刹那滅의 뜻에 위배될 것이다.[172]

만약 "우리는 1법의 모든 상의 작용이 모두 완성되는 것을 1찰나라고 이름한다"라고 말한다면,[173] 그대들은 지금 (이런 점에 대해) 설명해야 할 것이다. 어째서 주상과 2상이 함께 생기는데도, 주상이 먼저 머물 법을 능히

....

지, 없는 것인지 생각하기를 권하는 것이다. 그런 뒤라야 작용이 있는지, 작용이 없는지 논의할 수 있다. 체가 아직 정해지지 않았는데, 어찌 작용을 논해야 하겠는가?

170 가정적으로 논파하는 것이다. 설령 미래(의 법의 체가 있고, 그 법)에 생이 작용을 갖는다고 인정한다고 해도, 이미 작용을 일으켰다면 현재라고 이름해야 할 것인데, 어떻게 미래를 이루겠는가? 응당 미래의 (생)상을 말해야 할 것이다. 법이 현재 있을 때에는 생의 작용은 이미 낙사했으니, 과거라고 이름해야 할 것인데, 어떻게 현재를 이루겠는가? 응당 현재의 (생)상을 말해야 할 것이다.

171 이하에서 주상 등 3상에 대해 논파한다. 3상의 현재 작용이 함께 1법에 의거한 것이라면, 그 때 이 법은 안주한다고 이름할 것인가, 쇠퇴해 달라진다고 이름할 것인가, 무너져 소멸한다고 이름할 것인가?

172 이는 계탁을 서술하고, 주상 등 3상도 총체적으로 그르다고 논파하는 것이다. 여러 설일체유부의 논사들이 주상 등 3상은 비록 함께 현재 있기는 하지만, 작용은 시간을 같이 하지 않고, 전후 다르게 일어난다고 말하는데, 그런 설은 곧 찰나멸의 뜻에 위배된다. 시간이 지극히 짧은 것을 1찰나라고 말하는데, 이미 3상이 현재 있으면서 전후 다르게 일어나 작용한다면, 이는 곧 경과가 멈추었다는 것[經停]이니, 곧 찰나멸의 뜻에 위배될 것이다.

173 이는 (설일체유부의) 변론을 옮겨온 것이다. 그대 설일체유부의 논사가 만약 우리는 1법의 4상의 작용이 완성되는 것을 말하여 1찰나라고 이름한다고 말한다면.

머물게 하고, 이상은 아니며, 멸상은 아닌가? 만약 주상의 힘이 강해서 먼저 작용할 수 있다고 한다면, 뒤에 어떻게 열등해지기에 본법과 아울러 함께 만나 쇠퇴하고 무너지게 되는가? 만약 주상도 마치 생상처럼 이미 작용을 일으켰기에 응당 다시 일어나지 않는다고 말한다면, 생상은 응당 그럴 수 있을 것이니, 저 생상의 작용은 말하자면 생길 것을 견인해 현재에 들어오게 하는 것이어서, 이미 들어왔다면 다시 견인해 들어오게 하지 않아야 하기 때문이다. 주상은 그렇지 않아야 할 것이니, 저 주상의 작용은 말하자면 머물 것을 안주시켜, 쇠퇴하거나 소멸하지 않게 하는 것이어서, 이미 머무는 것도 길이 안주하게 할 수 있기 때문이다. 이 때문에 주상은 작용이 항상 일어나야 할 것이므로, 생상의 예처럼 재차 작용하는 일이 없게 할 수 없을 것이다. 또 무엇이 주상의 작용을 장애하기에 잠시 있다가 다시 없게 하는가? 만약 이상과 멸상이 능히 장애가 된다고 말한다면, 이상·멸상의 힘이 강해야 할 것인데, 어째서 먼저 작용하지 않았는가?[174]

또 주상의 작용이 종식되면 이상·멸상과 본법도 저절로 머물지 않을 것인데, 이상·멸상은 어느 곳에서 어떻게 작용을 일으키겠으며, 다시 무슨 일이 있어 2상의 작용을 필요로 하겠는가? 주상이 거두어 유지함에 의해 모든 법은 생긴 뒤 잠시 소멸하지 않는 것이므로, 주상의 작용이 이미 버려졌다면 법은 결정코 머물지 못할 것이다. 곧 저절로 소멸하기 때문에 이상·멸상의 작용은 더 이상 할 일이 없을 것이다.[175]

....

174 따로 주상에 대해 논파하는 것이다. 3상이 함께 나타난다면 어째서 주상이 먼저 작용을 일으키고, 이상은 아니며, 멸상은 아닌가? 만약 힘이 강해서라고 말한다면, 뒤에는 어떻게 열등해지기에 함께 만나 달라지고 소멸하는가? 만약 마치 생상처럼 주상도 다시 작용이 일어나는 것이 아니라고 말한다면, 생상은 응당 그럴 수 있을 것이니, 견인해 현재에 들어오게 했으므로, 거듭 견인하지 않을 것이기 때문이다. 주상은 그렇지 않아야 하니, 이미 머무는 것도 길이 안주하게 할 수 있기 때문이다. 작용이 항상 일어나야 하므로, 생상의 예처럼 다시 작용하는 일이 없게 할 수 없다. 또 무엇이 주상의 작용을 장애하기에 잠시 있다가 다시 없게 하는가? 만약 이상과 멸상이 장애한다면, 이상·멸상의 힘이 강해야 할 것인데, 어째서 먼저 일어나지 않았는가?
175 이는 곧 이상·멸상에 대해 쌍으로 논파하는 것이다. 또 주상의 작용이 종식되면 이상·멸상과 본법은 저절로 머물지 않고 과거로 낙사했을 것인데, 이상·멸상은 어느 곳에서 작용을 일으키겠으며, 다시 무슨 일이 있어 2상의 작용을

또 1법이 생긴 뒤 아직 무너지지 않은 것을 주라고 이름하고, 머물렀다가 무너질 때 멸이라고 이름하는 것은 응당 이치상 우선 그럴 수 있지만, 1법에서의 이상은 나아가거나 물러나서 추구하고 따지더라도 이치가 있을 수 없어야 할 것이다. 왜냐하면 이상은 전후 성상性相이 바뀌어 변하는 것을 말하는 것이므로, 곧 이것인 법[卽此法]은 이것과 다르다[異此]고 말할 수 있는 것이 아니기 때문이다. 그래서 게송으로 말하였다. "곧 앞의 것이라면 이상은 성립되지 않고[卽前異不成], 앞의 것과 다르다면 하나의 법이 아니니 [異前非一法], 그러므로 하나의 법에서[是故於一法], 이상을 세우는 것은 결코 성립되지 않네[立異終不成]"176

비록 다른 부파에서, "멸의 인연을 만나야 멸상이 비로소 소멸될 법을 능히 소멸시킨다"라고 말하지만, 그들의 말은 마치 설사약을 먹었을 때 천신이 내려와 설사하게 했다고 누군가가 말하는 것과 같다고 해야 할 것이다. 즉 멸의 인연이 소멸될 법을 응당 소멸시킬 것인데, 따로 멸상이 있다고 집착하는 것이 무엇에 필요한 것인가? 또 심·심소는 찰나멸이라고 인정하므로, 다시 다른 멸의 인연을 기다릴 필요가 없을 것이고, 멸상과 주상은 작용에 앞뒤가 없어야 할 것이며, 이런 즉 하나의 법이 일시에 머물기도 하고 소멸하기도 할 것이니, 바른 이치와 부합하지 않는다.177

....
필요로 하는가? 주상이 거두어 유지함에 의해 모든 법은 생긴 뒤 잠시 소멸하지 않는 것이므로 주상의 작용을 필요로 할 수 있지만, 주상의 작용이 이미 버려졌다면 법은 결정코 머물지 못할 것이다. 곧 저절로 소멸해 과거로 낙사했기 때문에 이상·멸상의 작용은 더 이상 할 일이 없을 것이다. 이미 소용이 없다면 어찌 그 2상을 필요로 하겠는가? 이는 곧 소용이 없다고 나무라는 것이다.
176 이는 곧 따로 이상에 대해 논파하는 것이다. '또 1법이 생긴 뒤 아직 무너지지 않은 것을 주라고 이름하고, 머물렀다가 무너질 때 멸이라고 이름하는 것은 응당 이치상 그럴 수 있다'라고 주상·멸상을 놓아주어 인정하면서, '1법에서의 이상은 나아가거나 물러나 추구하고 따지더라도 이치가 있을 수 없어야 한다.' 무릇 이異라는 말은 전후 성품이 다르다는 것이다. 곧 이것인 법은 이 법과 다르다고 말할 수 있는 것이 아니다. 그래서 게송으로 말하였다. 이상일 때의 법이 곧 앞의 주상일 때의 법이라면 이상은 성립되지 않는다. 이것은 곧 나아가서 나무라는 것이다. 만약 이상일 때의 법이 앞의 주상일 때의 법과 다르다면 곧 1법이 아닐 것이고, 만약 주상과 이상이 법을 달리한다면 종지에 위배되는 허물이 있다. 이는 곧 물러나서 따지는 것이다. 그러므로 설일체유부가 1법에서 이상을 세우는 것은 결코 성립되지 않는다.

따라서 상속에 의거해 유위상을 말하는 것이 바른 이치에 어긋나지 않고, 계경에도 잘 수순한다.178

4. 생상과 소생법所生法

만약 생상이 미래에 있으면서 생길 법[所生法]을 낳는다면, 미래의 모든 법이 어째서 함께 생기지 않는가?179 게송으로 말하겠다.

47c 생이 능히 소생법을 낳지만[生能生所生]
　　인연의 화합을 떠나서는 아니다[非離因緣合]180

논하여 말하겠다. 그 밖의 다른 인연의 화합을 떠나 생상의 힘만으로는

....

177 이는 곧 경량부에서 정량부正量部의 멸상에 대해 논파하는 것이다. 정량부에 서는, "섶 등은 많은 시간을 경과하면서 머무는데, 섶 등이 소멸할 때에는 두 가지 연에 의해 소멸하니, 첫째는 안의 멸상이고, 둘째는 밖의 불 등이다. 주상과 멸상은 시간을 달리 한다. 만약 심·심소 등이라면 오직 안의 멸상에만 의(해 소멸)하고, 밖의 연에 의하지 않는다"라고 계탁하기 때문에 지금 논파해 말하는 것이다. 비록 다른 부파인 정량부에서, "섶 등은 밖의 불 등 능히 소멸시킬 인연을 만나면, 내부의 멸상이 비로소 소멸될 섶 등을 능히 소멸시킨다"라고 말하지만, 그들의 말은 마치 누군가가, 설사약을 먹었을 때 천신이 내려와 설사하게 했다고 말하는 것과 같다고 해야 할 것이다. 즉 불 등 멸의 인연이 소멸될 섶 등을 응당 소멸시킬 것인데, 따로 멸상이 있다고 집착하는 것이 무엇에 필요한가? 또 섶 등의 법은 밖의 연을 기다려서 소멸하므로, 그 대들의 종지에서 앞의 주상과 뒤의 멸상은 시간을 같이 하지 않는다고 말할 수 있겠지만, 심·심소법은 그대들의 종지에서 찰나멸이라고 인정하므로, 다시 다른 밖의 멸의 인연을 기다릴 필요가 없을 것이고, 주상이 작용할 때 곧 멸상의 작용을 일으켜야 할 것인데, 어찌하여 그대들은 여러 상이 작용을 일으키는 것은 앞뒤로서 시기를 달리한다고 집착하는가? 만약 주상일 때 멸상의 작용도 역시 일으킨다고 한다면, 이런 즉 하나의 법이 일시에 머물기도 하고 소멸하기도 할 것이니, 바른 이치와 부합하지 않는다.
178 이는 경량부에서 논파를 마치고 맺어서 본래의 종지로 돌아오는 것이다. 따라서 상속의 이치에 의거해 유위의 4상을 말하는 것이, 첫째 바른 이치에 어긋나지 않고, 둘째 계경에도 잘 수순하는 것이다.
179 이하는 큰 글의 둘째 외인의 힐난에 대해 회통하는 것이다. 이는 곧 외인의 질문이다. 만약 생상이 미래에 있으면서 생길 법을 낳는다면, 미래의 모든 법은 모두 생상이 있는데, 어째서 단박에 (함께) 생기지 않는가?
180 게송에 의한 답이다.

소생법을 낳을 수 있는 것이 아니기 때문에 미래의 모든 법이 모두 단박에 일어나는 것은 아니다.181 만약 그렇다면 우리들에게 인연에 낳는 공능이 있는 것만 보일 뿐이다. 별도의 생상이 없더라도 인연의 화합이 있다면 모든 법은 곧 생기고, 없다면 곧 생기지 않을 것인데, 어찌 생상을 수고롭게 하겠는가? 따라서 인연의 힘만 있다면 일어난다고 알아야 할 것이다.182

존재하는 모든 법은 어찌 그대들이 모두 아는 것이겠는가? 법의 성품은 그윽하고 미묘해서 매우 알기 어렵기 때문에 비록 체가 나타나 있더라도 알 수 없다. 생상이 만약 없다면 생긴다는 인식[生覺]도 없어야 할 것이고, 또 색色의 생, 수受의 생 등을 말하는 소유격[第六轉]의 말도 응당 이루어지지 않을 것이니, 마치 색의 색[色之色]이라는 말을 하지 않아야 하는 것과 같다. 생상이 없다는 것에 대해 책망한 것처럼, 나아가 멸상이 없다는 것에 이르기까지 모두 그 상응하는 바에 따라 이와 같이 책망할 것이다.183

만약 그렇다면 공이나 무아의 인식을 이루기 위해서는 법 외에 공이나 무아의 성품을 붙잡아야 할 것이고,184 일一·이二, 대大·소小, 각각 다름[各

----

181 장항에 나아가면 처음에 게송을 해석하고, 뒤에 결택하는데, 이는 곧 게송을 해석하는 것이다. 생상이 있다고 해도 반드시 인연에 의지해야 하기 때문에 단박에 일어나는 것이 아니다.

182 이하에서 경량부에서 힐난에 대해 결택하는 것인데, 이 부분은 글이 드러나서 알 수 있을 것이다.

183 설일체유부의 해석이다. 어찌 존재하는 모든 체성의 법이 그대들 경량부에서 모두 아는 것이겠는가? 법의 성품은 그윽하고 미묘해서 매우 알기 어렵기 때문이다. 미세한 법은 비록 체가 나타나 있더라도 그대들 경량부에서 알 수 없다. 이는 곧 법의 심오함을 찬탄한 것이다. 생상이 만약 없다면 생긴다는 인식도 없어야 할 것인데, 이미 생긴다는 인식이 있으니, 생상이 있다는 것을 분명히 알 수 있다. 소유격의 말은 체를 달리하는 것이 서로 속한다는 것이니, 마치 왕의 신하와 같다. 만약 생상이 있다면 소유격도 이루어지겠지만, 만약 생상이 없다면 이 소유격의 말도 응당 이루어지지 않을 것이다. 이미 색의 생이라는 말을 하였으니, 색을 떠나 별도로 생이 있다는 것을 분명히 알 수 있다. 생상이 없다면 이런 허물이 있다고 책망한 것처럼, 나아가 멸상이 없다는 것에 이르기까지 이에 준해서 알 수 있을 것이다. # 본문 중 '마치 색의 색이라는 말을 하지 않아야 하는 것과 같다'는 것은, 동일물에 대해서는 소유격을 말할 수 없다는 취지이다.

184 이하는 경량부의 힐난인데, 먼저 불교의 법에 의거해 힐난한다. 만약 그렇다면 공이나 무아의 인식을 이루기 위해서는 모든 법 외에 공이나 무아의 성품

別], 결합[合]·분리[離], 저것[彼]·이것[此], 존재의 성품[有性] 등의 인식을 이루기 위해서는 응당 저 외도처럼 법 외에 수數, 양量, 각각 다름, 결합·분리, 저것·이것, 존재 등의 별도의 성품이 있다고 집착해야 할 것이다.185 또 소유격의 말을 성립시키기 위해서는 색의 무더기[聚]라는 성품이 별도로 있다고 집착해야 할 것이다. 또 예컨대 색의 자성이라는 말을 하는 경우, 이 소유격의 말은 어떻게 이루어질 수 있겠는가?186

....
도 붙잡아야 할 것이다. 비록 법을 떠난 밖에 별도로 공이나 무아의 성품이 없어도, 공이나 무아의 지각을 일으키거늘, 색 등을 떠난 밖에 별도로 생 등이 없다고 해서, 생 등의 인식을 일으키는 것을 어찌 방해하겠는가?

185 이는 경량부에서 외도의 법에 의거해 힐난하는 것이다. 만약 불법에 의한다면 법 자체를 떠난 밖에 별도로 하나의 수 등의 체는 없지만, 그대들 설일체유부에서 하나나 둘이라는 수의 인식, 크거나 작다는 크기[量]의 인식, 각각 다르다는 인식, 결합한다는 인식, 분리된다는 인식, 저것이라는 인식, 이것이라는 인식, 존재의 성품이라는 인식―'등'은 특수 등의 인식을 같이 취한 것이다―을 이루기 위해서는 응당 승론 외도처럼, 법을 떠난 밖에 별도로 수의 성품, 양의 성품, 각각 다름의 성품, 결합의 성품, 분리의 성품, 저것의 성품, 이것의 성품, 존재의 성품―'등'은 특수의 성품 등을 같이 취한 것이다―이 있다고 집착해야 할 것이다. 승론 외도에게는 여섯 가지 범주가 있으니, 첫째 실체, 둘째 속성, 셋째 행위, 넷째 보편, 다섯째 특수, 여섯째 화합이다. 혹은 열 가지 범주를 말하기도 하는데, 모두 앞에서 말한 것과 같다. 만약 모든 법 자체라면 실체에 포함된다. 만약 속성 중이라면 모두 24속성이 있는데, 역시 앞에서 말한 것과 같다. 그 24가지 중 여기에서의 수는 제5이고, 양은 제6이며, 각각 다름은 제7이고, 결합은 제8이며, 분리는 제9이고, 저것은 제10이며, 이것은 제11이고, 존재의 성품은 여섯 가지 범주 중 보편의 범주이고, 열 가지 범주 중에서도 보편의 범주이며, 특수의 성품 등은 여기에서의 특수의 범주이다. 그 종파에서는 실체의 법을 떠난 밖에 별도로 속성의 범주 중 수 등의 개별적 체가 있다고 하고, 또 법을 떠난 밖에 별도로 보편의 범주, 특수의 범주 등의 개별적 체가 있다고 하기 때문에 그것을 이끌어서 힐난한 것이다. 비록 수 등의 인식을 일으킨다고 해도 법을 떠난 밖에 별도로 수 등은 없는데, 어찌 생 등의 인식을 일으킨다고 해서, 색 등을 떠난 밖에 별도로 생 등이 없다는 것을 방해하겠는가?

186 위에서는 생의 인식에 관해 논파했고, 여기에서는 소유격에 관해 논파한다. 또 소유격의 말을 성립시키기 위해서는 색의 무더기라는 성품이 별도로 있다고 집착해야 할 것이지만, 색을 떠난 밖에 별도로 무더기라는 성품은 없다. 또 예컨대 색의 자성이라는 말을 하는 경우, 색을 떠난 밖에 별도로 자성은 없는데, 이 소유격의 말은 어떻게 이루어질 수 있겠는가? 이런 힐난의 말에 준하면, 소유격의 말의 뜻은 서로 속함을 말하는 것이지, 체를 달리하는 것이 서로 매여 속함을 요하는 것은 아니다.

그러므로 생 등은 임시로 건립된 것일 뿐, 별도의 실재는 없다. 형성된 모든 것이 본래 없다가 지금 있음을 알게 하기 위해 임시로 건립해서 생이라고 한 것이다. 이와 같이 본래 없던 것이 지금 있는 생상은 색법 등의 법에 의지하는 것으로서, 종류가 많으므로 그 나머지와 구별하기 위해 소유격을 말하여, 색의 생, 수의 생 등이라고 말한 것이다. 남으로 하여금 이 생기는 것이 오직 색이지, 나머지 수 등이 아니라는 것을 알게 하기 위한 것이다. 나머지도 비례해서 역시 그러하다. 예컨대 세간에서 전단梅檀의 향기, 석녀 아들[石子]의 체體라고 말하듯이, 이것도 역시 그러해야 할 것이다.187 이와 같이 주住 등도 상응함에 따라 알아야 할 것이다.188

만약 형성된 것[行]이 생상을 떠나서도 생길 수 있다면 허공무위 등은 어째서 생기지 않는가?189 형성된 모든 것[諸行]에서 생이라고 이름하는 것은, 본래 없던 것이 지금 있기 때문이다. 무위는 체가 항상 있는데, 어찌 생긴다고 말할 수 있겠는가? 또 법이 그러해서[法爾] 일체에 모두 생이 있다고 말하지 않는 것처럼, 이와 같이 일체법도 모두 생길 수 있는 것은 아님을 인정해야 할 것이다. 또 유위법에 같이 생상이 있더라도, 그 인연이 유위법에서 바라볼 때 혹은 공능이 있기도 하고, 혹은 공능이 없기도 하다고 인정하는 것처럼, 이와 같이 일체 유위법과 무위법에는 같이 생상이 없더라도, 여러 인연은 그 두 가지 법에서 바라볼 때 한 가지에 대해서는 생의

---

187 이상 경량부에서 논파를 마치고 종지로 돌아와서 스스로 해석하는 것이다. 그러므로 4상은 임시로 건립된 것일 뿐, 별도의 실재는 없다. 이와 같이 본래 없던 것이 지금 있는 생상은 5온의 법에 의지하는 것으로서, 종류가 많으므로 그 나머지 여러 온과 구별하기 위해, 그것과 혼동할 것을 염려하기 때문에 소유격을 말하여 색의 생 등이라고 말한 것이다. 남으로 하여금 이 생기는 것이 오직 색이지, 나머지 수 등이 아니라는 것을 알게 하기 위해 색의 생이라고 말한 것이니, 나머지 4온도 이에 비례해서 역시 그러하다. 예컨대 세간에서 전단의 향기라고 말해서 침향 등과 구별하고, 석녀 아들의 체라고 말해서 기와 등의 체와 구별하는 것과 같다. 또 해석하자면 전단의 향기는 전단을 떠난 밖에 별도로 있는 향기는 없고, 석녀 아들의 체는 석녀 아들을 떠난 밖에 별도로 있는 체는 없듯이, 이 색의 생 등도 역시 그러하다고 알아야 한다.
188 생이 이미 그런 것처럼 주 등도 비례해서 같다는 것이다.
189 설일체유부의 반론이다. 만약 제행의 법이 실제의 생상을 떠나서도 생길 수 있다면, 3무위법도 역시 생상을 떠났는데, 어째서 생기지 않는가?

작용이 있고, 한 가지에 대해서는 생의 작용이 없다는 것을 인정해야 할 것이다.190

비바사 논사들은, "생 등의 상은 실재로서 별도로 있다는 그 이치는 성립되어야 한다"라고 말한다. 까닭이 무엇이겠는가? 힐난하는 자들이 많이 있다고 해서 어찌 곧 종지를 버릴 수 있겠는가? 사슴 있을 것이 두렵다고 해서 보리를 파종하지 않을 것은 아니며, 많은 파리가 붙을 것이 두렵다고 해서 맛있는 음식을 먹지 않을 것도 아니다. 따라서 허물과 힐난에 대해서는 힘써 두루 해석해야 하지만, 근본 종지의 뜻은 따라서 수행해야 할 것이다.191

제8항 명·구·문

이와 같이 모든 유위상에 대해 분별했는데, 명신名身 등의 부류는 그 뜻이 어떠한가? 게송으로 말하겠다.

48a 명신 등은 이른바[名身等所謂]
　　지각·문장·문자의 총설이다[想章字總說]192

....
190 경량부의 해석이다. 제행에서 생이라고 이름하는 것은, 본래 없던 것이 지금 있기 때문이다. 무위는 체가 항상 있는데, 어찌 생긴다고 말할 수 있겠는가? 또 그대들의 종지에서도, 유위에는 생이 있고, 무위에는 생이 없으므로, 법이 그러해서 일체법에 생이 있다고 말하지 않는 것처럼, 이와 같이 우리도, 일체 법이 모두 생길 수 있는 것은 아니어서, 유위는 생길 수 있고, 무위는 생길 수 없다고 하는 것을 인정해야 할 것이다. 또 그대들의 종지에서 모든 유위법에 같이 생상이 있더라도, 인연이 유위법에서 바라볼 때 혹은 한 부류에 대해서는 생의 공능이 있어서 응당 생기게 하고, 혹은 한 부류에 대해서는 생의 공능이 없어서 생기지 않게 하기 때문에 여러 인연을 서로 바라볼 때 각각 다르다는 것을 인정하는 것처럼, 이와 같이 우리도, 일체 유위법과 무위법에는 같이 생상이 없더라도, 여러 인연이 그 두 가지 법에서 바라볼 때 유위에 대해서는 생의 작용이 있고, 무위에 대해서는 생의 작용이 없다는 것을 인정해야 할 것이다.
191 논주가 비바사 논사들을 위해 맺어서 본래의 종지로 돌아가게 하는 것이다. 비바사 논사들은 생 등의 상은 별도로 실재가 있다고 말하는데, 그 이치도 역시 성립될 수 있다는 것이다.
192 이하는 큰 글의 일곱째 명신 등에 대해 밝히는 것이다. '명신 등은'은 글을

1. 명신·구신·문신의 뜻

논하여 말하겠다. '등'은 구신句身과 문신文身을 같이 취한 것인데,193 여기에서는 이렇게 알아야 할 것이다. '명'은 지각을 만드는 것[作想]을 말하니, 예컨대 색·성·향·미 등의 지각을 말하는 것과 같다.194 '구'란 뜻을 표현하여 완성하는 문장[章詮義究竟]을 말하니, 예컨대 제행무상 등의 문장을 말하는 것과 같다.195 혹은 능히 업業·작용[用]·공덕[德]·시간[時]과의 상응

....

이어받는 것이고, '이른바' 이하는 바로 해석하는 것이다. 명신·문신·구신은 그 본래 명칭인데, 그 순서대로 지각·문장·문자의 총설이라고 다른 말로 해석한 것이다.

193 장항에 나아가면 첫째 게송을 해석하고, 둘째 문답한다. 이하에서 게송을 해석하는데, 이는 곧 '등'이라는 글자를 해석한 것이다.

194 명신에 대해 개별적으로 해석하는 것인데, 곧 지각으로써 명신을 해석했다. 범어로 나마那摩nāma는 당나라 말로 명칭[名]인데, 이는 따른다[隨]는 뜻이고, 돌아간다[歸]는 뜻이며, 알린다[赴]는 뜻이고, 부른다[召]는 뜻이니, 말하자면 음성에 따르고, 경계로 돌아가며, 경계를 알리며, 색 등을 부르는 것이라는 뜻이다. 명칭은 능히 뜻을 표현하지만, 뜻과 합친 것은 아니다.(=불을 말한다고 해서 입을 태우는 것은 아니라는 취지) 범어로 승야僧若saṃjñā는 당나라 말로 지각[想]인데, 이는 능히 표상을 취해 오로지 붙잡는다[取像專執]는 뜻, 혹은 함께 계약을 세운다[共立契約]는 뜻이다. '작상作想'이라는 말에서 '작'은 만드는 것[造作]을 말한다. 심소 중 상想이 표상을 취했음으로 말미암아 이런 명칭을 건립하고 만든다는 것으로, 이는 상이 만든 것[想所作]이므로 '작상'이라고 이름한 것이다. (이 경우) 명칭이 상이라고 말한 것은 원인에 따라 이름한 것이다.(=제1해) 또 해석하자면 명칭을 인연하여 능히 상을 일으키는 것을 말함이니, 능히 상을 만들기 때문에 '작상'이라고 이름한 것이다. 또 해석하자면 '작'은 일으킨다[發]는 것이니, 천신·사람 등의 명칭으로 말미암아 천신·사람 등의 상想을 일으키기 때문에 '작상'이라고 이름한 것이다. (이 경우) 명칭이 상이라고 말한 것은 결과에 따라 이름한 것이다.(=제2해) 또 해석하자면 여기에서 '상'이라는 말은 곧 명칭의 다른 이름이다. 명칭은 모두 능히 표현하는 요점을 건립한 것이므로, 곧 이 상으로 말미암아 능히 표현하는 것이 있기 때문에 '작'이라고 이름한 것이니, 곧 '작'이 '상'이므로 '작상'이라고 이름한 것이다.(=제3해. 본문은 제2해에 따른 번역임)

195 개별적으로 구신句身을 해석하는 것인데, 곧 문장으로써 '구'를 해석하였다. 범어로 발다鉢陀pada는 당나라 말로 적跡이니, 코끼리 하나의 몸에 4족적足跡이 있는 것과 같고, 또한 게송 1수가 모두 4구로 이루어지는 것과 같다. 그래서 지금 뜻에 나아가 이를 뒤집어 '구'라고 한 것인데, 구는 능히 뜻을 표현해서 완성한다는 것이다. 범어로 박가薄迦vākya는 당나라 말로 장章인데, 다시 이것도 뜻을 표현해서 완성한다는 것이다. 예컨대 제행무상 등의 문장을 말할 경우 이 뜻이 같기 때문에 '장'으로써 '구'를 해석한 것이니, '장'은 곧 '구'의

과 차별을 분별해 알게 하는 것이니, 이런 문장을 '구'라고 칭한다.196 '문'이란 문자[字]를 말하니, 예컨대 아ạ·아ā·이ị·이ī 등의 문자를 말하는 것과 같다.197 이 문자 역시 글의 부분적 명칭[書分名]이 어찌 아니겠는가?198

.... 다른 말이다.

196 또 성명론[聲明]에 의거해 '구'를 해석하였다. '업용'은 만들어진 업의 작용을 말하고, '덕'은 모든 법이 견인하는 공덕을 말하니, 그 상응하는 바에 따라 모두 공덕과 작용이 있는 것이다. '시'는 돕는 문구이니, 능히 업용과 공덕을 분별해 아는 시간을 말한다. '상응'은 연계된다[鉤縲]는 뜻이니, 업용과 공덕을 분별해 알 때 거기에 있는 명칭과 뜻이 연계되어 끊어지지 않는 것을 말한다. '차별'은 말하자면 이 업용과 공덕이 있는 그 어떤 법이 다른 법과 같지 않기 때문에 차별이라고 이름한다. 예컨대 제바달다가 검은 소를 끌고 와서 우유를 짜서 취하고 주어서 직접 마시도록 가르칠 경우, 그 중에 움직이는 것을 업용이라고 이름하고, 검은 소의 찬 우유가 능히 열병을 치료하는 것을 공덕이라고 이름하며, 여기에 있는 명칭과 뜻이 끊어지지 않는 것을 상응이라고 이름하고, 여기에 이와 같은 업용·공덕에 다른 법과 같지 않음이 있는 것을 차별이라고 이름하는데, 만약 업용·공덕·시간과의 상응과 차별을 능히 분별해 알게 한다면 이런 문장을 '구'라고 칭한다.(=제1해) 또 해석하자면 '업'은 행한 일이고, '용'은 능히 만든 작용이며, '덕'은 모든 법이 이끄는 공덕이고, '시'는 3세의 시간이다. 이 법이 이것이 행한 일과 화합하는 것을 상응이라고 이름하고, 저 법과는 상응하지 않는 것을 차별이라고 이름하며, 이 법이 이것이 능히 만든 작용과 화합하는 것을 상응이라고 이름하고, 저 법과는 상응하지 않는 것을 차별이라고 이름하며, 법이 이것의 공덕과 화합하는 것을 상응이라고 이름하고, 저 법과는 상응하지 않는 것을 차별이라고 이름하며, 법이 이것의 시간과 화합하는 것을 상응이라고 이름하고, 저것과는 상응하지 않는 것을 차별이라고 이름한다. 따라서 상응과 차별은 업 등 네 가지에 통한다고 알아야 한다. 말하자면 어떤 것이든 업·작용·공덕·시간과의 상응과 차별을 능히 분별해 알게 하는 것이라면 이런 문장을 '구'라고 칭한다.(=제2해) 또 해석하자면 마치 1색처의 극미의 자상[一色處極微自相]과 같다. 여기에는 보는 업이나 (눈을) 들게 하거나 내리게 하는 업이 있으며, 능히 식을 일으키는 작용이나 결과를 취하는 작용이 있다. 푸르거나 노란 등은 공덕이고, 과거와 미래 등은 시간이다. 한량없는 공상과 화합하는 것을 상응이라고 이름하고, 상응하지 않는 것을 구별하여 차별이라고 이름하며, 혹은 상응하지 않는 것을 곧 차별이라고 이름한다. 말하자면 색은 이 보는 것 등이라는 것을 능히 분별해 알게 한다면 이런 문장을 '구'라고 칭한다.(=제3해. 본문은 제2해에 따른 번역임)

197 문신文身을 따로 해석하는 것인데, 곧 문자로써 '문'을 해석하였다. 범어로 변선나便膳那vyañjana는 당나라 말로 문文으로, 능히 드러내어 나타낸다[彰顯]는 뜻인데, 가까이로는 명칭과 문구를 나타내고, 멀리로는 뜻을 나타낸다. 예전에 '미味'라고 번역한 것은 번역의 오류이다. 범어로 악찰라惡利羅akṣara는 당나라 말로 '자[字]'인데, 흘러다니지 않는다[不流轉]는 뜻이다. 말하자면 방위

글의 부분을 나타내기 위해 여러 문자를 만든 것이 아니라, 여러 문자를 나타내기 위해 글의 부분을 만들었을 뿐이니, 어떻게 해야 말을 듣지 못하더라도 또한 이해할 수 있게 할까 해서 글의 부분을 만든 것이다. 그러므로 모든 문자는 글의 부분적 명칭이 아니다.199

어떤 것이 명名 등의 신身인가?200 말하자면 지각[想] 등의 총설總說인데, '총설'이라는 말은 합쳐 모았다[合集]는 뜻이니, 합쳐 모았다는 뜻의 어휘 중 온차嗢遮uc라는 어근[界]을 말했기 때문이다. 여기에서 명신名身이란 색·성·향 등을 말하고, 구신句身이란 제행무상, 일체법무아, 열반적정 등을 말하며, 문신文身이란 가迦ka·가佉kha·가伽ga 등을 말한다.201

....

에 따라 흘러다니며 바꾸지 않는다는 것으로, 역시 능히 드러내어 나타낸다는 뜻인데, 능히 명칭과 문구를 드러내고, 멀리로는 뜻을 나타낸다. 그래서 지금 '자'를 써서 그 '문'을 해석한 것이니, '자'는 곧 '문'의 다른 명칭이다. 곧 아a·아ā 등의 문자는 불상응행에 포함된다. 또 문자는 표현하는 것[詮表]이 없고, 표현하는 것이 있는 것은 곧 명칭과 문구이다. 다만 명칭과 문구의 의지처로서 그 두 가지를 능히 나타낼 뿐, 그 자체는 나타내는 것이 없다.

198 묻는 것이다. 이 아·아 등의 문자도 역시 그 종이 위에 먹으로 쓴 글을 능히 표현하는 부분이니, 어찌 또한 이 종이 위의 먹으로 쓴 글의 부분적 명칭이 아니겠는가? 이런 즉 역시 표현하는 것이 있으며, 마땅히 또한 명칭이어야 할 것인데, 어째서 표현하는 것이 없다고 말하는가?

199 답이다. 종이 위의 글의 부분을 나타내기 위해 아·아 등의 문자를 만든 것이 아니라, 아·아 등의 문자를 나타내기 위해 종이 위의 글의 부분을 만들었을 뿐이다. 비유에 의지해 이유를 설명하자면, 가짜 형상을 나타내기 위해 진짜 얼굴을 만든 것이 아니라, 진짜 얼굴을 나타내기 위해 가짜 형상을 만들었을 뿐이다. 옛날의 현인들이 함께 의논하기를, 어떻게 해야 멀리 있는 타인들로 하여금 내가 하는 말을 듣지 못하더라도 이해할 수 있게 할까 했기 때문에 서로 함께 종이 위에 글의 부분을 만들고 전령을 멀리 보내어서 문자들을 나타내게 했더니, 문자가 다시 명칭과 문구 두 가지를 나타낼 수 있어서 그들이 비로소 이해하게 되었다는 것이다. 그러므로 모든 문자는 글의 부분적 명칭이 아니다.

200 묻는 것인데, 이하에서 '신身'에 대해 따로 해석한다.

201 답인데, 총설로써 '신身'을 해석하는 것이다. 범어로 '가야迦耶kāya'는 당나라 말로 '신身'인데, 모인 무더기[聚集]라는 뜻이니, 말하자면 많은 명칭 등이 모인 무더기가 '신'의 뜻이다. 범어로 '삼목흘저三木訖底samukti'(=sam+uc+ti)가 당나라 말로 '총설總說'인데, 합쳐 모았다[和集]는 뜻이다. 곧 많은 명칭 등을 합쳐 모아서 총설한 것이기 때문에 '총설'로써 그 '신'을 해석한 것이다. '합쳐 모았다[合集]는 뜻의 어휘 중 온차라는 어근[界]을 말했기 때문'이라고 말한

2. 문답 분별

이 세 가지는 말[語]을 성품으로 하기 때문에 소리[聲]를 써서 체로 하는 것인데, 어찌 색의 자성에 포함되지 않으며, 어째서 심불상응행이라고 말하는가?202 이 세 가지는 말을 자성으로 하는 것이 아니다. 말은 음성인데, 음성만으로 곧 뜻을 알게 하는 것은 아니다.203 어떻게 알게 하는가?204 말하자면 말이 명칭을 일으키고, 명칭이 능히 뜻을 나타내어야 알게 할 수 있는 것이다.205

단지 음성만을 모두 말이라고 칭하는 것은 아니다. 반드시 이것으로 말미암아 뜻을 알 수 있는 이와 같은 음성이라야 비로소 말이라고 칭하기 때문이다.206 어떤 음성이 뜻을 알 수 있게 하는가?207 말하는 자들이 여러

것은, 문법상 삼마바예三摩婆曳samāvāye—당나라 말로 '합집合集'이다—라는 뜻에 의해 온차uc를 세워서 문자의 어근으로 삼았다는 것이다. '계界'는 '근본[本]'(=어근)이라는 뜻이니, 그러므로 어근 중 온차를 합집의 뜻으로 해석해야 한다는 것이다. 다시 갖가지 글자의 연(=접두어·접미사)을 온차라는 어근에 더한 것이 바뀌어 삼목흘저가 되었는데, 당나라 말로는 총설이다. 총설이라는 말은 이미 온차로부터 일어난 것인데, 온차는 합쳐 모였다는 뜻이므로, 곧 총설도 합쳐 모였다는 것임을 알 수 있기 때문에 합쳐 모였다는 뜻의 어휘 중 온차라는 어근을 말했다는 것이다. 이로써 총설이 합쳐 모였다는 뜻임을 증명하고, 곧 총설로써 '신'을 해석한 것이다. 따라서 반드시 많은 명칭 등이 합쳐 모인 것이 명신 등의 뜻이라고 알아야 한다. (문) 무엇 때문에 앞의 글에서는 아·아 등을 들었고, 뒤의 글에서는 가·가 등을 들었는가? (해석) 아·아 등은 자음字音(=모음. 소위 산자散字)이고, 가·가 등은 자체字體(=자음. 소위 연자連字)이니, 자음과 자체가 모두 문자에 포함된다는 것을 나타내기 위한 것이다.

202 이하는 문답하는 것인데, 이는 곧 경량부의 물음이다. 명칭 등은 말의 소리를 체로 하는 것인데, 어찌 5법 중 색법에 포함되지 않겠는가? 어째서 심불상응이라고 말하는가? 「명·구·문은 색온에 포함되어야 한다. 말을 성품으로 하기 때문이니, 마치 거짓말과 같다.」

203 설일체유부의 답인데, 이유(='말을 성품으로 하기 때문')가 성립되지 않는 허물을 나타낸 것이다.

204 경량부에서 따지는 것이다.

205 설일체유부의 해석이다. 명칭으로 말미암아 알 수 있는 것이지, 그 말로 말미암는 것이 아니다.

206 경량부에서 다시 스스로 해석해 말한다. 우리 종지에서도 단지 일체 음성을 모두 말이라고 칭하는 것은 아니다. 반드시 이 음성이 표현하는 것[所詮表]이 있음으로 말미암아 뜻을 알 수 있을 때 비로소 말이라고 칭한다.

뜻에 대해, 이미 공통으로 표현수단의 일정 분량[能詮定量]으로 세운 것을 말한다. 예컨대 예로부터 아홉 가지 뜻에 대해 구瞿go라는 하나의 음성을 공통으로 세워서 표현수단의 일정 분량으로 삼은 것과 같다. 그래서 어떤 게송에서 말하였다. "방위, 짐승, 땅, 빛, 말[方獸地光言], 금강, 눈, 하늘, 물 [金剛眼天水], 이런 아홉 가지 뜻에 대해[於斯九種義], 지혜로운 분들이 구라 는 음성을 세웠네[智者立瞿聲]"라고. 명칭이 능히 뜻을 드러낸다고 집착하는 모든 분들도 역시 결정코, 이와 같은 뜻의 명칭은 말하자면 공통으로 표현 수단의 일정 분량으로써 세운 것이라고 인정해야 할 것이다. 만약 이런 문 구의 뜻이 명칭에 의해 드러날 수 있는 것이라고 한다면, 단지 음성에만 의 해서도 드러내는 작용이 이미 성취되거늘, 어찌 실재인 명칭이 별도로 있 다고 멋대로 헤아려야 하겠는가?208

또 이런 명칭이 어떻게 말[語]에 의해 일어나는지 아직 알지 못하겠다. 말에 의해 드러나는 것인가[顯], 말에 의해 생기는 것인가[生]? 만약 말에 의해 생기는 것이라면, 말은 소리를 성품으로 하기 때문에 소리라면 일체 모두가 능히 명칭을 낳아야 할 것이다. 만약 명칭을 낳는 소리에는 차별이 있다고 말한다면, 이것으로 뜻을 드러내기에 충분한데, 어째서 별도의 명칭 을 기다리겠는가? 만약 말에 의해 드러나는 것이라면, 말은 소리를 성품으

....
207 따지는 것이다.
208 이는 경량부의 해석이다. 겁초 이후 여러 말하는 자들이 여러 뜻에 대해, 이 미 공통으로 음성을 세워서 표현수단의 일정 분량으로 삼았다. 예컨대 예로부 터 지혜 있는 여러 분들이 아홉 가지 뜻에 대해 공통으로 '구[go]'라는 하나의 음성을 세워서 표현수단의 일정 분량으로 삼은 것과 같다. 이는 곧 증거를 인 용한 것인데, 아홉 가지 뜻이란 방위, 짐승, 땅, 빛, 말[言], 금강보金剛寶, 눈 [眼], 하늘, 물이다. 이런 것이 공통으로 인정하는 표현수단의 일정 분량인데, 어찌 우리들만 세운다고 하겠는가? 모든 비바사 논사들은 실재인 명칭이 있 어서 능히 뜻을 드러낸다고 집착하지만, 역시 결정코, 이와 같은 모든 뜻의 명칭은 서로 공통으로 표현수단의 일정 분량으로 세운 것이라고 인정해야 할 것이다. 또 해석하자면 이와 같은 아홉 가지 뜻의 구라는 음성을 명칭이라고 말한 것은, 명칭이 곧 음성이기 때문이라고 말해야 할 것이다. 만약 이 게송의 문구 중 아홉 가지 뜻이 명칭에 의해 드러날 수 있는 것이라고 한다면, 단지 음성에만 의해서도 드러내는 능전의 작용[顯能詮用]이 이미 성취되거늘, 어찌 음성 외에 실재인 명칭이 별도로 있다고 멋대로 헤아릴 필요가 있겠는가?

로 하기 때문에 소리라면 일체 모두가 능히 명칭을 드러내어야 할 것이다. 만약 명칭을 드러내는 소리에는 차별이 있다고 말한다면, 이것으로 뜻을 드러내기에 충분한데, 어째서 별도의 명칭을 기다리겠는가?209

또 모든 순간의 소리는 모일 수 없고, 또한 하나의 법이 부분부분 점차 생길 수도 없는데, 어떻게 명칭이 생기며, 말에 의해 일어날 수 있겠는가?210 어떻게 지나간 여러 표업의 찰나를 기다려서 최후의 표업이 찰나에 무표업을 낳을 수 있는가?211 만약 그렇다면 최후 단계의 소리가 곧 명칭을 낳으니, 단지 최후의 소리만 들어도 뜻을 알 수 있어야 할 것이다.212 만약 말이 능히 문자를 낳고, 문자가 다시 명칭을 낳으며, 명칭이 비로소 뜻을 드러낸다는 이런 집착을 한다면, 이 중의 허물과 난점은 앞에서 말한 것과 같다고 해야 할 것이니, 여러 순간의 문자는 모일 수 없기 때문이다.213

....

209 경량부에서 다시 2문[門]을 만들어 진퇴를 따지며 책망하는 것이다. 만약 이 명칭은 소리가 능히 낳거나 드러내는 것이라고 말한다면, 일체 음성이 모두 능히 낳거나 드러내어야 할 것이다. '낳는다'(=소위 명생론名生論)는 것은 곧 종자가 싹 등을 낳는 것과 같은 것이고, '드러낸다'(=소위 명현론名顯論)는 것은 곧 등불이 단지[甁] 등을 조명하는 것과 같은 것이다. 만약 낳거나 드러내는 소리에는 차별이 있다고 말한다면, 이것(=소리의 차별)으로 뜻을 드러내기에 충분한데, 어째서 별도의 명칭을 기다리는가?

210 이하는 경량부에서 명칭을 낳는 것에 대해 따로 논파하는 것이다. 마치 여러 순간의 소리가 하나의 명칭을 낳는 것과 같은 경우(=예컨대 그-림-자), 앞의 소리가 현재에 이를 때 뒤의 소리는 아직 오지 않았고, 뒤의 소리가 만약 이르렀다면 앞의 소리는 이미 낙사해서, 모일 수 없을 것인데, 어떻게 명칭을 낳겠는가? 또한 하나의 명칭이 부분부분 점차 생길 수도 없는데, 어떻게 명칭이 생기며, 말에 의해 일어날 수 있겠는가?

211 설일체유부의 변론이다. 예컨대 계戒를 받을 때 최후 순간의 표업이 앞의 표업의 힘을 기다려서 비로소 무표업을 낳는 것처럼, 최후 순간의 소리가 명칭을 낳는 것도 역시 그러하다는 것이다.

212 경량부의 힐난이다. 이미 최후 단계의 소리가 곧 명칭을 낳는다면, 이는 곧 이 명칭이 오직 최후 순간에만 있는 것이니, 앞의 단계가 미처 오지 않고, 최후의 소리만 들어도 뜻을 알 수 있어야 할 것이다.

213 경량부에서 이어받아 논파하는 것이다. 우리는 말이 능히 명칭을 낳는다고 말하지 않지만, 만약 말하자면 말이 능히 문자를 낳고, 문자가 다시 명칭을 낳으며, 명칭이 비로소 뜻을 드러낸다는 이런 집착을 한다면, 이 중의 허물과 난점은 앞에서 말이 명칭을 낳는다고 할 경우의 허물을 말한 것과 같다고 해야 할 것이다. 여러 순간의 문자는 모일 수 없는데, 어떻게 명칭을 낳겠으며,

말이 명칭을 드러낸다는 주장의 허물도 응당 비례해서 낳는다고 한 경우와 같을 것이다.214

또 말과는 다른 문자에 대해 여러 지혜 밝은 분들이 마음을 쏟아 생각하고 가리더라도 그 모습을 분별하지 못할 것이며, 또 문자가 말에 의해 드러난다고 하든 생긴다고 하든, 명칭에 대한 말의 관계에 준해서 모두 이치에 맞지 않는다.215

또 만약 누군가가 명칭은 생生 등처럼 뜻과 함께 생기는 것이라고 집착한다면, 과거·미래의 뜻을 가리키는 현재세의 명칭은 있을 수 없어야 할 것이다. 또 부모 등은 마음의 바람에 따라 자식 등의 이름을 짓는데, 어떻게 이름이 생 등처럼 뜻과 함께 일어난다고 말할 수 있겠는가? 또 무위법은 명칭이 없어야 할 것이니, 생生의 뜻이 없기 때문이다. 그러니 인정되어서는 안 될 것이다.216

그리고 세존께서 게송은 명칭과 시인에 의해 생긴다고 말씀하셨는데, 이는 여러 뜻에 대해 공통으로 세운 분량의 소리가 곧 명칭이고, 이런 명칭이 배열된 차별을 게송이라고 하신 것이다. 이와 같은 뜻에 의해 게송은 명칭

....
또한 하나의 명칭이 부분부분 점차 생길 수도 없는데, 어떻게 이 명칭이 문자에 의해 생길 수 있겠는가?

214 이는 말이 명칭을 (낳는 것이 아니라) 드러낸다고 할 경우의 허물에 대해 따로 논파하는 것인데, 갖추어 말할 수 없으므로, 응당 비례해서 낳는다고 한 경우와 같을 것이라고 하였다.

215 위에서 명칭에 대해 개별적으로 논파했고, 이는 문자에 대해 개별적으로 논파하는 것이다. 첫째는 곧 그 체를 알 수 없다는 것을 나타내고, 둘째는 곧 명칭에 비례해서 같다고 논파하는 것인데, 단지 명칭을 문자로 바꾸는 것만 다를 뿐, 나머지 뜻은 모두 같으므로, 준해서 해석한 것이니, 이해할 수 있을 것이다.

216 이는 다른 집착을 서술하고 논파하는 것이다. 또 만약 누군가가 명칭은 4상相처럼 뜻과 함께 생기는 것이라고 집착한다면, 논파해 말하겠다. 과거·미래의 뜻을 가리키는 현재세의 명칭은 있을 수 없을 것이니, 함께 하지 않기 때문이다. 자식들이 점점 자랄 때 아버지 등이 이름을 짓는다는 것은, 곧 처음 태어날 때에는 이름과 함께 하는 것이 아님을 나타낸다. 만약 처음부터 이름과 함께 했다면 어떻게 뒤에 짓겠는가? 유위는 생이 있으므로 명칭과 함께 한다고 인정할 수 있겠지만, 무위는 생이 없으니, 응당 명칭이 없어야 할 것이다. 그러니 명칭이 생 등의 상과 같다고 집착하는 것은 인정되어서는 안 된다.

에 의한다고 말씀하셨는데, 이 게송은 명칭이 배열된 차별이므로, 실물實物이 있다고 집착하는 것은 바른 이치에 맞지 않다. 마치 나무 등의 행렬 및 마음의 순서와 같다.217 혹은 오직 문자의 체가 별도로 있다고 집착해야 할 뿐이다. 곧 이것을 전체적으로 모은 것을 명신 등이라고 하는 것이니, 다시 그 나머지가 있다고 집착하는 것은 곧 쓸모 없는 것이 될 것이다.218

그런데 비바사 논사들은 말하였다. "명신 등의 신이라는 별도의 물건이 있어서 심불상응의 행온에 포함되는데, 실재[實]이지 가법[假]이 아니다. 왜냐하면 모든 법을 모두 심구[尋]·생각[思]으로 알 수 있는 것은 아니기 때문이다."219

제9항 여러 문 분별

1. 명신 등의 4문 분별

이 명신 등은 어떤 계界에 매인 것인가? 유정의 수[有情數]라고 할 것인가, 비유정의 수라고 할 것인가? 이숙생이라고 할 것인가, 소장양이라고 할

....
217 경량부에서 경문에 대해 회통해 해석하는 것이다. 경(=잡 [46]36:1021 하 법위계인경何法爲偈因經)에서 게송은 명칭 및 게송의 글을 만든 시인[造頌文 士]{=한역문 중 '문文'자는 '사士'(='시인')자의 오기}에 의한다고 말씀하시고, 소리에 의한다고 말씀하시지 않은 이것은, 여러 뜻에 대해 옛날의 여러 현인들이 그 소리 위에 공통으로 분량을 세운 것이므로, 능히 그 뜻을 나타내는 소리가 곧 명칭이라는 것이다. 명칭은 소리 위에 임시로 건립된 것이기 때문에 명칭은 곧 소리를 그 체로 한다. 그리고 이런 명칭이 배열된 차별을 게송이라고 한다. 이와 같은 뜻에 의해 게송은 명칭에 의한다고 말씀하신 것이니, 명칭에 별도의 체가 있다고 말씀하신 것이 아니다. 이런 게송은 명칭이 배열된 차별이니, 게송이 실제로 있다고 집착하는 것은 바른 이치에 맞지 않는다. 마치 많은 나무가 행렬을 이룬 것이므로 나무를 떠나면 행렬도 없으며, 많은 마음의 순서이므로 마음을 떠나면 순서도 없는 것처럼, 이 게송도 역시 그러해서 명칭을 떠난 밖에 별도의 체가 없다.
218 이는 경량부에서 문자가 있다는 것은 인정할 수 있다면서 다시 명칭과 문구에 대해 논파하는 것이다. 문자를 모아서 곧 명칭과 문구를 이루므로, 다시 그 나머지 명칭과 문구가 있다고 집착하는 것은 곧 쓸모 없는 것이 될 것이다.
219 비바사 논사들이 종지로 돌아가면서, 법은 매우 깊어서 모두 알 수 있는 것이 아니라고 찬탄하는 것이다.

것인가, 등류성이라고 할 것인가? 선이라고 할 것인가, 불선이라고 할 것인가, 무기라고 할 것인가? 이런 것을 모두 분별해야 할 것인데,220 게송으로 말하겠다.

48c 욕계·색계와 유정의 수에 포함되고[欲色有情攝]
    등류성이며, 무기의 성품이다[等流無記性]221

논하여 말하겠다. 이 명신 등은 오직 욕·색의 2계에 매인 것이다. 어떤 분은, "무색계에 매인 것에도 통하지만, 말할 수 없다"라고 말하였다.222

또 명신 등은 유정의 수에 포함되니, 능히 말하는 자[能說者]가 성취하는 것이지, 나타내는 뜻[所顯義]이 성취하는 것이 아니기 때문이다.223 또 명신

----

220 이하는 큰 글(=불상응행에 대해 분별하는 글)의 셋째 여러 문 분별이다. 그 안에 나아가면 첫째 명신 등 셋에 대해 분별하고, 둘째 동분 등에 대해 분별한다. 이는 곧 첫째 명신 등 셋에 대해 분별하는 것인데, 모두 4문이 있다. 첫째 계에 매인 것에 대해 묻고, 둘째 유정과 비정에 대해 물으며, 셋째 5부류에 대해 묻고, 넷째 3성에 대해 물었다. 유실사는 무위뿐이고, 일찰나는 고법지인뿐이기 때문에 5부류 중 따로 표방해 묻지 않았다.

221 이는 게송으로 답한 것이다.

222 이 논서에 2설이 있는데, 후설은 바른 것이 아니다. 그래서 『대비바사론』 제15권(=대27-72상)에서 논파해 말하였다. "논평해 말하자면 그들은 이런 말을 해서는 안 된다. 차라리 없다고 말해야지, 있지만 말할 수 없다고 말해서는 안 되니, 소용이 없기 때문이다." 앞의 설에 나아가면 다시 2설이 있는데, 1설은 명칭은 말에 따라(=소위 수어설隨語說) 2지(=욕계+초정려지)에 매인 것이라고 하고, 1설은 명칭은 몸에 따라(=소위 수신설隨身說) 5지(=욕계+4정려지)에 매인 것이라고 하였다. 『대비바사론』과 『순정리론』(=제14권. 대29-415하)에 모두 2설이 있지만, 모두 논평하는 글은 없다. (문) 2설 중 어느 것이 바른 것인가? (해) 수어설이 바르다고 해야 할 것이니, 말이 직접 명칭 등을 일으킬 수 있기 때문이다. 또 경량부의 논사들은 명신 등은 곧 말이라고 하기 때문이다.

223 이는 명신 등의 유정·비유정 분별인데, 유정의 수(='유정의 수'란 유정에 속하는 것이라는 뜻)에 포함된다. 말하자면 능히 말하는 자가 명신 등을 성취하기 때문에 유정의 수에 포함된다. 산·강 등 나타내는 뜻이 명신 등을 성취하는 것은 아닌 까닭에 비유정에 통하지 않으니, 명신 등의 셋은 나타내는 뜻 중에 있지 않다. 그래서 『대비바사론』 제15권(=대27-72중)에서 말하였다. "(문) 무엇이 명칭 등을 성취하는가? 능히 말하는 자인가, 말할 대상인가? 설령 그렇

등은 오직 등류성이다.224 또 오직 무부무기의 성품에 포함되는 것이다.225

2. 동분 등의 여러 문 분별

위에서 설명한 그 나머지 불상응행 중 아직 설명하지 않은 법의 뜻에 대해 이제 간략히 분별하겠다. 게송으로 말하겠다.

🈲 동분도 역시 이와 같은데[同分亦如是]

　　아울러 무색계와 이숙생이고[幷無色異熟]

　　득과 상은 세 가지 부류에 통하며[得相通三類]

　　비득과 무상정·멸진정은 등류성이다[非得定等流]226

(1) 동분의 여러 문 분별

논하여 말하겠다. '역시 이와 같다'라는 말은, 동분도 명신 등처럼 욕계·색계에 매인 것에 통하고, 유정의 수에 포함되며, 등류성이고, 무부무기임을 나타내기 위한 것이다. '아울러 무색계'라는 말은 욕계·색계만이 아님을

─────────

다고 한들 무엇이 허물인가? 만약 능히 말하는 자라면 곧 아라한도 염오의 법을 성취할 것이고, 욕망의 염오를 떠난 분도 불선법을 성취할 것이며, 이생도 성자의 법을 성취할 것이고, 선근을 끊은 자도 선법을 성취할 것이니, 아라한 등도 역시 염오 등의 법을 말하기 때문이다. 만약 말할 대상이라면 곧 밖의 사물 및 무위도 역시 명신 등을 성취해야 할 것이니, 그것도 역시 말해진 법이기 때문이다. (답) 오직 능히 말하는 자만이 명칭 등을 성취한다. (문) 만약 그렇다면 뒤의 힐난에는 잘 통하겠지만, 앞의 힐난에는 어떻게 통하겠는가? (답) 아라한 등도 염오 등의 명칭을 성취하지만, 염오 등의 법을 성취하지는 않으니, 염오 등의 명칭은 모두 무부무기의 성품에 포함되기 때문이다."

224 이는 5류를 분별하는 제3문인데, 오직 등류성이라고 한 것은 동류인에서 생기기 때문이다. 극미가 아니기 때문에 장양된 것이 아니며, 바람[欲]에 따라 생기는 것이기 때문에 이숙생이 아니다.

225 넷째 3성을 분별하는 것이다. 오로지 무기인데, 이는 자성무기로서, 4무기(＝이숙·위의·공교·통과무기)에 포함되는 것이 아니다. 나타내는 대상[所顯]에 의거해 성품의 성취를 판가름하는 것이 아니기 때문에 오직 무기이다. (문) 어째서 명칭 등은 음성에 따라 세 가지 성품에 통하지 않는가? (해) 작의하여 고의로 그 어업을 일으키려고 한 까닭에 음성은 말을 일으킨 마음에 따라 세 가지 성품에 통하지만, 바로 작의가 그 명칭 등을 일으키는 것은 아니기 때문에 오직 무기이다.

226 이하는 곧 둘째 동분 등에 대해 밝히는 것이다.

나타내고, '아울러 이숙생'이라는 말은 등류성만이 아님을 나타내니, 계界는 3계에 통하고, 부류[類]는 두 가지에 통한다는 뜻이다.227

(2) 나머지 불상응행의 여러 문 분별

득得 및 모든 상相의 부류는 세 가지에 모두 통하니, 말하자면 일찰나·등류성·이숙생이 있다.228 비득과 두 가지 선정은 오직 등류성이니, '오직'라는 말은 이숙생 등이 아님을 밝히기 위한 것이다.229 이와 같이 아직 설명하지 않은 법의 뜻에 대해 설명했는데, 무상과 명근은 앞에서 이미 분별한 것과 같다.230

어째서 득 등이 오직 유정의 수에만 포함된다는 것을 말하지 않았는가?231 유정이 성취하는 것이라는 등을 이미 설명했기 때문이다.232 어째

---

227 동분에 대해 해석하는 것인데, 글의 뜻은 알 수 있을 것이다. 이는 동분은 3계에 통하고, 오직 유정이며, 오직 무부무기이고, 이숙생과 등류성에 통한다는 것을 나타낸다. 3계의 서로 비슷한 법을 원인으로 하기 때문에 3계에 통하는 것이다. 오직 유정일뿐, 비유정에 통하지 않는 것은 앞에서 이미 해석한 것과 같다. 무부무기로서, 만약 이숙생에 포함되는 것이면 이숙무기이고, 그 나머지는 자성무기이다. 다섯 가지 부류 중 극미가 아니기 때문에 소장양은 아니며, 동류인에서 생기기 때문에 일찰나가 아니며, 무위가 아니기 때문에 유실사가 아니다. 만약 업으로 감득되는 것이면 이숙생이고, 그 나머지는 등류성이다. 그래서 『순정리론』(=제14권. 대29-416상)에서 말하였다. "어떤 것이 이숙생인가? 말하자면 지옥 등 및 난생 등의 6취와 4생의 동분이다. 어떤 것이 등류성인가? 말하자면 계界, 지地, 처處, 종성, 종족의 부류, 사문, 바라문, 유학, 무학 등에 있는 동분이다. 어떤 다른 분은, '여러 동분 중 이전의 업[先業]에 의해 견인된 생은 이숙동분이고, 현재세의 가행으로 일어난 것은 등류동분이다'라고 말하였다."
228 득 및 4상에 대해 따로 해석하는 것이다. 5류로 분별하면 일찰나·등류성·이숙생에 통한다. 고법인과 함께 하기 때문에 일찰나가 있고, 동류인에서 생기기 때문에 등류성이며, 불선과 유루의 선에서 생기기 때문에 이숙생이다. 극미가 아니기 때문에 소장양이 아니며, 무위가 아니기 때문에 유실사가 아니다.
229 비득과 두 가지 선정(=무상정·멸진정)은 5류 중 오직 등류성이니, 동류인에서 생기기 때문이다. 업에 의해 감득되는 것이 아니기 때문에 이숙생이 아니고, 극미가 아니기 때문에 소장양이 아니며, 고법인과 함께 하는 것이 아니기 때문에 일찰나가 아니고, 무위가 아니기 때문에 유실사가 아니다.
230 무상無想은 오직 색계이고, 명근은 3계에 통하는데, 이 두 가지는 모두 오직 유정이고, 오직 이숙생이며, 오직 무기임은 앞(=그것들에 대해 설명한 부분)에서 이미 분별한 것과 같다.
231 어떤 이유에서 득, 비득, 두 가지 선정이 오직 유정의 수에만 포함된다는 것

서 상相은 유정의 수와 비유정의 수에 통한다는 것을 말하지 않았는가?233 일체 유위와 함께하는 것이라고 이미 설명했기 때문이다.234

그 나머지 아직 설명하지 않은 것들도 상응함에 따라 준해서 알아야 할 것이다.235

....
을 말하지 않았는지 묻는 것이다.

232 답인데, '등'은 불성취를 같이 취한 것이니, 유정이 성취하는 것이라고 이미 설명했기 때문이고, 유정이 불성취하는 것이라고 이미 설명했기 때문이다. 말하자면 앞에서 득과 비득을 분별하는 가운데 유정의 법에 득과 비득이 있었고, 비유정의 법에 득과 비득은 없었다. 이미 득, 비득, 두 가지 선정에 성취가 있고, 불성취가 있었으니, 오직 유정의 수에만 포함된다는 것을 분명히 알 수 있다.

233 묻는 것이다.

234 답인데, 앞에서 4상은 일체 유위와 함께 한다는 것을 이미 설명했기 때문에 유정과 비유정에 통한다는 것을 분명히 알 수 있다. 그래서 의도적으로 역시 말하지 않았다.

235 말하자면 득, 4상, 비득, 두 가지 선정의 이 8법을 계에 의하고, 성품에 의거해 분별하는 것이다. 만약 득과 4상이라면 3계에 매인 것 및 매이지 않는 것에 통하고, 3성에 통한다. 만약 비득이라면 3계에 매인 것에 통하고, 오직 무기이다. 만약 무상정이라면 색계에 매인 것이고, 멸진정이라면 무색계에 매인 것인데, 두 가지 선정 모두 선이다. 그래서 '그 나머지 아직 설명하지 않은 것들도 상응함에 따라 준해서 알아야 할 것'이라고 말한 것이니, 앞에서 갖추어 해석한 것과 같기 때문에 지금 분별하지 않은 것이다.

아비달마구사론
제6권

제2 분별근품(의 4)

제3장 6인론

제1절 6인 총론

이와 같이 불상응행에 대해 설명했는데, 앞에서 생상生相이 소생법[所生]을 낳을 때 그 나머지 인연과의 화합을 떠나서는 아니라고 말하였다. 여기에서 어떤 법을 인연이라고 말하는가?[1]

우선 인因은 여섯 가지이다.[2] 어떤 것이 여섯 가지인가? 게송으로 말하겠다.

50 능작인 및 구유인[能作及俱有]
　동류인과 상응인[同類與相應]
　변행인과 아울러 이숙인이니[遍行幷異熟]
　인은 오직 여섯 가지라고 인정한다[許因唯六種]

....

1 이하는 이 품 큰 글의 셋째 인연因緣에 대해 밝히는 것인데, 그 안에 나아가면 첫째 앞을 맺으면서 물음을 일으키고, 둘째 바로 체성을 분별한다. 이는 곧 앞을 맺으면서 물음을 일으킨 것이다. # '앞에서 생상이 소생법을 낳을 때 그 나머지 인연과의 화합을 떠나서는 아니라고 말하였다'는 것은, 앞 권 중 게송 47 cd와 그 논설의 글을 가리킨다.
2 이하는 둘째 바로 체성을 분별하는 것인데, 그 안에 나아가면 첫째 6인에 대해 밝히고, 둘째 4연에 대해 밝힌다. 6인에 대해 밝히는 것에 나아가면 첫째 바로 인의 체를 밝히고, 둘째 인으로 얻는 결과를 밝히며, 셋째 법은 인에서 생긴다는 것을 밝힌다. 바로 인의 체를 밝히는 것에 나아가면 첫째 총체적으로 명칭을 표방하고, 둘째 개별적으로 체를 나타내며, 셋째 세를 분별한다. 이하는 첫째 총체적으로 명칭을 표방하는 것이니, 그래서 우선 인에는 여섯 가지가 있다고 먼저 답하여 말한 것이다. 여기에서 이 제3장 6인론의 과목을 이 설명과 후술하는 설명에 따라 먼저 도표로 정리해 보이면 다음과 같다.

논하여 말하겠다. 인에는 여섯 가지가 있으니, 첫째 능작인能作因, 둘째 구유인俱有因, 셋째 동류인同類因, 넷째 상응인相應因, 다섯째 변행인遍行因, 여섯째 이숙인異熟因이다. 대법의 여러 논사들은 인에는 오직 이와 같은 여섯 가지가 있을 뿐이라고 인정한다.3

....

	총체적 표방	제1절 6인 총론
인의 체	개별적인 체	제2절 능작인
		제3절 구유인
		제4절 동류인
		제5절 상응인
		제6절 변행인
		제7절 이숙인
	세 분별	제8절 6인과 3세의 관계
인의 결과	총체적 표방	제9절 5과 총론
	인과 과의 관계	제10절 6인과 5과의 관계
	개별적 과의 모습	제11절 5과의 개별적 모습
	인의 취과와 여과	제12절 인의 취과와 여과
법과 인의 관계		제13절 법과 인의 관계

3 인은 오직 여섯 가지임을 인정한다는 것은 다른 부파와 다르다고 구별한 것 (=6인은 설일체유부에서만 세운다고 함)이다. 능히 결과를 만들기 때문에 능작인이라고 이름하였다. 원인은 능작이고, 결과는 소작인데, 능작이 곧 원인이어서 능작인이라고 이름했으니, 지업석이다. 혹은 능작의 원인이어서 능작인이라고 이름했다면 의주석이다. 말하자면 능작이 직접적 원인이고, 나머지 장애하지 않는 것들은 간접적 원인인데, 이 간접적 원인이 능작의 원인인 것을 능작인이라고 이름했으니, 이어지고 이어져서 원인이 되어 능히 결과를 낳기 때문이다. 함께 있으면서 작용하기 때문[俱有作用故]에 '구유'라고 이름하는데, 함께 있는 것이 곧 원인이어서 구유인이라고 이름했으니, 지업석이다. 혹은 원인이 결과와 함께 하기 때문에 '구유'라고 이름하는데, '구유'의 원인이어서 구유인이라고 이름했다면 의주석이다. 원인과 결과가 서로 비슷해서 '동류'라고 이름하는데, 만약 동류가 곧 원인이어서 동류인이라고 이름했다면 지업석이고, 만약 동류의 원인이어서 동류인이라고 이름했다면 의주석이다. 심·심소법은 다섯 가지 뜻(=소의·소연·행상·시기[時]·체[事]를 가리킴은 앞의 제4권에서 설명되었다)이 평등하기 때문에 '상응'이라고 말하는데, 만약 상응이 곧 원인이어서 상응인이라고 이름했다면 지업석이고, 만약 상응의 원인이어서 상응인이라고 이름했다면 의주석이다. 두루 5부(=견소단4부+수소단1부)의 염오법에 대해 원인이 되기 때문에 '변행'이라고 이름하는데, 변행이 곧 원인이어서 변행인이라고 이름했으므로 지업석이다. 변행의 원인이라고는 말할 수 없으니, 또한 두루하지 않은 것에게 원인이 되는 것에도 통하기 때문이다. 이숙의 원인이어

제2절 능작인能作因

우선 처음 능작인의 모습은 어떠한가? 게송으로 말하겠다.

⑤a 자체를 제외한 나머지는 능작인이다[除自餘能作]4

1. 체와 명칭의 해석

논하여 말하겠다. 일체 유위는 자체만을 제외하면 모든 법이 능작인이
되니, 그것이 생길 때 장애함 없이 머물기 때문이다.5 비록 나머지 원인의
성품도 역시 능작인이지만, 능작인은 더 이상 개별적 명칭이 없으므로, 마
치 색처 등처럼 총칭이 곧 개별적 명칭[別名]이다.6

2. 문답 분별

아직 진리를 알지 못한다면 번뇌들이 일어나겠지만, 이미 알았다면 그
때문에 번뇌들이 생기지 않는데, 그 지혜는 번뇌의 생기에 대해 어찌 장애
가 될 수 없겠는가? 햇빛은 현재 뭇 별들 보는 것을 능히 장애하는데, 어떻
게 유위는 자체만을 제외하면 모든 법이 능작인이 된다고 하겠는가?7 이것

....

서 이숙인이라고 이름했으므로 의주석이지만, 만약 이숙이 곧 원인이어서 이
숙인이라고 이름했다면 지업석이다.

4 이하에서 둘째 체를 개별적으로 나타내는데, 6인이 같지 않으므로 글은 곧 여
섯이 된다. 이는 곧 처음 글인데, 물음을 일으키고 게송으로 답하였다.

5 장항에 나아가면 처음에는 게송을 해석하고, 뒤에 문답하는데, 게송의 해석에
나아가면 첫째 체를 나타내고, 둘째 명칭을 해석한다. 이는 곧 체를 나타내는
것이다. 그것을 전체적으로 말하자면 일체 유위 중 자체만을 제외한 일체 유위
법과 무위법이 능작인의 체가 되니, 그 결과가 생길 때 원인으로서 장애함 없
이 머물기 때문이다. 자신은 자체에 대해 늘 장애가 되기 때문에 자신을 자신
에서 바라보면 능작인이 아니다.

6 이는 곧 명칭을 해석하는 것이다. 6인 중 비록 나머지 5인도 장애함 없이 머문
다는 것에 의거하면 역시 능작인이라고 이름할 수 있지만, 각각 개별적 명칭이
있으므로 개별적인 것에 따라 명칭을 세웠고, 능작인은 다시 개별적 명칭이 없
어서, 마치 색처 등처럼 총칭이 곧 개별적 명칭이다.

7 이하에서 문답으로 분별한다. 아직 사성제의 이치를 알지 못하기 때문에 여러
번뇌들이 일어나니, 그 사성제의 이치를 이미 알았다면 그 때문에 여러 번뇌들
이 생기지 않는데, 그 지혜는 번뇌의 생기에 대해 어찌 능히 장애가 되지 않겠

이 생길 때 저것이 모두 장애함 없이 머문다면 그 때문에 저것은 이것에 대해 능작인이라고 알아야 할 것이다.[8]

만약 이것의 생기에 대해 저것이 장애할 수 있는데도 장애하지 않았다면 원인으로 세울 수 있을 것이니, 비유하자면 나라 사람들은 그 국왕이 손해를 가하지 않으면 모두, "우리는 국왕으로 인해 안락을 얻는다"라는 이런 말을 하는 것과 같다. 그러나 만약 이것의 생기에 대해 저것에 장애하는 작용이 없다면, 설령 장애가 되지 않았다고 한들 어떻게 원인이 될 수 있겠는가? 예컨대 열반 및 불생법不生法과 같은 것은 널리 일체 유위의 생기에 대해, 지옥 등에 있는 유정의 상속은 무색계의 여러 온의 생기에 대해 (능히 장애하는 작용이 없는데), 있는데도 있는 것이 아닌 것처럼[有如非有] 능히 장애하는 작용이 없다고 하겠는가?[9] 비록 장애하는 작용이 없더라도 역시 원인이 될 수 있으니, 마치 그럴 힘이 없는 국왕에 대해서도 역시 앞에서와 같이 말할 수 있는 것과 같다. 이것은 곧 모든 능작인을 통틀어 말한 것이지만, 수승한 것[勝]에 나아가 말한다면 결과를 낳는 힘이 없는 것이 아니니, 예컨대 눈과 형색 등이 안식 등을, 음식이 몸을, 종자 등이 싹을 낳는 등과 같다.[10]

....

으며, 또 햇빛은 현재 눈으로 뭇 별들 보는 것을 능히 장애하니, 빛이 눈의 작용 생기에 대해 능히 장애가 되는데, 어떻게 유위는 자체만을 제외하면 모든 법이 능작인이 된다고 하는지 묻는 것이다. # 지혜와 번뇌, 햇빛과 눈의 작용처럼 서로 모순되는 법도 능작인이 된다고 할 수 있는가? 만약 능작인이 된다면 '장애함 없이 머무는 것'이라는 능작인의 정의에 어긋날 것이고, 만약 능작인이 되지 않는다면 '자체만을 제외하면 모든 법이 능작인'이라는 정의에 어긋날 것이라는 추궁이다.

8 답이다. 지혜가 일어나거나 햇빛이 생기면 그 번뇌와 눈에 대해 실제로 능히 장애가 되지만, 이 번뇌가 생길 때, 또 뭇 별을 보는 작용이 생길 때에는 그 지혜와 햇빛도 모두 장애함 없이 머물기 때문에 지혜와 햇빛도 이 번뇌와 눈에 대해 능작인이라고 알아야 한다.

9 힐난이다. 만약 이 법이 생길 때 저 법이 장애해야 하는데도 장애하지 않는다면 원인이라고 이름할 수 있겠지만, 전혀 장애하는 작용이 없는 것이라면 설령 장애하지 않았다고 한들 어찌 원인이라고 이름할 수 있겠는가? 비유로써 견주는 것은 알 수 있을 것이다.

10 회통하는 것이다. 예컨대 열반 등과 같은 경우는 그 법의 생기에서 바라볼 때 비록 능히 장애하여 작용을 일으키지 않게 함이 없지만, 역시 원인이 되니,

어떤 분은 이렇게 힐난한다. "만약 모든 법이 장애함 없이 머물기 때문에 모두 능작인이라고 한다면, 어째서 모든 법이 모두 단박에 일어나는 것은 아닌가? 하나가 살생했을 때, 어째서 모두가, 마치 살생한 자처럼 모두 살생의 업을 이루는 것이 아닌가?"[11] 이 힐난은 옳지 않으니, 단지 장애함이 없으므로 모든 법이 능작인이 된다고 인정할 뿐, 생기에 대해 직접 만드는 힘[親作力]이 있는 것은 아니기 때문이다.[12]

어떤 다른 논사는 말하였다. "모든 능작인은 모두 결과의 생기에 대해 능히 만드는 힘이 있다."[13] 우선 열반 등은 안식의 생기에 대해 어떻게 능히 만드는 힘이 있다고 표현하겠는가?[14] 의식이 그것을 반연해 경계로 삼아 선하거나 악한 의식을 낳고, 이 의식으로 인해 뒤의 시기에 안식이 순차 생길 수 있으니, 전전展轉하여 원인이 되기 때문에 그 열반 등도 안식의 생기에 대해 능히 만드는 힘이 있는 것이다. 이와 같이 그 나머지 법들도 이런 예에 의해 전전하여 능히 낳는 힘이 있다고 알아야 할 것이다.[15]

....

결과가 생길 때 모두 능히 장애함이 없기 때문에 이로써 원인이라고 이름한다, 마치 (손해를 가할) 힘이 없는 국왕이 비록 손해를 가할 수 없다고 해도 역시 앞에서와 같이 "우리는 국왕으로 인해 안락을 얻는다"라고 말할 수 있는 것과 같다. 이는 곧 일체 장애함 없는 모든 능작인을 통틀어 말한 것이지만, 만약 그 능작인 중 수승한 것에 나아가 말하자면 결과를 낳는 힘이 없는 것이 아니다.(=소위 '유력有力능작인'. 그런 힘이 없는 것을 '무력無力능작인'이라고 칭함) '예컨대 눈 등' 이하는 직접적이고 수승한 힘(을 가진 유력능작인)을 든 것이다.

11 외인의 힐난이다. 이미 장애함 없이 머문다면 모두 단박에 일어나야 하고, 이미 장애함 없이 머문다면 모두 살생의 업을 이루어야 할 것이라는 것이다.

12 힐난에 대해 풀이하는 것이다. 다만 장애함이 없으므로 모든 법이 능작인이 된다고 인정할 뿐, 결과의 생기에 대해 나머지 5인처럼 직접 만드는 힘이 있는 것은 아니기 때문이니, 그래서 모든 법은 모두 단박에 일어나는 것이 아니며, 그 살생에 원인으로서 같이 일어나 직접 만드는 힘이 있는 것은 아니기 때문이니, 그래서 살생한 자처럼 모두 살생의 업을 이루는 것은 아니다.

13 앞에서 능작인에는 직접적인 것[親](=유력능작인)도 있고, 간접적인 것[疏] (=무력능작인)도 있으니, 직접적인 것은 힘과 능력이 있으나, 간접적인 것은 단지 장애하지 않을 뿐이라고 말했는데, 이제 이 논사의 뜻은 모든 능작인은 모두 결과의 생기에 대해 능히 만드는 힘이 있다는 것이다.

14 묻는 것인데, 불생법(=비택멸) 등을 같이 취한 것이다.

15 답이다. 의식이 그 열반 등의 법을 반연해 경계로 삼아서 생기니, 혹은 선한

제3절 구유인俱有因

이와 같이 능작인의 모습에 대해 설명했는데, 둘째 구유인俱有因의 모습은 어떠한가? 게송으로 말하겠다.

⑤b 구유인은 상호 결과가 되는 것이니[俱有互爲果]
　마치 대종, 상과 소상법[如大相所相]
　마음과 그 심수전법과 같다[心於心隨轉]16

제1항 구유인 분별

논하여 말하겠다. 만약 법이 다시 상호간에 사용과士用果가 된다면 그런 법은 다시 상호간에 구유인이 된다.17 그 모습은 어떠한가?18 예컨대 4대종과 같은 것은 다시 상호 서로 바라볼 때 구유인이 되는 것이다.19 이와 같이 모든 상相과 소상법所相法, 마음[心]과 심수전법[心隨轉]도 역시 다시

....

정견 등을 일으키기도 하고 혹은 악한 사견 등을 일으키는데, 이 의식으로 인해 뒤의 시기에 그 상응하는 바에 따라 선하거나 악한 안식이 순차 생길 수 있으니, 전전하여 원인이 되기 때문에 그 열반 등도 안식의 생기에 대해 능히 만드는 힘이 있는 것이다. 그 나머지 법도 이에 준해서 능히 결과를 낳는 힘이 있다는 것이다.

16 이하는 둘째 구유인에 대해 밝히는 것인데, 첫째 구유인에 대해 분별하고, 둘째 심수전에 대해 분별한다. 이는 곧 구유인에 대해 분별하는 것인데, 처음 1구는 '구유'의 뜻을 해석하는 것이고, 뒤의 2구는 그 체를 가리키는 것이다.
17 상호간에 결과가 되는 뜻을 구유인이라고 이름한다고 전체적으로 해석한 것이다.
18 그 체를 묻는 것이다.
19 이하는 답이다. 4대종은 서로 바라볼 때 구유인이 된다. 그래서 『대비바사론』(=제16권. 대27-82상)에서 논평하는 분이 말하였다. "4대종은 체에 치우치게 증상한 것이 있든 치우치게 증상한 것이 없든, 지대종은 세 가지 대종에게 구유인이 되고, 세 가지 대종은 지대종에게 구유인이 된다. 왜냐하면 지대종은 지대종에 의존하지 않아도 소조색을 낳기 때문이니, 일체법은 자신의 성품 및 같은 부류의 체에 의존하지 않더라도 다른 것의 원인이 되기 때문이다. 나아가 풍대종에 이르기까지도 역시 그러하다."

상호간에 원인이 되는 것이다.20 이런 즉 구유인은 상호 결과가 되는 것에 의해 그 상응하는 바대로 두루 유위법을 포함한다.21

법과 수상隨相은 상호 결과가 되는 것이 아니다. 그렇지만 법은 수상에 대해 구유인俱有因이 되지만, 수상은 법에 대해 (구유인이) 아님을 여기에서 분별해야 할 것이다.22

....

20 「무엇 때문에 모든 상 및 심수전법들은 각각 상호간에 원인이 된다고 말하지 않는가?」라고 묻는다면 이렇게 답한다. 『순정리론』(=제15권. 대29-418상)에서 말하였다. "다른 부류들만 구유인이 된다고 말한 것은, 같은 부류가 상호 원인이 되는 것은 말하지 않더라도 이루어진다는 뜻을 나타내어 보이고자 한 것이다."

21 이는 전체적으로 맺는 것이다. 혹은 대종을 서로 바라보기도 하며, 혹은 상을 소상법에서 바라보기도 하고 혹은 상을 서로 바라보기도 하며, 혹은 마음을 심수전법에서 바라보기도 하고 혹은 심수전법을 상에서 바라보기도 하(면 상호 원인이 되니, 이런 즉 구유인은 상호 결과가 되는 것에 의해 두루 유위법을 포함하)기 때문에 '그 상응하는 바대로'라고 말한 것이다.

22 논주가 설일체유부 논사의 허물을 나타내는 것이다. 만약 상호 결과가 되는 것으로써 구유인을 해석한다면 법과 수상은 상호 결과가 되는 것이 아니다. 비록 수상은 법의 결과이지만, 법은 수상의 결과가 아니기 때문(=수상은 본 상 1법에 대해서만 작용이 있는 것은 앞 권의 계송 ㊼b와 그 논설 참조)에 상호 결과가 되는 것이 아니라고 말한 것이다. 그러니 법은 수상에게 구유인이 되지만, 수상은 법에게 구유인이 되는 것이 아님을, 여기에서 분별해야 한다는 것이다. 만약 『대비바사론』 제16권(=대27-82중)에 의한다면 논평하는 분이, "하나의 결과를 같이 한다는 뜻[同一果義]이 구유인의 뜻이다"라고 말하였고, 또 『순정리론』 제15권(=대29-417하)에서도, "유위법이 결과를 하나로 한다면[一果] 구유인이라고 할 수 있다"라고 말했으니, 두 논서의 뜻이 같다.(=같이 동일한 결과를 낳는 '공동적共働的원인'이라는 뜻의, 소위 동일과구유인同一果俱有因) 그런데 『순정리론』의 뜻이, 「상호 결과가 된다면 구유인이라고 이름한다」(=상호간에 서로 결과를 낳는 '호동적互働的원인'이라는 뜻의, 소위 호위과구유인互爲果俱有因)라는 것이라면, 허물이 있을 것이기 때문에 다시 이렇게 해석해 말한 것이다. "유위법 중 서로서로 힘이 있어서[展轉有力] 하나의 결과를 같이 얻는 것[同得一果者]을 구유인이라고 이름한다."(=제15권. 대29-417하) # 논주는 호위과구유인의 입장에서 서술하고 있지만, 이치상 동일과구유인이 부정될 이유는 없어 보인다. 다만 법과 수상의 예처럼 함께 있으면서 구유인이 되지 않는 경우도 있어 양쪽 설 모두 구유인의 정의로서는 완벽한 것이 되지 못하는 것으로 보이므로, 구유인이 되는지는 함께 있으면서 원인이 되는 것인가를 개별적으로 검토해 가려야 할 것으로 생각된다.

제2항 심수전心隨轉 분별

1. 심수전의 체
    어떤 것을 심수전법心隨轉法이라고 이름하는가?23 게송으로 말하겠다.

52a 심소와 두 가지 율의[心所二律儀]
    그런 것들 및 마음의 모든 상이[彼及心諸相]
    심수전법이다[是心隨轉法]

    논하여 말하겠다. 존재하는 모든 심상응법心相應法, 정려靜慮·무루無漏의
두 가지 율의律儀라는 그런 법들 및 마음의 생상 등의 상相, 이와 같은 것들
을 모두 심수전법이라고 말한다.24
2. 심수전의 뜻
    어째서 이런 법을 심수전이라고 이름하는가? 게송으로 말하겠다.

52d 시간, 결과, 선 등 때문이다[由時果善等]25

    논하여 말하겠다. 간략히 말하자면 시간, 결과 등, 선 등 때문에 이런 법
을 심수전이라고 이름하였다.26

....

23 이하는 둘째 심수전법에 대해 밝히는 것이다. 그 안에 나아가면 첫째 심수전
  의 체를 나타내고, 둘째 심수전의 뜻을 해석하는데, 이는 곧 처음 물음을 일으
  킨 것이다.
24 위의 2구는 체를 나타내고, 아래 1구는 명칭을 맺는 것이다. 말하자면 모든
  심소법, 도道율의와 정려[定]율의의 그런 법들, 말하자면 그런 심소법과 2율의
  의 법 및 마음 위에 있는 생상 등의 본상, 이와 같은 것들을 모두 심수전법이
  라고 말하니, 그런 법과 마음은 상호 결과가 되기 때문이다. 이미 생상 등이라
  고 말하고, 생생 등이라고 말하지 않은 것은, 곧 수상은 심수전이 아니라는
  것을 나타내니, 뒤에서 따로 해석하는 것과 같다.
25 이하에서 둘째 심수전의 뜻을 해석하는데, 물음과 게송에 의한 답이다.
26 장항에 나아가면 처음에 게송을 해석하고, 뒤에 법에 의거해 구유인을 밝히는
  데, 이하는 게송을 해석하는 것이다. '결과 등'은 이숙과와 등류과를 같이 취
  한 것이고, '선 등'은 불선·무기와 생상 등의 4상을 같이 취한 것이다. (이런

우선 '시간 때문'이란, 말하자면 이런 것들과 마음은 생기[生]·머묾[住]·
소멸[滅]을 하나로 하며, 또 하나의 세에 떨어진다는 것[墮一世]이다.27 '결
과 등 때문'이란, 말하자면 이런 것들과 마음은 결과를 하나로 하거나 이숙
과 및 등류과를 하나로 한다는 것이다.28 여기에서 앞의 '하나'라는 말은 함

....
여러 법들이) 전체적으로 화합하는 것이 시간이 되기 때문에 이 '등'이라는 말
은 시간에는 통하지 않고, 결과와 선에만 있는 것이다.
27 이하는 시간에 대해 개별적으로 해석하는 것이다. 시간 중에는 넷이 있는데,
일생一生, 일멸一滅, 일주一住, 타일세墮一世이다. 이는 마음과 그 시간을 하나로
해야 비로소 수전隨轉이라고 이름한다는 것을 나타낸다. (문) 4상 중 어째서
이상異相은 말하지 않았는가? (해) '생'은 미래에 있으면서 법을 현재 있음에
들어오게 하고, '주'는 현재 있으면서 법을 안주하게 하며, '멸'은 소멸하여 과
거로 들어가게 하는 것을 말하므로, 각각 월등한 공능이 있다. 이 때문에 따로
말했지만, 이상은 법을 과거로 들어가게 하는 멸상을 돕는 것이어서 따로 월
등한 공능이 없기 때문에 말하지 않았다. 또 해석하자면 이 글에서 '머문다'는
말은 곧 이상의 다른 명칭이니, 주상에 의거해 이상도 밝힌 것이다. 또『순정
리론』(=제15권. 대29-418중)에서, "단지 생기·머묾·소멸을 하나로 한다고
만 말하면 곧 동일한 세에 떨어진다는 것도 어찌 알지 못하겠는가?"라고 힐난
해 말한 뒤, 해석해 말하였다. "비록 곧 하나의 세에 떨어진다는 것을 역시 안
다고 해도, 여전히 이 법과 마음이 과거와 미래에도 또한 서로 여의지 않는다
는 것을 아직 알지 못할 수 있으며, 또한 여러 불생법들(도 서로 여의지 않는
다는 것)을 나타내 보이기 위한 때문에 다시 '또 하나의 세에 떨어짐'을 말한
것이다." 또『순정리론』에서, "만약 그렇다면 다만 하나의 세에 떨어진다고만
말했어야 할 것이다"라고 힐난해 말한 뒤, 해석해 말하였다. "그렇지 않다. 결
정코 동일한 세에 떨어진다는 것을 응당 알게 하지 못할 것(=현재의 법과 달
라서 과거의 법이나 미래의 법은 여러 찰나에 걸쳐 있으므로, 동일한 세라고
해도 생기·머묾·소멸을 하나로 하지 않을 수 있다)이기 때문이다."
28 결과 중에는 셋이 있으니, 일과一果, 일이숙一異熟, 일등류一等流이다. 이는 마
음과 더불어 같이 결과를 하나로 하는[一果] 등이어야 비로소 '수전'이라고 이
름한다는 것을 나타낸다.『순정리론』(=제15권. 대29-418중)에서 말하였다.
"(문) 어찌 등류와 이숙 역시 결과를 하나로 하는 것[一果]에 포함되지 않겠는
가? 어째서 결과를 하나로 하는 것 외에 등류와 이숙도 말했는가? (해) 실제
로 그러하지만, 여기에서 결과를 하나로 한다고 말한 것은 단지 사용과 및 이
계과만을 포함하는 것이다." 또『순정리론』에서, "이 말은 공통되기 때문에 어
찌 등류·이숙도 또한 포함하지 않겠는가?"라고 힐난한 뒤, 해석해 말하였다.
"또한 포함한다고 말할 수 있지만, 여기에서 밝히는 것이 아니다. 그런데 사용
과에는 모두 네 가지가 있으니, 구생俱生·무간無間·격월隔越·불생不生(=이어
지는 뒤의 글 참조)인데, 이는 원인과 더불어 함께 있는 것 아닌 결과[與因非俱
有果]도 나타내어, 오직 원인과 더불어 함께 생긴 화합취和合聚 중에만 사용과

가 있다고 집착하는 것을 막기 위한 것이다. 이 화합취는 상호 결과가 되기 때문이며, 자신은 자체의 사용과가 아니기 때문에, 곧 그 함께 일어나 화합한 사용과 중에는 결과를 하나로 한다는 뜻이 있는 것 아님을 나타낸다. 이 때문에 등류와 이숙을 따로 열거한 것이다.” 이를 해석해 말하자면 비록 하나로 한다는 결과의 명칭은 공통되므로 등류와 이숙도 또한 포함하는 것이라고 해도, 이 심수전 중에서 밝히는 것은 아니고, 여기에서 하나로 한다는 결과는 사용과 및 이계과만을 포함하는 것이다.

외인이 숨은 힐난으로, 「여기에서 수전의 뜻을 해석함에는, 단지 결과를 하나로 한다고만 말해도 충분히 수전의 뜻을 밝힐 것인데, 어찌 따로 이숙과 등류를 말할 필요가 있는가?」라고 하므로, 이제 해석해 말한다. 의심과 방해를 제거하기 위해 그 두 가지를 말할 필요가 있다. 까닭이 무엇이겠는가? 대저 사용과에는 모두 네 가지가 있다. 첫째 구생俱生사용과는 말하자면 구유인·상응인과 동시에 전전하는 결과 및 나머지 동시에 만들어져 얻어진 것이고, 둘째 무간無間사용과는 말하자면 등무간연 및 나머지 인접한 바로 다음에 만들어져 얻어진 것이며, 셋째 격월隔越사용과는 말하자면 이숙과와 같은 것 및 농부가 봄에 파종하여 가을에 거두는 것과 같은 것 등이고, 넷째 불생不生사용과는 말하자면 그 체가 불생인 택멸을 말하는 것이다. 이는 곧 모든 사용과에는 모두 네 가지가 있다는 것을 널리 밝힌 것이다. 이제 이 10수전(＝시간4＋결과3＋성품3) 중 결과를 하나로 한다[一果]는 말은, 함께 생겨서 전전하는 사용과는 말하지 않으니, 자신은 자체의 사용과가 아니기 때문에 결과를 하나로 한다는 뜻이 아니어서이며, 그 나머지 동시에 만들어져 얻어진 것을 취한다. 무간사용과 중에서는 같은 성품의 무간(＝등류과에 포함)을 제외하고, 나머지 다른 성품의 무간을 취한다. 격월사용과 중에서는 이숙과를 제외하고, 나머지 격월된 먼 사용과를 취한다. 그리고 불생사용과인 택멸을 취한다. 아직 이해하지 못하는 자들이 결과를 하나로 한다는 말을 듣고, 함께 생겨서 전전하는 사용과를 포함한다고 여길 것, 아울러 구생의 사용과만 있다고 집착할 것을 염려했기 때문에 지금 시간에 다시, 등류·이숙도 결정코 원인과 더불어 시간을 함께 하지 않는 결과라는 것을 별도로 나타내 보임으로써, 오직 원인과 더불어 함께 생긴 화합취 중에만 사용과가 있다고 집착하는 것을 막고 제거하려고 한 것이다. 여기에서 ‘함께 생긴’이라는 말은 무간 등을 부정하는 것이고, ‘화합취’ 등은 나머지 함께 생긴, 만들어져 얻어진 것을 부정하는 것이니, ‘화합취’라는 말은 저 다시 상호간에 원인이 되는 뜻을 나타내기 때문이다. 이런 사용과를 부정할 필요가 있는 것은, 결과를 하나로 하는 것이 아니기 때문이니, 말하자면 상호 결과가 된다는 것은 곧 자기도 역시 다른 것의 결과로서, 자신은 자체의 결과가 아님[非自體果]을 나타내고, 또 자기 결과도 아님[非己果]을 나타낸다. 다른 것과 더불어 자기 결과를 같이 하지 않기 때문에 결과를 하나로 한다는 뜻이 없는 것이다. 어찌 다만 함께 생겨서 전전하는 사용과를 집착하는 것만 부정하기 위한 것이겠는가? 또한 결과를 하나로 한다는 뜻이 없는 것도 겸하여 나타내는 것이다. 이런 방해를 제거하려고 하나로 한다는 결과 외에 별도로 등류와 이숙도 말한 것이다.

께 함[俱]을 나타내고, 뒤의 '하나'라는 말은 공통됨[共]을 나타내므로, 그 뜻이 같지 않다고 알아야 할 것이다.29 '선 등 때문'이란, 말하자면 이런 것들과 마음은 선·불선·무기의 성품을 같이 하기 때문이다.30

이런 열 가지 이유에 의해 '심수전'이라고 이름한 것이다.31

3. 법에 의거한 구유인

⑴ 심왕과 심수전법

여기에서 심왕心王은 최소한 58법에 대해 구유인이 된다. 말하자면 10대지법大地法, 그 40본상本相, 심왕의 8본상·수상을 58법이라고 이름한 것이다. 그 58법 중 심왕의 4수상을 제외한 나머지 54법은 심왕에게 구유인이 된다.32

어떤 분은, "심왕의 구유인이 되는 것은 14법뿐이니, 10대지법과 아울러 심왕의 본상을 말한다"라고 말했지만,33 이 설은 훌륭한 것이 아니다. 왜냐

---

29 여기에서 앞의 하나(='생기·머묾·소멸·세의 하나')라는 말은 시간이 동시라는 것을 나타내고, 뒤의 하나라는 말은 결과가 공통의 결과라는 것을 나타내니, 함께 함을 나타내는 것과 공통됨을 나타내는 것이기 때문에 말의 그 뜻이 같지 않다는 것을 알아야 한다.

30 이는 곧 성품이 마음과 더불어 같다는 것을 나타낸다.

31 전체적으로 맺는 것이다.

32 이하는 법에 의거해 구유인을 밝히는 것이다. 여기에서 앞서 말한 것 중 심왕이 심소 등에 대해 원인이 되는 것을 통틀어 밝히지만, 우선 제2정려 이상의 무부무기심에 의거해 말한다면 오직 심왕 및 10대지법만 있는데, 이 11법에는 각각 대상과 소상이 있으므로 합치면 99법이 있다. 심왕을 그 나머지 98법에서 바라보면 최소한 여전히 58법이 구유인이 되니, 말하자면 10대지법 및 그 40본상, 심왕의 8본상·수상(=4본상+4수상)을 58법이라고 이름한다. 대지법 위의 40수상을 제외하는 것은 멀리 격월되었기 때문에 힘이 미치지 않아 구유인이 아니다. 그 59법을 반대로 심왕에서 바라보면 심왕의 4수상을 제외하니, 열등하고 약하기 때문에 힘이 그에 미치지 않고, 나머지 54법이 구유인이 된다. 심왕을 98법에 상대시켜 전전하여 만드는 법처럼 10대지법에 대해 하나하나 만드는 법도 이에 준한다고 알아야 한다.

33 두 번째 논사의 해석이다. 58법을 심왕에서 바라보면 14법만 구유인이 되니, 10대지법과 마음의 4본상을 말한다는 것이다. 대지법 위의 40대상을 취하지 않는 것이 앞 논사와 다른 점이다. 이 논사의 의중이 말하는 것은, 「심왕 위의 수상은 본상에 의해 격월되기 때문에 심왕에서 바라보면 구유인이 아니고, 따라서 대지법 위의 대상도 대지법에 의해 격월되기 때문에 심왕에서 바라볼 때 구유인이 아니라고 알아야 한다」라는 것이다.

하면 『품류족론』의 설명에 어긋나기 때문이다. 그 논서에서, "혹 어떤 고제苦諦는 유신견有身見을 원인으로 하지만, 유신견에 대해 원인이 되는 것이 아니니, 미래의 유신견 및 그 상응법의 생·노·주·무상을 제외한 그 나머지 모든 염오의 고제이다. 혹 어떤 고제는 유신견을 원인으로 하면서, 유신견에 대해서도 역시 원인이 되니, 곧 앞에서 제외된 법이다"라고 말한 것과 같은데, 그 어떤 다른 논사는 '및 그 상응법'을 말하지 않은 것이다. 가습미라국의 비바사 논사들은, "그 글에서 반드시 그와 같은 말을 했어야 할 것이다. 혹은 응당 그 뜻에 준해서, 설명에 나머지가 있다고 알아야 할 것이다"라고 말하였다.34

....

34 논주가 두 번째 논사를 논파하는 것이다. 만약 14법만 구유인이 된다고 말한다면 곧 『품류족론』의 설명에 어긋나기 때문인데, 여기에서의 글은 간략해서 증명하는 것을 조금 알기 어렵다. 『품류족론』 제13권 천문품千問品 중에서의 말(=대26-745상)에 의하면, "몇 가지가 유신견을 원인으로 하지만, 유신견의 원인이 아닌가 라고 한 등은, 두 가지는 유신견을 원인으로 하는 것도 아니고, 유신견의 원인도 아니며-해석하자면 '두 가지'는 멸제·도제를 말하는 것이다-, 두 가지는 분별해야 할 것이다. 말하자면 고성제는 혹은 유신견을 원인으로 하면서 유신견의 원인이 아니기도 하고,(=제1구) 혹은 유신견을 원인으로 하면서 유신견의 원인이기도 하며,(=제2구) 혹은 유신견을 원인으로 하는 것이 아니면서 유신견의 원인이 아니기도 하다.(=제3구) 유신견을 원인으로 하면서 유신견의 원인이 아니라는 것은, 말하자면 과거·현재의 견고소단의 수면隨眠 및 그 상응법·구유법 등의 고제를 제외하고, 또한 과거·현재의 견집소단의 변행遍行수면(=뒤의 제19권 중 게송 12·13과 그 논설 참조) 및 그 상응법·구유법의 고제를 제외하며, 또한 미래의 유신견과 상응하는 고제를 제외하고, 또한 미래의 유신견 및 그 상응법의 생·노·주·무상(=생·주·이·멸)을 제외한 그 나머지 모든 염오의 고제이다. 유신견을 원인으로 하면서 유신견의 원인이기도 하다는 것은, 앞에서 제외된 법들을 말하며, 유신견을 원인으로 하는 것이 아니면서 유신견의 원인도 아니라는 것은, 불염오의 고제를 말하는 것이다. 집성제도 역시 그러하다"라고 했는데, 해석하자면 이러하다. 그 글에서 4성제의 체를 유신견에서 바라보면 원인[因]이 되는데, 공통으로 원인이 되는 것은 4연 중 인연을 말하는 것이다. (6인 중에서는) 5인을 성품으로 하니, 능작인을 제외한다. 그 중에서 서로 바라보면 법에 따라 많고 적음이 있지만, 모두 원인이 될 수 있고, 반드시 5인을 갖추는 것은 아니다. 멸제·도제의 2제는 무루이기 때문에 유신견을 원인으로 하는 것도 아니고, 유신견의 원인도 아니지만, 고제·집제의 2제는 응당 분별해야 한다. 먼저 고제를 유신견에 상대시키면 3구가 성립될 수 있다. 유신견을 원인으로 함에 따라 생기지 않으면서 유신견에게 원인이 되는 경우는 반드시 없는 까닭에, 유신견에게

원인이 되면서 유신견을 원인으로 하는 것 아닌 1단구單句는 없는 것이다. 또 무릇 논리작법에서 만약 많은 것을 취하려면 곧 적은 것을 제외하고, 만약 적은 것을 취하려면 곧 명칭을 표방하니, 말의 논리를 살펴야 한다.

제1구에서는 곧 많은 것을 취하고, 적은 것을 제외하였다. 일체 염오의 고제는 모두 유신견에 따라 생기는데, 반대로 유신견에서 바라보면 원인이 되는 것은 적고, 원인이 되지 않는 것은 많으니, 이제 많은 것을 취하고자 했기 때문에 먼저 적은 것을 제외한 것이다. 제외된 것(=이것이 곧 제2구의 내용으로서, '유신견을 원인으로 하면서 유신견의 원인이기도 한 것'이다)에 나아가면 글에 4절節이 있다. 제1절에서는 과거·현재의 견고소단의 수면 및 그 상응법·구유법 등의 고제를 제외했는데, 상응법은 상응하는 법을 말하고, 구유법은 4상을 말하며, '등'은 득을 같이 취한 것이다. 만약 수면 및 상응법을 유신견에서 바라보면 동류인·변행인·상응인·구유인의 4인은 있고, 이숙인은 없다. 만약 4상을 유신견에서 바라보면 동류인·변행인·구유인은 있고, 상응인·이숙인은 없다. 만약 득을 유신견에서 바라보면 동류인만 있고, 나머지 4인은 없다. 제2절에서는 또한 과거·현재의 견집소단의 변행遍行수면 및 그 상응법·구유법의 고제를 제외했는데, 이 수면 등을 유신견에서 바라보면 오직 변행인이고, 다른 4인은 없다. 득은 변행인이 아니기 때문에 '등'이라고 말하지 않았다. 제3절에서는 미래의 유신견 위의 상응하는 고제를 제외했는데, 유신견을 제외하지 않은 것은 미래의 유신견은 과거·현재의 유신견을 써서 원인으로 하기 때문이니, 미래는 전후가 없기 때문에 (미래의 유신견은) 유신견에게 원인이 될 수 없다. 따라서 그 유신견은 이 단구單句(=제1구 '유신견을 원인으로 하면서 유신견의 원인이 아닌 것')에 포함되는 것이다. 상응법을 유신견에서 바라보면 상응인·구유인은 있을 수 있지만, 동류인·변행인·이숙인은 없다. 제4절에서는 또한 미래의 유신견 위의 생·노·주·무상(=4상)을 제외하고, '및 그 상응법' 위의 생·노·주·무상을 제외했는데, 그러면서 이 제4절의 글에서 유신견을 제외하지 않은 것은 단구(=제1구)에 포함되기 때문에, 또한 상응법을 제외하지 않은 것은 제3절에서 제외했기 때문에, 단지 그 법들 위의 4대상(=4본상)만을 제외한 것이다. 이미 생·노·주·무상만을 말했으니, 이것이 4대상을 말한 것임을 분명히 알 수 있다. 만약 소상이라면 응당 생생 등이라고 말했을 것이다. 이 유신견 위의, 그리고 상응법 위의 4대상을 유신견에서 바라보면, 미래에는 전후가 없기 때문에 동류인·변행인이라고 말할 수 없고, 상응법이 아니기 때문에 상응인이라고 말할 수 없다. 그 이숙인은 불선이나 유루선으로서 무부무기의 이숙과를 감득하는 것인데, 그 4상은 체가 유부무기이며, 유신견은 또 염오이므로, 이숙인이라고도 말할 수 없다. (그 4상은) 제외된 것에 이미 들어갔으니, 곧 유신견을 원인으로 하면서 유신견의 원인이기도 한 구구俱句(=제2구)에 포함되는 것이다. 이미 원인이 있다(='유신견을 원인으로 한다')고 말했는데, 구유인이 아니면 다시 어떤 원인이겠는가? 상응법 위의 대상을 유신견에서 바라보면 이미 구유인이 되니, 이에 준해서 대지법상의 40대상을 심왕에서 바라보면 역시 구유인이 될 수 있음을 알 수 있다. 이로써 14법만이 심왕에게 구유인이 된다는 것은 결정코 이치가 아니다. 이

(2) 구유법과 구유인

구유인으로서의 원인을 이루는 모든 법, 그것들은 반드시 함께 있지만[俱有], 혹 함께 있더라도 구유인으로서의 원인을 이루는 것 아닌 경우가 있다. 말하자면 모든 수상隨相은 각각 본법에 대해서, 이 모든 수상은 각각 상호 서로에 대해서, 수심전법의 수상은 심왕에 대해서, 이 모든 (수심전법의) 수상은 전전하여 서로에 대해서, 함께 생기는 유대有對의 일체 소조색은 전전하여 서로에 대해서, 함께 생기는 무대無對의 일부 소조색은 전전하여 서로에 대해서, 함께 생기는 일체 소조색과 대종은 전전하여 서로에 대해서, 함께 생기는 일체 득得과 소득법은 전전하여 서로에 대해서, 이런 등의 모든 법은 비록 구유법이라고 이름하지만, 구유인으로서의 원인을 이루는 것이 아니다. 결과를 하나로 하는 것이 아니며, 이숙과 및 등류과를 하나로 하는 것이 아니기 때문이다. 득과 소득법은 결정코 함께 작용하는 것[俱行]이 아니니, 앞이기도 하고 뒤이기도 하며 함께 생기기도 하기 때문이다.35

....

논서에서는 단지 『품류족론』의 제4절의 글만을 인용해서 증명한 것이라고 알아야 한다.
  '어떤 다른 논사'는 14법만이 심왕에게 구유인이 된다는 것을 성립시키고자 했기 때문에 '및 그 상응법'을 말하지 않고, 단지 미래의 유신견의 생·노·주·무상을 제외한 것만을 말한 것이다. 유신견의 상응법 위의 4대상은 이미 제외된 것 중에 들어가지 않았으니, 이로써 대지법 위의 40대상은 심왕에게 구유인이 되지 않는다는 것을 알 수 있다는 것이다. 가습미라국의 비바사 논사들은, 그 『품류족론』에서 '미래의 유신견 및 그 상응법의 생·노·주·무상을 제외한다'라는 이런 말을 반드시 했어야 한다는 것이다. 가령 그 논서에 '및 그 상응법'이 없다면, 혹은 응당 구유인의 뜻에 준해서 설명에 나머지가 있다고 알아야 한다. 여러 논서에서 상응법 위의 4대상은 심수전법이라고 모두 말했으니, 곧 이것은 심왕과 상호 구유인이 된다는 뜻이다.
35 이는 구유인을 해석하는 기회에 다시 구유법이 원인인 것과 원인이 아닌 것을 밝히는 것이다. 구유인으로서의 원인을 이루는 모든 법, 그것들은 반드시 결정코 함께 있지만, 혹 함께 있더라도 구유인으로서의 원인을 이루는 것 아닌 경우가 있는데, 모두 8상대가 있다. 첫째 말하자면 모든 수상은 각각 본법에 대해서, 둘째 이 모든 수상은 각각 상호 서로에 대해서, 셋째 수심전법의 수상은 심왕에 대해서, 넷째 이 모든 수상은 전전하여 서로에 대해서, 다섯째 함께 생기는 유대의 일체 소조색은 전전하여 서로에 대해서, 여섯째 산심의 무표색과 함께 생기는 무대의 일부 소조색 일곱 가지[七支](=욕계의 산심에서 일어난 신업·어업으로부터 일어나는 몸의 세 가지와 입의 네 가지 무표색. '일부'

(3) 구유인의 이치에 대한 논란

이와 같은 모든 이치는 우선 그럴 수 있다고 해도, 종자 등과 싹 등의 관계처럼 모든 세간에서 공히 인정하는 인과상생因果相生의 현상 중에서 이와 같은 동시인과同時因果는 아직 보이지 않는다. 그래서 지금, 어떻게 함께 일어난 여러 법의 무더기에 인과의 뜻이 있는지 설명해야 할 것이다.36 어찌 현견現見되지 않는가? 등불과 등불의 밝음, 싹과 그림자는 동시이면서 또한 인과가 된다.37

이는 상세하게 분별해야 할 것이다. 곧 등불이 밝음에게 원인이 되었다고 할 것인가, 앞서 생긴 인연과의 화합에 의해 등불과 밝음이 함께 일어났다고 할 것인가? 다른 물건이 광명을 장애해서 그림자의 나타남이 있는 것인데, 어떻게 이 그림자가 싹을 써서 원인으로 한 것이라고 말하겠는가?38

....

라고 한 것은 무표 중 정려율의와 무루율의 중에는 구유인이 되는 것도 있어 제외하는 취지)는 전전하여 서로에 대해서, 일곱째 함께 생기는 일체 소조색과 대종은 전전하여 서로에 대해서, 여덟째 함께 생기는 일체 득과 소득법(은 전전하여 서로에 대해서)이다. 이런 등의 모든 법은 비록 구유법이라고 이름하지만, 구유인으로서의 원인을 이루는 것이 아니다. 왜냐하면 그 수상 등을 본법 등에서 바라볼 때 횡으로 바라보고 말한다면, 능히 같이 하나의 결과, 하나의 이숙과 및 하나의 등류과를 취하는 것이 아니기 때문이다. 누군가가, 「득과 소득법은, 마치 생상 등의 상(=본상)과 법처럼 함께 일어나므로 구유인이라고 이름해야 한다」라고 힐난할 것을 염려했기 때문에 지금 해석해 말하였다. 득과 소득법은 결정코 함께 작용하는 것이 아니니, 법 앞에 있기도 하고(=법전득), 법 뒤에 있기도 하며(=법후득), 법과 함께 생기기도 한다(=법구득). 생상 등이 결정코 법과 함께 하는 것과 같지 않으니, 따라서 득은 법에서 바라볼 때 구유인이 아니다.

36 경량부의 질문이다. '이상 건립한 인과의 이와 같은 모든 이치는 우선 그럴 수 있다'라고 한 이것은 곧 가정적으로 인정한 것이다. 그렇지만 모든 세간에서 앞의 종자 등을 원인으로 해서 뒤의 싹 등의 결과를 낳는다고 하는, 일체 세간에서 공히 인정하는 인과상생의 현상 중에서 이와 같은 동시인과는 아직 보이지 않는다. 그래서 지금, 어떻게 세간에서 함께 일어난 여러 법의 무더기에 동시인과의 뜻이 있는지 설명해야 할 것이다.

37 설일체유부의 답이다. 어찌 밝음이 등불에서 생기고, 그림자가 싹에서 생기는 동시인과가 현견되지 않는가?

38 경량부에서 이는 상세하게 분별해야 한다고 반대로 따지는 것이다. 그대들의 종지처럼 곧 등불을 써서 밝음에게 원인이 되었다고 하는 것을 동시인과라고 할 것인가, 우리 경량부의 종지처럼 앞 순간의 사람의 공력·등잔·기름·심지

이치가 그래서는 안 될 것이다. (인과관계는) 있고 없음에 따르기 때문이다. 논리학[因明]에 능숙한 분들은 인과의 모습에 대해, "만약 이것이 있거나 없을 때 저것도 따라서 있거나 없다면, 이것은 결정코 원인이 되고, 저것은 결정코 결과가 된다"라고 말한다. 함께 있는 법 중 하나가 있을 때 일체가 있지만, 그 하나가 없을 때 일체가 없다면 이치상 인과를 이룬다.[39]

함께 일어난 것[俱起]의 인과의 이치는 그럴 수 있다고 해도, 어떻게 상호간에 인과가 된다고 말할 수 있겠는가?[40] 곧 앞의 설명에 의해 이것도 역시 어긋남이 없다.[41]

························

라는 인연과의 화합에 의해 뒷 순간에 등불과 밝음이 함께 일어났다고 할 것인가? 경량부에서 이렇게 따지는 까닭은, 등불이 밝음을 낳는다는 것은, 그대들은 인정하지만, 우리는 인정하지 않는데—경량부에서는 동시인과를 인정하지 않는다—, 안의 인연과의 화합이 뒤의 등불과 밝음을 낳는다는 것은, 곧 피차 같이 인정하기 때문에, 모두 인정하는 것을 인용해 원인이 앞이고, 결과가 뒤[前因後果]임을 증명하려는 것이다. 예컨대 해가 처음 나와서 싹의 동쪽 면을 비출 때 이 동쪽 면에 광명을 장애하는 다른 물건이 있으면 싹의 서쪽 면에 저절로 그림자의 나타남이 있는데, 싹의 동쪽 면의 극미는 비록 광명을 장애하더라도 그림자를 나타내지는 못할 것이고, 싹의 서쪽 면의 극미는 비록 그림자를 나타내더라고 광명을 장애하지는 못할 것이다. 만약 이 그림자가 동쪽 측면으로 말미암아 생긴 것이라고 말한다면, 중간이 이미 한량없는 극미로 이격되었는데 어떻게 생길 수 있으며, 만약 서쪽 측면으로 말미암아 생긴 것이라고 말한다면, 해가 이미 비추지 않는데 어떻게 그림자가 나타나는가? 또 해가 없을 때에도 역시 그림자를 나타내어야 할 것이다. 그러므로 이 그림자는 같은 순간의 싹이 원인이 됨으로 말미암아 생기는 것이 아니라, 단지 앞 순간의 싹이 뒷 순간의 싹의 그림자를 낳음으로 말미암아 자연히 시간을 같이 해서 일어나는 것이라고 알아야 한다. 어떻게 이 그림자가 싹을 써서 원인으로 한 것이라고 말하겠는가?

39 설일체유부의 변론하는 뜻이다. 그대가 지금 우리의 동시인과를 부정하는데, 이치가 그래서는 안 된다. 결과의 체의 유무는 원인의 유무에 따른다고 말하기 때문이다. 논리학에 능숙한 분들은 마음에 붕당朋黨 없이 인과의 모습을 말한다. 만약 이 원인이 있거나 없을 때 그 결과도 따라서 있거나 없다면, 이 법은 결정코 원인이고, 그 법은 결정코 결과라고 말하는데, 우리의 설명도 역시 그러해서, 함께 있는 법 중 같이 있거나 같이 없다면 이치상 인과를 이룬다.

40 경량부의 힐난이다. 동시인과의 이치는 그럴 수 있다고 해도, 어떻게 상호간에 인과가 된다고 말할 수 있겠는가?

41 설일체유부의 답이다. 곧 앞에서 어떤 하나가 있으면 일체가 있지만, 그 하나가 없으면 일체가 없다고 말한 것에 의해, 상호간에 인과가 된다는 것도 이치에 역시 어긋남이 없다.

만약 그렇다면 앞에서 말한 것과 같은 소조색은 상호 서로 여의지 않으므로 상호 원인이 되어야 할 것이며, 이와 같이 소조색과 모든 대종, 심왕의 수상 등과 심왕 등의 법도 모두 서로 여의지 않으므로 상호 원인이 되어야 할 것이다. 만약 세 개의 막대기가 상호 서로 의지해서 서는 것처럼, 이와 같은 구유법은 인과의 뜻이 성립된다고 말한다면, 이 점도 사유해야 할 것이다. 이와 같은 세 개의 막대기는 함께 일어난 상호의존력[相依力]에 의해 선다고 해야 할 것인가, 앞서 생긴 인연과 화합한 힘이 그 세 개의 막대기로 하여금 함께 일어나 서게 함에 의한 것이라고 할 것인가? 또 거기에는 끈·고리·땅 등의 별도의 물건도 또한 있어서 잇고 지탱해서[連持] 서게 한 것이다.42 여기에는 나머지 동류인 등도 또한 있으니, 이 때문에 구유인의 뜻이 성립될 수 있는 것이다.43

....

42 경량부의 힐난이다. 만약 그렇다면 앞에서 말한 것과 같은 색·성·향·미·촉의 소조색은 그 상응하는 바에 따라 상호 서로 여의지 않으니, 이와 같은 소조색과 4대종, 심왕의 수상 등과 심왕 등의 법은 모두 서로 여의지 않으면서 같이 있거나 같이 없으므로, 상호 원인이 되어야 할 것이다. 만약 세 개의 막대기가 상호 서로 의지해 서면서 전전하여 힘을 갖는 것처럼, 이와 같이 동시에 함께 있는 모든 법도 전전하여 서로 바라볼 때 힘의 작용이 있을 경우 인과의 뜻이 이루어지고 구유인이지만, 비록 다시 시간을 같이 한다고 해도 힘이 없을 경우 구유인이 아니라고 말한다면, 경량부에서 그런 변론을 옮겨와서, 이 점도 사유해야 한다고 논파한다. 이와 같은 세 개의 막대기는 그대들의 설명처럼 함께 생긴 상호의존력에 의해 선다고 해야 할 것인가, 우리의 설명처럼 앞서 생긴 사람의 공력과 쌓여 모인 인연의 힘이 뒤에 그 세 개의 막대기로 하여금 함께 일어나 서게 함에 의한 것이라고 할 것인가? 경량부의 뜻이 말하는 것은, 이 세 개의 막대기가 서는 것은 단지 앞 순간의 인연의 힘에 의해 서는 것일 뿐, 시간을 같이 하는 것에 의한 것이 아니라는 것이니, 그들은 원인이 앞이고, 결과는 뒤라고 생각한다. 또 거기에 어찌 세 가지 막대기만이 서로 의지해 서는 것이겠는가? 또한 별도의 물건이 있으니, 끈·고리가 능히 이어지게 하고, 땅이 다시 능히 지탱해서 편안히 서게 하는 것인데, 어떻게 세 가지 막대기가 서로 의지하는 것만 말하는가?

43 설일체유부에서 변론해 말하는 것이다. 구유법이 생길 때에는 단지 동시의 상호의존하는 힘만이 있어서 구유인을 이루는 것이 아니라, 여기에는 나머지 동류인 등도 또한 있으니, 이 때문에 구유인의 뜻이 성립될 수 있다. 마치 그 세 개의 막대기는 단지 상호의존하는 힘만이 있어서 서게 하는 것이 아니라, 또한 끈·고리·땅 등도 있어서 이어 지탱해서 서게 하는 것과 같다.

제4절 동류인同類因

이와 같이 구유인의 모습에 대해 설명했는데, 셋째 동류인의 모습은 어떠한가? 게송으로 말하겠다.

53 동류인은 결과와 서로 유사한[同類因相似]
　자부·자지의 앞서 생긴 법인데[自部地前生]
　도는 전전하여 9지에 대해[道展轉九地]
　동등하거나 뛰어난 것만을 결과로 한다[唯等勝爲果]

54a 가행으로 생긴 것도 역시 그러하니[加行生亦然]
　문소성·사소성 등이다[聞思所成等]44

1. 제1구 해석

논하여 말하겠다. 동류인이란 서로 유사한 법[相似法]이 서로 유사한 법에 대해 동류同類의 원인이 되는 것을 말한다. 말하자면 선의 5온은 선의 5온에 대해 전전하여 서로 바라볼 때 동류인이 되며, 염오의 5온은 염오의 5온에 대해, 무기의 5온은 무기의 5온에 대해 서로 바라볼 때 역시 그러하다고 알아야 할 것이다.

그런데 어떤 다른 논사는, "무부무기[淨無記]의 5온은 색온의 결과이지만, 4온은 색온의 원인이 아니다"라고 말했고, 어떤 다른 논사는, "5온은 4온의 결과이지만, 색온은 4온의 원인이 아니다"라고 말했으며, 어떤 다른 논사는, "색온과 4온은 서로 바라볼 때 전전하여 모두 원인이 되지 않는다"라고 말하였다.45

----

44 이하는 셋째 동류인에 대해 밝히는 것이다.
45 이상은 첫 구를 해석하는 것이다. 선·염오의 5온이 전전하여 원인(＝동류인)
　이 되는 것에는 다시 이설이 없지만, 무기의 5온에 대해서는 4설이 같지 않다.
　제1설은 전전하여 원인이 된다고 한다. 성품의 부류가 같기 때문이다. 제2설
　에서 5온이 색온의 결과라는 것은 색온이 5온의 원인이라는 것을 나타내고,

또 하나의 몸 중에서 갈라람羯刺藍 단계는 능히 10단계[十位]에 대해 동류인이 되며, 알부담頞部曇 등의 9단계는 각각 모두 그 앞 단계를 제외한 나머지 단계에 대해 동류인이 된다. 만약 다른 몸에 대해서라면 같은 부류의 10단계는 하나하나가 모두 그 10단계에 대해 동류인이 된다. 이런 예에 따라 외부의 보리·벼 등의 자류自類와 자류의 관계도 널리 생각해서 가려야 할 것이다. 만약 색온이 색온의 동류인이 되는 것을 인정하지 않는다면, 그런 주장은 곧 근본논서의 설명에 위배될 것이니, 근본논서에서, "과거의 대종은 미래 대종의 인연·증상연이다"라는 등으로 말했기 때문이다.46

....

4온이 색온의 원인이 아니라는 것은 4온이 색온을 낳지 않는다는 것을 나타낸다. 이 논사의 마음이 말하는 것은, 4온은 수승하기 때문에 색온의 원인이 아니지만, 색온은 열등하기 때문에 4온에게 원인이 된다는 것이다. 제3설에서 5온이 4온의 결과라는 것은 4온은 5온의 원인이 된다는 것을 나타내고, 색온이 4온의 원인이 아니라는 것은 색온은 4온을 낳지 않는다는 것을 나타낸다. 이 논사의 마음이 말하는 것은, 4온은 세력이 강하기 때문에 능히 색온의 원인이 되지만, 색온은 세력이 열등하기 때문에 4온에게 원인 되는 것이 아니라는 것이다. 제4의 논사가 색온와 4온은 상호 원인이 되지 않는다고 말한 것은, 모두 무기여서 열등하면서 다른 부류이기 때문이라는 것이다. 모든 논서에 모두 4설이 있는데, 논평하는 분은 모두 없다. 이제 해석하자면 최후의 논사(=제4설)를 바른 것으로 한다. 그래서 『대비바사론』 제131권(=대27-681하)에서, "(문) 대종은 의처意處(=심·심소법)에게 몇 가지 연이 되는가? (답) 소연과 증상연이다. (문) 의처는 대종에게 몇 가지 연이 되는가? (답) 인연과 증상연이다. '인연'이란 1인이니, 이숙인을 말하고, '증상연'이란 앞에서 말한 것과 같다"라고 말했는데, 해석해서 말한다. 무기의 4대종을 이미 의처에서 바라보았는데, 전전하여 서로 바라볼 때 동류인이 있다고 말하지 않았으니, 이로써 무기의 색온은 무기의 4온에서 바라볼 때 전전하여 서로 바라보더라도 동류인이 아님이 바른 것이 된다는 것을 준해서 알 수 있다.

46 '10단계[10위十位]'는 첫째 갈라람羯刺藍kalalam, 둘째 아부담阿部曇arbudam, 셋째 폐시閉尸peśī, 넷째 게남揭南ghanam, 다섯째 발라사가鉢羅奢佉praśākhā의 태내 5위胎內有五와, 첫째 영아[嬰孩], 둘째 동자, 셋째 소년, 넷째 성년, 다섯째 노년의 태외5위胎外有五를 말하는 것이다. 현재 몸의 10단계는 뒤에게 모두 동류인이 되지만, 그 앞의 것들은 제외한다. 만약 다른 미래의 몸의 같은 부류의 10단계에 대해서라면, 하나하나가 모두 그 10단계에게 동류인이 된다. 만약 비유자譬喻者(=경량부의 모태가 된 학파로 알려져 있는 비유부의 논사)라면 색법이 색법에 대해 동류인이 되는 것을 인정하지 않는데, 그들의 주장은 곧 근본논서의 설명에 어긋난다. 근본논서(=『발지론』 제13권. 대26-986중)에서, "과거의 대종은 미래의 대종에서 바라볼 때 인·증상이다"라는 등을 말했는데, '인'은 인연 즉 곧 동류인을 말하는 것이지, 다른 4인은 아니며, '증상'은 증상

2. 제2구 해석

서로 유사한 모든 법은 서로 유사한 법에 대해 모두 동류인이 된다고 말할 수 있는가? 그렇지 않다. 어떠한가?[47] 자부自部와 자지自地의 법이 자부와 자지의 법에 대해서만 동류인이 된다. 이 때문에 게송에서 '자부·자지'라고 말한 것이다. '부'는 5부를 말함이니, 곧 견고소단 내지 수도소단이며, '지'는 9지를 말함이니, 곧 욕계가 하나가 되고, 정려와 무색이 여덟이다. 이 중 견고소단의 법은 다시 견고소단의 법에 대해 동류인이 되지만, 다른 법에 대해서는 아니며, 이와 같이 나아가 수도소단의 법은 다시 수소단의 법에 대해 동류인이 되지만, 다른 법에 대해서는 아니다. 그 중 하나하나의 법이 욕계의 지의 것이면 다시 욕계의 지의 것에 대해 동류인이 되고, 초정려지의 것이면 초정려의 것에 대해 동류인이 되며, 나아가 유정지의 것이면 유정지의 것에 대해 동류인이 되지만, 다른 지에서 서로 바라본다면 모두 동류인의 뜻이 없다.[48]

또 이는 일체가 그런 것이 아니다.[49] 무엇인가?[50] 앞서 생긴 것[前生]을 말함이니, 앞서 생긴 법들만이 뒤의 서로 유사하게 생기는 법과 아직 생기지 않은 법에 대해 동류인이 되는 것이다.[51] 어떻게 그러함을 아는가?[52] 근본논서에서 말했기 때문이다. 예컨대 『발지론』에서, "어떤 것이 동류인인가? 말하자면 앞서 생긴 선근은 뒤에 생기는 자계自界의 선근 및 그 상응법에 대해 동류인이 된다"라고 말한 것과 같다. 이와 같이 과거의 선근이 나머지 2세의 선근에 대해, 과거·현재의 선근이 미래의 선근에 대해 동류인

....

연을 말하는 것이다. 이로써 색법은 색법에서 바라볼 때 동류인이 된다는 것을 알 수 있다.
47 이상은 묻는 것, 답하는 것, 따지는 것이다.
48 이는 '자부·자지'를 해석하는 것인데, '부'는 5부를 말하고, '지'는 9지를 말하니, 5×9=45부류가 각각 따로 동류인이 된다.
49 말하자면 이 자부·자지의 법도 일체가 일체에 대해 동류인이 되는 것은 아니라는 것이다.
50 묻는 것이다.
51 답인데, 바로 '앞서 생긴'을 해석한다. 말하자면 앞서 생긴 법들만이 뒤의 서로 비슷하게 생기는 법과 아직 생기지 않은 법에 대해 동류인이 된다.
52 따지는 것이다.

이 되는 등도 모두 널리 말해야 할 것이다.53

【미래의 동류인에 관한 논란】그런데 곧 그 논서에서, "만약 법이 저 법에 대해 원인이 되었다면 혹 때로는 이 법이 저 법에 대해 원인이 아니기도 한 가?"라는 이런 질문을 하고, 거기에서 곧 답하였다. "원인이 아닐 때가 없 다"라고.54 이것은 구유·상응·이숙의 3인에 의거해 은밀히 말한 것이기 때 문에 허물이 없다.55

---

53 이는 근본논서(=『발지론』제1권. 대26-920하)를 인용해 증명하는 것이다. 자류의 앞서 생긴 것이 뒤의 것에게 동류인이 된다. (문) 미래의 생상은 어째 서 앞서 생긴 것에 포함되는 것이 아닌가? (해) 비록 생상에 이르렀다고 해도 아직 미래를 건너지 못했기 때문이다. 세에 의거해 전후를 결정하는 것이니, 이 때문에 앞서 생긴 것에 포함되는 것이 아니다.

54 이하는 미래에는 동류인이 없다고 한다면 여섯 가지 힐난이 있음을 밝히는 것이다. 첫째 원인 아닐 때가 없다고 했음에 의한 힐난[無時非因難], 둘째 염오 고제에 의한 힐난[染汚苦諦難], 셋째 인과결정의 힐난[因果決定難], 넷째 본무금 유의 힐난[本無今有難], 다섯째 마음을 원인으로 하는 것이 아닌 법에 의한 힐난 [非心因法難], 여섯째 염오 안식에 의한 힐난[染汚眼識難]이다. 통틀어 6힐난에 나아가 첫째 본문의 글에 의해 앞의 4힐난에 대해 회통하고, 둘째 본문 밖의 뒤의 2힐난에 대해 회통하겠다. 본문에 의해 앞의 4힐난에 대해 회통함에 나 아가면, 이는 원인 아닐 때가 없다고 했음에 의한 힐난에 대한 첫 번째 회통이 다. 이는 곧 『발지론』(=제20권. 대26-1026중)을 인용해 힐난하는 것인데, '원인'이란 4연 중의 인연이다. 『발지론』에서 순차 4연에 의거해 문답했기 때 문이다. 그것을 인용해 힐난하는 뜻은, 「만약 미래에는 동류인이 없고, 과거· 현재여야 비로소 있다고 말한다면, 이는 곧 이 법이 저 법에 대해 원인 아닐 때가 있다는 것인데, 어떻게 원인 아닐 때가 없다고 답했는가?」라는 것이다.

55 논주의 답이다. 원인 아닐 때가 없다고 말한 이것은, 구유·상응·이숙의 3인에 의거한 것이니, 직접 결과를 갖추는 것이 3세에 통하기 때문이다. 따라서 허 물이 없다. 그래서 『대비바사론』제17권(=대27-86하)에서 회통해 말하였 다. "어떤 분은, 그것은 구유인에 의거해 논을 만든 것이니, 구유인은 유위법 에 두루하면서 직접 능히 결과를 갖추는 것이 3세에 통하기 때문이라고 말하 였다.(=제1설) 어떤 분은, 그것은 상응인·구유인에 의거해 논을 만든 것이니, 이 2인은 모두 세 가지 성품에 두루하면서 직접 능히 결과를 갖추는 것이 3세 에 통하기 때문이라고 말하였다.(=제2설) 어떤 분은, 그것은 상응인·구유인· 이숙인의 3인에 의거해 논을 만든 것이니, 이 3인은 직접 능히 결과를 갖추는 것이 3세에 통하기 때문이라고 말하였다.(=제3설) 어떤 분은 상응인·구유 인·이숙인·능작인의 4인에 의거해 논을 만든 것이니, 이 4인은 3세에 통하기 때문이라고 말하였다.(=제4설) 어떤 분은, 그것은 5인에 의거해 논을 만든 것이니, 능작인을 제외한 것은 일체법에 두루하면서 모두 막지 않기 때문이라 고 말하였다.(=제5설) 이 중 어떤 분은, 변행인을 제외하니, 체와 작용이 협

어떤 분은, "미래에 바로 생기는 단계[正生位]의 법은 결정코 저 법에 대해 동류인이 될 수 있으니, 이 때문에 그 논서의 글에서 최후 단계[最後位]에 의거해 은밀히 '원인이 아닐 때가 없다'라는 이런 답을 한 것이다"라고 말하였다.56 그는 힐난에 대해 잘 해석한 것이 아니니, 미래의 법은 바로 생기는 단계 전에는 동류인이 아니고, 그 뒤에 비로소 이루어지기 때문이다. 또 만약 그렇다면 거기에서 다시, "만약 법이 저 법에 대해 등무간연이 되었다면 혹 때로는 이 법이 저 법에 대해 등무간연이 아니기도 한가?"라고 묻고, 거기에서 곧, "이 법이 이미 생긴 단계에 아직 이르지 않았을 때[未至己生]"라고 답했는데, 만약 그 해석대로라면 역시, "등무간연이 아닐 때가 없다"라고 답했어야 할 것이다. 어째서 "이 법이 이미 생긴 단계에 아직 이르지 않았을 때"라고 답했겠는가?57 그런데 그는 다시, "2문[門]을 나타내기

....

소하기 때문이라고 말하였다.(=제6설) (논평하자면) 그것은 6인에 의거해 논을 지은 것이라고 말해야 할 것이다. '인'이라는 명칭이 나타내는 것이 6인에 통하기 때문이다." 그 『대비바사론』에 준하면 모두 7설이 있는데, 이 논서의 글은 제3의 바르지 못한 뜻에 해당한다. 그 논서에서는 제7설(=논평의 글)을 바른 것으로 하였다. (문) 미래에는 이미 동류인이 없는데, 『대비바사론』의 바른 뜻이 어떻게 6인에 의거해 논을 지은 것이라고 하는가? (해) 미래에는 비록 없지만, 그 뜻이 말하는 것은, 능히 원인이 된 후에는 원인 아닐 때가 없다는 것이다. 혹은 바로 생기는 단계에 의거하면 결정코 능히 원인이 될 것이니, 이에 의거해 은밀히 '원인 아닐 때가 없다'고 말했다는 것이다.

56 (제1) 힐난에 대한 두 번째 회통인데, 『대비바사론』의 뒤의 3설(제5~7설)에 해당한다. 혹은 6인에 의거해 논을 만든 것이라는 제7설에 해당한다. 어떤 비바사 논사는, 미래에 바로 생기는 단계의 법은 반드시 현재로 들어오니, 결정코 저 생상 전의 법에 대해 동류인이 된다고 말하면서, 이 때문에 그 『발지론』의 글은 미래의 최후 생상의 단계에 의거해 은밀히 '원인이 아닐 때가 없다'라고 이렇게 답했다고 한다. 3세에 나아가 '원인이 아닐 때가 없다'라고 말한 뜻은 다시 제4시는 없다는 것을 나타내니, 그래서 미래의 바로 생기는 단계를 '최후의 단계[最後位]'라고 이름하고, 미래의 끝 없는 생사를 '(저 생상)전前'이라고 이름한 것이다. 만약 흘러서 생상에 이른 것이 있다면 미래의 최후 단계라고 이름할 것이니, 이는 법이 세世에 작용하는 전후에 의거한 것이다. 만약 인과에 의거해 전후를 밝힌다면 곧 앞의 법을 원인이라고 이름하고, 뒤의 법을 결과라고 이름할 것이다.

57 논주가 두 번째 논사의 해석을 비판하는 것이다. 그는 힐난에 대해 잘 해석한 것이 아니다. 미래의 법은 바로 생기는 단계 전에는 동류인이 아니고, 그 뒤 생상에 이르러야 비로소 원인을 이루기 때문에 도리어 원인이 아닐 때가 있는

위함이었으니, 그 곳에서 말한 것처럼 여기에서도 그러해야 하고, 이 곳에서 말한 것처럼 거기에서도 그러해야 한다"라고 해석하였다.58 이와 같이 글을 지어 무슨 공덕을 얻겠는가? 논주가 글에 능숙한 분이 아님을 드러낼 뿐이다. 그러므로 앞의 해석이 훌륭하다고 알아야 할 것이다.59

만약 그렇다면 무엇 때문에 『품류족론』에서, "혹 어떤 고제는 유신견을 원인으로 하지만, 유신견에 대해 원인이 되는 것 아니니, 미래의 유신견 및 그와 상응하는 고제를 제외한 나머지 모든 염오의 고제이다. 혹 어떤 고제는 유신견을 원인으로 하면서 또한 유신견에 대해 원인이 되기도 하니, 곧 앞에서 제외된 법이다"라고 말했는가?60 그 글에서 응당 '미래의 유신견과 상응하는 고제를 제외한다'라고 말했을 것이다. 설령 그와 같은 말이 있다

....

것이다. 어떻게 원인이 아닐 때가 없다고 답할 수 있겠는가? 또 『발지론』(=제20권. 대26-1026중)을 인용해, "동류인과 등무간연 같은 경우는 모두 현재에 이르러야 비로소 이루어지는데, 무엇 때문에 등무간연에 대해서는 '이미 생긴 단계에 아직 이르지 않았을 때'라고 답하고, 동류인에 대해서는 '원인이 아닐 때가 없다'라고 답했겠는가? 역시 응당 같아야 할 것인데, 어째서 같지 않았는가?"라고 힐난한 것이다.

58 두 번째 논사가 힐난에 대해 회통하는 것이다. 그런데 그 논사가 다시 해석한 것은, 영략호현[影略]에 의해 2문을 나타내기 위한 것이었다. 그 등무간연에 대한 곳에서 '이미 생긴 단계에 아직 이르지 않았을 때'라고 답한 것처럼 이 인연에 대한 곳에서도 '이미 생긴 단계에 아직 이르지 않았을 때'라고 답해야 하고, 이 인연에 대한 곳에서 '원인이 아닐 때가 없다'라고 답한 것처럼 저 등무간연에 대한 곳에서도 '연이 아닐 때가 없다'라고 답해야 한다는 것이다.

59 논주가 논평하면서 앞의 해석을 취한다. 이렇게 글을 지어 무슨 공덕을 얻겠는가? 『발지론』의 논주가 글에 능숙하지 못하다는 것을 드러낼 뿐이다. 그러므로 앞의 3인에 의거한 해석이 이치상 훌륭한 것이라고 알아야 한다. 이런 이치 때문에 등류인에 대해서는 '원인이 아닐 때가 없다'라고 답하고, 등무간연에 대해서는 '이미 생긴 단계에 아직 이르지 않았을 때'라고 답한 것이다.

60 이하는 둘째 염오 고제에 의한 힐난인데, 여기에서는 『품류족론』에서 제외한 것 중 제3절의 글을 인용해 힐난하는 것이다. 미래의 유신견은 제외된 것에 이미 들어갔으니, 곧 구구俱句(=유신견을 원인으로 하면서 유신견의 원인이기도 한 것)에 포함된다. 이는 곧 과거·현재의 유신견으로부터 생기는 것이 능히 미래의 유신견을 낳는데, 이미 (미래의 유신견이) 미래의 유신견을 낳는다면 미래에 동류인이 있다는 것을 알 수 있다는 것이다. 유신견을 유신견에서 바라보면 상응인·구유인·이숙인이 아닌데, 이미 원인이 있다고 말했으니, 결정코 동류인임을 분명히 알 수 있다는 것이다.

고 해도, 뜻에 의해 그런 것이 아니라고 알아야 할 것이다.[61]

다시 『시설족론』의 글은 어떻게 회통하겠는가? 거기에서, "모든 법은 네 가지[四事]가 결정되어 있으니, 소위 인因, 과果, 소의所依, 소연所緣이다"라고 말하였다.[62] 그 글에서 '인'이란 능작인·구유인·상응인·이숙인을 말하는 것이고, '과'란 증상과·사용과·이숙과를 말하는 것이며, '소의'란 안근 등의 6근을 말하는 것이고, '소연'이란 색경 등의 6경을 말하는 것이라고 알아야 할 것이다.[63] 만약 그렇다면 동류인은 본래 없던 것이 있는 것이어야 할 것이다.[64] 그렇다고 인정하기 때문에 허물이 없다. 단계[位]에 의거한 것이지,

....

61 논주가 바로 회통하는 것이다. 그 『품류족론』 제3절 중의 글에서, 응당 '미래의 유신견과 상응하는 고제를 제외한'이라고 말했을 것(=앞의 구유인에 관한 『기』의 설명에는 이 2글자가 없다. 이것이 없으면 본문은 '미래의 유신견과 상응하는 고제를 제외한'이라고 번역된다)이다. 이 글은 유신견을 제외하고자 하지 않고, 다만 유신견 위의 상응법만을 제외하려는 것이므로, '및 그와[及彼]'라는 2글자가 없다. 외인이 힐난하는 뜻은, 유신견을 제외하고자 했기 때문에 제3절의 글 중 '및 그와'라는 2글자를 부가했다는 것이다. 『품류족론』의 글에 설령 그와 같이 '급피及彼'라는 2글자의 말이 있다고 해도, 뜻에 의해 그런 글이 아니라고 알아야 할 것이니, 미래세에는 전후가 없기 때문이다. 어찌 하물며 함부로 유신견을 더하겠는가? 이미 제외된 것에 들어간 것이 아니니, 미래에는 동류인이 없다는 것을 분명히 알 수 있다. 구유인 중에서 외인이 『품류족론』에서 제외된 것 중 제4절의 글을 인용해 힐난할 때에는 곧 '및 그 상응법[及彼相應法]'이라는 5글자를 말하지 않았는데, 이처럼 동류인 중에서 제외된 것 중 제3절의 글을 인용해 힐난함에 있어서는 곧 '및 그와'라는 2글자를 더했다고 알아야 할 것이다. 전후 각각 달리 글을 인용한 것을 사람들은 대부분 깨닫지 못하는데, 잘 생각해야 한다.

62 이하 제3 인과결정의 힐난에 대해 회통하는데, 이는 곧 힐난을 서술하는 것이다. 만약 미래세에 동류인이 없고, 이미 생긴 단계에 이르러야 비로소 동류인이라고 이름한다면, 어떻게 결정되어 있다고 하겠는가? 이미 결정되어 있다고 말했으니, 미래에도 동류인이 있다는 것을 분명히 알 수 있다.

63 이는 곧 힐난에 대해 회통하는 것이다. 인이 결정되어 있다는 말은 능작인 등의 4인에 의거한 것이니, 동류인·변행인에 의거한 것이 아니며, 과가 결정되어 있다는 말은 증상과 등의 3과에 의거한 것이지, 등류과에 의거한 것이 아니다.

64 이하 제4 본무금유本無今有의 힐난에 대해 회통하는데, 이는 곧 힐난을 서술하는 것이다. 『대비바사론』(=제17권. 대27-87중)에서, "곧 원인 없던 것이 원인 있는 것이어야 하고, 또한 결과 없던 것이 곧 결과 있는 것이어야 하니, 곧 자신의 종지(=삼세실유의 종지)를 무너뜨릴 것이다"라고 말하였다.

체體에 의거한 것이 아니니, 화합하여 작용하는 단계의 결과이지, 체의 결과가 아닌 것이다.65

만약 동류인은 이숙인처럼 미래세에도 있다고 한다면 어떤 허물이 있는가?66 미래세에도 있다면, 근본논서에서 응당 논설했을 것이다.67 근본논서에서는 능히 취과取果·여과與果하는 동류인들에 대해서만 말했기 때문에 허물이 없다.68 그와 같은 뜻은 없다. 동류인은 등류과等流果를 견인하므로 이것이 미래에 있다는 것은 이치상 반드시 그렇지 않으니, (미래에는) 전후가 없기 때문이다. 마치 과거의 법이 현재법의 결과가 아닌 것처럼, 이미 생긴 법은 아직 생기지 않은 법의 등류과가 되어서는 안 된다. 결과가 먼저이고, 원인이 뒤인 허물이 있어서는 안 되기 때문에 미래세에는 동류인이

....

65 이는 곧 힐난에 대해 회통하는 것인데, (유부에서도) 동류인은 본래 없던 것이 지금 있는 것[本無今有]을 인정하기 때문에 허물이 없다는 것이다. 동류인은 과거·현재에 작용하는 단계에 의거해 건립한 것이지, 체에 의거해 건립한 것이 아니다. 체는 없음과 있음을 떠나 전후가 없기 때문에 건립될 수 없다. 과거·현재의 단계에 이르러 화합하여 작용함에 의해 동류인이라고 이름하고, 능히 뒤의 등류과를 낳으니, 이 뒤의 등류과는 전 단계의 결과이지, 체의 결과가 아닌 것이다.
　　이상에서 본문에 의해 4힐난에 대해 회통했는데, 이하 본문 밖의 뒤의 2힐난에 대해 회통할 것이니, 곧 제5 마음을 원인으로 하는 것이 아닌 법에 의한 힐난과 제6 염오 안식에 의한 힐난이다. # 이는 『대비바사론』 제17권(=대27-87중)에서, 『품류족론』 제6권의 글(=대26-714중)과 『식신족론』 제4권의 글(=대26-549)을 순차 인용해 힐난하는 내용에 대해 설명하고, 회통하는 것인데, 이하에 자세한 설명이 있지만, 생략하였다.
66 이하에서 미래에 만약 동류인이 있다고 한다면 곧 두 가지 힐난이 있다는 것을 밝히는데, 첫째는 근본논서에서 말하지 않았다는 힐난이고, 둘째는 상호 인과가 될 것이라는 힐난이다. 이하에서 첫째 근본논서에서 말하지 않았다는 힐난에 대해 회통하는데, 장차 밝히려고 물음을 일으킨다. 만약 동류인이 이숙인처럼 미래에도 있다고 한다면 어떤 허물이 있는가?
67 답이다. 미래에도 만약 있다면 근본논서에서 응당 논설했을 것이다. 근본논서에서는 과거가 현재·미래에 대해 동류인이 되는 것과 현재가 미래에게 동류인이 되는 것만을 말하고, 미래에 동류인이 되는 것에 대해서는 말하지 않았으니, 미래에는 동류인이 없다는 것을 분명히 알 수 있다.
68 근본논서에 대해 회통하는 것이다. 근본논서에서는 능히 취과(=직접 결과를 견인해 일으키는 직접적 공능)·여과(=결과의 생기를 돕는 간접적 공능)하는 동류인들만 말한 관계로 과거·현재에 있는 것을 말하였고, 미래의 취과·여과하는 것 아닌 동류인들은 말하지 않은 것이기 때문에 허물이 없다는 것이다.

없다.69

만약 그렇다면 이숙인도 미래에는 있는 것이 아니어야 할 것이니, 이숙과가 원인의 앞 및 동시여서는 안 되기 때문이며, 미래세의 법에는 전후가 없기 때문이다.70 그런 허물은 없으니, 서로 유사하지 않기 때문이다. 말하자면 동류인과 그 결과는 서로 유사해서, 만약 전후가 없다면 상호간에 원인이 되어야 할 것이고, 이미 상호간에 원인이 된다면 상호간에 결과가 되어야 할 것인데, 상호간에 결과가 되는 것은 이치와 상반되지만, 이숙인과 그 결과는 서로 유사한 것이 아니어서, 비록 전후를 떠난다고 해도 위와 같은 허물은 없다. 따라서 동류인은 작용단계[位]에 나아가 건립된 것이어서 미래세에는 있는 것이 아니지만, 이숙인이라면 체상[相]에 나아가 건립된 것이어서 미래세에도 없는 것이 아니다.71

....

69 논주의 논파이다. 그와 같은 뜻은 없다. 동류인은 등류과를 이끌므로, 이 동류인이 만약 미래에 있다면 이치가 반드시 그렇지 않으니, 미래에는 전후가 없기 때문이다. 어떻게 미래의 동류인이 등류과를 견인할 수 있겠는가? 미래에는 이미 등류과가 없다. 과거·현재에 이미 생긴[已生] 법은 아직 생기지 않은[未生] 법의 등류과가 되어서는 안 된다. 바로 생기는 것[正生]을 말하지 않은 것은, 생략하고 말하지 않은 것이다. 혹은 많은 부분에 따라 말한 것이거나 뒤를 들어 앞을 나타낸 것이다. 또 해석하자면 과거·현재에 이미 생긴 법들은 미래에 생길 법의 등류과가 되어서는 안 된다. 바로 생기는 것과 아직 생기지 않은 것은 아직 생기지 않은 것에 포함되기 때문이다. 마치 과거의 법이 현재의 법의 결과가 아닌 것과 같다. 결과가 먼저이고, 원인이 뒤인 허물이 있어서는 안 되기 때문에 미래세에는 동류인이 없다.
70 이하의 뜻은 둘째 상호간에 인과가 될 것이라는 힐난에 해당하는데, 장차 밝히려고 물음을 일으킨 것이다.
71 논주의 답이다. 바로 상호간에 인과가 될 것이라는 허물을 꺼내어, 그와 같은 허물은 없다고 하였다. 이숙인과 이숙과는 서로 유사하지 않기 때문에 미래세에도 있다. 말하자면 동류인과 등류과는 서로 유사하기 때문에 미래세에는 없다. 미래세 중에 만약 전후가 없다면 상호간에 원인으로 되어야 할 것이고, 이미 상호간에 원인이 된다면 상호간에 결과로 되어야 할 것인데, 만약 상호간에 원인과 결과로 된다면 곧 이치와 상반될 것이니, 동류인은 뒤의 결과를 견인하는 것이기 때문이다. 이숙인과 이숙과는 성품을 같이 하거나 서로 유사한 것이 아니므로, 미래에 비록 전후가 없다고 해도 순서상 상호간에 인과가 된다는 허물은 없다. 따라서 동류인은 작용을 나타내는 단계[現作用位]의 앞뒤에 나아가 건립된 것이어서 미래세에는 있는 것이 아니지만, 이숙인의 경우 체상體相에 나아가 건립된 것이어서 미래세에도 없는 것이 아니다.

3. 제3·4구 해석

동류인은 오직 자지自地만이라고 말한 것은 결정적으로 무엇에 의거해 말한 것인가?72 결정코 유루법에 의거한 것이다. 무루도라면 전전하여 서로 바라볼 때 하나하나가 모두 9지地의 도에 대해 동류인이 된다. 말하자면 미지정未至定, 정려중간, 4근본정려, 3근본무색정의 9지의 도제道諦는 모두 상호간에 동류인이 된다. 까닭이 무엇인가? 이것은 그 모든 지에서 모두 손님이 머무는 것처럼 계의 소속[界攝]으로 떨어지지 않으니, 그 모든 지는 자기 소유라고 애착하는 것이 아니다. 이 때문에 9지의 도는 비록 지가 같지 않더라도 전전하여 동류인이 되니, 같은 부류이기 때문이다.73

....

72 이하는 도가 전전하여 9지에 대해 동류인이 됨을 밝히는 것이다. 앞의 뜻과는 다르다는 것을 드러내려고 앞을 들어 묻는 것이다.

73 답이다. 앞에서 자지라고 말한 것은 결정코 유루에 의거한 것이다. 만약 무루도라면 9지를 전전하여 바라볼 때 동류인이 된다. 욕계에는 선정이 없고, 유정지는 어둡고 열등해서 모두 무루의 성도를 일으킬 수 없기 때문에 9지에만 의거한다. (문) 만약 9지의 성도가 전전하여 동류인이 된다면 무엇 때문에『순정리론』제16권(＝대29-423하)에서, "자지와 상지에 의지한 것에 있는 것이지, 하지에 의지한 것에는 없다"라고 말했는가? 그 논서의 뜻은, 「9지에서 각각 9지의 성도를 닦을 수 있지만, 그 상응하는 바에 따라 자지에 의지해 닦는 것이나 상지에 의지해 닦는 것에게 동류인이 되기 때문에 자지와 상지에 의지한 것에 있다고 말하고, 상지에 의지해 닦은 것은 하지에 의지해 닦는 것에게 동류인이 되지 않기 때문에 하지에 의지한 것에는 없다고 말한 것이다. 예컨대 미지정에 의지해 닦은 9지의 성도는 9지에 의지해 닦는 81종의 성도에 대해 동류인에 되지만, 이와 같이 나아가 무소유처에 의지해 닦은 9지의 성도는 오직 무소유처에 의지해 닦는 9종의 성도에게만 동류인이 되는 것이다」라고 말하는 것이다.(＝여기에서『순정리론』의 그 부분 글을 모두 인용하면 다음과 같다. "초정려의 성도는 초정려에 의지한 것이 있고, 나아가 무소유처에 의지한 것이 있으며, 제2정려 등의 성도도 역시 그러하다고 알아야 하는데, 자지와 상지에 의지한 것에 있는 것이지, 하지에 의지한 것에는 없다. 말하자면 초정려에 의지한 초정려의 성도는 9선정에 의지한 9지의 성도에 대해 동류인이 된다. 곧 이는 초정려에 의지한 도를 써서 동류인으로 할 뿐, 상지에 의지한 성도를 써서 동류인으로 하지 않으니, 성품이 열등하기 때문이다. 제2정려에 의지한 초정려의 성도는 초정려에 의지한 것을 제외하고, 그 나머지 선정에 의지한 9지의 성도에 대해 동류인이 된다. 곧 이는 처음 두 가지 선정에 의지한 9지의 성도를 써서 동류인으로 할 뿐, 상지에 의지한 것(을 써서 동류인으로 하는 것)은 아니다. 제3정려에 의지한 초정려의 성도는 처음 2선정에 의지한 것을 제외하고, 그 나머지 선정에 의지한 9지의 성도에 대해 동

그렇지만 오직 동등한 것[等]과 뛰어난 것[勝]에 대해서만 동류인이 될 수 있고, 열등한 것의 동류인이 될 수 있는 것은 아니니, 가행加行으로 생기는 것이기 때문이다. 우선 예컨대 이미 생긴 고법지인苦法智忍은 다시 미래의 고법지인에 대해 동류인이 되는데, 이런 것을 동등한 것이라고 이름한다. 또 곧 이 고법지인은 다시 이후의 고법지苦法智로부터 무생지無生智에 이르기까지에 대해 능히 동류인이 되는데, 이런 것을 '뛰어난 것'이라고 이름한다. 이와 같이 널리 말하자면 나아가 이미 생긴 모든 무생지는 동등한 부류에 대해서만 동류인이 되니, 더 이상 뛰어난 것이 없기 때문이다.74

또 이미 생긴 모든 견도, 수도 및 무학도는 그 순서에 따라 세 가지, 두 가지, 한 가지에 대해 동류인이 된다.75 또 이들 중 둔근鈍根의 여러 도는 둔근 및 이근利根의 도에 대해 동류인이 되지만, 이근의 도라면 이근의 도의 동류인일 뿐이다. 예컨대 수신행隨信行 및 신승해信勝解, 시해탈時解脫의

....

류인이 된다. 곧 이는 초정려·제2·제3정려에 의지한 9지의 성도를 써서 동류인으로 할 뿐, 상지에 의지한 것은 아니다. 나아가 무소유처에 의지한 초정려의 성도라면 이 무소유처에 의지한 9지의 성도에 대해서만 동류인이 된다. 곧 이는 9지의 선정에 의지한 9지의 성도를 통틀어 써서 동류인으로 하는 것이다. 9지의 선정에 의지한 초정려의 성도처럼 나머지 선정의 성도가 9지에 의지하는 것도 그 상응하는 바에 따라 자세히 생각해서 가려야 할 것이다.")『순정리론』의 글에 준하면 상지에 의지해 닦은 것은 하지에 의지해 닦는 것에게 동류인이 되는 것이 아닌데, 어째서 '9지의 성도는 전전하여 동류인이 된다'라고 말했는가? 해석하자면 '9지의 성도는 전전하여 동류인이 된다'라고 말한 것은, 1지에 의지해 9지의 성도를 닦을 수 있음에 의거한 것이니, 동일한 지에서 닦을 수 있기 때문이다. 그런 까닭에 전전하여 서로 바라보면 동류인이 된다. 통틀어 9지에 의지해 닦은 성도가 전전하여 모두 동류인이 될 수 있다는 것이 아니다. '9지'라는 말은 아직 이치를 다하지 않은 말이니, 만약 이치를 다해 말한다면, 어찌 상지에 의지한 이근의 도가 하지에 의지한 둔근의 도에 대해 동류인이 될 수 있겠는가?

74 이는 차별되는 것을 가려내고, 오직 동등한 것과 뛰어난 것만 결과가 된다고 해석하는 것이다. 동등한 것은 동등한 것과 뛰어난 것에게 원인이 되지만, 열등한 것에게는 원인이 되는 것이 아니니, 가행으로 생기는 것이기 때문이다. 법을 가리킨 것은 알 수 있을 것이다.

75 이는 세 가지 도에 의거해 동등한 것과 뛰어난 것에게 원인이 되는 것을 밝히는 것이다. 견도는 3도(=견도·수도·무학도)에게 동류인이 되고, 수도는 2도(=수도·무학도)에게 원인이 되며, 무학도는 1도에게 원인이 된다.

도는 그 순서에 따라 여섯 가지, 네 가지, 두 가지에 대해 동류인이 되지만, 수법행隨法行 및 견지見至, 비시해탈非時解脫의 도는 그 순서에 따라 세 가지, 두 가지, 한 가지에 대해 동류인이 된다.[76]

상지의 여러 도가 하지의 도의 동류인이 된다면, 어째서 동등하거나 뛰어난 것이라고 이름했는가?[77] 원인의 증장[因增長]에 의하며, 또 근根에 의하기 때문이다. 말하자면 견도 등과 하하품 등은 그 후후의 단계 중에서 원인이 점점 증장하는 것이다. 비록 하나의 상속 중에서는 수신행·수법행의 2도가 현행해 일어날 수 있음이 인정될 수 없지만, 이미 생긴 것은 미래의 도의 동류인이 되는 것이다.[78]

4. 제5·6구 해석

오직 성도만이 동등한 것과 뛰어난 것에 대해서만 동류인이 되는가?[79] 그렇지 않다. 어떠한가? 나머지 세간법도 가행으로 생긴 것[加行生]은 역시

....

76 이는 또 둔근·이근에 의거해 동등한 것과 뛰어난 것에게 원인이 되는 것인데, 글대로 알 수 있을 것이다. # 본문 중 수신행·신승해·시해탈은 순서대로 견도·수도·무학도를 닦는 둔근의 종성을 가리키고, 수법행·견지·비시해탈은 순서대로 그 3도를 닦는 이근의 종성를 가리킴은 뒤의 제25권 참조.

77 묻는 것인데, 상지에 의지한 도가 하지에 의지한 도에 대해 동류인이 된다면, 이는 곧 뛰어난 것이 열등한 것에 대해 동류인이 된다는 것이다. 어째서 동등하거나 뛰어난 것(에게만 원인이 된다)이라고 표현했는가?

78 답이다. 원인이 점점 증장함에 의하며, 또 둔근·이근에 의하기 때문에 동등한 것과 뛰어난 것에게 동류인이 된다. 지地에 상·하가 있어서 그 때문에 도를 뛰어나거나 열등하게 하는 것이 아니다.(=견도·수도·무학도의 3도는 지의 상·하에 의해 승열이 결정되는 것이 아니라, 그 3도를 증득하는 지혜와 근의 이·둔에 의해 승열이 결정된다는 취지) '말하자면 견도 등의 3도와 하하품 등의 9품은 그 후후의 단계 중에서 원인이 점점 증장한다'라는 이것은 '원인의 증장에 의하며'를 해석한 것이다. 둔근·이근이 동류인이 되는 것은 그 앞에서 갖추어서 밝혔기 때문에 '또 근에 의하기 때문'은 따로 해석하지 않고, 방해될 힐난에 대해서만 해석하였다. 수도와 무학도는 시간이 길고 모습이 드러나므로 따로 방해될 것을 해석하지 않았지만, 견도는 시간이 신속하고 모습이 은밀하기 때문에 방해될 것을 따로 해석하였다. 견도의 단계는, 비록 하나의 상속 중에는 수신행·수법행의 2도가 함께 일어날 수 있음이 인정될 수 없지만, 이미 생긴 수신행은 미래의 수법행의 동류인이 되는 것이다.

79 이하에서 뒷 게송의 양 구를 해석하는데, 이는 곧 물음을 일으킨 것이다. 그 아래는 답이고, 그 다음은 따지는 것이다.

동등한 것과 뛰어난 것에 대해서는 동류인이 되지만, 열등한 것에 대해서는 아니다.80

가행으로 생긴 법은 그 체가 어떤 것인가?81 말하자면 문소성聞所成과 사소성思所成 등인데, '등'이란 수소성修所成 등을 같이 취한 것이다. 문聞·사思·수修로 인해 생긴 공덕을 그것의 '소성所成'이라고 이름한다. 가행으로 생긴 것이기 때문에 동등한 것과 뛰어난 것에 대해서만 동류인이 되고, 열등한 것에 대해서는 아니다. 예컨대 욕계에 매인 문소성법은 자계自界의 문소성·사소성법에 대해서는 동류인이 될 수 있지만, 수소성법의 동류인이 되는 것은 아니니, 욕계에는 없기 때문이다. 사소성법은 사소성법에 대해 동류인이 되지만, 문소성법의 동류인이 되는 것은 아니니, 그것은 열등하기 때문이다. 만약 색계에 매인 문소성법이라면 자계의 문소성·수소성법에 대해서는 동류인이 될 수 있지만, 사소성법의 동류인이 되는 것은 아니니, 색계에는 없기 때문이다. 수소성법은 자계의 수소성법에 대해서만 동류인이 되고, 문소성법의 동류인이 되는 것은 아니니, 그것은 열등하기 때문이다. 무색계에 매인 수소성법은 자계의 수소성법에 대해서만 동류인이 되고, 문소성·사소성법의 동류인이 되는 것은 아니니, (무색계에) 없기 때문이며, 열등하기 때문이다. 이와 같은 모든 법에는 다시 9품이 있는데, 만약 하하품이라면 9품의 동류인이 되고, 하중품이라면 8품의 동류인이 되며, 나아가 상상품이라면 상상품의 동류인만 될 뿐이니, 앞의 열등한 것을 제외하기 때문이다.82

【생득선·염오·무부무기법의 경우】 생득선生得善법은 9품을 서로 바라볼

....
80 이는 전체적으로 해석하는 것이다.
81 이는 체를 묻는 것이다.
82 바로 게송을 들어 해석하는 것이니, 가행으로 이루어진 공덕도 동등한 것과 뛰어난 것에 대해서만 동류인이 된다는 것을 밝히는 것이다. 들음[聞]에 의해 이루어진[所成] 공덕이니, 이 '이루어진[所成]'이라는 말은 상응相應·구유俱有 (하는 법) 등에도 통한다. 만약 문소성혜라고 말한다면 단지 혜만을 가리킨다, 사소성·수소성도 준해서 해석할 것임은 알 수 있을 것이다. 무색계에는 문·사가 없기 때문이며, 가령 있다고 해도 다시 열등하므로 수소성은 그것들의 동류인이 아니다. 나머지 글은 알 수 있을 것이다.

때 전전하여 동류인이 된다. 염오법도 역시 그러하다.[83]

　무부무기에는 모두 네 종류가 있다. 말하자면 이숙생·위의로威儀路·공교처工巧處·변화심[化心] 및 함께 하는 품류[俱品]인데, 그 순서에 따라 능히 네 가지, 세 가지, 두 가지, 한 가지에 대해 동류인이 된다. 또 욕계의 변화심에는 4정려의 결과가 있는데, 상上정려의 결과는 하下정려의 결과의 동류인이 아니다. 가행의 원인에 의해 하정려의 열등한 결과를 얻는 것은 아니니, 마치 공력을 들여 벼와 보리 등을 뿌린 것처럼, 힘들여 수고하고도 수확이 없어서는 안 되기 때문이다.[84]

　【무루법으로서 동류인이 아닌 것】 이와 같은 뜻으로 인해 어떤 분이 물었다. "이미 생긴 무루법으로서 아직 생기지 않은 단계의 무루법의 동류인 아닌 것이 혹시 있는가?"[85] 있다. 말하자면 이미 생긴 고법지품苦法智品은 아직 생기지 않은 단계의 고법인품苦法忍品에 대해서, 또 일체 뛰어난 무루법은 일체 열등한 무루법에 대해서 동류인이 아니다.[86]

　"한 몸 중의 무루법으로서 이전에 결정적으로 획득된 것이 이후에 생기는 무루법의 동류인 아닌 것이 혹시 있는가?"[87] 있다. 말하자면 미래의 고

83　이하는 생득선 등에 대해 밝히는 것이다. 생득선은 가행선에 대해 동류인이 되지만, 가행선은 생득선에 대해 동류인이 되는 것 아니니, 그것은 열등하기 때문이다. 생득선의 9품에 나아가 서로 바라보면 전전하여 동류인이 된다. 그래서『순정리론』제16권(＝대29-424하)에서, "하나하나의 후에 모두 현전할 수 있기 때문"이라고 해석하였고, 어떤 다른 논사는, "결정코 하나의 마음 중에서 일체를 얻기 때문"이라고 말하였다. 염오의 9품이 전전하여 동류인이 되는 것도 생득선에 준해서 말해야 할 것이다.

84　무기에 대해 밝히는 것이다. 이숙생은 일어날 때 저절로 일어나므로 가장 미약하고 열등하다. 위의로는 마음을 써서 일어나는데, 힘쓰는 것은 적지만, 강해서 앞의 이숙생보다는 뛰어나다. 공교처는 강한 생각에 의해 생기기 때문에 힘의 작용이 보다 더 강해서 또 위의로보다 뛰어나다. 변화심은 신통의 과보이므로 그 힘이 가장 뛰어나다. '함께 하는 품류'란 상응법과 구유법 등을 말하는 것이다. 욕계의 선정의 결과인 변화심은 하열한 것이, 뛰어난 것에 대해 동류인이 된다.

85　이하 문답으로 분별하는데, 이는 곧 물음이다.

86　답이다. 있다는 것은 과거·현재에 이미 생긴 고법지품은 미래의 아직 생기지 않은 단계의 고법인품에 대해, 또 이미 생긴 일체 뛰어난 무루법은 아직 생기지 않은 일체 열등한 무루법에 대해 동류인이 아님을 말하는 것이다.

법인품은, 그 획득 후에 이미 생긴 고법지품에 대해서 동류인이 아니니, 결과가 원인 앞에 있는 일은 반드시 없기 때문이다. 혹은 동류인은 미래세에는 없기 때문이다.[88]

"앞서 생긴 무루법으로서 그 후에 이미 일어난 무루법의 동류인 아닌 것이 혹시 있는가?"[89] 있다. 말하자면 앞서 생긴 뛰어난 무루법은 그 후에 이미 일어난 열등한 무루법에 대해 동류인이 아니니, 예컨대 상과上果에서 물러난 자에게 하과下果가 현전하는 경우와 같다. 또 전에 이미 생긴 고법지의 득得은, 그 후에 이미 생긴 고법인의 득에 대해 동류인이 아니니, 그것은 열등하기 때문이다.[90]

제5절 상응인相應因

이와 같이 동류인의 모습에 대해 분별했는데, 넷째 상응인의 모습은 어떠한가? 게송으로 말하겠다.

....

87 두 번째 질문이다. 한 몸 중의 무루법으로서 이전에 결정적으로 획득된 것이 이후에 이미 생긴 무루법의 동류인 아닌 것이 혹시 있는가?

88 답이다. 있다는 것은, 말하자면 이전에 결정적으로 획득된 미래의 고법인품(=예컨대 미래수未來修로서 획득된 미래의 고법인품 같은 경우 법의 체는 미래에 있다. 미래수에 대해서는 뒤의 제26권 중 게송 23ab와 그 논설 참조)은, 그 후 과거·현재에 이미 생긴 고법지품에 대해 동류인이 아니니, 결과가 원인 앞에 있는 일은 반드시 없기 때문이다. 혹은 미래세에는 동류인이 없기 때문이다.

89 세 번째 질문이다. 이전에 이미 생긴 무루법으로서 그 후에 이미 일어난 무루법의 동류인 아닌 것이 혹시 있는가?

90 답이다. 있다는 것은, 말하자면 앞서 생긴 뛰어난 무루법은 그 후에 이미 일어난 열등한 무루법에 대해 동류인이 아니니, 예컨대 위의 무학과 등의 과보에서 물러난 자에게 아래의 불환과 등 과보가 현전하는 경우와 같다. 또 전에 이미 생긴 고법지 위의 득도, 그 후에 이미 생긴 고법인 위의 득에 대해 동류인이 아니니, 그것은 열등하기 때문이다. 앞에서는 이미 생긴 일체 뛰어난 무루법을, 아직 생기지 않은 일체 열등한 무루법에서 바라볼 때 동류인이 아님을 밝혔고, 지금은 이미 생긴 일체 뛰어난 것을, 이미 생긴 일체 열등한 것에서 바라볼 때 동류인이 아님을 밝히는 것이기 때문에 앞과 뒤가 다른 것이다.

상응인은 결정코[相應因決定]

　심·심소로서 의지처를 같이 한다[心心所同依]91

　논하여 말하겠다. 오직 심·심소만이 상응인이다.92

　만약 그렇다면 소연과 행상이 다른 것도 역시 다시 상호간에 상응인이
되어야 하는가?93 그렇지 않다. 소연과 행상이 같은 것이라야 상응한다고
말할 수 있기 때문이다.94 만약 그렇다면 시간을 달리하더라도 소연과 행상
이 같다면 상응인이라고 말해야 하는가?95 그렇지 않다. 반드시 소연·행상
및 시간이 같은 것이라야 상응하기 때문이다.96 만약 그렇다면 예컨대 여러
사람이 초승달 등의 물건을 같이 보는 것처럼, 몸을 달리하더라도 소연·행
상 및 시간이 같다면 상응인이라고 말해야 하는가?97 한 마디로 말하자면
이런 여러 가지 방해와 힐난을 전체적으로 막으려고 '의지처를 같이 한다
[同依]'고 말한 것이다. 말하자면 반드시 의지처를 같이 하는 심·심소법이라
야 비로소 다시 상호간에 상응인이 될 수 있는 것이다. 여기에서 '같이 한
다'라는 말은 의지처가 하나임을 나타낸다. 말하자면 만약 안식이 이 찰나
의 안근을 써서 의지처로 삼았다면, 상응하는 느낌 등도 역시 곧 이 안근을
써서 의지처로 삼는다. 나아가 의식과 그 상응법이 같이 의근에 의지하는
것에 이르기까지도 역시 그러하다고 알아야 할 것이다.98

....
91 이하는 넷째 상응인에 대해 밝히는 것이다.
92 이는 총체적으로 체를 나타낸 것이다.
93 묻는 것이다.
94 답이다.
95 힐난이다. 만약 그렇다면 전후 시간을 달리하더라도 소연과 행상이 같다면 상
　응인이라고 이름하는가?
96 해석이다. 반드시 세 가지가 같아야 상응한다고 이름한다.
97 힐난이다. 몸을 달리 하는 마음 등에게 세 가지(=소연·행상·시간)가 이미 같
　다면 상응인이라고 이름해야 하는가?
98 해석이다. 비록 다시 소연·행상·시간이 같더라도 또 의지처를 같이 해야 비로
　소 상응인이라고 이름한다. 의지처를 같이 함을 해석한 것은 글처럼 알 수 있
　을 것이다. 5식도 비록 역시 의근에 의지하나, 별도의 의지처에도 의거하지만,
　의식은 다시 별도의 의지처가 없으므로, 비록 총체적 명칭을 표방했더라도 개
　별적 명칭을 받은 것이라고 알아야 한다.

상응인의 체는 곧 구유인인데, 이와 같은 2인은 뜻이 어떻게 차별되는가?[99] 상호간에 결과가 된다는 뜻에 의해 구유인을 세웠으니, 마치 상인들이 서로 의지하며 험난한 길을 함께 가는 것과 같다. 다섯 가지가 평등해서 함께 상응한다는 뜻에 의해 상응인을 세웠으니, 곧 마치 상인들이 식사 등을 같이 수용하고, 일을 같이 하는 것과 같다. 그 중 한 가지만 결여되어도 모두 상응하지 않는 것이니, 이 때문에 상호간에 원인이 된다는 뜻이 잘 성립된다.[100]

제6절 변행인遍行因

이와 같이 상응인의 모습에 대해 설명했는데, 다섯째 변행인의 모습은 어떠한가? 게송으로 말하겠다.

55a 변행인은 말하자면 앞서 생긴 변행의 법이[遍行謂前遍]
　　같은 지의 염오법의 원인이 되는 것이다[爲同地染因][101]

....

99 2인의 차별을 묻는 것이다. 상응인은 좁아서 오직 심·심소뿐이지만, 구유인이라면 넓어서 모든 유위에 통한다. 만약 상응인이라면 결정코 구유인이지만, 구유인으로서 상응인 아닌 것이 있으니, 심·심소를 제외한 그 나머지 유위법이다. 여기에서는 좁은 것으로써 넓은 것에 대해 물었다. 만약 상응인의 체가 곧 구유인이라면 이와 같은 2인은 뜻이 어떻게 차별되는가?

100 상호간에 결과가 된다는 뜻에 의해 구유인을 세웠으니, 마치 멀리 가는 상인들이 서로 의지하며 험난한 길을 함께 가면서 다시 서로 의지하는 것과 같다는 것은 구유인을 비유한 것이다. 소의·소연·행상·시간[時]·체[事]의 다섯 가지가 평등해서 함께 상응한다는 뜻에서 상응인을 세웠으니, 곧 마치 상인들이 서로 의지하며, 같은 시간에 음식·의복 등을 같이 수용하고, 행·주 등의 일을 같이 하는 것과 같다. 앞의 서로 의지하며 험난한 길을 함께 가는 것에서 바라보면 조금 더 직접적이니, 그래서 상응인을 비유했다. '그 중 한 가지만 결여되어도'라고 한 것은, 말하자면 소의·소연·행상·시간·체 중에서 만약 한 가지라도 결여된다면 모두 상응하지 않는다는 것이다. 또 해석하자면 심·심소법 중에서 그 상응하는 바에 따라 한 가지라도 결여가 있으면 모두 상응하지 않는다. 이 때문에 상호간에 원인이 된다는 뜻이 상응인이라는 것이 잘 성립된다.

101 이하 다섯째 변행인에 대해 밝힌다.

논하여 말하겠다. 변행인이란 앞서 이미 생긴 변행의 여러 법이 그 후 같은 지의 여러 염오법에 대해 두루 작용하는 원인[遍行因]이 되는 것을 말하는 것인데, 변행의 여러 법에 대해서는 수면품 중 변행의 뜻을 밝히는 곳에서 자세히 분별할 것이다.102 이것은 염오법에 대해 공통의 원인이 되기 때문에 동류인 밖에 다시 따로 건립한 것이다. 또한 다른 부의 염오법의 원인으로도 되기 때문이니, 이것의 세력으로 말미암아 다른 부의 번뇌 및 그 권속도 역시 생장하기 때문이다.103

【성자의 몸 중의 염오법과 변행인】 성자의 몸 중의 여러 염오법이 어찌 역시 이것을 써서 변행인으로 하겠는가?104 가습미라국의 비바사 논사들은 말하였다. "일체 염오법은 견소단법을 원인으로 한다.105 그래서 『품류족론

....

102 변행인이란 말하자면 앞서 과거·현재에 이미 생긴 변행의 여러 법이니, 곧 이것은 열한 가지 변행수면(=견고소단의 5견·의심·무명 일곱 가지와 견집소단의 사견·견취·의심·무명 네 가지를 가리킴은 뒤의 제19권 중 게송 ⑫·⑬과 그 논설 참조) 및 그 상응법·구유법이 그 후의 같은 지의 여러 염오법에 대해 두루 작용하는 원인이 되는 것을 말하는 것이다. 득은 변행인이 아니니, 전이기도 하고 뒤이기도 하면서 그 성품이 소원하기 때문이고, 결과를 하나로 하는 것이 아니기 때문이다. '변행의 여러 법'에 대해서는 수면품 중 변행의 뜻을 밝히는 곳(=위 제19권)에서 자세히 분별할 것이므로, 변행의 여러 법은 아래에서 해석하는 것과 같다고 가리켰다.

103 이는 동류인을 떠난 밖에 따로 변행인을 세운 것에 대해 밝히는 것이다. 동류인이라면 염오법에 대해 공통의 원인이 되는 것이 아니지만, 이 변행인은 염오법에 대해 공통의 원인이 되기 때문에 동류인 밖에 다시 따로 건립한 것이다. 이는 공통[通]·국한[局]에 의거해 밝힌 것이다. 만약 동류인이라면 자부에 대해서만 원인이 되지만, 이 변행인은 단지 자부의 염오법에 대해서만 원인이 되는 것이 아니라, 다른 부의 염오법에 대해서도 또한 원인이 되기 때문에 동류인 밖에 따로 변행인을 세운 것이다. 이는 자부·타부에 의거해 말한 것이다. 이런 변행인의 세력으로 말미암아 다른 부의 번뇌 및 그 상응법·구유법 등도 역시 생장하기 때문이다. 그래서 『순정리론』(=제16권. 대29-426상)에서 말하였다. "오로지 자부(의 염오법)만을 낳는다면 2인이 어떻게 차별되는가? 오직 자부만을 낳는 변행인은 없다. 말하자면 변행의 법이 바로 현전할 때에는 동시에 힘이 있어 5부의 결과를 취한다."

104 물음이다. 유학의 성자의 몸 중 수소단의 염오법이 어찌 이것(=이미 끊어진 열한 가지 견소단의 변행수면 등)을 또한 써서 변행인으로 하겠는가?

105 이하 답이다. 첫째 종지를 표방하고, 둘째 증거를 인용하는데, 이는 곧 종지를 표방하는 것이다.

』에서 이렇게 말하였다. '어떤 것이 견소단을 원인으로 하는 법인가? 모든 염오법 및 견소단법에 의해 감득된 이숙을 말한다.'106 '어떤 것이 무기를 원인으로 하는 법인가? 모든 무기의 유위법 및 불선법을 말한다.'107 '혹 어떤 고제는 유신견을 원인으로 하면서 유신견에 대해 원인이 되는 것이 아니니, ···· 미래의 유신견 및 그 상응법의 생·노·주·무상을 제외한 그 나머지 모든 염오의 고제이다.'"108

만약 그렇다면 『시설족론』에서의 설명을 어떻게 회통하겠는가? 예컨대 그 논서에서, "불선으로서 오직 불선만을 원인으로 하는 법이 혹시 있는가? 있다. 성자가 이욕離欲에서 물러나서 최초로 일으킨 염오의 생각[思]을 말한다"라고 말한 것과 같다.109 아직 끊어지지 않은 원인에 의해 은밀하게 이렇게 말한 것이니, 견소단법은 비록 이것의 원인이기는 해도 이미 끊어

....

106 이하 증거를 인용하는 것이다. 모두 『품류족론』의 3곳의 글을 인용해 증거로 삼는데, 이는 곧 처음 글(=제6권. 대26-716하)이다. 그 논서에서 이미, "어떤 것이 견소단을 원인으로 하는 법인가? 모든 염오법 및 견소단법에 의해 감득된 이숙을 말한다"라고 말하였다. 성자 자신의 몸 중의 수소단의 염오법은 이미 염오법에 포함되니, 견소단법이 공통으로 일체 염오법에 대해 원인이 된다는 것을 알 수 있다. '및 견소단법에 의해 감득된 이숙과'도 역시 견소단을 원인으로 하는 것인데, 이는 곧 글을 같이 하기 때문에 온 것이다.

107 두 번째 글(=제7권. 대26-719중)의 증거이다. 일체 무기의 유위법 및 불선은 무기를 원인으로 한다. 성자의 몸 중의 수소단의 염오법이, 만약 상계의 것이라면 무기의 유위에 포함되고, 상계의 무기를 원인으로 하며, 만약 욕계의 것이라면 불선에 포함되고, 견소단의 유부무기인 유신견·변집견 2견을 원인으로 한다. 따라서 견소단법이 공통으로 일체 염오법에 대해 원인이 된다는 것을 알 수 있다.

108 세 번째 글(=앞의 구유인에 대한 설명에서도 인용된 『품류족론』 제13권. 대26-745상의 글)을 인용해 증명하는 것이다. '그 나머지 모든 염오의 고제' 는 유신견을 원인으로 하는데, 성자의 몸 중의 수소단의 염오법은 그 나머지 모든 염오의 고제에 포함되므로, 견소단법이 공통으로 일체 염오법에 대해 원인이 된다는 것을 분명히 알 수 있다. 이로써 변행인이 공통으로 일체 염오법을 낳는다고 알아야 한다.

109 힐난이다. 그 글에서 이미, "성자가 처음 물러나서 일으킨 염오의 생각은 오직 불선만을 원인으로 한다"라고 말했으니, 성자의 수소단의 염오법은 견소단을 원인으로 하는 것이 아님을 분명히 알 수 있다. 만약 견소단을 원인으로 한다면, 오직 불선만을 원인으로 한다고 말하지 않았어야 할 것이다. 유신견·변집견의 2견은 무기이기 때문이다.

진 것이기 때문에 그만 두고 말하지 않은 것이다.110

제7절 이숙인異熟因

이와 같이 변행인의 모습에 대해 설명했는데, 여섯째 이숙인의 모습은 어떠한가? 게송으로 말하겠다.

55c 이숙인은 불선 및[異熟因不善]
　선인데, 오직 유루이다[及善唯有漏]111

1. 총설

논하여 말하겠다. 오직 모든 불선 및 선의 유루법만이 이숙인이니, 이숙의 법[異熟法]이기 때문이다.112

어째서 무기는 이숙을 초래하지 않는가?113 힘이 열등하기 때문이니, 마치 부패한 종자와 같다.114 어째서 무루는 이숙과를 초래하지 않는가?115 갈애로 윤택함[愛潤]이 없기 때문이니, 마치 견실한 종자에 물로 윤택함이 없는 것과 같다. 또 지地에 매인 것이 아닌데, 어떻게 지에 매인 이숙과를 초래할 수 있겠는가?116 그 나머지 법은 두 가지를 갖추니, 이 때문에 초래

---

110 회통의 근거에 두 가지가 있는데, 첫째는 아직 끊어지지 않은 원인이고, 둘째는 이미 끊어진 원인이다. 그 논서에서는 수소단의 아직 끊어지지 않은 원인에 의해 은밀히 이런 말을 한 것이지, 이치를 다한 말이 아니다. 견소단법은 비록 역시 이런 염오법의 원인이기는 해도 이미 끊어진 것이기 때문에 그만 두고 말하지 않은 것이다.
111 이하 여섯째로 이숙인에 대해 밝힌다.
112 장항에 나아가면 첫째 게송을 해석하고, 둘째 결택하는데, 이는 곧 게송을 해석하는 것이다. 이숙의 법이라고 함에서 법이라는 말은 지닌다[持]는 것이니, 곧 원인을 가리키는 것이다. 이 원인이 능히 이숙과를 지니기 때문에 이숙의 법이라고 이름하였다. 이는 의주석이다. 만약 이숙이 곧 법이라고 말한다면 지업석이다. 나머지 글은 알 수 있을 것이다.
113 이하에서 결택하는데, 이는 묻는 것이다.
114 답이다.
115 묻는 것이다.

할 수 있는 것이 마치 견실한 종자가 물에 의해 윤택되는 것과 같다.117

이숙인의 뜻을 어떻게 알아야 하는가? 이숙의 원인이라고 해서 이숙인이라고 이름한 것인가, 이숙이 곧 원인이라고 해서 이숙인이라고 이름한 것인가?118 뜻이 양쪽 해석을 겸한다. 여기에 무슨 허물이 있겠는가?119 만약 이숙의 원인이어서 이숙인이라고 이름한 것이라면, 성스러운 가르침에서 이숙생의 눈이라고 말하지 않았을 것이고, 만약 이숙이 곧 원인이어서 이숙인이라고 이름한 것이라면, 성스러운 가르침에서 업의 이숙이라고 말하지 않았을 것이다.120 양쪽 해석이 모두 통하니, 이미 앞에서 분별한 것과 같다.121

【이숙의 뜻】 이숙이라고 말하는 그 뜻은 어떤 것인가?122 비바사 논사들은 이렇게 해석하였다. "다른 부류로 성숙한다[異類而熟]는 것이 이숙의 뜻이다." 말하자면 이숙인은 오직 다른 부류로만 성숙하고, 구유인 등은 오직 같은 부류로만 성숙하며, 능작인 한 가지는 같고 다른 부류로 성숙하는 것을 겸한다. 따라서 오직 이 한 가지만을 이숙인이라고 이름했다는 것이다.123

....

116 답인데, 알 수 있을 것이다.

117 그 나머지 불선과 선의 유루법은 첫째 체가 견실하고, 둘째 갈애에 의해 윤택된다.

118 이하 이숙이라는 명칭을 해석하는데, 묻는다. 이숙의 원인이라고 하는 의주석에 의거한 것인가, 이숙이 곧 원인이라고 하는 지업석에 의거한 것인가?

119 답이다.

120 힐난이다. 만약 이숙의 원인이라는 의주석에 의거한 것이라면 성스러운 가르침에서 이숙생의 눈이라고 말하지 않았을 것이니, 이는 곧 원인을 이숙이라고 이름한 것이기 때문이다. 만약 이숙이 곧 원인이라는 지업석에 의거한 것이라면 성스러운 가르침에서 업의 이숙이라고 말하지 않았을 것이니, 이는 곧 결과를 이숙이라고 이름한 것이기 때문이다.

121 양쪽 해석이 모두 통하는 것이라고 해석한다. 이미 앞의 계품 중 18계를 다섯 가지 부류로 분별한 곳에서 분별한 것과 같다. 그대는 지업으로 의주석을 힐난하고, 의주로써 지업석을 힐난해서는 안 된다. 그래서 『순정리론』 제16권(＝대29-429중)에서 말하였다. "그런데 이숙인은 혹은 지업석이기도 하니, 그래서 계경에서 이숙생의 눈이라고 말하였다. 혹은 의주석이기도 하니, 그래서 계경에서 업의 이숙이라고 말하였다."

122 따로 이숙의 뜻을 묻는 것이다.

123 답이다. 비바사 논사들은, 원인은 선이나 악이고, 결과는 무기여서, 다른 부류로 성숙한다는 것이 이숙의 뜻이라고 한다. 말하자면 이숙인은 오직 다른

성숙의 결과는 나머지 원인으로 얻는 것이지 않아야 하는데[不應餘因所得], 그 결과가 두 가지 뜻을 갖출 때 비로소 성숙[熟]이라는 명칭을 얻는다. 첫째는 상속의 전변 차별에 의해 그 체가 생길 수 있는 것, 둘째는 원인의 세력이 뛰어나고 열등함에 따라 시간적으로 분한分限이 있는 것이다. 저 구유인·상응인 2인에서 생기는 결과의 체는 반드시 상속 전변의 차별에 의해야 비로소 생길 수 있는 것이 아니니, 취과取果할 때 곧 여과與果하기 때문이다. 또 능작인·동류인·변행인 3인의 결과는 또한 원인의 세력이 뛰어나고 열등함에 따라 시간적으로 분한이 있는 것이 아니니, 선·악 등은 생사를 끝까지 다할 동안 결과가 자주자주 생기고, 시간적으로 분한이 없기 때문이다. 이 때문에 변이하여 성숙한다[變異而熟]는 것이 이숙의 뜻이라고 이렇게 해석해야 할 뿐, 다르다는 것[異]만으로 나머지 원인과 구별해서는 안될 것이다.124

2. 3계의 이숙인의 종류

....

부류로만 성숙하고, 구유인·상응인·동류인·변행인은 오직 같은 부류로만 성숙하며, 능작인 한 가지는 같고 다른 부류로 성숙하는 것을 겸하기 때문에 이 한 가지만을 이숙인이라고 이름했다는 것이다.

124 논주가 경량부의 종지를 서술하는 것이다. 성숙의 결과는 나머지 5인으로 얻는 것이지 않아야 하는데, 그 결과가 두 가지 뜻을 갖추어야 비로소 성숙이라는 명칭을 얻는다. 첫째는 업을 지음에 의해 곧 결과를 감득하는 것이 아니라, 반드시 상속을 기다려 장차 결과를 감득하려고 하는 것을 전변이라고 이름하고, 결과를 바로 감득할 때를 차별이라고 이름하는데, 이에 의해 결과의 체가 비로소 생길 수 있는 것이다. 둘째는 이숙과는 원인의 세력이 뛰어나고 열등함에 따라 시간적으로 분한이 있어서, 혹은 10년이나 혹은 100년을 경과하기도 하는 등이다. 구유인·상응인에서 생기는 결과의 체는 비록 후자의 뜻이 있어도 전자의 뜻이 결여되고, 능작인·동류인·변행인 3인에서 생기는 결과의 체는 비록 전자의 뜻이 있어도 후자의 뜻이 결여된다. 이 때문에 단지, 원인의 변이(=변하여 달라짐)에 의해 결과가 비로소 성숙한다[由因變異而果方熟]는 것이 이숙의 뜻이다 라고 이렇게 해석해야 할 뿐이다. 그대 비바사 논사들은 다르다는 것만으로 나머지 원인과 구별해서는 안 될 것이니, 뜻을 포함하는 것이 다하지 못한 것이다. 만약 변이한다고 말한다면 뜻을 포함하는 것이 두루 다할 것이다. 논주는 이숙과가 나머지 5인으로 얻는 것이 아니라고 해서, 단지 다르다는 것만으로는 뜻을 포함하는 것이 두루 다하지 못한다고 비판한 것이다. # 본문 중 구유인·상응인의 취과와 여과가 동시임은 뒤의 게송 60ab와 그 논설 참조.

욕계 중에서, 어떤 때에는 1온이 이숙인이 되어 함께 하나의 결과를 감득하니, 유기有記의 득得 및 그것의 생生 등을 말하는 것이다.125 어떤 때에는 2온이 이숙인이 되어 함께 하나의 결과를 감득하니, 선·불선의 신업·어업 및 그것의 생 등을 말하는 것이다.126 어떤 때에는 4온이 이숙인이 되어 함께 하나의 결과를 감득하니, 선·불선의 심·심소법 및 그것의 생 등을 말하는 것이다.127

색계 중에서, 어떤 때에는 1온이 이숙인이 되어 함께 하나의 결과를 감득하니, 유기의 득과 무상정[無想等至] 및 그것의 생 등을 말하는 것이다. 어떤 때에는 2온이 이숙인이 되어 함께 하나의 결과를 감득하니, 초정려의 선의 유표업有表業 및 그것의 생 등을 말하는 것이다. 어떤 때에는 4온이 이숙인이 되어 함께 하나의 결과를 감득하니, 등인等引 아닌 선의 심·심소법 및 그것의 생 등을 말하는 것이다. 어떤 때에는 5온이 이숙인이 되어 함께 하나의 결과를 감득하니, 등인等引의 심·심소법과 아울러 따라 일어나는 색[수전색隨轉色] 및 그것의 생 등을 말하는 것이다.

무색계 중에서, 어떤 때에는 1온이 이숙인이 되어 함께 하나의 결과를 감득하니, 유기의 득과 멸진정 및 그것의 생 등을 말하는 것이다. 어떤 때에는 4온이 이숙인이 되어 함께 하나의 결과를 감득하니, 일체 선의 심·심소법 및 그것의 생 등을 말하는 것이다.128

....
125 이하는 3계의 많고 적은 5온을 동시에 바라볼 때 구유인이 되는 것에 의거해서, 이숙인이 하나의 결과를 같이 감득하는 것을 나타내는 것이다. 욕계 중에서 어떤 때에는 1온이 이숙인이 되어 함께 하나의 결과를 감득한다. 행온 중 유기(=선·불선)의 득 및 그 득 위의 4상을 말하는 것이다.
126 신업·어업은 색온이고, 4상은 행온이다.
127 이 글은 알 수 있을 것이다.
128 이상은 색계·무색계에 의거해 분별하는 것인데, 생각하면 알 수 있을 것이다. (문) 여기에서 '등지等至'와 '등인等引'을 말했는데, 다른 글에서는 다시 '등지等持'도 말하였다. 이런 세 가지에는 어떤 차별이 있는가? (해) 범어로 삼마지三摩地samādhi라고 이름한 것을 여기에서는 등지等持라고 하는데, 선정과 산심에 통하고, 3성에 통하며, 오직 유심이다. 평등하게 마음을 지녀서[平等持心] 경계로 향하게 하기 때문에 등지라고 이름하였다. 범어로 삼마발저三摩鉢底 samāpatti라고 이름한 것을 여기에서는 등지等至라고 말하는데, 유심과 무심에 통하는 선정으로, 오직 선정에만 있을 뿐, 산심에는 통하지 않는다. 유심의 선

3. 처·세·순간에 의거한 이숙인과 결과

(1) 처에 의거한 이숙인과 결과

어떤 업은 일처一處의 이숙만을 감득하니, 법처 즉 명근 등을 감득하는 것을 말한다.129

....

정을 등지라고 이름한 것은, 말하자면 선정 전의 마음이 혼침·도거를 떠나 평등하게 이 선정에 이르렀음에 의한 것이니, 이는 가행에 따라 이름을 세운 것이다. 또 해석하자면 곧 선정이 혼침·도거를 떠난 것을 '등'이라고 이름하고, 능히 평등한 신심身心에 이른 것을 '지'라고 이름한 것이다. 무심의 선정을 등지라고 이름한 것에 대해서도 다시 두 가지 해석을 하는데, 유심의 선정에 준하니, 알 수 있을 것이다. 오직 무심이라는 것만 다르다. 범어로 삼마희다三摩呬多samāhita라고 이름한 것을 여기에서는 등인等引이라고 말하는데, 유심과 무심의 선정에 통하지만, 대부분 유심의 선정 중에서 말하고, 산심에는 통하지 않는다. 유심의 선정을 등인이라고 이름한 것은 말하자면 선정 전의 마음이 혼침·도거를 떠난 것을 '등'이라고 이름하고, 능히 이 선정을 견인해 일으키는 것을 '인'이라고 이름한 것이니, 이는 가행에 따라 이름을 세운 것이다. 또 해석하자면 곧 선정이 혼침·도거를 떠난 것을 '등'이라고 이름하고, 능히 평등한 신심을 견인해 일으키는 것을 '인'이라고 이름한 것이다. 무심의 선정을 등인이라고 이름한 것에 대해서도 다시 두 가지 해석을 하는데, 유심의 준해서 해석하므로 알 수 있을 것이다. 오직 무심이라는 것만 다르다. # 결국 등지等至와 등인等引은 거의 같은 개념인데, 등지等至는 산심에도 통하는 등지等持와 대비되는 개념인 반면, 등인은 그런 등지等至에 들어 안주 중인 상태라는 뉘앙스가 느껴지는 개념이다. 본문 중 욕계에 5온이 없는 것은 수심전隨心轉의 색(=정려율의·무루율의)이 없기 때문이고, 색계 중 2온이 초정려에 한정된 것은 제2정려 이상에서는 심구·사찰이 없어 표업이 없기 때문이며, 4온이 등인 아닌 것에 한정된 것은 산심 중에는 수심전의 원인이 없기 때문이다.

129 이하 감득하는 처의 다소에 의거해 업의 차별을 나타내는 것이다. 12처 중 성처를 제외하니, 이숙이 아니기 때문이다. 11처 중에서는 만약 결정코 같은 성품의 업이 감득할 것, 체가 반드시 함께 있을 것, 이런 두 가지 뜻이 갖추어지면 이 처를 감득함에 따라 최소한 결정코 1처를 감득하고, 나아가 최대한 결정코 4처에 이르기까지 감득한다.(=소위 결정감決定感) 만약 다른 성품의 업이 감득하는 것과 체가 반드시 함께 하는 것은 아님이 인정된다면, 그 중에 결여되는 것이 있으므로 곧 일정하지 않아서(=소위 부정감不定感) 혹 5처 내지 11처를 감득할 수 있다. 만약 업이 1처의 이숙만을 감득한다면 말하자면 법처 즉 명근 등을 감득한다. '등'은 중동분을 같이 취한다는 것을 말하는 것이다. 그래서『대비바사론』(=제19권. 대27-97하)에서 말하였다. "다시 다음으로 1처의 이숙만을 받는 업이 있다. 말하자면 명근과 중동분을 얻는 업이니, 그 업은 법처의 이숙만을 받는 것이다." 또 해석하자면 생상 등도 또한 같이 취한 것이니, 결정코 같이 감득하기 때문이다. 나머지 10처(=법처·성처 제외)는 일정하지 않다. 만약 무심에 들었다면 곧 의처가 없고, 만약 상계에

만약 의처意處를 감득하는 업이라면 결정코 2처를 감득하니, 의처와 법처를 말한다. 촉처觸處를 감득하는 업도 역시 그러하다고 알아야 한다.130

만약 신처를 감득하는 업이라면 결정코 3처를 감득하니, 신처·촉처·법처를 말한다. 색처, 향처, 미처를 감득하는 업도 역시 그러하다고 알아야 한다.131

....

태어났다면 향처·미처가 결정코 없으며, 만약 무색계에 태어났다면 색처·촉처가 또한 없다. 이 의처·색처·향처·미처·촉처가 있을 때에는 비록 명근 등과 함께 생긴다고 해도 별도의 업으로 감득된 것일 수도 있다. 예컨대 인·천의 명근 등은 선업으로 감득되지만, 이 5처는 불선업으로 초래되는 것일 수도 있는 것과 같다. 안처 등의 5처는, 그 명근 등에서 바라볼 때 어느 취趣에 있는가에 따라, 비록 다시 같은 성품의 업으로 감득되는 것이라고 해도, 안근 등의 4근(=신근의 경우 욕계·색계에서는 얻지 못하거나 상실하는 경우가 없으므로 제외)은 만약 욕계에 있다면 아직 얻지 못했거나 이미 상실함으로써 곧 성취되지 못하기도 하기 때문이고, 만약 무색계에 태어났다면 안근 등의 5근이 모두 성취되지 못하기 때문에, 5색근과 명근·중동분은 태어나는 곳의 근본이어서 같은 성품의 업으로 감득된다고 해도, 이 때문에 일정하지 않은 것이다. 따라서 이 10처는 결정코 같이 감득되는 것이 아니다.

130 만약 의처를 감득하는 것이라면 결정코 2처를 감득하니, 의처와 법처를 말한다. 법처는 의처와 함께 작용하는 심소법 및 생상 등의 법을 말한다. 나머지 9처는 일정하지 않다. 안근 등의 4근은 욕계에 태어나 아직 얻지 못했거나 이미 상실했다면 곧 성취하지 못하기 때문이다. 만약 색계에 태어났다면 곧 향처·미처가 없으며, 만약 무색계에 태어났다면 나머지 9처가 모두 없다. 이 9처는 어떤 때에는 비록 의처와 함께 하더라도, 별도의 업으로 감득된 것일 수도 있기 때문에 의처를 감득하는 업이 결정코 그것들을 감득하는 것은 아니다. 만약 촉처를 감득하는 것이라면 결정코 촉처와 법처를 감득한다. 법처는 생상 등을 말한다. 나머지 9처는 일정하지 않다. 안근 등의 4근은 만약 욕계에 태어나 아직 얻지 못했거나 이미 상실했다면 곧 성취하지 못하기 때문이다. 의처는 만약 무심에 들었다면 곧 있는 것이 아니기 때문이다. 향처·미처는 상계에는 곧 없다. 이 9처는 어떤 때에는 비록 촉처와 함께 하더라도, 별도의 업으로 감득된 것일 수도 있기 때문이며, 비록 촉처를 감득할 때 결정코 신처·색처와 함께 하더라도 별도의 업으로 감득된 것일 수도 있기 때문에, 촉처를 감득하는 업이 결정코 그 9처를 감득할 수 있는 것은 아닌 것이다.

131 신처를 감득하는 업이라면 결정코 3처를 감득하니, 신처·촉처·법처를 말한다. 촉처는 능조能造의 4대종을 말하고, 법처는 생상 등을 말한다. 나머지 8처는 일정하지 않다. 안처 등의 4처는 그 신처에서 바라보면 비록 동일한 업으로 감득된다고 해도, 만약 욕계에 태어나 아직 얻지 못했거나 이미 상실했다면 곧 성취하지 못하고, 의처는 만약 무심에 들었다면 곧 없다. 이 의처는 신처와 함께 할 때가 있기는 해도 별도의 업으로 감득될 수도 있다. 향처·미처는 상계에는 곧 없으며, 욕계에 있으면서 신처를 감득하고 비록 향처·미처와

만약 안처를 감득하는 업이라면 결정코 4처를 감득하니, 안처 및 신처·촉처·법처를 감득하는 것을 말한다. 이처, 비처, 설처를 감득하는 업도 역시 그러하다고 알아야 한다.[132]

어떤 업은 혹은 5처를, 혹은 6처를, 혹은 7처를, 혹은 8처를, 혹은 9처를, 혹은 10처를, 혹은 11처를 감득할 수 있다. 업은 결과가 적기도 하고 결과가 많기도 하기 때문이니, 마치 외부의 종자의 결과가 적기도 하고 많기도 한 것과 같다. 종자의 결과가 적은 것은 곡식·보리 등과 같고, 종자의 결과가 많은 것은 연蓮·석류石榴·낙구다諾瞿陀 등과 같다.[133]

....

함께 하더라도 별도의 업으로 감득되었을 수도 있다. 능히 신처를 감득해서, 비록 결정코 색처와 함께 하더라도 (색처는) 별도의 업으로 감득된 것일 수도 있다. 따라서 신처를 감득한다고 해서 결정코 그 8처를 감득하는 것은 아니다. 색처, 향처, 미처를 감득하는 업도 역시 그러하다(=각각 촉처·법처의 2처와 함께 3처를 감득한다)고 알아야 한다.

132 안처를 감득하는 업이라면 결정코 안처·신처·촉처·법처를 감득한다는 것은 앞에서 해석한 것과 같다. 나머지 7처는 일정하지 않다. 이처·비처·설처의 3처는 비록 같은 업으로 감득된다고 해도, 만약 욕계에 태어나서 아직 얻지 못했거나 이미 상실했다면 곧 성취하지 못하기 때문이다. 향처·미처는 상계에는 곧 없으며, 의처는 만약 무심에 들었다면 곧 없다. 이 향처·미처·의처는 비록 안처와 함께 생길 때가 있다고 해도 별도의 업으로 감득되었을 수 있다. 색처는 비록 결정코 안처와 함께 한다고 해도 별도의 업으로 감득되었을 수 있다. 따라서 안처를 감득하는 업이라면 결정코 4처를 감득하지만, 나머지 7처는 일정하지 않다. 이처·비처·설처의 3처도 안처에 준해서 해석해야 할 것이다.

133 5처 내지 11처를 감득하는 것은 그 상응하는 바에 따라 업의 세력에 맡겨져서 감득하는 결과의 많고 적음이 일정하지 않다. 왜냐하면 업은 결과가 적기도 하고, 결과가 많기도 하기 때문이니, 마치 외부의 종자의 결과가 적기도 하고 많기도 한 것과 같다. 종자가 낳는 결과가 적은 것은, 마치 한 번 뿌려서 1년 만에 거두는 곡식·보리 등과 같으니, 또 뿌리·줄기 등도 적으며, 또 하나의 방에 자식이 하나뿐이라면 종자의 결과가 적다고 이름한다. 종자가 낳는 결과가 많은 것은, 마치 한 번 뿌리면 여러 해 동안 거두는 연·석류·낙구다(=니그로다) 나무 등과 같으니, 또 뿌리·줄기 등도 많으며, 또 하나의 방에 많은 자식이 있다면 종자의 결과가 많다고 이름한다. 또 해석하자면 11처에서 전전하여 서로 바라볼 때 직접적이고 강하고 뛰어난 것이라면 이 처를 감득함에 따라 나머지도 결정코 감득하기 때문에 결정코 1처를 감득함에서 나아가 결정코 4처에 이르기까지 감득하지만, 만약 전전하여 서로 바라볼 때 직접적이며 강한 것이 아니라면 비록 함께 할 때가 있다고 해도 결정코 감득하는 것이 아니다.

(2) 세世 등에 의거한 이숙인과 결과

일세一世의 업이 삼세에 이숙되는 일은 있어도, 삼세의 업이 일세에 이숙되는 일은 없으니, 힘써 노력하고도 결과가 원인보다 감소해서는 안 되기 때문이다. 한 순간[一念]의 업이 여러 순간에 이숙되는 일은 있어도, 여러 순간의 업이 한 순간에 이숙되는 일은 없으니, 그 까닭은 위와 같다고 알아야 할 것이다.134

그렇지만 이숙과는 업과 함께 하는 일이 없으니, 업을 지을 때 곧 결과를 받는 것이 아니기 때문이다. 또한 틈이 없는 것[無間]도 아니니, 다음 찰나는 등무간연의 힘으로 견인된 것이기 때문이다. 또 이숙인이 다른 부류의 결과를 감득하는 것은 반드시 상속을 기다려야 비로소 성취할 수 있기 때문이다.135

....

134 이는 곧 세世와 순간[念]에 의거해, 결과는 많고 원인은 적다[果多因少]는 것을 밝히는 것이다. '일세一世의 업이 3세에 이숙되는 일은 있다'는 것은, 예컨대 현재의 한 순간에 현수업現受業 지은 것을 '일세의 업'이라고 이름하는데, 업으로 감득된 결과가 이미 낙사했다면 과거의 이숙이라고 이름하고, 이어져서 현전한다면 현재의 이숙이라고 이름하며, 아직 일어나지 않았다면 미래의 이숙이라고 이름한다. 그러나 삼세의 업이 함께 일세의 이숙을 감득하는 일은 없다. 힘써 노력하고도 결과가 원인보다 감소해서는 안 되기 때문이다. 한 순간에 지은 업이 여러 순간의 이숙과를 감득하는 일은 있어도, 여러 순간에 지은 업이 한 순간의 이숙과를 감득하는 일은 없다. 힘써 노력하고도 결과가 원인보다 감소해서는 안 되기 때문이다. 전자는 세에 의거해 나타낸 것이고, 후자는 순간에 의거해 밝힌 것인데, 큰 뜻은 비록 같지만, 문을 차별해서 설명한 것이다.

135 결과가 원인과 함께하는 것[俱]도 틈이 없는 것[無間]도 아니고, 반드시 상속을 원인으로 한다는 것을 나타내는 것이다. 그런데 이숙과는 업과 함께 하는 일이 없으니, 이 순간에 지을 때 곧 이 순간에 결과를 받는 것이 아니기 때문이다. 단지 원인과 함께 하지 않을 뿐만 아니라, 또한 틈 없이 생기는 것도 아니다. 다음 순간 생상에 있는 법은 현재의 등무간연의 힘으로 견인된 것이기 때문에 이숙인의 힘(에 의한 것)이 아니다. 또 해석하자면 또한 틈이 없는 것도 아니니, 제1찰나에 업을 짓고 나면 제2찰나는 등무간연의 힘으로 견인되는 것이기 때문에 제3찰나에 그 결과가 비로소 일어난다는 것이다. 이 글은 우선 심·심소소에 의거해 말한 것이지만, 이치상 실제로 색 등도 역시 틈 없는 것이 아니다. 또 이숙인이 이숙과를 감득하는 것은 반드시 상속을 기다려야 비로소 결과를 성취할 수 있기 때문에 함께 하는 것도, 틈이 없는 것도 아니니다.

제8절 6인과 3세의 관계

이와 같은 6인은 결정코 어떤 세世에 있는가? 6인이 세에 있는 결정적인 뜻은 이미 설명되었지만, 아직 게송에 포함되지 않았기 때문에 거듭 분별해야 할 것이다. 게송으로 말하겠다.

56a 변행인과 동류인은 2세에 있고[遍行與同類]
　3세에 있는 것은 세 가지이다[二世三世三]

논하여 말하겠다. 변행인과 동류인은 오직 과거세와 현재세에만 있고, 미래세에는 없다. 그 이치는 앞에서 말한 것과 같다. 상응·구유·이숙의 3인은 3세 중에 모두 다 두루 있다. 게송에서 능작인이 있는 세에 대해 말하지 않았지만, 뜻에 준해서 3세와 세 아님[非世]에 통한다고 알아야 할 것이다.136

제9절 5과 총론

6인의 체상, 차별, 3세 결정에 대해 설명했는데, 어떤 것을 결과로 삼아 그에 대해 원인을 이루는 것인가?137 게송으로 말하겠다.

....

136 이는 곧 셋째(=6인의 체를 밝히는 글 중의) 세에 의거해 분별하는 것이다. 게송에서 능작인이 있는 세에 대해 말하지 않았지만, 뜻에 준해서 3세와 세 아님에 통한다고 알아야 한다. 『순정리론』(=제16권. 대29-428중)에서, "그 결정적인 시간의 분한을 말할 수 없기 때문이다"라고 말했으므로, 게송에서 말하지 않은 것이다.
137 이하는 큰 글(=6인을 밝히는 글)의 둘째 원인으로 얻는 결과를 밝히는 것이다. 그 안에 나아가면 첫째 전체적으로 결과의 체를 표방하고, 둘째 원인을 상대해 결과를 짝지으며, 셋째 개별적으로 결과의 모습을 나타내고, 넷째 원인의 취과·여의의 시기를 밝힌다. 이하는 첫째 전체적으로 결과의 체를 표방하는 것이다. 이미 '6인의 체상, 차별, 3세에 의거한 결정에 대해 설명했는데, 어떤 것을 결과로 삼아 그에 대한 원인을 이루는 것인가?'라고 앞을 맺으면서 물음을 일으켰다.

56c 결과는 유위와 이계인데[果有爲離繫]

무위는 원인과 결과가 없다[無爲無因果]138

1. 게송의 해석

논하여 말하겠다. 근본논서에서, "결과의 법[果法]은 어떤 것인가? 모든 유위 및 택멸을 말한다"라고 말한 것과 같다.139

만약 그렇다면 무위가 결과임을 인정하기 때문에 곧 원인을 가져야 할 것이니, 반드시 그 원인을 상대해야 이것이 결과가 된다고 말할 수 있기 때문이다. 또 이 무위가 원인임을 인정하기 때문에 또한 결과를 가져야 할 것이니, 반드시 그 결과를 상대해야 이것이 원인이 된다고 말할 수 있기 때문이다.140 오직 유위법만이 원인을 갖고 결과를 갖지, 모든 무위는 아니다.

....

138 윗 구는 체를 나타낸 것이고, 아랫 구는 의심을 푼 것이다. 결과에는 2종류가 있다. 첫째는 유위의 결과이니, 이숙과·등류과·사용과·증상과를 말하고, 둘째는 무위의 결과이니, 곧 이계과를 말한다. 결과에는 두 가지 뜻이 있다. 첫째는 견인된 것[所引]이니, 곧 유위의 결과는 그 6인에 의해 견인되어 생긴 것[所引生]이기 때문이고, 둘째는 증득된 것[所證]이니, 곧 이계과는 도에 의해 증득된 것이다. 도는 증득의 원인이지, 낳는 원인이 아니기 때문에 6인에 포함되지 않는 것이다. 나머지 2무위(=비택멸·허공)는 세에 작용하지 않기 때문에[不行世故] 견인된 결과가 아니고, 무기의 성품이기 때문에 증득된 결과가 아니다. 무위가 결과라면 원인으로부터 생겨야 할 것이고, 무위가 원인이라면 능히 결과를 낳아야 할 것이라고 의심할 것을 염려했기 때문에 지금 해석해 말한다. 무위는 결과이기는 해도, 증득되는 것이기 때문에 결과라고 이름한 것이지, 6인이 낳는 것이 아니니, 세에 작용하지 않기 때문이다. 무위는 원인이기는 해도, 장애하지 않기 때문에 원인이라고 이름한 것이지, 5과를 얻지 않는다. 증득할 수 있기 때문에 무위의 결과를 얻지 않는 것은 아니지만, 취과·여과가 없기 때문에 유위의 결과를 얻지는 않는다. 이 때문에 무위는 원인이 없으며, 결과가 없다고 말한 것이다. 예전 번역에서 무위는 원인과 결과가 아니라고 말한 이것은 큰 오류였다.

139 장항에 나아가면 첫째 게송을 해석하고, 둘째 결택한다. 이하 게송을 해석하는데, 근본논서(=『품류족론』제6권. 대26-715상)를 인용해 윗 구를 해석하였다. 이계離繫와 택멸은 하나의 체에 명칭이 둘인 것이니, 계박을 제거해서 드러나는 것[除縛所顯]을 이계라고 이름하고, 도에 의해 얻는 측면을 택멸이라고 이름한다. 그래서 택멸로써 이계를 해석한 것이다.

140 이하에서 제2구를 해석하는데, 양자의 관계를 만들어 따지고 힐책한다. 무위 중에서는 택멸만을 결과(=이계과)라고 이름하고, 3무위는 모두 능작인이

왜냐하면 6인이 없기 때문이며, 5과가 없기 때문이다.141

어째서 여러 무간도無間道가 이계과에 대해 능작인이 되는 것을 인정하지 않는가?142 생기[生]를 장애하지 않음에 대해 능작인을 건립하는데, 무위는 생기가 없으니, 도가 할 일이 무엇이겠는가?143 만약 그렇다면 무엇의 결과이며, 결과라는 뜻은 어떤 것인가?144 말하자면 이것은 도의 결과이니, 도의 힘으로 얻기 때문이다.145

만약 그렇다면 도의 결과는 오직 득得뿐이어야 할 것이니, 도가 득에 대해서는 공능[能]이 있어도 택멸에 대해서는 아니기 때문이다.146 그렇지 않다. 득에 대한 도의 공능과 택멸에 대한 도의 공능에는 차별이 있기 때문이다.147 어떤 것이 득에 대해 도가 갖는 공능인가? 말하자면 능히 낳기[能生] 때문이다.148 어떤 것이 택멸에 대해 도가 갖는 공능인가? 말하자면 능히 증득하기[能證] 때문이다. 이런 이치 때문에 도가 비록 택멸의 원인은 아니지만, 택멸은 도의 결과가 된다고 말할 수 있다.149

....
라고 이름한다. 그래서 『현종론』 제9권(=대29-818하)에서, "그러므로 택멸은 원인(=능작인)이지만, 결과가 없고, 결과(=이계과)이지만, 원인이 없으며, 나머지 2무위는 원인(=능작인)이지만, 결과가 아니니, 원인이 없고, 결과가 없다는 이치는 지극히 잘 성립된다"라고 말하였다. 또 『순정리론』 제18권(=대29-439상)에서도, "능히 한 가지 인(=능작인)을 성품으로 하는 법이 있다는 것은 무위법을 말한다. 법으로서 원인 아닌 것은 없지만, 법으로서 결과 아닌 것은 있으니, 소위 허공 및 비택멸이다"라고 말하였다.
141 답이다. 오직 유위법만이 6인을 갖고 5과를 갖지, 모든 무위는 아니다. 왜냐하면 무위는 체가 항상해서 6인에 의해 생기는 것이 없기 때문이고, 5과를 얻는 것이 없기 때문이다.
142 묻는 것이다. 무간도는 응당 능작인이라고 이름해야 할 것이다.
143 답이다. 무위는 항상한 것이기 때문에 도는 만드는 주체[能作]가 아니다.
144 첫째 무엇의 결과인지 묻고, 둘째 결과의 뜻을 묻는 것이다.
145 답이다. '말하자면 이것은 도의 결과'라는 것은 첫째 물음에 답한 것이고, '도의 힘으로 얻기 때문'이라고 한 것은 둘째 물음에 답한 것이다.
146 묻는 것이다. 만약 그렇다면 도의 결과는 오직 그 택멸 위의 득뿐이어야 할 것이다. 도가 그 득에 대해서는 견인해 낳는 공능이 있어도, 택멸에 대해서는 아니니, 체가 항상하기 때문이다.
147 답이다. 득에 대해서와 택멸에 대해서 도의 공능은 차별되기 때문이다.
148 말하자면 원인이 되어서 낳기 때문이다.
149 도의 힘에 의해 능히 증득하기 때문이다. 이런 이치 때문에 도가 비록 택멸

이미 모든 무위에는 증상과가 없는데, 어떻게 능작인이 된다고 말할 수 있는가?150 모든 무위는 다른 것이 생기는 단계에서 장애가 되지 않기 때문에 능작인으로 건립한 것이다. 그런데도 결과가 없다는 것은, 세를 떠난 법[離世法]으로서 능히 취과取果하거나 여과與果하는 작용이 없기 때문이다.151

2. 결택

경량부 논사들은, "무위는 원인이 아니니, 원인이 무위라고 설한 경이 없기 때문이며, 원인은 오직 유위라고 설한 경이 있기 때문이다"라고 말한다.152 어떤 경에서 설했는가?153 예컨대 어떤 경에서, "모든 인과 모든 연으로서 능히 색을 낳는 것[諸因諸緣 能生識者]은 모두가 무상하다. 무상한 인과 연에서 생긴 모든 색이 어떻게 항상한 것이겠는가? ⋯⋯ 식識도 역시 이와 같다"라고 설한 것과 같다.154

만약 그렇다면 무위는 능연能緣의 식識 등에 대해 소연연所緣緣도 역시 되지 않아야 할 것이다.155 오직 '능히 낳는 것'만을 설했기 때문에 소연연이 될 수 있다. 말하자면 경에서는 '모든 인과 모든 연으로서 능히 식識을 낳는 것은 모두가 무상하다'라고만 설하였지, '식의 연이 되는 것 일체는 모두가 무상하다'라고 설하지 않았기 때문에 그 힐난은 성립될 수 없다.156

....

의 여섯 가지 생인生因은 아니지만, 택멸은 도의 증득을 원인으로 하는 결과가 된다고 말할 수 있다.

150 묻는 것이다.

151 답이다. 생기를 장애하지 않으므로 능작能作이라고 이름할 수 있지만, 취과하거나 여과하는 작용이 없기 때문에 결과가 없다는 것이다. 능작인에는 두 가지가 있다고 알아야 한다. 첫째는 낳는 작용[生用]이 있는 것이니, 과거와 현재의 법을 말한다. 둘째는 낳는 작용이 없는 것이니, 미래의 법 및 모든 무위를 말한다. 장애함이 없기 때문에 능작인이라고 이름할 뿐이다.

152 이하에서 결택하는데, 경량부에서 종지를 표방하는 것이다. 무위는 원인이 아니라고, 전체적으로 가르침을 인용해 증명한다.

153 설일체유부의 물음이다.

154 경량부의 답이다. 능히 색을 낳는 인과 연은 모두가 무상하다고 이미 설했으니(=잡 [1]1:12 인연경), 무위는 원인에 포함되는 것이 아님을 분명히 알 수 있다. '무상한 인과 연에서' 이하는 같은 경의 글이기 때문에 온 것이다.

155 설일체유부의 물음이다. 경에서 모든 연은 모두가 무상하다고 말했는데, 무위는 이미 항상한 것이니, 식 등에게 소연연이 되지 않아야 할 것이다.

156 경량부의 답이다. 말하자면 경에서는, 모든 인과 모든 연으로서 능히 식을

능히 낳는 원인만이 무상한 것이라고 했기 때문에, 무위는 오직 장애하지 않을 뿐이므로 능작인이 되는 것을 부정하지 않았다고 어찌 또한 말하지 못하겠는가?157 계경 중에서 무위법이 소연연이 된다고 설한 것은 있어도, 계경 중에서 무위법이 능작인이 된다고 설한 것은 없기 때문에, 오직 장애하지 않음만을 원인의 성품으로 세워서는 안 될 것이다.158 비록 경에서 설한 것이 없다고 해도 또한 부정한 곳도 없다. 또 한량없는 경들이 지금 숨었거나 사라졌는데, 어떻게 경에서 설한 것이 없다고 결정적으로 판정하겠는가?159

3. 무위법의 가·실 논쟁

만약 그렇다면 어떤 법을 이계離繋라고 이름하는가?160 곧 근본논서 중에서 말한 택멸이다.161 먼저 '무엇을 택멸이라고 말하는가?'라고 물었을 때에는 '이계이다'라고 어찌 답하지 않았던가? 지금 '어떤 법을 이계라고 이름하는가?'라고 물으니, '택멸이다'라고 답했는데, 이와 같은 두 가지 답은 다시 서로 의존하는 것이어서 이것의 자성을 필경 드러낼 수 없다. 따라서 별도의 문을 열고 자성을 드러내어야 할 것이다.162 이 법은 자성이 실제로 있지

....

낳는 것, 이런 모든 인과 연은 모두가 무상하다고 말하였지, 식의 소연인 경계가 되는 것 일체는 모두 무상하다고 말하지 않았기 때문에 그 힐난은 성립될 수 없다. 이 때문에 무위는 식에 대해 소연연이 될 수 있다. 또 해석하자면 일체 식의 4연이 되는 것은 모두가 무상하다고 말하지 않았다는 것이다.
157 설일체유부의 물음이다. 인으로써 연에 비례시키면, 오직 능히 취과·여과하는 생인生因만이 무상한 것이기 때문에, 무위는 비록 생인이 아니지만, 오직 장애하기 않기 때문에 능작인이 되는 것을 경에서 부정하지는 않았다고 어찌 말하지 못하겠는가?
158 경량부의 답인데, 경을 인용해 증명한다. 무위는 연이지, 인이 아니다.
159 설일체유부에서 말한다. 비록 현재 무위가 능작인이 된다고 한 경이 없다고 해도, 부정한 곳도 역시 없다. 또 많은 경이 은몰隱沒되었는데, 어떻게 경에서 말한 것이 없다고 결정적으로 판정하겠는가?
160 경량부의 물음이다. 무위는 이미 능작인이라고 이름할 수 있다고 했는데, 어떤 법을 이계라고 이름하는지 아직 알지 못하겠다.
161 설일체유부의 답이다. # '근본논서'란 앞의 게송 해석에서 인용한『품류족론』제6권의 글(=대26-715상)을 가리킨다.
162 경량부에서 다시 책망한다. 두 가지 명칭으로 서로 답하면 자성을 알기 어렵기 때문에 별도의 문을 열고 자성을 드러내어야 한다.

만, 언어를 떠난 것이어서 성자들만이 각각 따로 내증內證하는 것이다. 다만 방편으로 전체적인 모습을 말할 수 있을 뿐인데, 선이며, 항상한 것으로서, 별도로 실물實物이 있어 택멸이라고 이름하며, 이계라고도 이름한다.163

경량부 논사들은, "일체 무위는 별도의 실물이 있는 물질·느낌 등처럼 모두 실제로 있는 것[實有]이 아니니, 이것들은 없는 것[所無]이기 때문이다"라고 말한다.164 만약 그렇다면 무엇 때문에 허공 등이라고 이름하는가?165 오직 접촉되는 것 없는 것[無所觸]을 말하여 허공이라고 이름한다. 말하자면 어둠 속에서 접촉되어 부딪치는 것이 없으면 곧, '이것은 허공이다'라는 이런 말을 한다. 이미 일어난 수면隨眠과 낳는 종자[生種]가 소멸한 단계에서 간택력簡擇力에 의해 나머지가 더 이상 생기지 않는 것을 말하여 택멸이라고 이름하고, 간택력을 떠나서 인연의 결여 때문에 나머지가 더 이상 생기지 않는 것을 비택멸이라고 이름하니, 마치 중동분을 남기고 중간에 요절한 자의 나머지 온과 같다.166

....

163 설일체유부의 답이다. 상주하는 법은 3세에 떨어지지 않고, 언어에 의존하는 것이 아니다. 그래서 실재한다고 말하지만, 말을 떠난 것이어서, 성자들만이 내증하는 것이다. 다만 전체적으로 선이고, 항상한 것으로서, 별도로 실물이 있는 것이라고 말할 수 있을 뿐이다.

164 경량부의 종지를 서술하는 것이다. 세 가지 무위는 별도로 실물이 있는 색 등 다섯 가지처럼 실제로 있는 것이 아니다. 이 무위는 없는 것이기 때문이다.

165 설일체유부의 물음이다. 이미 실제의 체가 없다면 무엇을 허공 등이라고 이름하는가?

166 경량부의 답이다. 오직 접촉되어 부딪치는 것이 없는 것에 대해 임시로 말하여 허공이라고 이름한다. 말하자면 어둠 속에서 접촉되어 부딪치는 것이 없으면 곧, '이것은 허공이다'라는 이런 말을 하는데, 실제로 말하자면 밝음 속에서도 부딪치는 것이 없으면 역시 허공이지만, 다만 어둠 속에서는 눈에 보이지 않기 때문에 허공의 모습이 드러나기 쉬울 뿐이다. 택멸은 단지 번뇌와 괴로움이 생기지 않는 것을 그 체성으로 할 뿐이다. 말하자면 과거에 이미 일어났던 번뇌가 훈습한 종자가 몸에 있는 것을 '이미 일어난 수면'이라고 이름하고, 곧 이 수면이 후후의 번뇌가 후에 있을 것을 능히 견인하므로 '낳는 종자[生種]'라고 이름하였다. 또 해석하자면 과거의 종자를 '이미 일어난 수면'이라고 이름하고, 현재의 종자를 '낳은 종자[生種]'라고 이름했으니, 말하자면 과거에 이미 일어난 수면이 낳은 현재의 종자인데, 글을 생략해서 '낳은 종자'라고만 말한 것이다. 또 해석하자면 현재 있는 번뇌의 종자를 '이미 일어난 수면'이라고 말하고, 이것이 뒤의 것을 능히 낳을 것을 '낳는 종자[生種]'라고 이름하였다. '소

다른 부파의 논사들은, "지혜의 공능에 의해 수면이 생기지 않는 것을 택멸이라고 이름하고, 수면의 연이 결여되어 후에 괴로움이 생기지 않는 것은 지혜의 공능에 의하지 않으므로 비택멸이라고 이름한다"라고 말하였다.167 그러나 간택력을 떠나서 이런 소멸은 이루어지지 않기 때문에 이것의 불생은 곧 택멸에 포함된다.168

어떤 분은, "모든 법은 생기고 나면 뒤에는 없다. 저절로 소멸하기 때문에 비택멸이라고 이름한다"라고 말하였다.169 이렇게 주장된 비택멸은 체가 무상無常한 것이어야 할 것이니, 아직 소멸하지 않았을 때에는 없기 때

멸한 단계'라고 말한 것은 곧 이 번뇌의 종자가 후의 번뇌 및 그 후에 있을 것을 낳는 공능이 없기 때문에 '소멸한 단계'라고 이름하였다. 또 해석하자면 경량부에서는 3상(=생·주·이)은 현재이고, 멸상은 과거인데, 현재 있는 낳는 종자의 시기는 곧 과거의 멸상에 해당하니, 마치 저울의 양쪽 머리가 오르내리다가 멈춘 것과 같기 때문에 '소멸한 단계'라고 말하였다. 또 해석하자면 이때에 택멸을 증득하기 때문에 '소멸한 단계'라고 말하였다. 종자가 만약 아직 능히 간택하는 힘에 의하지 않으면 능히 후후의 번뇌와 후에 있을 것을 낳지만, 간택력에 의하면 나머지가 더 이상 생기지 않는다. 말하자면 무간도에서도 여전히 종자와 함께 하다가 종자와 함께 소멸하는 것이다. 그런데 무간의 간택력에 의하기 때문에 나머지 그 후 단계의 번뇌의 종자 및 장차 현행할 번뇌와 후에 있을 것으로 하여금 영원히 다시 생기지 않게 하는데, 생기[生]의 영원한 없음을 '멸'이라고 이름하고, '멸'이 간택의 힘에 의한 것을 택멸이라고 이름한다. 만약 간택의 힘을 떠나서 단지 여러 연의 결여로 말미암아 나머지가 후에 더 이상 생기지 않는다면 이것도 '멸'이라고 이름하지만, '멸'이 간택에 의하지 않은 것이기 때문에 비택멸이라고 이름한다. 마치 사람이 100년을 살 수명을 받고 50세에 곧 죽으면, 나머지 50년을 '남긴 중동분'이라고 이름하는데, 중간에 요절한 자의 나머지 5온이 연의 결여로 생기지 않는 것과 같다.
167 상좌부 등의 계탁을 서술해서 2무위를 해석하는 것이다. 수면이 생기지 않는[隨眠不生] 측면에 의거해 택멸이라고 이름하고, 괴로움의 과보가 생기지 않는[苦果不生] 측면에 의거해 비택멸이라고 이름한다.
168 경량부의 논파이다. 그들의 비택멸은, 간택력을 떠나서는 이런 괴로움의 과보의 소멸은 이루어지지 않는다. 간택력에 의해 수면을 생기지 않게 함으로써 수면이 생기지 않으므로 후의 괴로움이 일어나지 않는 것이니, 원인의 소멸과 결과의 소멸이 모두 지혜의 힘에 의한 것이다. 따라서 이런 괴로움의 과보가 생기지 않는 것은 곧 택멸에 포함된다.
169 '어떤 분'은 대중부의 설이다. 모든 법은 현재 생기고 나면 후에는 반드시 결정코 없으니, 저절로 소멸해 과거로 들어간다. 이런 소멸을 비택멸이라고 이름한다는 것이다.

문이다.170 택멸도 간택이 선행했기 때문에 먼저 없다가 뒤에 있으니, 어찌 역시 무상하다고 해야 하지 않겠는가?171 간택이 선행하고 비로소 택멸이 있는 것이 아닌데, 어떻게 택멸이 역시 무상한 것이겠는가? 왜냐하면 먼저 간택이 있고 그 후에 아직 생기지 않는 법이 비로소 있어 생기지 않는 것이 아니기 때문이다.172 무슨 말인가?173 불생不生은 본래 스스로 있었으니, 만약 간택이 없다면 모든 법이 생겨야 하겠지만, 간택이 생길 때 법이 영원히 일어나지 않는다. 이런 일어나지 않음에 대해 간택에 공능이 있으니, 말하자면 먼저 시기에는 아직 생기의 장애가 있지 않다가 지금 생기의 장애가 된 것이지, 불생不生을 만든 것이 아니다.174

　　만약 오직 불생만이 열반이라면 이런 경의 문구를 어떻게 회통하겠는가? 경에서, "5근을 닦고 익히며 많이 닦고 익히면, 능히 과거·미래·현재의 온갖 괴로움을 영원히 끊어지게 할 것이다"라고 설하였다. 이런 영원한 끊어짐[永斷]의 체가 곧 열반인데도, 미래에만 불생의 뜻이 있고, 과거·현재에는 있는 것이 아니라고 하니, 어찌 상반되지 않겠는가?175 비록 이런 글이 있

---

170 경량부의 논파이다. 이렇게 주장된 비택멸은 체가 무상한 것이어야 할 것이니, 법이 아직 소멸하지 않았을 때에는 그 체가 없기 때문이다. 후에 법이 소멸할 때 그 체가 비로소 있을 것이다.

171 대중부의 힐난이다. 택멸도 간택이 선행하기 때문에 이 소멸도 먼저 없다가 뒤에 있으므로 어찌 역시 무상하다고 해야 하지 않겠는가?

172 경량부의 답이다. 간택이 선행하고 비로소 택멸이 있는 것이 아닌데, 어떻게 우리의 택멸의 체성도 역시 무상하다고 책망하는가? 왜냐하면 간택이 먼저 있고 그 후에 미래의 아직 생기지 않는 법이 비로소 생기지 않는 것이 아니다. 생기지 않는 것이 곧 택멸인 것이다.

173 (대중부에서) 묻는 것이다.

174 경량부의 답이다. 생기지 않는다[不生]는 이치가 본래부터 스스로 있었다. 만약 성도의 지혜에 의한 간택이 없다면 모든 법은 응당 생겨야 할 것인데, 성도의 지혜에 의한 간택이 생길 때, 원인이 없어지면 결과가 없어지는 법이 영원히 일어나지 않는다. 이런 일어나지 않음의 이치에 대해 간택에 공능이 있는 것이다. 말하자면 먼저 시기에 모든 법에 아직 생기의 장애가 있지 않다가, 지금 성도의 지혜가 일어나서 법의 생기의 장애가 됨으로써 생기지 않는다는 이치를 드러낸 것이지, 생기지 않음을 새로이 만든 것이 아니다.

175 설일체유부에서 경을 인용해 힐난하는 것이다. 만약 미래에 법이 생기지 않는 것만이 열반이라면, 무엇 때문에 경(=잡 [26]26:660 고단경苦斷經)에서, "신근 등의 5근을 견도에서 닦고, 수도에서 익히며, 무학도에서 많이 닦고 익

더라도 뜻에 어긋나지 않는다. 이 경의 뜻이 말하는 것은, 과거·현재의 괴로움을 반연하는 번뇌가 끊어지기 때문에 온갖 괴로움이 끊어진다고 이름한 것이다. 마치 세존께서, "그대들은 신체에 대해 탐욕을 끊어야 한다. 탐욕이 끊어지면 그 때 곧 신체가 끊어졌고[色斷], 또 신체가 변지되었다[色遍知]라고 이름한다. ···· 의식도 또한 이와 같다"라고 말씀하신 것처럼, 과거·현재의 괴로움이 끊어진다는 뜻도 그러해야 할 것이다. 설령 다른 경에 과거·미래·현재의 모든 번뇌를 끊는다는 말이 있더라도, 앞의 이치에 준해서 해석하면 뜻에 역시 어긋남이 없을 것이다.

혹은 이 경 중에는 별도로 뜻이 있으니, 과거의 번뇌는 과거의 생에서 일으켰던 번뇌를 말하고, 현재의 번뇌는 현재의 생에서 일으켰던 번뇌를 말하는 것이다. 마치 애행愛行 중의 열여덟 가지 애행과 같다. 과거세에 일으켰던 것을 과거의 생에 의하여 말하였고, 미래·현재도 역시 그러하다고 알아야 할 것이다. 이와 같이 (과거·현재의) 2세에 일으켰던 번뇌가 미래의 모든 번뇌를 낳게 하기 때문에 현재의 상속에 종자를 견인해 일으키는데, 이런 종자가 끊어지기 때문에 그것도 역시 끊어진다고 이름한 것이다. 마치 이숙과가 다했을 때 업도 또한 다했다고 이름하는 것과 같다. 미래의 온갖 괴로움 및 모든 번뇌들이, 종자를 없앴기 때문에 필경 생기지 않는 것을 말하여 끊어졌다고 이름한 것이다. 만약 이와 다르다고 한다면, 과거·현재의 것을 무슨 이유로 끊어야 하겠는가? 이미 소멸하였고, 또 지금 바로 소멸할 때, 힘들게 노력해서 그것을 소멸시켜야 할 것이 아닐 것이다.176

히면, 혹은 처음에 닦고, 중간에 익히며, 후에 짓는 것이 많으면—혹은 닦는다는 것은 닦음을 얻는 것을 말하고, 익힌다는 것은 닦음을 익히는 것을 말하며, 많이 닦고 익힌다는 것은 대치대상을 다시 멀리하는 것을 말한다—, 능히 과거·미래·현재세의 온갖 괴로움을 영원히 끊어지게 할 것이다"라고 설했겠는가? 이런 영원한 끊어짐의 체가 곧 열반이다. 이런 경문에 준할 때 과거·현재의 것도 통틀어 끊을 것인데, 미래에만 불생의 뜻이 있고, 과거·현재에는 아니라고 하니, 어찌 상반되지 않겠는가?

176 경량부에서 경에 대해 회통하는 것이다. 경에서 '능히 과거·현재의 온갖 괴로움을 끊어지게 한다'라고 설했지만, 이 경의 뜻이 말하는 것은, 능히 미래에 과거·현재의 괴로움을 반연하는 번뇌를 끊어지게 하기 때문이라는 것이다. 반연주체[能緣](=번뇌)가 끊어질 때 반연대상[所緣]인 과거·현재의 괴로움도

만약 무위법의 그 체가 전혀 없다면 어째서 경에서, "유위든 무위든 존재하는 모든 법, 그 중에서는 이염離染이 가장 제일이다"라고 설했겠는가? 어떻게 없는 법[無法]을 없는 것들[無] 가운데 세워서 제일이라고 할 수 있겠는가?177 우리도 모든 무위법 그 자체가 전혀 없다고 말하지는 않는다. 단

역시 끊어진다고 이름한 것이다. 탐욕이 끊어졌다고 말해야 할 것을 신체가 끊어졌다고 말하고, 탐욕이 변지(=두루 알려짐)되었다고 말해야 할 것을 신체가 변지되었다고 말한 것(=잡 [6]6:112 단지경斷知經 참조)은, 다시 반연대상인 신체에 의거해 말한 것으로서, 신체가 끊어지는 것은 무간도이고, 신체가 변지되는 것은 해탈도이다. ···· 식온도 또한 그러하다. 과거·현재의 괴로움이 끊어진다는 뜻도 이에 준한다. (문) 과거·현재의 괴로움이 끊어진다는 것이 이미 반연주체인 번뇌에 의거해 말한 것이라면, 미래의 괴로움이 끊어진다는 것은 무엇에 의거해 말한 것이라고 해야 하는가? (해) 미래의 괴로움이 끊어진다는 것도 역시 반연주체인 번뇌에 의거해 말한 것이니, 같은 경에서의 말이기 때문이다. 또 해석하자면 미래의 괴로움의 체를 생기지 않게 하는 것을 끊어진다고 이름한 것이다. 또 해석하자면 미래의 번뇌와 괴로움을 생기지 않게 하는 것을 함께 괴로움이 끊어진다고 말한 것이다. 설령 다른 경에서 3세의 모든 번뇌를 끊는다고 설했더라도, 앞의 이치에 준해서 해석하면 역시 뜻에 어긋남이 없을 것이다.

혹 이 경 중에는 별도로 뜻의 취지가 있으니, 과거의 번뇌란 과거의 생에서 일찍이 일으켰던 번뇌를 말하고, 현재의 번뇌란 현재의 생에서 일으켰던 번뇌를 말하는 것이다. 마치 애행愛行 중의 18애행(=잡 [35]35:984 애경愛經)이 과거·미래·현재에 6경을 반연해 일어난 것에 의거해 열여덟 가지라고 이름한 것처럼, 이와 같이 과거·현재의 2세에 일으켰던 번뇌가 훈습주체인 원인[能薰因]이 되어 미래의 모든 번뇌를 낳게 하기 때문에 현재 상속하는 몸 안에 훈습된 결과[所薰果]인 종자를 견인해 일으켰는데, 이 훈습결과인 종자가 끊어졌기 때문에 그 과거·현재의 훈습주체인 번뇌라는 원인도 역시 끊어졌다고 이름한 것이다. 마치 이숙과가 다했을 때 또한 업이라는 원인도 다했다고 이름하는 것처럼, 결과를 끊었기 때문에 그 원인도 끊었다고 말한 것이니, 이는 곧 결과가 없어지면 원인도 없어지는 끊어짐[果喪因亡斷]인 것이다. 만약 미래의 온갖 괴로움 및 모든 번뇌들이 원인인 종자를 없앴기 때문에 필경 생기지 않는 것을 말하여 끊어졌다고 이름한 것이라면, 원인을 끊었기 때문에 그 결과를 끊었다고 말한 것이니, 이는 곧 원인이 없어지면 결과도 없어지는 끊어짐[因亡果喪斷]인 것이다. 만약 미래의 체를 끊었다고 하는 나의 말과 다르다고 한다면, 과거에 이미 소멸하였고, 현재 바로 소멸하는 것을 어찌 노력해서 끊어야 하겠는가? 여기에서의 뜻이 나타내는 것은, 과거·현재를 끊었다고 이름한 것은 결과가 이어지지 않는 것[果不續]에 의한 것이고, 미래를 끊었다고 이름한 것은 체가 생기지 않는 것[體不生]에 의한 것이니, 그 순서대로 결과의 단절과 원인의 단절이다.

177 설일체유부에서 경(=잡 [23]31:903 이탐제일법경離貪法第一經)을 인용해

지 응당 우리가 말하는 것처럼 있을 뿐이라는 것이다. 마치 이 소리는 먼저 비유非有로서 있었고, 후에는 비유非有로서 있을 것이라고 말하는 것과 같다. 있는 것 아닌 것[非有]을 있다[有]고 말할 수는 없기 때문에 (있는 것 아닌 것으로서) 있다는 뜻이 성립될 수 있는데, 무위가 있다고 말하는 것도 역시 그러하다고 알아야 할 것이다. 있다는 것이 비록 있는 것이 아니라고 해도 찬탄할 수 있으니, 그래서 모든 재난과 횡액이 필경 있는 것 아닌 것을 이염離染이라고 이름한 것인데, 이것은 일체 있는 것[有]과 있는 것 아닌 것[非有] 중 가장 수승한 것이어서, 교화될 자로 하여금 깊이 기뻐함과 좋아함[欣樂]을 낳게 하기 위해 이것이 제일이라고 찬탄해야 하는 것이다.178

만약 무위법이 오직 있는 것 아닌 것[非有]일 뿐이라면, 없는 것[無]이기 때문에 멸성제라고 이름해서는 안 될 것이다.179 우선 성제聖諦라는 말은 그 뜻이 어떤 것인가?180 이 말이 어찌 전도 없다[無倒]는 뜻에 속하지 않겠는가?181 '성聖'은 있음과 없음을 보는 것에 모두 전도가 없는 것이니, 말

....

힐난하는 것이다. 경 중에서 이염이 제일이라고 이미 말했으니, 열반은 따로 실제의 체가 있다는 것을 분명히 알 수 있다.
178 경량부의 답이다. 우리도 마치 토끼의 뿔 등처럼 모든 무위법 그 자체가 전혀 없다고 말하지는 않고, 단지 응당 우리가 말하는 것처럼 있을 뿐이라는 것이다. 그 뜻이 말하는 것은, 열반은 체가 없다는 이치는 반드시 결정코 있어야 하지만, 체가 없는 것으로서 있기 때문에 열반은 있다고 이름하는 것이다. 마치 이 현재의 소리는, 소리 전에는 미래의 비유非有로서 있었고, 소리 후에는 과거의 비유로서 있을 것이라고 말하는 것과 같다. 과거·미래의 있는 것 아닌 것[非有]을 있다[有]고 말할 수는 없기 때문에 (있는 것 아닌 것으로서) 있다는 뜻은 성립될 수 있다. 있다는 말을 한다고 해서, 결정코 실제[實]를 가리키거나 또한 없는 것[無]을 가리키는 것은 아니다. 무위가 있다고 말하는 것도 역시 그러하다고 알아야 한다. 단지 무위가 있다고 말할 뿐, 실체의 체가 있다고 말하는 것은 아니다. 열반이라는 법의 체가 있는 것이 아니라고 해도, 찬탄할 만한 것이 있다. 없는 것에는 여러 종류가 있어서, 만약 선법이 없다면 곧 꾸짖고 나무라야 하겠지만, 만약 재난과 횡액이 없다면 곧 찬탄할 만한 것이다. 따라서 모든 번뇌 등의 재난과 횡액이 필경 있지 않는 것을 이염離染이라고 이름한다. 이 열반의 성품은 일체 체가 있는 법과 체가 있는 것 아닌 법 중 가장 수승한 것이어서, 세존께서 교화될 유정들로 하여금 깊이 기뻐함과 좋아함을 낳게 하기 위해 따로 열반이 제일이라고 찬탄하신 것이다.
179 설일체유부의 힐난이다.
180 경량부에서 도리어 따지는 것이다.

하자면 성자는 괴로움을 오직 괴로움이라고만 보며, 괴로움의 있지 않음을 오직 있지 않음이라고만 본다. 이것이 성제의 뜻에 무슨 어긋남이 있겠는가?[182] 어떻게 있는 것 아닌 것을 제3성제로 건립할 수 있겠는가?[183] 성자께서 제2성제의 무간에 보셨고, 그리고 설하셨기 때문에 제3성제를 이룬 것이다.[184]

만약 무위법의 그 체가 오직 없음뿐이라면 허공과 열반에 대한 인식은 응당 없는 대상[無境]을 반연해야 할 것이다.[185] 이것이 없는 대상을 반연하더라도 역시 허물은 없으니, 과거·미래에 대해 분별할 때 생각해 가려야 할 것이다.[186]

만약 무위법에 따로 실제의 체가 있다고 인정한다면 어떤 허물이 있게 되는가?[187] 무슨 공덕이 다시 있겠는가?[188] 인정한다면 곧 비바사의 종지를 옹호하는 것이니, 이것을 공덕이라고 이름한다.[189] 만약 옹호할 만한 것

....

181 설일체유부의 답이다.
182 경량부의 해석이다. '성聖'은 있음과 없음을 보는 것에 모두 전도가 없는 것이다. 말하자면 성자는 괴로움을 보고, 있다고 이름하며, 괴로움이 있는 것 아님을 보고, 없다고 이름한다. 이것이 성제의 뜻에 무슨 어긋남이 있겠는가? 또 해석하자면 성자는 고·집·도를 있는 것이라고 보고, 멸을 없는 것이라고 보는 것에 모두 전도가 없다. 이상은 전체적으로 표방한 것이고, '말하자면' 이하는 개별적으로 해석하는 것이다. 말하자면 성자는 괴로움에 대해 오직 괴로움이 있다고만 보고, 괴로움이 있는 것 아님에 대해 오직 있는 것이 아니라고만 본다. 이것이 성제의 뜻에 무슨 어긋남이 있겠는가? 개별적 해석 중에서 고와 멸만을 말하고, 집과 도는 말하지 않은 것이다.
183 설일체유부의 힐난이다.
184 경량부의 해석이다. 제2 집성제의 무간에 성자께서 멸성제를 보셨고, 그리고 불경에서 설하셨기 때문에 제3성제를 이룬 것이다.
185 설일체유부의 힐난이다. 만약 무위법의 그 체가 없음일 뿐이라면, 허공·열반에 대한 능연能緣의 식은 경계 없는 것을 반연해서도 마음을 낳을 수 있어야 할 것이다.
186 경량부의 해석이다. 식이 없는 대상을 반연한다고 해도 역시 허물이 없다는 것은 아래의 수면품 중 3세를 분별할 때(=뒤의 제20권 중 (3) 삼세실유설의 논파 중 제2교증 논파) 자세히 생각해 가릴 것이다.
187 설일체유부의 물음이다.
188 경량부에서 반대로 묻는 것이다.
189 설일체유부의 답이다.

이 있다면 천신이 결정코 알고 스스로 옹호할 것이다. 그렇지만 실재라고 인정한다면 허망한 계탁과 벗하는 것이니, 이것을 허물이라고 이름한다.190 까닭이 무엇인가?191 이것은 신체·느낌 등처럼 얻을 수 있는 체體가 있는 것이 아니고, 또한 눈·귀 등처럼 얻을 수 있는 작용[用]이 있는 것도 아니다. 또 만약 별도로 있는 것이라면, 어떻게 그 현상의 택멸[彼事之滅]이라는 소유격[第六轉]의 말을 세울 수 있겠는가? 택멸과 현상은 상호 서로 속하는 것이 아니니, 이것과 저것은 서로 바라볼 때 원인과 결과가 아니기 때문이다. 오직 그 현상을 부정할 때에만 소유격이 성립될 수 있으니, 그 현상의 없음을 택멸이라고 이름하기 때문이다.192

....

190 경량부의 조롱하는 말이다. 이 무위의 체가 만약 있어서 옹호할 만하다면 천신이 스스로 옹호할 것이다. 그렇지만 실재라고 인정한다면 허망한 계탁과 벗하는 것이어서 여러 외도들과 같을 것이니, 이것을 허물이라고 이름한다.

191 설일체유부에서 따지는 것이다.

192 경량부의 답이다. 이 무위는 예컨대 5식의 현량으로 증지하는 색 등의 5경처럼, 예컨대 타심지의 현량으로 증지하는 느낌 등의 심·심소법처럼, 얻을 수 있는 체가 실제로 있는 것이 아니고, 또한 예컨대 봄·들음 등이 있어 비량으로 있음을 알 수 있는 눈·귀 등처럼, 얻을 수 있는 작용이 있는 것도 아니다. 또 이 무위가 탐욕 등을 떠나서 별도로 체가 있는 것이라면, 어떻게 그 탐욕 등의 현상의 소멸이라는, 소유격이 속한 주인의 말[第六轉屬主聲]을 세울 수 있겠는가? 무릇 문법에서 소유격의 말은 주인에게 속함을 나타내고, 서로 속하는 법은 반드시 서로 관계하고 교섭하는데, 탐욕·성냄 등의 현상은 유위이고, 택멸은 무위여서 상호 서로 속하는 것이 아니니, 이것과 저것을 서로 바라보면 원인과 결과가 아니기 때문이다. 이 현상을 그 택멸에서 바라보면 원인이 아니고, 또한 결과도 아니다. 이 택멸을 그 현상에서 바라보면 비록 능작인이기는 해도, 취과하는 원인이 아니어서 또한 원인인 현상도 아니라고 이름하고, (탐욕·성냄 등은) 능증의 도가 아니기 때문에 택멸은 증득된 결과가 아니며, 택멸은 항상한 것이기 때문에 낳는 원인의 결과도 다시 아니니, 그래서 결과가 아니라고 이름한다. 원인이 아니라는 것은 소속대상[所屬]이 아님을 나타내고, 결과가 아니라는 것은 소속주체[能屬]가 아님을 나타낸다. 이것과 저것은 서로 바라볼 때 이미 원인과 결과가 아니니, 곧 서로 관계하거나 교섭하지 않는데, 어떻게 그 현상의 소멸에 대해 소속된 주인의 말을 할 수 있겠는가? 이에 의해 택멸은 별도의 체가 없고, 오직 그 현상이 부정되어 생기지 않는다는 측면에서만 현상의 소멸[事滅]이라고 이름하는 것임을 알 수 있다. 택멸은 별도의 체가 없고 곧 현상의 없음을 택멸이라고 이름하기 때문에, 이 소멸은 그 현상에 속하고, 소유격이 성립될 수 있다고 말할 수 있으니, 문법에 수순하기 때문이다. 지금 이 글에 준하면 소유격이 속하는 주인의 말에는 두

택멸이 별도로 있더라도, 그 현상인 번뇌의 득得이 끊어질 때 비로소 이 택멸을 얻기 때문에 이 택멸은 그 현상에 속한다고 말할 수 있다.193 어떤 이유에서 이 택멸이 결정코 이 득에 속한다고 하겠는가?194 예컨대 계경에서, "필추가 현법열반現法涅槃을 획득한다"라고 말씀하신 것과 같다. 있는 것이 아니라면 어떻게 획득한다고 말씀하실 수 있었겠는가?195 대치도를 얻음에 의해 곧 번뇌와 후유後有에 영원히 어긋나는 소의신所依身을 획득하기 때문에 열반을 획득한다고 표현하신 것이다.196 열반은 있는 것 아님[非有]을 그 자성으로 할 뿐임을 능히 드러낸 성스러운 가르침이 다시 있다. 말하자면 계경에서, "존재하는 온갖 괴로움을 모두 남음없이 끊고, 각각 따로 버리고, 다하고, 이염離染하고, 소멸시키고, 고요히 종식시키고, 영원히 가라앉혀서, 다른 괴로움이 이어지지 않고 취하지 않아 생기지 않으면, 이것이 궁극의 적정寂靜이고, 이것이 궁극의 미묘美妙이니, 말하자면 모든 의

....

가지가 있다. 첫째는 체를 달리하는 것을 서로 바라본 것이니, 예컨대 설일체유부에서 말하는 그 현상의 소멸과 같고, 또한 마치 군주의 노예와 같다. 둘째는 체를 달리함이 없는 것이니, 예컨대 경량부에서 말하는 그 현상의 소멸과 같고, 또한 마치 석녀아들의 몸과 같다.

193 설일체유부의 해석이다. 택멸이 별도로 있더라도, 그 유루의 현상인 능연能緣의 번뇌의 득이 끊어질 때 그것에서 해탈하여 비로소 이 택멸을 얻기 때문에 이 택멸은 그것에 속한다고 말할 수 있다. 이는 득에 의거해 속하는 것[屬]을 말한 것이다.

194 경량부의 힐난이다. 만약 택멸의 체가 개별적으로 현상의 없음[事無]에 즉한 것이 아니라면, 택멸의 체가 많을 것이고, 득도 역시 하나가 아닐 것인데, 어떤 이유에서 이 택멸이 결정코 이 득에 속한다고 하겠으며, 그럼에도 득에 의거해서 현상에 속한다는 말을 할 수 있겠는가?

195 설일체유부에서 경(=잡 [9]9:237 장자소문경長者所問經)을 인용해서 힐난에 대해 회통하는 것이다. 필추가 현법열반을 획득한다고 한 것은, 현재의 몸에서 획득하기 때문에 현법열반이라고 이름한 것이다. 이미 열반을 획득한다고 했으니, 득에 속한다고 말할 수 있다. 다시 그들을 책망해 말한다. 어떻게 있는 것이 아니라면 획득한다고 말할 수 있겠는가?

196 경량부의 답이다. 능히 대치하는 도를 얻음에 의해 곧 번뇌와 영원히 어긋나는 소의신을 획득하여, 곧 후유를 영원히 어기고 해치는 소의신을 획득하기 때문에 번뇌와 후유가 생기지 않는다는 뜻의 측면에서 열반을 획득한다고 이름한 것이지, 실체의 체는 없다. 이는 곧 이치에 의한 증명[理證]이고, 그 아래는 체 없음에 대한 가르침(=잡 [12]13:306 인경人經)에 의한 증명[敎證]이다.

지처[依] 및 일체 갈애를 버려서 다하고 이염하고 소멸시킨 것을 열반이라고 이름한다"라고 말씀하신 것이다.197

생기지 않는다[不生]는 말이, 이것에 의해 생기[生]가 없기 때문에 생기지 않는다고 말했다는 점을 어째서 인정하지 않는가?198 우리가 이런 처격[第七轉]의 말을 보건대, 택멸 있음의 증명에 전혀 공력功力이 없는데, 어떤 뜻에서 '이것에 의해 생기가 없다'고 말하는가? 만약 '이것에 의해'라는 말이 '이미 있었다'는 뜻에 속한다면 본래부터 생기지 않아야 할 것이니, 열반은 항상하기 때문이다. 만약 '이것에 의해'라는 말이 '이미 얻었다'는 뜻에 속한다면 이는 곧 도의 획득에 의한 것임을 인정해야 할 것이다. 따라서 오직

....

197 존재하는 괴로움의 결과가 모두 남음없이 끊어져서 괴로움이 없는 것을 '끊는다'라고 이름한 것으로, 끊음에 별도의 체는 없다. 혹은 결과를 들어 원인을 나타낸 것이다. 혹은 괴로움의 결과가 남음없으므로 번뇌의 원인을 모두 끊었다고 한 것이다. (각각 따로 버린다는 것은) 탐욕 등 번뇌의 원인을 각각 따로 버리는 것이다. 혹은 존재하는 괴로움의 결과를 각각 따로 버리는 것이다. 혹은 원인과 결과에 공통되는 것이다. (다한다는 것은) 모든 번뇌의 원인이 다하기 때문이다. 혹은 모든 괴로움의 결과가 다하기 때문이다. 혹은 원인과 결과에 공통되는 것이다. (이염한다는 것은) 계박을 멀리 여의는 것을 이염한다고 이름한다. (소멸시킨다는 것은) 모든 번뇌의 원인을 소멸시키는 것이다. 혹은 괴로움의 결과를 소멸시키는 것이다. 혹은 원인과 결과에 공통되는 것이다. (고요히 종식시킨다는 것은) 혹은 원인이 고요히 종식되거나, 혹은 괴로움의 결과가 고요히 종식되거나, 혹은 원인과 결과에 공통되는 것이다. (영원히 가라앉힌다는 것은) 혹은 원인이 가라앉거나, 혹은 괴로움의 결과가 영원히 가라앉거나, 혹은 원인과 결과에 공통되는 것이다. 나머지 미래의 괴로움의 결과가 다시 상속하지 않고, 다시 더 이상 취하지 않고, 다시 더 이상 생기지 않는 것이다. 혹은 나머지 괴로움의 결과가 이어지지 않거나, 혹은 결과를 취하지 않거나, 혹은 더 이상 생기지 않는 것이다. 이런 열반이 궁극의 적정이고, 이런 열반이 궁극의 미묘라고 한 이것은 총체적인 찬탄이다. '말하자면 모든 의지처를 버린다'는 것은 열반에 모든 괴로움의 결과가 없다는 것을 나타내고, '일체 갈애를 버린다'는 것은 열반에 모든 번뇌의 원인이 없다는 것을 나타낸다. '갈애' 한쪽만 말한 것은 강한 것을 좇아서 따로 표방한 것이다. 모든 의지처와 갈애를 버리고, 다하고, 이염하고, 소멸시킨 것을 열반이라고 이름한 것이지, 별도의 체가 없다.

198 설일체유부에서 따지는 것이다. 경량부는 어째서, 경에서 생기지 않는다고 말한 것은, 이 택멸에 의해 낳는 힘이 없기 때문에 괴로움이 생기지 않는다고 말했다는 점을 인정하지 않는가? 이미 '이 택멸에 의해'라고 말했으니, 체가 있다는 것을 분명히 알 수 있다.

도에 의해, 혹은 도의 획득에 의해 괴로움이 생기지 않게 한다는 것을 그대들도 믿고 받아들여야 할 것이다.199

이에 의해 경에서, "등불의 열반[燈焰涅槃]처럼 마음의 해탈도 역시 그러하다"라고 하신 비유의 말씀도 잘 해석된다. 이 경의 뜻이 말하는 것은, 마치 등불의 열반이 오직 등불의 사라짐[謝]일 뿐, 별도로 있는 사물이 없는 것처럼, 이와 같이 세존께서 마음이 해탈을 얻었다고 하신 것도 오직 모든 온이 소멸하여 더 이상 있는 것이 없음일 뿐이다. 아비달마에서도 역시 이렇게 말하였다. "무사법無事法은 어떤 것인가? 모든 무위법을 말하는 것이다." '무사無事'라고 말한 것은 체성體性이 없음을 말하는 것이다.200

비바사 논사들은 이런 해석을 인정하지 않는다.201 그렇다면 그들이 해석하는 '사事'의 뜻은 어떤 것인가?202 그들이 말하는 '사'에는 대략 다섯

....

199 경량부의 답이다. 우리가 이런 처격[第七轉]이 의지하는 말을 보면, 택멸 있음을 증명하는 것에 전혀 공력이 없다. 그대들은 어떤 뜻에서 '이것에 의해 생기가 없다'고 말하는가? 만약 '이것에 의해'라는 말이 '이미 있는 열반'이라는 뜻에 속한다면, 모든 괴로움은 본래부터 생기지 않아야 할 것이니, 열반은 항상 본래부터 있었기 때문이다. 만약 '이것에 의해'라는 말이 '이미 얻은 열반'이라는 뜻에 속한다면, 이는 곧 도에 의해 견인된 열반 위의 득에 의한 것임을 인정해야 할 것이다. 또 다시 권하여 말한다. 이 괴로움이 생기지 않는 것은 혹은 오직 도에 의한 것이니, 도가 일어남에 의해 그 때 괴로움이 생기지 않기 때문이며, 혹은 도에 의해 견인된 열반 위의 득에 의한 것이니, 그 득이 일어남에 의해 그 때 괴로움을 생기지 않게 한다는 것을 그대들도 믿고 받아들여야 할 것이다. 또 해석하자면 만약 '이것에 의해'라는 말이 이미 얻었다는 뜻에 속한다면, 이는 곧 도 위의 득에 의한 것임을 인정해야 할 것이니, 이 도를 얻음에 의해 괴로움이 생기지 않기 때문이다. 또 다시 권해 말한다. 혹은 오직 도에 의하거나 혹은 도 위의 득에 의해 괴로움을 생기지 않게 한다는 것을 그대들은 믿고 받아들여야 할 것이다.

200 이는 경(＝잡 [29]29:816 학경學經)을 인용해서 열반의 체 없음을 증명하는 것이다. 열반을 소멸이라고 이름하니, 체가 없는 것이다. 마치 '등불의 열반'이 등불의 사라짐[謝]일 뿐(＝열반nirvāṇa圖nirodha의 원래 의미는 소멸이다), 체가 없는 것처럼, 마음이 해탈을 얻는 것도 온의 소멸일 뿐, 체가 없는 것이다. 어찌 경에서만 체가 없다고 말했겠는가? 대법(＝『품류족론』제6권. 대26-716상)에서도 역시 말하였다. "무사법은 어떤 것인가? 모든 무위법을 말하는 것이다." 경량부에서는 '무사'라고 말한 것에서 '사'라는 말은 체이니, 체성이 없는 것을 말한다고 해석하는 것이다.

201 경량부의 해석을 인정하지 않는 것이다.

가지가 있다. 첫째는 자성自性의 사이니, 예컨대 어떤 곳에서, "만약 이미 이런 사를 획득했다면, 그는 이런 사를 성취한다"라고 말한 것과 같다. 둘째는 소연所緣의 사이니, 예컨대 어떤 곳에서, "일체법은 지혜로 알아야 할 대상[智所知]으로서 그 사에 따른다"라고 말한 것과 같다. 셋째는 계박繫縛의 사이니, 예컨대 어떤 곳에서 "만약 이 사에 대해 갈애의 결박[愛結]에 의해 계박되면, 그는 이 사에 대해 성냄의 결박[恚結]에 의해 계박되는가?"라고 말한 것과 같다. 넷째는 소인所因의 사이니, 예컨대 어떤 곳에서, "유사법有事法은 어떤 것인가? 말하자면 모든 유위법이다"라고 말한 것과 같다. 다섯째는 소섭所攝의 사이니, 예컨대 어떤 곳에서, "전사田事, 택사宅事, 처자 등의 사事"라고 말한 것과 같다. 지금 여기에서는 원인[因]을 말하여 '사'라고 이름한 것으로서, 무위법은 원인이 전혀 없다는 것을 나타낸 것이다. 그러므로 무위는 비록 실제로 있는 사물이지만, 항상 작용이 없기 때문에 원인이 없고 결과가 없다는 것이다.203

....

202 경량부의 물음이다.
203 설일체유부의 답이다. 그들이 말하는 '사'에는 대략 다섯 가지가 있다. 첫째 자성自性의 사라고 한 것은 모든 법의 자체自體를 말한 것이니, 곧 자체를 '사'라고 말한 것이다.(=본문 중 '어떤 곳'은 『발지론』 제20권. 대26-1026하) 둘째 소연所緣의 사라고 한 것은 마음의 소연을 말한 것이니, 곧 소연을 사라고 말한 것이다.(=본문 중 '어떤 곳'은 『품류족론』 제6권. 대26-713하에서, '소지법所知法은 어떤 것인가?'에 대해 답한 글이다) 셋째 계박의 사라고 한 것은 갈애 등에 의해 계박되는 것을 말하는 것이니, 곧 계박대상[所繫縛]을 사라고 이름한 것이다.(=본문 중 '어떤 곳'은 『발지론』 제3권. 대26-933하) 넷째 소인所因의 사라고 한 것은 곧 원인되는 것[所因]을 사라고 이름한 것이니, 결과는 능인이고, 원인은 소인이다. 결과는 소인에 의지해서 생기는 것이 마치 아들이 아버지를 원인으로 해서 태어나는 것과 같으니, 아버지는 소인이고, 아들은 능인이다. 말하자면 모든 유위법은 모두 원인에 따라 생기므로 유사법이라고 이름하니, 사라는 말은 원인이다.(=본문 중 '어떤 곳'은 『품류족론』 제6권. 대26-716상) 다섯째 소섭所攝의 사라고 한 것은 밭, 집 등이 사람에게 섭수되는 것[所攝]임을 말하는 것이니, 곧 섭수대상을 사라고 이름한 것이다.(=본문 중 '어떤 곳'은 『대비바사론』 제56권. 대27-228상) 널리 사에는 다섯 가지가 있다고 밝혔지만, 지금 이 아비달마 중에서 사라고 말한 것은, 앞의 넷째에 의해 원인을 말하여 '사'라고 이름한 것으로서, 무위법은 원인이 전혀 없다는 것을 나타낸 것이지, 첫째의 자성의 사에 의해 무위를 무사라고 말하지 않았다. 그러므로 무위는 비록 실제로 있는 사물이지만, 항상 작용이 없고,

총론을 마쳤으니, 여러 결과 중 어떤 결과가 어떤 원인으로 얻어지는 것인지 설명해야 할 것이다. 게송으로 말하겠다.

57 후의 원인의 결과는 이숙과이고[後因果異熟]
　　앞의 원인의 결과는 증상과이며[前因增上果]
　　동류인와 변행인의 결과는 등류과이고[同類遍等流]
　　구유인와 상응인의 결과는 사용과이다[俱相應士用]204

논하여 말하겠다. '후의 원인'이라고 말한 것은 이숙인을 말하는 것이니, 6인 중 최후에 설했기 때문이다. 처음의 이숙과는 이 원인으로 얻는 것이다.205

'앞의 원인'이라고 말한 것은 능작인을 말하는 것이니, 6인 중 최초에 설했기 때문이다. 후의 증상과는 이 원인으로 얻는 것이니, 증상함의 결과[增上之果]이므로 증상과라고 이름한 것이다.206 (능작인은) 장애함 없이 머물 뿐인데, 어떤 증상함이 있는가?207 곧 장애함이 없기 때문에 증상하다는 이름을 얻는다. 혹은 능작인도 역시 뛰어난 힘이 있으니, 마치 10처의 계界가 5식의 무리에 대해서, 여러 유정들의 업이 기세계器世界에 대해서와 같다. 귀 등도 안식의 생기 등에 대해 역시 전전하여 증상한 낳는 힘이 있으니, 들고 나면 곧 기꺼이 보려는 욕구를 낳기 때문이다. 이런 등의 증상함에 대

....
　　따라서 원인으로부터 생기지 않으므로 원인이 없다고 이름하고, 결과를 낳을
　　수 없으므로 결과가 없다고 이름한다.
204 이하에서 둘째(＝원인으로 얻는 결과를 밝히는 글의 둘째) 원인을 상대해
　　결과를 짝짓는 것이다. 여기에서는 원인에서 생기는 결과를 밝히기 때문에 네
　　가지만 설명한 것이다. 이계과는 항상해서 6인에서 생기는 것이 아니기 때문
　　에 여기에서는 설명하지 않는다.
205 첫 구를 해석하는 것이다.
206 제2구를 해석하는 것이다. 말하자면 능작인에는 증상한 힘[增上力]이 있고,
　　그런 증상함의 결과이므로 증상과라고 이름하니, 원인을 좇아 이름을 세운 것
　　이다.
207 묻는 것이다.

해서는 경우에 맞게 생각해야 할 것이다.208

동류인과 변행인으로는 등류과를 얻으니, 이 2인의 결과는 모두 원인과 유사하기 때문이다.209

구유인과 상응인으로는 사용과를 얻는다. 사람[士]의 체를 넘어 별도로 사람의 작용이 있는 것은 아니니, 즉 이 2인으로 얻는 것을 사용과라고 이름한 것이다.210 이 사용士用이라는 명칭은 어떤 법을 가리키는 것인가?211 즉 모든 법에 있는 작용을 가리키는 것인데, 마치 사람의 작용[士用]과 같기 때문에 사용이라는 명칭을 얻은 것이다. 예컨대 세간에서 아족鴉足 약초나 취상醉象 장군이라고 말하는 것과 같다.212

....

208 답이다. 원인이 만약 장애한다면 결과가 생길 수 없지만, 원인이 장애함 없음에 의해 결과가 비로소 일어날 수 있기 때문에 증상하다고 이름한다.(=소위 무력無力능작인) 이는 곧 능작인에 공통되는 것이다. '혹은 능작인도' 이하는 따로 뛰어난 작용을 나타낸 것이다.(=소위 유력有力능작인) # 본문 중 '10처의 계'는 5근과 5경인데, 이들은 의지처와 소연이 됨으로써 5식의 무리가 생기는 것에 증상한 힘이 있다는 것이고, 유정들의 업이 기세계에 증상한 힘이 되는 것에 대해서는 뒤의 제11권의 서두 부분 참조.

209 제3구를 해석하는 것이다. 만약 동류인이라면 오직 자계自界·자지自地·자부自部·자성自性의 등류과만을 취하고, 만약 변행인이라면 오직 자계·자지·자성·염오의 등류과만을 취하니, 이 2인으로 얻는 결과는 모두 원인과 유사하기 때문이다. 그래서 원인은 비록 두 가지여도 그 결과는 오직 하나이다.

210 제4구를 해석하는 것이다. 이 2인(=구유인·상응인)으로는 함께 생기는 뛰어난 사용과를 같이 얻는다. 비록 다시 6인도 모두 사용士用(=사람의 작용)을 취하지만, 상응인과 구유인은 능히 동시의 뛰어난 사용과를 취하므로 여기에서 이것들만 말한 것이다. 승론에서 법의 체 밖에 별도로 업의 작용이 있다고 하는 것을 부정하기 위해, 사람의 체를 넘어 별도로 사람의 작용이 있는 것은 아니라고 말하였다. 즉 이 2인의 사용으로 얻는 결과를 사용과라고 이름한 것이니, 비유에 따라 명칭으로 삼은 것이다. 마치 사람의 작용을 사용이라고 이름하고, 사용의 결과를 사용과라고 이름한 것과 같다.

211 물음이다.

212 답이다. 즉 상응인과 구유인의 작용을 가리키는 것이다. 비유에 따라 명칭으로 삼은 것이니, 마치 사람의 작용[士夫用]과 같기 때문에 사용이라는 명칭을 얻은 것이다. 예컨대 아족약초라는 말은 약초가 검은 갈가마귀의 발[鴉足]과 비슷하기 때문에 아족약초라고 이름하고, 장군이 술 취한 코끼리[醉象]와 비슷하게 능히 적진에 들어가기 때문에 취상장군이라고 이름한 것과 같다. 또 해석하자면 술 취한 코끼리가 장군과 비슷하게 능히 진영으로 들어가기 때문에 취상장군이라고 이름한 것이다.

이 2인에만 사용과가 있는가, 다른 것에도 역시 그러한가?213 어떤 분은, "다른 원인에도 역시 이 결과가 있지만, 이숙인만은 제외한다. 사용과는 원인과 함께 생기거나[俱生] 무간에 생기지만[無間生], 이숙과는 그렇지 않기 때문이다"라고 말하였고,214 어떤 다른 논사는, "이 이숙인에도 역시 멀리 떨어진 먼 사용과[隔越遠士用果]가 있으니, 비유하자면 농부가 수확하는 과실과 같다"라고 말하였다.215

제11절 5과의 개별적 모습

이숙과 등의 결과는 그 모습이 어떠한가? 게송으로 말하겠다.

58 이숙과는 무기의 법으로서[異熟無記法]

....

213 물음이다. 상응인과 구유인에만 사용과가 있는가, 다른 4인에도 역시 있는가?
214 답 중에 둘이 있는데, 이는 곧 첫 논사이다. 나머지 동류인·변행인·능작인의 3인에도 역시 사용과가 있지만, 이숙인만은 제외한다. 사용과에는 모두 두 가지 있으니, 첫째는 원인과 함께 생기는 것이고, 둘째는 원인과 무간인 것인데, 상응인과 구유인은 능히 함께 생기는 것을 취하고, 동류인과 변행인은 결과가 만약 서로 인접한 것이면 능히 무간인 것을 취하며, 능작인은 함께 생기는 것과 무간인 것을 공통으로 취한다. 따라서 이 5인은 사용과를 얻지만, 이숙인은 그렇지 않다. 결과와는 성품이 달라서 결과를 감득하는 것이 조금 어렵다. 반드시 원인이 상속해야만 결과가 마침내 현전하므로, 함께하거나 무간인 것이 아니다. 따라서 사용과가 없다. 또 해석하자면 이숙과는 그렇지 않아서 원인과 함께하거나 무간인 것이 아니기 때문에 사용과가 아니다.
215 두 번째 논사의 해석이다. 이 이숙인에도 역시 멀리 떨어진 먼 사용과가 있으니, 비유하자면 농부가 봄에 밭갈고 씨뿌려서 가을에 수확하는 과실과 같다. 만약 공통의 명칭인 사용土用에 의거한다면 6인 모두 얻는다. 지금 이 두 번째 논사의 말은 이에 의거해 말한 것이다. 게송에서 사용을 밝히면서 함께 생기는 것만을 취하고, 나머지 4인을 가려내었기 때문에 2인으로 얻는다고 말한 것이다. 그래서 『현종론』 제9권(=대29-819상)에서 말하였다. "함께 생기는 것[俱生]에는 사용과(=소위 구생사용과)가 결정코 있고, 또 뛰어나기 때문에 상응인·구유인으로 얻는다고 말한다. 그러나 무간이거나 멀리 떨어진 것[隔越]에는 있기도 하고(소위 무간사용과와 격월사용과), 없기도 하며, 설령 있다고 해도 뛰어난 것이 아니고, 또 다른 결과와 혼동되니, 이 때문에 그 나머지 원인으로 얻는 것이라고 말하지 않는다."

유정에 속하고, 유기에서 생기며[有情有記生]

등류과는 자신의 원인과 유사하고[等流似自因]

이계과는 지혜에 의해 다한 것이다[離繫由慧盡]

[59] 그것의 힘으로 인해 생긴 것이면[若因彼力生]

이 결과를 사용과라고 이름하며[是果名士用]

이전의 유위법을 제외한[除前有爲法]

유위가 증상과이다[有爲增上果]216

1. 이숙과異熟果

논하여 말하겠다. 오직 무부무기법 중에만 이숙과가 있다.217

....

216 이하에서 셋째 결과의 모습을 개별적으로 밝힌다. 처음 2구는 이숙과를 밝
히는 것, 제3구는 등류과를 밝히는 것, 제4구는 이계과를 밝히는 것, 제5·6구
는 사용과를 밝히는 것, 제7·8구는 증상과를 밝히는 것이다. 5과의 명칭에 대
한 해석을 언급한 것 중 『입아비달마론』 하권(=대28-988중)에서 해석하였
다. "결과가 원인과 비슷하지 않기 때문에 '이'라고 이름하고, '숙'은 말하자면
성숙해서 수용할 만한하기 때문이다. 결과가 곧 이숙이므로 이숙과라고 이름
하였다. 결과가 원인과 비슷하기 때문에 '등'이라고 이름하고, 원인으로부터
생기기 때문에 다시 '류'라고 말하였다. 결과가 곧 등류이기 때문에 등류과라
고 이름하였다. 택멸무위를 이계과라고 이름한다. 이것은 도에 의해 획득되지
만, 도가 낳는 것은 아니다. 결과가 곧 이계이므로 이계과라고 이름하였다. 이
것의 세력에 의해 그것이 생길 수 있기 때문에 이것을 사용이라고 이름하고,
그것을 과라고 이름하였다. 앞 것의 증상함에 의해 뒤의 법이 생길 수 있으니,
증상함의 결과를 증상과라고 이름하였다."(이상 논서의 글이다=제1해) 그 논
서의 해석에 준하면, 앞의 3인은 지업석이고, 뒤의 2인은 의주석이다. 또 해석
하자면 이숙의 결과를 이숙과라고 이름했으니, 곧 원인을 이숙이라고 이름하
고, 그 결과를 과라고 이름한 것이다. 혹 등류의 결과이므로 등류과라고 이름
했으니, 원인이 그 결과와 더불어 흐름의 부류가 서로 비슷하기 때문에 등류
라고 이름한 것이다. 혹 이계의 결과를 이계과라고 이름했으니, 말하자면 무
루도로 계박을 여의기 때문에 또한 이계라고 이름한 것이다. 혹은 결과가 곧
사용이므로 사용과라고 이름했으니, 결과가 또한 사람의 작용과 같기 때문이
다. 혹은 결과가 곧 증상한 것이므로 증상과라고 이름했으니, 결과가 여럿[衆
多]으로서 체가 증상한 것이기 때문이다.(=이상 제2해) 뒤의 해석을 하는 것
을 아직 논서의 글에서 보지는 못했지만, 뜻의 해석으로서 어긋남은 없다. 그
렇지만 논서의 글 중에서는 모두 『입아비달마론』에 의하였다.

이것은 비유정의 수에도 역시 통하는가?218 오직 유정에만 국한된다.219 등류성 및 소장양所長養에도 통하는가?220 오직 유기법에서 생기는 것뿐[唯是有記所生]이라고 알아야 할 것이다. 일체 불선 및 선의 유루는 능히 이숙을 결정[記]하기 때문에 유기有記라고 이름하는데, 그것으로부터 뒤의 시기에 다르게 성숙해 비로소 일어나고, 함께나 무간이 아니므로 '유기법에서 생긴다'라고 이름한 것이다. 이와 같은 것을 이름해서 이숙과의 모습이라고 한다.221

비유정의 수도 역시 업으로부터 생기는데, 어째서 이숙과가 아닌가?222 공유共有하기 때문이니, 말하자면 다른 자도 이런 것들을 수용할 수 있다. 대저 이숙과는 다른 자가 함께 수용하는 뜻이 반드시 없으니, 다른 자가 업을 짓고 다른 자가 이로 인해 이숙과를 받을 수 있는 것은 아닌 것이다.223 그 증상과도 역시 업에서 생긴 것인데, 어떻게 함께 수용될 수 있는가?224 공통의 업[共業]에서 생긴 것이기 때문이다.225

....
217 3성 중에서는 오직 무부무기의 법 중에만 이숙과가 있고, 선이나 염오에는 있는 것이 아니다.
218 물음이다.
219 답이다.
220 물음이다. 이 이숙과는 다섯 부류 중 등류성·소장양에도 통하는가, 아닌가?
221 답이다. 이 이숙과는 원인과 같지 않고, 오직 유기법에서 생기는 것뿐이므로, 등류성이나 소장양에는 통하지 않는다. 등류성은 유기에서 생기는 것뿐이 아니고, 3성에 통하기 때문이다. 소장양도 역시 유기에서 생기는 것뿐이 아니니, 체가 비록 무기라고 해도 3성으로부터 공통으로 생기기 때문이다. 이 논서의 앞(=제2권 중 제4장의 제8절)의 글에서, "음식, 자조資助, 수면睡眠, 등지等持 등의 뛰어난 인연으로 길러진 것을 장양된 것이라고 이름한다"라고 말하였다. 또 해석하자면 다섯 부류 중에서 만약 이숙에 포함되는 것이 다하지 못한다면, 소장양과 등류성을 곧 세우겠지만, 만약 이숙에 포함되는 것이 다한다면 곧 소장양과 등류성을 세우지 않는데, 이숙과가 (이숙생의) 체를 다 포함하는 까닭에 소장양과 등류성이라고 이름하지 않는다.
222 물음이다. 비유정에 속하는 것도 역시 선악의 업에서 생긴 것인데, 어째서 이숙이 아닌가?
223 답이다. 대저 이숙과는 함께 수용하는 것이 아닌데, 비유정은 함께 수용하는 것이기 때문에 이숙이 아니다.
224 물음이다. 외부의 증상과도 역시 업에서 생긴 것인데, 어째서 함께 수용될 수 있는가?

2. 등류과等流果

자신의 원인[自因]과 유사한 법을 등류과라고 이름하니, 동류인·변행인의 2인과 유사한 것을 말한다.[226]

만약 변행인도 역시 등류과를 얻는다면, 어째서 이것을 곧 동류인이라고 이름하는 것을 허용하지 않는가?[227] 이것의 결과는 단지 지地와 염오[染]가 동등하기 때문에 원인과 서로 유사하다고 할 뿐, 종류에 의하지 않는다. 만약 종류에 의해서도 결과가 역시 원인과 유사하다면, 이런 결과의 원인 되는 것은 동류인이라고 이름한다. 따라서 "만약 동류인이면 또한 변행인이기도 한가?"라는 이런 질문을 하면 응당 4구로 분별해야 한다. 제1구는 변행인 아닌 법으로서 동류인이 되는 것이고, 제2구는 다른 부部에 두루한 법으로서 변행인이 되는 것이며, 제3구는 자부自部에 두루한 법으로서 변행인이 되는 것이고, 제4구는 앞에서 말한 것들을 제외한 것이다.[228]

---

225 답이다. 공업共業(=공통의 업)에 의해 생긴 것이기 때문에 함께 수용될 수 있다. 그래서 『순정리론』 제18권(=대27-219중)에서도 말하였다. "대범천의 주처인 비유정(=대범천궁)이 어찌 별업別業(=개별적 업)의 과보가 아니겠는가? 그것도 역시 업의 이숙이라고 이름해야 할텐데, 어째서 아니라고 말하는가? 어떤 분은, '대범천의 주처는 일체 대범의 업의 증상력에 의해 생긴 것이다'라고 말하였고, 어떤 다른 분은 다시, '대범의 주처가 상속하고 아직 파괴되지 않았으므로 다른 대범도 그것에 대해 수용하는 이치가 있을 수 있기 때문에 불공不共이 아니다'라고 말하였다."

226 제3구를 해석하는 것이다. 결정코 자신의 원인과 유사한 것을 등류과라고 이름한다. 비록 함께 생기는 사용과도 역시 결정코 자신의 원인과 유사하지만 (등류과는 자신의 원인과 함께 하는 것이 아니며), 무간 등의 사용과에는 (자신의) 원인과 서로 유사하지 않은 것도 있기 때문에 이 등류과는 사용과와 혼동할 것이 아니다. 비록 변행인이 다른 부部도 역시 취하는데도 등류과가 되는 것은 염오의 성품이 같기 때문이다. 만약 사용과라면 성품이 같지 않은 것이 있다.

227 물음이다.

228 답이다. 이 변행인의 결과는 '단지 지가 같음에 의하기 때문'이라는 것은 5부에 통한다는 것을 나타내고, '염오가 같기 때문'이라고는 것은 청정(=불염오)에는 통하지 않는다는 것을 나타낸다. (변행인의 결과가) 원인과 서로 유사하다는 것은 5부·3성·종류에 의하지 않으니, 만약 5부·3성·종류에 의해서도 결과가 역시 원인과 유사하다면, 이 결과의 원인되는 것은 동류인이라고 이름한다. 같지 않음을 상대하면 4구를 분별해야 한다. 제1구는 변행인이 아닌 법으로서 동류인이 되는 것이니, 자신과 같은 부를 낳기 때문에 동류인이라고 이

3. 이계과離繫果

지혜[慧]에 의해 (유루를) 다한 법을 이계과라고 이름한다. 소멸했기 때문에 다했다[盡]고 이름하고, 간택[擇]하기 때문에 지혜[慧]라고 이름하니, 곧 택멸을 말하여 이계과라고 이름한 것이다.[229]

4. 사용과士用果

만약 법이 그것의 세력으로 인해 생긴 것이라면, 곧 이 법을 말하여 사용과라고 이름한다.[230] 예컨대 하지下地의 가행하는 마음의 힘으로 인해 상지上地의 유루·무루의 선정이 생기며, 그리고 청정한 정려의 마음의 힘으로 인해 변화심變化心이 생기는 것과 같은, 이런 등의 부류이다. 택멸도 도의 힘에 의해 얻는 것이라고 말해야 할 것이다.[231]

....

름하지만, 염오를 낳는 것에 통하지 않기 때문에 변행인이 아니다.(=11변행 수면 이외의 법으로서 동류인이 되는 법) 제2구는 다른 부에도 두루한 법으로 서 변행인이 되는 것이니, 공통으로 염오를 낳기 때문에 변행인이라고 이름하 지만, 자신의 부를 낳는 것이 아니기 때문에 동류인이 아니다.(=유신견 등이 견멸소단·견도소단·수도소단 등 다른 부의 염오법의 원인이 될 때) 제3구는 자신의 부에 두루한 법으로서 변행인이 되는 것이니, 자신의 부를 낳기 때문 에 동류인이라고 이름하고, 염오를 낳는 것에 통하기 때문에 변행인이라고 이 름한다.(=유신견 등이 견고소단·견집소단 등 자부의 염오법의 원인이 될 때) 제4구(=양자 모두 아닌 경우)는 알 수 있을 것이다.

229 제4구를 해석하는 것이다. 지혜로 번뇌를 다함에 의해 증득하는 무위법을 이계과라고 이름한다. 또 해석하자면 지혜의 간택에 의해 번뇌의 법을 다 소 멸시킨 것을 이계과라고 이름한다. 또 해석하자면 지혜의 간택을 원인으로 함 에 의해 모든 계박을 여의고, 다 소멸한 법을 증득한 것을 이계과라고 이름한 다. 지혜에 의해 소멸을 증득한 것을 택멸이라고 이름하는데, 곧 이 택멸을 또한 이계라고 이름하니, 계박을 여읨에 의해 증득하기 때문이다.

230 제5·제6구를 해석하면서 사용과를 밝히는 것이다. 다만 어떤 법이 그것의 세력으로 인해 생긴 것이라면, 곧 이 법을 말하여 사용과라고 이름한다.

231 이는 현상을 가리켜 따로 나타내는 것이다. 사용과에는 많은 것이 있다고 알아야 하는데, 택멸도 불생不生사용과라고 이름하니, 도의 힘에 의해 증득된 다고 말해야 하기 때문이다. 『순정리론』제18권(=대29-437상)에서 사용과 를 해석하면서 말하였다. "이것에는 네 종류가 있다. 구생俱生·무간無間·격월 隔越·불생不生이니, 앞에서 이미 말한 것과 같다. '구생'이라고 말한 것은 동일 한 시간[同一時]에 다시 상호 원인이 된 힘으로 생기한 것을 말한다. '무간'이 라고 말한 것은 바로 다음의 뒷 시간[次後時]에 앞 순간의 원인의 힘에 의해 생기한 것을 말하는 것이니, 예컨대 세제일법이 고법지인을 낳는 것과 같다. '격월'이라고 말한 것은 멀리 떨어진 시간[隔遠時]에 전전하여 원인이 된 힘으

5. 증상과增上果

모든 유위법으로서 전에 이미 생긴 것을 제외한, 이 나머지 유위법을 증상과라고 한다.232

사용과와 증상과의 2과는 어떻게 다른가?233 사용과라는 명칭은 오직 만드는 주체[作者]에 대한 것이지만, 증상과라는 명칭은 이것의 나머지에 대해서도 통한다. 예컨대 장인의 작품이 그것을 만든 장인을 대하면 사용과와 증상과라는 명칭을 모두 얻지만, 나머지 장인 아닌 자를 대하면 증상과일 뿐인 것과 같다.234

....

로 생기한 것을 말하는 것이니, 마치 농부 등의 곡식·보리 등과 같다. '불생'이라고 말한 것은 소위 열반이니, 무간도의 힘에 의해 획득된 것이기 때문이다. 이것은 이미 불생인데, 어떻게 그것의 힘으로 생겼기 때문에 사용과라고 이름한다고 말할 수 있는가? 현재 보건대 획득에 대해서도 역시 생生이라는 명칭을 말할 수 있으니, 예컨대 나에게 재물이 생겼다[生]고 말하면 내가 재물을 얻었다[得]는 뜻인 것과 같다. 만약 무간도에서 모든 수면을 끊고 증득한 택멸(=예컨대 욕계의 탐욕을 전혀 떠나지 못한 자가 견도에 들 때의 고법지인에 의해 증득된 택멸)이라면 이와 같은 택멸은 이계과 및 사용과라고 이름하지만, 만약 무간도에서 수면을 끊지 않고 거듭 근본을 증득할 때 증득한 택멸(=예컨대 욕계의 탐욕을 완전히 떠난 자가 견도에 들 때의 고법지인에 의해 증득된 택멸)이라면 이와같은 택멸은 이계과가 아니고 오직 사용과일 뿐이다." 이 논서의 앞의 글(=앞의 게송 57d와 그 논설)은 개별적으로 구생의 뛰어난 사용과에 의거해 상응인·구유인으로 얻는 것만을 말했지만, 뒤의 글은 공통의 사용과에 의거했기 때문에 공통으로 6인에 의해 얻는 것을 말한 것이다.

232 뒤의 2구를 해석하는 것이다. 무릇 결과를 원인에서 바라보면 함께이거나 뒤이니, 앞의 법은 결정코 뒤의 법의 결과가 아니기 때문이다. 유위법 중 앞에 이미 생긴 유위법을 제외하는 것은 전법은 후법의 결과가 아니기 때문이니, 그 나머지, 함께이거나 뒤인 유위를 증상과라고 한다. (문) 원인의 증상으로 말미암아 그 결과가 생길 수 있는 것을 증상과라고 이름한다면, 다른 결과들도 역시 원인의 증상으로 말미암아 그 결과가 생길 수 있으니, 증상과라고 이름해야 할 것이다. (해) 다른 결과들은 개별적인 것[別]을 좇아 명칭을 세운 것이고, 전체적인 것[總]을 좇아 세운 것이 아니기 때문에 증상과라고 이름하지 않는다. 증상과는 개별적인 명칭이 더 없어서 전체적인 것을 좇아 명칭을 세운 것이니, 마치 색처 등처럼 비록 전체적인 명칭을 표방했어도 곧 개별적인 명칭을 받은 것이다.

233 물음이다. 두 가지 결과는 이미 많은데, 그 체상이 어떻게 다른가?

234 답이다. 사용과는 힘과 공능이 있는 것을 상대한 것이고, 증상과는 장애하지 않는 것에 의거한 것이다. 사례를 인용한 것은 알 수 있을 것이다.

제12절 인의 취과取果와 여과與果

위에서 설명한 여섯 가지 원인 중 어떤 단계의 어떤 원인이 취과取果하고 여과與果하는가? 게송으로 말하겠다.

⑥ 5인의 취과는 오직 현재이고[五取果唯現]
  2인의 여과도 역시 그러하며[二與果亦然]
  과거·현재에 여과하는 것은 2인이고[過現與二因]
  1인의 여과는 오직 과거이다[一與唯過去]235

1. 취과·여과의 모습

논하여 말하겠다. 5인의 취과는 오직 현재이다. 결정코 과거는 아니니, 그것은 이미 취했기 때문이고, 또한 미래도 아니니, 그것은 작용이 없기 때문이다. 이렇게 능작인에 대해서도 말해야 하겠지만, 결정코 결과를 갖는 것은 아니기 때문에 여기에서 말하지 않은 것이다.236

....

235 이하는 넷째 인의 취과·여과 시기를 밝히는 것인데, 물음을 일으키고 게송으로 답했다. # 취과는 직접 결과(=종자)를 견인해 일으키는 직접적 공능을 말하고, 여과는 결과의 생기를 돕는 간접적 공능을 말하며, 결과가 생기는 것은 취과·여과의 공능이 모두 현행해야 하므로 취과·여과의 시기가 다를 경우 결과는 여과의 시기에 생상에 이른다.

236 6인 중 능작인을 제외한 나머지 5인의 취과는 오직 현재이다. 과거는 이미 취했고, 미래는 작용이 없다. 능작인도 현재 취과한다고 이렇게 말해야 하는데도 말하지 않은 것은, 능작인은 결정코 증상과를 갖는 것은 아니기 때문에 이 게송 중에서 말하지 않은 것이다. 말하자면 무위법 및 미래의 법은 비록 능작인이라고 해도 증상과를 취할 수 없기 때문이다. 그래서 『순정리론』제18권(=대29-437하)에서 말하였다. "그런데 능작인이 능히 취과하는 것은 결정코 오직 현재이지만, 여과는 과거·현재에 통한다." 만약 『대비바사론』제21권(=대27-108하)에 의한다면, "능작인에 대해 어떤 분은 '현재에 취과하고, 과거·현재에 여과한다'라고 말하였고, 어떤 다른 논사는, '이 능작인은 과거·현재에 취과하고, 과거·현재에 여과한다'라고 말하였다"라고 말하면서도, 논평한 분은 없다. 본 논서와 『순정리론』은 『대비바사론』의 앞 논사와 같다. 또 해석하자면 본 논서는 『대비바사론』의 뒤의 논사와 같은데, 능작인도 5인과 같이 현재에 취과한다고 말한 것은 많은 부분에 따라 말한 것이다.

구유인과 상응인은 여과도 역시 그러해서 오직 현재이니, 이 2인의 취과와 여과는 반드시 동시이기 때문이다.237

동류인·변행인의 여과는 과거와 현재에 통한다.238 과거는 그럴 수 있겠지만, 어떻게 현재 등류과에 여과하는가?239 등류과로서 무간에 생기는 것이 있기 때문이니, 만약 결과가 이미 생겼다면, 원인은 곧 지나가서 이미 여과했다고 이름할 것이므로, 더 이상 여과하지 않아야 할 것이다.240

2. 동류인의 취과·여과에 관한 4구 분별

선의 동류인은 취과하면서 여과하는 것 아닐 때[時取果 而非與果]가 있으니, 4구로 분별해야 할 것이다. 제1구는 말하자면 선근을 끊을 때[斷善根時] 최후로 버리는 (선법의) 득이다. 제2구는 말하자면 선근을 이을 때[續善根時] 최초로 얻는 (선법의) 득이니, 그 때 잇는 것은 이전의 득[前得]이라고 말해야 할 것이다. 제3구는 말하자면 선근을 끊지 않은 자의 그 나머지 모든 단계에서의 선법이다. 제4구는 앞에서 말한 것들을 제외한 것이다.241

....

237 제2구를 해석하는 것이다. 상응인과 구유인은 여과도 역시 현재이니, 이 2인의 취과와 여과는 반드시 동시이기 때문이다.
238 제3구를 해석하는 것이다. 동류인과 변행인의 여과는 과거·현재에 통한다.
239 묻는 것이다.
240 답이다. 원인이 현재에 이르렀을 때 무간에 상속하는 등류과가 있으면 생상에 이를 때 곧 현재 여과하는 것이다. 만약 결과가 현재에 이르렀다면 원인은 곧 지나가서(=동류인은 '앞서 생긴 법'이므로 등류과와 동시가 아니다) 이미 여과했다고 이름할 것이므로 더 이상 여과하지 않아야 할 것이다.
241 선의 동류인이 취과하고 여과하는 4구를 따로 해석하는 것이다. 제1구는 취과하면서 여과하는 것 아닌 경우이다. 말하자면 선근을 끊을 때 최후 찰나에 버리는 득이니, 능히 그것(=후에 선근을 이을 때 최초에 얻는 선법의 득)의 종자가 되는 것을 취과라고 이름하고, 후에 앞의 것(=선법)에 이어지지 않으므로 여과하는 것이 아니라고 한 것이다. 제2구는 여과하면서 취과하는 것 아닌 경우이다. 말하자면 선근을 이을 때 최초에 얻는, 과거 최후에 버린 (선법의) 득이니, 그 득이 지금 시점에 결과가 생상에 이를 때 바로 그 힘을 부여하는 것을 여과라고 이름하고, 과거에 이미 취과했으므로 취과라고 이름하지 않는다. 논주는 이을 때 과거의 모든 최초의 득을 취할까 염려했기 때문에 지금 해석해 말하기를, '그 때 잇는 것은 이전의 득이라고 말해야 할 것이다'라고 했는데, '이전의 득'은 이전의 과거 최후에 버렸던 (선법의) 득을 말하는 것이다. 편면적으로 득에 의거해서만 양 단구單句(=제1·2구)를 만들고 선근에 의거하지 않은 까닭은, 장차 선근을 끊으려고 할 때에는 선근은 이미 현행하지

또 불선의 동류인 중에도 역시 4구가 있다. 제1구는 말하자면 욕탐을 떠날 때 최후로 버리는 (번뇌의) 득이다. 제2구는 말하자면 이욕에서 물러날 때 최초로 얻는 (번뇌의) 득이니, 그 때 물러나는 것은 이전의 득이라고 말해야 할 것이다. 제3구는 말하자면 아직 욕탐을 떠나지 않은 자의 그 나머지 모든 단계에서의 불선법이다. 제4구는 앞에서 말한 것들을 제외한 것이다.242

유부무기의 동류인 중에도 역시 4구가 있다. 아라한과를 얻을 때, 물러날 때, 아직 얻지 못했을 때 및 그 나머지이니, 이치대로 말해야 할 것이다.243

무부무기의 동류인 중에는 순후구順後句가 있다. 말하자면 여과할 때에는 반드시 또한 취과도 하지만, 혹 때로는 취과하더라도 여과하는 것이 아니니, 아라한의 최후의 모든 온을 말하는 것이다.244

소연 있는 것[有所緣]의 찰나의 차별에 의거한 선의 동류인에도 역시 4구가 있다. 제1구는 말하자면 선심의 무간에 염오심이나 무기심을 일으키는 경우이고, 제2구는 이와 상반되는 경우를 말하며, 제3구는 말하자면 선심의 무간에 다시 선심을 일으키는 경우이고, 제4구는 앞에서 말한 것들을 제외한 것을 말하는 것이다. 불선심 등에도 그 상응하는 바대로 역시 4구가 있는데, 위의 예에 준해서 말해야 할 것이다.245

....

않고, 오직 선법의 득만 있어 현행하기 때문에 편면적으로 득을 말한 것이다. 제3구는 취과하기도 하고 여과하기도 하는 경우이니, 말하자면 선근을 끊지 않는 자의 그 나머지 모든 단계에서 그 상응하는 바에 따른 것이다. 하나의 몸 중에 있는 선법이 능히 취과하고 여과하는 것을 그 나머지 단계라고 이름한 것이다. 제4구는 취과하지도 여과하지도 않는 경우이니, 말하자면 앞에서 말한 경우를 제외하고, 또한 그 상응하는 바에 따라 존재하는 선법이 취과하지도 여과하지도 않는 것들을 모두 포함한다.

242 불선의 동류인에 의거해 4구를 만든 것인데, 생각하면 알 수 있을 것이다. # 본문 중 제2구의 한역문 '이욕탐시離欲貪時'는 '퇴이욕시退離欲時'의 오기로 보여 고쳐서 번역하였다.

243 아라한과를 얻을 때 최후에 버리는 (유부무기법의) 득은 취과하지만, 여과하는 것이 아니고, 그것에서 물러날 때 최초로 얻는 득은 여과하지만, 취과하는 것이 아니며, 아직 무학위를 얻지 못했을 때에는 취과하기도 하고, 여과하기도 하며, 그 나머지 무학위는 취과하는 것도 아니고, 여과하는 것도 아니니, 그래서 이치대로 말해야 한다고 한 것이다.

244 최후의 여러 온들은 말하자면 무여열반에 들기에 임했을 때(=더 이상 후유가 없으므로 여과하지 않는다)이다. 그 나머지는 생각하면 알 수 있을 것이다.

3. 취과와 여과의 뜻

취과와 여과는 그 뜻이 어떤 것인가? 능히 그것의 종자[種]가 되기 때문에 취과라고 이름하고, 바로 그것에 힘을 부여하기 때문에 여과라고 이름한다.246

4. 이숙인의 여과

이숙인의 여과는 오직 과거이니, 이숙과는 이숙인과 함께 하는 경우 및 무간인 경우가 없기 때문이다.247

5. 9과설

다시 어떤 다른 논사는 앞의 5과 외에 별도로 4과를 말하였다. 첫째는 안립과安立果이니, 말하자면 예컨대 수륜水輪이 풍륜風輪의 결과가 되며, 나아가 풀[草] 등이 대지의 결과가 되는 것과 같다. 둘째는 가행과加行果이니, 말하자면 예컨대 무생지無生智 등이 멀리 부정관[不淨] 등의 결과가 되는 것과 같다. 셋째는 화합과和合果이니, 말하자면 예컨대 안식 등이 안근 등의 결과가 되는 것과 같다. 넷째는 수습과修習果이니, 말하자면 예컨대 변화심 등이 여러 정려의 결과가 되는 것과 같다.248 이와 같은 4과는 모두 사용과와 증

---

245 앞에서는 소연 없는 것들에 대해 밝힌 것이고, 지금은 소연 있는 것을 밝힌 것이다. '소연 있는 것'이라는 말은 심·심소를 나타내고, '찰나의 차별'은 앞 순간과 뒷 순간을 나타내는데, 세 가지 성품의 4구는 생각하면 알 수 있을 것이다. # 선심의 무간에 염오심이나 무기심을 일으키는 경우는 취과하지만(＝후의 선심의 종자가 되는 것) 여과하는 것은 아니고(＝선심 아닌 마음이 일어났음), 염오심이나 무기심의 무간에 선심을 일으키는 경우 여과하는 것은 과거 최후에 버린 선심의 득이 지금 시점에 결과가 생상에 이르렀을 때 바로 그 힘을 부여하는 것을 가리키고, 과거에 이미 취과했으므로 취과라고 이름하지 않는다는 취지.

246 '종자'는 능히 낳는다는 뜻이니, 원인에는 결과를 낳는 공능이 있기 때문에 취과라고 이름한다. 그것이 결과를 낳는 것은 그 원인이 바로 그 결과에 힘을 부여할 때이기 때문에 여과라고 이름한다. # 따라서 결과가 실제로 일어나는 것은 취과할 때가 아니라, 여과할 때인데, 다만 어떤 단계의 결과에 힘을 부여함으로써 어떤 작용이 일어나는지는 원인의 종류에 따라 다름은 뒤의 제7권 중 게송 64와 그 논설 참조.

247 제4구를 해석하는 것이다. 이숙인의 여과는 오직 과거이니, 결과가 원인과 함께하거나 무간인 것이 아니기 때문이다.

248 다른 학설을 서술하는 것이다.『대비바사론』제122권(＝대27-630중)에서

상과에 포함되는 것들이다.249

제13절 법과 인의 관계

원인과 결과를 설명했으니, 이들 중 어떤 법이 몇 가지 원인으로 생기는 것인지 다시 생각해서 가려야 할 것이다.250 법에는 대략 네 가지가 있으니, 말하자면 염오법, 이숙생법, 최초의 무루법[初無漏法]과 세 가지의 나머지 법이다.251 나머지 법이란 무엇인가? 말하자면 이숙생을 제외한 나머지 무기법과 최초의 무루를 제외한 나머지 모든 선법이다.252 이와 같은 네 가지 법에 대해 게송으로 말하겠다.

61 염오법과 이숙생법과[染汚異熟生]
   나머지 법과 최초의 성도는 순서대로[餘初聖如次]

....

말하였다. "서방의 논사들은 결과에 아홉 가지가 있다고 말하는데, 말하자면 앞의 5과에 다시 4과를 더한 것이다." 풍륜 등이 능히 수륜 등을 안립하니, 안립의 결과를 안립과라고 이름한 것이고, 부정관 등으로 멀리서 가행해서 무생지 등을 낳으니, 가행의 결과를 가행과라고 이름한 것이며, 5근·5경 등이 모여 화합함에 의해서 안식 등이 생기니, 화합의 결과를 화합과라고 이름한 것이고, 정려를 수습해서 변화심 등을 얻으니, 수습의 결과를 수습과라고 이름한 것이다.

249 가습미라국의 논사들이 회통해 해석하는 것이다. 이와 같은 4과는 모두 사용과와 증상과에 포함된다. 원인의 세력에 의해 얻는 것에서 바라보기 때문에 사용과라고 이름하고, 원인의 능히 만드는 힘에 의해 얻는 것에서 바라보기 때문에 증상과라고 이름한다. 선악의 업으로 감득하는 것이 아니므로 이숙과가 아니고, 서로 유사하지 않기 때문에 등류과가 아니며, 증득하는 것이 아니기 때문에 이계과가 아니다. 또 해석하자면 제1과 제3은 증상과일 뿐이고, 제2와 제4는 사용과·증상과에 통하니, 무릇 사용과는 공력을 써서 얻기 때문이다. 논서에서 모두 사용과와 증상과에 포함되는 것들이라고 말한 것은 전체적인 모습[總相]으로 말했기 때문이다.

250 이하는 큰 글의 셋째 법이 원인에서 생기는 것에 대해 밝히는 것인데, 앞을 맺으면서 물음을 일으켰다.

251 답이다. 일체 유위법 중에는 대략 네 가지가 있다.

252 (나머지 법이란) 무기법 중에서는 이숙을 제외한 나머지 무기를 취하고, 선법 중에서는 최초의 무루를 제외한 나머지 선법을 취한 것이다.

이숙인, 변행인, 두 가지[除異熟遍二]

및 동류인을 제외한 나머지 원인에서 생긴다[及同類餘生]

62a 이는 심·심소를 말한 것인데[此謂心心所]

나머지는 상응인을 아울러 제외한다[餘及除相應]253

논하여 말하겠다. 모든 염오법은 이숙인을 제외한 나머지 5인에서 생긴다. 이숙생법은 변행인을 제외한 나머지 5인에서 생긴다. (염오법, 이숙생법, 최초의 무루라는) 세 가지의 나머지 법은 이숙인·변행인을 쌍으로 제외한 나머지 4인에서 생긴다. 최초의 무루법은 앞의 2인 및 동류인을 쌍으로 제외한 나머지 3인에서 생긴다.254 이와 같은 네 가지 법은 어떤 것을 말하는 것인가?255 심·심소를 말하는 것이다.256

불상응행법 및 색법의 네 가지 법은 다시 몇 가지 원인에서 생기는가?257 저 심·심소에서 제외된 원인 외에 상응인을 아울러 제외하니, 나머지 법은 네 가지, 세 가지, 두 가지 나머지 원인에서 생기는 것이라고 알아야 할 것이다. 즉 이 중 염오법과 이숙생법은 나머지 4인에서 생기고, 세 가지의 나

....

253 법이 원인에서 생기는 것에 대해 바로 해석하는 것인데, 앞의 5구는 상응법에 대해 밝히는 것이고, 제6구는 색법과 불상응법에 대해 밝히는 것이다.
254 첫 게송을 해석한 것이다. 일체 유위법은 모두 네 가지가 있는데, 네 가지 중에 각각 두 가지가 있으니, 첫째는 상응법이고, 둘째는 불상응법이다. 상응법 중 (첫째) 모든 염오법은 이숙인을 제외한 나머지 5인에서 생기니, 이숙인에서 생기는 모든 법은 염오법이 아니기 때문이다. 둘째 이숙생의 법은 변행인을 제외한 나머지 5인에서 생기니, 변행인에서 생기는 모든 법은 오직 염오이기 때문이다. (셋째) 세 가지(=염오법, 이숙생법, 최초의 무루)의 나머지 법은 이숙인·변행인을 쌍으로 제외한 나머지 4인에서 생기니, 그 나머지 법은 이숙의 성품이 아니기 때문이며, 또 염오법이 아니기 때문이다. (넷째) 최초의 무루법은 앞의 이숙인·변행인 및 동류인을 제외한 나머지 3인에서 생기니, 최초의 무루는 이숙이 아니기 때문이며, 염오법이 아니기 때문이며, 앞서 생긴 동류의 법이 없기 때문이다.
255 물음이다.
256 답인데, 제5구를 해석한 것이다.
257 제6구를 해석하는데, 이는 곧 묻는 것이다.

머지 법은 나머지 3인에서 생기며, 최초의 무루법은 나머지 2인에서 생긴
다. 하나의 원인에서 생기는 법은 결정코 없다.258

<hr />

258 답이다. 저 심·심소에서 제외된 원인 외에 상응인을 아울러 제외한다. 나머
지 색법과 불상응행법은 네 가지, 세 가지, 두 가지 나머지 원인에서 생기는
것이라고 알아야 한다. 이들 중 (첫째) 염오의 색법·불상응행법은 저 심·심소
에서 제외된 이숙인 및 상응인을 제외한 나머지 4인에서 생긴다. (둘째) 만약
이숙생의 색법·불상응행법이라면 저 심·심소에서 제외된 변행인 및 상응인을
제외한 나머지 4인에서 생긴다. 셋째 그 나머지 색법·불상응행법은 저 심·심
소에서 쌍으로 제외된 이숙인·변행인 및 상응인을 제외한 나머지 3인에서 생
긴다. (넷째) 최초의 무루의 색법·불상응행법은 저 심·심소에서 제외된 이숙
인·변행인·동류인 및 상응인을 제외한 나머지 2인에서 생긴다. 한 가지 원인
에서 생기는 법은 결정코 없다.

아비달마구사론
제7권

제2 분별근품(의 5)

제4장 4연론

제1절 4연 총설

원인[因]에 대해 자세히 설명했는데, 연緣은 다시 어떤 것인가?[1] 게송으로 말하겠다.

62c 네 가지 연이 있다고 설했는데[說有四種緣]
   인연은 5인의 성품이다[因緣五因性]

63 등무간연은 최후가 아닌[等無間非後]
   심·심소로서 이미 생긴 것이고[心心所已生]
   소연연은 일체법이며[所緣一切法]
   증상연은 곧 능작인이다[增上卽能作][2]

....

[1] 이하는 큰 글(=인연의 체성을 밝히는 글)의 둘째 연을 분별하는 것이다. 그 안에 나아가면 첫째 4연의 뜻을 전체적으로 밝히고, 둘째 등무간연을 따로 해석한다. 첫 문에 나아가면 첫째 4연의 체를 밝히고, 둘째 4연의 작용을 밝히며, 셋째 법이 연에서 생기는 것을 밝힌다. 이하는 4연의 체를 밝히는 것인데, 앞을 맺으면서 물음을 일으켰다. # 여기에서 설명된 글의 구조를 중심으로 제4장의 편성을 도표로 요약해 보이면 다음과 같다.

4연 총설	4연의 체		제1절
	4연의 작용		제2절
	연에서 생기는 법	전체적 연생관계	제3절 제1항
		대종과 소조색의 연생	제2항
별해 등무간연	모든 마음의 상생관계		제4절 제1항
	얻는 마음의 다소		제2항

1. 인연

논하여 말하겠다. 어느 곳에서 설했는가?3 말하자면 계경 중에서이니, 계경 중에서, "네 가지 연의 성품은 인연의 성품, 등무간연의 성품, 소연연의 성품, 증상연의 성품을 말한다"라고 설한 것과 같다. 여기에서 '성품[性]'이란 연의 종류이다.4

....

2 답인데, 제1구는 수를 들어 명칭을 표방한 것이고, 제2구는 인연의 체를 밝힌 것이며, 제3구와 제4구는 등무간연을 밝힌 것이고, 제5구는 소연연을 밝힌 것이며, 제6구는 증상연을 밝힌 것이다. 또『대비바사론』제107권(=대27-555상)에서, "인연은 종자의 법[種子法]과 같고, 등무간연은 열고 피해주는 법[개피법開避法]과 같으며, 소연연은 맡은 지팡이의 법[임장법任杖法](=심·심소가 소연연인 지팡이에 의지해 설 수 있는 것과 같다는 취지)과 같고, 증상연은 장애하지 않는 법[不障礙法]과 같다"라고 말하였다.

3 이하에서 제1구를 해석하는데, 이 4연은 어느 곳에서 설했는지 묻는다.

4 답인데, 경문을 들어 해석한다. 이 경{=현존본 4아함경에는 4연설이 나타나지 않지만, 달마급다 역『연생초승분본경緣生初勝分本經』상권(=대16-833중), 현장 역『분별연기초승법문경分別緣起初勝法門經』하권(=대16-840중)에 설명이 있으며, 거기에서 '다른 곳에서 설하는 것과 같다'라고 언급하고 있다} 중에서 '성품'이라는 말은 곧 4연의 종류의 성품이 다르기 때문에 성품이라고 이름한 것이다. '인연'이라는 말은 곧 인이 연이니, 지업석이다. 의주석이라고 말할 수 없으니, 인이 곧 연이기 때문이다. '등무간연'이라는 말은, 앞의 심·심소가 각각 하나인 것을 등이라고 이름했으니, 이는 곧 연의 체를 등이라고 이름한 것이다. 또 해석하자면 뒤의 심·심소가 각각 하나인 것을 등이라고 이름했으니, 이는 곧 결과의 체를 등이라고 이름한 것이다. 또 해석하자면 전후의 심·심소가 각각 하나인 것을 등이라고 이름했으니, 이는 곧 연 및 결과를 통틀어 등이라고 이름한 것이다. 또 해석하자면 앞의 심·심소가 동등하게 뒤의 심·심소에 대해 연이 되는데, 자신의 부류에 대해서만은 아니다. 또 해석하자면 뒤의 심·심소가 동등하게 앞의 심·심소를 써서 연으로 삼는데, 자신의 부류만을 쓰는 것은 아니다. 또 해석하자면 등은 앞뒤의 두 곳에 통하는 것이다. '무간'이라는 말은 연에 속하기도 하고, 결과에 속하기도 하며, 연과 결과에 공통되기도 하니, 전체적으로 말한 것이다. 앞의 심·심소와 뒤의 심·심소 중간에 다른 마음이 일어날 틈[間]이 없기 때문에 무간이라고 이름한 것이다. 또 해석하자면 동등한 법이 중간에 일어남이 없는 것을 등무간이라고 이름한 것이다. 만약 곧 등무간이 연이라고 한다면 지업석이고, 만약 등무간의 연이라고 한다면 의주석이다. '소연연'은 곧 소연이 연이니, 지업석이다. 의주석이라고 말할 수 없다. 증상연은 증상이 곧 연이니, 지업석이다. 또 해석하자면 능작能作 중에 이미 친·소가 있어서 능작의 인이라고 말할 수 있었듯, 증상 중에도 역시 친·소가 있으므로 역시 증상의 연이라고 말할 수도 있다.(=의주석도 가능하다는 취지) 그렇지만 모든 논서의 글이 모두 지업석이다. 이 4연은 모두 유재석을 할 수는 없다. (문) 나머지 3연

6인 중 능작인을 제외한 그 나머지 5인이 인연의 성품이다.5

2. 등무간연

아라한이 열반에 임했을 때의 최후의 심·심소법을 제외한 그 나머지 이미 생긴 모든 심·심소법이 등무간연의 성품이다.6 이 연에서 생기는 법은 동등하면서 틈이 없으니[等而無間], 이런 뜻에 의해 등무간이라는 명칭을 세운 것이다.7

【심·심소법에 한정】 이 때문에 색법 등은 모두 등무간연으로 세울 수 없으니, 동등하게 생기지 않기 때문이다. 말하자면 욕계의 색은 혹은 무간에 욕계와 색계의 두 가지 무표색을 낳기도 하며, 혹은 욕계와 무루의 두 가지 무표색을 낳기도 한다. 모든 색법은 잡란雜亂하게 현전하지만, 등무간연의 생기에는 잡란함이 없기 때문에 색법에는 등무간연을 세우지 않는 것이다.8

....

도 역시 결과를 장애하지 않으니, 증상이라고 이름해야 할 것이다. (해) 비록 나머지 3연은 증상이라고 이름할 수 있다고 해도 개별적인 것에 따라 명칭을 세웠는데, 증상연은 개별적인 명칭이 없으므로 비록 총체적인 호칭을 표방했다고 해도 곧 개별적인 명칭을 받은 것이니, 마치 색처 등과 같다.

5 제2구를 해석한 것인데, 인연의 체를 나타낸 것이다.

6 이하에서 제3·제4구를 해석하는데, 이는 곧 체를 나타내는 것이다. 삼승의 무학을 모두 아라한이라고 이름하는데, 말하자면 아라한이 무여열반에 듦에 임했을 때의 최후 1찰나의 심·심소법을 제외한 그 나머지 과거·현재에 이미 생긴 모든 심·심소법이 등무간연의 성품이다. '이미 생긴'은 미래 및 무위를 가려내는 것이고, '심·심소'는 색법과 불상응행법을 가려내는 것이다.

7 이는 명칭을 해석하는 것이다. 이 연에서 생긴 법은 앞뒤가 서로 유사해서 동등하면서 틈이 없으니[等而無間], 이런 뜻에 의해서 등무간이라는 명칭을 세운 것이다.

8 색법은 등무간이 아님을 밝히는 것이다. 말하자면 앞 순간에 욕계의 색만이 있었어도, 무간에 욕계와 색계의 두 가지 무표색을 낳기도 하고(=예컨대 별해탈계를 받고 유루의 선정에 들 경우)−이는 유루의 선정에 드는 것(=색계의 정려율의[定俱戒]의 무표색)과 별해탈계를 얻는 것(=욕계의 별해탈계의 무표색)에 의거한 것이다−, 무간에 욕계와 무루의 두 가지 무표색을 낳기도 하니,−이는 무루의 선정에 드는 것(=무루율의[道俱戒]의 무표색)과 별해탈계를 얻는 것에 의거한 것이다− 색법은 잡란하기 때문에 등무간연이 아니다. 만약『대비바사론』(=제11권. 대27−52상)에 의한다면 다시, "색계의 색과 불계不繫의 색이 함께 생기는 경우도 있다"라고 말하였다.『대비바사론』은 통틀어 나머지 색에 의해서 말한 것이지만, 이 논서는 오직 무표색에 의거해서만 말하므로, 반드시 선정의 무표색과 도의 무표색이 함께 생기는 경우는 없다. 또 몸이 욕계에 태어

존자 세우世友는 이런 말을 하였다. "하나의 몸 안에 하나의 장양된 색이 상속하고 끊어지지 않는데, 다시 제2의 장양된 색의 생기가 있더라도 서로 어기거나 해치지 않기 때문에 등무간연으로 세울 수 없는 것이다."9 대덕大德이 다시 말하였다. "여러 색법이 무간에 생기할 때에는 혹은 적기도 하고 혹은 많기도 하니, 말하자면 혹 어떤 때에는 마치 큰 볏집더미가 불타서 재가 되는 것처럼, 많은 것으로부터 적은 것이 생기기도 하고, 혹 때로는 마치 가느다란 씨앗에서 낙구다諾瞿陀 나무가 생겨서 뿌리·줄기·가지·잎이 점차 무성하게 자라나 줄기를 뻗고 가지를 드리워 그늘지게 하는 곳이 많은 것처럼, 적은 것으로부터 많은 것이 생기기도 하는 것이다."10

어찌 심소가 무간에 생길 때에도 역시 적고 많음이 있지 않겠으며, 품류가 동등한 것이 아니지 않겠는가? 선·불선·무기의 마음 사이와 유심유사有尋有伺 삼매 등을 말하는 것이다.11 이것은 다른 부류에 대해서는 실제로 적고 많음이 있다. 그렇지만 자신의 부류에 대해서는 동등한 것이 아니라는 뜻이 없으니, 말하자면 적은 느낌[受]이 무간에 많은 느낌을 낳거나, 혹은 다시 많은 느낌으로부터 무간에 적은 느낌이 생기는 일은 없다. 지각[想] 등도 역시 그러하므로, 동등한 것이 아니라는 허물은 없다.12

어찌 자신의 부류의 앞의 것만이 뒤의 것의 등무간연이 될 수 있겠는가?13 그렇지 않다.14 어떠한가?15 앞의 심품心品의 법은 전체적으로 뒤의

나 있으면서 색계의 변화를 만든 뒤 무루의 선정에 들면 세 가지 색이 일시에 함께 나타나는 경우도 있지만, 모든 논서에서 말하지 않았다. (본 논서는) 우선 한 가지 모습에 의거해서 색의 잡란함(=뒤섞이고 어지러움)을 밝힌 것이다.
9 이는 동시의 장양된 색은 동등한 것이 아님에 의거해서 색법은 등무간연으로 세우지 않는다는 것이다.
10 이는 전후의 색은 동등하지 않음에 의거해서 등무간연이 아니라는 것이다.
11 물음이다. 심소가 세 가지 성품 간에 서로 생기는 것(=전후 성품이 다른 마음이 생길 때 함께 생기는 심소와 그 수효가 서로 다름은 앞의 제4권 중 제7항 심소법의 구생론 참조)과 심구·사찰이 있는 등이 서로 생기는 것(=유심유사·무심유사·무심무사 삼매 간에 심구·사찰이 있는 것은 서로 다름)은, 어찌 앞뒤가 많거나 적지 않겠으며, 또한 동등한 것이 아님이 있지 않겠는가?
12 답이다. 다른 부류를 서로 바라보면 실제로 많고 적음이 있지만, 같은 부류를 서로 바라보면 곧 동등한 것 아님이 없다.
13 물음이다.

심품의 등무간연이 되는 것이지, 자신의 부류에 대해서만은 아닌데, 우선 느낌 등이 자신의 체의 부류 중에서는 적은 것이 많은 것을 낳는 일은 없다는 것으로써 '등'의 뜻을 말한 것이다.16

그런데 같은 부류만의 상속을 주장하는 자들은 이렇게 말한다. "오직 자신의 부류에만 등무간연이 있으니, 마음은 마음만을 낳고, 느낌은 느낌만을 낳는다. ···· 만약 염오 없는 마음으로부터 무간에 염오한 마음이 생겼다면, 이 염오한 마음 중에 있는 번뇌는 이전에 소멸한 번뇌를 써서 등무간연으로 삼으니, 마치 멸진정에서 나오는 마음은 이전에 바로 멸진정에 들어갈 때 소멸한 마음을 다시 써서 등무간연으로 삼기 때문에 일어나는 것과 같다."17 그의 설은 훌륭한 것이 아니니, 최초의 무루심은 이 연이 결여되어도 생길 수 있어야 하기 때문이다.18

불상응행법도 역시 색법처럼 잡란하게 현전하기 때문에 등무간연이 아니니, 3계三界 및 불계不繫의 것이 함께 현전할 수 있기 때문이다.19

....

14 답이다.
15 따지는 것이다.
16 해석이다. 앞의 심품의 법은 전체적으로 뒤의 심품의 같은 부류와 다른 부류의 등무간연이 되는 것이지, 자신의 부류에 대해서만(등무간연이 되는 것)이 아니라고 앞의 글에 대해 회통해 해석하고, 우선 느낌 등을 자신의 체의 부류 중 앞뒤에서 서로 바라볼 때 적은 것이 많은 것을 낳는 일은 없고, 많은 것이 적은 것을 낳는 일도 없다는 것으로써 '등'의 뜻을 말한 것이다.
17 이는 상사사문相似沙門(=서로 유사한 것만이 등무간연이 된다고 주장하는 사문이라는 취지)의 뜻을 서술한 것인데, 같은 부류로 서로 생기는 것만이 등무간연이 된다는 것이다.
18 논주의 논파이다. 무릇 심·심소는 4연을 갖추어서 생기는 것(=뒤의 게송 ⑤a와 그 논설)인데, 만약 같은 부류는 같은 부류만을 낳는다고 집착한다면, 최초의 무루심은 전에 이 부류가 없었으니, 이 등무간연이 결여되어도 생길 수 있어야 할 것이고, 만약 결여되어도 생길 수 있다면 곧 3연으로도 생기는 허물이 있을 것이다. 비록 동류인으로부터의 생기가 없다고 해도, 상응인과 구유인으로부터의 생기가 있기 때문에 인연은 있는 것이다.
19 불상응행 간에는 전전하여 서로 바라볼 때 3계와 불계不繫의 것이 함께 현전할 수 있어서(=예컨대 욕계에서 아라한과를 얻을 경우 욕계법의 득, 색계무색계의 선법의 득 및 불계법의 득이 함께 생기고, 생상 등의 4상도 3계 및 불계법의 그것이 생기는 등과 같다), 잡란하게 일어나기 때문에 등무간연이 아니지만, 심·심소법 간에는 오히려 2계조차 함께 일어나는 일이 없거늘, 어찌

【이미 생긴 법에 한정】어째서 미래세에 등무간연이 있는 것을 인정하지 않는가?20 미래세의 법은 잡란하게 머물러서 전후가 없기 때문이다.21

어떻게 세존께서는 미래세에 이런 법의 무간에 이런 법이 응당 생긴다는 것을 아시는가?22 과거·현재의 법과 비교하여 현량으로 아시기[現知] 때문이다. 전하는 학설은 이렇다. "세존께서는 과거의 이와 같은 부류의 업으로부터 이런 부류의 결과가 생기고, 이런 법이 무간에 이와 같은 법을 낳으며, 또 현재의 이와 같은 부류의 업으로부터 이런 부류의 결과가 생기고, 이런 법이 무간에 이와 같은 법을 낳는 것을 보셨으니, 이와 같이 보신 뒤 곧 미래의 어지럽게 머무는 여러 법에 대해서도, 이런 법의 무간에 이런 법이 응당 생긴다는 것을 바로 요달了達하실 수 있는 것이다. 비록 이와 같이 아시지만, 비량지[比智]가 아니니, 붓다께서는 과거·현재의 인·과의 순서를 부류로 비교하심으로써 곧 미래의 어지럽게 머무는 여러 법에 대해 현량으로 요달하실 수 있는 것이다. 말하자면 미래세에 이와 같은 유정이 이와 같은 업을 지어서 이와 같은 과보를 초래할 것이라고. 이는 원지願智에 포함되기 때문에 비량지가 아니다."23 만약 그렇다면 세존께서 전제前際를 미처 보지 못하셨을 경우 후제後際의 법도 아실 수 없어야 할 것이다.24

....

하물며 여럿이 있으리오. 잡란함이 없기 때문에 등무간연으로 세운 것이다. 또 해석하자면 득 및 4상은 3계와 불계의 것이 함께 현전할 수 있음이 인정되고, 동분은 3계의 것이 함께 일어날 수 있으며, 비득, 무상과, 두 가지 선정, 명근, 명·구·문신은 그 상응하는 바에 따라 각각 1계가 현전하는데, 이상 열네 가지는 또 각각 상응함에 따라 그 나머지 3계와 불계의 불상응행과 더불어 함께 일어나 잡란하므로 세우지 않지만, 심·심소는 곧 이와 같지 않다.

20 물음이다.

21 답이다. 등무간연은 세世의 전후에 의거해 순서를 건립한 것인데, 미래세의 법은 전후가 없기 때문에 등무간연이 아니다.

22 따지는 것이다.

23 답에 나아가면 모두 3논사가 있는데, 이는 곧 설일체유부의 다른 논사의 해석을 서술한 것이다. 말하자면 붓다 세존께서는 과거·현재의 법과 비교하여 곧 미래를 현량으로 요달하실 수 있다는 것이다. 이는 제4선정에 의한 원지願智에 포함되는 것이니, 원대로[如願] 아시기 때문에 비량지가 아니다.

24 논주의 논파이다. 만약 그렇다면 세존께서 과거·현재의 전제를 미처 보지 못하셨을 경우 미래의 후제도 아실 수 없어야 할 것이다. 또 『대비바사론』제179권(=대27-897중)에서도 말하였다. "(문) 어떻게 원지로 미래를 아실 수

어떤 다른 분은 다시 말하였다. "유정의 몸 안에는 미래세의 과보의 원인인 조짐[先相]이 있는데, 이것은 불상응행온의 차별이다. 붓다께서는 이것만 보시면 곧 미래를 아시니, 반드시 현재 정려에 의한 신통의 지혜에 노니셔야 하는 것이 아니다."25 만약 그렇다면 곧 모든 붓다들께서는 곧 미래를 점상占相 때문에 아신 것이니, 현량으로 증지하신 것이 아니다.26

따라서 경량부의 논사들이 말한 바, "세존께서는 마음을 일으키면 모든 법을 두루 아시는데, 비량지도 아니고, 점상에 의한 것도 아니다"라는 것과 같은 이런 설이 훌륭하다고 할 것이다. 세존의 말씀처럼 모든 붓다들의 덕용德用과 모든 붓다들의 경계境界는 불가사의한 것이다.27

만약 미래세에는 결정코 전후 순서의 안립이 없다면, 무엇 때문에 단지 세제일법世第一法은 무간에 고법지인苦法智忍만을 낳을 뿐, 다른 법을 낳지 않으며, ···· 금강유정金剛喩定은 무간에 진지盡智만을 낳을 뿐, 다른 법을 낳지 않는다고 말하는가?28 만약 이 법의 생기가 저 법에 계속繫屬된다면, 반드시 저 법의 무간에는 이 법이 생기게 되니, 마치 싹 등의 생기가 반드시 종자 등에 의지해야 하는 것과 같다. 그렇지만 이 법에 등무간연이 있는 것은 아니다.29

....

있는가? 어떤 분은, '과거·현재로써 미래를 비지比知하는 것이니, 비유하자면 농부가 종자를 뿌리고 나면 결정코 이와 같은 결과가 생길 것을 비지하는 것처럼, 그것도 역시 이와 같다'라고 말하였다. 어떤 분은, '만약 그렇다면 원지는 비량지이지, 현량지가 아닐 것이다. 응당 이렇게 말해야 할 것이다. 이 원지는 원인의 관찰을 기다리지 않고 능히 결과를 알고, 결과의 관찰을 기다리지 않고 능히 원인을 아니, 이 때문에 이 지혜는 현량지이지, 비량지가 아니다'라고 말하였다."

25 둘째 설일체유부의 다른 논사의 해석을 서술한 것이다. 어떤 다른 논사는 말한다. "유정의 몸 안에는 미래세의 과보의 원인인 조짐[兆]이 있는데, 이것은 불상응행온의 차별이다. 붓다께서는 욕계의 세속지를 일으켜 이 조짐을 보고 곧 미래를 아신 것이니, 반드시 현재 근본정려에 노닐어 생사를 아는 신통의 지혜에 일으켜야 비로소 아실 수 있는 것이 아니다."

26 논주가 제2의 논사를 논파하는 것이다.

27 셋째 논주가 앞의 2설을 비판하면서 곧 경량부의 설을 서술하는 것이다. # 붓다 경계의 불가사의에 대해서는 증일 18:26:9경 참조.

28 물음이다. 이미 법이 차례로 생기니, 미래에도 전후의 차례가 있다는 것을 분명히 알 수 있다.

【최후의 심·심소가 아닐 것】 모든 아라한의 최후의 심·심소는 어떤 이유 때문에 등무간연이 아니라고 말하는가?30 다른 마음 등이 이것에 이어 일어나는 일이 없기 때문이다.31

이와 같이 무간에 멸한 마음도 어찌 역시 의근[意]이라고 이름하지 않는가? 최후의 마음의 무간에는 의식이 이미 생기지 않으니, 의근이라고 이름하지 않아야 할 것이다.32 의근은 의지처[依]를 나타내는 것이지, 작용을 나타내는 것이 아니다. 이 최후의 마음도 의지처의 뜻이 있지만, 다른 연이 결여되었기 때문에 후의 의식이 생기지 않는 것이다. 등무간연은 작용을 나타내는 것이어서, 만약 법을 이 연이 취해서 결과로 삼았다면, 능히 장애하여 그것을 일어나지 못하게 할 모든 법 및 모든 유정은 결정코 없다. 그래서 최후의 마음은, 의근이라고 이름할 수는 있어도 등무간연이라고 말할 수는 없는 것이다.33

【마음의 등무간과 마음의 무간의 관계】 만약 법이 마음에 대해 등무간이 되는 것이면, 그 법은 마음의 무간無間인 것이기도 한가? 4구로 분별해야 할

....

29 답이다. 만약 이 결과의 법의 생기가 저 원인의 법에 계속繫屬(=매여 속함)된다면, 반드시 저 원인의 무간에 이 결과가 생기게 될 것이다. 마치 싹 등의 결과의 생기가 반드시 종자 등의 원인에 의지해야 하는 것과 같다. 이런 등의 여러 법이 비록 서로 계속된다는 뜻에서 전후를 말하기는 하지만, 그렇다고 해서 이런 법에 등무간연이 있는 것은 아니다. 미래의 세제일법 등은 전체적인 모습으로 말할 때 비록 서로 계속된다는 뜻에서 전후를 말하기는 하지만, 등무간연이 있을 수 있는 것은 아니니, 등무간연은 세의 전후의 작용에 의거해 말하는 것이기 때문이다. # 미래의 세제일법이나 금강유정은 미래의 법이기 때문에 등무간연 되는 것이 부정될 뿐, 고법지인이나 진지가 이미 생긴 단계에도 등무간연이 되지 않는다는 것은 아니라는 취지.

30 물음이다.

31 답이다. 다른 마음 등이 이 최후의 마음에 이어 일어나는 일이 없는 까닭에 최후의 마음은 등무간연이 아니다.

32 힐난이다.

33 해석이다. 의근은 의지처를 나타내는 것이지, 작용을 나타내는 것이 아니기 때문에 최후의 마음도 의근이라고 이름할 수 있다. 등무간연은 작용을 나타내는 것이어서, 만약 법이 생상에 이르렀을 때 이 연이 취해서 결과로 삼았다면, 능히 장애하여 그 생상에 이른 법으로 하여금 현재에 들어가 이르지 못하게 할 모든 법 및 모든 유정은 결정코 없지만, 다른 마음의 이어짐[續]이 없기 때문에 최후의 마음은 등무간연이 아닌 것이다.

것이다. 제1구는 말하자면 무심정에서 나오는 심·심소 및 제2찰나 등의 두 가지 무심정의 찰나이다. 제2구는 말하자면 처음 일으킨 두 가지 무심정의 찰나(의 생·주·이·멸) 및 유심위有心位에서의 모든 심·심소의 생·주·이·멸이다. 제3구는 말하자면 처음 일으킨 두 가지 무심정의 찰나 및 유심위에서의 심·심소법이다. 제4구는 말하자면 제2찰나 등의 두 가지 무심정의 찰나(의 생·주·이·멸) 및 무심정에서 나오는 심·심소법의 생·주·이·멸이다.34

　만약 법이 마음에 대해 등무간이 되는 것이면 무심정에 대해 무간인 것이 되는가? 4구로 분별해야 할 것이다. 말하자면 앞의 제3구와 제4구가 지금의 제1구와 제2구가 되고, 곧 앞의 제1구와 제2구가 지금의 제3구와 제4구가 된다.35

....
34 이하에서 두 종류의 4구를 해석하는데, 이는 곧 처음 4구이다. 마음의 등무간인 것으로써 마음의 무간인 것을 상대해 4구로 분별하는 것이다. '마음의 등무간인 것'(=본문의 '등무간이 되는 것')이라고 말한 것은, 만약 법이 마음의 등무간연에 인기된 결과[所引果]라면, 그 때문에 등무간(인 것)이라고 이름한다. 두 가지 무심정 및 심·심소법은 앞과 동등하기 때문에 '등'이라고 이름하고, 다른 마음이 있어 간격함이 없기 때문에 '무간'이라고 이름한다. '마음의 무간인 것'이라고 말한 것은, 말하자면 만약 어떤 법이 마음과 접한 뒤에 일어나면[接心後起], 이 마음의 결과이든 마음의 결과가 아니든, 단지 마음과 접한 뒤에 일어났다는 것만으로 곧 마음의 무간인 것이라고 이름한다. 제1구는 무심정에서 나오는 심·심소 및 제2찰나 등의 두 가지 무심정의 찰나인데, '찰나'는 선정(=무심정)의 체를 나타내는 것이다. 이것은 마음의 결과이기 때문에 등무간이라고 이름하지만, 마음과 접한 뒤에 일어나는 것이 아니기 때문(=마음과 2찰나 이상 떨어져 있기 때문)에 마음의 무간인 것이 아니다. 제2구는 말하자면 처음 일으킨 두 가지 무심정의 찰나 위의 생·주·이·멸 및 유심위에서의 모든 심·심소 위의 생·주·이·멸이다. 마음과 접한 뒤에 일어나기 때문에 마음의 무간인 것이지만, 마음의 결과가 아니기 때문에 마음의 등무간인 것이 아니다. 제3구는 말하자면 처음 일으킨 두 가지 무심정의 찰나(=무심정의 첫 찰나는 유심이다) 및 유심위에서의 심·심소법이다. 이것은 마음의 결과이기 때문에 마음의 등무간인 것이고, 마음과 접한 뒤에 일어나기 때문에 마음의 무간인 것이다. 제4구는 말하자면 제2찰나 등의 두 가지 무심정의 찰나 위의 생·주·이·멸 및 무심정에서 나오는 심·심소 위의 생·주·이·멸이다. 마음의 결과가 아니기 때문에 마음의 등무간인 것이 아니고, 마음과 접한 뒤에 일어나는 것이 아니기 때문에 마음의 무간인 것이 아니다.
35 두 번째 4구를 밝히는 것이다. 등무간인 것은 앞에서 해석한 것과 같고, '무심정에 대해 무간인 것'이란 말하자면 만약 어떤 법이 무심정과 접한 뒤에 일어난다면 무심정에 대해 무간인 것이라고 이름한다. 마음의 등무간인 것으로써

두 가지 선정에서 나오는 모든 심·심소를 선정에 드는 마음에서 바라보
면 중간이 멀리 떨어져 있는데, 어떻게 그것의 등무간연이 되는가?[36] 중간
이 심·심소로 간격되지 않았기 때문이다.[37]

이와 같이 등무간연에 대해 해석하였다.

3. 소연연所緣緣

소연연의 성품은 곧 일체법인데, 심·심소에서 바라볼 때 그 상응하는 바
에 따른다. 말하자면 안식 및 상응법은 일체 형색[色]을 소연연으로 하는
것과 같으니, 이와 같이 이식 및 상응법은 일체 소리[聲]를, 비식과 상응법
은 일체 냄새[香]를, 설식과 상응법은 일체 맛[味]을, 신식과 상응법은 일체
감촉[觸]을, 의식과 상응법은 일체 법法을 소연연으로 한다.[38]

....

무심정에 대해 무간인 것을 상대해서 4구로 분별하는 것이다. 앞의 제3구는
말하자면 처음 일으킨 두 가지 무심정의 찰나 및 유심위에서의 심·심소법이
었는데, 지금의 제1구가 된다. 마음의 결과이기 때문에 마음에 대해 등무간이
며, 무심정과 접한 뒤에 일어난 것이 아니기 때문에 무심정에 대해 무간인 것
이 아니다. 앞의 제4구는 말하자면 제2찰나 등의 두 가지 무심정의 찰나 위의
생·주·이·멸 및 무심정에서 나오는 심·심소 위의 생·주·이·멸이었는데, 지금
의 제2구가 된다. 무심정과 접한 뒤에 일어나기 때문에 무심정에 대해 무간인
것이지만, 마음의 결과가 아니기 때문에 마음에 대해 등무간이 아니다. 앞의
제1구는 말하자면 무심정에서 나오는 심·심소 및 제2찰나 등의 두 가지 무심
정의 찰나였는데, 지금의 제3구가 된다. 이것은 마음의 결과이기 때문에 마음
에 대해 등무간인 것이고, 무심정과 접한 뒤에 일어나기 때문에 무심정에 대
해 무간인 것이다. 앞의 제2구는 말하자면 처음 일으킨 두 가지 선정의 찰나
위의 생·주·이·멸 및 유심위에서의 모든 심·심소 위의 생·주·이·멸이었는데,
지금의 제4구가 된다. 마음의 결과가 아니기 때문에 마음에 대해 등무간인 것
이 아니고, 무심정과 접한 뒤에 일어나는 것이 아니기 때문에 무심정에 대해
무간인 것이 아니다.

36 물음이다. 이미 서로 떨어져 있는 것이 먼데, 어떻게 무간인가?
37 답이다. 서로 떨어져 있는 것이 멀다고 해도, 중간이 다른 심·심소로 간격되
지 않았기 때문에 무간이라고 이름한다.
38 이하는 제5구를 해석하는 것이다. 심·심소는 능연能緣이고, 일체법은 소연所緣
이다. 일체법은 이 심·심소의 생기에 매달려 붙어 있는 것[生所攀附]이기 때문
에 소연이라고 말하니, 곧 이 소연에 별도의 체성이 있어 심·심소 발생의 연
이기 때문에 소연연이라고 이름하는 것이다. 심·심소를 능연이라고 이름하고,
경계를 소연이라고 이름하는 까닭은, 마음 등은 경계를 대할 때 경계의 모습
을 띠고 나타나기에[帶境相現] 능연이라고 이름하지만, 경계는 마음 등의 모습
을 띠고 나타나지 않기 때문에 능연이라고 이름하지 못하고, 단지 소연일 뿐

만약 법이 그 법에 대해 소연이 된다면, 이것은 그것에 대해 소연 아닐 때가 없다. 반연되지 않는 단계에서도 역시 소연에 포함되니, 반연되든 반연되지 않든 그 체상이 동일하기 때문이다. 비유하자면 섶 등은 불타지 않을 때에도 역시 땔감[所燒]이라고 이름하는 것과 같으니, 체상에 차이가 없기 때문이다.39

심·심소법은, 소연에 대해 처處·사事·찰나刹那의 세 가지가 모두 결정적인 것처럼, 의지처[所依]에 대해서도 역시 이와 같은 결정됨이 있는가?40 역시 이와 같은 결정됨이 있다고 말해야 할 것이다.41 그런데 현재에는 자

....
인 것이다. 나머지는 글과 같다.

39 소연의 결정적임을 나타내는 것이다. 반연되든 반연되지 않든 모두 소연이라고 이름하니, 비유하자면 섶 등은 불타든 불타지 않든 모두 땔감이라고 이름하는 것처럼, 체에 차이가 없기 때문이다.

40 물음이다. 심·심소법은 소연의 경계에 대해 세 가지 결정됨이 있는데, 의지처인 근에 대해서도 세 가지 결정됨이 역시 있는가? 소연에 대해 세 가지 결정됨이란, 첫째 처의 결정, 둘째 사事의 결정, 셋째 찰나의 결정이다. '처의 결정'이란 말하자면 안식 및 상응법은 색처만을 반연할 뿐, 성처 등은 결정코 반연하지 않는다는 것이다. '사의 결정'이란 색처 안에 나아가면 모두 스무 가지가 있는데, 한 가지를 개별적으로 반연하든, 두 가지를 합쳐 반연하든, 나아가 스무 가지를 합쳐 반연하든, 그 상응하는 바에 따라 이런 사事에 결정되어서, 저런 사는 반연하지 않기 때문에 '사의 결정'이라고 이름한 것이다. '찰나의 결정'이란 다시 사 안에 나아가면 찰나찰나 따로 반연한다는 것이다. '찰나'라는 뜻은 서로 머무는 것이 맞다[相住當]는 뜻을 나타낸다. 만약 이 찰나에 일어나야 할 것이라면 곧 일어나고, 만약 연이 결여되면 곧 일어나지 않는 것을 찰나의 결정이라고 이름하니, 다른 찰나에는 아니라는 것이다. 마치 안식 및 상응법이 소연에 대해 세 가지 결정됨을 만드는 것처럼, 이·비·설·신식 및 상응법이 각각 자신의 소연에 대해 세 가지가 결정됨(을 만드는 것)도 역시 그러하다. 의식 및 상응법의 소연에 대한 세 가지 결정됨은, 의식의 소연은 12처에 통하므로, 이것이 있는 법의 법처[有法處]를 반연하면 없는 법의 법처[無法處]를 결정코 반연하지는 않는 것을 '처의 결정'이라고 이름하고, '사의 결정'은 12처에 있는 법 안에 나아가면 그 상응하는 바에 따라 혹 이 사를 반연하면 다른 사를 결정코 반연하지 않는 것이며, '찰나의 결정'은 다시 사 안에 나아가면 찰나찰나 따로 반연하는 것이다.

41 답이다. 의지처인 6근에 대해서도 역시 이와 같은 세 가지 결정됨이 있다고 말해야 할 것이다. '처의 결정'이란 말하자면 안식 및 상응법이 안처에 결정됨이니, 눈에 의지하기 때문에 귀 등에는 의지하지 않는다. 비록 의처에도 의지하지만, 지금은 개별적인 의지처에 의거해 법의 차별을 나타내는 것이다. '사의 결정'이란 처의 결정 중에 나아가면 다시 남자와 여자, 천신과 인간 등의

신의 의지처와 직접 관계하지만[親附], 과거와 미래에는 의지처와 서로 떨어져 있다[相離]. 어떤 분은, "과거에 있어서도 역시 의지처와 직접 관계했다"라고 말하였다.42

이와 같이 소연연의 성품에 대해 해석하였다.

4. 증상연增上緣

증상연의 성품은 곧 능작인이니, 곧 능작인이 증상연이 되기 때문이다.43 이 연은 그 체가 넓어서 증상연이라고 이름한 것이니, 일체 모든 것이 증상연이기 때문이다.44

이미 일체법이 또한 소연연이었는데, 이 증상연만이 어찌 유독 그 체가 넓겠는가?45 함께 있는 모든 법[俱有諸法]은 아직 소연이 되지 못하더라도, 증상연이 되기 때문에, 이것만 그 체가 넓다고 한 것이다.46 혹은 작용하는 바가 넓어서 증상연이라고 이름한 것이니, 일체법은 각각 자신의 성품을 제외한 일체 유위에 대해 증상연이 되기 때문이다.47

....

눈에 같지 않음이 있고, 혹 이숙과 장양된 등의 눈은 다른데, 안식 및 상응법은 이런 사에 의지하면 결정코 다른 사에 의지하지 않는 것을 사의 결정이라고 이름한다. '찰나의 결정'이란 다시 사 안에 나아가면 찰나찰나가 결정됨이니, 말하자면 안식 및 상응법은 응당 이 찰나에 (식별)해야 하고, 결정코 다른 찰나에는 (식별)하지 않는 것이다.

42 5식 및 상응법에 대해 따로 해석하는 것인데, 여기에 양 설이 있다. 제1설은, 5식 및 상응법이 현재는 근과 함께 한다고 해서 '의지처와 직접 관계한다'라고 이름하고, 과거·미래에는 의지처와 흩어져 머문다[散住]고 해서 '서로 떨어져 있다'라고 이름한다. 후설은, 과거에는 일찍이 근과 함께 했다고 해서 역시 '의지처와 직접 관계했다'라고 이름하고, 현재·미래는 제1설과 같다.『대비바사론』(=제12권. 대27-57상)에서는 다시 1설이 있다고 말하였다. 어떤 분은, "3세에 모두 의지처와 함께 한다"라고. 이 논사는 성품이 서로 속함에 의거하기 때문에 함께 한다고 말한 것이니, 각각 한 가지 뜻에 의거한 것이다.

43 이하 제6구를 해석하는데, 이는 체를 나타내는 것이다. 만약 법의 체에 의거한다면 앞의 3연도 포함하지만, 체상이 뒤섞이기 때문이며, 작용이 각각 다름에 의거하기 때문에 3연을 떠나서 따로 증상연을 말하는 것이다.

44 이는 체에 의거해 증상이라는 명칭을 해석한 것이다.

45 물음이다. 두 가지 연은 체가 같은데, 어째서 유독 넓다고 말하는가?

46 답이다. 전체적인 모습으로 논한다면 두 가지 연의 체가 같지만, 개별적으로 찰나에 의거하면 곧 많고 적음이 있다. 함께 있는 모든 법은 아직 소연의 경계가 되지 못하더라도, 증상연이 되기 때문에, 증상연이 넓다.

법에 대해 전혀 4연이 아닌 법이 혹시 있는가?48 있다. 말하자면 자신의 성품[自性]에 대한 자신의 성품이다. 다른 것인 성품[他性]에도 역시 있으니, 말하자면 무위에 대한 유위, 무위에 대한 무위이다.49

제2절 4연의 작용

이와 같은 여러 연은 어떤 단계의 법에 대해 작용을 일으키는가?50 게송으로 말하겠다.

64 2인은 바로 소멸하는 때에[二因於正滅]
　3인은 바로 생기는 때에[三因於正生]
　나머지 2연은 이와 상반되게[餘二緣相違]
　작용을 일으킨다[而興於作用]51

논하여 말하겠다. 앞에서 5인을 말하여 인연의 성품이라고 했는데, (그 중) 2인의 작용은 바로 소멸하는 때이다. '바로 소멸하는 때'라는 말은, 법이 현재 있되 멸상이 현전한 것을 나타내기 때문에 '바로 소멸하는 때'라고

....
47 이는 작용에 의거해 증상이라는 명칭을 해석한 것이다.
48 물음이다.
49 답이다. 무위는 항상한 것이므로 연으로부터 생기지 않는다.
50 이하 둘째(=연을 분별하는 글의 첫째 연의 뜻을 전체적으로 밝히는 글 중의) 연의 작용을 밝히려고, 이와 같은 여러 연은 어떤 단계의 결과의 법에 대해 여과의 작용을 일으키는지 물은 것이다. 이 여과의 작용은 과거·현재에 많기 때문에 따로 분별하는 것이다. 그 취과의 작용(=앞의 제6권 중 제12절 인의 취과와 여과 참조)은, 만약 『대비바사론』에 의한다면 비록 과거에도 통하지만, 만약 (이 논서와) 『순정리론』에 의한다면 오직 현재에 있을 뿐이고, 증상연(=『기』에는 '등무간연'이라고 되어 있지만, 전후의 글과 대조할 때 '증상연'의 오기로 보인다)만은 많은 차별이 없기 때문에 여기에서 말하지 않은 것이다.
51 위의 2구는 인연에 대해 밝히는 것이고, 제3구는 등무간연과 소연연에 대해 밝히는 것이며, 제4구는 작용을 맺는 것이다. 『순정리론』의 뜻으로는, 취과를 작용이라고 이름하고, 여과를 공능이라고 이름한다고 하면서도, 작용이라고 말한 것은 이 공능 위에 작용이라는 명칭을 세운 것이다.

이름한 것이다. 구유인과 상응인은 법이 소멸하는 단계에서 비로소 작용을 일으키니, 이 2인이 함께 생긴 결과[俱生果]로 하여금 작용을 갖게 하기 때문이다.52

'3인은 바로 생기는 때'라고 말한 것은, 말하자면 미래의 법이 바로 생기는 단계에서 생상이 현전하기 때문에 '바로 생기는 때'라고 이름한 것이니, 동류인·변행인·이숙인 세 가지는 법이 바로 생기는 단계에서 작용이 비로소 일어난다.53

인연이 두 가지 시기에 작용하는 것을 설명했는데, 2연의 작용은 이와 상반된다. 등무간연은 법이 생기는 단계에서 작용을 일으키니, 그것이 생길 때 앞의 심·심소가 그것에 처소를 부여하기 때문이다. 소연연이라면 능연能緣이 소멸하는 단계에서 작용을 일으키니, 심·심소는 반드시 현재 있을 때여야 비로소 경계를 취하기 때문이다.54 증상연만은 모든 단계에서 모두 장

---

52 제1구를 해석하는 것이다. 상응인과 구유인은 결과의 법이 소멸하는 단계에서 여과의 작용을 일으킨다. 주·이상도 역시 동시이지만, 멸상의 뜻은 장차 뒤에 있을 것이기 때문에 멸상만을 치우쳐 말한 것이다. 이 2인이 소멸하는 단계에서 작용을 일으킴에 의해 함께 생긴 사용과로 하여금 작용(=소멸의 작용)을 갖게 하기 때문이다. 혹은 함께 생긴 결과로 하여금 작용을 갖게 하기 때문에 소연의 경계로 나아가게 하는 것 및 결과 등을 하나로 하는 것(=을 소멸하게 한다는 취지)이다. # 이 부분에 관해 『순정리론』(=제20권. 대29-450상)에 다음과 같은 설명의 글이 있다. "구유인·상응인 2인은 법의 멸상이 현전하는 단계에서 공능을 짓는다. 이 단계에서 2인이 공능을 짓는다는 것은, 함께 생긴 품류가 그 중의 하나가 결여될 때 작용이 모두 없게 하며(=구생인의 경우) 경계를 취할 수 없게 하는 것(=상응인의 경우)을 말하는 것이다."
53 제2구를 해석하는 것이다. 결과의 법이 생상에 이를 때 3인은 비로소 여과의 작용을 일으키는데, 만약 동류인·변행인이라면 등류과를 부여하는 작용을 일으키고, 만약 이숙인이라면 이숙과를 부여하는 작용을 일으킨다. 그 이숙인은 결과가 생상에 이를 때 과거에 여과한 것이며, 결과가 생상에 이를 때 현재 취과하는 것은 반드시 없다.{=이숙인의 취과는 오직 현재(=이숙인에서 볼 때)이고, 이숙인의 여과는 오직 과거임(=이숙과에서 볼 때)은 앞의 제6권 중 게송 60d와 그 논설 참조} 이로써 이 게송은 여과의 작용에 의거해 읊은 것임을 분명히 알 수 있다.
54 제3구를 해석하는 것이다. 앞의 2인의 작용은 결과가 소멸하는 단계였지만, 지금의 등무간연은 결과(=후의 심·심소)가 생기는 단계에서 여과의 작용(=생기의 작용)을 일으키기 때문에 이와 상반된다고 말한 것이다. 그 결과가 생

애함 없이 머물기 때문에 그것의 작용은 장애함 없는 단계에 따라 일체 막음[遮]이 없다.55

제3절 법의 연생緣生관계

제1항 전체적인 연생관계

모든 연 및 그 작용 일으킴에 대해 설명했으니, 어떤 법이 몇 가지 연에 의해 생기는지 설명해야 할 것이다.56 게송으로 말하겠다.

⑥⑤ 심·심소는 4연에 의해[心心所由四]
　두 가지 선정은 단지 3연에 의해[二定但由三]
　나머지는 2연에 의해 생기는데[餘由二緣生]
　자재천 등에 의하는 것 아니니, 순차적인 등 때문이다[非天次等故]57

1. 법의 종류에 따른 연생관계

....
길 때 앞의 심·심소가 그것의 처소를 부여하기 때문인데, 결과란 사용과를 말하는 것이다. 앞의 3인의 작용은 결과가 생기는 단계였지만, 지금의 소연연은 능연의 결과의 법이 소멸하는 단계에서 여과의 작용(=소멸의 작용)을 일으키기 때문에 이와 상반된다고 말한 것이다. 심·심소는 반드시 현재 있을 때라야 비로소 경계를 취하기 때문인데, 결과란 증상과를 말하는 것이다.

55 4연 중 증상연만은 공통으로 생·멸의 단계에서 여과의 작용을 일으키기 때문에 '모든 단계에서 모두 장애함 없이 머물기 때문'이라고 말하였다. 그 증상연은 법이 생기거나 소멸하는 단계에서 모두 장애함 없이 머물기 때문에 그 작용은 장애함 없는 단계에 따라 일체 막는 것이 없다.

56 이하는 셋째 법이 연에서 생기는 것을 밝히는데, 그 안에 나아가면 첫째 전체적으로 모든 법에 대해 밝히고, 둘째 어려운 것에 따라 별도로 해석한다. 이는 곧 전체적으로 모든 법에 대해 밝히는 것인데, 앞을 맺으면서 물음을 일으켰다.

57 위의 3구는 법이 연을 갖추어 생기는 것을 밝힌 것이고, 제4구는 외도들의 집착이 부정하는 것이다. '천天 등'은 자아[我] 등을 같이 취한 것이고, '차次 등'은 뜻과 이익 없는 것[無義利] 등을 같이 취한 것이다. # 게송의 제4구 '非天次等故'는 '비천등非天等, 차등고次等故'로 읽어야 한다는 취지.

논하여 말하겠다. 심·심소법은 4연에 의해 생긴다. 이들 중 인연은 말하자면 5인의 성품이다. 등무간연은 말하자면 전찰나의 무간에 이미 생긴, 최후의 것 아닌 심·심소법이다. 소연연은 말하자면 상응하는 바에 따라 색 등의 5경이나 일체법이다. 증상연은 말하자면 상응하는 바에 따라 각각 자신의 성품을 제외한 그 나머지 일체법이다.[58]

멸진정·무상정의 두 가지 선정은 소연연을 제외한 3연에 의해 생기니, 능연能緣이 아니기 때문이다. 인연에 의한다는 것은 2인에 의함을 말하는 것인데, 첫째는 구유인이니, 말하자면 생상 등의 상이며, 둘째는 동류인이니, 말하자면 앞서 이미 생긴 같은 지地의 선법이다. 등무간연은 입정하는 마음[入定心] 및 상응법을 말하는 것이고, 증상연은 말하자면 앞에서 말한 것과 같다. 이와 같은 두 가지 선정은 마음 등이 견인해 낳지만, 마음 등의 일어남을 장애하기 때문에 마음 등에 대해 단지 등무간等無間이 될 뿐, 등무간연은 아니다.[59]

....

58 제1구를 해석하는 것이다. '인연'이 5인을 말한다는 것은 전체적인 모습에 의거해 말한 것인데, 만약 개별적으로 분별한다면 갖추지 못하는 것도 있다. 이숙이 아닌 것은 이숙인이 없고, 염오 아닌 법은 변행인이 없으며, 최초로 생긴 무루법은 동류인이 없지만, 상응인과 구유인은 모두 있다고 말할 수 있다. (등무간연은) 말하자면 전찰나의 무간에 이미 생긴 심·심소법이 등무간연인데, 무학의 최후의 심·심소법은 등무간연이 되는 것이 아니다. 나머지 2연은 알 수 있을 것이다.

59 제2구를 해석하는 것이다. 이와 같은 두 가지 선정은 마음 등이 견인해 낳기 때문에 마음의 등무간의 결과이지만, 마음 등의 일어남을 장애하기 때문에 등무간연은 아니다. 나머지는 알 수 있을 것이다. 『대비바사론』(=제136권. 대 27-702하의, "선의 심불상응행 중 무상정과 멸진정이 생길 때에는 2연과 일부가 이들에 작용이 있으니, 2연이란 증상연과 등무간연이고, 일부란 인연 중 곧 동류인이며, 곧 이들이 소멸할 때에는 1연과 일부가 이들에 작용이 있으니, 1연이란 증상연이고, 일부란 인연 중 곧 구유인이다"라는 글)에서 뜻으로, 두 가지 선정은 3연으로 생긴다고 말했는데, 여기에서 생긴다는 말은, 일어나고, 아직 소멸하지 않은 것을 전체적으로 생긴다고 이름했기 때문이다. 말하자면 1연(=등무간연)은 오직 생길 때에만, 2연(=인연·증상연)은 공통으로 두 시기(=생길 때와 소멸할 때)에 작용하기 때문에 3연이라고 말한 것이다. (문) 무엇 때문에 무상이숙은 말하지 않았는가? (답) 『순정리론』 제20권 (=대29-451상)에서 말한 것과 같다. "어찌 무상(=무상이숙) 역시 3연으로 생기지 않겠는가? 심·심소의 등무간이기 때문이다. (답) 역시 마음의 등무간

나머지 불상응행법 및 모든 색법은 인연·증상연의 2연에 의해 생긴다.60

2. 외도의 집착 비판

일체 세간은 위에서 말한 것과 같은 여러 인과 여러 연으로부터 일어나는 것일 뿐, 자재천自在天, 자아[我], 승성勝性 등의 단일한 원인[一因]에 의해 일어나는 것이 아니다.61 여기에 무슨 근거가 있는가?62 만약 일체법의 생성이 원인에 의한 것임을 인정한다면, 일체 세간이 자재천 등의 단일한 원인에 의해 생긴다는 이론을 어찌 곧 버리지 않는가?63

【순차적임에 의한 논파】 또 모든 세간은 자재천 등의 단일한 원인으로 일어나는 것이 아니니, 순차적인 등 때문이다. 말하자면 모든 세간이 만약 자재천 등의 단일한 원인으로 생긴 것이라면, 곧 일체가 동시에 생기고, 순차 일어나는 것이 아니어야 할 것인데, 모든 법을 현재 보건대 순차 생기기 때

....

인 것이라고 말해야 할 것이지만, 단지 마음 등의 가행으로 견인해 낳는 것이 아니기 때문(=이숙인의 견인되어 저절로 일어나는 것이기 때문)에 여기에서는 그만 두고 말하지 않은 것이다. 혹은 이 무상은 단지 (게송 중에서) 소리로만 나타난 것이어서, 두 가지 선정처럼 상대시켜 세울 것이 아니기 때문이다." 『순정리론』에서 이미 무상이숙은 2무심정과 같이 등무간이라고 설했으니, 준해서 그 체에는 역시 여러 물건이 있음을 알 수 있다.

60 제3구를 해석하는 것인데, 알 수 있을 것이다. 『대비바사론』(=제136권. 대 27-702중 이하)에서 뜻으로, 나머지 불상응행법 및 일체 색법은 2연으로 생긴다고 말했는데, 여기에서 생긴다는 말은, 일어나고 아직 소멸하지 않은 것을 전체적으로 생긴다고 이름했기 때문이다. 말하자면 2연(=증상연과 인연, 같은 논서에 의하면 인연은 법의 세부 내용에 따라 그 종류가 다르다)은 함께 생길 때와 소멸할 때 작용이 있기 때문이다.

61 이하에서 제4구를 해석한다. 일체 세간의 모든 법은 인과 연에서 생긴다. 예컨대 도회塗灰외도(='도회'는 몸에 재를 바른다는 뜻으로, 그런 종류의 고행을 수행하는 외도. 대자재천을 숭배하는 대자재천외도의 한 종류)는 자재천이 창조주[作者] 등으로서 능히 모든 법을 낳는다고 집착하고, 승론勝論외도는 자아[我]가 실제로 만드는 자[作者]가 되어 고·락 등을 낳는다고 집착하며, 수론數論에서는 승성勝性의 3법─살타薩埵·자사刺闍·답마答摩를 말하는 것인데, 자성自性이라고 이름하기도 한다─이 체가 되어, 모든 법의 원인이 된다고 하는데, 자재천 등의 단일한 원인에서 일어나는 것이 아니라는 것이다.

62 외도의 물음이다. 이 모든 법이 생기는 것에 대해 다시 무슨 근거가 있기에 단일한 원인에 의해 생긴다는 것을 인정하지 않는가?

63 총체적인 답이다. 만약 일체법의 성립이 다른 원인에 의한 것임을 인정한다면, 단일한 원인에 의해 생긴다는 이론을 어찌 곧 버리지 않는가?

문에 결정코 단일한 원인으로 일어나는 것이 아님을 알 수 있다.64

만약 자재천이 욕구[欲]-말하자면 그가 이 법은 지금 일어나게 하고, 이 법은 지금 소멸하게 하며, 이 법은 뒤의 시기이게 하려는 욕구-에 따랐기 때문에 그러하다고 주장한다면,65 이는 곧 단일한 원인으로 일어나는 것 아님을 성립시킬 것이니, 또한 낙욕樂欲의 차별에 의해서도 생기기 때문이다. 혹은 차별의 욕구가 일시에 생겨야 할 것이니, 원인 되는 자재천에 차별이 없기 때문이다.66

만약 욕구의 차별이 다시 다른 원인을 기다리므로 함께 일어나지 않는다고 한다면,67 곧 일체는 자재천이라는 단일한 법만을 써서 원인으로 하는 것이 아니다. 혹은 그 기다리는 원인도 역시 다시 다른 원인의 차별을 기다려야 비로소 순차적으로 생길 것이니, 곧 기다리는 원인은 응당 끝이 없을 것이다. 만약 더 이상 다른 차별의 원인을 기다리지 않는다면, 이 원인에는 응당 순차적으로 생기게 하는 뜻이 없을 것이니, 곧 차별의 욕구가 순차적으로 생기게 하는 것이 아닐 것이다. 만약 여러 원인은 전전하여 차별되므로 끝이 없음을 인정한다면, 시작 없음[無始]을 믿을 것이다. 따라서 결국 자재천이 모든 법의 원인이 된다는 주장은, 불교[釋門]의 인연의 바른 이치

....

64 이하 개별적으로 논파하는데, 첫째 순차적임[次第]에 의거해 논파하고, 둘째 쓸모 없음[無用]에 의거해 논파하며, 셋째 세간에 어긋남[違世]에 의거해 논파한다. 이하 순차적임에 의거해 논파하는 것이다. 만약 모든 법이 단일한 원인으로 생긴다고 말한다면 단박에 일어나야 할 것이니, 원인에 차별이 없기 때문이다. 이미 현재 순차적으로 생기니, 단일한 원인으로 일어나는 것 아님이 분명하다.
65 외도가 힐난을 받자 계탁을 바꾸는 것이다. 자재천을 원인으로 하지만, 다시 그 욕구에 의하기 때문에 단박에 일어나는 것이 아니라고.
66 논파하는 것이다. 만약 욕구에 의해 생기는 것이라면 곧 단일한 원인이 아니니, 종지에 위배되는 허물이다. 혹은 (낙욕의 내용이 차별되더라도 단일한 자재천의 욕구에 따른 것이므로 단일한 원인에 의한 것이라고 한다면, 단일한 자재천에 의한) 전후 차별하려는 욕구는 일시에 단박 생겨야 할 것(이고 따라서 세계는 무질서할 것)이다.
67 외도의 바뀐 계탁을 인용하는 것이다. 사람·천신 등의 같지 않음을 낳는 것을 차별의 욕구라고 이름하는데, 이런 차별의 욕구가 자재천을 원인으로 할 뿐만 아니라, 다시 다른 원인으로 기다리는 까닭에 함께 일어나지 않는다고 한다면.

를 뛰어넘지 못한다.68

　만약 자재천의 욕구는 단박에 생기지만, 모든 세간이 함께 일어나지 않는 것은, 자재천의 욕구에 따라 생기는 것이기 때문이라고 말한다면, 이치가 역시 그렇지 않으니, 그런 자재천의 욕구는 앞 단계와 뒷 단계에 차별이 없기 때문이다.69

　【쓸모 없음에 의한 논파】 또 그 자재천은 큰 공력功力을 지어 모든 세간을 낳음으로써 무슨 뜻과 이익을 얻는가? 만약 환희를 일으키기 위해 모든 세간을 낳는다면, 이 환희는 다른 방편을 떠나서는 일어나지 않을 것인데, 이런 즉 자재천은 환희를 일으키는 것에 이미 반드시 다른 것을 기다리는 것이니, 응당 자재한 것이 아닐 것이다. 환희에 대해서 이미 그러하니, 다른 것에서도 역시 응당 그럴 것이다. 차별될 인연을 얻을 수 없기 때문이다. 혹은 만약 자재천이 지옥 등 한량없는 괴로움의 도구를 낳아 유정을 핍박하고 해치면서 이와 같은 것을 보고 자신의 환희를 일으킨다면, 쯧쯧, 이런

----

68 논주의 논파이다. 만약 차별의 욕구가 다시 다른 원인을 기다려 생긴다고 한다면, 곧 자재천만을 써서 원인으로 하는 것이 아니니, 자신의 종지에 위배되는 허물이다. 혹은 욕구가 기다리는 원인도 역시 다시 다른 원인의 차별을 기다려야 비로소 순차적으로 생길 것인데, 만약 계속 나아가 서로 기다린다면, 곧 기다리는 원인은 응당 끝이 없을 것이다. 만약 욕구가 기다리는 원인은 더 이상 다른 차별의 원인을 기다리지 않는다면, 이 욕구가 기다리는 원인에는 응당 순차적으로 생기게 하는 뜻이 없을 것이니, 일시에 단박 생겨야 할 것이고, 만약 단박에 생긴다면 곧 차별의 욕구가 순차적으로 생기게 하는 것이 아니고, 일시에 단박 생길 것이다. 그대들이 만약 여러 원인은 전전하여 기다려서 차별되게 생기는 것이 끝이 없음을 인정한다면, 시작 없음[無始]을 믿을 것이기 때문에 불법佛法과 같다. 결국 자재천이 모든 법의 원인이 된다는 주장은, 불교의 인연의 바른 이치를 뛰어넘지 못하는데도, 그들은 자재천이 모든 법의 시작이라고 집착한다는 것이다.

69 바꾸어 계탁하는 것을 옮겨와서 논파하는 것이다. 만약 자재천의 욕구는 비록 단박에 생기지만, 모든 세간이 함께 일어나지 않는 것은, 자재천이 경계를 희망하는 시기의 욕구에 따라 곧 생기는 것이고, 그래서 그것을 수용케 한다고 말한다면, 이치가 역시 그렇지 않다. 그런 자재천의 욕구는 전후의 두 단계에 차별이 없기 때문에 응당 일시에 단박 모든 법을 낳아야 할 것이다. (논증식으로 말한다면)「앞 단계의 시기에도 역시 능히 낳아야 할 것이다. 차별이 없기 때문이니, 마치 뒷 단계와 같다. 뒷 단계의 시기에 능히 낳아야 할 것이다. 차별이 없기 때문이니, 마치 앞 단계와 같다.」

자재천을 무엇에 쓰겠는가? 그들의 게송에 의해 말한 것은 참으로 좋은 말이라고 하겠다. "험악하고 날카로우며 능히 태우고[由險利能燒] 두려워할 만하며 늘 핍박하고 해치며[可畏恒逼害] 피와 살과 골수를 즐겨 먹기에[樂食血肉髓] 그래서 루드라라고 이름하였네[故名魯達羅]"70

【세간에 어긋남에 의한 논파】 또 만약 일체 세간은 자재천이라는 단일한 원인에 의해 일어난다는 것임을 믿고 받아들인다면, 곧 현재 세간에서 보이는 그 나머지 인연이나 사람의 공력 등의 현상도 부정하게 될 것이다.71

만약 자재천은 다른 인연이 보조적으로 일으키는 공능을 기다려 비로소 원인을 이룬다고 말한다면, 단지 이는 자재천을 붕경朋敬하는 말일 뿐이니, 그 나머지 인연을 떠나서 별도의 작용을 볼 수 없기 때문이다. 혹은 그 자재천은 반드시 다른 인연이 도와야 비로소 낳을 수 있다고 한다면, 응당 자재한 것이 아닐 것이다.72 만약 처음에 일어날 때는 자재천이 원인이 되지

---

70 이는 곧 쓸모 없음에 의거해 논파하는 것이다. 자재천이 법을 낳음으로써 무슨 뜻과 이익을 얻는가? 만약 환희를 일으키기 위해 모든 세간을 낳는다면, 다른 것(=모든 세간을 낳는 것)을 기다려 환희가 생기는 것이니, 응당 자재한 것이 아닐 것이다. 환희에 대해서 이미 자재한 것이 아니니, 다른 법에서도 이치상 역시 응당 그렇게 자재한 것이 아닐 것이다. 환희의 생기와 차별될 인연을 얻을 수 없기 때문이다. 또 지옥 등을 낳아 유정을 핍박하고 해치면서 자신의 환희를 일으킨다면, 이런 것을 무엇에 쓰겠는가? 그 외도들에 의해 읊어진 게송의 말을, '나도 역시 믿고, 좋은 말이라고 하겠다'라며 논주가 그 외도들을 조롱하는 것이다. 외도들이 이 게송을 읊은 뜻은, 자재천이 중생들을 교화하려고 갖가지로 변현하여, 험악함이나 날카로움 등으로 제도해야 할 자는 곧 이런 험악하거나 날카로운 등의 몸을 나타내어 제도해 벗어나게 한다는 것이다. 능히 험악한 일을 하는 것은 '험악하다'라고 이름하고, 중생들을 가르고 자르는 것을 '날카롭다'라고 이름하며, 능히 중생들을 태우는 것을 '능히 태운다'라고 이름하고, 두려워할 만한 몸을 나타내는 것을 '두려워할 만한다'라고 이름하며, 늘 괴로움의 도구로 중생들을 핍박하고 해치는 것을 '핍박하고 해친다'라고 이름하고, 혹 때로는 피와 살과 골수를 즐겨 먹기에 그래서 루드라Rudra라고 이름하였다. 여기 말로는 포악暴惡이니, 대자재천의 다른 이름이다. 대자재천에는 모두 1천명이 있다고 하지만, 지금 세상에 현행하는 것은 60명만 있다고 하는데, 루드라는 곧 그 한 명이다.
71 이하는 셋째 세간에 어긋남에 의거해 논파하는 것이다. 만약 법이 자재천이라는 원인만으로 생긴다고 한다면, 곧 세간의 사람의 공력 등의 현상을 부정하는 것이다.
72 바꾸어 계탁하는 것을 옮겨와서 논파하는 것이다. 만약 자재천은 다른 인연이

만, 그 후 이어 생길[續生] 때는 다른 원인을 기다린다고 주장한다면, 곧 처음 일어난 것은 다른 원인을 기다리지 않았으므로, 시작 없음이 성취되어야 하는 것이 마치 자재천(에 대해 앞서 말한 것)과 같을 것이다.73

자아와 승성勝性 등에 대해서도 그 상응하는 바에 따라 자재천의 경우처럼 널리 따지고 비판해야 할 것이다. 따라서 단일한 원인으로만 생기는 법은 없다.74 기이하도다! 세간은 어리석은 짐승처럼 뛰어난 지혜를 닦지 않으니, 참으로 슬퍼해야 할 일이다! 그들은 살아있는 동안 별별 업을 짓고 스스로 이숙과와 사용과를 받으면서도, 망령되이 자재천 등의 원인이 있다고 헤아리는 것이다. 이제 파사破邪를 그치고, 바른 뜻을 분별해야 할 것이다.75

제2항 대종과 소조색의 상호연생관계

앞에서 나머지 법은 2연에 의해 생긴다고 말했는데, 그 중 대종과 소조색은 자·타를 서로 바라볼 때 어떻게 상호 인연이 되는가?76 게송으로 말하겠다.

66 대종은 대종에게 2인이고[大爲大二因]
소조색에게 5인이며[爲所造五種]
소조색은 소조색에게 3인이고[造爲造三種]

....

나 사람의 공력 등의 현상이 보조적으로 일으키는 공능을 기다려 비로소 원인을 이룬다고 말한다면, 단지 이는 자재천을 붕경朋敬(=벗하여 공경함)하는 말일 뿐이니, 그 나머지 인연을 떠나 자재천에게 별도의 작용이 있는 것을 볼 수 없기 때문이다. 혹은 인연을 기다려야 한다면, 응당 크게 자재한 것이 아닐 것이다.
73 바꾸어 계탁하는 것을 옮겨와서 논파하는 것이다. 만약 처음 일어날 때는 다른 원인을 기다리지 않지만, 후에는 다른 원인을 기다린다고 말한다면, 곧 처음 일어난 것은 시작 없음이 성취되어야 할 것이다. 다른 원인을 기다리지 않기 때문이니, 마치 자재천(에 대해 앞서 말한 것)과 같을 것이다.
74 비례시켜 논파하고, 전체적으로 맺는 것이다.
75 논파를 그치고, 바른 것을 분별하겠다는 것이다.
76 이하 둘째(=법의 연생관계를 밝히는 글 중의) 어려운 것에 따라 별도로 해석하는 것인데, 앞을 옮겨와서 물음을 일으켰다.

대종에게 유일한 원인이다[爲大唯一因]⁷⁷

논하여 말하겠다. 처음에 대종은 대종에게 2인이라고 말한 것은, 모든 대종은 상호 서로 바라볼 때 구유인과 동류인이 될 뿐이라는 뜻이다.[78]

대종은 소조색에 대해 능히 5인이 된다.[79] 어떤 것이 다섯 가지인가? 말하자면 낳고[生] 의지하고[依] 세우고[立] 유지하고[持] 기르는 것[養]은 다르기 때문이다. 이와 같은 5인은 단지 능작인의 차별일 뿐이다. 그것으로부터 일어나기 때문에 생인生因이 된다고 말하고, 생긴 뒤에는 마치 스승 등에게 의지하듯이 대종을 따라 쫓으며 구르기 때문에 의인依因이 된다고 말하며, 마치 벽이 그림을 지탱하듯이 능히 맡아 지탱하기 때문에 입인立因이 된다고 말하고, 끊어지지 않게 하는 원인이기 때문에 지인持因이 된다고 말하며, 증장시키는 원인이기 때문에 양인養因이 된다고 말한다. 이와 같은 것은 곧 대종이 소조색에 대해 생기[起]·전변[變]·지탱[持]·존속[住]·증장[長]의 원인의 성품임을 나타내는 것이다.[80]

....
77 제1구는 대종을 대종에서 바라본 것, 제2구는 대종을 소조색에서 바라본 것, 제3구는 소조색을 소조색에서 바라본 것, 제4구는 소조색을 대종에서 바라본 것이다.
78 제1구를 해석하는 것이다. 『순정리론』(=제20권. 대29-452상)에서 말하였다. "상호 서로 바라볼 때 구유인이 있다. 성품의 부류가 다르기는 해도, 동일한 일[一事]을 같이 하면서 다시 서로 따르기 때문에 동류인이 있다."
79 제2구를 해석하는 것이다. 생인 등의 5인을 인연이라고 이름한다. 혹 4연 중인연에 포함된다. 『대비바사론』(=제131~132권)에서도 10인因(=6인 중 능작인을 제외한 5인에 생인 등의 5인을 더한 것)을 말하여 인연이라고 하였다. 이런 글에 준하면 (생인 등의 5인은) 증상연이 아니다.
80 이 인연 중 생인 등의 5인因은, 만약 6인 중에서라면 단지 능작인의 일부일 뿐, 나머지 5인이 아니다. 대종을 소조색에서 바라보면 하나의 결과를 같이하는 것이 아니기 때문이며, 성품이 결정코 같은 것이 아니기 때문이며, 별개의 세世에 만들어질 수 있기 때문이며, 별도로 성취될 수 있기 때문에 구유인이 아니다. 심·심소가 아니기 때문에 상응인이 아니다. 염오가 아니기 때문에 변행인이 아니다. 무기이기 때문에 이숙인이 아니다. 함께 일어나기 때문에 동류인이 아니다. 대종을 소조색에서 바라보면 나머지 5인은 없는 것이다. 마치 어미가 새끼를 낳듯이 소조색은 대종으로부터 일어나기 때문에 생인生因이 된다고 말하고, 마치 제자 등이 스승 등에 의지하듯이 소조색은 생기고 나면 대종에 따라 구르기 때문에 의인依因이 된다고 말하며, 마치 벽이 그림을 지탱

모든 소조색은 자신과 상호 서로 바라볼 때 3인이 있을 수 있으니, 이른바 구유인·동류인·이숙인이다. 그 능작인은 차별 없이 일어나기 때문에 항상 그 수를 세지 않는다. 구유인이란 수심전의 신업·어업을 말하는 것이니, 그 나머지 소조색은 아니다. 동류인이란 뒤의 같은 부류에 대해 앞서 생긴 일체이다. 이숙인이란 능히 이숙의 안근 등의 결과를 초래하는 신업·어업을 말하는 것이다.[81]

소조색은 대종에 대해 단지 1인이 될 뿐이니, 이숙인을 말하는 것이다. 신·어의 2업은 능히 이숙과인 대종을 초래하기 때문이다.[82]

제4절 등무간연인 심·심소의 상생관계

제1항 모든 마음의 상생관계

1. 삼계의 12심

앞에서 모든 심·심소법은 앞의 것이 뒤의 것에게 능히 등무간연이 된다고 전체적으로 말했지만, 어떤 마음의 무간에 몇 가지 마음의 생기가 있는지, 또한 몇 가지 마음으로부터 어떤 마음의 일어남이 있는지에 대해 아직 결정적으로 말하지 않았는데, 이제 결정적으로 말하겠다.[83] 말하자면 우선

하듯이 능히 그 소조색을 맡아 지탱하기 때문에 입인立因이 된다고 말하고, 소조색이 끊어지지 않게 하는 원인이기 때문에 지인持因이 된다고 말하며, 소조색을 증장시키는 원인이기 때문에 양인養因이 된다고 말한다. 이와 같은 즉 대종은 소조색에 대해 생기[起]의 원인의 성품이므로 곧 생인이고, 전변[變]의 원인의 성품이므로 곧 의인이니, 말하자면 대종이 전변하면 소조색도 따라서 전변하며, 지탱[持]의 원인의 성품이므로 곧 입인이고, 존속[住]의 원인의 성품이므로 곧 지인이니, 능히 소조색을 지탱해서 상속하며 머물게 하기 때문이며, 증장[長]의 원인의 성품이므로 곧 양인이다.

81 제3구를 해석하는 것인데, 알 수 있을 것이다. # 이 부분 구유인에 대해 『순정리론』 제20권(=대29-452하)에서 말하였다. "구유인이란 말하자면 수심전의 신업·어업이니, 7지七支(=신3+어4)는 서로 바라볼 때 전전하여 원인이 된다."

82 제4구를 해석하는 것이다.

83 이하 큰 글의 둘째 따로 등무간연에 대해 밝히는 것인데, 그 안에 나아가면

간략히 말해서 열두 가지 마음[12심十二心]이 있는데,[84] 어떤 것이 열두 가지인가? 게송으로 말하겠다.

⑥⑦ 욕계에는 네 가지 마음이 있으니[欲界有四心]
　　선, 불선, 유부무기, 무부무기이고[善惡覆無覆]
　　색계·무색계에는 불선이 제외되며[色無色除惡]
　　무루에는 두 가지 마음이 있다[無漏有二心]

　논하여 말하겠다. 우선 욕계에는 네 가지 마음이 있으니, 말하자면 선, 불선, 유부무기, 무부무기이다. 색계와 무색계에는 각각 세 가지 마음이 있으니, 말하자면 불선을 제외하고, 나머지는 위에서 말한 것과 같다. 이와 같은 열 가지를 유루심이라고 한다. 무루심이라면 두 가지가 있을 뿐이니, 말하자면 유학과 무학의 마음이다. 이것들을 합하면 열두 가지가 된다.[85]

2. 12심의 상생관계

　이 열두 가지 마음이 상호 서로 낳는 것에 대해 게송으로 말하겠다.

⑥⑧ 욕계의 선심은 9심을 낳고[欲界善生九]
　　이는 다시 8심으로부터 생기며[此復從八生]
　　염오심은 10심으로부터 생기고, 4심을 낳으며[染從十生四]
　　나머지는 5심으로부터 생기고, 7심을 낳는다[餘從五生七]

　　첫째 모든 마음의 상생相生관계에 대해 밝히고, 둘째 획득되는 마음의 다소에 대해 밝힌다. 이하에서 모든 마음의 상생관계에 대해 밝히는데, 앞을 옮겨와서 물음을 일으켰다. '어떤 마음의 무간에 몇 가지 마음의 생기가 있는지'는 능히 몇 가지 마음을 낳는지를 묻는 것이고, '또한 몇 가지 마음으로부터 어떤 마음의 일어남이 있는지'는 몇 가지 마음에서 생기는지를 묻는 것이다.
84　답이다. 답에 나아가면 첫째 열두 가지 마음에 대해 밝히고, 둘째 스무 가지 마음에 대해 밝힌다. 열두 가지 마음에 나아가면 첫째 열두 가지 마음을 열거하고, 둘째 상생관계를 바로 분별한다. 이하 열두 가지 마음을 열거하는데, 전체적으로 수를 들어 문답한다.
85　(열둘이라는) 수는 알 수 있을 것이다.

69 색계의 선심은 11심을 낳고[色善生十一]

　이는 다시 9심으로부터 생기며[此復從九生]

　유부무기심은 8심으로부터 생기고[有覆從八生]

　이는 다시 6심을 낳는다[此復生於六]

70 무부무기심은 3심으로부터 생기고[無覆從三生]

　이는 다시 6심을 낳으며[此復能生六]

　무색계의 선심은 9심을 낳고[無色善生九]

　이는 다시 6심으로부터 생긴다[此復從六生]

71 유부무기심 7심을 낳고, 7심으로부터 생기며[有覆生從七]

　무부무기심은 색계에서 분별한 것과 같고[無覆如色辯]

　유학심은 4심으로부터 생기고, 5심을 낳으며[學從四生五]

　나머지 마음은 5심으로부터 생기고, 4심을 낳는다[餘從五生四][86]

....

86 이하 상생관계를 바로 분별하는데, 게송을 들어 간략히 서술한 것이다. 처음
　4구는 욕계의 네 가지 마음이고, 다음 6구는 색계의 세 가지 마음이며, 다음
　4구는 무색계의 세 가지 마음이고, 뒤의 2구는 무루의 두 가지 마음이다. 장차
　모든 마음의 상생관계를 밝힘에 있어 간략히 20심(＝선심을 가행득선·생득선
　의 두 가지로 나누고, 무부무기를 네 가지로 나눈 것이니, 이에 의해 욕계는
　1선+3무기가 더해져 4심 증가한 8심이 되고, 색계는 1선+2무기가 더해져 3
　심 증가한 6심이 되며, 무색계는 1선이 더해져 4심이 됨으로써 모두 8심이
　증가하고, 여기에 2무루심을 더하여 총 20심이 됨은 뒤의 게송 72·73과 그
　논설 참조. 색계에는 공교처무기가 없고, 무색계에는 이숙생 외의 3무기가 없
　음은 뒤의 게송 73cd와 그 논설 참조)에 의해 3문門으로 분별하겠다. 12심과
　20심은 나누었는가, 합쳤는가의 차이이지, 체에 넓음·좁음은 없지만, 20이라
　는 수가 넓기 때문에 그것에 나아가 밝힐 것이다. ‘3문’이라고 말한 것은, 첫째
　는 정심·산심이 서로 낳는 마음[定散相心]이고, 둘째는 선정을 방호하는 방편
　의 마음[방정방편심防定方便心]이며, 셋째는 명종·수생의 마음[命終受生心]이다.
　　⑴ 정심·산심이 서로 낳는 마음이라고 말한 것은 그 안에 나아가면 세 가지
　상생이 있으니, 첫째는 선의 정심의 상생, 둘째는 산심의 자계의 상생, 셋째
　정심·산심의 상생이다. ㈎ 첫째 선의 정심의 상생에는 다시 두 가지가 있으니,
　첫째는 유루정이고, 둘째는 무루정이다. ㈠ 유루정심(의 상생)에 대해 말하자
　면, ⒜ 만약 색계의 유루의 가행득 정심이라면 능히 4심을 낳으니, 말하자면
　자계의 가행득 정심, 무색계의 가행득 정심 및 무루생無漏生의 유학·무학의 마

....

음이고, (b) 다시 (이 색계의 유루의 가행득 정심은) 이 4심으로부터 생긴다. (c) 만약 무색계의 유루정의 마음이라면 능히 4심을 낳고, (d) 4심으로부터 생기니, 색계의 유루의 가행득 정심에 대해 말한 것과 같다. (ㄴ) 무루정심(의 상생)에 대해 말하자면, (a) 만약 유학의 마음이라면 능히 4심을 낳으니, 말하자면 색계·무색계의 유루정의 마음 및 유학·무학의 마음이며, (b) (이 마음은) 무학의 마음을 제외한 3심으로부터 생긴다. (c) 만약 무학의 마음이라면 능히 3심을 낳으니, 앞의 4심 중 유학의 마음을 제외하며, (d) (이 마음은 이 3심에) 유학의 마음을 아우른 4심으로부터 생긴다. (내) 둘째 산심의 자계의 상생이란 자계의 산심에 의거한 상생을 말하는 것이다. (ㄱ) 만약 욕계의 8심이라면, (a) 통과심通果心은 정심과만 상생하고, 나머지 7심과는 상생하는 것이 아니다. (b) 나머지 3무기심은 각각 통과심 및 가행득선심을 제외한 6심을 능히 낳고, (c) 각각 통과심을 제외한 7심으로부터 생긴다. (d) 만약 가행득선심이라면 통과심을 제외한 7심을 능히 낳고, (e) 4무기심을 제외한 4심으로부터 생긴다. (f) 만약 생득선심 및 2염오심(=불선+유부무기)이라면 각각 통과심을 제외한 7심을 능히 낳고, (g) 다시 그 7심으로부터 생긴다. (ㄴ) 색계·무색계의 산심 단계의 상생관계 역시 이(=욕계)에 준해서 말해야 할 것이다. (대) 셋째 정심·산심의 상생이라면, (ㄱ) 8심은 능히 유루정에 들어가는 마음이 될 수 있다. 말하자면 욕계의 가행득선심과 통과심, 색계의 가행득선심·생득선심 및 유부무기심과 아울러 통과심, 무색계의 생득선심 및 유부무기심이다. 색계의 생득선심이 선정에 들어갈 수 있음을 알 수 있는 까닭은, 마치 무색계의 생득선심이 이미 선정에 들어갈 수 있는 것처럼, 색계의 생득선심도 역시 선정에 들어갈 수 있는 것이다.(=제1설) 또 해석하자면 색계의 생득선심은 선정에 들어갈 수 없다. 무색계의 생득선심은 별도의 산심의 가행득선이 없으므로 선정에 들어갈 수 있지만, 색계에는 산심의 가행하는 문혜가 다시 있어야 선정에 들어갈 수 있기 때문에 생득선심은 선정에 들어갈 수 없는 것이다.(=제2설) 만약 이렇게 해석한다면 7심만이 유루정에 들어가는 마음이 될 수 있다. (ㄴ) 12심은 유루정에서 나오는 마음이 될 수 있다. 말하자면 욕계의 가행득선심·생득선심·통과심, 색계의 6심, 무색계의 3심─가행득선을 제외하니, (무색계의 가행득선은) 곧 정심이기 때문─이다. 색계의 정심이 하계의 염오심 및 나머지 무기심을 낳지 않는 까닭은, 무색정심으로부터는 색계의 생득선심조차 오히려 낳지 않거늘─밝고 예리하지 못하기 때문이다─, 하물며 다시 색계의 정심이 하계의 염오심 및 무기심을 낳을 수 있겠는가?(=이어지는 4.의 (5) 참조) 또 색계의 유루정의 마음으로부터 자계의 이숙무기·위의무기심이 생기는 것을 알 수 있는 까닭은, 마치 무색계의 정심이 자계의 이숙무기심을 낳을 수 있는 것처럼, 색계의 정심도 역시 이숙무기·위의무기심을 낳을 수 있음은 준해서 알 수 있다. (ㄷ) 2심은 무루정에 들어가는 마음이 될 수 있으니, 말하자면 욕계의 가행득선심과 색계의 가행득의 산散의 선심이다. (ㄹ) 3심은 무루정에서 나오는 마음이 될 수 있으니, 말하자면 욕계의 가행득선심과 생득선심, 색계의 가행득의 산散의 선심이다. 무색계의 산의 선심을 낳지 않는 것은 (무색계의) 산심 단계에는 가행득선이 없고, 생득선은 비록 있지만, 열등하기 때문에 낳지

(1) 욕계의 마음

논하여 말하겠다. 욕계의 선심은 무간에 9심을 낳는다. 말하자면 자계自界의 4심, 색계의 2심—입정할 때 및 속생續生하는 단계에서 그 순서대로 선심과 염오심을 낳는다—,[87] 무색계의 1심—속생하는 단계에서 욕계의 선심

않는다.

(2) 둘째 선정을 방호하는 방편의 마음[방정방편심防定方便心=선정에서 물러나는 것을 방호하기 위해 선정에 들 때 "차라리 하지의 선심을 일으킬지언정, 상지의 염오심을 일으키지는 않으리라"라는 이런 서원을 세움으로써 자신의 선정이 염오심으로 핍박받을 때 하지의 선심을 일으키는 것]이란, 4심이 선정을 방호하는 가행심이 될 수 있다. 말하자면 색계·무색계의 2염오심은 그 상응하는 바에 따라 하지下地의 선심—즉 욕계의 가행득선·생득선, 색계의 가행득선, 무색계의 가행선득이다—을 낳을 수 있는데(=욕계의 생득선에 대해서는 이어지는 4.의 (5) 참조. 가행득선에 대해서는 뒤의 제28권 중 게송 16ab와 그 논설 참조), 오직 선정을 방호하는 마음일 뿐이라고 알아야 할 것이니, 상지의 염오심은 후에 하지의 선심을 낳고, 나머지는 반드시 낳지 않는다.

(3) 셋째 명종·수생의 마음에서, 12심은 명종심이 될 수 있다. 말하자면 욕계의 생득선·불선·유부무기·위의무기·이숙무기, 색계의 생득선·유부무기·위의무기·이숙무기, 무색계의 생득선·유부무기·무부무기의 마음이다.(=18유루심 중 3계의 3가행득선, 욕계의 공교·통과무기, 색계의 통과무기 제외) 4심은 수생심이 될 수 있으니, 말하자면 3계의 4염오심(=욕계의 불선·유부무기와 색계·무색계의 유부무기)이다. 만약 명종심과 수생심의 상생이라면, 여기에서는 사유死有의 1찰나를 명종심이라고 이름하고, 욕계·색계의 중유中有의 첫 마음 및 생유生有의 첫 마음과 아울러 무색계의 생유의 첫 마음을 모두 수생심이라고 이름한다. 이 논서에서는 중유·생유의 첫 찰나를 수생受生이라고 이름한다고 말하기 때문에 수생심은 명종심을 낳지 않으니, 간격이 멀기 때문이다. 만약 명종심이 능히 수생심을 낳고, 3계의 4염오심을 수생심이라고 이름한다면, (가) 욕계의 수생하는 2염오심은 통틀어 3계의 12명종심으로부터 생기고, (나) 색계의 수생하는 염오심은 10명종심—12심 중 욕계의 2염오심을 제외한다—으로부터 생기며, (다) 무색계의 수생하는 염오심은 9명종심—12심 중 욕계의 2염오심과 색계의 1염오심을 제외한다—으로부터 생긴다.

87 말하자면 욕계의 선심은 무간에 9심을 낳으니, 말하자면 자계의 4심, 색계의 2심(과 무색계의 1심 및 무루의 2심)인데, (색계의 경우) 입정할 때 선심을 낳고, 속생續生하는 단계에서 염오심(=3계의 수생심이 모두 염오인 것은 앞의 '명종심과 수생심의 상생'에서 설명되었다)을 낳는다. 또 『순정리론』 제20권(=대29-453상)에서도 말하였다. "어떤 선심을 낳으며, 또한 어떤 지에 포함되는가? 이것은 첫 단계에는 가행심을 낳고, 만약 그 후의 시기라면 이욕의 득을 낳는다. (욕계에) 수순하여 머무는 것이기 때문에 그 (색계의) 생득선심을 일으킬 수는 없으니, 세간에 태어나 있으면서 그것(=생득선심)을 일으켜 현전시킬 수는 없기 때문이다." 따라서 몸이 하지에 있으면 상지의 생득선심

은 무간에 그 염오심을 낳는다. 그 선심을 낳지는 않으니, 지극히 멀기 때문이다. 무색계는 욕계에 대해 네 가지가 멀기[4원四遠] 때문에 멀다고 하니, 첫째 의지처가 멀고, 둘째 행상이 멀며, 셋째 소연이 멀고, 넷째 대치가 멀다 및 유학과 무학의 마음—관觀에 들어갈 때를 말한다—이다.[88]

곧 이것은 다시 8심으로부터 무간에 일어난다. 말하자면 자계의 네 가지 마음, 색계의 두 가지 마음—출정할 때에는 그 계의 선심으로부터 일어나며, 그 염오 선정에 의해 핍박 뇌란될 때 그 염오심으로부터 하계의 선심을 낳으니, 하계의 선심에 의해 그것에서 물러남을 막고자 하기 때문이다— 및 유학과 무학의 마음—관에서 나올 때를 말한다—이다.[89]

염오심[染]은 불선과 유부무기 두 가지를 말하는 것인데, 각각 12심 중 유학·무학의 마음을 제외한 10심으로부터 무간에 생기니, 속생하는 단계에서 3계의 모든 마음은 모두 무간에 욕계의 염오심을 낳을 수 있기 때문이다. 곧 이것은 무간에 4심을 낳을 수 있다. 자계의 4심을 말하는 것이니, 나머지는 낳을 이치가 없다.[90]

....

을 일으킬 수 없다는 것을 알 수 있다.

88 욕계의 선심은 무색계의 한 가지 염오심만을 낳을 뿐, 그 계의 선심을 낳지는 않으니, 지극히 멀기 때문이다. 무색계는 욕계에 대해 네 가지 멂[4원四遠]이 있기 때문에 욕계의 선심은 그 계의 선심을 낳을 수 없다. 그래서 『순정리론』 제36권(=대29-545하)에서 말하였다. "의지처가 멀다는 것은, 말하자면 등지等至에 들어가고 나오는 단계 중에 등무간연의 의지처 되는 것의 체가 있을 수 없기 때문이다. 행상이 멀다는 것은, 말하자면 무색계의 마음은 필경 욕계의 법에 대해 고苦·추麤 등의 여러 행상을 지을 수 없기 때문이다. 소연이 멀다는 뜻도 이에 견주어 알아야 할 것이니, 무색계의 마음은 단지 능히 아래 제4정려의 유루의 여러 법을 고·추 등 행상의 소연으로 삼을 뿐이기 때문이다. 대치가 멀다는 것은, 말하자면 만약 아직 욕계의 탐욕을 떠나지 못했을 때라면, 반드시 결정코 무색정을 일으켜서 욕계의 악계惡戒 등의 법에 대해 염괴厭壞(=염환厭患) 및 단斷의 두 가지 대치가 인정될 수 없기 때문이니, 반연할 수 없다면 염괴할 수 있는 것이 아니다." 해석하자면 무색계는 욕계에서 바라볼 때 단·염환대치가 없기 때문에 대치가 멀다고 말한 것이다.(=염환대치·단대치에 대해서는 뒤의 제21권 중 게송 ⑩ab와 그 논설 참조) 만약 명종심과 수생심에 의거한다면 욕계의 마음도 무색계의 마음에 대해 의지처가 될 수 있다.

89 제2구를 해석하는 것이다. # 본문 중 '색계의 두 가지 마음' 중 둘째 것은 앞에서 설명된 '(2) 선정을 방호하는 방편의 마음' 중의 하나이다.

'나머지'는 욕계[欲纏]의 무부무기를 말하는 것인데, 이 마음은 5심으로부터 무간에 생긴다. 자계의 4심과 색계의 선심을 말하는 것이니, 욕계의 변화심[化心]은 그것으로부터 생기기 때문이다. 곧 이것은 무간에 7심을 낳을 수 있다. 말하자면 자계의 4심 및 색계의 2심−선심과 염오심이니, 욕계의 변화심은 다시 색계의 선심을 낳고, 속생하는 단계에서 색계의 염오심을 낳는다−과 아울러 무색계의 1심−속생하는 단계에서 이 무부무기심은 무색계의 염오심을 낳을 수 있다−이다.[91]

(2) 색계의 마음

색계의 선심은 무간에 11심을 낳으니, 무색계의 무부무기심을 제외한 것을 말한다. 곧 이것은 다시 9심으로부터 무간에 일어나니, 욕계의 2염오심을 제외하고, 아울러 무색계의 무부무기심을 제외한 것을 말한다.

유부무기심은 8심으로부터 무간에 생기니, 욕계의 2염오심 및 유학·무학의 마음을 제외한 것이다. 곧 이것은 무간에 6심을 낳을 수 있으니, 자계의 3심과 욕계의 선·불선·유부무기심을 말한다.

무부무기심은 3심으로부터 무간에 일어나니, 말하자면 자계의 마음만이고, 나머지는 낳을 이치가 없다. 곧 이것은 무간에 6심을 낳을 수 있으니, 자계의 3심과 욕계·무색계의 염오심을 말한다.[92]

(3) 무색계의 마음

무색계의 선심은 무간에 9심을 낳으니, 욕계의 선심 및 욕계·색계의 무부무기심을 제외한 것을 말한다. 곧 이것은 6심으로부터 무간에 생기니, 자계의 3심 및 색계의 선심과 아울러 유학·무학의 마음을 말하는 것이다.

유부무기심은 무간에 7심을 낳을 수 있으니, 자계의 3심 및 색계의 선심과 욕계·색계의 염오심을 말한다. 곧 이것은 역시 7심으로부터 무간에 일

---

90 제3구를 해석하는 것이다. 『대비바사론』 제161권(=대27−815하)에서 말하였다. "능히 성도 및 성도의 가행을 장애하기 때문에 유부라고 이름하고, 이숙과를 초래하지 못하기 때문에 무기라고 이름한다." # '나머지는 낳을 일치가 없다'는 것은 욕계의 염오심이 등무간연이 되어 무간에 상계의 마음 및 무루의 마음을 낳을 수는 없기 때문이다.
91 제4구를 해석하는 것이다.
92 이상은 색계의 세 가지 마음에 대해 밝히는 것이다.

어나니, 욕계·색계의 염오심 및 유학·무학의 마음을 제외한 것을 말한다.

무부무기심은 색계에서 말한 것처럼 3심으로부터 무간에 생기니, 자계의 3심을 말한다. 나머지는 모두 이치가 아니다. 곧 이것은 무간에 6심을 낳을 수 있으니, 자계의 3심 및 욕계·색계의 염오심을 말한다.93

(4) 무루의 마음

유학[學]의 마음은 4심으로부터 무간에 생기니, 곧 유학의 마음 및 3계의 선심을 말한다. 곧 이것은 무간에 5심을 낳을 수 있으니, 앞의 4심 및 무학의 1심을 말한다.

'나머지'는 무학의 마음을 말한 것인데, 5심으로부터 무간에 생기니, 3계의 선심 및 유학·무학의 2심을 말한다. 곧 이것은 무간에 4심을 낳을 수 있으니, 3계의 선심 및 무학의 1심을 말한다.94

3. 3계의 20심

열두 가지 마음이 상호 서로 낳는 것을 설명했는데, 이것을 어떻게 나누면 스무가지 마음[20심二十心]이 되는가? 게송으로 말하겠다.

72 12심이 20심이 되는 것은[十二爲二十]
　　말하자면 3계의 선심을[謂三界善心]
　　가행득과 생득으로 나누고[分加行生得]
　　욕계의 무부무기를 넷으로 나누니[欲無覆分四]

73 이숙생, 위의로[異熟威儀路]
　　공교처, 통과심인데[工巧處通果]
　　색계는 공교처를 제외하고[色界除工巧]

....
93 이상은 무색계의 세 가지 마음에 대해 밝히는 것이다.
94 유학·무학과 모든 마음의 상생관계에 대해 밝히는 것인데, (유학·무학의 마음이) 3계의 염오심과 상생하지 않는 것은 상호 서로 위배되기 때문이고, 모든 무부무기심과 상생하지 않는 것은 (무부무기심은) 밝고 예리함이 없기 때문이다. 무학의 마음이 유학의 마음을 낳지 않는 까닭은, 그것(=유학의 마음)은 (무학의 마음의) 결과가 아니기 때문이다.

나머지 수는 앞서 말한 것과 같다[餘數如前説]95

논하여 말하겠다. 3계의 선심은 각각 두 가지로 나누어지니, 말하자면 가행득加行得과 생득生得은 다르기 때문이다.96 욕계의 무부무기심은 네 가지 마음으로 나누어지니, 첫째 이숙생異熟生, 둘째 위의로威儀路, 셋째 공교처工巧處, 넷째 통과심通果心이다.97 색계의 무부무기심은 세 가지로 나누어지니, 공교처를 제외한다. 상계에는 갖가지 공교한 일을 만드는 것이 전혀 없기 때문이다.98 이와 같이 12심이 20심이 되니, 말하자면 선심은 6심으로 나누어지고, 무부무기심은 8심으로 나누어지니, 무색계에는 위의로 등이 없으며, 나머지 수는 위와 같기 때문에 20심이 되는 것이다.99

위의로 등의 3무부무기심은 형색·냄새·맛·감촉을 소연의 경계로 삼으며, 공교처 등의 마음은 소리도 소연으로 삼는다. 이와 같은 3심은 오직 의식意識일 뿐이지만, 위의로와 공교처의 가행은 4식과 5식에도 또한 통한다.100

....

95 이하는 둘째 20심의 상생관계에 대해 밝히는 것이다. 이는 곧 12심이 나누어 져 20심이 되는 것이다.
96 장항에 나아가면 첫째 게송을 바로 해석하고, 둘째 20심의 상생관계에 대해 밝히며, 셋째 다른 문에 의거한 상생관계이다. 이하 게송을 바로 해석하는데, 이는 곧 제2·제3구를 해석하는 것이다. # 가행득선은 수행에 의해 후천적으로 획득되는 선이고, 생득선은 태어나면서 선천적으로 갖추어진 선이다.
97 게송의 다음 3구(=제4~6구)를 해석하는 것이다.
98 제7구를 해석하는 것이다.
99 제1구와 제8구를 해석하는 것이다.『순정리론』(=제20권. 대29-453하)에서 말하였다. "무색계에는 가는 등(=행·주·좌·와 등의 행동)의 일이 없기 때문에 위의로가 없고, (4정려의 지분과 같은) 지분을 섭수하는 삼매가 없기 때문에 통과심도 없다."
100 이는 세 가지 무기심이 반연하는 경계에 대해 따로 밝히는 것이다. 이숙생의 마음이 12처를 반연할 수 있는 이것은 바로 알 수 있기 때문에 따로 나타내지 않았다. 위의로·공교처·통과심의 3무기심은 모두 색·향·미·촉을 소연의 경계로 삼는다. 공교처 등은 통과심을 같이 취한 것인데, 이 2무기심은 소리도 역시 반연한다. 말에도 공교함이 있기 때문에 공교처의 마음은 소리를 반연하고, 변화한 사람도 말을 일으키기 때문에 통과심도 소리를 반연한다. 소리는 위의가 아니기 때문에 위의로의 마음은 (소리를) 반연하지 않는다. 이와 같은 3심은 오직 의식일 뿐이지만, 위의로와 공교처의 가행은 의식뿐만 아니라, 4식(=위의로의 경우)과 5식(=공교처의 경우)에도 통한다. 무릇 통과심에는

어떤 다른 논사는, "위의로 및 공교처에 의해 견인된 의식이 있어 12처의
경계를 모두 반연할 수 있다"라고 말하였다.101

<hr>

　　두 가지가 있다. 첫째 5식 중의 통과심이니, 곧 천안통과 천이통이고, 둘째 의
식 중의 통과심이니, 곧 변화심 및 업을 일으키는 통과심이다. 여기에서는 우
선 둘째의 통과심에 의거했기 때문에 '오직 의식일 뿐'이라고 말했지만, 만약
두 가지 통과심에 의거한다면 5식도 역시 있다. 위의로의 마음이 오직 의식일
뿐이라고 한 것은, 위의를 일으키는 마음에 의거해 말한 것인데, 만약 위의로
의 가행심이라면 의식에 있을 뿐만 아니라, 4식에도 역시 통하니, 4경을 반연
하기 때문이다. 소리는 위의가 아니기 때문에 소리를 반연하지는 않는다. 그
래서 『대비바사론』 제126권(＝대27-661상)에서 말하였다. "안·비·설·신식
의 4식은 위의로의 가행이지, 위의로를 일으키는 것이 아니다. 의식은 위의로
의 가행이면서 위의로를 일으키는 것이기도 하다." 공교처의 마음이 오직 의
식일 뿐이라고 한 것은, 공교처를 일으키는 마음에 의거해 말한 것인데, 만약
공교처의 가행이라면 의식에 있을 뿐만 아니라, 5식에도 역시 통하니, 5경을
반연하기 때문이다. 그래서 『대비바사론』(＝제126권. 대27-661상)에서 말
하였다. "안식 등의 5식은 공교처의 가행이지, 공교처를 일으키는 것은 아니
다. 의식은 공교처의 가행이면서, 공교처를 일으키는 것이기도 하다." 통과심
의 가행이라면 오직 정심定心인 의식일 뿐, 5식에는 통하지 않기 때문에 논서
에서 말하지 않았다.
101 어떤 다른 논사는, "(위의로와 공교처의) 2무기에 의해 견인된 의식이 있는데,
　　이것은 그 위의와 공교의 부류이기 때문에 12처의 경계를 모두 반연할 수 있다"
　　라고 말했는데, 『대비바사론』(＝제126권. 대27-661상)에도 이 설이 있다.
　　　모든 위의로의 마음을 널리 밝힌다면 대략 세 가지가 있다. 첫째는 위의로를
　　일으키는 마음[起威儀路心]이니, 오직 의식일 뿐이다. 둘째는 위의로를 반연하
　　는 마음[緣威儀路心]이니, 4식 및 의식에 통한다. 셋째는 위의로와 유사한 마음
　　[似威儀路心]이니, 곧 6식에 통하는데, 막연히[泛爾] 외부의 색·성 등을 반연하
　　는 것과 같은 것이다. 만약 위의로의 마음이 오직 의식일 뿐이라고 말한다면
　　위의로를 일으키는 마음에 의거해 말한 것이고, 만약 위의로의 가행은 의식일
　　뿐만 아니라 4식에 통한다고 한다면 위의로를 반연하는 마음에 의거해 말한
　　것이며, 만약 위의로의 마음은 통틀어 12처를 반연한다고 말한다면 위의로와
　　유사한 마음에 의거해 말한 것이다. 공교처의 마음을 널리 밝힌다면 대략 세
　　가지가 있다. 첫째는 공교처를 일으키는 마음이니, 오직 의식일 뿐이다. 둘째는
　　공교처를 반연하는 마음이니, 5식 및 의식에 통한다. 셋째는 공교처와 유사한
　　마음이니, 역시 6식에 통하는데, 막연히 외부의 색·성 등을 반연하는 것과 같
　　은 것이다. 만약 공교처의 마음은 오직 의식일 뿐이라고 말한다면 공교처를
　　일으키는 마음에 의거해 말한 것이고, 만약 공교처의 가행은 의식일 뿐만 아니
　　라 5식에도 통한다고 말한다면 공교처를 반연하는 마음에 의거해 말한 것이며,
　　만약 공교처의 마음이 통틀어 12처를 반연한다고 말한다면 공교처와 유사한
　　마음에 의거해 말한 것이다.

4. 20심의 상생관계

⑴ 욕계의 마음

이와 같은 20심이 상호 서로 낳는 것 중, 우선 욕계의 여덟 가지 마음에 대해 말하겠다. 가행득선심은 무간에 10심을 낳으니, 말하자면 통과심을 제외한 자계의 7심 및 색계의 1가행득선심과 아울러 유학·무학의 마음이다. 곧 이것은 다시 8심으로부터 무간에 일어나니, 말하자면 자계의 4심-2선심과 2염오심- 및 색계의 2심-가행득선심과 유부무기심-과 아울러 유학·무학의 마음이다.

생득선심은 무간에 9심을 낳으니, 말하자면 통과심을 제외한 자계의 7심 및 색계·무색계의 유부무기심이다. 곧 이것은 다시 11심으로부터 일어나니, 말하자면 통과심을 제외한 자계의 7심 및 색계의 2심-가행득선심과 유부무기심-과 아울러 유학·무학의 마음이다.

두 가지 염오심은 무간에 7심을 낳으니, 말하자면 통과심을 제외한 자계의 7심이다. 곧 이것은 다시 14심으로부터 일어나니, 말하자면 통과심을 제외한 자계의 7심 및 가행득선심·통과심을 제외한 색계의 4심과 아울러 가행득선심을 제외한 무색계의 3심이다.

이숙생과 위의로의 마음은 무간에 8심을 낳으니, 말하자면 가행득선심·통과심을 제외한 자계의 6심 및 색계·무색계의 유부무기심이다. 곧 이것은 다시 7심으로부터 무간에 일어나니, 말하자면 통과심을 제외한 자계의 7심이다. 공교처의 마음은 무간에 6심을 낳으니, 말하자면 가행득선심·통과심을 제외한 자계의 6심이다. 곧 이것은 다시 7심으로부터 무간에 일어나니, 말하자면 통과심을 제외한 자계의 7심이다. 통과심으로부터는 무간에 2심이 생기니, 말하자면 자계의 1심, 즉 통과심 및 색계의 1심, 즉 가행득선심이다. 곧 이것도 역시 2심으로부터 무간에 일어나니, 말하자면 곧 앞서 말한 자계·색계의 2심이다.[102]

....

102 이하는 둘째 상생관계를 밝히는 것인데, 이는 곧 욕계 8심의 상생관계이다.
  # 이하 20심의 상생관계에 대해 『기』의 글에 특별한 설명이 없는 것은, 앞에서 12심의 상생관계를 밝히는 게송 68~71에 대한 설명에서 이미, 20심의 상생관계에 대해 3문으로 개요를 밝혔기 때문이다.

(2) 색계의 마음

다음 색계의 여섯 가지 마음에 대해 말하겠다. 가행득선심은 무간에 12심을 낳으니, 말하자면 자계의 6심 및 욕계의 3심−가행득·생득의 선심과 통과심−과 아울러 무색계의 1가행득선심과 유학·무학의 마음이다. 곧 이것은 다시 10심으로부터 무간에 일어나니, 말하자면 위의로·이숙생을 제외한 자계의 4심 및 욕계의 2심−가행득선심과 통과심−과 아울러 무색계의 2심−가행득선심과 유부무기심−과 유학·무학의 마음이다.

생득선심은 무간에 8심을 낳으니, 말하자면 통과심을 제외한 자계의 5심 및 욕계의 2심−불선심과 유부무기심−과 아울러 무색계의 1유부무기심이다. 곧 이것은 다시 5심으로부터 무간에 일어나니, 말하자면 통과심을 제외한 자계의 5심이다.

유부무기심은 무간에 9심을 낳으니, 말하자면 통과심을 제외한 자계의 5심 및 욕계의 4심−2선심과 2염오심−이다. 곧 이것은 다시 11심으로부터 일어나니, 말하자면 통과심을 제외한 자계의 5심 및 욕계의 3심−생득선심과 위의로·이숙생심−과 아울러 가행득선심을 제외한 무색계의 3심이다.

이숙생심과 위의로심은 무간에 7심을 낳으니, 말하자면 가행득선심과 통과심을 제외한 자계의 4심 및 욕계의 2심−불선심과 유부무기심−과 아울러 무색계의 1유부무기심이다. 곧 이것은 다시 5심으로부터 무간에 일어나니, 말하자면 통과심을 제외한 자계의 5심이다. 통과심은 무간에 2심을 낳으니, 말하자면 자계의 2심, 즉 가행득선심과 통과심이다. 곧 이것도 역시 2심으로부터 무간에 일어나니, 말하자면 즉 앞에서 말한 자계의 2심이다.103

(3) 무색계의 마음

다음 무색계의 네 가지 마음에 대해 말하겠다. 가행득선심은 무간에 7심을 낳으니, 말하자면 자계의 4심 및 색계의 1가행득선심과 아울러 유학·무학의 마음이다. 곧 이것은 다시 6심으로부터 무간에 일어나니, 말하자면 이숙생을 제외한 자계의 3심 및 색계의 1가행득선심과 아울러 유학·무학의 마음이다.

....
103 이는 색계 6심의 상생관계를 밝히는 것이다.

생득선심은 무간에 7심을 낳으니, 말하자면 자계의 4심 및 색계의 1유부무기심과 아울러 욕계의 2심-불선심과 유부무기심-이다. 곧 이것은 다시 4심으로부터 무간에 일어나니, 말하자면 자계의 4심이다.

유부무기심은 무간에 8심을 낳으니, 말하자면 자계의 4심 및 색계의 2심-가행득선심과 유부무기심-과 아울러 욕계의 2심-불선심과 유부무기심-이다. 곧 이것은 다시 10심으로부터 무간에 일어나니, 말하자면 자계의 4심 및 색계의 3심-생득선심과 이숙생·위의로심-과 아울러 욕계의 3심인데, 그 (3심의) 명칭은 색계에서 말한 것과 같다. 이숙생심은 무간에 6심을 낳으니, 말하자면 가행득선심을 제외한 자계의 3심 및 색계의 1유부무기심과 아울러 욕계의 2심-불선심과 유부무기심-이다. 곧 이것은 다시 4심으로부터 무간에 일어나니, 말하자면 자계의 4심이다.104

⑷ 무루의 마음

다음 무루의 두 가지 마음에 대해 말하겠다. 유학의 마음으로부터는 무간에 6심이 생기니, 말하자면 3계 모두의 가행득선심 및 욕계의 생득선심과 아울러 유학·무학의 마음이다. 곧 이것은 다시 4심으로부터 무간에 일어나니, 말하자면 3계의 가행득선심 및 유학의 마음이다.

무학의 마음으로부터는 무간에 5심이 생기니, 말하자면 앞의 유학의 마음이 낳는 6심 중 유학의 마음 한 가지를 제외한 것이다. 곧 이것은 다시 5심으로부터 무간에 일어나니, 말하자면 3계의 가행득선심 및 유학·무학의 마음이다.105

⑸ 가행득선심과 생득선심에 관하여

다시 어떤 이유가 있기에 가행득선심은 무간에 이숙생·공교처·위의로의 마음을 낳을 수 있는데도, 그것들은 무간에 가행득선심을 낳는 것이 아닌가?106 세력이 열등하기 때문이니, 공용功用을 지어 일으켜진 것이 아니기

---

104 이는 무색계 4심의 상생관계를 밝히는 것이다.
105 이는 2무루심의 상생관계를 밝히는 것이다. 유학의 마음으로부터는 반드시 무학의 마음이 생기기 때문에 유학의 마음은 무학의 마음을 낳지만, 무학의 마음으로부터 물러나 유학의 마음을 일으키는 일은 반드시 없기 때문에 무학의 마음이 유학의 마음을 낳는 일은 없다.

때문이며, 즐거이 공용을 지어서 공교·위의의 일어남을 일으키기 때문에 가행득선심을 수순해 일으킬 수 없지만, 나오는 마음[出心]은 공용에 의하지 않고 일어나기 때문에 가행득선심은 무간에 그것들을 낳을 수 있다.107

만약 그렇다면 염오심도 무간에 가행득선심을 낳지 않아야 할 것이니, 서로 수순하지 않기 때문이다.108 비록 그러하지만, 번뇌의 현행을 싫어하여 요지하고자 함으로써 가행득선심을 일으킬 수 있다.109

욕계의 생득선심은 밝고 예리하기 때문에 그 유학·무학의 마음과 색계의 가행득선심으로부터 무간에 일어날 수 있지만, 공용을 지어 일으켜진 것이 아니기 때문에 이것으로부터 그런 마음들이 이끌려 생길 수는 없다.110 또 욕계의 생득선심은 밝고 예리하기 때문에 색계의 염오심으로부터 무간에 생길 수 있지만, 색계의 생득선심은 밝고 예리하지 못하기 때문에 무색계의 염오심의 무간에 일어나는 것이 아니다.111

....

106 이하 방해될 것을 해석하는데, 묻는 것이다. 무엇 때문에 가행득선심은 3무기심을 낳는데, 그것들은 가행득선심을 낳지 못하는가?

107 답이다. 이숙생심은 마음의 세력이 열등하기 때문이니, 공용을 지어 일으켜진 것이 아니기 때문이고, (공교처와 위의로는) 즐거이 공용을 지어서 공교·위의의 일어남을 일으키는 것이기 때문이다. 그래서 이 세 가지는 가행득선심을 수순해 일으킬 수 없다. (가행득선심에서) 나오는 마음[出心]은 공용에 의하지 않고 일어나는 것이기 때문에 그래서 가행득선심으로부터는 무간에 그 3무기심이 생길 수 있다.

108 힐난이다. 만약 그렇다면 염오심도 무간에 가행득선심을 낳지 않아야 할 것이니, 경계에 물들어 집착하므로 서로 수순하지 않기 때문이다.

109 답이다. 비록 서로 수순하지는 않지만, 번뇌가 자주 현행하는 것을 싫어하여 허물을 일으키는 경계를 요지하고자 함으로써 번뇌의 무간에 가행득선심을 일으키는 것이 인정된다.

110 욕계 산지散地의 산散의 생득선심은 강하며 밝고 예리하기 때문에 2무루심과 색계의 가행득선심으로부터 무간에 일어나지만, 뛰어난 공용에 의해 일으켜진 것이 아니기 때문에 이것으로부터 그 세 가지 마음을 낳을 수는 없다. 이에 비추어, 색계·무색계는 정지定地이기 때문에 산심과 생득선심은 열등하니, 이것(=색계의 생득선심)은 어둡고 열등하기 때문에 유학·무학의 마음과 다른 계의 가행득선심의 무간에 일어나는 것이 아니며, 공용을 지어 일으켜진 것이 아니기 때문에 이것으로부터 그런 마음들이 이끌려 생길 수 없다는 것을 알 수 있다.

111 다시 욕계의 생득선심은 밝고 예리해서 색계의 염오심으로부터 무간에 생길 수 있고, 상계의 선정을 방호할 수 있음을 나타낸 것이다. 그러나 색계의 생득

5. 다른 문에 의거한 상생관계

(1) 세 가지 작의와 성도의 상생관계

작의作意에는 세 가지가 있다. 첫째는 자상自相작의이니, 색은 변애變礙를 자상으로 함을 관찰하며 ‥‥ 식은 요별了別을 자상으로 함을 관찰하는 것과 같은, 이런 등의 관찰과 상응하는 작의를 말한다. 둘째는 공상共相작의이니, 16행상과 상응하는 작의를 말한다. 셋째는 승해勝解작의이니, 부정관不淨觀 및 4무량無量·유색해탈有色解脫·승처勝處·변처遍處, 이런 등의 관찰과 상응하는 작의를 말한다.112 이와 같은 세 가지 작의의 무간에 성도聖道가 현전하고, 성도의 무간에도 역시 세 가지 작의를 모두 일으킬 수 있으니, 만약 이런 말을 한다면, 곧 "부정관과 함께 행하여[俱行] 알아차림[念] 등의 각분覺分을 닦는다"라고 한 이런 말씀에 수순할 것이다.113

....

선심은 밝고 예리하지 못하기 때문에 이런 능력이 없다.

112 이하는 셋째 다른 문에 의거한 상생관계인데, 그 안에 나아가면 첫째 세 가지 작의로 성도에 들어가고 나오는 것에 대해 밝히고, 둘째 무학의 9지에서 나오는 마음을 밝히며, 셋째 네 가지 지혜로 성도에 들어가고 나오는 것에 대해 밝힌다. 이하 세 가지 작의에 대해 밝히는데, 거기에 나아가면 첫째 세 가지 작의를 밝히고, 둘째 상이한 학설을 서술하는데, 이는 곧 세 가지 작의를 밝히는 것이다. 작의의 작용이 강하면 치우쳐 작의라고 표방하지만, 느낌 등이 없는 것은 아니다. 가상관假相觀(=가상에 대한 관찰) 중 승해가 역시 강하기 때문에 승해라고 표방한 것이다. 공상작의는 이치의 실제로는 유루·무루에 통하지만, 여기에서는 이미 성도(=무루)에 들어가고 나오는 것을 밝히려고 3작의를 밝히는 것이므로 모두 유루이다. 부정관·무량·승처·변처는 오로지 가상假想이고, 해탈은 가·실에 통하지만, 유색해탈이라고 말함으로써 (8해탈 중) 앞의 3해탈을 표방한 것은 오직 가상이기 때문이니, 무색해탈은 가·실에 통하기 때문에 '유색'이라고 말한 것이다. # 본문 중 '16행상'은 4성제의 진리성을 4성제 각각에 대해 네 가지씩으로 관찰하는 것임은 뒤의 제23권 중 게송 18c에 관한 논설과 제26권 중 게송 13에 관한 논설 각각 참조. '부정관'에 대해서는 뒤의 제22권 중 게송 10~12와 그 논설, '4무량·8승처·10변처·8해탈'에 대해서는 뒤의 제29권 중 29~36과 그 논설 각각 참조.

113 이하는 둘째 상이한 학설을 서술하는 것인데, 모두 3논사가 있다. 이는 곧 첫 논사의 설인데, 세 가지(작의)로 (성도에) 들어가고, 세 가지로 나온다고 한다. 만약 세 가지로 들어간다고 말한다면, 곧 경(=잡 [27]27:741 부정관경)에서 "부정관과 함께 행하여 알아차림 등 무루의 각분을 닦는다"라고 한 말씀에 수순하는 것이다. 여기에서 '함께[俱]'라는 말은 무간이라는 뜻을 나타내니, 전후 함께 한다는 것이다. 이 글은 우선 승해작의로 성도에 들어갈 수

어떤 다른 논사는 말하였다. "오직 공상작의로부터만 무간에 성도가 현전하고, 성도의 무간에는 공통으로 세 가지 작의를 일으킨다. 부정관을 닦아 마음을 조복한 뒤라야 비로소 공상작의를 견인해 낳을 수 있고, 이것으로부터 무간에 성도가 현전하니, 이렇게 전해지고 전해졌다는 은밀한 뜻에 의했기 때문에 '부정관과 함께 행하여 알아차림 등의 각분을 닦는다'라고 설한 것이다."114

어떤 다른 논사는 다시 말하였다. "오직 공상작의로부터만 무간에 성도가 현전하고, 성도의 무간에도 오직 공상작의만을 일으킬 수 있다."115 만약 그렇다면 미지정未至定 등의 3지地에 의지해 정성이생正性離生에 증입證入함이 있었을 때에는 성도의 무간에 욕계의 공상작의를 낳을 수 있겠지만, 제2·제3·제4정려지에 의지해 정성이생에 증입했을 경우 성도의 무간에 어떤 작의를 일으키겠는가? 욕계의 공상작의를 일으키는 것은 아닐 것이니, 지극히 멀기 때문이다. 그 지에 일찍이 획득된 공상작의가 이미 있었다고 해도 일찍이 획득된 순결택분順決擇分과 다른 것이 아닐 것인데, 모든 성자에게 순결택분이 다시 현전할 수 있는 것은 아니니, 과보를 획득한 뒤 거듭 가행도를 일으킬 것은 아니기 때문이다.116

....

있다는 것을 증명하는 것이지만, 만약 견도에 대해서라면 오직 공상작의만으로 들어가고, 통틀어 세 가지로 나오며, 만약 수도와 무학도에 대해서라면 공통으로 3작의로 들어가고, 3작의로 나온다.

114 이는 곧 제2의 다른 학설인데, 한 가지로 들어가고 세 가지로 나온다고 한다. 앞에서 인용한 경에 대해 회통하기를, '함께 행한다'고 한 것은 전전하여 멀리 함께 한다[展轉遠俱]는 것이지, 무간에 함께 한다는 것이 아니라고 말한다.

115 이는 제3의 다른 학설로서, 공상작의로부터 들어가고, 공상작의로 나온다는 것이다.

116 논주가 제3논사를 논파하면서, 공상작의로만 나올 수 있다고 했으니, 미지정 등 3지는 가깝기 때문에 욕계의 공상작의를 일으킬 수 있다고 하였다. (문)『대비바사론』제11권(=대27-53중)에서는 다시 이 논사를 힐난하면서, 무엇 때문에 미지정의 1지만을 말하고, (이 논서처럼) 3지를 말하지 않았는가? (해) 구사론사도 미지정에 의한 경우만 말해야 할 것인데도 3지를 말한 것은, 우선 가정적으로 3지를 인정한 것(=중간정려·초정려도 역시 욕계와 가깝기 때문)이니, 이는 곧 3지를 1지와 같게 한 것이다. 만약 이런 해석을 한다면 단지『대비바사론』에 수순할 뿐만 아니라, 아라한의 출심出心은 미지정에 의지한 경우에만 욕계의 마음을 일으킨다고 하는 것(=이어지는 (2)의 글 참

만약 "순결택분과 때를 같이 해서 이미 닦은 별도의 공상작의가 있는데, 그것에 매여 속한 것으로서 그것의 부류이기 때문에 성도의 무간에 그것을 견인해 현전하게 하니, 예컨대 형성된 모든 것은 모두 무상한 것이라고 관찰하고, 일체법은 모두 나가 아닌 것이며, 열반은 적정이라고 관찰하는 것과 같은 것이다"라고 말한다면,117 비바사 논사들은 이런 뜻을 인정하지 않으니, 바른 이치에 어긋나기 때문이다.118

(2) 무학의 9지에서 나오는 마음

만약 미지정에 의지해 아라한과를 얻었다면, 그 후 출관出觀하는 마음은 곧 그 지地나 욕계의 마음이다. 무소유처에 의지해 아라한과를 얻었다면,

....
조)에도 역시 수순하는 것이다. 만약 제2·제3·제4정려지에 의했다면, 멀기 때문에 욕계의 공상작의를 일으킬 수 있는 것이 아니다. 이와 같은 공상작의가 만약 정지定地라면 곧 순결택분(=견도 전의 4선근)에 포함될 것인데, 성과를 획득한 뒤에 그런 순결택분의 선심을 일으킬 수는 없고, 만약 정지가 아니라면 욕계에 포함될 것인데, 제2정려지 등에 의지했을 경우 이미 욕계의 공상작의를 일으킬 수 없었다. 그렇다면 이치상 곧 나머지 두 가지 작의를 일으킬 것이다. 비록 그 지에 과거에 일찍이 닦은 공상작의의 수승한 선근이 있었다고 해도 생을 거치면서 버렸기 때문에 지금 생기하는 것은 결택분에 포함되는 것이다.

117 (셋째 논사의) 변론을 옮겨온 것이다. 그대가 만약, "순결택분 단계의 중간에 같은 부류의 세 가지 공상관 닦음을 얻었는데, 그것에 매여 속한 것이지만, 개별적으로 사성제를 반연하는 것이 아니므로 순결택분이라고 이름하지 못하며, 그 단계에서 닦은 것이기 때문에 일찍이 획득된 것에 포함되는 것이다. 이런 공상관을 견인해 일으켜서 현전하게 한다"라고 말한다면.

118 변론을 논파하는 것이다. 그 뜻은, 순결택분에서 16행상의 부분적인 관찰[部分觀]을 하는 것은 오직 같은 부류의 16행상을 닦을 뿐이니, 그 세 가지(=제행무상·일체비아·열반적정)는 비록 공상이기는 하지만, 크게 전체적인 것[太總]은 닦지 않기 때문에 바른 이치에 어긋난다고 말한 것이다. 또 해석하자면 이것은 그것의 부류이기 때문이며 그것에 매여 속한 것이기 때문에 이치상 역시 일으키지 않아야 하는 것이기 때문에 바른 이치에 어긋난다고 말한 것이다. 그래서『순정리론』제20권(=대29-455상)에서 말하였다. "이 변론은 이치가 아니다. 가행도에서 닦은 작의에 매여 속하는 것이라면 성과를 획득한 뒤 견인해 현전시킬 것이 아니니, 그것의 부류이기 때문이다."

이 논서의 3설 중 첫 논사가 바른 것이라고 하겠다. 제2 논사의 뜻은, 견도에 의거해 공상작의로 들어가고 세 가지로 나온다고 한 것은 또한 바른 것이라고 할 수 있지만, 수도와 무학도에도 공상으로만 들어가고 세 가지로 나온다고 하기 때문에 역시 훌륭한 것이 아니다.

그 후 출관하는 마음은 곧 그 지나 유정처의 마음이다. 만약 나머지 지에 의지해 아라한과를 얻었다면, 그 후 출관하는 마음은 오직 자지自地의 마음일 뿐, 나머지 지는 아니다.119

(3) 네 가지 지혜와 성도의 상생관계

욕계 중에는 세 가지 작의가 있으니, 첫째 문소성聞所成의 작의, 둘째 사소성思所成의 작의, 셋째 생소득生所得의 작의이다. 색계에도 역시 세 가지 작의가 있으니, 첫째 문소성의 작의, 둘째 수소성修所成의 작의, 셋째 생소득의 작의이다. 사소성의 작의는 없으니, 마음을 들어 사유하려고 하면 그 때 곧 선정에 들기 때문이다. 무색계에는 두 가지 작의만 있으니, 첫째 수소성의 작의, 둘째 생소득의 작의이다.

이 중 생소득의 작의를 제외한 다섯 가지 작의의 무간에 성도가 현전하니, 성도는 가행하는 마음에 매여 속하기 때문이다. 성도는 무간에 욕계 생

....

119 이는 무학의 9지에서 나오는 마음을 밝히는 것이다. 만약 몸이 욕계에 있으면서 미지정에 의지해 아라한과를 얻었을 경우, 그 후에 출관하는 마음은 만약 그 선정에 자재를 얻은 자라면 곧 그 지의 마음이고, 만약 그 선정에 자재를 얻지 못했다면 욕계의 마음을 일으킨다. 만약 몸이 유정처에 태어나서 무소유처에 의지해 아라한과를 얻었다면, 그 후 출관하는 마음은 결정코 유정처의 것이고, 반드시 하지의 유루심을 일으킬 수는 없다. 왜냐하면 이숙생의 마음은 다른 지에 일어나는 일이 없으니, 하지의 번뇌를 이미 끊어서 현행하지 않으며, 또 하지의 선의 유루심도 일으키지 않기 때문에 결정코 그 유정지의 선심을 일으키는 것이다. 만약 몸이 하지에 태어나 있으면서 무소유처에 의지해 아라한과를 얻었다면 곧 그 지(=무소유처)의 마음으로 나오지, 다른 지는 아니니, 그 지에 대해 자재를 얻었기 때문이다. 만약 중간의 나머지 지에 의지해 아라한과를 얻었다면 그 후 출관하는 마음은 오직 자지의 마음만을 일으키지, 다른 지의 마음이 아니니, 모두 그 지에 대해 자재를 얻었기 때문이다. 그래서 곧 그 지의 마음으로 나오고, 다른 지의 마음으로 나오는 일은 없다. (문) 만약 제2정려 등에 의지해 아라한과를 얻었다면, 그 후 출관하는 마음은 어째서 혹은 그 지, 혹은 하지를 일으키지 않는가? (해) 욕계의 산심은 강하고, 중생들은 시작도 없이 그 안에 많이 태어나서 자주자주 계속 익혀서 일으킬 때 곧 쉬우므로, 미지정에 의지하되 자재를 얻지 못한 자가 있다면 욕계의 산심을 일으킨다고 인정된다. 그러나 위의 2계의 정심 및 산심은 유정이 시작도 없이 거기에 많이 태어나지 않았으므로, 최초의 무학과 후에 다른 지의 마음을 낳는 것이라면 일으킬 때 곧 어렵지만, 당해 지[當地]는 곧 쉽기 때문에 제2정려 등에 의지해 무학과를 얻었을 경우 뒤에 출관하는 마음은 오직 자지에 의지할 뿐, 하지의 정심 및 산심에 의지하지 않는다.

소득의 작의도 역시 일으킬 수 있으니, 밝고 예리하기 때문이다.120

　　제2항 획득되는 마음의 다소

1. 획득되는 마음

　앞에서 말한 12심 중 어느 마음이 현전할 때 몇 가지 마음이 획득될 수 있는가?121 게송으로 말하겠다.

74 3계의 염오심 중에서는[三界染心中]
　6심, 6심, 2심을 획득할 수 있고[得六六二種]
　색계의 선심은 3심을, 유학의 마음은 4심을[色善三學四]
　나머지는 모두 자신만을 획득할 수 있다[餘皆自可得]122

　논하여 말하겠다. 욕계의 염오심이 바로 현전하는 단계에서는 12심 중 6심을 획득하는 것이 인정되니[容得], 그것들은 먼저 성취하지 않았던 것을 지금 획득 성취하기 때문이다. 의속선疑續善 및 계퇴환界退還에 의해 욕계의 선심을 그 때 획득한다고 이름하고, 기혹퇴起惑退 및 계퇴환에 의해 욕계의 2심－불선심과 유부무기심－을 획득하며, 아울러 색계의 유부무기심 한 가지도 획득하고, 기혹퇴에 의해 무색계의 유부무기심 한 가지를 획득하며, 아울러 유학의 마음도 획득한다. 그래서 6심을 획득한다고 이름한 것이다.123

----

120 이는 곧 셋째 네 가지 지혜로 성도에 들어가고 나오는 것에 대해 밝히는 것이다. 욕계는 산심의 지이기 때문에 수혜가 없고, 색계에 사혜가 없는 것은 글대로 이해할 수 있을 것이며, 무색계에 사혜가 없는 것은 색계에서 해석하는 것과 같고, 거기에는 귀로 듣는 것이 없기 때문에 문혜도 없다. 전체적으로 말한다면 이 8지혜 중 5지혜로 들어가고, 6지혜로 나온다.

121 이하는 큰 글(＝따로 등무간연에 대해 밝히는 글)의 둘째 획득되는 마음의 다소에 대해 밝히는 것인데, 앞을 옮겨와서 물음을 일으켰다.

122 답 안에 나아가면 첫째 획득되는 마음을 밝히고, 둘째 다른 학설을 서술하고 전체적으로 비판하며, 셋째 전체적으로 위의 뜻을 게송으로 나타내는데, 이하에서 획득되는 마음을 바로 밝힌다. 위의 3구는 겸하여 성취하는 것을 밝히고, 아래 1구는 자신을 성취한다는 것을 밝히는 것이다.

색계의 염오심이 바로 현전하는 단계에서는 12심 중 역시 6심을 획득한다. 계퇴환에 의해 욕계의 무부무기심 한 가지 및 색계의 3심을 획득하는데, 색계의 염오심은 기혹퇴에 의해서도 또한 획득되며, 기혹퇴에 의해 무색계의 유부무기심 한 가지를 획득하고, 아울러 유학의 마음도 획득한다. 그래서 6심을 획득한다고 이름한 것이다.124

....

123 여기에서의 뜻이 말하는 것은, 12심 중 먼저 성취하지 않았던 것을 지금 획득 성취하는 것을 말하여 획득한다고 이름하고, 후에는 비록 자신의 종류의 마음을 새로이 얻는다고 해도 획득한다고 이름하지 않는다는 것이니, 먼저 이미 획득했던 것이기 때문이다. 여기에서는 전체적인 모습[總相]에 의거해 말하므로, 모두 성립되는 것은 아님을 나타내려고, 그 때문에 '획득하는 것이 인정된다[容得]'라고 말한 것이다. 욕계의 염오심이 6심을 획득하는 것은 모두 3단계에 의하는데, 첫째는 의속선(=선근을 끊었던 자가 의심에 의해 선근을 상속하는 것), 둘째는 계퇴환(=상계에서 명종하여 하계에 태어나는 것), 셋째는 기혹퇴(=상계·상지의 번뇌를 끊었던 자가 후에 다시 하계·하지의 번뇌를 일으켜 물러나는 것)이다. 욕계의 선심은 두 가지 연에 의해 획득되니, 첫째 의속선에 의한 것(=단선근의 원인이었던 인과부정에 대한 의심은 염오심이고, 이어지는 선근은 욕계의 생득선심)이고, 둘째 상계에서의 퇴환(=예컨대 무색계에서 죽어 욕계에 태어날 때 중유의 첫찰나의 염오심에 이어 욕계의 생득선심을 법전득에 의해 획득할 경우)이다. 욕계의 2염오심은 두 가지 연에 의해 획득되니, 첫째 기혹퇴에 의한 것이고, 둘째 상계에서의 퇴환에 의한 것이다. 색계의 유부무기심도 역시 두 가지 연으로 획득되니, 첫째 욕계의 번뇌를 일으켜 물러남에 의한 것이고, 무색계에서의 퇴환에 의한 것이다. 무색계의 유부무기심 및 유학의 마음은 오직 기혹퇴에 의할 뿐이다. 그래서 6심을 획득한다고 이름한 것이다. (문) 계퇴환할 때 얻는 욕계의 선심은 생득선심만을 획득하는가, 가행득선심도 역시 획득하는가? (해) 생득선심만을 획득한다. 또 해석하자면 가행득선심도 계속 익힌 자라면 역시 획득한다. 『대비바사론』 제11권(=대27-54중)에 이런 양 설이 있는데, 논평의 글은 없다.

124 색계의 염오심이 6심을 획득하는 것을 밝히는 것이다. 2단계에 의해 획득하는데, 첫째 계퇴환, 둘째 기혹퇴이다. 욕계의 무부무기인 통과심 및 색계의 선심과 무부무기심은 무색계에서의 퇴환에 의해 획득하고, 색계의 염오심은 2연으로 획득되니, 첫째는 계퇴환에 의해 획득되고, 둘째 기혹퇴에 의해 획득되며, 무색계의 유부무기심 및 유학의 마음은 기혹퇴에 의해서만 획득된다. 그래서 6심을 획득한다고 이름한 것이다. (문) 물러나 3계의 번뇌를 일으킬 때 어떤 마음의 무간에 그 번뇌를 일으키는가? (해) 『대비바사론』 제61권(=대27-314상)에서 말하는 것과 같다. "어떤 마음의 무간에 번뇌를 일으켜 현전하게 하는가는, 만약 비상비비상처의 염오를 필경 떠났지만, 그 지의 전纏을 일으켜 현전케 했기 때문에 물러난 자라면, 곧 그 지의 선심의 무간에 번뇌를 일으켜 현전하게 하는 것이고, 만약 비상비비상처의 염오를 아직 필경 떠나지

무색계의 염오심이 바로 현전하는 단계에서는 12심 중 2심만을 획득한다. 기혹퇴에 의해 그 계의 염오심을 획득하고, 아울러 유학의 마음도 획득한다. 그래서 2심을 획득한다고 이름한 것이다.[125]

색계의 선심이 바로 현전하는 단계에서는 12심 중 3심을 획득하는 것이 인정된다. 말하자면 그 계의 선심 및 욕계·색계의 무부무기심이니, 승진昇進에 의하기 때문이다.[126]

....

못해서 그 지의 전을 일으켜 현전케 했기 때문에 물러난 자라면 곧 그 지의 선심이나 염오심의 무간에 번뇌를 일으켜 현전하게 하는 것이다. 나아가 초정려에 이르기까지도 역시 그러하다고 알아야 한다. 만약 욕계의 염오를 필경 떠났지만, 욕계의 전을 일으켰기 때문에 물러난 자라면 곧 욕계의 선심이나 무부무기심의 무간에 번뇌를 일으켜 현전하게 하는 것이고, 만약 욕계의 염오를 아직 필경 떠나지 못해서 욕계의 전을 일으켰기 때문에 물러난 자라면 곧 욕계의 선심이나 염오심이나 무부무기심의 무간에 번뇌를 일으켜 현전하게 하는 것이다. 이 중 만약 근본선정려根本善靜慮(=청정[淨] 및 무루의 근본정려를 가리킴은 뒤의 제28권 중 게송 ⑬a와 그 논설 참조)와 무색정이 현전함을 아직 얻지 못한 자라면, 그는 능히 색계·무색계의 전을 일으켜 현전케 하기 때문에 물러나는 것이 아니라, 단지 욕계의 전을 일으켜 현전케 하기 때문에 물러날 뿐이다. 만약 근본선정려의 현전함을 얻었지만, 무색정은 그렇지 못한 자라면, 그는 능히 무색계의 전을 일으켜 현전케 하기 때문에 물러나는 것이 아니라, 단지 욕계·색계의 전을 일으켜 현전케 하기 때문에 물러날 뿐이다. 만약 선본선정려와 무색정의 현전함을 얻은 자라면, 그는 능히 3계의 전을 일으키기 때문에 물러나는 것이다.』『대비바사론』에서 욕계에서 물러날 때 무기심의 무간에 능히 염오심을 일으킨다고 말했는데, 1설은 3무기심이라고 하였고, 1설은 이숙생을 제외한 2무기심이라고 했는데, 논평한 분은 없다.

125 무색계의 염오심은 2심을 획득하는 것을 밝히는 것이다. 말하자면 무색계의 염오심 및 유학의 마음인데, 1단계에만 의하니, 기혹퇴로 획득하는 것을 말하는 것이다.

126 색계의 선심은 3심을 획득하는 것이 인정됨을 밝히는 것이다. 2단계의 의해 획득하는데, 첫째 입정에 의해, 둘째 이염에 의해서이다. 말하자면 모든 이생은 처음으로 욕계를 조복해서 미지정에 들어갈 때 색계의 선심을 획득하고, 다시 욕계의 염오를 떠났기 때문에 제9해탈도에서 근본정을 얻을 때 욕계·색계의 2통과심을 획득한다. 이와 같은 2단계에서 욕계로부터 색계로 들어가는 것과 가행으로부터 근본에 들어가는 것은 모두 승진昇進이라고 이름한다. 유학의 마음을 획득했다고 이름하지 못하는 까닭은, 마치 세제일법이 현재에 있을 때에는 아직 유학의 마음을 이루지 못한 것처럼, 고법지인이 현재에 이르렀을 때라면 그 때에도 또한 색계의 선심이 앞에 나타나 있는 것은 아니기 때문에 색계의 선심이 유학의 마음을 획득한 것이 아닌 것이다. 이로써 여기에서 '득'이라는 말은 성취를 나타내는 것임을 알 수 있다.

유학의 마음이 바로 현전하는 단계에서는 12심 중 4심을 획득하는 것이 인정된다. 말하자면 유학의 마음 및 욕계·색계의 무부무기심과 아울러 무색계의 선심이다. 처음으로 정성이생에 증입證入했기 때문이며, 아울러 성도에 의해 욕계·색계의 염오를 떠났기 때문이다.127

'나머지'는 앞에서 말한 염오 등의 마음의 나머지를 말하는 것인데, 그런 마음이 바로 현전하는 단계에서 획득하는 마음의 차별을 말하지 않는 것은, 그런 마음이 바로 현전하는 단계에서는 오직 자신만을 얻을 수 있다고 알아야 한다는 것이다.128

2. 다른 학설

어떤 다른 분은 이에 대해 전체적으로 말하면서, 게송으로 말하였다. "지혜로운 분은 말했네, 염오심이[慧者說染心] 현기할 때에는 9심을 획득하고 [現起時得九] 선심 중에서는 6심을 획득하며[善心中得六] 무기심은 무기심만 획득한다고[無記唯無記]"129

....

127 유학의 마음은 4심을 획득한다는 것을 밝히는 것이다. 2단계에 의해 획득하는데, 첫째 입정에 의해 획득하고, 둘째 이염에 의해 획득한다. 처음 정성이생에 증입함에 의해 고법지인이 현전할 때 유학의 마음을 획득하는데, 이는 입정에 의하고, 또 성도에 의한 것이다. 욕계의 염오를 떠나 제9해탈도에서 근본정을 얻을 때라면 욕계·색계의 2통과심을 획득하고, 만약 성도로써 색계의 염오를 떠날 때라면 무색계의 선심을 획득한다.

128 '나머지'란 앞에서 말한 염오 등 마음의 나머지이니, 말하자면 3계의 3무부무기심, 욕계·무색계의 선심 및 무학의 마음이다. 그 여섯 가지 마음이 바로 현전하는 단계에서 획득하는 마음의 차별에 대해 말하지 않는 것은, 그것들은 오직 자신만을 얻고, 다른 것을 아울러 획득하는 것이 아니어서이다.

129 이하에서 둘째 다른 학설을 서술하고 전체적으로 비판하는데, 이는 곧 논주가 『잡아비담심론』(=제9권, 대28-945상)의 논사의 설(=승가발마僧伽跋摩 등이 번역한 현존본에는 표현이 달라, "若得九種法 當知穢汚心 善心得六種 無記卽無記"라고 표현되어 있다)을 서술하는 것이다.

　　염오심은 9심을 획득한다고 했는데, 이 논서의 글과도 상반되지 않는다. 이 논서에서는 3계의 염오심에 의거했는데, 중복해 말한 것에도 아울러 의거하면, 말하자면 욕계의 염오심은 6심을 획득하고, 색계의 염오심은 6심을 획득하며, 무색계의 염오심은 2심을 획득한다는 것이다. 명칭은 앞에서 말한 것과 같은데, 합치면 14심을 획득한다. 잡심론사는 중복된 것을 제외하고, 단독[單]인 것에 의거해 9심만을 획득한다고 한 것이다. 9심이라고 말한 것은 말하자면 욕계의 4심, 색계의 3심, 무색계의 염오심 및 유학의 마음이니, 이것들을 선심 중에서는 7심을 얻는다고 말해야 할 것이니, 말하자면 정견正見에 의해 선근을 이을 때 욕계의 선심이 일어나는 단계는 획득한다고 이름할 것이다. 욕계의 염오를 떠나는 구경위究竟位 중에서는 욕계·색계의 무부무기심을 단박에 획득하며, 색계·무색계의 삼매를 얻을 때 그 2계의 선심이 획득된다고 이름할 것이다. 처음 정성이생[離生]의 단계에 들 때와 아라한과를 증득할 때 유학·무학의 마음을 획득한다고 이름할 것이다. 나머지는 앞의 해석에 준하여 그 모습을 알아야 할 것이다.130

....

9심이라고 이름한 것이다. 이 논서에서의 14심 중 중복된 5심을 제외했는데, 중복된 5심이란 말하자면 색계의 염오심은 두 번 획득되니, 욕계의 염오심일 때 획득되는 것과 색계의 염오심일 때 획득되는 것이므로, 1심은 제외해야 하고, 무색계의 염오심 및 유학의 마음은 각각 세 번 획득되니, 말하자면 각각 3계의 염오심일 때 획득되므로, 각각 2심을 제외해야 한다. 이를 앞에 보태면 5심이 되니, 이 때문에 이 논서에서는 14심을 말했고, 『잡심론』에서는 9심을 말한 것이다. 각각 한 가지 뜻에 의거했어도, 방해되는 것은 없다.

선심은 6심을 획득한다고 했는데, 이 논서의 앞의 글에서 중복해 말한 것에도 아울러 의거하면 모두 7심이 있다고 말하였다. 말하자면 색계의 선심이 획득하는 세 가지(=색계의 선심 및 욕계·색계의 무부무기심)와 유학의 마음이 획득하는 네 가지(=유학의 마음 및 욕계·색계의 무부무기심과 무색계의 선심)인데, 명칭은 앞에서 말한 것과 같다. 잡심론사는 중복된 것을 제외하고 단독인 것에 의거해 여섯 가지가 있다고 말했는데, 여섯 가지라고 말한 것은, 말하자면 욕계의 무부무기, 색계의 선과 무부무기, 무색계의 선 및 유학·무학의 마음이니, 그래서 6심을 획득한다고 이름한 것이다. 이 논서의 6심 중 중복된 2심을 제외했는데, 중복된 2심이라고 말한 것은 말하자면 욕계·색계의 무부무기심은 각각 두 번 획득되니, 말하자면 색계의 선심과 유학의 마음이 욕계의 염오를 떠날 때 각각 욕계·색계의 2무부무기심을 획득하는 것이다. 각각 1무부무기심을 제외하여 나머지 5심을 취했고, 그리고 무학의 마음을 취했기 때문에 6심이라고 이름한 것이다. 무기심은 무기심만 획득한다고 한 것은, 3계의 세 가지 무부무기심이 현전할 때에는 다만 자체만을 성취할 뿐, 다른 것을 겸할 수 없으니, 세력이 열등하기 때문이다. 그래서 무기는 무기만을 획득한다고 말한 것이다.

130 이는 곧 논주가 전체적으로 비판하는 것이다. 염오심의 경우 단독인 것에 의거해 9심만을 말하고, 무기는 자신만이라고 말한 것은 모두 방해될 것이 없지만, 선심의 경우 단독인 것에 의거해 6심을 획득한다고 한 것은 너무 적으니, 선심 중에서는 7심을 획득한다고 말해야 할 것이다. 말하자면 정견에 의해 선근을 이을 때 욕계의 선심이 일어나는 단계는 획득한다고 이름해야 하니, 이것이 곧 하나가 된다. 욕계의 염오를 떠난 제9해탈도의 구경위 중에서는 욕계·색계의 2무부무기심을 단박에 획득하니, 앞에 더하면 세 가지가 된

앞의 뜻을 포함하기 위해 다시 게송을 읊어 말하겠다.

1 탁생할 때, 입정할 때[由託生入定]
  및 이염할 때, 물러날 때와[及離染退時]
  속선 단계에서 획득되는 마음은[續善位得心]
  먼저 성취했던 것이 아니기 때문이다[非先所成故]131

....
다. 2계(=색계·무색계)의 선정을 얻을 때 그 2계의 선심을 획득한다고 이름
하니, 앞에 더하면 다섯 가지가 된다. 처음 정성이생의 단계에 들 때 유학의
마음을 획득하고, 아라한과를 얻을 때 무학의 마음을 획득하니, 앞에 더하면
일곱 가지가 된다. 잡심론사가 앞의 정견으로 선근을 잇는 경우 한 가지를 말
하지 않고, 여섯 가지를 획득하는 것만 말한 것은, 너무 적은 허물인 것이다.
나머지 염오심과 무기심은 앞에 준해 해석하고, 그 모습을 알아야 할 것이다.
131 이는 곧 셋째 앞의 뜻을 거듭 노래하는 것이니, 획득되는 마음의 차별에 관
한 앞의 뜻을 포함하기 위해 다시 게송을 읊어 말하는 것이다. 첫째 탁생할
때이니, 계퇴환을 말하는 것이다. 둘째 입정할 때이니, 색계의 선심과 유학의
마음을 말하는 것이다. 셋째 염오를 떠날 때이니, 욕계·색계의 염오를 떠나는
것을 말하는 것이다. 넷째 물러날 때이니, 기혹퇴할 때를 말하는 것이다. 다섯
째 선근을 잇는 단계이니, 의속선을 말하는 것이다. 이 다섯 가지 중 앞의 한
가지와 뒤의 두가지는 오직 염오심이고, 중간의 두 가지 입정과 이염은 오직
선심이다. 이 5단계에 의해 획득되는 마음의 차별은 앞에서 갖추어 말한 것과
같다. 여기에서 '득'이라는 말은 먼저 성취했던 것이 아니라, 지금 획득 성취
하는 것이기 때문이다. # 이 설명에 의해 알 수 있듯이 이 게송은 논주가 지
은 것이기는 하지만, 기본 게송에 있던 것이 아니라 논설을 위해 추가한 것이
므로, 기본 게송의 연번을 부여하지 아니하였다.

보광의 구사론기에 의한

아비달마구사론 上

역자 김윤수

초판 1쇄   2024년 11월 10일

펴낸이 김윤수
펴낸곳 한산암
등   록 2009년 3월 30일 제563-251002009000004호
주   소 경기 용인시 기흥구 동백2로108, 108동 102호
전   화 0505 2288555
이메일 yuskim51@naver.com
총   판 운주사 (02 3672 7181~4)

ⓒ 김윤수, 2014
ISBN 979-11-85183-08-4 94220
        979-11-85183-07-7 94220(세트)

이 책은 저작권법에 의해 보호를 받는 저작물이므로
무단 전재와 무단 복제를 금합니다.
값 전3권 1세트 100,000원
잘못 만든 책은 바꿔 드립니다.